S0-AWM-031

ケベック
Quebec

モントリオール
Montreal

MAINE

ヒューロン湖

VERMONT

NEW
HAMPSHIRE

トロント☆
Toronto

オンタリオ湖

NEW YORK

MASSACHUSETS

☆Portland

ボストン(P.712)
Boston

ナイアガラ・フォールズ
(P.530)
Niagara Falls

RHODE ISLAND

CONNECTICUT

HIGAN

デトロイト(P.519)
Detroit

エリー湖

クリーブランド(P.510)
☆Cleveland

PENNSYLVANIA

ニューヨーク(P.652)
☆New York

NEW JERSEY

フィラデルフィア(P.744)
Philadlphia

ピッツバーグ(P.497)
☆Pittsburgh

OHIO

ンディアナポリス(P.480)
dianapolis

MARYLAND ☆Baltimore

DELAWARE

ワシントン DC(P.758)
Washington, DC

☆シンシナティ(P.488)
Cincinnati

WEST
VIRGINIA

Richmond

☆Louisville

VIRGINIA

ENTUCKY

APPALACHIAN MOUNTAINS

アパラチアン山脈

shville

NORTH CAROLINA

大西洋

ESSEE

☆Charlotte

ngham

SOUTH
CAROLINA

アトランタ
(P.546)
Atlanta

☆Charleston

GEORGIA

Savannah

☆Jacksonville

FLORIDA

Tampa

オーランド(P.590)
☆Orlando

マイアミ(P.624)
Miami

バハマ

キーウエスト(P.640)
Key West

キューバ

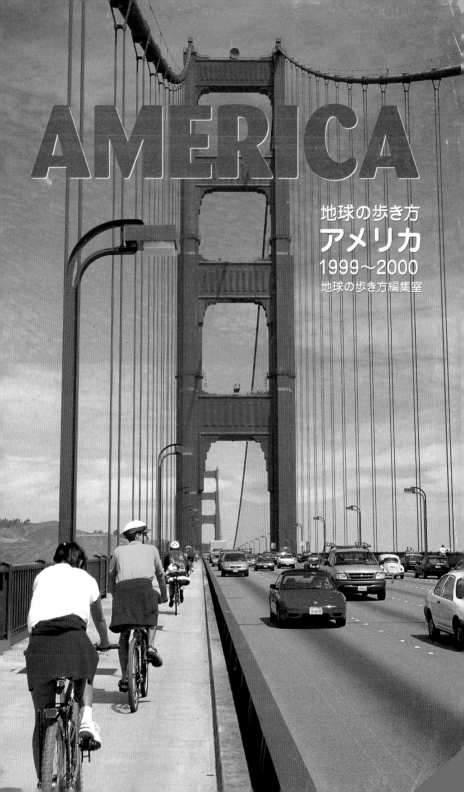

AMERICA

地球の歩き方
アメリカ
1999〜2000
地球の歩き方編集室

アメリカの ランドマークに 会いに行こう

Landmark

白い霧と紺碧の太平洋、オレンジ色のコントラストが、
まるで絵の世界のような

ゴールデンゲート・ブリッジ
Golden Gate Bridge

橋の全景を見るなら、霧がまだあまり出ていない朝のうちがいい

ニューヨークの自由の女神にサンフランシスコのゴールデンゲート・ブリッジ、ラスベガスのネオンサインとフロリダのディズニーワールド……。

あなたのアメリカ旅行への夢をかき立ててくれるものはなんだろう。この町へ行ったら、これを絶対に見なくちゃ、というものを誰もがもっているはず。よく

アメリカでは、その町を象徴する、目印となるような建物のことを"ランドマークLandmark"という。あなたのイメージしているものと、ランドマークはきっと、一致しているはず。

行きたいと思った瞬間から、旅は始まっている。さぁ、ランドマークに会いにアメリカへ旅立とう。

その壮麗な姿から"世界一美しい橋"と賞賛されているゴールデンゲート・ブリッジ。4年の歳月と3,500万ドルの工費をかけて、1937年に完成した。橋の全長は2,789メートル。風速160キロメートルの風にも耐えられる橋の建設は、当初"Unbuildable Bridge（建設不可能な橋）"といわれていた。

橋には歩道があり、風が強くなければ40分ほどで歩ける。実際に歩いて渡る観光客の数は驚くほど多い。フィッシャーマンズ・ワーフあたりで自転車を借りて、橋を渡るのもまた一興。

※詳しくは、地球の歩き方58「サンフランシスコ」編を参照

★定価
本体1,640円+税

フィッシャーマンズ・ワーフは一年中観光客でにぎわっているところ。ここでは茹でたてのカニをその場で食べるのがおいしい

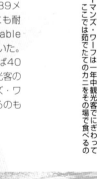

ゴールデンゲート・ブリッジを渡ったサウサリート側から眺めるサンフランシスコの景色

内装も豪華な、映画の都No.1の映画館

チャイニーズ・シアター
Mann's Chinese Theater

映画のプレビューのときは、出演者もよく顔を出すというチャイニーズ・シアター

ハリウッドに建つ中国寺院風建築物は、実は映画館。新作映画の封切り館として、常に話題の作品が上映されているチャイニーズ・シアターだ。映画はもちろんのこと、ここで人気を集めているのは、映画館前のコンクリートに残された大スターたちの手型や足型、サインだ。古くはハンフリー・ボガートからはじまり、マリリン・モンロー、アーノルド・シュワルツェネッガー、ドナルドダックなど約200人の名優たちが集う。ここに集まる観光客を見ていると、「映画大国アメリカ」を本当に実感させてくれる。

スターの手と自分の手を比べてみよう

ロスアンゼルスはビーチで過ごすのもおすすめ。ビーチはそれぞれに特徴があるから、好みの場所を見つけよう

※詳しくは、地球の歩き方⑰「ロスアンゼルス」編を参照

★定価
本体1,640円+税

アメリカのランドマーク

ひと足延ばせば、アメリカ人好みの小さなリゾートがいっぱい

ラ・ホヤ La Jolla、サンタバーバラ Santa Barbara、カーメル Carmel……

太平洋岸を南北に走るパシフィック・コースト・ハイウェイPacific Coast Highwayは、海岸線の景色が絶品のアメリカ屈指の景勝ルート。モントレー、カーメル、サンタバーバラ、ラ・ホヤなどの町は、このルート沿いに点在し、アメリカ人の間ではあこがれの小さなリゾート地だ。大都市とは実に対照的で、同じアメリカとは思えないほど落ち着いた雰囲気と美しい町並みをもっている。車がなくても、これらの町はそれぞれサンフランシスコ、ロスアンゼルス、サンディエゴから公共の交通機関を使って気軽にアクセスできる。

サンタバーバラは、白壁にオレンジ屋根のしょうしゃな家々が建ち並ぶ、開放的でリラックスできる町。週末はロスアンゼルスからサーフィンを楽しむ人たちでにぎわう

ラ・ホヤは海岸線に高級ブティックやギャラリーが軒を連ねる通りと、荒波に削られた崖が複雑に入り組んでいる海岸線が見どころ

カーメルは実に小ぢんまりとした、芸術家の町。「かわいらしい」という言葉がピッタりくる雰囲気

※詳しくは、地球の歩き方72「アメリカ西海岸」編を参照

★定価
本体1,640円+税

アメリカのランドマーク

不夜城の象徴

カジノのネオンサイン
Neon of Casino

ダウンタウンのフリモント・エクスペリエンス。
アーケードがまるごとスクリーンになり、あなたの頭上
を戦闘機が飛来したり、隕石が降ってくる!!!

いま、アメリカでいちばん元気な町がラスベガスだ。テーマホテルの
建設ラッシュ、タダで見物できるアトラクションの出現……。かつての
カジノの町は、家族連れにも楽しめるエンターテインメント・シティに
変貌しつつある。日本からのノンストップ便も就航し、アメリカだけで
なく日本での人気もうなぎ登りだ。

24時間眠らない町は、夜になると殊に活気づいてくる。昼間は目立た
なかったネオンサインがまぶしいほどに光を放ち始める。このネオンの
派手さにあっけに取られ、ボーッと歩いている人のなんと多いことか!

※詳しくは、地球の歩き
方・リゾート③11「ラス
ベガス」編を参照

★定価
本体1,640円+税

夜も楽しめる、ストラトスフィア・タワーのビッ
グ・ショット。地上最高の高さにあるフリー
フォールで、まるで宙に投げ出される感じ

テーマホテルは、夜のライトアップ
のほうが印象的。テーマをまさに誇
示しているよう。写真は古代エジプ
トをテーマにしたルクソール

大自然の驚異には、誰もが言葉を失うだけ

グランドキャニオン国立公園
Grand Canyon National Park

グランドキャニオンは、陽が昇るときと陽が沈むときがとくに美しい。
刻々と変化する峡谷の表情は、神々しくさえ思えてくる

ランドマークという言葉は、元来"建物"に使うもので大自然をさす言葉ではないが、"アメリカ"という国から、このグランドキャニオンを連想する人も多いだろう。

縁に立って下の大峡谷を眺めると、そのスケールの大きさはもちろんのこと、自然が長年にわたって築きあげた奇観には誰もが圧倒される。こればかりは実際に見た人でないと、そのすごさは表現できない。そして、自らの小ささに唖然とするばかりだ。

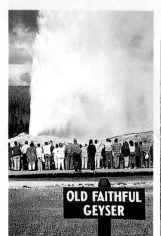

イエローストーンの間欠泉。これが一定間隔で吹き上げるのだから、本当に自然は不思議だ

ヨセミテは、アメリカで人気No.1の国立公園。サンフランシスコからも近いが、できれば1泊してそのすばらしさを実感してもらいたい

※詳しくは、地球の歩き方49「アメリカの国立公園」編を参照

★定価
本体1,640円+税

日干しレンガはアメリカ先住民の遺産

サンタフェのアドーベ
Adobe in Santa Fe

アドーベの建物はアメリカ南西部の厳しい気候にも長いこと対処してきた。サンタフェはいつものアメリカとはまったくちがう町だ

アメリカ先住民、スペイン、メキシコ文化が融合したエキゾチックな町、サンタフェ。「アメリカ人が旅行したい町」の上位に常にランクされ、実際に多くの芸術家がこの町に住んできた。先住民であるプエブロ族の家屋はアドーベと呼ばれる日干しレンガで作られており、その建物がサンタフェらしい雰囲気をつくり出している。個性豊かなギャラリーが建ち並ぶキャニオンロードは、いくら時間があっても見切れないほど、楽しい。

※詳しくは、地球の歩き方⑨「アメリカの魅力的な町」編を参照

★定価
本体1,540円+税

「西部劇」の世界は現存する!? バーのカウンターで酒をくみかわすガンマンたち

かつて野球少年だった人なら誰でも行ってみたいと思うのが、ニューヨーク州にあるクーパースタウンだ。あこがれのヒーローたちが祭られている

シカゴは摩天楼のギャラリーだ

スカイスクレーパーズ
Skyscrapers

　ミシガン湖に面したシカゴは、アメリカ第3の大都会。今年引退をしたマイケル・ジョーダンにちなんで、ここ数年は"Michael Jordan's Town"と呼ばれることが多かったが、もともとシカゴは摩天楼発祥の地として知られている。現代高層建築の原本といわれるものや世界2位の高さを誇るもの、ビルなのに愛らしい姿のものなど、摩天楼見物はシカゴならではの観光。クルーズに乗って眺めるもよし、解説付きで見物するもよし……。

ミシガン湖から見たシカゴのスカイライン。外から眺めるだけでなく、高層ビルにも昇ってみよう。ジョン・ハンコック・センターがおすすめ

※詳しくは、地球の歩き方73「シカゴ」編参照

★定価
本体1,640円+税

シカゴに来たからには、ここに寄らないわけにはいかない。ご存じMichael Jordan's Restaurant。運が良ければ、マイケルに会えるかも……?

シカゴのもうひとつの名物が、高架鉄道。摩天楼の隙間を疲れた音をたてて走るこの列車は、いまも市民の足として活躍している

ジャズファンにとって、この地は聖地

フレンチ・クォーターとバーボン・ストリート
French Quarter & Bourbon Street

フレンチ・クォーターのヘソに位置するジャクソン広場。ここには数多くのストリート・ミュージシャンが出没する

ニューオリンズは、フランス、スペインの統治を経てアメリカに加わった町。フレンチ・クォーターと呼ばれる狭い一角に、ゴチャゴチャとライブハウスやレストランが建ち並び、ストリート・ミュージシャン、絵描き、作家、大道芸人たちを吸い寄せている。

そのなかのバーボン・ストリートは、昼間とはまったくちがう顔を見せるところ。ライブハウスの隙間からいろいろなリズムがもれ聞こえてきて、立ち聴きするだけでもけっこう楽しめる。

わずか＄4でジャズの神髄を聴かせてくれるプリザベーション・ホール。開演前に列を作る観光客たち

※詳しくは、地球の歩き方⑧「アメリカ南部」編を参照

地球の歩き方
アメリカ南部

★定価
本体1,640円+税

"アメリカ南部"は、やはり「風と共に去りぬ」抜きには語れない。郊外のジョーンズボロの町は舞台のひとつといわれている

彼女は、自由の国の象徴だ

自由の女神
Statue of Liberty

自由の女神に拝謁すると、アメリカに来た実感がわく

　"アメリカ"、"ニューヨーク"と聞いて真っ先に思い浮かぶのが自由の女神ではないだろうか。女神は自由の国の象徴として、長いこと移民たちの入国を見守ってきた。いまでも彼女を崇拝する観光客はあとを絶たない。

　女神像の中には展望台があり、冠の部分からマンハッタンを眺めることができる。女神のいるリバティー島にはフェリーで行けるが、人気のポイントなので早めに行くことをすすめる。

※詳しくは、地球の歩き方38「ニューヨーク」編参照

★定価
本体1,640円+税

タイムズ・スクエア周辺は劇場街。ミュージカルのレベルも世界一だから、ぜひ鑑賞していってほしい

エンパイア・ステート・ビルもニューヨークのランドマークのひとつ。絵になる摩天楼だ

レンガ造りのクラシックな町並みはヨーロッパの雰囲気

ビーコン・ヒル&バック・ベイ
Beacon Hill & Back Bay

アメリカのランドマーク

　ボストンは「アメリカ誕生の地」ともいわれる歴史の町。日本で例えると京都のような存在だ。町の雰囲気もアメリカというよりはヨーロッパに近い。とくに、ビーコン・ヒル、バック・ベイのあたりには古いレンガ造りの建物が残り、歩いているとタイムスリップしたような気分にさせてくれる。

　また、ボストン周辺には60もの大学があり、町の平均年齢は26歳の若さ。ハーバード、MITを有するお隣のケンブリッジは学生の町。学生気分で歩いてみよう。

アメリカの新旧が交錯するボストンの町。バック・ベイらしい光景だ

ケンブリッジのハーバード・スクエア。Coopで売られているハーバード大学のグッズはおみやげに最適

ビーコン・ヒルの家並み。落ち葉の季節がとくに美しい

※詳しくは、地球の歩き方63「ボストンとマサチューセッツ」編を参照

★定価
本体1,631円+税

リンカーンの神殿は、厳粛な気持ちになれるところ

リンカーン記念館
Lincoln Memorial

アメリカのランドマーク

いわずと知れたアメリカ合衆国の首都、ワシントンDC。この町は全米50州のどの州にも属さない連邦政府の特別自治区だ。この町の白い館に、40人以上もの大統領が住んできた。なかでも人気が高いのが、建国の父"ワシントン"、独立宣言の起草者のひとり"ジェファソン"、そして奴隷解放に努めた"リンカーン"だ。彼らの偉業をたたえるメモリアルが町に点在し、母国を愛する人々が三々五々これらの神殿に参拝している。

ライトアップがとくに美しいリンカーン記念館。「人民の人民による人民のための政治the government of the people, by the people, for the people」の演説は大理石像後ろに刻まれている

※詳しくは、地球の歩き方64「ワシントンDC」編を参照

★定価
本体1,640円+税

モールのど真ん中に建つ石柱がワシントン記念碑。頂上に展望台があり、ここからはホワイトハウスもよく見える。'99年春現在化粧直し中

ジェファソンは、アメリカ人にとくに人気の高い大統領。記念館に隣接するポトマック公園は、春は日本から贈られたソメイヨシノがみごとに咲き誇る

夢の王国は、1週間あっても見きれない!!

ウォルト・ディズニー・ワールド
Walt Disney World

© Disney

東京やロスアンゼルスにもあるけれど、フロリダはスケールがちがう!!! 毎年アトラクションを変えているので、だれもがまた来たいと思うところなのだ

テーマパーク王国オーランドで、世界中の人々を魅了してやまないのが、ウォルト・ディズニー・ワールド(WDW)だ。未来世界をフィーチャーしたパーク、映画をテーマにしたパーク、遊園地以上の楽しさを放つパーク、動物たちの楽園ともいえるパーク……など、ミッキー以外にも、ワールド内は夢であふれている。1週間では、とても見きれないほど、楽しいところなのだ。

'99年初夏、新しく生まれ変わったユニバーサル・スタジオも、映画好きにはたまらなくうれしいところだ。

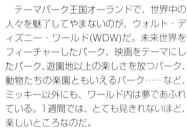

ユニバーサル・スタジオも負けてはいない。ハイテク技術と遊び心をミックスした最新のアトラクションは、一度肝を抜かれることうけあいだ

※詳しくは、地球の歩き方リゾート⑳「フロリダ」編を参照

★定価
本体1,640円+税

フロリダはリゾートとしても成長した州。冬が暖かいマイアミは、あこがれの避寒地。"リゾート"を満喫できるホテルが白い砂浜沿いに点在している

大自然にとってはちっぽけだが、人間にとっては大スペクタクル

ナイアガラ・フォールズ
Niagara Falls

滝を真近で見たら、今度は展望タワーに昇って全景を見てみよう。ちがった感動がわきおこる

アメリカのランドマーク

　グランドキャニオンと並んで、一生に一度は見ておきたい景観が、ナイアガラ・フォールズだ。アメリカとカナダの国境に位置し、幅675m、落差56mのカナダ滝と幅320mと落差58mのアメリカ滝のふたつに分かれているが、カナダ滝のほうが大きい分、迫力もすごい。近くで水の流れを見ていると、吸い込まれてしまいそうな勢いだ。

　"霧の乙女号"は滝つぼ近くまで行く人気の観光船。雨具をしっかり着ているのにズブぬれ、滝の近くでは目をあけていられないほどの迫力だ。

フィラデルフィアはボストンと並ぶ、「建国の町」。アメリカ誕生にまつわる史跡がいくつもある。写真は独立記念館前のワシントンの像

※詳しくは、地球の歩き方⑧「アメリカ東部とフロリダ」編を参照

★定価
本体1,640円＋税

「東海岸のラスベガス」といわれるのがアトランティック・シティAtlantic City。ラスベガス同様、各カジノがテーマをもち、テーマカフェなどがどんどん進出してきている

はじめに

　〝広いアメリカ〟を実感するには、地平線が見える大地を突っ走るしかない。〝おもしろいUSA〟を体験したければ、イベントに自ら足を運ばなければならない。本当のアメリカを知るには、自分の足で北米大陸を歩いてみることだ。

　『地球の歩き方　アメリカ』編は、アメリカをひとり旅するためのガイドブックである。お金がなくても、時間と体力がある人にふさわしい旅をめざしている。すべてのページには、経済的で自由な旅、ユニークかつエキサイティングなアメリカ体験に必要な情報が集められている。

　たとえば、車社会であるアメリカの町を、バスや地下鉄を使って安全に旅する方法を追求したり、安くてグッドなホテルやレストランを紹介している。見どころの案内だけでなく、プロスポーツ、エンターテインメント、ナイトスポット、現地のツアー情報も載せてある。ダウンタウン中心の役立つ地図も自慢のひとつだ。そして、ほかにもひとり歩きに必要な項目が満載されている。

　『地球の歩き方』は、編集室の現地取材と実際に旅をしてきた人たちの投稿によってできた本である。したがって、データが具体的であり、体験的なものが多いので信頼できる。

　「アメリカに行ってみよう」と思った瞬間から旅は始まっている。まずは、旅の準備と技術編を読むことからスタートして、自信がついたら、自分自身のアメリカの旅を実現してほしい。『地球の歩き方』を片手に気ままに歩くアメリカ。そして、その体験で、さらに『地球の歩き方』が充実していくことになればとてもうれしい。

地球の歩き方　編集室

America

Contents

『地球の歩き方』②アメリカ編
もくじ

本書をご利用になる前に

データについて

本書は1998〜1999年の取材データ、現地レポーターからの情報、読者の投稿をもとに作られています。「具体的ですぐ役立つ情報」をモットーにしておりますが、記述がより具体的になるほど、時間の経過とともに内容の訂正、削除事項が出てきます。編集室で追跡調査をしておりますが、皆さんが旅行される時点で変更されていることも多いと思われます。その点をお含みのうえ、ご利用ください

読者の投稿記事

投稿記事は多少主観的になっても、体験者の印象、評価などを尊重し、原文にできるだけ忠実に掲載してありますので、ホテル、レストランなどを選ぶ際には十分ご注意願います。

ホテルやレストラン、ショッピングの項で、投稿記事のあとに（山田太郎　千代田区　'99夏）とあるのは、投稿者の旅行年度、シーズンを表しています。また、その後の追跡調査でデータ訂正されている場合は、年度のみをカッコで閉じて（'99）と示しています。

ホテルについて

ホテルの料金については、各都市ごとによるTax（税金）が含まれていません。支払いの際には、表示料金に各都市ごとのTaxが加算されますのでご注意ください。なお、Taxは各都市のData欄に掲載されています。

ユースホステルなどのドミトリー形式は、バス・トイレは共同です。

出かける前に再チェック

本書のデータ関して、UPDATEな情報をできる限りインターネット『地球の歩き方ホームページ』に掲載しています。出発近くなりましたら、そちらも併せてご覧ください。ホームページ・アドレス→http://chikyuu.aleph.co.jp/update/menu/top.html

読者割引について

編集室では、読者の皆さんにできるだけ安い旅をしていただくため、掲載したホテルと話し合い、本書持参の旅行者に宿泊費の割引をお願いしております。同意を得たホテルについては |読者割引| と明記してあります。ご活用ください。

|読者割引| を利用の際は下記の英文をご提示ください。

Dear Manager;
Please be advised that |読者割引| described beside the name of hotel means that those tourists carrying this book would be given discount on room rate, which has been agreed or contracted between the hotel and GIO Globetrotter Travel Guidebook.

これらの情報をお含みのうえ、みなさんの旅のガイドラインとして有効にご利用ください。

本書で用いられる記号・略号について

- ❶：観光案内所
- ☎：電話番号（市内通話は最初の3ケタは不要）
- Ⓣ：トールフリー（フリーダイヤル）
- HOME：ホームページ・アドレスで、"http://"は省略

- St.：Street
- Ave.：Avenue
- Dr.：Drive
- Hwy.：Highway
- Pl.：Place
- E.：East
- W.：West
- S.：South
- N.：North

- Ⓐ：アメリカン・エキスプレスが使用できる
- Ⓓ：ダイナース・クラブが使用できる
- Ⓙ：JCBカードが使用できる
- Ⓜ：マスターカードが使用できる
- Ⓥ：ビザ・カードが使用できる
- Ⓢ：シングルルーム（1部屋1人使用）
- Ⓓ：ダブルルーム（1ベッド2人使用）
- Ⓣ：ツインルーム（2ベッド2人使用）

本書の利用の仕方

1. 本書は大きく、旅の準備と技術編と、都市別ガイドのふたつに分かれています。はじめに旅の準備と技術編を読んで、パスポート、外貨、持ち物、航空券など旅に必要なものを手配していきます。また、現地に着いたために電話や郵便、マナー、現地での移動方法などの情報もここで学んでおきましょう。
2. 出かける前にもうひとつ。各都市編のData欄も見逃さないように。服装やTaxの計算に役立ちます。
3. 現地に着いてから。空港やバスターミナルから中心部までどんな交通機関があって、どれを使うか選択します。
4. 町に着いたら、まずはじめに寄りたいのが観光案内所。場所によってはホテルも紹介してくれますし、現地の生きた情報が手に入ります。最低でも地図やパンフレット、時刻表を入手しておきましょう。
5. 観光案内所で得た情報と本書の歩き方と見どころを検討して、実際に町を歩き始めましょう。見どころの選択は、あなた次第！
6. 必要に応じて、ショッピング、ホテル、レストラン情報を活用しましょう。
7. アメリカはエンターテインメントとプロスポーツが盛んな国です。観客のひとりとなって、観光地とは違ったアメリカを楽しむことをおすすめします。

ミネアポリス彫刻庭園

ワシントンDCのパークレンジャー

人気のアムトラック（鉄道）、コーストスターライト号

さくいん INDEX

エルパソのイエスタ・ミッション

第1章 アメリカを知ろう

「アメリカへ行きたい!」そう思い立って本書を手にし、アメリカへ行くつもりなら、アメリカのことを少しでも知っておきたい。少しじゃなく、知る量が多ければ多いほど、旅の楽しみはふえるし、その思い出も倍増する。ひと口に「アメリカ」といっても簡単には語れない多様性が、この国の最大の特徴なのだ。まずは地理的な面からこの国を知ろう!

旅をするときは気候も考えて

広大なアメリカゆえ、気候も季節と場所によってかなり異なる。基本的に冬の時期は広範囲にわたって厳寒、旅行には適さない。逆に冬に混雑するのがいつも暖かいフロリダや、比較的しのぎやすいサンフランシスコやロスアンゼルスなど。

各都市のデータ欄に気温を掲載しておいたので、これも参考にしてほしい。

★　　アメリカってどんな国?　　★

"アメリカ"とひと口にいっても、広さは日本の25倍以上もあり、西海岸から東海岸まで、車で24時間走りっぱなしで移動するとしても、少なくとも3日はかかる。「気候は?」といえば、スコールのある亜熱帯のフロリダから、湿度が年平均20度以下というネバダの砂漠、冬はマイナス20度を超え、まさに"厳寒"という言葉がピッタリの五大湖周辺まで、ところ変われば気候もまったく異なってくる。さらに、スケールをはるかに上回る自然の雄大さ、変化に富んだ景観の美しさは、残念ながら日本にはないものばかりだ。

また、アメリカは世界最大の"移民の国"でもある。世界中からさまざまな民族がこの国に集まり、生活を営んでいる。日本では想像できないほど多くの民族とそのコミュニティが、アメリカでは見られるのだ。もちろん、すでに何世代にもわたって住み続け、独自の民族的なコミュニティを持たないアメリカ人も大勢いる。しかも、アメリカは合州国といわれるほど各州が自治権を持ち、ひとつひとつの州がまるで国家のように存在している。

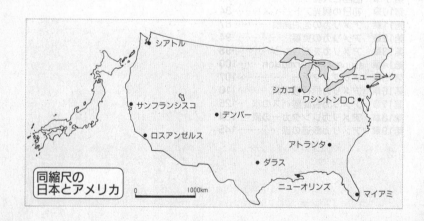

同縮尺の日本とアメリカ

0　　1000km

シアトル／サンフランシスコ／ロスアンゼルス／デンバー／シカゴ／ワシントンDC／ニューヨーク／アトランタ／ダラス／ニューオリンズ／マイアミ

こんなアメリカを旅することは、大自然が作り上げた景観とさまざまな民族、フロンティア精神や好奇心に満ちた人々と遭遇できるということだ。

旅行に割ける日数は何日?

前述のとおり、アメリカが日本の25倍あるということをいわれても、ピンとくる人はいないはず。数字や地図上で理解したとしても、実際に移動にどのくらいかかるのかを想像するのはかなり難しい。そこで、ここでは具体例をあげてみるので、その広さと距離感をつかんでほしい。

10日間ではこれしか回れない

たとえば、10日間の旅行プランがあったと考えてみよう。"やっぱりアメリカといったらサンフランシスコにロスアンゼルスだな。ニューヨークにはもちろん行ってみたいし、フロリダもおもしろそう……"と、このくらいは誰もが考えるスケジュールだろう。もちろん、これを10日間で回ることは可能だ。が、しかし、西海岸から東海岸のニューヨークまでは車で走りっぱなしで3日間! 飛行機の直行便でも5時間半。ひとつの国の中だというのに、日本から香港に行くよりも遠いというわけなのだ。しかも、西海岸と東部では3時間もの時差がある。

つまり、10日間の日程とはいっても、日本との往復で2〜3日はつぶれ、都市の移動1回につき半日〜1日が費やされていくと考えると、観光に使える日数は正味5〜6日、となってしまうわけだ。

とくに"ロス・サンフラン"とか"ニューヨーク・ワシントンDC"などと、よくペアにして呼ばれる都市などには要注意。ロ

アメリカは、とにかく広い

d a t a

国 名	アメリカ合衆国 United States of America（Americaという名は、アメリカ大陸を最初に発見したイタリアの冒険家ベスプッチのファーストネームからとったもの）	宗 教	キリスト教プロテスタント 56％、キリスト教ローマ・カトリック 28％、ユダヤ教 2％、とくになし 10％、その他 4％	通 貨	アメリカ・ドル US Dollar（$1.00=119.00円、'99年4月末現在）
				国家元首	クリントン大統領William Jefferson Clinton（1993年より）
人 口	約2億6,800万人（1997年）	人 種	白人 83.4％、黒人 12.4％、アジア・太平洋系 3.3％、アメリカ先住民 0.8％	おもな産業	農業、石油、鉄、自動車、航空宇宙、科学、コンピュータ、電気、林業
国 土	約937万2,610平方キロメートル（日本約37万7,800平方キロメートル）	言 語	英語（米語）ただし、スペイン語を話すコミュニティも非常に多い	おもな輸出国	カナダ、メキシコ、日本（1998年のデータ）
				おもな輸入国	カナダ、日本、メキシコ（1998年のデータ）
首 都	ワシントンDC（特別自治区）Washington, District of Columbia	おもな大都市	ニューヨークNew York、ロスアンゼルス Los Angeles、シカゴ Chicago、ヒューストンHouston、フィラデルフィアPhiladelphia	国際電話の識別番号	"1"
国 旗	星条旗 Stars and Stripes				

スアンゼルス～サンフランシスコ間は直線距離で約560km、ニューヨーク～ワシントンDC間は約360kmもある。あたかも「となり町」といった印象を持ってしまうが、実際は数百キロの彼方なのだ。

とはいっても、せっかく行くとなると欲が出るのは当然。あちこち飛び回るのも自由。ただし、スケジュールを立てるときには十分注意しないと、せっかくたどり着いた町で過ごす時間はほとんど夜だけ、なんてことになりかねない。

さあ、もう一度、新たな気持ちで地図を広げ、アメリカの全貌をつかんだうえで、プランニングを始めよう！

★　　アメリカで何をしたいか？（旅の目的）　　★

アメリカの広さがわかったら次に大事なのは、アメリカのどこへ行って何をしたいのかということを考えてみることだ。

TV、雑誌、はたまた教科書などで、私たちはアメリカのいろんな都市の名を目に、あるいは耳にしてきた。ところが、そのひとつひとつが具体的にどんな都市なのかは意外と知らないもの。ニューヨーク、ロスアンゼルスが人気観光地なのは、もちろんその2つの都市が魅力的だからという理由が大きいが、何よりもその都市の知名度の高さもかなり影響しているのではないかと思う。しかし、まだまだほかにも個性的なおもしろい町がいっぱいあるのがアメリカなのだ。

さすがに、実際に行き先が決まった人はガイドブックを読むなりして訪問都市を研究するだろうが、まだ行きたい場所がまったくわからない場合、どうすればいいのだろう？　そこで、『地球の歩き方』を熟読しなくても、とりあえずアメリカの概略がわかるように、次に主要都市のポイントを簡単に紹介する。プランニングの参考にしてほしい。

★　　　　アメリカ各都市ひとくち紹介　　　　★

カリフォルニアと西海岸
風光明媚な港町
サンフランシスコ　San Francisco

港町として知られるサンフランシスコは、アカデミックな雰囲気を持つ町並みの美しさで有名。交通機関も発達しているので、旅のスタートにするには最適の町だ。フィッシャーマンズワーフ、ゴールデンゲート・ブリッジなど見どころも多い。モントレー、カーメルなどの近郊の町は1日ツアーに最適。

アメリカでいちばん人気の国立公園
ヨセミテ国立公園　Yosemite National Park　ヨセミテバレーを中心とした景

現在人気のデスティネーション(行き先)

まず、第一にあげられるのが成長著しいラスベガス。ひとつひとつの巨大なカジノ・ホテルがまるでテーマパークのようで、ホテルのはしごや無料ショーの見物だけでも楽しい。とにかく、この町は現実世界とは隔離されたところといえる。

今も昔も、安定した人気を保ちつづけているのがニューヨーク。町ぐるみで治安に取り組んできたこともあり、年々犯罪発生率が低くなっている。

もちろん、ディズニーワールドのあるオーランドも、若い女性や家族連れを中心に人気が高い。

最近の傾向として、世界的にエコロジーが見直されているため、アメリカの国立公園を回る人が多くなっているのも事実だ。アメリカの大自然と、国全体がそれの保護に努めている姿勢は、日本人が逆立ちしてもマネできないものだ。

また、大都市はもう飽きた、というリピーターに好評なのがアメリカ南部。古き良きアメリカが残っている南部は、人も温かいし、食べ物もおいしい。いま南部料理はアメリカでブームとなりつつある。

シアトル Seattle
WASHINGTON
ポートランド Portland
OREGON
リノ Reno
NEVADA
サンフランシスコ San Francisco
モントレー Monterey
ヨセミテ国立公園 Yosemite N.P.
カーメル Carmel
ラスベガス Las Vegas
CALIFORNIA
ロスアンゼルス Los Angeles
サンディエゴ San Diego

カリフォルニアと西海岸

観の美しさは、まさにため息もの。花こう岩の世界最大の一枚岩として有名なエル・キャピタンもある。訪れるなら春から初夏にかけてが、断然おすすめ。

広いだけに見どころも目白押し
ロスアンゼルス Los Angeles 西部地域の玄関口として知られる、日本人にもおなじみの都市。映画の都ハリウッド、高級住宅地ビバリーヒルズ、映画にちなんだアトラクションで人気のユニバーサル・スタジオ、ベニスやサンタモニカなどのビーチなど、これぞ南カリフォルニア！といった雰囲気でいっぱい。

メキシコと国境を接する港町
サンディエゴ San Diego 動物園とシーワールドが世界的に有名。近郊のラ・ホヤは洗練された芸術＆ビーチの町。トロリーで南へ40分ほど、国境を越えたメキシコの小さな町、ティファナは観光客に大人気。異国を楽しめるうえ、銀製品や革製品がおみやげにGood。

自然に囲まれたバラの町
ポートランド Portland オレゴン州最大の都市。緑が豊かで公園が多いことでも知られる。売上税がかからないのでショッピング天国！

日本からいちばん近い大都市
シアトル Seattle カナダ国境の手前にある豊かな自然に恵まれた町。近郊に3つの国立公園を有する。ワシントン湖、エリオット湖、運河に囲まれている"水郷"でもあるので水上レクリエーションも盛ん。町の規模は北西部で最大。

いま、アメリカで注目度No.1
ラスベガス Las Vegas 乾燥した大地にこつ然と姿を現すラスベガスは、カジノとエンターテインメントの町。近年家族連れ向けにもターゲットを広げ、テーマホテル、新アトラクション、大型ホテルが続々登場し、急成長している。また、結婚の町としても有名。

大自然の驚異には呆然とするのみ
グランドキャニオン国立公園 Grand Canyon National Park 長い年月をかけて形づくられた大自然の景観は圧巻。一生に一度は見ておきたい造形美だ。本当に楽しみたいのなら、峡谷内へのトレイルを歩くといい。2日は必要。

西部とロッキー山脈
大自然への基点となる町
デンバー Denver 標高は約1マイル、そのため、"Mile High City ＝ 海抜1マイルの都市"の愛称を持つ、ロッキー山脈地域の中心地。大自然に囲まれ、かの有名なロッキーの山々を訪れるならここを入口にするとよい。コロラド大学のあるボウルダー、全米いちのスキー・エリアとして有名なアスペンなど、周辺に魅力的な町が多い。

宇宙基地の町
ヒューストン Houston アメリカ第4の大都市。テキサスらしい広大な町で、'99年より日本からのノンストップ便も就航した。NASAの宇宙センターがあることでもおなじみ。毛利さんや向井さん、若田さん、土井さんもここで訓練した。

かたや大都会、かたや西部のおもかげを残す町
ダラス＆フォートワース

ロッキー山脈と西部

MONTANA NORTH DAKOTA
IDAHO SOUTH DAKOTA
WYOMING
ソルトレイク・シティ Salt Lake City
NEBRASKA
UTAH COLORADO デンバー Denver KANSAS
グランド・キャニオン 国立公園 Grand Canyon National Park
ARIZONA NEW MEXICO OKLAHOMA
フェニックス Phoenix
エルパソ El Paso フォート・ワース Ft. Worth ●ダラス Dallas
TEXAS オースチン Austin
ヒューストン Houston

Dallas & Fort Worth　ダラスは典型的なビジネスの町で、コンベンション・シティとしても知られている。ケネディ大統領が暗殺された地としても有名だ。フォートワースには、西部劇のムードがいまだに生きている。人気のストックヤードには映画でおなじみのいかにも"テキサス"といった感じの古い町並みが残る。

五大湖周辺と中西部
アメリカ第3の大都市
シカゴ　Chicago　"風の町"という異名を取るほど、風が強いアメリカ第3の大都市。日本でいえば大阪のような位置づけになる。シカゴは町自体が摩天楼＆建築博物館のようで夜景は絶品。プロスポーツの応援ぶりが熱狂的なので、シカゴに来たらぜひプロスポーツ観戦を！

五大湖周辺と中西部

ビールの名産地
ミルウォーキー　Milwaukee　なんといってもビールの都として有名。ビール工場での見学、試飲もできる。ドイツからの移民が築きあげた町でもある。

アメリカの"ヘソ"
カンザス・シティ　Kansas City　町の随所に噴水があり、スペアリブの本場といわれている。

インディ500の町
インディアナポリス　Indianapolis　毎年5月に開かれるカーレース、インディ500マイルに世界中からレースファンが押し寄せる。

ロックンロール発祥の地は工業都市
クリーブランド　Cleveland　工業都市として知られるが、近年の町の発展ぶりは顕著。また、博物館としてはめずらしい"ロックンロールの殿堂"もオープン、観光都市としても注目されている。

3つの川が合流する
ピッツバーグ　Pittsburgh　以前は鉄鋼の町として知られたが、いま、ピッツバーグは"最も住みやすい町Most Livable City"として人気が高い。町は3つの川に囲まれるように位置している。

ご存じ"自動車の町"
デトロイト　Detroit　フォード、GM、ダイムラー・クライスラーなどアメリカ大手自動車会社が本社を構えている。ブラック・ミュージックが好きな人ならモータウン博物館は必見！

世界中からの観光客が押し寄せる
ナイアガラ・フォールズ　Niagara Falls　ナイアガラの大瀑布で世界的に有名な観光スポット。怒濤のように流れ落ちる水のさまは圧巻。周辺には洞窟ツアー、滝を体験するいろいろなアトラクションがある。

フロリダと南部
"風と共に去りぬ"の町の変貌ぶりは著しい
アトランタ　Atlanta　文学ファン、映画ファンなら知らない人はいない『風と共に去りぬ』の舞台となった町だ。南北戦争時のイメージとは対照的に、いまのアトランタは南部を代表するビジネス・シティ。

アメリカいちエキゾチックな町
ニューオリンズ　New Orleans　ヨーロッパ文化の香りを残す町。スペイン人によってつくられた村が発展したフレン

チ・クォーターが有名。

　音楽ファンならジャズ誕生の地として
まさに見どころがいっぱい。ジャズなど
のライブ演奏を楽しみたいなら、バーボ
ン・ストリートへ。

テーマパーク王国
オーランド　Orlando　フロリダ半島の
ほぼ中央に位置する。ケネディ宇宙セン
ター、ディズニーワールド、ユニバーサ
ル・スタジオ、シーワールドなど、10以
上のテーマパークが集まる都市は世界で
もほかに類をみない。

白い砂浜が印象的なリゾート地
マイアミ　Miami　フロリダ州最大の都
市であり、美しいビーチをもつ有数のリ
ゾート地。避寒地として人気が高い。

アメリカ最南端の島
キーウエスト　Key West　作家ヘミン
グウェイの愛したアメリカ最南端の町。
有名なセブン・マイル・ブリッジほか、
レンタカーやバスからの車窓風景は一見
の価値あり。

心として、文化の発信源として、つねに
世界をリードし続けるパワフルな大都会
だ。ただ通り過ぎるだけではなく、じっ
くり味わい尽くしてほしい町。ニューヨ
ークが"ビッグ・アップル"という名で親
しまれているのは有名な話。これは"誰
でも自由にもぎとって丸かじりしていい"
という意味らしい。

アメリカ誕生の町
ボストン　Boston　アメリカの最も古
い町のひとつで、アメリカ史を語るうえ
で欠かせないスポットだ。大学の多い町
で、市民の平均年齢は26歳。

こちらも歴史の町
フィラデルフィア　Philadelphia　ボ
ストンに肩を並べる"歴史の町"。合衆国
の独立はこの町で宣言された。緑が美し
い田園都市だが、アメリカ第5の都市と
いう大都会の顔も併せもつ。

アメリカの首都
ワシントンDC　Washington DC　西
海岸のワシントン州と混同しないように
"DC"とよばれることもある。国家機関
やモニュメント、巨大な博物館や美術館
と見どころが多く、そのほとんどが入場
無料。世界政治の中枢
でもあるこの町は、全
米50州のどこにも属さ
ない特別自治区。

フロリダと南部

ニューヨークと東部
世界いちエキサイティングな町
ニューヨーク　New York　いまさら説
明するまでもないだろう。ビジネスの中

ニューヨークと東部

35

第2章 旅のスタイル

アメリカの輪郭がつかめたら、自分の旅のスタイルについて考えよう。旅のスタイルは、十人十色、ひとりずつ違って当然のこと。たとえば、パッケージツアーで行くのか自分ですべて計画する旅か、豪華な旅にしたいのか、できるだけ安くあげたいのか、一都市滞在型か、多くの都市を回りたいのか、など、骨格から徐々に肉付けをしていく作業だ。

★　　自分自身でアメリカを歩こう　　★

自由旅行のすすめ

いま、世の中にはいろいろなパッケージツアーが出回っている。それだけ、旅行者のニーズが多様化しているということだろう。かつては、パッケージツアーというと、お決まりの都市に行き、添乗員付きで市内観光をし、全行程に食事が付くなどして、料金も高めに設定されていた。しかし、いまはちがう。行ける都市の数もグンとふえ、往復の航空券とホテルだけをセットにしたツアーも出てきた。料金もそれなりに安く設定されている。しかし、それでもまだ、パッケージツアーでは行けない町がいくらでもある。いや、アメリカに関していえばパッケージツアーでは行けない町のほうが断然多いのだ。まして、長期間回るパッケージツアーなどほとんどない。「パッケージツアーでは満足できない」、そんな人におすすめしたいのが、**自分自身で旅を作り、自由に旅する**ことだ。もし、豪華な旅をしたいのなら旅行代理店に相談して、飛行機、ホテル、送迎などすべて頼むのもいいだろう。逆に、徹底的に安さにこだわるなら、航空券など最小限のものだけを日本から手配し、ホテルなどは現地で決め、公共の交通機関を使って回るのが最もいい方法だ。この『地球の歩き方』はそのような、アメリカを長期間、安く旅をする人のために書かれた本で、自分で歩くためのエッセンスが多方面にわたって掲載されている。自分自身で計画して歩く旅は、旅の思い出をいっそう深いものにし、あなたの人生のすばらしい財産となる。ぜひ、自分の旅を創ってほしい。

テーマを持った旅を

前章でも述べたが、自分はアメリカで何をしたいのかを考えると、旅のプランが立てやすくなる。たとえば、「ホームラン王マグワイアの試合を絶対に見る」「ヴィンテージもののジーンズを探すぞ」など、自分の趣味やしたいことを考えた〝自分ならではの旅〟だ。「ひとつの都市を極める」とか、おのぼりさんに徹した「TVや雑誌で見たポイントへ行く」というプランもいい。テーマを持てば行きたい場所がおのずと浮かび上がってくる。

短期間の旅行なら、パッケージツアーをはじめに考えよう
　旅行の期間が短く、現地へ着いてからホテルを探す時間のない人は、はじめからパッケージツアーを考えるといいだろう。最近のパッケージツアーは、航空券とホテルがセットされ、現地での自由時間が多いものもずいぶん出てきている。個人で手配するよりもオトクなことが多いようだ。

テーマの例
　お気にいりのライブハウスを訪れる、映画や小説の舞台を訪れる、テーマパーク三昧する、など。

アメリカへ出発するまでのステップ

1カ月前までに

ルートづくり（P.42）

↓

航空券、ホテルなどの手配（P.38、87）
航空券、ホテル、国内交通のチケットなど、
旅行のパーツは同じ旅行代理店で頼むのが基本

↓

パスポートの取得・残存期間の確認（P.50）
クレジットカードの申し込み・有効期間の確認（P.57）
旅行代金の残金の支払い

2週間前までに

海外旅行傷害保険申し込み（P.59）
ユース会員証、国際免許証など証書類の取得（P.55）
旅行用品の準備・レンタルの申し込み（P.61）

1週間前までに

トラベラーズチェックと外貨の購入（P.56）
パッキング（P.62）
空港までの交通機関の確認（P.74）
旅行代理店から航空券またはバウチャー、旅程表の入手
パスポートやクレジットカード番号など重要品のリストと
紛失したときの連絡先をリストアップ（P.71）

前々日、前日までに

荷物の宅配サービス（利用する人のみ）

当日に

電気、ガス、戸締りは大丈夫？
もう一度パスポート、航空券、T/Cのチェックを
スーツケースなどの鍵を忘れないように

国際空港へ

出発

国際空港、またはシティエア・ターミナルなどへ（P.74）
時間には十分余裕を持って、最低2時間前には空港へ到着

空港、またはCATで

航空券を持っている人　➡　航空会社のカウンター（P.77）
バウチャーを持っている人
パッケージツアー参加者　➡　団体用のカウンターへ（P.77）

アメリカ旅行の姿が見えてきたら次はアメリカまでの交通手段を考えよう。東京から西海岸までは約8,200km。アメリカへの船旅は一般的でなく、航空機でアメリカへ降り立つ人がほとんどだ。その航空機の料金は、シーズンや航空会社などもろもろの要素により大きく変わってくる。航空運賃の料金体系ほど複雑なものはないのである。自分の旅行に合った、納得のいく料金のチケットを手に入れるため、ここでは航空運賃について考えてみよう。

普通運賃のクラス
　F（ファーストクラス）、C（ビジネスクラス）、Y（エコノミー）、Y2（新エコノミー）の4つに分かれる。

FIXとOPEN
　FIXというのは、往復の日時をあらかじめ決めておかなければならない航空券。OPENは出発日と帰国日が自由に設定できる航空券で、有効期限がある。

航空会社ごとのペックス運賃利用の条件
●往復とも他社便への振り替えは不可
●申し込み時に、往復の予約をする
●出発の3日前までに航空券を購入する
●有効期限は3カ月
●出発後の予約の変更は、往路について1回限り、手数料15,000円で可能
●発券後の取消しには払戻し手数料（15,000円）がかかる
※共通のペックス運賃の場合は、往路と復路の航空会社が別であってもかまわないなど、条件がゆるやかになる分、料金設定も高めになっている。

★ 航空運賃の種類は2つ ★

日本発の航空運賃は、普通運賃と特別運賃の2種類しかない。
　普通運賃は、正規運賃でもあり、旅行代理店や航空会社のカウンターでだれでも、いつでも、まったく同じ条件で買うことのできるチケット。使用開始日から1年間有効で、予約の変更や払い戻しができ、他の航空会社に乗り換えることも可能だ。規定距離をオーバーしないかぎり、ストップオーバーもできる。
　普通運賃以外の航空券が特別運賃になるわけだが、特別運賃は、パッケージツアー用の運賃やペックス運賃などがあり、普通運賃よりはるかに安いのが特徴だ。いわゆる格安航空券もこれに含まれる。普通運賃で旅行する人は、いまや少数派。

★ 特別運賃について ★

特別運賃の中でも個人旅行者に関係のあるものはペックス運賃と呼ばれるもの。Special Excursion Fare（PEX）の略で、個人でエコノミークラスを利用して海外の目的地に行く人のために設定された正規の割引運賃だ。このペックス運賃にも2種類あり、各航空会社共通のペックス運賃と、それぞれの航空会社が独自に設定するペックス運賃がある。独自のペックス運賃は最近新聞広告でよく見られる。日本航空の『JAL悟空』、全日空『とび丸』などがそれにあたる。ときには驚くほど安い料金設定となっているので、ものによっては格安航空券とそう変わらないこともある。利用にあたって、いくつかの条件があるが、一般の観光旅行で利用する分には、問題になるようなものはなく、個人旅行者にとっても使い勝手はいい。
　もっとも、価格差が縮まったとはいえ、ペックスより安いチケットはまだ存在する。それでもペックスを利用するメリットがいくつかある。

ペックス運賃のメリット
●ピーク時のチケット確保がしやすい
　ピークと呼ばれるのは旅行者の多い時期。つまり、ゴールデンウィーク、お盆休み、年末年始など。格安航空券を確保しに

くい時期でも、ペックス運賃なら、航空会社に直接予約を入れるのでチケットの確保がしやすい。

●**子供料金が明確**

格安航空券では明確な規定のない子供料金だが、ペックス運賃にはこの規定がしっかりとある。ちなみに2歳以上12歳未満は、大人料金の33％引き、座席を利用しない幼児は90％引き。

●**その他にも**

有効期限の長さと、復路便の変更（手数料要）が可能であるという点も格安航空券にはないメリット。

ペックス運賃のチケット購入

正規運賃のチケットなので、購入は各航空会社のカウンターや旅行会社ででき、当然どこで買っても料金は同じ。ただし、航空券以外のパーツ、たとえばホテル、交通機関、現地でのツアーなどの手配が必要な場合、**航空券とパーツの手配は同じ旅行会社に任せるのが基本**。個人旅行を積極的に扱う旅行会社に手配を依頼した方がいいだろう。

★　　　　　　　**その他の特別運賃**　　　　　　　★

その他の運賃というと、いまもなお健在で、支持の高い格安航空券のことをいう。普通運賃、ペックス運賃に比べてもまだ安いというのが最大の特徴だ。

従来、格安航空券は、宿泊などを含む団体用の航空券を需要に合わせて、旅行代理店が航空券の部分を個人に売っていたもので、エア・オンと呼ばれるチケットがこれに相当する。しかし、実際のところ格安航空券は、航空会社や旅行会社、そして旅行者の3者間の需要と供給の微妙なバランスから生まれることもあり、料金も実に微妙だ。たとえば、飛行機に乗った隣の席の人と料金がちがうことも十分にあり得るのだ。

この格安航空券、安いだけにリスクもある。たとえば、普通運賃の航空券は支払い時に受け取るが、格安航空券は、当日空港で渡されるケースがほとんど。格安航空券の発券が出発の1〜5日ぐらい前に行われるためで、仕組み上やむをえないこと。旅行代理店から渡されたバウチャーを大切にすることだ。これが空港での引換証となり、団体用窓口に並ぶことになる。

★　　　　　　　**航空運賃の格差**　　　　　　　★

シーズナリティによる格差

広告などで"○○万円より"などと表示されているが、これは当然いちばん安いときの値段。シーズンの細かい区分は航空会社や年度によっても微妙に違うが、大きくは4つに分けられ、高い順に、ピーク1、ピーク2、ショルダー、ベーシックと呼ばれる。次ページの図のように、ピーク1は日本人の休みが集中する年末年始、ゴールデンウイーク、お盆の時期、ピーク2はその前後、ベーシックは旅行には適さない寒い時期、ショルダーは前述の3つの時期以外を指す。ピーク1はベーシックに比べ、1.5〜2倍近くの料金となるから要注意。

ペックスといっても100％席が確保されたわけではない

チケットの確保がしやすいといっても、100％できるわけではない。それぞれのフライトに関して、ペックス運賃で販売する座席数は決められている。ピーク時でもペックス運賃用の座席が埋まってしまえばチケットを取ることはできない。基本は早い者勝ちなのだ。

気分の良さもメリット？

格安航空券を利用するときに感じる、何となく後ろめたい気分を感じないですむのも、"割引でも正規料金"であるペックス運賃のメリットといえるかもしれない。

その他格安航空券のリスク&条件

●利用航空会社の変更はできない"Not Endorsable"と航空券に書かれているのこと。
● 払い戻しもできない"Not Refundable"
●ルートや目的地、スケジュールの変更もできない。

パッケージツアーのほうが安いこともある

旅行のシーズンにはチケットが取りづらくなる

　海外旅行がこれだけ一般大衆化されると、ピーク時のツアーは半年前から満員という事態も起こってくる。"思い立ったが吉日"、できるだけ早く予約を入れよう。ペックス運賃なら最高8カ月前から予約できる。予約にあたって次のポイントを頭に入れておくと参考になる。

●ベーシック・シーズンが最も取りやすい

　夏休み、ゴールデンウイーク、年末年始が最も混雑し、最も料金が高くなるシーズンであることはもはや常識。ほんの1、2日違うだけでも数万円も料金が変わるので、どうしてもオンシーズン以外に旅立つことが難しい人は、せめて1日早く出発することを心がけたい。しかし、最近は消費者も賢くなっているので、料金の下がる日のほうが混雑していることもある。

●一度だめでも、キャンセルの出やすい1カ月前に再挑戦

●結婚式シーズンの日、月曜発は避ける

その他・航空券の注意事項

●ピーク時の予約について

　アメリカ行きの便は多いので通常の予約に苦労することはあまりない。しかしピーク時は別。この時期は希望どおりの予約が取れるとは限らない。少しでも航空券を安く抑えたい気持ちはわかるが、1,000円、2,000円の違いで、ユナイテッド航空の予約はA旅行会社、ノースウエスト航空の予約はB旅行会社にということはせず、1社の信頼のおける旅行会社に第1希望ユナイテッド航空、第2希望ノースウエスト航空と任せたほうがいい。

●ダブルブッキングは避けよう

　いちばん避けなければならないのがダブルブッキング、これは混雑時、どこかに当たるだろうと、同一航空会社、同日程の予約を複数の旅行会社に申し込むこと。どこかに引っ掛かりそうにも思えるが、いくつかの旅行会社へ予約を入れても、ひとつの航空会社に記録が集まり、同一人物の複数予約ということで予約は保留になり、いわば逆効果。絶対に避けたい。

●リコンファームをしよう！

　自由旅行の場合、航空会社によっては帰国便の予約再確認

距離によっても変わります
　運賃は、そのほかにも飛行距離に応じて変わる。

ピーク時は取れただけでラッキー
　たとえば7月下旬〜8月の土、日出発便なんてチケットは取れるだけで幸運。ピーク時に安いチケットなどという条件では、どこにも行けないと思ったほうがよい。

航空券を頼むときは
　旅行代理店の人に希望の日にち、ノンストップ便か乗り継ぎ便でもいいか、予算などをハッキリと伝えよう。ただし、ピーク時は予算ではおさまりきらないことも覚悟して。

航空券のシーズナリティの目安

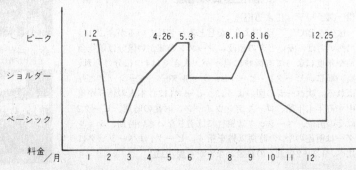

（リコンファーム）を必ずしなければならない。リコンファームとは、あらかじめ予約した便に自分が確実に乗る旨を航空会社に連絡することで、電話でも、カウンターに出向いてもかまわない。これをしないと、当日空港へ行っても飛行機に乗れないことがある。

★ 自分の旅に合った、納得のいく航空券を入手するために ★

　前述のように航空券の種類はいろいろ。運賃が安くなればなるほど、規制（リスク）が大きくなっていくのが一般的な傾向だ。基本的に航空券は安く手に入ればいいことは言うまでもないが、自分の旅のスタイルやスケジュール等、諸々の条件を十分に考えたうえで、納得のいく航空券を手に入れよう。そのためには、資料をできるだけ集めて研究するもよし、自由旅行経験者に聞いてみるもよし、信頼のおける旅行代理店の人に相談するもよし、とにかく検討に検討を重ねて買うようにしたい。

　『地球の歩き方』の旅を扱うジオクラブでは、ありとあらゆるニーズに応え、パッケージツアーからエア・オン、往復の飛行機と最低必要なホテル（現地到着日や帰国前夜）だけをセットしたツアー（自由旅行者に人気）まで、バラエティに富んだツアーを企画販売しているので、迷っている人は問い合わせてみるとよい。ツアーによっては、現地オリエンテーションや緊急時の連絡センターなどがセットされていて、安心して旅行できるようになっている。

リコンファームはしなくてもいいの？

　アメリカ系や日系の航空会社では、リコンファームは不要と言う会社も多い。しかし、フライトスケジュールが直前になって変わることもごくまれにあるので、その連絡を受ける意味でもリコンファームはしておいたほうがいい。なにかあったとき、航空会社から直接ホテルなどの滞在先に連絡してくれるからだ。なお、リコンファームというのは国際線にのみ必要なもので、アメリカの国内線には必要ない。

各種チケットの問い合わせ
ジオクラブ　日本旅行
📞 0120-155-850
ジオクラブ
JTBパルサービス
☎ 03-5391-3601
☎ 06-6261-8444（転送）
ジオクラブ
郵船トラベル
☎ 03-3502-3010
☎ 06-6251-1632（転送）

アメリカへのノンストップ便就航地　　　　　　　'99年4月現在

	行き先	航空会社	曜日		行き先	航空会社	曜日
東　京	シアトル	ノースウエスト航空	月火水木金土日	東　京	シカゴ	日本航空	月火水木金土日
		※全日空	月火水木金土日			アメリカン航空	月火水木金土日
		※ユナイテッド航空	月火水木金土日		デトロイト	ノースウエスト航空	月火水木金土日（火曜は1日2便）
		アメリカン航空	月火水木金土日		アトランタ	デルタ航空	月火水木金土日
	ポートランド	デルタ航空	月火水木金土日		ワシントン（ダレス）	△全日空	月火水木金土日
	サンフランシスコ	ノースウエスト航空	月火水木金土日			△ユナイテッド航空	月火水木金土日
		△全日空	月火水木金土日（毎日3便）		ニューヨーク（ケネディ）	※全日空	月火水木金土日（毎日2便）
		△ユナイテッド航空	月火水木金土日（毎日3便）			※ユナイテッド航空	月火水木金土日（毎日2便）
		日本航空	月火水木金土日（土曜増便）			日本航空	月火水木金土日（金曜は1日2便）
	サンノゼ	アメリカン航空	月火水木金土日			ノースウエスト航空	月火水木金土日
	ロスアンゼルス	大韓航空	月火水木金土日		ニューヨーク（ニューアーク）	コンチネンタル航空	月火水木金土日
		デルタ航空	月火水木金土日	大　阪	シアトル	ノースウエスト航空	月火水木金土日
		ノースウエスト航空	月火水木金土日		サンフランシスコ	※全日空	月火水木金土日
		▲全日空	月火水木金土日（毎日2便）			※ユナイテッド航空	月火水木金土日
		▲ユナイテッド航空	月火水木金土日（毎日2便）		ロスアンゼルス	ノースウエスト航空	月火水木金土日
		日本航空	月火水木金土日月火木土は2便）			タイ国際航空	月　　木　土
		マレーシア航空	月　　木　土			日本航空	月火水木金土日
		シンガポール航空	月火水木金土日			※全日空	月火水木金土日
		ヴァリグ・ブラジル航空	月　水　　金			※ユナイテッド航空	月火水木金土日
	ラスベガス	ノースウエスト航空	月　　木		ダラス	アメリカン航空	月火水木金土日
		日本航空	火　　金土		デトロイト	ノースウエスト航空	月火水木金土日
	ダラス	日本航空	月　水　　土		ロスアンゼルス	日本航空	土
		アメリカン航空	月火水木金土日			日本航空	水
	ミネアポリス	ノースウエスト航空	月火水木金土日			日本航空	日
	ヒューストン	コンチネンタル航空	月火水木金土日	名古屋	デトロイト	ノースウエスト航空	月　水　　土
	シカゴ	※全日空	月火水木金土日（毎日2便）		ポートランド	デルタ航空	月火水木金土日
		※ユナイテッド	月火水木金土日（毎日2便）	福　岡	ポートランド	デルタ航空	月火水木金土日

※▲△は全日空とユナイテッド航空のコードシェア便

第4章 旅のルートづくり

　ここでは、出発から帰国までトータル何日間の旅行で、西海岸の旅か、1カ所だけに滞在するか、ウエストコーストにニューヨークをプラスするか、東部だけの旅か、USAを大きく周遊するルートか、さらにメキシコやカナダへも足を延ばすのかを具体的に検討してみよう。

旅のルートづくりのステップ

①旅行期間を決める
●自分が旅行に何日かけることができるか
●現地で観光に使える日数は全体の日数からマイナス2日した日数

出発から帰国まで15日間なら現地で13泊、20日間の旅なら18泊になる。長期旅行では短期の滞在は、肉体的、精神的にもきびしい。余裕を持ったプランを立てよう

②行きたい都市を選び出す/資料を入手する
●まずは日数や移動を考えずに行きたい都市を選び出す
●白地図などにポイントしていくとルートづくりの際に便利
●日本に事務所を置いている州や町の観光局、現地観光局、旅行代理店などから、行く都市の資料を入手する

ここだけは外せない◎、行きたい○、できれば行きたい△、などのランクに分けて

③行く都市を絞り込む
●旅行の日数を考えて、実現可能な数の都市に絞り込む
●絞り込む際のポイントは、
　各都市での必要な滞在日数（各都市ガイドを参考に日数を決める）
　初めての都市の全体像を把握するには1〜2日は必要

初めてアメリカを旅行する人は、とかく駆け足で、たくさんの都市や観光地を歩く、強行スケジュールを組みがち

④ゲートシティを決める
●行く都市の中から、どの都市を旅のスタートにするか
●決定のポイントは、
　日本からの直行便が運行されている
　町が大きすぎず、小さすぎず、町の全体像を把握しやすい
　公共の交通機関が充実していて、都市内の移動に手間がかからない
●この時点で、U.S.A.までの航空会社がある程度絞り込める

西海岸のサンフランシスコ、ロスアンゼルス、中部のシカゴ、東海岸のニューヨークがゲートシティとしては一般的
●サンフランシスコ
　『地球の歩き方』おすすめのゲートシティ。公共交通機関が充実していて、観光ポイントが市内に集中しているので、動きやすい。町の広さも適当なので自由旅行の出発地としては最適
●ロスアンゼルス
　日本からの直行便も多い。観光ポイントも多い人気の都市。ただ、初めてのアメリカ旅行のゲートシティとしてはいま一つ。交通機関は充実してはいるが、町が広く、観光ポイントも広範囲に広がっているので、初心者には歩きづらい町。旅のスケジュールの後半に組み込んだ方がいい
●シカゴ
　アメリカの典型的なビジネス・シティ。中部では随一の大都市。観光ポイントも比較的集中していて、地下鉄、バスともに充実しているので歩きやすさはまずまず
●ニューヨーク
　日本からの便は夜到着するものが多いので、初日のホテルは前もって予約したい。有名な地下鉄、バスともに充実していて、観光ポイントも集中しているので歩きやすさは抜群。ただし、空港からホテルまでの移動にはコツが必要

⑤ルートと都市間の交通手段の決定
- ●移動の手段としては、飛行機、長距離バス、鉄道、レンタカーがある
- ●決定のポイントは、
  - 料金
  - 所要時間
  - ルート
  - 各交通機関から受ける旅の印象

- ●飛行機を利用するときは、フライト時間だけでなく、ホテルと空港間の移動、チェックイン、バゲージクレームに必要な時間（2～3時間）も考える
- ●飛行機は航空会社ごとに運行している路線が大きく異なる
- ●利用する交通機関によって受ける旅や町の印象は大きく変わってくる。バラエティに富んだアメリカを体験したければ、なるべく多くの交通機関を利用しよう

⑥具体的なスケジュールを組む
- ●各都市での滞在日数、各都市間の移動にかかる所要時間を考えて、行く都市とルートの最終決定
- ●日本から手配が必要なもの、現地で手配するものを振り分ける
  - 日本から手配が必要なもの
    - ・U.S.A.までの航空券
    - ・アメリカ国内線の航空券
    - ・長距離バスや鉄道のパス
  - 日本から手配しておいたほうがいいもの
    - ・レンタカーの予約
    - ・現地到着日、最終日のホテル
  - 現地での手配で十分なもの
    - ・鉄道の予約
    - ・旅行中のホテル

- ●休日について
  - クリスマスや独立記念日など、祝日に重なっていないか、行きたい美術館の休館日に重なっていないかなどの、細かい調整も忘れずに
- ●予備日も入れて
  - 10日間の内に1日は予備日を入れると、体力的に楽。また、トラブルに遭ったときにも対応しやすい

⑦希望に応えてくれる旅行代理店を探す
- ●代理店によって、パック旅行が得意、ビジネストリップが得意、個人旅行が得意、などの特徴がある
- ●資料を集めたり、自分で実際に旅行代理店に足を運ぶなどして探してみよう

★　　　　日本で資料を入手する　　　　★

インターネットとファックスサービス

　アメリカは世界一のインターネット大国。いろいろな町の観光局がホームページを持っている。また、スポーツやブロードウェイのミュージカルなど、エンターテインメントを楽しむにしてもインターネットが至極便利だ。最新情報がキャッチできるうえ、チケットを買うこともできる。場合によってはホテルの予約も可能だ。インターネットを利用しない手はない。

　しかし、読者のなかには英語が苦手な人も多いだろう。幸い、日本語でインターネットのホームページを開設している観光局もあるし、日本に観光局の事務所を置いている町のなかには、ファックスで最新の情報が引き出せるサービスを行っているところもある。どんどん活用しよう。

日本語のインターネットホームページを持っている観光局

観光局名	ホームページアドレス
サンフランシスコ・サンホセ観光局	www1.kcom.ne.jp/travel/
カリフォルニア州観光局	www.of-world.com/california
ミネソタ州政府観光局	access-jp.com/minnesota
トラベル・サウス（アラバマ州、アーカンソー州、フロリダ州、ジョージア州、ケンタッキー州、ルイジアナ州、ミシシッピ州、ノースカロライナ州、サウスカロライナ州、テネシー州、バージニア州、ウエストバージニア州）	www.tabifan.com/travelsouth
フロリダ州観光局	www.florida.co.jp

※地球の歩き方のホームページからも、旅の最新情報を得ることができます。併せて御利用ください。
HOME www.arukikata.co.jp/gio

ファックスサービスがある観光局

観光局名	ファックス番号	アクセスorボックス番号
ラスベガス&ネバダ観光局	東京（03）5954-3989	ボックス番号71030801
トラベル・サウス（アラバマ州、アーカンソー州、フロリダ州、ジョージア州、ケンタッキー州、ルイジアナ州、ミシシッピ州、ノースカロライナ州、サウスカロライナ州、テネシー州、バージニア州、ウエストバージニア州）	東京（03）3814-1839 大阪（06）6266-2395 名古屋（052）932-5936 福岡（092）471-9923 札幌（011）210-9883	ボックス番号1001
フロリダ州観光局	東京（03）3814-1879 大阪（06）6266-1604 名古屋（052）932-5738 札幌（011）210-9862	
オーランド市観光局	東京（03）3249-7210	ボックス番号4770#

★ ───── **旅のプランをシミュレートする** ───── ★

旅は出かけようと思いたった瞬間から、すでに始まっている。どこに行こうか、どうやって行こうか、行ってから何をしようか…。そんな思いをあれこれめぐらせている時間は、何度味わっても胸をおどらせてくれる。

次のモデルプランは、おすすめしたいというより、こういう旅もあるという、あくまでもヒント。みなさんのプラン作りに役立てば幸いだ。

旅は大きく分けると滞在型、周遊型の2パターンに分けることができる。日程にもよるが、10日前後しかない旅なら、あちこち行くのは、移動ばかりになってしまうからちょっとキツイ。逆に1カ月をずっと1カ所で過ごすというのは、たとえばニューヨークのような町ならおもしろい。どちらのタイプの旅にするかをまず決めよう。

こんなテーマパークもあります
オーランド周辺にはケネディ宇宙センター、デイトナ・ビーチ、タンパ、セント・ピーターズバーグなど、テーマパーク天国のオーランドとは違った魅力のある町がある。

①フロリダ半島10日間

●滞在型
①テーマパークとリゾートを楽しむ──フロリダ半島10日間

アメリカの滞在型のリゾートで、いちばん人気なのが、州まるごとリゾート・エリアのフロリダ。とくにオーランドを中心としたエリアにはテーマパークも多く、10日くらいでは飽きるどころか、足りないくらいの楽しいエリアだ。

観光の目玉はやはりウォルト・ディズニーワールド。4つの
テーマパーク、マジック・キングダム、エプコット、MGMス
タジオ、アニマル・キングダムに加え、レストラン&エンター
テインメント、スポーツ&アウトドアなど、リゾートという響
きから想像するものすべてが楽しめる、単なる遊園地でなく、
一流のリゾートだ。ユニバーサル・スタジオやシーワールドな
どのテーマパークもじっくり楽しみたい。

ホテルはディズニーワールド内、インターナショナル・ドラ
イブ、キシミー地区に、タイプ、クラスそれぞれバリエーショ
ンに富んだ選択肢がある。

オプションとしてはオーランド周辺を4日間で切り上げ、キ
ーウエスト、マイアミへ足を延ばす欲張り型。キーウエストま
で飛んで、アメリカ本土最南端のビーチを楽しんだら、マイア
ミまで海の上の道、オーバーシーズ・ハイウェイ（セブンマイ
ル・ブリッジ含む）をレンタカーでマイアミまで。

フロリダ州オーランドには
テーマパークが数多くある

②車で回ればさらに充実——ロスアンゼルス　15日間

テーマパークに、映画の都ハリウッド、ビバリーヒ
ルズの高級ショッピング街、個性豊かなビーチなど、
見どころ、楽しみ方がいっぱいのロスアンゼルス。通
り過ぎてしまうのではなく、15日ほど滞在して、この
町を楽しみたい。

15日あってもこの町の全部を楽しむには時間が足り
ない。LAの4大テーマパーク、ディズニーランド、ナ
ッツベリー・ファーム、ユニバーサル・スタジオ、マジック・
マウンテンを完全制覇。ハリウッドをスタートに、映画のロケ
地を回る。ロデオ・ドライブの高級ショッピング街、郊外の巨
大ショッピング・モールをハシゴして買い物三昧。いろんなビ
ーチでひたすらのんびりする。ノートンサイモン、ハンティン
トン・ライブラリー、ゲッティ・センターなど意外と充実して
いる美術館巡り。など2〜4日くらいのプランを自分の好みに
合わせて組み合わせよう。

車社会のLAを思いっきり楽しむには、やはり**レンタカーを
利用したい**。グループで借りれば思ったより安く楽しめるし、
郊外のモーテルを利用することもできる。また、車を通してア
メリカ人の生活に入り込むこともできてしまう。まずは2〜3
日近場を回って運転に慣れてから、郊外の見どころ、さらにサ
ンディエゴやサンタバーバラに日帰りドライブなんてのもいい。

ロスアンゼルス
②ロスアンゼルス15日間

LAも滞在型の旅には最適

③1カ月あってもたりないほどエキサイティング——
ニューヨーク　1カ月間

アート、ミュージック、スポーツ、グルメ、ショッ
ピング、エンターテインメント、そしておのぼりさん
のお約束コースと、一年中いろいろな楽しみ方のでき
るニューヨーク。1カ月間、観光客ではなく住人気分で
この町の雰囲気を味わってみよう。

せっかく1カ月もいるんだから、ホテルではなくアパ

ニューヨーク
③ニューヨーク1ヵ月間

ニューヨークから足を
延ばして
　アトランティック・シ
ティ、ワシントンDC、ボス
トンなどはアムトラックを
使えば、ちょうどいい泊
旅行になる。もちろん、ウッ
ドバリーのアウトレット
も欠かせないスポット。

ート暮らしがいい。現地で探すことも、日本から予約すること
も可能だ。
　エンパイア・ステート・ビル、自由の女神などのお約束コー
スにじっくり7日間。あとは、自分の好みに合わせて、メトロ
ポリタン、モマ（MoMA）をはじめとする美術館、博物館を
全部見て回る。ブロードウェイからオフ・ブロードウェイまで
毎晩ハシゴ。夜はクラブを回って一流の音楽を堪能、セントラ
ルパークなどで1日ノンビリ。1カ月なんてアッという間のは
ずだ。

●周遊型　飛行機を使って

①映画＆TVの舞台を訪ねて　15日間

① 映画の舞台を訪ねて　15日間

ニューヨークをプラス
する
　LAと並んで映画の舞台
になるのが、やっぱりニュ
ーヨーク。『めぐり逢えた
ら』でふたりの主人公がや
っと逢えたのがエンパイ
ア・ステート・ビルの展望
台。『ゴースト』のソーホ
ーも、ニューヨークの人気
のスポット。

映画の町の楽しみ方
　LAでは、どこで何の映
画のロケーションが行わ
れ、どんなスターが出演し
ているかの情報を持つ専門
業者もいるほど。詳しくは
ホテルのコンシェルジュ・
デスクで。

　映画やテレビの舞台となった町を巡るミーハーコー
ス。
　サンフランシスコは、『ミセス・ダウト』『氷の微笑』
など数多くの映画の舞台となっている。なかでも、『告
発』『ロック』の舞台は、フィッシャーマンズ・ワーフ
の沖に浮かぶアルカトラズ島。ぜひ訪れて内部をゆっ
くり歩いてみよう。SFに2泊したら、シカゴへ。いま
全米で人気No.1のTVシリーズの『ER』はシカゴが舞台だ（2
泊）。高架鉄道やハサウェイの家、第1シリーズで使われた病
院などをたずねるのもいい。また、マニアならずとも行きたい
のがオーランド。映画をテーマにしたテーマパークである、ユ
ニバーサル・スタジオ・フロリダとディズニーMGMスタジオ
で映画の特撮技術などを学んでしまおう（3泊）。そして、洋
の東西を問わず名作映画のひとつとしてあげられるのが『風と
共に去りぬ』。この映画のふるさとが、アトランタだ。ビジネ
ス・シティであるアトランタに映画の面影はないものの、作者
のミッチェルが住んだ家などがある。古くから続く〝サザン・
ホスピタリティ〟をきっと感じることだろう（2泊）。いま、ア
メリカで露出度No.1の町、ラスベガスも加えよう。『カジノ』、
『コン・エアー』など、壊れたはずのハードロック・ホテルな
どを確認するのもおもしろい。
　映画の旅の最後を締めくくるのは、やはり映画の都ハリウッ
ドを抱えるロスアンゼルス。いまでも市内のあちこちでロケー
ション風景が見られるから、うまくいくと遭遇できるかも。
『理由なき反抗』に出たグリフィス天文台、『ターミネーター2』
のサンタモニカ・プレイス、『スピード』のLAX空港……と挙

読★者★投★稿

こんなときにも役に立つ、旅程表のすすめ

　大体の日程が決まったら、訪問予定都市名と
ホテル（予約がなくても構わない）を記入した
旅程表を英文で作っておこう。これを入国管理
官に見せれば滞在日数や大体の目的がわかるの
で、入国審査がスムーズに済む。僕は1週間の
滞在中2回入国審査を受けたが、旅程表を見せ
ただけで航空券や所持金のチェックもなかっ

た。
　また、家族が英語に弱い場合は和訳したもの
も同時に作って留守宅に置いておこう。外国
（地理）に不慣れな家族の場合、たとえば東海
岸を旅行中に西海岸で事件や地震が起きても
「巻き込まれたのでは」と心配するものだ。

（竹中寛史　港区）（'98）

46

げていけばきりがない。もちろん、ユニバーサル・スタジオで映画の擬似体験をぜひ楽しんでみて。帰りの飛行機では銀幕に映る自分の夢を見ることだろう。

②メジャーリーグ観戦の旅　15日間（一部列車も可）

素顔のアメリカを見たいのなら、ベースボールがいい。自分の応援するチームに付いて全米を回るのもいいし、各地の人気チームをホームでミーハーに応援するのもいい。

②大リーグ観戦　15日間

まずはサンフランシスコに3泊して、アスレチックスかジャイアンツの試合。次にシカゴに飛んでホワイトソックスかカブスの試合、または一気に飛んでニューヨークでメッツとヤンキースの試合もいい。運が良ければ日本人選手の活躍ぶりを見学できるかもしれない。ニューヨークからはボストンやフィラデルフィアも近いので足を延ばしてもいい。最後にロスアンゼルスで、長谷川のいるエンジェルスを観戦しよう。

③アメリカ音楽の旅　30日間

アメリカ生まれの音楽に絞った旅もいい。

ゲートシティはロスアンゼルス。ビッグバンド、カリフォルニア・サウンドから、最新のミュージック・シーンまで幅広い音楽を堪能しよう。次は一気にフォートワースまで飛んで、ホンキートンクを聴いてみよう。次はニューオリンズで本場のディキシーランド・ジャズを。ストリート・ミュージシャンのパフォーマンスから、バーボン・ストリートのライブハウスの一流ミュージシャンのセッションまで、町全体から音楽があふれている。北上して、次はブルーグラスとカントリー・ウエスタンのナッシュビルへ。このあたりはバスで移動するのもいい。さらに北上してシカゴへ。メンフィスで生まれたブルースの、洗練された形を発見することができる。ブラックミュージックの歴史に興味があるなら、モータウン・ミュージックの町、デトロイトもはずせない。そして締めくくりはニューヨーク、ブロードウェイのミュージカル、ライブハウスやクラブでのジャズ、ロック、R&Bとどれをとっても一流のものがそろっている。

クラシック音楽で回る旅

クラシック音楽をテーマにした旅もおもしろい。ピックアップされる都市は、クラシック演奏ならシカゴ、セントルイス、ピッツバーグ、ボストンなど、オペラならニューヨーク、シカゴ、サンフランシスコなど。クラシック音楽に関して言えば、アメリカは質の高いものが楽しめる。

③アメリカ音楽の旅　30日間

④アメリカ・ダイジェスト　30日間

「アメリカは初めて。ここもあそこも行きたい」という人向けの欲張りコース。飛行機の周遊券をうまく使って回ろう。

サンフランシスコに4泊。宿の探し方、バスの乗り方、食事の仕方など基本を学ぼう。慣れてきたところでシカゴに飛び2泊。ナイアガラに1泊してからボストンへ。ボストン2泊の後ニューヨーク4泊、ワシントンDC3泊と続く。このあたりの移動は短距離なので、バ

④アメリカ・ダイジェスト　30日間

西海岸、その他のおすすめの町

シアトルからポートランドに寄ってもいい。

サンフランシスコ近郊の町、モントレー＆カーメルで雰囲気のいいB&Bに泊まってみるのもいい。

サンディエゴの代わりにラスベガスやサンタバーバラなどのLA近郊の町を訪れるというプランもある。

バスの旅はできたら日中の移動がいい。車窓から眺めた景色が、その旅のもっとも印象的なシーンだったということもある。

⑤西海岸縦断　20日間

ニューオリンズ

南部の旅におすすめの一冊

アメリカ南部の見どころが満載された『地球の歩き方⑧アメリカ南部』編が発売されている。南部を旅する人への1冊。

ニューオリンズは楽しみ方がいっぱい

ニューオリンズではリバーボートのクルーズや、広大な湿地帯にくり出すスワンプツアーも楽しみたい。

一生に一度は見ておきたい　ナイアガラ・フォールズ

スや列車を使ってみてもおもしろい。次にフロリダのオーランドに飛んでディズニーワールドなどを楽しむ。4泊したらニューオリンズへ飛んで2泊。ラスベガスに向かい2泊。1日はオプショナルツアーでグランドキャニオンへ。旅の締めくくりはロスアンゼ

サンフランシスコ

ルス。4泊して南カリフォルニアの太陽を満喫したい。

●長距離バスを使って

⑤西海岸縦断　20日間

アメリカ西海岸のエッセンスを味わうプラン。

シアトルをゲートシティに、サンフランシスコ、ロスアンゼルス、ラスベガスを巡り、余裕をみて郊外の見どころを楽しむ。まずはシアトルで3日間、できれば1日をマウント・レーニエなどへのツアーに当てたい。サンフランシスコへ移動して6日間。ヨセミテ国立公園などへのツアーにも参加しよう。ロスアンゼルスへ移動して、ここで4日間。テーマを絞ってポイントを回る。最後はサンディエゴ。足を延ばしてメキシコの町、ティファナへも行ってみよう。

⑥南部めぐり　20日間

東部の大都市や西海岸にはない温かみをもった南部をゆっくり回ってみよう。移動手段はバスがいい。素朴な田舎の人々とふれ合えば、アメリカという国を別の角度から見ることができるだろう。

まずアトランタから入る。南部いちの大都市は見どころもいっぱい。3泊したら大西洋岸の古都サバンナへ。南下してフロリダのジャクソンビルを経由し、アラバマ州モービルへ。この間5泊。次にニューオリンズに入って4泊。活気と退廃を感じさせるこの町ではミシシッピからの川風に浸り、ジャズのメロディに耳を傾け、古き時代に思いをはせるといい。北上してミシシッピ州へ。『深南部』といわれるこのあたりは、もっとも南部らしいところ。そしてテネシー州メンフィスへ。エルビス・プレスリーの眠る町だ。この間5泊。アーカンソー州の広大な穀倉地帯のなかを走り、テキサス州ダラスに入る。この地に散ったケネディ大統領を偲んで南部の旅も終わりだ。

⑥南部めぐり　20日間

●鉄道を使って

⑦ゆっくり東部　20日間

　東部の歴史ある町を訪れる旅。アムトラック（鉄道）で回ってみよう。

　スタートのワシントンDCではポイントを絞って博物館などを見学。英国植民地時代を再現した町ウィリアムズバーグまで足を延ばしてみてもいい。4泊したらフィラデルフィアへ。アムトラックの便は多いので大変便利。独立歴史公園などを回って独立時の息吹を感じよう。3泊。次はニューヨークに入り、5泊したらボストンへ。ボストンは歴史の町。フリーダム・トレイルを中心にじっくり歩き回りたい。3泊したら、バスでオルバニーへ向かい、そこから再びアムトラックでナイアガラへ。そこで、自然の大きさに浸ろう。ここに2泊。Lake Shore Limited号でシカゴに向かうか、Maple Leaf号でニューヨークに向かって帰路につく。

ウィリアムズバーグへの道
　ウィリアムズバーグへは観光ツアーを使ってもいいし、アムトラックも走っている。

とても便利なアムトラック
　アムトラックには食堂車がなくても、スナックバーが必ずあり、食べ物の心配はない。

●レンタカーを使って

⑧大自然に浸る　30日間

　ロッキー山脈を南北に貫くUS-89に沿って、西部の大自然を満喫する1カ月。地球の息吹を感じ、深い眠りに落ち、都市を巡る旅では決して得られない何かを自分のものにできるスケールの大きな旅だ。

　シアトルを起点として、まずグレイシャー国立公園へ。国立公園内の移動やあとの行程を考えると、飛行機とレンタカーの利用が便利だが、風景の素晴らしいアムトラックの利用もおすすめだ。氷河の作りあげた変化に富んだ自然美を堪能しよう。4泊したらUS-89ドライブへのスタートだ。

　イエローストーンまでの間、モンタナ州ボーズマンで1泊。翌日、余裕を持ってイエローストーンに入る。国立公園第1号のイエローストーンは、有名な間欠泉のほかにも、いくつもの顔を持っている。映画『シェーン』で印象的な南のグランドティトンと合わせ、10日間ほど滞在して大自然に浸り切ろう。

　途中1泊して次の国立公園は、ブライス・キャニオン。岩の芸術が多いユタ州南部の奇観の一つだ。南西にあるザイオン国立公園ともども2泊ずつはしたい。おすすめはナローズ。両側を垂直の岩壁に挟まれた小川のなかを、ジャバジャバと歩いてさかのぼって行く異色のトレイルだ。

　ナバホの国を通り、1日かけてグランドキャニオンに入る。ここにも1週間ほど滞在

し、谷底へのトレッキングに挑戦したり、桃源郷ハバスキャニオンなども訪れたい。グランドキャニオンからロスアンゼルスへは約10時間だ。

まさに奇観のブライス・キャニオン

自然を愛する人への1冊
　⑧のコースにおすすめのガイドが『地球の歩き方49 アメリカの国立公園』編。

これがあると便利
　寒いところに行ったり、スキーをするときなどは、使い捨てカイロを持っていくと便利だ。とくに、アメリカのような大きな国の場合、場所によっての温度差が激しいので、ちょっと寒いときにも重宝する。

シーズンに注意
　アメリカの国立公園は日本と違って、完全に"自然優先"。だから、観光地、行楽地といったイメージで行くと、大変なことになる。交通の便や、シーズン閉鎖などがないか、よく確認してから行こう。

夏がおすすめ
　夏は大自然が命の美しさを競い合う季節。喧騒の都会をぬけ出し、自然の懐に飛び込もう。

第5章 旅の手続き

旅立つ前に用意しておかなくてはならないものがある。パスポートや海外旅行傷害保険、米ドルの外貨、場合によってはビザ（査証）などなど。パスポートは代理店に頼むこともできるが、自分でも取得できる。自分の旅をつくるためにも、まずはパスポートの申請からはじめよう。

★　　　　パスポートをとろう　　　　★

パスポート（旅券）は旅行者が日本国民であることを証明し、渡航先国に対して安全な通過や保護を要請した公文書で、国際的な身分証明書である。これがなければ日本から出国することはできないし、どの国にも入国することができない。旅行中常に携帯しなければならない、命の次に大切なもの。

旅行代理店に手続きを依頼すると申請を代行してくれるが、当然手数料がかかり、また、受領は必ず本人が出頭しなければならない。個人で取得するのも簡単だから、自分で各都道府県庁の旅券課に出向いてみよう。パスポートは、発行日から5年間有効なものと10年間有効なものがあり、発行手数料（印紙を買う）は5年10,000円（収入印紙8,000円＋都道府県収入証紙2,000円）、10年は15,000円（収入印紙13,000円＋都道府県収入証紙2,000円）。

申請から取得までは約8〜10日（ただし、土、日、祝日を除く）。用意する書類も多いからその日数も計算に入れて準備にかかろう。

また、すでにパスポートを持っている人は有効期限の確認を。アメリカの場合は帰国日まで有効なパスポートを持っていることが条件。米国から他の国へ行く者は、国によって残存期間の規定が異なるので、必ずチェックをしておこう。また、旅行中に期限が切れる人も、新しく作り直しておくこと。

パスポートの申請から受領まで

申請手続きは、住民登録をしている居住地の各都道府県庁の旅券課で行う。別表の必要書類をそろえて提出する。

数日後、提出したハガキが送られてくる。指定された受領日以降に、このハガキと申請時に渡された受領証、発行手数料の印紙（上記）を貼ったものを持って受け取りに行く。必ず本人が出頭しなければならない。その際パスポートに自分のサイン（漢字でも英語でもよい）をする。

現在の居住地に住民票がない人のパスポート申請方法

パスポートの申請は、居住地の各都道府県の旅券課窓口で行う。本来、居住地＝住民票のあるところであるが、学生の中に

パスポートの書き換え

手持ちのパスポートの残存期間が1年未満になると、新しく作り直すことができる。申請時に現在持っているパスポートも持参しよう。手続きや費用は新しく作成するときと同じだが、記載の内容に変更がなければ謄本の提出は不要。期限切れのパスポートを持ち新たに申請する場合は、各都道府県の旅券課に問い合わせること。

パスポートがスタンプでいっぱいになったら

査証欄の余白がなくなりそうになったら、増補申請を。1冊につき1回限りで24ページ分増補可能。費用は2,400円。現住所が確認できる書類と印鑑が必要。

名字が変わったら

結婚などで「姓」が変わった場合、新しく旅券を作り直すか、現在所有している旅券の記載内容を訂正（手数料900円）するかの2通りの方法がある。訂正申請の場合は、謄本などの書類が必要となるので要確認。

未成年者のパスポート取得

20歳未満の未成年者がパスポートを取得するには、親権者、または後見人の署名、押印が必要（法定代理人署名欄に記入）。5年間有効のもののみで、費用は通常と変わらず。ただし、12歳未満の子供なら¥5,000で作成できる。

顔写真は余分に！

顔写真はパスポート申請の1枚以外にも、パスポート紛失時などの予備用に2〜3枚多く焼き増しをしておくといい。

は郷里に住民票がある人もいるだろう。その場合の申請方法は次の3通り。

①郷里の両親などに住民票、戸籍抄（謄）本を取ってもらい、都道府県庁旅券課で代理申請してもらう。ただし、本人が受領しなければならないので、帰省する必要が出てくる。

②住民票を現在住んでいるところに移して申請。住民票を移すのはとても簡単。住民票のある場所にいる人（たとえば親兄弟）に、いまの住所への『転出届』を出してもらい、その証明書を持って今住んでいるところの役所へ『転入届』を出せばよい。

③住民票を移さずに、現住所のあるところで申請できるのが居所申請という方法。ただし、東京都以外ではできない場合もあるので、各都道府県庁の旅券課で確認すること。居所申請には、必要書類1〜8のほか、『居所申請申出書』の提出と居住が確認できる資料が必要だ。申請は本人に限る。

10年用パスポート

パスポート（5年用／10年用）申請に必要な書類

必要書類	必要数	入手場所	その他・条件など
一般旅券発給申請書	1	各都道府県庁旅券課	申請時にその場で記入することもできる。20歳未満の人は有効期間が5年のみの旅券の申請となる。記入例はP.52、53参照。
戸籍抄本または謄本	1	本籍地の市区町村役所	6カ月以内に発行されたもの。代理人が受領したり、郵送してもらうことも可能。有効期間内の旅券を切り替える場合で、戸籍の記載内容に変更がなければ省略することができる。
住民票	1	住民登録をしてある市区町村役所	6カ月以内に発行されたもの。本籍地が記載されたもの。代理人の受領、郵送も可能。
顔写真	1		6カ月以内に撮影されたもの。サイズはタテ4.5×ヨコ3.5cm、頭頂からアゴまでが27±2mm。無背景、無帽正面、上半身。白黒でもカラーでも可だが、スナップ写真不可。
申請者の身元を確認する書類	1		パスポート（失効後6カ月以内のものも含む）、運転免許証など官公庁発行の写真付身分証明書なら1つ。健康保険証、年金手帳、印鑑登録証（登録印も）、社員証、学生証などなら2つ必要。見せるだけですぐ返してくれる。
未使用の官製ハガキ	1	郵便局など	表に自分の住所・氏名を記入し、裏は白地のまま提出。旅券課で受領日についての案内が記入され、返送されてくる。
前回取得した旅券			有効期間内の旅券を切り替える場合は必要。
取得手数料（印紙）		旅券課窓口近くの販売所で	5年用は10,000円、10年用は15,000円で、パスポートを受領する際に必要

※印鑑が必要なこともある

各都道府県旅券問い合わせ窓口

北 海 道	☎(011)231-4111	石 川	☎(076)223-9109	山 口	☎(0839)33-2352
青 森	☎(0177)77-4499	福 井	☎(0776)28-8820	鳥 取	☎(0857)26-7080
岩 手	☎(019)651-6636	長 野	☎(026)235-7173	島 根	☎(0852)27-8686
秋 田	☎(0188)60-1112〜3	静 岡	☎(054)252-0055	徳 島	☎(0886)56-3554
宮 城	☎(022)211-2278	山 梨	☎(0552)22-2040	香 川	☎(087)831-1111
山 形	☎(0236)30-2203	愛 知	☎(052)563-0236	愛 媛	☎(089)931-0487
福 島	☎(024)521-1111	岐 阜	☎(058)277-1000	高 知	☎(0888)23-9656
茨 城	☎(029)226-5023	三 重	☎(059)224-2034	福 岡	☎(092)725-9001
栃 木	☎(028)638-3811	滋 賀	☎(0775)28-3420〜1	佐 賀	☎(0952)25-7005
群 馬	☎(0272)55-0101	京 都	☎(075)352-6655	長 崎	☎(095)824-1111
埼 玉	☎(048)647-4040	大 阪	☎(06)6941-0351	熊 本	☎(096)382-8210
千 葉	☎(043)238-5711	兵 庫	☎(078)360-8500	大 分	☎(097)536-1786
東 京	☎(03)5388-3178	奈 良	☎(0742)35-8601	宮 崎	☎(0985)26-7268
神 奈 川	☎(045)671-7201	和 歌 山	☎(0734)36-7888	鹿 児 島	☎(099)286-2311
新 潟	☎(025)285-5511	岡 山	☎(086)256-1000	沖 縄	☎(098)866-2775
富 山	☎(0764)45-4581	広 島	☎(082)228-2111		

90日を超えて観光する人は

観光用のB-2と呼ばれるビザを取得すれば通常6カ月の滞在が許可される。このビザは5年間、何度でも6カ月以内の滞在が許される。ただし個人旅行の場合、観光用のビザの取得がかなり難しく、また入国の際、所持金や目的によって入国管理官が滞在期間を制限することがある。

★ ビザ（査証）について ★

短期（90日以内）米国旅行者はビザ必要なし

ビザとはアメリカ合衆国政府が発行する入国許可証。観光、業務、留学など渡航目的に応じてビザも異なるが、**90日以内の観光、商用を目的とした渡航であれば、ほとんどの場合ビザを取得する必要はない**。パイロット・プログラム（I-94W）と呼ばれる査証免除用出入国カードを記入するだけ。ただし、アメリカ当局が指定した一部の航空会社、および船会社を利用する場合に限られる。日本からアメリカへの直行便はまず大丈夫だが、他国を経由していく場合は、必ず利用航空会社か旅行代

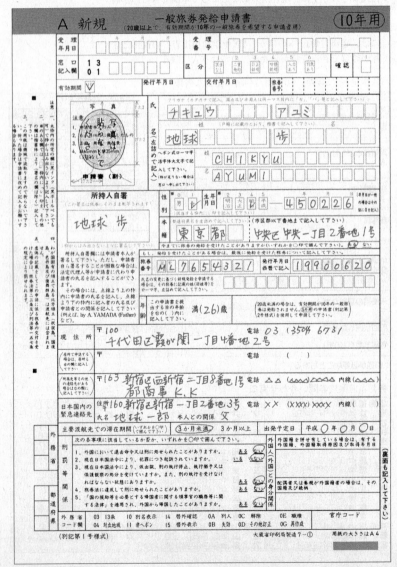

52

理店、またはアメリカ合衆国大使館ビザセクション、各地方の領事館に問い合わせること。

滞在が90日以内でもビザが必要なケースもある

カナダやメキシコを経由してアメリカに入国する場合、空路であればビザは必要ないが、陸路（バスや列車、車など）で国境を越えてアメリカへ入国する場合は基本的にビザが必要となる。これは、グレイハウンドをはじめ、すべてのバスおよび列車会社が、ビザ免除の指定交通機関に含まれていないからだ。

ただし、はじめに日本からアメリカに入国した後にカナダ、メキシコ、カリブ海など第三国に出国し、再びアメリカに戻っ

アメリカからメキシコへはビザはいるの？
陸路でメキシコとの国境を越える場合、国境から18マイル以内で、72時間以内の滞在であればパスポートさえあればOK。それを超えるときはツーリスト・カードというものが必要になる。

(裏面)

次の各項目のいずれかに該当する場合には、該当する箇所を数字とともに○印で囲んだ上で下記の①渡航目的欄、②渡航先欄及び③理由欄(二重発給を受けようとする場合のみ)に記入して下さい。
1. 表面の刑罰等関係欄に該当する事項がある場合
2. 永住目的で渡航する場合
3. 旅券の二重発給を受けようとする場合

① 渡航目的(具体的に)

② 今回の渡航先(該当する渡航先を、コードとともに○印で囲んで下さい)

[アジア] コード　韓国 000　台湾 001　香港 002　マカオ 003　フィリピン 004　インドネシア 005　タイ 008　マレイシア 009　スリ・ランカ 011　インド 012　パキスタン 013
ネパール 015　シンガポール 023　中国 600　北朝鮮 603　[大洋州] コード　オーストラリア 100　ニュー・ジーランド 101　フィジー 108　ニュー・カレドニア 110　北マリアナ諸島 123
タヒティ 135　[米州] コード　米国 200　カナダ 201　メキシコ 202　ブラジル 210　アルゼンティン 211　コロンビア 213　ペルー 215　チリ 216　ボリヴィア 217　パラグァイ 223
[ヨーロッパ] コード　英国 300　ドイツ 301　フランス 302　イタリア 303　スイス 304　オーストリア 305　ベルギー 306　オランダ 307　ノールウェー 309　スウェーデン 310
デンマーク 311　フィンランド 312　アイルランド 313　スペイン 314　ポルトガル 315　ギリシャ 316　ロシア 500　ポーランド 501　チェッコ 502　ハンガリー 503　ルーマニア 504
ブルガリア 505　スロヴァキア 506　[中近東アフリカ] コード　イラン 400　イラク 401　トルコ 402　シリア 403　レバノン 404　サウディ・アラビア 405　クウェイト 406　エジプト 407
スーダン 408　モロッコ 409　ケニア 411　ジョルダン 419　カタル 422　アラブ首長国連邦 423　イエメン 425　リビア 427　チュニジア 428　アルジェリア 429　イスラエル 448

上記以外の渡航先		コード	

③理由(二重発給を受けようとする理由を具体的に)

外務大臣 殿　　　　　　　　平成○年○月○日
在　　大使　総領事　殿

この申請書の記載は事実に相違なく、旅券法第3条の規定により、一般旅券の発給を申請します。

申請者署名　地球歩 (印)　　　　法定代理人署名　　　印

(署名は必ず本人が行って下さい(署名が困難な場合を除く)。また、申請者が禁治産者の場合は、法定代理人の署名も併せて必要です)

この欄も忘れずに記入して下さい。

身元確認欄

(1点でよい書類)
☐ 日本国旅券
☐ 運転免許証
☐ 船員手帳
☐ 海技免状
☐ 猟銃等所持許可証
☐ 戦傷病者手帳
☐ 宅建取引主任者証
☐ 電気工事士免状
☐ 無線従事者免許証
☐ 官公庁職員身分証明書

(2点必要な書類)
☐ 健康保険証
☐ 国民健康保険証
☐ 船員保険証
☐ 共済組合員証
☐ 年金証書等
☐ 印鑑登録証明書
☐ 身障者手帳・資格証明書
☐ その他写真付きの身分証明書
☐ 一時帰国者

官庁記載欄　　☐本人　☐代理

申請に必要な書類等（有効な旅券を返納して申請する場合は、一部省略できる書類があります）
一、戸籍謄（抄）本　一通（作成日から六か月を経過しないもの）
二、住民票の写し　一通（作成日から六か月を経過しないもの）
三、写真　一葉（国外で申請する場合は二葉）
四、身元確認のための書類（運転免許証等、有効な原本に限る）
五、官製はがき　一枚
六、印鑑
七、その他特に必要とされる書類
八、前回発給を受けた旅券

(平成七年十一月改正)

申請者出頭免除申出書

平成○年○月○日
申請者署名　地球歩 (印)

私は旅券法の規定に基づき、次の者を通じて旅券申請書類等を提出しますので、申し出ます。
申請者に代わり申請書類等を提出する者の氏名　地球一郎
申請者との関係　父

申請者以外の方が申請書類等を提出する場合には、この様式も忘れずに記入して下さい。

点線より上の欄は申請者本人が記入して下さい。

私は本件申請に係る必要書類等を申請者の代わりに提出することを引き受けます。
申請書の所持人自署及び申請者署名は本人自筆のもの(又は適正な記名)であることを確認します。
引受人署名　地球一郎 (印)
連絡先電話番号　XX (XXXX) XXXX

申請者に代わり申請書類等を提出する場合の注意
1、申請者の指定した者が、代わりに申請書類等を提出する場合には、身元を確認するに足る書類等を提示（出）して下さい。
2、この申請による旅券取得がわが国法令の罰則に該当する場合、申請者に代わって必要書類等を提出した者も罰せられることがあります。
3、法定代理人が申請者に代わって申請書類等を提出する場合には、本様式の提出は不要です。

(平成七年十一月改正)

(別記第3号様式)

てくるといった場合は、その総合計日数が90日以内なら、ビザは不要となる。

ビザの申請はどこでするか

ビザの申請は、東京のアメリカ合衆国大使館か、大阪、沖縄の領事館で受け付けるが、旅行代理店を通しての代理申請がいちばん早い。または、別表にある必要書類をそろえて大使館領事部査証郵送受付係に郵送するか、大使館、各領事館にある備え付けの投函箱に必要書類を投函する方法もある。申請料は＄45相当の日本円だが、金額は毎月変わるので確認する必要がある。

大使館へ本人出頭による申請という方法もあるが、事前に電話、ＦＡＸによる予約が必要。曜日、時間、1回の人数に限りがあるので便利とはいえない。短期の観光ではなかなかビザがおりないのが実情だ。

通常、申請から5〜10日で取ることができるが、祝日や時間、その他の事情で遅れる場合も多いので、旅行日程に十分な余裕をもって申請すること。

ビザの申請手続きのできる大使館＆総領事館

地区	大使館／領事館	住所	問い合わせ電話番号	Fax番号
北海道、東北、関東、上信越	アメリカ大使館	〒107-8420 東京都港区赤坂1-10-5 アメリカ大使館査証郵送申請受付係	☎(0990)5-26160 (電話&Faxサービス)	☎(03)5570-5041
中部・関西、中国、九州	在大阪・神戸総領事館	〒530-8543 大阪府大阪市北区西天満2-11-5 アメリカ領事館査証課	☎(0990)5-12122 (大阪地区) ☎(0990)5-00588 (福岡地区) (電話&Faxサービス)	
沖縄	在沖縄総領事館	〒901-2101 沖縄県浦添市字西原2564アメリカ領事館査証課	☎(098)876-4211 (8：30〜11：30)	

ビザ申請に必要な書類

	必要書類等	条件など
1	パスポート	
2	申請用紙（OF-156）	申請用紙は大使館に出向くか、郵便で請求して入手する。用紙には申請費用の振込用紙のオリジナルを貼る。費用振込の銀行口座などは、電話&Faxサービスで調べることができる。
3	3.5cm×3.5cmの写真（正面、無背景、カラー可）	上半身、無帽無背景。写真上部の余白部分にパスポートと同じサインをする。
4	アメリカへの渡航目的・期間を明記した、関係者からの英文の手紙	決まった書式はない。
5	日本に帰国する意志、必要のあることを証明するもの	決まった書式はなく、会社、学校等の在職、在学証明書や、休職、休学証明書。家族が日本国内にいることや、不動産を所有していることを証明する書類。
6	財政証明書	渡航費用負担者（本人や親など）の銀行の残高証明書、航空券や航空代金の払込証明書のコピーなど。渡航費、滞在費が十分にある裏付けとなる書類。
7	返信用封筒	郵送、また投函箱を使って申請する場合。返送に必要な額（パスポート1部の場合270円）の切手を貼り、返送先を書いた返信用封筒。

★ その他の取得したいもの ★

ユースホステル会員証

ユースホステルとは、おもに若い人々を対象にした宿泊施設（ただし年齢制限はない）で、1部屋に2段ベッドが4〜6つ入っている。バス・トイレは共同だ。安く旅をしたい人は、いの一番にユースの利用を考えたい。原則的に会員制なので利用の予定がある人は、事前に入会手続きをしておこう。

国際学生証（ISICカード）

ISICとはInternational Student Identity Card 国際学生証の略で、アムステルダムに本部のあるISTC（International Student Travel Confederation・国際学生旅行連盟）が発行する世界共通の学生証。博物館やアトラクションの入場料の割引が受けられるなどの特典があるほか、パスポート代わりの身分証明書として、ライブハウスに入るとき、アルコールを買うときなど大いに役立つ面もある。パスポートより気軽に携行できるのが利点。

国際学生証を入手する資格
大学生、短大生、大学院生、高等専門学校の1〜5年生、専門学校の「本科生」、中学校生、高等学校生、専修学校一般課程の「本科生」。詳しくは HOME www.univcoop.or.jp/uct/isic/index.html

国際運転免許証

旅行中にレンタカーを借りる人には欠かせないもの。自分が所持する免許証を発行した都道府県の免許センターに出向いて申請する。国内の運転免許と違い、15分〜1時間ほどの短時間で簡単に発給される。

その他取得しておくと便利なもの

証明書類	必要書類	手数料	問い合わせ先	備考
ユースホステル会員証		2,500円	全国に窓口がある。わからない場合は次に問い合わせを。(財)日本ユースホステル協会 〒101-0061　東京都千代田区三崎町2-20-7 水道橋西口会館 ☎(03)3288-1417	ユースホステルは若者を対象とした、安く泊まれる宿泊施設。年齢制限はないが安く旅をしたい人は取得しておくとよい。
国際学生証	学生証のコピー、または在学証明書1通 顔写真1枚（縦3.3cm×横2.8cm）専用申込書	1,430円 郵送の場合 1,700円分の郵便「定額小為替」を同封	大学生協事業センター 〒166-8532　東京都杉並区和田3-30-22 大学生協会館4F ☎(03)5307-1156 (時間：月〜金10：00〜17：00、土10：00〜12：30) HOME www.univcoop.or.jp/uct/isic/index.html	パスポート代わりの身分証明書としては便利。
国際運転免許証	免許証 パスポート 顔写真1枚（縦5cm×横4cm）	2,600円	各都道府県の免許センターまたは県警本部	免許取得から1年以上の運転歴があること。免停中、違反の罰金を支払っていない場合には発行されない場合がある。アメリカでのレンタカー利用には日本の免許証も必要。

お金の管理方法

財布は小銭入れと札入れに分けて持ち歩くと便利。札入れには小額の紙幣から順に入れておくのがいい。$1紙幣はチップやバス代などによく使うため、手前にあったほうが取り出しやすい。高額紙幣を手前に入れておくと、偶然それを見られてしまい、スリのターゲットになってしまうこともある。

為替レートはいまいくら?

最新の米ドルの為替レートはインターネット「地球の歩き方」ホームページで確認することができる。ホームページのアドレスは HOME www.arukikata.co.jp/gio

T/Cはどこで現金化する?

アメリカの空港などの両替所でT/Cを現金に換金すると手数料をとられてしまう。両替は銀行かホテルのキャッシャーがいい。

T/Cを購入したときにいっしょに渡してくれるT/C購入者控はT/Cとは必ず別のところに保管しておくこと。

商店などで、キャッシャーに "NO CHECK (小切手お断り)" と表示されていることもあるが、この場合のチェックとはパーソナル・チェック (地元の人が使う、銀行口座引き落とし小切手) のこと。T/Cなら受け取ってもらえることは多い。

T/Cもその日に使う分だけを切りとって財布の中に入れておくと便利。必ずしも束のまま持ち歩かなくてもいい。

アメリカで "日本円" は空港の免税店など、ごく一部を除いてはまったく通用しない。また、両替にしても、空港の両替所、ホテルのキャッシャー、許可を受けたごく限られた銀行などでしかできないのが現実だ。

アメリカへ行くなら旅費は出発前に日本円をアメリカドルに替えて持って行くのが賢明だ。

アメリカの通貨

言わずと知れた米ドル (US Dollar)。1ドル ($) =100セント (¢)。コインは1¢ (通称ペニー Penny)、5¢ (ニッケル Nickel)、10¢ (ダイム Dime)、25¢ (クォーター Quarter)、50¢ (ハーフダラー Half Dollar)、$1 (ダラーコイン Dollar Coin) の6種類。ただし50¢と$1のコインはあまり見かけない。大きさは25¢、5¢、10¢、1¢の順だから注意!

紙幣は1、2、5、10、20、50、100、500、1,000、5,000、10,000の11種類。色、大きさすべて同じなので注意が必要だ。だが、最近20、50、100ドル札のデザインが変わった。もっとも使われるのは1、5、10、20の4種類で、たまに50、100ドル札も見かけるが、それ以外の札はほとんど目にすることがない。50、100ドル札は受け取ってくれても、ニセ札じゃないかとしつこく調べられることがある。クレジットカード社会のアメリカでは高額紙幣を持ち歩く人があまりいないからだ。

米ドルは現金よりT/Cで持っていくのが基本

現在では都市銀行など、外国為替取扱銀行、大手旅行代理店の本・支店、大きな郵便局に行けば簡単に外貨を購入することができるし、もし時間がなかった場合でも出発前に日本の国際空港で米ドルを購入することができる。このドルを現金で持って行くか、T/C (トラベラーズ・チェック=旅行者用小切手) で持って行くかは本人の自由だが、再発行可能という安全性や、現金に比べ交換レートの有利さを考えると、T/Cを持って行くことを断然すすめる。

T/Cの使い方

T/C (トラベラーズ・チェック) は金額が最初から入った小切手で、サインをするところが2カ所あり、使用者はT/Cを購入した時点で1カ所 (Holder's Signature) にサインをし、使用時にもう1カ所 (Counter Signature) にサインをして初めて有効になる。

購入時に1%の手数料がかかるが、為替レートは現金よりも良いので実質的には手数料をプラスしてもT/Cのほうが安くなる。

T/Cはアメリカではほとんどの店、レストラン、ホテルで現金同様に使うことができるが、時おりパスポートなどID (身分証明書) の提示を求められることもある。

アメリカの通貨、米ドル

T/Cのメリット・デメリット

メリット	デメリット
• レストラン、ホテル、ショップなどで現金同様に使うことができる • 高額の現金を持ち歩かなくてよい • サインが必要なので、本人しか使えない • 盗難にあっても再発行が可能 • 両替するときの為替レートが現金のときよりいい • 旅行の予算の管理がしやすい	• T/Cで買い物をしてもおつりで大量の現金を持ってしまったら、安全性が損なわれる • 高額のT/Cは受け取りを拒否される場合がある • 地下鉄や市バス、タクシーには使えない • ファストフード店では使えないことが多い • 前もって現金化しておかなければならない場合がある

T/C購入時の注意

現金と比べ多くの利点があるT/Cだが以下の点に注意したい。

① 大手銀行で発行しているT/Cがベター。VISAやMasterといった世界的なクレジット会社と提携しているので問題なく使える。アメリカン・エキスプレス社発行のT/Cも知名度が高く安心。

② 通常T/Cには＄10、＄20、＄50、＄100、＄500、＄1,000とあるが、1回に多額の支払いを予定している人を除いて、＄500以上の高額のT/Cを持つのはあまりすすめられない。

T/C購入前に、支払いの場所や金額、高価な買い物の有無をあらかじめ考え、使いやすい金種の組み合わせ、T/Cと現金のバランスなどを工夫しよう。

たとえば旅費が＄1,500の場合、＄20×25枚、＄50×10枚、＄100×5枚などと事前に考えておくと手続きもスムーズだ。また、現金とT/Cの割合だが、到着後の空港から目的地までの交通費や食事代などに必要なだけ（余裕を持って＄70くらい）の現金を持ち、残りはすべてT/Cがよい。

★ クレジットカード ★

外貨のところでT/Cが安全と述べたが、さらに安全なのはこのクレジットカード。

アメリカではちょっとした支払いでも個人用の小切手か、カ

T/Cのサイン

T/Cのサインは日本語でも英語でもかまわないが、パスポートを提示したときにトラブルを避けるためパスポートと同じサインをしておいたほうがよい。

使い残したT/Cを帰国後日本円に再両替してもらうときには、身分証明書（パスポートなど）が必要なので忘れずに。

この金種が便利

T/Cの金種は＄50、＄20がもっとも使いやすい。

クレジットカードの達人

旅慣れた人では、ホテルやレンタカーの精算、高額商品やレストランの支払いをクレジットカードですませてしまう人も多く、現金は交通費や簡単な食事、チップなどにかかる最小限の金額しか持ち歩かないという人もいる。

ニューヨークの郵便局の
ように支払いにT/Cを使う
とき、IDを2種類見せるよ
う求められることがある。
こんなとき、パスポートの
ほかにクレジットカードも
ID代わりに十分なりうる。

カードが使えるかどうか
は、「マスターカードOK？」
などと聞いてみてもよい。

出発する前に
● 利用限度額の確認
● キャッシングの際は暗証
番号が必要。その番号の
確認

**学生がカードを取得す
るには**
① 親が加入しているカード
の家族会員になる
② 学生向けカードに加入す
る

学生向けカードというの
は、GIO-CLUB・JCBカー
ドやGIO-CLUB・DCカー
ド、GIO-CLUB・住友
VISAカード、GIO-
CLUB・NICOS（日本信販）
VISAカードなど。ただし
申込書には親の署名、捺印
が必要。旅行が決まったら
早めに手続きしておこう。

ードを用いるのが一般的である。我々旅行者には、個人用小切
手に代わるT/Cがあるとはいうものの、カードはアメリカ社
会では必需品。海外で通用する国際カードを持っていこう。

日本で加入できる国際カードはアメックス、ダイナース、
JCB、マスター、VISAなどがあり、最近は、多くのカード会
社や銀行、信販会社がマスターカード、VISAのどちらか、ま
たは両方と提携発行しているので非常に便利になっている。複
数のカードを取得しておくと利用範囲が広がるので便利だ。

クレジットカードのメリット・デメリット

メリット	デメリット
● 多額の現金を持ち歩かなくてよい ので安全 ● 旅行中、所持金が底をついたら… という心配がない ● レンタカー、ホテルの予約、ホテ ルのチェックインのとき身分証明 書となる ● 利用金額の写しが手元に残るの で、支出額のチェックがしやすい ● サインひとつで支払いができ、現 金の授受時によくあるまちがいが 起こらない ● 現金が必要なとき、手続きさえし ておけばキャッシングサービスを 受けられる	● 支払い能力のある人でないとカー ドを取得できない ● 盗難にあった場合、通信販売など に悪用されることがあるので、直 ちに報告しなければならない ● 悪徳業者は、支払い用紙に金額を 多く書き込んだりすることがある のでサインするときには、必ず支 払い額のチェックを ● 利用最低額が、＄20といった具 合に決められていることがある

ATMでのキャッシング操作法

カードを挿入する
（カードは挿入したらすぐに抜き取る）

▼

4ケタの暗証番号PINを入力したあと、エンターキーENTERを押す

▼

現金引き出しの場合は、WITHDRAWALを選択する

▼

その銀行に口座があるときは別として、無いのならCRADIT CARDを
選択する

▼

引き出したい金額を入力する
（金額は＄20単位。あらかじめおろせる金額が決まっており、画面を
押すだけの場合もある）

▼

入力した金額に間違いがなければCORRECTを押す

▼

ここで画面がTHANK YOUとなれば終わり、またはIF YOU WISH～
などと表示され、なにもなければIF NOを押す

▼

現金と明細書を受け取る

カードの使い方

　入口やウインドーに取り扱っているクレジットカードのステッカーが貼ってあるので、自分の持っているカードが使えるかどうかチェックしておく。店によっては″＄20から″というように最低金額を定めているところもある。

　キャッシャーで、あるいは店の人が、"Cash or Charge?"と尋ねる。このChargeがクレジットカードによる支払いのことなので、"Charge, please"と答え、サインして控えは大切に保存する。1～2カ月後の決済までに口座に入金しておけばよい。

カードをなくしたら!?

　国際カードの場合、現地にカード会社の事務所や提携の銀行があるので、できるだけ早くそこに連絡して不正使用されないようにしてもらう。連絡先は電話帳に載っているし、ホテルの人に教えてもらうのも一案。

　手続きをするのにカードナンバー、有効期限が必要だ。紛失時の届け出連絡先といっしょに手帳に控えておくのを忘れずに。パスポートと共にカードのコピーをとるのも一案。

★　　海外旅行傷害保険について　　★

　慣れない環境での旅の途中、いつ、どこで、どんなトラブルに遭うかわからない。アメリカの医療費は非常に高く、病気や事故に遭ってケガをしたら大変。また、人のものを壊してしまったり、盗難に遭ったりすることも起こりうる。そんな万一のときのために、加入しておくのが海外旅行傷害保険である。

　保険に加入する・しないは本人の意志によるが、もしものことを考えれば、入っていたほうが安心だ。

　日本信販のクレジットカード（要保証人）や、各クレジットカード会社の発行するゴールドカードを取得すると、海外旅行傷害保険が付帯されているが、死亡時の金額は高くても、治療費用の保障額は意外に低い。アメリカへ行く場合、新たに保険をかける人が多いようだ。

旅行手続きといっしょに保険加入

　保険加入は安田火災、東京海上火災などの損害保険会社が取り扱っているが、申し込みは旅行代理店で旅行の手続きと同時に手軽にできる。空港の保険会社のカウンターで、出発直前でも加入できるが、海外旅行傷害保険は空港と住居の往復にも適用されるので、早めの加入が望ましい。

クレジットカードは必需品

証書と小冊子は必ず目を通す

保険が適用にならないケース（現金、T/C、航空券、コンタクトレンズの紛失や、虫歯の治療、登山などの危険なスポーツなど）や、保険金の請求の際必要な証明書などもあるので、契約時に受け取る証書と小冊子の約款には必ず目を通しておくこと。各社とも少しずつ違った内容、特色があるが、金額などで大きな違いはない。

保険のタイプ、会社について

　保険には基本契約と特約があるので別表を参照。あらかじめ基本と特約がすべて含まれている**セット保険は手続きが簡略化される分5％ほど保険料が安くなっている**。なお、ジオクラブではクレジットカードで決済でき、ビッグな保障の海外旅行傷害保険の取扱いを行っている。詳しくは下のコラム参照。

　また、アメリカでレンタカーを運転する予定の人は、『自動車運転者損害賠償責任危険担保特約』には加入しておきたい。その場合レンタカーはハーツ、エイビス、ダラー、ナショナル、バジェット、アラモなど大手に限られるので注意しよう。

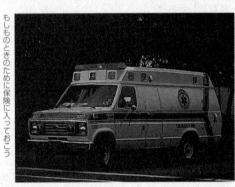

もしものときのために保険に入っておこう

海外旅行傷害保険の種類

基本契約（保険に加入する際、最低限かけなければならないもの）		
傷害	死亡・後遺障害	旅行中の事故によるケガが原因で事故の日から180日以内に死亡、または身体に後遺障害が生じたとき。
	治療費用	旅行中の事故によるケガで医師の治療を受けたとき。
特約（加入者の意志によりかけることのできるもの）		
疾病	治療費用	旅行開始から旅行終了後48時間以内に病気にかかり、医師の治療を受けたとき。旅行中に特定の伝染病に感染して、旅行終了後14日以内に医師の治療を受けたとき。
	死亡	旅行中に病気により死亡した場合。旅行中にかかった病気が原因で、旅行終了後48時間以内に発症し、30日以内に死亡したとき。旅行中感染した特定の伝染病により30日以内に死亡したとき。
賠償責任		他人にケガを負わせたり、ものを壊したりして損害を与え、法律上の賠償責任を問われたとき。
携行品		携行品が盗難、破損などの偶然の事故にあって損害を受けたとき。
救援者費用		遭難またはケガをし、死亡もしくは7日以上入院したとき、または病気により死亡もしくは、7日以上継続して入院したときなど。支出した捜索援助費用、現地に赴く親族の航空運賃等交通費などの諸費用が支払われる。
その他		旅行取消費用、旅行短縮費用、自動車運転者賠償、家族旅行などがある。

第6章 旅の持ちものと服装

小さく軽い荷物と動きやすい服装は旅の行動範囲を広げる。自由旅行ならなおさらのこと。そして、自由旅行には汚れてもいいようなラフな服装がいちばんだ。しかし、ときにはT.P.O.に合わせた服装も必要になってくる。旅の身じたくは慎重に考えたい。

★ 荷物（持ちもの） ★

基本的な持ちもの

各自の旅のスタイルによって多少異なるものの、基本的な持ちものはほぼ同じ（チェックリストP.63参照）。

初めての海外旅行では、あれもこれもと荷物の量が多くなりがちだが、悩むようなものは思いきって持っていかないほうがいい。自由旅行の基本は小さくて軽い荷物。歯みがき粉やシャンプー、Tシャツなど、アメリカで売っているものは**現地調達**することをすすめる。アメリカ人の生活を知るうえでもスーパーマーケットやドラッグストアに寄って、日本のそれと比較するのもおもしろいし、持ち帰っておみやげにするのもいい。

着がえはできるだけ少なくしよう

荷物の大小は着がえの量でかなり左右される。下着やソックス、Tシャツなどは2〜3組あれば十分だ。洗濯はホテルでもできるし、大都市にはコインランドリーもある。毎日洗って干せば、清潔で気分もすっきりする。ただし、ホテルなどで洗濯する人は洗剤を持っていくか、現地調達をしなければならない。ちなみに、1カ月くらいの旅ならカップ2杯分の洗剤と、ホテル備え付けの石けんを併用すればOK。そして、洗濯のすすぎは必ずお湯でするように。乾き時間が断然速い！ 乾いたタオルと重ねてしぼるのも一つの手。

夏の寒さに負けないように

東西はもちろん、南北への広がりも大きなアメリカでは地域によって気候もさまざま。アメリカ北部やカナダへも足を延ばそうという人は、夏でも防寒用にセーターかジャケットを持っていくこと。また、国立公園の冷え込みは相当なものだし、夜行バスのクーラーは驚異的だ。なお、冬のアメリカの気候も、零下の寒い地域から海水浴のできるところもあるといった具合。旅先の気候・気温をよく調べてから服装プランを立てよう。

何に入れていくか

スーツケース、ガーメントバッグ、バックパック……、旅の荷物のスタイルもさまざまだ。バスを使ってアメリカ周遊など

荷物はあくまでも小さく
荷物は極力、軽く小さくするように努めよう。

西部ならすぐ乾く
アメリカ西部は日本より空気が乾燥している。たとえば、LAでは一晩でTシャツが乾いてしまう。

注意：洗濯物を窓の外に干すのはマナー違反。

ランドリーサービスもあります
高級ホテルでは洗濯を頼むことができる。有料。2泊以上するときでないと利用できない。また、コインランドリーの付いているモーテルも中級クラスには多いので、チェックインの際に聞いてみるといい。

重ね着で調節を
夏にアメリカを旅行しようと思っている人は、気温の変化に注意。東部、中部で猛暑が続いているようなときでも、西海岸はけっこう涼しい。とくにサンフランシスコに行く人は、真夏の格好で行くとカゼをひいてしまうほど寒い。

旅慣れた人の荷物は
　どうやら日本人の間には"海外旅行＝スーツケース"の先入観があるようだが、旅慣れた人は意外にもスーツケースを使わない人が多い。ソフトバッグを飛行機に預けても、そう乱暴に扱われることはない。

の移動の旅には**バックパック**、ニューヨークやサンフランシスコだけといった滞在型の旅なら**スーツケース**の利用をすすめる。

　バックパックなら両手はいつも自由、お金を払う、地図を見る、写真を撮る……、どんな場合でもいちいち荷物をおろす必要も、持っていかれる心配もない。

　スーツケースは、がっちりとした外側で乱暴な扱いにもビクともせず、おまけにカギもしっかりかかるので安心だ。コロコロと転がせるので重さはほとんど問題外。中身もスッキリ納まるので出し入れもスムーズだ。ホテル予約済みの人向け。

★　　　パッキングのコツ　　　★

荷づくりのアイデア

　荷物を要領よくつめるには、小物入れ袋が便利だ。袋は旅行用品コーナーなどで、大中小とサイズをとりまぜてセットされ、売っている。別に既製品を買わなくても、お手製の小袋やポリ袋で整理するもよし。できれば中身がすぐわかるように袋に書くなどしておくと、より使いやすい。衣類はのり巻き状にクルクル巻くとスペースをとらずにラクに入れられる。

これは持っていこう
　帽子とサングラスは女性にはとくに必需品。日差しは想像以上に強い。

雨具はどうする？
　いつも悩んでしまう荷物の雨具。これは中部から東海岸にかけては必需品だから、そちら方面へ行く予定の人は持っていくようにしたい。夏場の西海岸を中心としたエリアなら、フードの付いたレインコートかウインドブレーカーでOK。防寒にも役立ち、便利だ。

旅行中にたまった荷物は船便で送り返す

　ついついたまってしまう地図やパンフレット、買ってしまった本など、どんどんかばんは重くなる。そんなときは郵便局から船便Sea Mailで日本へ送ってしまおう。6週間くらいで日本へ着く。本や地図、パンフレットなどは印刷物Printed Matterとして送れば料金も安くてすむ。

どんなスタイルで行くかも重要だ

電気製品について

　アメリカの電圧は120ボルト。230ボルトが主流のヨーロッパなどと違い、100ボルト用に作られた日本の電気製品もそのまま使うことができる。ただし、わずかではあるが、規定電圧より高い電圧を使うことになるので、一応の注意が必要。とくにドライヤーや各種充電器などを長時間使用すると過熱することもあるので、時間を区切って使うなどの配慮が必要だ。旅行用品店などで売られている、海外電圧対応のものがベストであることはいうまでもない。

	品　名	必要度	ある	カバンに入れた	備　考
貴重品	パスポート	◎			期限は有効ですか
	トラベラーズ・チェックと控え	◎			サインはしてありますか。控えは別の場所に保管！
	現金（USドル）	◎			ホテルまでのタクシー代ぐらいは最低限持つように
	現金（日本円）	◎			空港使用料や帰りの空港から家までの交通費も忘れずに
	航空券	◎			出発日時、ルートなど、よく確認しておく
	海外旅行傷害保険証	◎			傷害保険をかけた場合。忘れると現金が必要
	クレジットカード	◎			アメリカでは必需品
	国際運転免許証	△			レンタカーを借りる人
	各種IDカード	△			国際学生証やユースホステル会員証など
	メモ帳	◎			パスポートやT/Cのナンバー、集合場所の住所など
衣類	シャツ	◎			Tシャツや襟つきシャツなどの着替え
	下着・くつ下	◎			上下2～3組。洗いながら使い回そう
	セーターorジャケット	◎			夏でも夜の観光用に1枚必要 冬は厚いものを
	帽子	○			陽よけ、防寒など旅では結構役立つ
	パジャマ	△			かさばるのでTシャツで代用してもいい
	水着	△			夏でなくても、高級ホテルに泊まる人は持って行くといい
薬品・雑貨・その他	洗面用具（歯みがき、歯ブラシ、化粧品など）	◎			現地でも買い足しができるので小さいもの
	目覚まし時計	○			朝寝坊して飛行機に乗り遅れないように
	ドライヤー、シェイバー	△			電圧は120V。変圧器のいらない製品もある
	洗剤	○			洗濯用に少し。粉石けんが便利
	薬品類	◎			胃腸薬、カゼ薬、絆創膏、虫さされ軟膏など常備薬
	筆記用具	○			なくしやすいが現地でも買える
	裁縫用具	○			小型携帯用のもの（糸、針、ハサミなど）
	万能ナイフ	○			ナイフ、カンキリ、センヌキのついた軽いもの
	ビニール袋	○			衣類の分類、ぬれた物用に
	スリッパorサンダル	○			ホテルや機内、ビーチなどで
	おみやげ	△			必要な場合、小さくて日本的なもの
	双眼鏡	△			スポーツ観戦や観劇に便利
	カメラ	△			小型で軽いもの。使い慣れたもの
	フィルム	△			現地でも買える が割高。預け荷物にすると感光するおそれあり。手荷物に入れること
	計算機	△			ドルと円の換算、タックスやチップの計算に
	雨具	△			軽い折りたたみ傘。西海岸以外は天気が変わりやすい
	顔写真（4.5×3.5cm）	○			旅券を紛失したときのため。2～3枚
本類	辞書（英和・和英）	○			うすいものでよい
	ガイドブック類	○			『地球の歩き方』ほか
	日記帳	○			毎日の記録。出費もチェック！

第7章 旅の予算

　旅行中は、どんなことにお金を使うのだろう。ホテル代に食事代、地下鉄や市バスの交通費、アトラクションの入場料、場合によっては観光ツアーに参加したり……。自分ですべてを管理する自由旅行なら、毎日の支出は気になるもの。旅行のタイプ（節約 or 豪華）、興味のあるもの、滞在日数、ルートによっても大きく異なるが、ここでは、旅の基本的な費用の目安について知っておこう。なお、ここでは飛行機やグレイハウンドといった長距離を移動する交通機関の料金については除外した。

★ 支出項目 ★

①宿泊費（第11章・アメリカの宿泊施設 参照）

　飛行機などを除けば、旅費のなかで最も占める割合が大きいのが宿泊費だ。この宿泊費も、いちばん安いといわれている$16前後のユースホステルから、超高級といわれているホテルの数百ドルまで、グレードは実にさまざま。各自の旅のスタイルやメリハリを考えて、ホテル選びをしたいもの。

　ホテルは、町によって料金の高低に差があるが、基本的に中級ホテルはシングル$60〜140、ツイン$80〜150くらいを目安に考えておくといいだろう。日本の旅行代理店などを通して予約できる高級ホテルは、シングル$160〜250、ツイン$180〜300くらいは最低必要となる。最近の傾向として、アメリカの好景気を反映してか、ホテル料金の値上がりは日本以上に大きく、こまめにアップする。

　最も安い宿泊施設はユースホステルで、1泊$15〜23くらい。

　もっと節約したい、と考えているのなら、グレイハウンド（長距離バス）やアムトラック（鉄道）、飛行機の夜行便を使って宿泊費を浮かすという方法もある。

宿泊料金の高い町
　観光とビジネスの町のホテル料金は、とくに高い。たとえば、ニューヨーク、サンフランシスコ、シカゴ、ボストン、ワシントンDCなど。同じ料金だったら、他の町と比較してグレードが低いことを覚悟しておいたほうがいい。なかでも、ニューヨークのここ1〜2年ほどの値上がり状況は激しく、しかもこの町はホテルタックス（料金の20%近く）がかなり高いから要注意。

部屋のタイプもさまざま

読★者★投★稿

「おつり」にみる日米の習慣の違い

　例えば日本で908円の買物をした場合、千円札を出すと「10円お持ちですか？」と聞かれることがある。92円のおつりを渡すより102円のほうが簡単だし、レジの小銭を少しでも減らさずに済むからだ。908円ぴったり出すと「恐れ入ります」と喜ばれたりもする。

　この感覚のままアメリカを旅した私は、支払いの際、$10札を持っていてもわざわざ$1札を7、8枚出したり、○○セントまでぴったり払ったりしていた。でも、アメリカではあまりこのような支払い方はしないようで、あちこちで嫌な顔をされたり、あきれた顔で見られたりした。そこでアメリカ人はどうしているのかとほかの人の様子をのぞいて見たところ、おつりでもらうコインのうち1¢や5¢などは、カウンターに置いてあるビンの中にチップとして入れているらしい。今度アメリカに行ったときにはスマートに支払いたいと思う。

（高橋美穂　横浜市）('98)

②食費（第12章・アメリカの食事 参照）

食事もまた宿泊と同じで、自分の旅のスタイルによって千差万別だ。スーパーマーケットなどでパンやハムを買って自分でサンドイッチを作って食べるのがいちばん安上がり。外食もファストフードのハンバーガーから、布のテーブルクロスの上にナプキン、ナイフ、フォーク、スプーン、グラスが幾種類も並んだ高級レストランまでいろいろ。

体あっての旅だから、**最低、朝食に$2〜5、昼食に$5〜10、夕食に$10〜20**の予算は組んでおきたい。**ファストフードなら1食$3〜6**といったところ。節約したいために、ファストフードばかりというのも飽きてしまうし、栄養がかたよるのも体のためには良くない。アメリカにはカジュアルなレストランも多いから、たまにはレストランに入ってみよう。国道沿いでよく見かけるファミリーレストランなら$8〜15、町なかのカジュアルなレストランなら$20〜30程度。量はどこも、アメリカンサイズなので、控えめに注文したほうがいいだろう。

③観光に要する費用

現地でツアーに参加したり、テーマパーク、ミュージアムなどの入場料、演劇、コンサートのチケットにかけるお金など。何をしたいかによって、かける金額も人さまざま。それぞれの具体的な数字はガイドブックなどで事前に見当をつけられるだろう。

④交通費

都市間の大きな移動には、日本から購入していくチケットや周遊券を利用することが多いと思うが、それ以外に近距離の移

世界の料理が楽しめる国

アメリカの食事はマズイマズイとよく言われる。確かに毎日ファストフードばかりでは、バリエーションに富んだデリケートな味に慣れている日本人にはつらいだろう。が、アメリカは多民族国家で、世界中の料理が食べられることを忘れてはならない。たまにはレストランに行ってアメリカのステーキやイタリア料理にトライしたり、大都市には必ずある中華街で栄養をとったり、メキシコ料理など変化をつければ、いい旅の思い出にもなる。

観光にかかる費用も千差万別

何をするのかによって、かなりの差が出てくる。たとえば、ワシントンDCでスミソニアンの博物館見学をするならすべて無料。フロリダのディズニーワールドなら1日券で、$42.24といった具合だ。

市内を数多く移動する人は

多くの町で発行している一定期間、市バスや地下鉄に乗り放題のパスを購入するといいだろう。

★ タイプ別1日にかかる費用

初めてアメリカを旅する人におすすめする町、サンフランシスコ滞在を例にとって、3タイプの1日の費用を追ってみよう。

タイプ 1　お金はないが、体力には自信がある

宿泊費・ユースホステル	17.00
交通費・空港から市内（路線バス）	1.00
ミュニバスとミュニメトロ	2.00
入場料・ウェルズ・ファーゴ銀行	0.00
アルカトラズ島	7.75
食費　・昼（ピザ1スライス）	3.25
夕（タッドのステーキ）	6.00
その他	3.00
合計	$40.00

タイプ 2　あまりケチらないで

宿泊費・中級ホテル	
（ツインで1人当たり）	70.00
交通費・空港から市内	
（エアポーター）	10.00
3日間のMuni Passport	10.00
入場料・SF近代美術館	8.00
食費　・昼（ハンバーガー）	4.75
夕（寿司）	25.00
その他	4.00
合計	$131.75

タイプ 3　お金は気にしないで楽しむ

宿泊費・高級ホテル	
（日本から予約・シングル）	250.00
交通費・空港から市内（タクシー）	32.00
交通費と入場料	
・観光ツアー	25.00
食費　・昼	
（チャイナタウンで飲茶）	15.00
夕（イタリアン）	30.00
その他	7.00
合計	$359.00

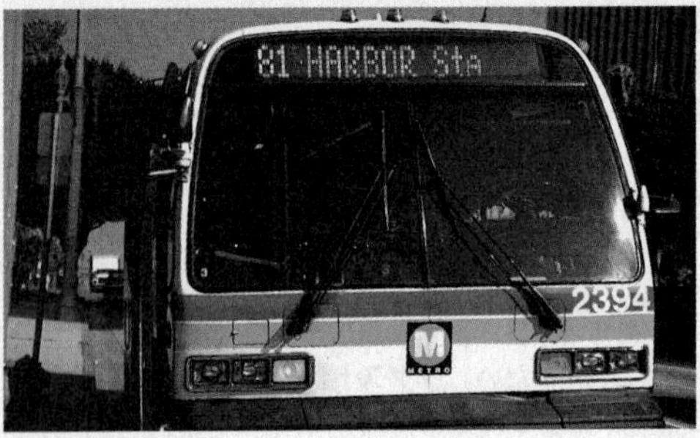

ロスアンゼルスのメトロバス

動もけっこうある。わりと頻繁に利用する地下鉄や路線バスは、1区間だいたい＄1～2程度と安い。タクシーも市内の移動なら、ほとんど＄10以内ですむ。ただし、飛行機をよく利用する人は、空港←→市内間の空港シャトルバンに1回＄10～20ほどかかることを見込んでおく必要がある。

⑤その他の費用

前項4項目以外にかかる費用は、お茶やアイスクリームなどの副食費、歯みがき粉などの日用品代、荷物を運んでくれたホテルのベルボーイやドライバーに対するチップ、日本への切手代など。

★ バランスのとれたお金の使い方を ★

各自の旅のスタイルに合わせて予算もピンからキリまでさまざま。まずは前項にあげた支出項目をベースにして、手元にあるお金と旅行日数を照らし合わせ、予算をはじき出してみよう。

宿泊費は1泊何ドル以内、食費は1日何ドル以内に……、と決めるより、全体のアベレージでいくらぐらいにするか決めたほうが現実的。大都市で1泊＄100もかかってしまったら次はユースで安く上げるとか、夜行バスで浮かした分、次の日は中級ホテルで休養をとるという具合だ。日本での生活と同じように柔軟に調節しながら旅をする。

要は、自分がどこにお金をかけるか、何をしたいのかポイントを定めること。アメリカは広大で見るべきもの、体験したいことも多い。旅のポイントを定めるとルート、スケジュール、そして予算も立てやすい。

こづかい帳をつけよう

旅をしていれば、当然のことながら残金は気になるし、お金の使い方のペースも予算に合っているか心配になるもの。そんなことを気にしながら旅をしてもつまらないので、こづかい帳をつけることをおすすめする。日記のすみっこでいい、その日の支出を、ホテル代、食費、その他と大ざっぱでよいから記しておこう。

T/Cを使用した記録は、盗難や紛失の際再発行してもらうために必要。また、カードを使用しても結局、後日の決済や利用限度額があるのだから、合計金額は知っておきたい。現金の残高もいざというときのために確認しておくと安心だ。

アメリカ自由旅行をさらに充実させたい人のために

広いアメリカをスムーズに移動するには？　トラブルに遭わないための安全対策は？　失敗しないレストラン利用法など旅の不安を一気に解消してくれるノウハウ集がある！旅のプロの裏ワザも満載。

『地球の歩き方・旅マニュアル㉕㉒アメリカ個人旅行マニュアル』（¥1,540+税）全国の書店で発売中!

アメリカへ行ったら、ドルでものを考えよう

現在は円安傾向にあるが、米ドルをすべて日本円に換算するのも考えもの。「日本に比べて、いくら得した」と、はしゃいでいると、その分お金をほかのところで使ってしまいがちだからだ。アメリカを体験するためにも、アメリカの物価感覚をつかむのは大事なことだ。

T/Cの換金はここが便利

T/Cはこまめに現金化しておきたい。ホテルのフロントで両替するのが最も便利。また、T/Cの使用も毎日記録すること。

クーポン券を利用しよう

観光案内所やホテルのカウンターのいくつかには、クーポン券が置かれている。観光名所のクーポン、レストランのクーポンなどいろいろとある。割引かれているのはわずかな金額ではあるが、塵も積もれば山となる。利用する回数が多いと、得する額も大きくなる。とくに、ナイアガラ・フォールズといったような観光地は、クーポン券が束になっていたりする。積極的に利用しよう。

第8章　旅の安全対策

「快適な旅、良い旅」にするために、旅の安全を守ることは不可欠な要素だ。ひと口に『安全の確保』といっても、その意味する範囲はあまりに広く、結局は「その場、そのときの個人の判断力による部分が大きい」としか言いようがない。不可抗力もあれば、不注意で起こるトラブルもある。しかし、ほとんどの人が「自分は気をつけているから大丈夫」だと思っているはず。もう一度、素直な気持ちで、以下の最低限の約束ごとを受け止めてほしい。

★　アメリカの治安と犯罪　★

世界でも有数の安全な国といわれている日本。この国に暮らしていると、"キケン"というものを意識する機会はあまりないだろう。不幸なことに、この感覚が海外へ行っても抜けないため、いろいろなトラブルに巻き込まれる人が多い。まず、**第一に"アメリカと日本は違う国だ"**ということを意識してほしい。

おもにマスコミを通じて、アメリカの犯罪発生率の高さ、その凶悪さ、銃社会、麻薬問題などが毎日のように報道されている。もちろん、これらは事実ではあるが、日本に伝わってくるものは、アメリカ社会のマイナス面が圧倒的に多いということ。凶悪犯罪の多くは、実際、一般旅行者と関係ないところで起こっていることも事実だ。

★　犯罪の種類と対策　★

旅行者の遭いやすい犯罪はスリ、置き引き

観光名所、人通りの多い通り、ショッピング街や店内、ファストフード店の店内、ホテルのロビーなどでスリや置き引きは発生する。あたり前と言えばそれまでだが、そういう場所ではいろんなことに気をとられて、"ついうっかり"や"全然気づかぬスキに"被害に遭うことが多い。相手はプロ、用心のうえにも用心を。

スリや泥棒のターゲットにならないために

スリや置き引きの被害に遭うのはスキのある人が多い。注意力があれば90％被害を防げる。ぼんやりしていたり、落ち着きのない人はすぐカモにされる。上を見上げて歩くのは、観光客のおのぼりさんまる出しのうえ、目線の下は防御が手薄になるので気をつけよう。とくに旅の前半より、後半になって旅自体やアメリカに慣れ、注意力が落ちたときに事件の発生率が高い。

こんな人には要注意

向こうから話しかけてくる人は、はっきり言って要注意だ。

ホテルの中ではこんなことに注意

- 夜ホテルに戻るときは、フロントのある中央の出入口から入る。
- 公共の場所で、ホテルの部屋の鍵を見せないように。その鍵を狙われることが多い。
- 客室内にも、現金や貴重品は置かないこと。
- エレベーターに乗るときは階数の表示されたところに立つのがベスト。万が一、強盗が乗ってきたらすべての階のボタンを押すか、非常ボタンを押して、危険を回避しよう。

多くの場合、下心があって近づいてくる。とくに、日本語で話しかけられたり、うまい話を持って近づいてくる人は、かなりの確率で注意したほうがいい。この自由競争の国で、あまりおいしい話はないのだ。また、これらの人は概して犯罪者らしい人相をしていないし、身なりも良い。美男美女も多い。巧みな手口に、自分がだまされたことすら気づかずにいるほどだ。

こんなところへ足を踏み込まないように

アメリカのどこの町でもそうだが、危険なエリアと危険な時間帯がある。観光局の人に聞いても、その町のマイナスになるようなことは教えてくれないから、ホテルの従業員に聞くのも一つの方法だ。現地在住の日本人というのも、意外に頼りにならない。ダウンタウンへ行ったこともないのに「ダウンタウンは危ない」なんて言っている人をよく見かける。治安の良くないエリアや時間帯にどうしても外出する必要があるとき、こん

在米公館リストと管轄区域

ワシントンDC　Embassy of Japan
🏠2520 Massachusetts Ave. NW,
Washington, DC 20008-2869
☎(202)939-6700
管轄区域（以下同）：ワシントンDC

ニューヨーク　Consulate General of Japan at New York
🏠299 Park Ave., New York, NY 10171
☎(212)371-8222
ニューヨーク、ペンシルバニア、メリーランド、ニュージャージー、デラウェア、ウエストバージニア州、コネチカット州フェアフィールド郡、プエルトリコ、バージン諸島

ボストン　Consulate General of Japan at Boston　🏠Federal Reserve Plaza, 14th Floor, 600 Atlantic Ave., Boston, MA 02210　☎(617)973-9772～4　メイン、マサチューセッツ、ニューハンプシャー、バーモント、ロードアイランド、フェアフィールド郡を除くコネチカット州

アトランタ　Consulate General of Atlanta　🏠100 Colony Square Bldg., Suite 2000,1175 Peachtree St. N.E., Atlanta, GA 30361☎(404)892-2700、892-6670、892-7845
バージニア、ノースカロライナ、サウスカロライナ、ジョージア、アラバマ州

在米公館管轄区分図

- - - 国　境
- - - 州　境
0　300　600km

なときこそタクシーを利用しよう。安全料だと思えば安いものだ。なお、町を歩くときは次のようなエリアに注意しよう。
- ●ゴミが散らかっている
- ●スプレーでの落書きが多い
- ●異臭がする
- ●人通りが少ない
- ●妙に気力のなさそうな人や、行動がおかしかったり、目つきの悪い人が多い
- ●家や店の窓や入口に、防犯のための鉄格子が入っている
- ●周囲にポルノショップなどの怪しい店が多い

本当に大切なものは肌身離さず

　盗まれてしまったら、その旅が不可能になるもの、①パスポート、②お金（トラベラーズ・チェック）、③帰国便やアメリカ国内便の航空券、④アメリパスやUSAレイルパスなどはい

こんなとき、ターゲットになりやすい

　日本人同士で会話に夢中になっているとき。日本語で会話をしていると、その空間は日本になりがち。とくにおしゃべりな人は、おしゃべりに気をとられて注意力が散漫になる。いつの間にか、スラれているかも……。

荷物は少なくまとめること

　右手も左手もふさがるほど荷物を持って歩いている人をよく見かけるが、こんなときは注意力も散漫になりがちだ。スリにねらわれやすい。荷物はなるべくひとつにまとめる努力を！

マイアミ Consulate General of Japan at Miami
🏢Brickell Bay View Centre, Suite 3200, 80 S.W. 8th St., Miami, FL 33130
☎ (305)530-9090　フロリダ州

ニューオリンズ Consulate General of Japan at New Orleans
🏢One Poydras Plaza, Suite 2050, 639 Loyola Ave., New Orleans, LA 70113
☎ (504)529-2101〜2、529-2641
アーカンソー、ルイジアナ、ミシシッピ、ケンタッキー、テネシー州

シカゴ Consulate General of Japan at Chicago
🏢Olympia Center, Suite 1100,　737 N. Michigan Ave., Chicago, IL 60611
☎ (312)280-0400
イリノイ、インディアナ、ミネソタ、ウィスコンシン州

デトロイト Consulate General of Japan at Detroit
🏢200 Renaissance Center, Suite 3450, Detroit, MI 48243
☎ (313) 567-0120
ミシガン、オハイオ州

カンザス・シティ Consulate General of Japan at Kansas City
🏢1800 Commerce Tower, 911 Main St., Kansas City, MO 64105
☎ (816)471-0111〜3、471-0118ミズーリ、カンザス、アイオワ、ネブラスカ、ノースダコタ、サウスダコタ州

ヒューストン Consulate General of Japan at Houston
🏢Wells Fargo Plaza, Suite 5300, 1000 Louisiana St., Houston, TX 77002
☎ (713)652-2977
オクラホマ、テキサス州

ロスアンゼルス Consulate General of Japan at Los Angeles
🏢350 S. Grand St., Suite 1700, Los Angeles, CA 90071
☎ (213)617-6700
アリゾナ、カリフォルニア南部（サンタバーバラ以南）、ニューメキシコ州

サンフランシスコ Consulate General of Japan at San Francisco
🏢50 Fremont St., Suite 2300, San Francisco, CA 94105
☎ (415)777-3533
コロラド、ユタ、ネバダ、カリフォルニア北部州

ポートランド Consulate General of Japan at Portland
🏢2700 Wells Fargo Center, 1300 S.W. Fifth Ave., Portland, OR 97201
☎ (503)221-1811
オレゴン、アイダホ南部、ワイオミング州

シアトル Consulate General of Japan at Seattle
🏢601 Union St.,Suite 500, Seattle, WA 98101
☎ (206)682-9107〜10
モンタナ、アイダホ北部、ワシントン州

つも身につけておこう。貴重品袋に入れて服の内側に入れ、肌身離さずに管理するか、上級以上のホテルに泊まっているなら、できるだけホテルのセーフティ・ボックス（英語ではSafety Deposit Box）に預けよう。現金は1日使う分だけを持ち歩くように。万が一のため、現金やトラベラーズ・チェック、クレジットカードは分散して持ち歩きたい。もし、カメラやバッグをなくしても、貴重品だけあれば、困らないはずだ。下着や歯ブラシなどは現地調達もカンタンなのだから。旅の間は、盗まれては困るものと困らないものを区別しておき、大切なものの管理には神経を使おう。

サブバッグの持ち方

前述のように、その日使う予定のない貴重品（T/Cや航空券）は貴重品袋や体の内側にしっかり身につけて守り、盗られてもいいものだけをサブバッグに入れるようにしたい。それでも、サブバッグにはお金やクレジットカードを入れる必要があるわけだから、それをどのように持ち歩いたらいいのだろうか。以下のパターンを参考に防犯を考えてほしい。

●**ショルダーバッグ**　ファスナー、止め具部分に手を置けばスリ防止になる。なるべく体の前でバッグを持つように。

●**ウエストバッグ**　バッグ部をお腹の前に。背中部分の止め具がはずされることが心配なので、上着を着てその下につけておくのが安全。そのまま出していると狙われる危険性あり。

●**デイパック**　完全に背負ってしまうと、ファスナーを開けられてもまず気づかない。片方の肩にかけ、デイパック本体を自分の腕の下から体の前に回してしまうなどの配慮が欲しい。

★ **病気、ケガについて** ★

睡眠は十分に、疲れたら休む

旅はなんといっても体が資本。カゼをひいたり、調子が悪いと感じたらすぐに休養をとろう。旅行中に休養日なんてもったいない……、と考えがちだが、その先、旅を調子よく進めるためには、体のコンディションを最優先して休むことだ。そして、睡眠はたっぷりとるように。

海外旅行傷害保険に入っていこう

保険については前に述べたが、常備薬ではおさまらない病気やケガにあったとき、何より強い味方となるのが海外旅行傷害保険（P.59）だ。アメリカの医療費はとても高く、1週間の入院が伴うような病気だと70万～200万円くらいはかかってしまう。保険に入っておけば、掛金にもよるが、数十万円の費用なら完全にカバーできるし、保険会社のサービスで日本語のアシスタンスがあるなどメリットは大きい。ぜひ保険に入っておこう！

カバンのたすきがけにも要注意！
　ショルダーやポシェットは"たすきがけ"で持ち歩くように、という指示を受けた人は多いはず。不幸なことに、"たすきがけ"をしても狙われるのである。荷物を引ったくられた際、ひきずられてケガをしてしまった人もいるとのこと。アメリカの警察のいくつかでは"たすきがけにも注意が必要"と警告している。

　クラッチ式バッグはアメリカでは持たないほうがいい。スッとぬかれる可能性大。

ファックスで最新の治安情報をゲットしよう
　外務省では、ファックスによる海外の安全情報を提供している。出発する前に、現地の最新の治安を知っておくのも、自分の身を守る手段のひとつ。ぜひ活用しよう。
[FAX] (03) 3584-3300 (24時間)
アメリカのコード番号は221

常備薬を忘れずに
　旅先では精神的疲労なども加わって、胃痛やカゼ、下痢、頭痛などになることが多い。限られた時間や言葉の問題などで、医者やドラッグストアに行くのはめんどうだし、薬が合わない、などのトラブルもある。使い慣れたいつもの薬を必ず持って行こう。
　痛み止め、カゼ薬は処方箋なしでドラッグストアで買えるが、在米の友人やホテルやドラッグストアの人などにどの商品がいいか相談したいところ。アメリカの薬には強いものがあるので注意。

★ それでも事故、事件に遭ってしまったら ★

盗難に遭ったら

　すぐ、最寄りの警察に届ける。所定の事故報告書があるので、記入しサインする。暴行を伴わない、いわゆる置き引きやスリの被害では、被害額がよほど高額でない限り捜索はしてくれないのが普通。届け出たところで、犯人が見つかり、盗難品が戻ることはまずない。だからこの報告書は、自分が掛けている保険の請求に必要な手続きだと考えたほうがよい。報告書が作成されると、その控え、またはその報告の処理番号（Complain Number）をくれる。それを保険請求の際に添える。

パスポートをなくしたら

　万一パスポートをなくしたら、すぐ担当管轄下の在外公館（日本大使館、領事館）へ行き、再発行の手続きをとること。在外公館についてはMap参照（P.68）。

　パスポートと同じバッグに写真や備忘録を入れていると、いっしょになくしてしまうので、必ず別々にしまっておこう。

　再発行までには、写真を日本に送り本人かどうかを確認するため約2週間かかる。なお、急いで日本へ直行帰国する人、帰りの航空券を持っている人は、『帰国のための渡航書』を発行してもらい帰ることはできるが、トランジットを除き他国へ途中寄ることはできない。

アメリカの〝110番、119番〟は〝911〟

　警察の緊急時の電話番号は全米共通〝911〟。大都市なら日本語を話せる人もいたりするので〝Japanese, please〟ときいてみよう。

パスポート紛失の際の注意

　必ず、なくした場所の警察に届け出て紛失証明書を発行してもらい、その場の在外公館に届け出ること。たとえば、ワシントンでパスポートをなくしたにもかかわらず、次の訪問地であるサンフランシスコの領事館で届けることは許されない。

　とにかく、パスポートをなくしたら旅は終わりと思わなければならない。なるべく肌身に直接つけるかセーフティ・ボックスに預けて管理すること。

まとめてコピーを

　パスポートやクレジットカードなど大切なものはコピーをとっておくとよい。とくに再発行してもらえそうなものはコピーを持っていると、再発行がスムーズだ。なくしたときの連絡先も書いておくとベター。また、これらのコピーを自宅に置いておくと、いざというときに便利。

パスポートの再発給、帰国のための渡航書の発行に必要なもの　　　（'99年4月現在）

必要書類等	備　考
紛失証明書	現地の警察に届け出て作成してもらう
パスポート番号	あらかじめ控えておいたり、コピーを自宅に置いておくとよい
パスポートの発行年月日	
顔写真（タテ4.5cm、ヨコ3.5cm）2枚	アメリカでも簡単に撮ることはできるが、日本から余ったものを持っていってもいい
再発給のための手数料	・パスポート再発給 　10年用はUS＄100、5年用はUS＄67前後 　再発行までにかかる期間は2〜3週間 ・帰国のための渡航書 　US＄21 　発行までにかかる期間は2〜3日
身元確認のための書類	日本の免許証、国際免許証、健康保険証、印鑑登録証、戸籍謄本、住民票、社員証、学生証、クレジットカードなど。写真がついているものが望ましい

　T/Cを使ったら、こづかい帳に、その日のうちに記録する習慣をつけよう。

旅行小切手（T/C）をなくしたら

　再発行の手続きは、なくしたT/Cを発行している銀行や金融機関のアメリカ各都市の支店に行くのがいちばん早い。

T/Cの再発行に必要なもの

必要な条件、書類等	備　考
再発行を受けようとする額	上限があるわけではないが、大抵$1,000を超えるとチェックが厳しくなり、かかる日数が長くなる
紛失したT/Cの番号	あるとないとでは手続きのスムーズさが全然違う。きちんとチェックしておきたい
発行控えSales Adviceの有無	T/C購入時に添付される書類。T/Cとは別に保管しておく
紛失したT/Cにサインはしてあるか	購入時にすべてのT/CにHolder's Signatureをしていないと再発行は不可
紛失したT/Cにカウンターサインはしてあるか	T/Cを使うときにする、もう一つのサイン、Counter Signatureがしてあると再発行の対象外

クレジットカードはお金と同じ

　ホテルやレンタカー会社などカードの提示が必要な場合以外、クレジットカード番号を見せないようにしよう。アメリカではサインがなくても買い物などができるケースがあるからだ。

　こんなときのために、クレジットカードは複数持ち歩き、別々のところに保管しておきたい。もちろん盗られにくいところに！

サブバッグには1泊分の必需品を

　飛行機などで荷物だけが別の場所に送られてしまうことがある。これを防ぐには、過去のタグなどまぎらわしいものははずすこと。乗り換えの場合は接続時間に余裕のあるものを選ぶ。そして万一のために、必要最低限の荷物は機内に持ち込もう。

コインロッカーはここに注意

　カギを壊されたりして中の荷物を盗まれても、管理責任は問えない。よくカギを確かめたり、なるべく人目につく場所へ入れたり、カメラなど高価なものは入れないなど、できる限りの神経を使うことが必要だ。

クレジットカードをなくしたら

　大至急、クレジットカード会社の緊急連絡センターに電話し、無効にしてもらう届けを出す。アメリカではカード不正使用の犯罪が非常に多いので、警察に届けるより前に、まずこの連絡をすること。緊急連絡先は、あらかじめ自分の加入しているカード会社に確認しておくといい。

　万一その連絡先がわからない場合も心配はいらない。自分の持っているカードの国際カードの提携会社（ほとんどVISAかMasterのどちらかのはず）に連絡すればOK。その連絡先はホテルや警察、電話帳や番号案内で簡単に調べられる。

荷物をなくしたら

　旅行中荷物を盗まれたり、置き忘れたりしたら、まず出てこないと思ったほうがいい。

　ただ、航空機やバスで、正規の手続きをして預けた荷物の紛失（ロストバゲージ）は、運送協約のなかで補償してくれる。チェックインの際もらったクレームタグClaim Tagという預かり証を見せて必ず、すぐその場で抗議し補償を要求すること。事後のクレームは一切取り合ってくれない。

　実際、飛行機旅行やバス旅行では、荷物だけとんでもない都市へ行ってしまうことがよく起こる。会社が荷物の行方を追及してくれるので、とりあえず荷物のありかがわかるまで待つしかない。しかし、自分の旅程が決まっていて先を急ぐときには、必ず連絡先、紛失証明書、万一出てこなかったときの補償の問題をはっきりさせておくこと。

お金をすべてなくしたら

　現金やT/Cをすべてなくしてしまった、という事態になって困らないためにも、キャッシングサービスのあるクレジットカードは、ぜひとも持っていきたい。また、最近では、日本の銀行口座に預金して、海外でも引き出せるというキャッシュカ

ードが、都市銀行を中心に登場してきた。これは大変便利。詳しくは、近くの都市銀行、またはシティバンクに尋ねてみるといい。

これらの準備もなく、なすすべのない人は、日本総領事館に飛び込んで相談にのってもらうしかない。

クレジットカードがやはり必需品

アメリカへ頻繁に出かける人のなかには、ほとんどクレジットカードですませてしまうという達人もいる。地下鉄、市バス、タクシー代、チップなどを除き、ホテルの料金、アトラクションの入場料、レストランでの食事、ショッピングをすべてクレジットカードですませてしまうそうだ。「クレジットカードなら、いざというときキャッシングもできる」とは彼らの弁。

航空券をなくしたら

航空券をなくした場合の対応は、航空会社となくした状況によって異なる。基本的には次の2通り。

①なくしたチケットの内容(発行日、チケット番号、発行代理店名)などのデータが確認できれば再発行を可能とするケース。

②一度、代替航空券(ノーマル運賃での片道)を購入し、一定期間(1～6カ月)を経て、紛失航空券が不正使用されなかったことを確認したあとに、払い戻しを申請するケース。

まずは現地にある航空会社の窓口を訪ねて、対応を相談する。チケットの内容がわからなければ、日本でチケットを購入した旅行代理店に自分で連絡をとり、調べてもらう。チケットのコピーがとってあれば、比較的スムーズにいくだろう。しかし、再発行には日数もかかるので、代替航空券という方法が現実的、ということも少なくない。

病気やケガをしたら

旅行中にかかる病気はカゼ、下痢が多い。この程度の病気は、あらかじめ常備薬として持っている薬を飲んで休養をとれば、だいたい回復するはず。この手の病気は、気候や生活の変化に対応しきれずに起こることが多く、精神的なストレスなども原因となる。具合が悪くなったらムリをせず、気分をリラックスさせて休息すること。

それでも回復しないとか、いままで体験したことのない症状があったら迷わず医者に行くこと。ただし、医療システムが日本とは違っている。ホテルなどの緊急医や救急病院のほかは、**医者は予約制**。また、薬だけ、と思っても、薬を買うには医者の処方箋が必要なので、まず医者にかかるしかない。

保険に加入していない！

保険に入っている場合は、緊急連絡先に連絡すればいい。加入していない場合は、ホテルのフロントに相談してみることだ。もちろん、現金が必要。

読★者★投★稿

なくしたバッグが戻ってきた話

大きなショルダーバッグと小さなバッグを持ってニューヨークを歩いているとき、小さなバッグをどこかに落としてしまった（あるいは気付かないうちに盗られていた）。アメリカで物をなくしたらほとんど出てこないと言われ、諦めていたら、バッグが見つかったという連絡があった。バッグを拾ったアメリカ人が、中に入っていたアドレス帳に書いてあった友人（現地在住）に連絡を取ってくれたのだ。現金や小物は抜き取られていたものの、T/Cとパスポートは無事。カードはウエストポーチに入れておいたのでなくさずにすんだ。このことを教訓に①貴重品は分けて持つ、②現地の連絡先（ホテルや領事館でもよい）電話番号を記入しておく、③バッグは体から離れないものを選ぶ、といった当たり前のことが大切なんだと実感した。

（M.E.　いわき市）('98)

第9章 出国と入国

　パッキングが無事終わったら、いよいよ旅立ちだ。荷物を持って家を出た瞬間から本当の旅が始まる。初めての海外旅行なら、緊張と不安で胸がいっぱいだろう。そして、これから起こるさまざまなことに戸惑うかもしれないが、落ち着けば大丈夫。まずは、国際空港へ向かおう。

✳ 新東京国際空港（成田）へのアクセス

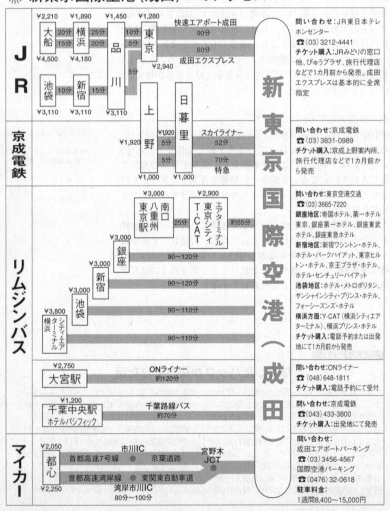

JR

¥2,210	¥1,890	¥1,450	¥1,280		快速エアポート成田	
大船	横浜	品川	東京		90分	
20分	25分	10分				
15分	20分	5分			60分	
¥4,500	¥4,180		¥2,940		成田エクスプレス	

池袋	新宿	品川
10分	15分	5分
¥3,110	¥3,110	¥3,110

上野　日暮里

問い合わせ：JR東日本テレホンセンター
☎ (03) 3212-4441
チケット購入：JRみどりの窓口他、びゅうプラザ、旅行代理店などで1カ月前から発売。成田エクスプレスは基本的に全席指定

京成電鉄

上野	日暮里	スカイライナー
¥1,920		52分
5分	¥1,920	
5分		70分
¥1,000	¥1,000	特急

問い合わせ：京成電鉄
☎ (03) 3831-0989
チケット購入：京成上野案内所、旅行代理店などで1カ月前から発売

リムジンバス

	¥3,000	¥2,900	
	東京駅 南口八重洲	T-CAT 東京シティエアターミナル	
		25分	約55分
¥3,000	銀座		90〜120分
¥3,000	新宿		90〜120分
¥3,000	池袋		90〜110分
¥3,800	横浜 シティ・エアターミナル		90〜110分

問い合わせ：東京空港交通
☎ (03) 3665-7220
銀座地区：帝国ホテル、第一ホテル東京、銀座第一ホテル、銀座東武ホテル、銀座東急ホテル
新宿地区：新宿ワシントン・ホテル、ホテル・パークハイアット、東京ヒルトン・ホテル、京王プラザ・ホテル、ホテル・センチュリーハイアット
池袋地区：ホテル・メトロポリタン、サンシャインシティ・プリンス・ホテル、フォーシーズンズ・ホテル
横浜方面：Y-CAT（横浜シティエアターミナル）、横浜プリンス・ホテル
チケット購入：電話予約または出発地にて1カ月前から発売

¥2,750	ONライナー
大宮駅	約120分

問い合わせ：ONライナー
☎ (048) 648-1811
チケット購入：電話予約にて受付

¥1,200	千葉路線バス
千葉中央駅 ホテルパシフィック	約70分

問い合わせ：京成電鉄
☎ (043) 433-3800
チケット購入：出発地にて発売

マイカー

¥2,050	市川IC		宮野木JCT
都心	首都高速7号線 ● 京葉道路		
	首都高速湾岸線 ● 東関東自動車道		
¥2,250	湾岸市川IC		
	80分〜100分		

問い合わせ：
成田エアポートパーキング
☎ (03) 3456-4567
国際空港パーキング
☎ (0476) 32-0618
駐車料金：
1週間8,400〜15,000円

縦書き：新東京国際空港（成田）

★ 国際空港へ行く ★

問い合わせ＝東京シティエアターミナル
☎03-3665-7111

　日本からアメリカへのノンストップ便が出ているのは、新東京国際空港（成田）、関西国際空港、名古屋国際空港、福岡国際空港の4つの空港。交通機関の遅延のおそれもあるので、十分な余裕を持って出かけよう。

✳ 関西国際空港（関空）へのアクセス

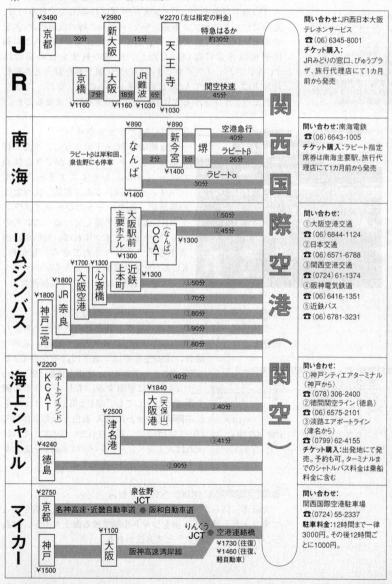

JR

¥3490 京都 ── 30分 ── ¥2980 新大阪 ── 15分 ── ¥2270（左は指定の料金）天王寺 ── 特急はるか 約30分 ──

¥1160 京橋 ── 7分 ── 大阪 ── 18分 ── ¥1160 ¥1030 JR難波 ── ¥1030 ── 関空快速 45分 ──

問い合わせ：JR西日本大阪テレホンサービス
☎（06）6345-8001
チケット購入：JRみどりの窓口、びゅうプラザ、旅行代理店にて1カ月前から発売

南海

ラピートβは岸和田、泉佐野にも停車

¥890 ¥890 なんば ── 2分 ── 新今宮 ── 8分 ── ¥1400 堺 ── 空港急行 40分 ／ ラピートβ 26分
¥1400 ── ラピートα 30分

問い合わせ：南海電鉄
☎（06）6643-1005
チケット購入：ラピート指定席券は南海主要駅、旅行代理店にて1カ月前から発売

リムジンバス

大阪駅前主要ホテル ── ¥1300 ①50分／②45分
OCAT（なんば）── ¥1300 ──
¥1700 ¥1300 上本町 近鉄 心斎橋 ── ¥1300 ③50分
¥1800 大阪空港 ── ③70分
¥1800 JR奈良 ── ③80分
¥1800 神戸三宮 ── ③90分／①80分

問い合わせ：
①大阪空港交通 ☎（06）6844-1124
②日本交通 ☎（06）6571-6788
③関西空港交通 ☎（0724）61-1374
④阪神電気鉄道 ☎（06）6416-1351
⑤近鉄バス ☎（06）6781-3231

海上シャトル

¥2200 KCAT（ポートアイランド）── ①40分
¥1840 大阪港（天保山）── ②40分
¥2500 津名港 ── ③41分
¥4240 徳島 ── ②90分

問い合わせ：
①神戸シティエアターミナル（神戸から）☎（078）306-2400
②徳島関空ライン（徳島）☎（06）6575-2101
③淡路エアポートライン（津名から）☎（0799）62-4155
チケット購入：出発地にて発売。予約も可。ターミナルまでのシャトルバス料金は乗船料金に含む

マイカー

¥2750 京都 ── 名神高速・近畿自動車道 ●泉佐野JCT 阪和自動車道 ●りんくうJCT 空港連絡橋 ¥1730（往復）¥1460（往復、軽自動車）
¥1100 神戸 ── 大阪 ── 阪神高速湾岸線
¥1500

問い合わせ：
関西国際空港駐車場
☎（0724）55-2337
駐車料金：12時間まで一律3000円。その後12時間ごとに1000円。

TCATでは出国審査もチェックインも可能

東京日本橋の箱崎町に東京シティエアターミナル（TCAT、通称〝ティーキャット〟という）があり、成田空港との間に直通のリムジンバスが走っている。

TCATでは、本来成田空港で行うはずの航空機のチェックイン（搭乗）手続きと出国審査（毎日8：00〜19：00）をすませることができるという利点がある。ここで手続きをすませ、荷物を預けてしまえば、成田空港ではチェックインの行列にも出国審査の行列にも並ぶ必要がなくてとてもラク。荷物は海外の目的地の空港までバゲージスルー（運ばれる）してくれるので、途中でピックアップする必要もない。ピーク時の成田は、ヘタをすると出国に1時間以上もかかることを考えると、TCATの利用価値は非常に高い。ただし、一部の航空会社の場合はTCATでチェックインできないので、航空券を買うとき旅行代理店に、またはTACTに直接確かめること。なお、TCATでチェックインをする人は2時間30分前までにすませること。

TCATでチェックインできる航空会社

成田からアメリカへの直行便を持つ航空会社で、TCATでチェックインできるのは全日空、デルタ航空、日本航空、ノースウエスト航空、ユナイテッド航空、シンガポール航空、大韓航空。ただし、パッケージツアーの場合は、TCATでチェックインできないこともあるので、旅行代理店で確認すること。

TCATはどこ？

TACTは地下鉄半蔵門線の水天宮前駅に隣接している。または、地下鉄日比谷線、浅草線の人形町駅から徒歩8分。地下鉄東西線の茅場町駅から徒歩約10分。東京駅八重洲南口から約30分おきにバスも出ている。所要15〜30分。

TCATでチェックインしてもいい

関西のCATでチェックイン

東京箱崎のTCATのように、空港へ行く前にチェックイン手続きができる便利なターミナル、シティエアターミナル（CAT）がJR西日本の京都駅、南海電鉄の難波駅、海上ルートのポートアイランド（KCAT）で営業している。これらのCATでチェックインすれば、目的地に到着するまで手ぶらで過ごせる。しかも、KCATでは出国審査もできる。チェックインできる航空会社については要確認。

●成田空港（空港の略称コード "NRT"）へのアクセス

成田空港へは、JRと京成の電車、首都圏の駅やホテルから出発するリムジンバスのふたつのアクセス方法がある。電車の場合、成田空港では、地下にある空港第2ビル駅（第2ターミナル）→成田空港駅（第1ターミナル）の順に停車する。もし、下車する駅を間違えたとしても、第1と第2ターミナルを結ぶ無料のシャトルバス（黄色と緑の車体）が、10〜15分おきに、運行されているので、それに乗れば大丈夫。シャトルバスは、両ターミナルとも1階の到着階から出発する。

成田空港・アメリカへの直行便発着ターミナル

第1ターミナル	第2ターミナル
アメリカン(AA)	全日空(NH)
シンガポール(SQ)	デルタ(DL)
大韓(KE)	マレーシア(MH)
ノースウエスト(NW)	日本航空(JL)
ヴァリグ・ブラジル(RG)	コンチネンタル (CO)
ユナイテッド(UA)	

●関西国際空港（KIX）へのアクセス

大阪湾にぽっかりと浮かぶ関西国際空港へは、連絡橋を使って乗り入れる鉄道と、海をシャトル船で渡る海上ルート、リムジンバスの3通りのアクセス方法がある。

出国から搭乗まで

チェックイン（搭乗手続き）

空港での搭乗手続きのことをチェックイン（Check-in）といい、通常手続きは航空会社のカウンターと団体用のカウンターで、出発時刻の2時間前から開始される。

パッケージツアー参加者は指定された団体カウンターに出向き、パスポートとバウチャー（引換証）、機内預けの荷物を係員に提示すれば搭乗手続きを代行してくれる。その際搭乗券（ボーディングパス）、帰りの航空券、ホテルのクーポン券、パス類、旅行保険証、受託手荷物引換証（クレームタグ）が渡される。

航空券をすでに手にしている**個人旅行者**は、航空会社のカウンター（クラス別にカウンターが分かれている）へ行き、航空券、パスポート、荷物を渡す。

搭乗券とクレームタグを手にしたら、なるべく早く出国審査の列に並びたい。関空の場合、出国審査へ行く前に**空港施設使用料（2,650円）**のチケットを自動販売機で買い、半券を係員に切り取ってもらう。

日本からの出国

税関申告	● 高価な外国製品を持っている人は携帯出国証明申請書に記入し、申告する。 **注意！**：これを怠ると、帰国時に国外で購入したものとして課税されてしまう。 ● 明らかに新品には見えないほど使い込まれたものであれば心配はない。

▼

出国審査	● 提示の必要なものはパスポート、出入国カード（P.78参照）、搭乗券の3点。 ● 出入国カードは出国審査窓口の横で手に入る。旅行代理店によっては用意してくれるところもある。 ● 出入国カードは審査に向かう前に記入しておく。 ● 3点を提出すると、パスポートに出国のスタンプが押され、出入国カードの左半分、日本人帰国記録の部分だけホチキスでパスポートに留めてくれる。 ● とくに質問はされず、パスポートと搭乗券を返してもらって審査終了。 ● TCATやKCATで出国審査をすませた人はここに並ぶ必要はない。専用のゲートを通って搭乗口へ。

▼

手荷物検査	● 機内に持ち込む手荷物のX線検査と、金属探知機による身体検査を受ける。 ● キーホルダーなど反応するものは探知機をくぐる前に預けておく。 ● 手荷物検査の前に免税店がある。 **ポイント！**：荷物の検査の方法が変わったため、フィルムは必ず、手荷物扱いにすること。機内預けの荷物に入れると感光する恐れがある。

▼

搭乗（ボーディング）	● 自分のフライトの出るゲートへ向かう。 ● ファーストクラス、子供連れの乗客から搭乗が始まり、ビジネス、エコノミーの順。 エコノミーは列の数字の多い方から順番に搭乗していく。 **注意！**：ゲートの近くに集まると他の人の迷惑になるので、自分の座席の列が呼ばれるまでゆっくり待つ。

預けられる荷物の許容量（北米線）

無料で預けられる荷物は2個まで。1つのたて、よこ、高さの合計が158cm以内、かつ2つの合計が273cm以内、重量は1個32kg以内とされている。

リクエストしよう

チェックインの際、禁煙か喫煙か、窓側か通路側かを尋ねられることがある。尋ねられなかったら自分から好きな座席をリクエストするのもいい。なお、現在は全席禁煙の飛行機が主流。

アメリカへの酒、タバコ、現金の持ち込み

タバコ200本、酒1本、$100以内のおみやげが無税なので覚えておこう。また、現金（含T/C）は$10,000未満は申告せずに持ち込めるが、$10,000以上は必ず申告しなくてはならない。申告を怠り、それが発覚すると罰金が科せられる。

日本人用

日本人帰国記録 DISEMBARKATION CARD FOR JAPANESE ②　　　日本人出国記録　EMBARKATION CARD FOR JAPANESE ①

出入国記録番号 DH 0239610 区分 12

氏名（漢字）斉藤 民子
（ローマ字）SAITO TAMIKO
生年月日 65 10 22 男1 女2
旅券番号 MN1110 7450
航空機便名 UA897
乗船地 ロスアンゼルス
署名

官用欄 Official Use Only

（　　）　旅券から取り外さないで下さい。

出入国記録番号 DH 0239610 区分 11

氏名（漢字）斉藤 民子
（ローマ字）SAITO TAMIKO
旅券番号 MN1110 7450 生年月日 65 10 22 男1 女2
住所 東京都新宿区新宿 1-8-4
職業 会社員 航空機便名 UA 890
渡航目的 観光 搭乗地 ロスアンゼルス
主な渡航先 アメリカ合衆国 署名

官用欄 Official Use Only

A　O　OC　PP　O　N　C.K.

カード①は出国時に、カード②は帰国時に入国審査官に提出して下さい。

★　　機内での快適な過ごし方　　★

機内の設備とサービス

機内に入ったら搭乗券に記された座席を探そう。座席の上部に荷物用のボックス（Overhead Bin）があるので、軽い手荷物やコートなどはそこに入れる。免税店で買った酒類など重たいものは前の座席の下に置く。大きな荷物は乗務員に預かってもらうといい。

座席はリクライニングシート。ひじかけの内側にある丸いボタンを押すとシートが倒れる（利用の航空会社やクラスにより異なる）。ただし、**離着陸や食事のときは元の状態に戻しておくこと**。ひじかけには、読書灯のスイッチ、フライト・アテンダント（乗務員）の呼び出しボタン、音楽や映画の音声を聴くためのイヤホンのジャックやチャンネルなども付いている。

座席について、前方の上のほうに目をやると禁煙 "No Smoking" とシートベルト着用 "Fasten Seat Belt" というサインが見える。離着陸時はもちろん、飛行中、揺れが激しいときなどにもサインがつく。突然のエアポケットなどから身を守るためにも、なるべく**シートベルトは常時着用しておこう**。

リラックスして飛行機の旅を楽しもう

離陸を終え、シートベルト着用のサインが消えたら、肩の力を抜いて空の旅を楽しもう。イヤホンで音楽を聴いたり、映画を観たり、『地球の歩き方』を広げて旅の作戦を練るのもいい。かなりの長時間を機内で過ごすのだから、シートをリクライニングさせ、ラクな体勢で。眠るときにはシートベルトを少しゆるめにしておくとラクだ。

冷房の調節はツマミを回す

機内はよく冷房が効いているので、毛布を確保しておこう。冷房の調節は荷物棚下のツマミで。

トイレの表示はコレ！

トイレは機内に数カ所あって、トビラに "Occupied" とサインが出ていたら使用中、"Vacancy" だったら空いているということ。

アメリカの税関申告書。出入国カードといっしょに提出する。

APHIS/FWS USE ONLY　　CUSTOMS USE ONLY

WELCOME TO THE UNITED STATES

DEPARTMENT OF THE TREASURY
UNITED STATES CUSTOMS SERVICE

FORM APPROVED OMB NO. 1515-0041

CUSTOMS DECLARATION

19 CFR 122.27, 148.12, 148.13, 148.110, 148.111

Each arriving traveler or responsible family member must provide the following information (only ONE written declaration per family is required):

1. Family Name
SAITO
2. First (Given) Name TAMIKO　3. Middle Initial(s)　4. Birth Date (day/mo/yr) 22 10 65
5. Airline/Flight No. or Vessel Name or Vehicle License No. UA890　6. Number of Family Members Traveling With You 0
7. (a) Country of Citizenship JAPANESE　(b) Country of Residence JAPAN
8. (a) U.S. Address (Street Number/Hotel/Mailing Address in U.S.) SUMMIT HOTEL
8. (b) U.S. Address (City) LOS ANGELES　8. (c) U.S. Address (State) CA
9. Countries visited on this trip prior to U.S. arrival
a.　　　b.
c.　　　d.

10. The purpose of my (our) trip is or was:
(Check one or both boxes, if applicable) □ Business ☑ Personal

11. I am (We are) bringing fruits, plants, meats, food, soil, birds, snails, other live animals, wildlife products, farm products; or, have been on a farm or ranch outside the U.S.? □ Yes ☑ No

12. I am (We are) carrying currency or monetary instruments over $10,000 U.S., or foreign equivalent: □ Yes ☑ No

13. I have (We have) commercial merchandise, U.S. or foreign: (Check one box only) □ Yes ☑ No

14. The total value of all goods, including commercial merchandise, I/we purchased or acquired abroad and am/are bringing to the U.S. is: $ 50.00 (U.S. Dollars)

(See the instructions on the back of this form under "MERCHANDISE" and use the space provided there to list all the items you must declare. If you have nothing to declare, write "0" in the space provided above.)

SIGN BELOW AFTER YOU READ NOTICE ON REVERSE
I have read the notice on the reverse and have made a truthful declaration.

X （signature）　26/04/98
Signature　Date (day/month/year)

U.S. Customs use only - Do not write below this line - U.S. Customs use only
INSPECTOR'S BADGE NUMBER　STAMP AREA

TIME COMPLETED

Customs Form 6059B (101695)

機内での食事について

アメリカ行きの機内では、2回の食事が出る。時差の関係で、食事の出される時間は離陸2〜3時間後と着陸1〜1.5時間前。軽い夜食も出たりする。ちなみにアルコール類は無料だ。遠慮なく飲もうと言いたいところだが、機内は気圧の関係で酔いが早いので注意すること。また、機内食は2種類用意されているのでチョイスすることができる。食欲がわかないかもしれないが、これからの旅に備えてしっかり食べておこう。飲み物は食事のとき以外でもサービスしてくれる。ノドが乾いたら遠慮なく乗務員に頼むといい。

★ アメリカ入国の手続き ★

日本を発ってから8〜14時間。雲の下にアメリカの大地が見えてくる。期待と不安を胸に、いよいよアメリカの旅が始まる。まずは空港での入国審査と税関検査がアメリカへの第一歩だ。アメリカでは、乗り継ぎ便であっても**最初に到着した空港で入国審査と税関を通過しなければならない。**

アメリカ入国の手順

機内での準備

- 記入の必要な書類はアメリカ出入国カード（P.82）と税関申告書（P.78）の2種類。到着前までに記入しておくこと
- アメリカ出入国カードはビザを持っている人用のI-94（白色）と、持っていない人用のI-94W（緑色）の2種類ある
- どちらも日本語が併記されているものもある
- どちらも署名以外はローマ字の大文字で記入する

入国審査 Passport Control/Immigration

- 飛行機を降りたら"Immigration"のサインに従って進む
- "US Citizen"（アメリカ国籍を持つ人）と"Foreigner"（外国人）の列があるので、"Foreigner"の方へ並ぶ
- チェックされる書類はアメリカ出入国カード、パスポート、帰国便の航空券、税関申告書。これを入国審査官にわたす
- ここで質問される事項は、
  ①渡航目的→観光ならば"Sightseeing"と答えればよい
  ②滞在日数
  ③滞在先→到着初日の宿泊先を答えればよい
  訪問先→アメリカ国内を周遊する場合に尋ねられる場合がある。自分の予定表を見せて説明するといい
  ④所持している現金などの金額→滞在期間が長い場合や、たくさんの町を回るときに尋ねられる場合がある。現金でいくら、T/Cでいくら、クレジットカードの有無を正直に答えればよい
- 簡単な英語なのでわかるはず。どうしてもわからないときには通訳Interpreterを頼む
- 審査が終了すると、出入国カードの下半分をホチキスでパスポートにとめてもらって、書類を返してもらえる
- ポイント！ 審査官の前に進んだら"Hello"、"Hi"、朝ならば"Good Morning"と、まずはあいさつをしよう。また、審査が終わったら"Thank You!"の一言も忘れずに
  帰国便のチケットを持っていないと入国を拒否されることもある！

↓

電子機器の利用は控えてください

携帯型コンピュータ、FMラジオ、ウォークマンなど電子機器の機内での利用は、飛行機の通信機器に悪影響を与えるため、離発着時は禁止されている。

機内のサービスを利用しよう

長時間のフライトを快適に過ごすために、各航空会社では、新聞や雑誌を用意している。新聞は、離陸前に配られることが多く、一般紙、スポーツ紙、経済紙、英字新聞などが用意され、たいていファーストクラス、ビジネスクラス、エコノミークラスの順に配られる。後ろのほうの座席だと回ってこない可能性が高い。また、雑誌はトイレの横のラックに置いてある。アメリカ系の航空会社だと、日本の雑誌が少ないのは仕方のないことだろう。航空会社によっては、ハガキを含めたレターセットも用意しているので、尋ねてみるといいだろう。

機内にはこれを持ち込むと便利

機内は空調が効いていて、とても乾燥する。ハンドクリーム、リップクリームや化粧水があると便利だ。スプレー式の水もいいが、ある程度保湿力がないと、かえって肌はバリバリになってしまう。

入国審査の傾向

'96年の新移民法施行以来、アメリカの入国審査がかなり厳しくなっている。アメリカ入国の回数が多かったり、アメリカに滞在する期間が長かったりする人は要注意。アメリカ永住の意志があるとみなされるようだ。正式なビザを持っている人も、入国拒否、即時送還をされている現状がある。これといった対処法はないものの、少なくとも入国審査の書類の内容などに不審な点がないようにしたい。

アメリカから日本へ持ち込めないもの

日本への植物類（花、球根、野菜、果物、豆類、穀類、ドライフラワー、木材など）や土の持ち込みは、ほとんどが禁止されている。要注意。

空港バス／エアポーターの例としては

NYのキャリーバス、シアトルのグレイライン・バス、フォートワースのエアポーター、ワシントンDCのワシントン・フライヤーなど。

空港シャトルバンの例としては

ロスアンゼルス、サンフランシスコのスーパーシャトル、オーランドのミアーズ、シカゴのコンチネンタルエアポート社、デトロイトのコミューター・トランスポーテーションなど。

路線バスやタクシーのカウンターはありません

通常、路線バスや地下鉄、タクシーのカウンターはこのGround Transportationのところにはない。ターミナルを出て、指定の乗り場から乗ることになる。交通機関の料金表や乗り場などの表示がある空港もあるので、気をつけて見てみよう。

荷物のピックアップ	● "Baggage Claim" のサインに従って、荷物の出てくるターンテーブルまで行く ● どのターンテーブルに自分のフライトの荷物が出てくるかはモニターで確認 ● 荷物が出てきたら、名札かチェックインのときにもらったクレーム・タグで自分の荷物かどうかを確認する ● 最後まで待っても荷物が出てこない場合や、破損していた場合にはその場で係員に申し出る ポイント！：荷物がなくなった場合には、自分の宿泊先に後から送ってもらうことになる　大抵はその日、遅くても数日の間には届く

↓

税関 Customs	● 入国審査でスタンプを押された税関申告書を提出 ● ここで質問されるのは 　申告するものがあるか、食料を持っているか 　植物や肉、果物などの加熱されていない食料の持ち込みは禁止されている ● 普通は緑のランプのある方へ向かうよう指示され、検査なしで書類を提出するだけで通過することができる ● 申告するものや、大きな荷物を持っている場合には赤いランプの方へ行くように指示され、そこで検査を受けることになる

↓

国内線の乗り継ぎ	● 税関を済ませたら、到着ロビー内の "Connecting Flights" と表示されている、接続便カウンターへ向かう ● 国内用のチェックインをする 注意！：航空会社によっては接続便カウンターで荷物だけ預け、国内線チェックイン・カウンターで搭乗手続きをするところもある ● 空港の見取り図を確認して国内線の出発ゲートへ向かう　空港によっては、国内線ターミナルへバスや地下鉄で移動するところもある

↓

出口

空港から市内へ向かう（市内へのアクセス）

入国審査、税関検査を無事に終えたら、いよいよアメリカ歩きの始まりだ。まずは市内（中心部は "ダウンタウン" と呼ばれる）へ行こう。空港から市内へは、次ページの表のとおり数種類の交通機関がある。どの交通機関を選ぶかはあなた次第だが、予算だけでなく、便利さ、時間帯、行く場所などを考慮して適切なものを選ぼう。

それらの交通機関は、空港到着階のバゲージクレームを出たところの "Ground Transportation" と総称したエリアから出ている。この表示のあたりにはレンタカー会社のカウンター、玄関まで連れて行ってくれる空港シャトルバンのカウンター、ダウンタウンのおもなホテルを定期的に結ぶ空港バスのブース、場合によっては観光案内所などがある。市内までどの交通機関がいいかを決めたら、これらのカウンターに行って行き先を告げて申し込めばいい。レンタカーを借りる人は、ここのカウンターで手続きをするか、カウンターに係員がいない場合は、ターミナルを出て、各レンタカー会社のピックアップバスに直接乗り込めば、オフィスまで連れていってくれる。

空港から市内への交通機関

	特徴	メリット	デメリット	利用の際の注意点
空港バス	●ダウンタウンや大きなホテルの間を定期的に結んでいる ●大都市に多い ●大型バス	●早朝から深夜まで運行している	●ダウンタウンや大きなホテルなど、行き先が限られる	●基本的にチップは不要 ●往復で買っておくと割安
空港シャトルバン	●大中規模の空港にはほとんどある ●小型バスやバン	●希望のホテルや、エリア内で、住所さえわかれば個人の家まで行ってくれる	●乗客それぞれの行き先が違うと想像以上に時間がかかる	●$1〜2のチップを渡すのが普通
路線バスや地下鉄	●あくまでも安く行きたい人向け	●最も安価	●時間がかかる ●荷物のサイズによっては乗れないこともある	●治安を考えると、夜間の利用は避けたい ●路線バスは初めての町での利用は難しい
タクシー		●早い ●数人で利用すれば割高感はうすれる ●時間帯を気にせず利用できる	●1人で利用すると割高になる	●料金の15〜20%のチップを忘れずに ●利用する前にドライバーに料金の確認をしておく ●無許可営業のタクシーに遭わないために、必ず指定の乗り場から乗る
空港ホテルやレンタカーのピックアップバン	●空港周辺のホテルやレンタカー会社が送迎バスを運行している	●サービスなのでもちろん無料	●そのホテルやレンタカー会社を利用する人以外は乗れない	●定期的に巡回しているのか、電話で呼んで迎えに来てもらうのかの確認が必要

★ アメリカ出入国カード(I-94W 査証免除用)について ★

　90日以内の短期旅行者はビザを必要としないが、ビザを所持しない人用の出入国カードを提出しなければならない。このフォームに必要事項を正しく記入し、日付を入れ、署名したうえでパスポート、税関申告書とともに入国審査官に提出すること。次ページのものは日本語のフォーム。英字のフォームもスタイルはまったく同じ。カードは旅行代理店が用意するかアメリカ行きの機内で配られる。

　記入方法は次の通り。すべてローマ字の大文字で記入のこと。
1.－姓（名字）　2.－名　3.－生年月日（日月年の順で年は西暦で下2ケタのみを記す）　4.－国籍（日本人ならJAPAN）
5.－性別（男はMALE、女はFEMALE）　6.－旅券番号（パスポート番号9ケタ）　7.－航空機便名（アメリカ行き飛行機の航空会社とフライト番号）
8.－居住国（住んでいる国で、日本ならJAPAN）　9.－搭乗地（飛行機に乗った場所。成田ならNARITA）　10.－米国に滞在中の住所（旅行者なら最初に滞在するホテル名とその住所、または知人宅など）　11.－市、州（住所のうち市と州名）
14.－姓（名字）　15.－名　16.－生年月日（3と同）　17.－国籍（日本人ならJAPAN）

アメリカの出入国カード

U.S. Department of Justice
Immigration and Naturalization Service

OMB No. 1115-0148

米国訪問を歓迎します

I-94 W 査証免除 到着/出発記録

記入要領

この書式は連邦規則および法律に記載されているすべての設問を読み、入国する国の一覧表は航空会社から入手出来ます。

タイプもしくはペン先の太い黒字で記入して下さい。

この書式は項目1から11までの到着記録と項目12から17までの出発記録とに分かれています。すべて、設問も記入とします。裏面に日付を入れ書も記入します。16歳以下の者の場合は親または保護者が記入下さい。

項目7 – 種別により米国へ入国する場合は、この欄に "LAND" 船の場合は "SEA" と記入して下さい。

Admission Number

043061581 06

移民帰化局

I-94 W (05-29-91) 到着記録

査証免除

S.A.I.T.O.

T.A.M.I.K.O. 　　　　22.1.0.6.5

J.A.P.A.N.

M.N.L.L.0.7.9.5.0. 　　U.A.8.9.0.

J.A.P.A.N. 　　　　　　N.A.R.I.T.A.

S.U.M.M.I.T. H.O.T.E.L.

L.O.S. A.N.G.E.L.E.S. C.A.

Government Use Only

12. 　　13.

Departure Number

043061581 06

移民帰化局

I-94 W (05-29-91) 出発記録

査証免除

S.A.I.T.O.

T.A.M.I.K.O. 　　　　　　22.1.0.6.5

J.A.P.A.N.

裏面を見て下さい 　　　　　　　Staple Here

I94W (JAPANESE)

下記のいずれか一つでもあなたに該当するものがありますか?

A. 伝染病にかかっていますか; 精神的, 身体的に障害がありますか? はい/いいえ

B. 麻薬に関する違反など犯罪で逮捕または有罪判決を受けたことがありますか? はい/いいえ

C. 今までに, あるいは現在スパイ行為やサボタージュ, クロリスト活動もしくはジェノサイドに関係しましたか? はい/いいえ

D. 米国で麻薬を探しますか, あるいは米国から強制退去されたり米国への入国を拒否されたことがありますか? はい/いいえ

E. 詐欺を与えるための米国査証からのその就職探しを探したり引回ったりしたことがありますか? はい/いいえ

F. 過去に米国の政府組織あるいは米国への入国を拒否されたことがありますか? はい/いいえ

G. 過去の米国査証を無効にしたことがありますか? はい/いいえ

重要事項: これらのいずれかに該当する場合のには米国領事館に入国が拒否される可能性がありますので, 米国への搭乗前に米国大使館へ連絡して下さい。

SAITO 　　　　　　TAMIKO

JAPAN 　　　　　　22/10/65

[署名] 　　　　　　26/04/98

出発記録

Port:
Date:
Carrier:
Flight #/Ship Name:

UCS-4587

アメリカ出入国税について

アメリカ出入国の際、計$24の税金がかかるが、多くの場合航空券にこの$24分の税金が含まれている。しかし、格安チケットを購入した場合は税金分が別途請求されることもあるので要注意。

★　　　アメリカ出国　　　★

国際空港へ向かう

航空会社によるが、予約の再確認(リコンファーム)が必要な場合がある。出発時間の72時間前までに済ませておこう。国際線の場合は、**出発時刻の2時間前**までに空港に着くよう心がけたい。

出国手続き

入国時に比べ、出国の手続きはいたって簡単。航空会社のカウンターで、チェックインのときにパスポートに留めてあった出国カードを航空会社の人が取って終わり。あとはセキュリティを通過して出発ゲートに向かうだけだ。機内へのボーディングが始まるのは出発の15~20分前から。それまでは免税品店などで買い物でもして過ごせばよい。

出発ゲート前のカウンター

82

★　カナダ、メキシコへの陸路での出国など　★

バスなどを使って、陸路国境を越える場合は次の点に注意。

●カナダはアメリカ同様、90日以内の滞在ならば日本でビザを取る必要はない。アメリカとカナダの間を何度か往復する予定のある人は、入国時にその旨を告げ、Multipleのビザを取得する。

●日本から空路カナダに入国し、陸路でアメリカに入る場合は、基本的にビザが必要となる。

●陸路でメキシコとの国境を越える場合、国境から18マイル以内で、72時間以内の滞在であればパスポートさえあればOK。それを超えるときはツーリスト・カードというものが必要になってくる。

●カナダ、メキシコ両国とも（とくにメキシコは）、アメリカからの出国はスムーズだが再入国のときにパスポートや帰りの航空券、荷物などを詳しく調べられることがあるので注意しよう。

もう一度確認を

　出発ゲートが後になって変更されたりすることがあるので、たまにコンピュータ・ディスプレイなどで確認したほうがよい。

　たとえば、サンディエゴからティファナ、エルパソからファレスへの国境越えなど。

ナイアガラからカナダに入国する人は多いはず

いよいよ旅行も終わり

第10章 初日の観光アドバイス

初めての町の第一歩、期待と不安が新鮮な緊張感をつくってくれる。早速、町へと歩き出したいところだが、右も左もわからない町で、目的もなく歩き回っていたら迷子になるのがオチ。その町に着く前に予習をして、早いうちに宿の確保をし、安心してムダなく歩けるようにしよう。

★ まずは❶観光案内所へ ★

町の概略をつかむための資料を手に入れるには、やはり❶（観光案内所）へ行こう。アメリカではどんな町でも❶があり、用意されている資料のほとんどが無料だ。気軽に立ち寄れるのがうれしい。

❶で資料を集めよう！

❶に行くとたくさんのパンフレットが並んでおり、どれが必要なのか迷ってしまう。必ず入手したいものは、
①町の地図
②バスや地下鉄の路線図、またはタイムテーブル
③町のおもな見どころが簡単に紹介されているパンフレット
とりあえずこの3つがあれば旅行プランが立てられる。

❶の利用の仕方

もちろん❶は資料をもらうだけのところではない。スタッフに直接質問できるし、おすすめの見どころも教えてくれるはずだ。ただ自分が知りたいことは常に具体的に話すこと。たとえば「おすすめのレストラン」とか「球場に行くにはどうするのか」などといえば向こうもアドバイスしやすい。

宿の相談をする

新しい町に着いてもその日の宿が決まっていないと落ち着かないもの。予約をしてない人はできるだけ早く宿を決めたい。アメリカの❶ではホテルの手配などはやっていないところが多いが、いい宿を紹介してくれることもあるので、まずは尋ねてみよう。ただし、宿を紹介してもらう場合も「フィッシャーマンズ・ワーフの近くで$100くらいのホテル」と具体的な場所や料金をあげて聞いたほうがよい。一般的に安いホテルはバスディーポ周辺や町のはずれに多く、ダウンタウンの中心には料金も高めで設備の整った大型のホテルがある。

観光案内所はこんなところにある
❶は通常、人が多く集まるダウンタウンにあることが多い。空港やバスディーポに小さな案内所があるところもあるが、資料は少なめだ。

英語が得意でなくても
英語の不得意な人は観光ポイントへの行き方などをメモに書いてもらうと便利。

こんな利用法もあります
❶ではほかにも、宿を決めていない人はホテルリスト、おいしい食事をしたいと思っている人はレストラン・ガイド、ツアー案内を利用したい人はツアーバス、というように目的に応じて必要なだけ資料をもらおう。

宿についての詳しいことは第11章を参照のこと。

デンバー国際空港のインフォメーション。空港のインフォメーションでも市内の情報を得られる

★ 町でのプランの立て方 —— 位置関係をつかもう ★

　まず地図を広げて、ホテルやバスディーポ、おもな建物の大まかな位置関係を把握する。これは迷子にならないためにも必要だ。とくに自分が泊まっているホテル周辺はよく覚えておくこと。そして本書や❶で手に入れた資料を元に行きたいところを検討し、地図で場所を確かめる。自分の滞在日数や興味あるものの優先順位を考えれば、だいたいの日程ができてくるはずだ。とはいっても観光案内やガイドブックの通りに行動する日があったら、次の日には、バスに乗っていて目についたところにふらっと寄ったり、旅先で知りあった人と意気投合してどこかに遊びに行ったり、目的もなく町を散歩したりするのもいいだろう。**変化のある旅を自分で創れるのが自由旅行の良さ**なのだ。

地図は常に持ち歩こう
　地図は小さく折りたたんで、ポケットに入れ、常時持ち歩こう。

現地での観光プランの立て方ステップ

観光ポイントをピックアップ
●ガイドを見ながら行きたいポイントをピックアップしてみる。このときポイント数、所要時間はとくに考えない

▼

観光ポイントの位置を確認
●地図上にピックアップした観光ポイントをマークする ●ホテルの場所との距離、位置関係をチェックする

▼

所要時間を考える
●観光ポイントごとの所要時間を考える ●タイムテーブルなどを参考にしながら、ポイント間を移動する交通機関と移動時間を考える

▼

ポイントの絞り込みとルートを考える
●ホテルを基点に効率的なルートを考える ●1日で回るのが可能な数まで観光ポイントを絞り込む

★ 治安について ★

　繰り返すが、アメリカの町を歩くうえで常に頭に入れておきたいのが治安の問題。犯罪が多いといわれるアメリカでも場所によって治安の良いところ、悪いところが極端に違う。どこの町にも危険なエリア、危険な時間帯は存在する。普通、昼間歩いているだけでは危険なことはめったにないが、比較的治安の良い町でも、通りをひとつ越えると突然世界が変わってしまうところはいくらでもある。**ちょっとした注意で犯罪はいくらでも防げる。**変な好奇心を出して裏道を歩いたり、夜道を一人で歩いたりしなければ嫌な思いもしないですむ。夜道を女性が一人で歩いている姿が見られる日本のような国は、世界中ではごく少数だということを忘れないでほしい。

治安については第8章「旅の安全対策」もよく読んで！

歩くのが旅の基本といっても、広いアメリカで徒歩だけで見て回れる町は多くない。もちろんダウンタウンに見どころが集まっている町もあるが、行動範囲を広げるためにも必要になってくるのが、バスや地下鉄などの交通機関だ。各都市で多少システムは違うが基本的には同じなので覚えておこう。

●路線バス

市内の移動で利用頻度が高いのがバス。路線図をチェックして目的地に行くバスの番号を調べる。自信がなかったらバスのドライバーに聞いてみるのがいちばん。バスは前から乗り込み、乗ったらまず料金を支払う（料金箱に投入する）。硬貨しか受けとらないバスもあるので注意。市内はほとんど均一料金で、郊外に向かう路線や急行Expressなどで料金が変わる場合もある。バスに乗る前には多めの小銭を用意しよう。

さて、困るのは乗るときより降りるとき。初めての土地で初めての場所に向かうのだから無理はない。目的地へ近づいたかどうかは、まわりの人に聞くか、地図と窓の外の通りの名前を見ながら確認するしかない。そして降りるときは、窓枠まわりの黄色のバンドを押すか、窓に張ってあるワイヤーを引っ張って合図をする。下車は前のドアからでも後ろのドアからでもかまわないが続いて降りる人がいる場合は、ドアをおさえるのがマナー。

●地下鉄

バスに比べれば簡単なのが地下鉄。降りる駅さえ間違えなければトラブルも少ない。料金の支払い方は基本的にふたつ。ひとつは全区間均一料金の場合。トークンや決められた金額を支払って改札を通れば、再び改札を出ない限りどこまでも行ける。もうひとつは走行距離によって料金が決まる場合。目的地までの料金を確認したら自動販売機で切符を買う。この場合、入れた金額だけ切符に記録されるフェアカードになっているところが多いので、何度も乗る人はまとめて買うほうが便利。

●タクシー

料金は最も高いが、バスや地下鉄では行けない場所、時間がないときや夜遅く移動するときには便利。ただし、流しのタクシーは大都市以外あまりないので、必要なときは大きなホテルでつかまえるか、電話で呼ぶしかない。

●観光バスの利用

短時間に効率的に見どころを回りたい、タクシーでは遠すぎる、路線バスではカバーしていない郊外の見どころに行きたい、という人には解説付きのツアーバスがおすすめ。グレイライン（アメリカ版はとバス）などのツアーは、予約してホテルに迎えに来てもらうか、指定された場所に集合してから出発する。

ただし、観光バスの解説はほとんどが英語なので、英語がとてもニガ手だという人にはあまりおすすめできない。

観光もレンタカーが便利
車社会アメリカでは、レンタカーを使って観光するのが一般的。駐車場は大都市を除き、無料だ。

タイムテーブルを入手しよう
バスの路線図とタイムテーブルは、その町の公共交通機関の案内所に行けば、路線ごとに豊富に用意されている。英語がニガテな人にもわかりやすく表示されているので、ぜひこれを入手しよう。とくに本数の少ない路線に乗るときは、必要不可欠といっていいくらい重要。

路線バスはいちばん利用する交通機関

急行Expressに注意
地下鉄は町によって急行Expressもあるので、乗るときに注意したい。

フェアカード式はこの町
ワシントンDCのメトロやサンフランシスコのバートがフェアカード式。

均一料金を設けている空港もあります
空港⟷ダウンタウン間にタクシーの一定料金を設定している町もある。ボラれないためには乗る前に料金を確認すること。チップは料金の約15〜20%。

観光バスはチップが必要
ツアーが終わったときはガイドさんへのチップを忘れずに。

ニューヨークのイエローキャブ

第11章 アメリカの宿泊施設

一日の疲れを取り、ゆっくり眠るスペース、つまりホテルは旅行の中でも非常に重要な位置を占める。しかも、旅費の中でも宿泊費の占める割合は非常に大きい。旅行者にとって最大の関心事のひとつだろう。ホテルの善し悪しは、旅の行程、印象にも大きく影響してくるから、自分の納得のいくホテルを見つけよう。

★ 宿泊施設のいろいろ ★

アメリカには、ユースホステルなどの安宿から超高級ホテルに至るまで、実にさまざまな宿泊施設がある。数も多いし中身も千差万別。以下の表を参考に自分の旅のスタイル、予算に合わせて選ぼう。

ホテルのサービス
- T/Cの両替
- 荷物の預かり
  チェックイン前、チェックアウト後でもホテルでは荷物を預かってくれるので遠慮なく頼もう
- セーフティ・ボックスの利用
- モーニングコール 英語ではWake-up Callという。

アメリカの宿泊施設

宿泊施設の種類	料金	立地環境	特徴
高級ホテル	シングル\$160〜、ツイン\$180〜	ダウンタウンの一等地。治安もいい。	豪華で、レストランや従業員の数が多く、フィットネスセンター、売店などの施設が整っている。日本からの予約が可能。
中級ホテル	シングル\$60〜140、ツイン\$80〜150	ダウンタウンに位置する。	飾り気はないが、機能性を重視したホテルが多い。マネージャーの方針によって雰囲気もずいぶん変わる。一部、日本からの予約が可能。全米にチェーン展開しているホテルのいくつかはこのクラスに入る。
B&B	シングル\$60〜110、ダブル\$70〜130	個人経営なので、住宅地にあることが多い。	朝食付きで、一般家庭に泊まるような温かみが魅力。家具にアンティークなどが使われ、とてもロマンチック。高級ホテル並みのB&Bもある。
エコノミー・ホテル	シングル\$40〜60、ツイン\$50〜80	ダウンタウンの便利な場所に多いが、治安が悪いところもあるので要注意。	個人経営によるものが多く、あたりはずれが大きい。経営者によっては安くて清潔なものもある。設備は期待できない。
モーテル	1部屋\$30〜80	幹線道路沿いにある。	自動車旅行者向けの宿で、部屋は広く清潔、シンプルだが、最低限の設備は整っている。3〜4人で泊まればかなり安い。空き部屋があるときは"Vacancy"、満室のときは"No Vacancy"のサインが出ている。
YMCA、YWCA	シングル\$20〜30、ダブル\$30〜40	ダウンタウンの中心に位置する。	キリスト教系の宿泊施設で、トイレ・シャワーは共同。スポーツ施設を併設していることが多く、宿泊者というより定住者が大部分。安全面で少々不安がある。
ユースホステル(YH)	1人1泊\$15〜24	ダウンタウンのはずれに位置することが多い。	旅慣れた人やヨーロッパの若者の滞在が多い。一つの部屋に2段ベッドが4〜6台入っているドミトリー形式で、トイレ・シャワーは共同。一部、日本からの予約が可能。私設のユースは男女混合の場合もある。

★ ユースホステルについて ★

ユースホステルの会員になる

ユースホステルは、節約旅行をしたい人にはピッタリの宿だ。世界に約5,000、北米に200以上のユースホステルがある。世

ユースは2段ベッドがいくつか入ったドミトリー形式

界中の人と友達になったり、情報交換ができるのはユースならでは。ただ、他人と同じ部屋で寝ることになるので、プライバシーがなく、周囲の音が気になるといった神経質な人にはすすめられない。また、所持品の保管には気を配る必要がある。

宿泊は、ユースの会員以外でもOKだが、会員になっておけば割引料金で泊まれる。なかには会員しか泊まれないユースもある。現地で会員になることもできるが、日本から会員になっていくのが賢明だ。19歳以上の登録会費は2,500円、継続会費は2,000円で1年間有効。全国に窓口があり、わからない場合は下記に問い合わせを。

● （財）日本ユースホステル協会（水道橋トラベルセンター）
　☎（03）3288-1417、Faxサービス（03）3261-0190
● （財）東京都ユースホステル協会（ユースホステルセンター）
　〒102-0076 東京都千代田区五番町4　幸ビル1F
　☎（03）3261-0191　（月〜金10：00〜17：30）

なお、日本ユース協会では、アメリカのYHの住所、電話番号、交通、ベッド数、オープン時間、設備などが掲載された『国際ハンドブック2巻』を販売している。税込1,550円（送料310円）。

★　## 宿泊料金には何が含まれる？　★

日本で旅館に泊まれば通常は"1泊2食付き"だが、アメリカでは食事は付かないことがほとんどだ。ただし、B&Bをはじめとして、一部のホテルでは簡単な朝食をサービスで出している。

部屋のタイプは⑤ シングル（ベッド1つに1人）、⑩ ダブル（ベッド1つに2人）、⑪（ベッド2つに2人）、スイート（寝室と居間に分かれた部屋）などに大別できる。**料金の基本は**

"1人いくら"ではなく"1部屋いくら"。しかもダブルやツインの料金はシングルとさほど変わらないのが普通なので、2人で泊まれば割安になる。3人以上で泊まりたいときは、ツインの部屋にエクストラベッドを入れてもらう方法がある。

注意したいのは、"Single"や"Double"がベッドの大きさを表すことがあるということ。予約の際、あるいは部屋を見せてもらう際には、何人で泊まってベッドはいくつ必要かということをはっきり伝える。

★ 料金の差いろいろ ★

●大都市と地方の料金差

ひと口にアメリカと言っても、大都市と地方では宿泊料金に大きな差がある。概してニューヨーク、サンフランシスコ、ワシントンDC、ボストンなど大都市は高く、とくにニューヨークは高い。1泊$80とするとニューヨークではエコノミーホテルにしか泊まれないが、ロスアンゼルスや地方の町では中級ホテルに泊まれてしまうといった具合だ。また、地方といってもリゾート地のホテル代は高い。旅行計画を立てるときに考慮しておこう。

●季節料金、平日と週末について

ホテル料金がオンシーズンとオフシーズンの料金に分かれている都市、地方がある。**とくにリゾート地では倍ほどの差があるところも珍しくない**。たとえばマイアミやフェニックスは避寒地であるため12〜3月の冬がシーズン。オフの夏は半額ほどに安くなる。ニューヨーク、ワシントンDC、シカゴ、ダラスなどのビジネスシティは、月曜から金曜までの平日が混雑する。週末はビジネス客がいなくなるので、料金も安く設定されているから、高級ホテルに中級ホテルなみの料金で泊まれることもある。安い料金については、ホテル側から教えてくれることはないから、こちらから積極的に尋ねてみよう。また、ラスベガスやリノといったカジノの町は、一般の人が休む週末がかきいれどき。週末のほうが料金が高い。

★ ホテルは予約なしでも泊れる ★

ほとんどの日本の宿泊施設は予約が前提となっているが、アメリカではその必要はない。部屋さえあいていれば当日でも泊まれる。次の町に移動する前にホテルの予約を電話でするのが理想的ではあるが、電話での英語に自信がなかったり、エコノミーホテルは自分の目で確認しないと心配な場合がある。

もし当日ホテルを探すのであれば、**早めにその町に到着する**ことが大切。気分的にも落ち着いている明るいうちに宿を探そう。暗くなってからの宿探しは、場所によっては危険なところに入り込んでしまったり、不安になるので、つい高く不本意な宿でも妥協してしまいがち。安くて人気の高いホテルは午前中

旅の準備と技術編

宿泊代以外にかかるホテル料金
●ホテルタックス
各都市によって異なる。本編、各都市のデータ欄参照。
●電話代
使った場合のみ。トールフリー(無料電話)にかけても、ホテルによっては手数料を徴収する。ただし、モーテルなどではローカル・コールは何度かけても無料というところもある。
●食事代
ホテル内のレストランで食事をとり、精算をホテルの部屋にツケた場合のみ。「部屋にツケてもらう」の英語は"Charge to the room"。
●駐車場代
都会のホテルで徴収することが多い。モーテルは基本的に無料。

キャンセルは早めに！
通常、キャンセル料がかからないタイムリミットは18時まで。ホテルによっては当日の7〜3日前からキャンセル料がかかるところ（リゾート地のホテルやB&Bが多い）もあるので、キャンセルするときはなるべく早めに。

いざとなったらホテル・グレイハウンド
万一泊まれなかったら、隣町へ移動したり、バス旅行者ならば夜行バスに乗ってバスの中で1泊といった切り札もあるので、落ち着いて切り抜けよう。

到着時間が遅れるとき
は必ず電話を！
　到着が18時以降になる
ときは部屋を"Hold（確
保）"してもらうよう必ず
Telを入れること。

巻末の予約フォーマッ
トの書き方（P.796）
①ホテル名
②日付（月日年の順）
③あなたの名前（名字はす
べて大文字がベター）
④あなたの住所
⑤あなたの電話番号
⑥あなたのファックス番号
⑦チェックインする日
⑧おおよその到着時間
⑨チェックアウトする日
⑩泊数
⑪泊まる人数
⑫部屋のタイプ
⑬メッセージ（何かあれば）
⑭クレジットカードの種類
⑮クレジットカードの番号
⑯有効期限（年月）
⑰あなたのサイン

ホテルでの支払い
　クレジットカードを扱っ
ているホテルなら、チェッ
クインのときにクレジット
カードを提示しよう。クレ
ジットカードを扱っていな
い、エコノミーホテルは宿
泊料金の前払いが基本だ。
クレジットカードを提示す
れば、料金の精算はチェッ
クアウト時に行われること
になる。もし、カードを提
示しないと、デポジット
（保証金）を要求される以外
にも、客室の電話が使えな
いこともある。

タバコを吸う人は喫煙
室を予約しておこう
　日本に比べ、禁煙が格段
の差で進んでいるアメリ
カ。実は、ホテルの客室に
も禁煙室があるのだ。しか
も、最近では禁煙室の数の
ほうが多くなっている。親
切なホテルなら、予約のと
きに「禁煙室にしますか、
喫煙室にしますか」と聞い
てくれる。しかし、なにも
言わないでいると、禁煙室
に通される可能性が大き
い。喫煙者は、予約または
チェックインの際に喫煙室
Smoking Roomを頼むのを
忘れずに。

でいっぱいになってしまうこともよくある。もっとも混み合う
ところでも、チェックアウト・タイムに行けば大丈夫だろう。

●コンベンションとイベントに注意

　"予約の必要はない"といっても、いつもそうとは限らない。
その町でコンベンションや大イベントが開催される時期になる
と、全米各地からやって来る人々が集中するので、**ホテルの確
保がたいへん難しくなってくる**。例をあげれば2月下旬ニュー
オリンズの『マルディ・グラ』、5月末インディアナポリスの
『インディ500』などだ。また、1月のスーパーボウル、5〜
6月のプレーオフなどスポーツのビッグゲームにも要注意。

　また、**コンベンション開催時の難点**は、ただ宿がとりにくく
なるというだけでなく、ホテル側が強気になり、**宿泊料金が跳
ね上がること**。アメリカのホテルは需要と供給のバランスの上
に成り立っているのだ。では、どの町で、どの時期に、どのく
らいの規模のコンベンションがあるか、日本でコンベンション
の情況を知るとしたら、アメリカのそれぞれの町の観光案内所
に確認するしかないだろう。もし、宿がとれなかったら、近く
の町に移動するとか、空港ホテルに泊まるなど、機転をきかせ
たい。

★　　日本からホテルを予約する　　★

　高級ホテルや一部の中級ホテルは、日本の一般旅行代理店や
レップ（代理店）を通して予約することができる。クレジット
カードで予約をして支払いは現地で済ませるケースと、日本で
代金を支払ってバウチャー（引換証）を発行してもらうケース
がある。

　最近は、インターネットの普及に伴いインターネットで予約
をすることもできる。このときもクレジットカードが必要だ。
インターネットでの予約の場合、クレジットカード情報の漏え
いに多少不安がある。

　エコノミーホテルは、日本からの予約がほとんど不可能だ。
どうしてもあらかじめ予約したければ電話かFax、手紙を書い
て予約することになる。ホテル予約のフォーマット用紙を巻末
に掲載したので、これに書き込んで送るといい。自分で手紙を
書く場合でも①住所、氏名、②宿泊希望日（チェックインとア
ウトの日）、③部屋のタイプ（シングル、ツインなど）、④クレ
ジットカードの種類、番号、期限、サインなど最低限の事項を
明記して、遅くとも出発
の3週間前には出さなく
てはならない。ただし、
ホテルによってはFaxや
手紙の返事の来ないとこ
ろもあるので、あまり期
待をしないほうがいいか
もしれない。

ニューヨーク・プラザホテルの客室

中級クラスの典型的な客室

予約にはクレジットカードが必要

クレジットカードには経済的信用も加味されているので、持っていればホテルを予約するときもデポジット（保証金）を支払う必要がなく、カードの種類、番号、有効期限を告げることによって到着まで部屋を確保してくれる。この確保（保証）を**予約のギャランティー**という。たいてい夕方の6時くらいまでギャランティーしてくれるが、もし到着がそれ以降になる場合は、その旨を電話で連絡しなければならない。もし夕方の6時以降になっても**宿泊客が現れず、無断でキャンセルしたと判断された場合**は、カードデータによって所定の**キャンセル料が口座から引き落とされる**仕組みになっているから要注意。これはカード所持者のサインがなくても引き落とされる。

ユースの予約

旅立つ前に、アメリカの一部のユースを予約することができる。予約は日本ユースホステル協会トラベルセンターをはじめとする全国5カ所の窓口で、6カ月前から7日前まで受け付け、国際通信費は1回につき700円。下記のトラベルセンターでは電話での申込みで、宿泊可能な場合はバウチャーを発券してくれる。その他の案内所では、電話での受け付けは不可で、窓口のみの扱いとなっている。

予約できるユースは、ボストン、シカゴ（夏期のユースのみ）、マイアミ・ビーチ、オーランド、ニューヨーク、サンフランシスコ（2カ所）、サンディエゴ（2カ所）、ロスアンゼルス（サンタモニカ）、シアトル、ワシントンDCなど約15カ所。申込みは日本ユースホステル協会トラベルセンター ☎(03)3288-0260、または右記まで。アメリカに着いてからは☎(1-800)444-6111で予約する。

★　予約なしでエコノミーホテルを探す　★

あくまでもエコノミーにこだわる人は、現地で探すのがいちばん現実的な方法。その探し方は、
①『地球の歩き方』で目星をつける
本誌のホテル欄から気にいったものをピックアップし、**直接行って自分の目で確かめ、交渉する**。読者投稿の場合、本人の主観が多分に含まれているので、あくまでも参考程度に。**安易に決めないこと**。
②観光案内所❶で紹介してもらう
❶によっては宿を紹介してくれるところもあるので遠慮なく相談してみよう。また、紹介を行っていない❶でもホテルリストやパンフレットが置いてあるので、ピックアップして電話を

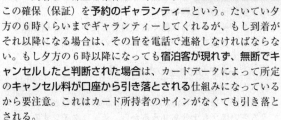

読★者★投★稿
ホテルの予約にはホームページを活用
今回の旅行では、ホームページでモーテルなどの予約をした。5年前にも自分で作ったルートで旅行をしたが、当時はホームページもあまりなく、本当に便利になったと感心してしまった。今回は、Super 8、Days Inn、Fairfield Innなどを利用した。ホームページで地図も引き出せるので、本当に便利。
（石川あゆみ '98夏）

ユースの予約はIBN
ユースのコンピュータによる予約システムをI.B.N.（International Booking Network）といい、アメリカに限らず世界各地のユースが日本から予約できる。

下記の案内所でも予約ができる。電話での申し込みではなく、申請書に記入して提出すること。
- ●東京都ユースホステル協会
  ☎(03)3261-0191
- ●愛知ユースホステル協会
  ☎(052)221-6080
- ●大阪ユースホステル協会
  ☎(06)6633-8621
- ●京都ユースホステル協会
  ☎(075)462-9185

ホテルがない
安ホテルなどはつぶれたり、料金が大幅に変更されたりすることも多いので、心しておこう。

予約を取る❶もある
小さな町の案内所では、ホテルに電話して仮予約してくれるところもある。

イエローページで探す際の注意

ただし、電話帳に載っているからといって良いホテルとは限らないから注意。

直通電話も便利

空港などに備えつけてある無料直通電話（ディスプレイされている）を使って予約するのも一つの方法。

部屋を見せてもらおう

とくにモーテルや安ホテルでは、ホテル側でも客が部屋を見るのが当然と思っている。遠慮する必要はまったくない。

空港ホテルに泊まる

早朝の出発、夜遅くの到着に便利なのが空港周辺のホテルだ。ホテルによっては、空港とホテル間に定期的にシャトルバンを運行させているが、ちょっと安いクラスのホテルになると、電話をかけて空港にピックアップにきてもらう必要がある。予約の際に確認しておきたい。

ホテルの備品

石けん、シャンプー、ソーイングセットなどの備品は、お客様へのサービス品だから持ち帰ってもかまわない。逆に持ち帰ってはいけないものが、バスローブやタオル。無断で持ち帰ると、チェックインの際に提示したクレジットカードに請求されることになる。サインをしていないのにどうして、と思うだろうが、無断で持ち帰った場合、ホテル側は請求してもいいことになっている。

したり直接訪ねて行こう。❶が紹介する宿は、ある程度の基準に達しているものだからあまり心配はない。

③イエローページの利用

イエローページ（職業別電話帳）でホテルの項目を引き、適当なものをピックアップする。この場合、中級以上のチェーンホテルを選んだほうが安心だ。

④地元の人に尋ねる

グレイハウンドやタクシーのドライバー、いろいろな店の従業員など、信頼できそうな人に尋ねてみてもいい。

⑤バックパッカーに尋ねる

バックパッカーたちは驚くほどお金を使わない。宿は眠るだけのところと徹底している。彼らに宿のことを聞くといい。

エコノミーホテルのチェックポイント

日本人は、部屋をチェックせずに値段だけでホテルを決めがち。部屋が予想以上に汚れていたり、幹線道路などに面していてうるさい場合も十分ありうるから、チェックインする前に遠慮なく見せてもらおう。ホテル選びのチェックポイントは、

①ホテル周辺の環境

とくにダウンタウン地区では、通りをひとつ隔てるだけでガラリと雰囲気が変わることがある。あまりにも雰囲気の悪いところなら敬遠すべきだ。

②フロントがホテルに入る人をチェックしているか

エコノミーホテルの場合、簡単に外部の人間が入ってこられるようでは、安全とは言えない。

③ドアの鍵、チェーン・ロック、窓はきちんと閉まるか

④部屋の清潔さ（タオル、シーツ）、共同のバス、トイレはどうか

⑤お湯や水はちゃんと出るか

★　ホテルを利用するときの注意　★

①一に防犯、二に防犯

これは、高級ホテルでもエコノミーホテルでも同じ。内側のチェーン・ロックは必ずかけ、ノックされても安易にドアを開けないこと。心当たりのないノックには"Who is it?"と尋ね、チェーン・ロックをかけたまま話すこと。

②基本的なマナーを守ろう

ユースホステルの門限を破る、共同のシャワーを、深夜あるいは早朝使って他人の睡眠の邪魔をする、共同の洗面所やトイレを汚す、バスタブのカーテンを内に入れないで床をびしょびしょにしてしまう、など基本的なマナーには気をつけよう。

③チップは気持ちを込めて

ポーターに荷物を運んでもらったとき、ルームサービスを頼んだときなど、さり気なく気持ちを込めてチップは渡したい。

第12章 アメリカの食事

　旅の楽しみのひとつが、"食べる"ことだろう。アメリカの食事はマズイと言われるが、たしかに繊細な料理を食べ慣れている日本人にとって、アメリカ料理は味付けがおおざっぱで、脂分が多く、量も多いのでウンザリしてしまうかもしれない。しかし、そう感じるのは、アメリカに来てまで日本的なものを求めているせいではないだろうか。プラス思考で味わってみれば、意外においしく感じるものだ。また、アメリカ食文化の最近の傾向としては、日本同様カロリーが少なく、ヘルシーなものを求める健康食ブームがある。その代表がカリフォルニア・キュイジーヌと南部料理。そのほか、多民族国家らしく、エスニック料理も驚くほど豊富だ。しかも値段が安いのもありがたい。

アメリカのファストフードといえばホットドッグ

サンドイッチもメジャーなメニュー

ハンバーガーショップの朝食メニューもGood！
　朝からハンバーガーなんて胃にもたれてしまいそう…、と思うかもしれないが、各ハンバーガーショップでは朝食用として肉ではないメニューも用意している。パンケーキ、マフィン、ベーグルパンなど、メニューはお店によって工夫を凝らしているから、いろいろなハンバーガーショップを試してみては？

日本語英語に注意して
　日本で使われるフライド・ポテトはアメリカでいうフレンチ・フライズFrench Friesのこと。注意して。

★　予算で決まる食事の場所　★

　安く上げたいのならファストフードに限る。逆にレストランで優雅に食事したいのなら高くついてしまう。アメリカのレストランではタックスのほかにチップを払うことになるから、ファストフードとレストランでは日本以上に金額の差が大きくなる。値段の安い順では、ファストフード、カフェテリア、コーヒーショップ、レストランとなる。レストランのランクはさらに細分化されるから、まさに値段はピンからキリまで。各自の旅の予算を考えて食事をとることになるが、体力や栄養を考えなければならないし、たまにはメリハリをつけたい。

★　ファストフード大国アメリカ　★

ファストフードの種類
①ハンバーガー（値段のめやす80¢〜＄2くらい）
　アメリカン・フードのチャンピオンは、なんといってもハンバーガー。店の数も多く、それぞれの店の特徴を出し、ボリューム、味も種類もサイドオーダーも豊富だ。
　注文の仕方は日本の店と同じ。店に入るとカウンターの上部にメニューが出ている。カウンターで、オーダーするメニューと数をはっきり言って注文する。"One Cheeseburger, please"という具合に。また、どこで食べるのか尋ねられるので、店内でなら"Here"、外に持っていくのなら"To go"と答えよう。

②ホットドッグ（＄1〜3くらい）
　ニューヨークのような大都会の町角や公園、スポーツ観戦に欠かせないアメリカン・フードといえばホットドッグ。コッペパンにゆでたソーセージを挟んだプレーンなドッグに、マスタード、オニオン、ピクルス、ケチャップなどを好みによって添えてもらえば、おいしさもグーンとアップ。ちゃんと言わないとつけてくれないから、欲しいときははっきり言おう。

③デリカテッセン（通称デリ）のサンドイッチ（$3〜7）

　アメリカのサンドイッチはボリューム満点！　ほとんどのサンドイッチがパンより具のほうが厚いのだ。うまく食べないと中の具がボタボタと落ちてくる。

　サンドイッチのチェーン店以外にもデリカテッセンで注文するサンドイッチもおすすめ。注文の仕方は少々ややこしい。店員はパンの種類、はさむ具の内容、レタスやトマト、ピクルスはつけるか、マスタードの種類などをこと細かに聞いてくる。初めはその質問の速さにとまどうかもしれないが、すぐ慣れるだろう。**デリのサンドイッチは意外に高い。**

④ベーグルパン（50¢〜$3）

　日本にも進出してきたベーグルは、もはやアメリカ人の食生活には欠かせないパン。もちもちとした触感がありながらも、ちょっと固い、ドーナツのような形。朝は軽くトーストしてクリームチーズを。昼はデリのようにいろいろな具をはさんでもらう。定番はクリームチーズにサーモンをはさんだサンドイッチ。

⑤チャイニーズ（$4.5〜8）

　日本人の口にいちばん合うファストフードが、チャイニーズ。チャーハンやヤキソバなどの主食に、炒めもののおかずがセットになっていて、おかずの数により値段が変わる。野菜が多いので、野菜不足も一気に解消だ！

⑥ピザ（ピッツア、1切れ$1.50〜3）

　いろいろな種類の大きなピザを1切れごとに切って売っている。上に載っている具を見て"One slice"と指させばすぐ出してくれる。

⑦メキシカン（タコス60¢〜$2）

　とくに人気があるメキシカンはタコス。ファストフードの中でも、ピカいち安い。タコ・ベルは有名なチェーン店。

　そのほかに、南部料理、日本食やギリシャ料理、タイ料理、ポテト、フライドチキンなどのファストフード店もあり、ハンバーガーばかりなんていう悲劇は起こらない。**ファストフード店ではチップは不要だ。**

パンの種類も選びます
　パンの種類は、たいていWhite（ふつうの白いパン）かRye（ライ麦パン）。

人気のサンドイッチは
　ローストビーフ・サンドやトリプル・デッカーサンドがおいしい。

デリのサラダバーを利用しよう
　ニューヨークのデリにはよくサラダバーがある。生野菜だけでなく、パスタ、チャーハン、フライドチキン、マカロニ、フルーツ、ときには巻き寿司まであり、その種類の豊富さに見ているだけでも楽しくなる。量り売りなので、取り過ぎると高くなるぞ。

中華料理の英語
　チャーハンはFried Rice、ヤキソバはChow MeinやLo Mein、春巻きはSpring Roll。

オーダーの英語
　基本は"数"と"食べたいもの"を告げればいいが、ちょっと丁寧に言いたいときははじめに"I'll have……"や"Let me have……"と付け加えれば"……, please"よりベター。

日本でも見かけるようになったベーグル

カフェテリアはココにある
カフェテリア形式は、美術館、博物館の食堂、学食によく見られる。

フードコートはここにも
オフィスビルの中に入っていることもある。

これを覚えておくと便利
卵料理
朝食の定番卵料理は客の好みに応じて焼いてくれる
目玉焼—Sunny Side-up、やわらかめの両面焼き—Easy Over、かための両面焼き—Hard Over、ゆで卵—Boiled Egg、かたゆで卵—Hard Boiled Egg、いり卵—Scrambled Egg

読★者★投★稿
ドレッシングの種類
●**Oil & Vinegar**—オリーブ油かサラダ油に酢、塩、コショウを混ぜたもの。またはオイルと酢が別々のビンで出てくる
●**Thousand Island**—マヨネーズ、チリソース、生クリームに、ゆで卵、セロリ、オニオンのみじん切りをプラスしたもの
●**French**—オリーブ油かサラダ油にレモン汁あるいは酢、オレンジジュース、すりおろしたオニオンを混ぜたもの。日本のものとは見た目も味も違い、アメリカのものはピンクがかっていて甘い
●**Italian**—オイル＆ビネガーにニンニクを混ぜ合わせたもの
● **Blue Cheese**—マヨネーズ、レモン汁、クリーム、ブルーチーズを混ぜたもの
●**Ranch**—アメリカでもっとも一般的なドレッシング。多くのアメリカ人が好きで、どこの店にも置いてある。オイル＆ビネガーやブルーチーズは置いてないところも多い。日本のFrenchとマヨネーズを混ぜたような感じのもの
(Junko Saito　ユタ州在住)

ファストフードがいろいろ集まったフードコート

ショッピングモールに行くと、必ずあるのがフードコートだ。一般的なフードコートは、中央にだれでも座れるテーブルとイスが多数あり、周囲に各種ファストフードの店が軒を連ねている。利用者は自分の好きなファストフードを買って、中央のテーブルで食べるわけだ。フードコートは、選ぶ楽しみがある。食べ終わったら、トレイは指定の場所に戻すこと。

★ ファストフード以外の食事どころエトセトラ ★

①カフェテリア

セルフサービス・レストランのこと。入口でトレイを取り、移動しながらカウンターの上に並んでいる好みの料理の皿を自分で選びトレイに載せ、最後にキャッシャーでお金を払うシステム。

目の前に並んだ料理を各自が取るシステムなので、何が出てくるかとか、言葉に自信がないなんて心配も不安もいらない。自分で片づける場合はチップはいらないが、片づける人がいるのであれば気持ちだけでも置いていこう。

②コーヒーショップ

アメリカではコーヒーショップといえば軽食のある、朝からオープンしている食堂のこと。喫茶店とは異なる。細長いカウンターとイスとテーブルがある飾りけのない店が多い。ここではウエイトレスが注文を取りにやって来るので、帰り際にはテーブルの上にチップを置くことを忘れずに。メニューはハンバーガーやサンドイッチなどの軽食が主流で、店のスペシャルメニュー（おすすめ料理）を掲げているところが多い。

③レストラン

料理を心ゆくまで堪能できるスペースだ。人種のるつぼアメリカのこと、繁華街には各国料理のレストランが軒を並べており、どこの国の料理を食べたいのか迷ってしまうだろう。

安くておいしいレストランの見つけ方がある。そんな店はいつもたくさんのお客でにぎわっている。自分でその店を覗いて食べている人の顔つきで判断するか、**ホテルの従業員やタクシーのドライバーといった地元の人に聞いてみる**のが確実。

アメリカのレストランでの手順

入口でメニューと料金をチェック。気に入ったら店内にはいる

↓

"Hi!" と店の人にあいさつし、入口で人数、禁煙席か喫煙席かを申し出る。自分で勝手に席についてはいけない

↓

席に案内されて、メニューが渡される

↓

初めに飲み物の注文を考える
ウエイター、ウエイトレスがあいさつに来て、今日のスペシャルメニューなどを紹介し、最後に飲み物の注文をたずねる
水だけでかまわなかったら、"May I have a glass of water, please?" でよい
注文がまだ決まってなかったら "Take a minute."、または "Give me a minute." でいい

↓

メニューは、Appetizer(前菜)、Salad(サラダ)、Soup(スープ)、Entree（メインディッシュ）、Dessert（デザート）などに分かれているから、予算と食べたい量に合わせて注文するといい

↓

食事が始まると、メインディッシュを食べている途中くらいで、ウエイター、ウエイトレスが"Is everything OK?"、または "How is everything?" と聞きにくる。まあまあだったら "OK"、"Good"、とてもおいしかったら "Excellent" というといい

↓

メインディッシュを食べ終わると、デザートはいかがかと聞きにくる。もう、いらなかったら "No dessert, thank you" でいいし、コーヒーが飲みたかったら "May I have a cup of coffee?" でいい。もう、精算をしたいなら "May I have a check, please？"

↓

支払いは席でする場合がほとんど。しっかり請求書をチェックし、お金、またはクレジットカードをウエイター、ウエイトレスに渡す。チップ(通常15〜20%)を置く。チップはクレジットカードの支払いの金額に加算することもできる

↓

レストランを出る

飲酒について

　アメリカの多くの州では、21歳未満の飲酒は禁止されている。アメリカでは酒を出すほうも罰せられるから、チェックにシビアだ。日本人は若く見えるので、ID(身分証明書)の提示を求められることもある。酒を買うときにもIDが必要。

喫煙について

　アメリカでは、喫煙する人はいまや少数派。喫煙に厳しいカリフォルニア州では、レストランやバーなど公共の場所では全面禁煙。愛煙家の方は要注意だ。

チップについて

　チップは全オーダーの15〜20％が目安だが、サービスが悪かったらそれ以下でも構わないし、逆に大変良いサービスを受けて、楽しいひとときを過ごせたと感謝の意味を込めて、それ以上でもよい。ただ、1¢（ペニー）硬貨がいっぱい残っているからといって、それでチップをあげようなんて考えないように。ペニーには侮辱の意味がある。チップは請求書の運ばれてきたトレーに置く。あるいは、コップやお皿の下にお札の端をはさんでもいい。細かい金額を持ち合わせていないときは、キャッシャーでくずしてから席にもどって、チップを置くか、直接ウエイター、ウエイトレスに手渡すとよい。

日本食が恋しくなったら
　アメリカのスーパーマーケットでうれしいものが売られている。それは味の素の牛丼、鶏てりやき丼、すきやき丼。電子レンジでチンするだけで、なつかしい日本の味が楽しめる。

アメリカでは飲酒は21歳から

コーヒー、紅茶のおかわりは自由
　レストランでは、コーヒー、紅茶、アイスティーのおかわりは自由。遠慮なく頼もう。といっても、チップが多めにほしいと思うウエイター、ウエイトレスなら率先してすすめにくる。

読*者*投*稿

レストランの料理はボリュームたっぷり

　アメリカのレストランでは、料理の量はどれも多く、日本人だと見ただけで食欲がなくなってしまうかもしれない。2人で1人前を食べて満足するくらいと考えればよい。実際、そのように注文することもできる。たとえば、アペタイザーから1品、メインディッシュから1品ずつ頼み、2人でシェアしたいと言えば、お皿を2つずつ持ってきてくれる。アメリカ人にとっても量は多いので、残りをボックスに入れて持ち帰っている。別に恥ずかしいことでも何でもない。店によっては、ウ

エイトレスが持ち帰るかを聞いてくることもある。旅行中なら、これで1食浮かせられる。
　英語を使おうと思って緊張してしまい、つい忘れてしまうのが笑顔だ。英語がうまくできなくても、日本語でも「ありがとう」や「おいしい」と笑顔で言ったほうが、緊張した顔で "Good!" と言うよりも相手には通じるもの。チップを置くときも、こそこそと皿の下に置くのではなく、テーブルの上に堂々と置こう。
　　　　(Junko Saito　ユタ州在住　'98夏)

第13章 アメリカを楽しもう

アメリカは、ミュージカルやコンサートなどのエンターテインメントと、プロスポーツの本場だ。そのレベルは世界一といってもいい。これらを見に、わざわざアメリカを訪れる人も少なくない。せっかくアメリカに行くのだから、観光だけでなく、エンターテインメント鑑賞やプロスポーツ観戦を思いっきり楽しもう。

★　アメリカで楽しめるもの　★

ブロードウェイのミュージカルやショー、一流の音楽家によるコンサート、オペラ、バレエ、日本よりひと足早く見られる映画などなど。スポーツはベースボール、アメリカン・フットボール、バスケットボール、アイスホッケーの4大スポーツだけでなく、プロテニスのトーナメントやプロレス……。本場アメリカで楽しむエンターテインメントやスポーツ観戦は、日本で見るのとひと味もふた味もちがって、観光では味わえない「アメリカを体験」できることまちがいなしだ。

情報収集

エンターテインメント、スポーツのスケジュールや電話番号などの情報はどこで入手したらいいのだろうか。日本からなら、プロスポーツの雑誌、または、インターネットの利用という方法があげられるだろう。

現地に着いてからは、観光案内所やホテルのフロントでスケジュール表を入手するといい。また、現地に着いてしまえば、コンサートが行われる劇場や、スタジアムまで直接足を運ぶという方法もある。

これも情報収集に役立ちます
●地方紙のエンターテインメント＆スポーツ欄、日曜版にこれらの情報が掲載されていることが多い。
●"Where" "Key" といった観光客向け情報誌が観光案内所やホテルに置かれている。

試合数が多くてチケットが手に入りやすいベースボール

チケットの買い方

チケットの買い方はいくつか方法がある。

①事前に会場へ出向いて直接ボックスオフィスで買う。座席を確かめながら買うことができて、手数料がかからないのが利点。

②電話で予約する。日本のチケットぴあやチケットセゾンのような存在が、チケットマスターTicketmasterと呼ばれる業者。どの町にもあり、電話番号は観光局でもホテルの人に聞いてもいい。直接劇場や球場のチケット用の電話番号にかけてもいい。クレジットカードが必要で、チケットは当日"Will Call"の窓口で引き取り、代金はカードからの引き落とし。手数料がかかる。

③当日、会場で買う。会場では、コンサートが始まる90分前くらいから当日券を売り出すことが多い。ベースボールは一部の球場を除けば当日券は余っている。

④チケットブローカーから買う。"ブローカー"というと、なにやら怪しい気がしないでもないが、アメリカでは正規に認められている、プレミア付きのチケットを売る業者だ。ブローカーなら、すでに売切れといわれてしまっているチケットも、なぜか取り扱っていて、券面の3～30倍の値段で買うことができる。ブローカーは各地方新聞のエンターテインメント欄の広告やイエローページなどに載っているが、かなりの英語力を必要とされる。

会場までの足

ミュージカルやスポーツは夜行われるものがほとんど。行きは早めに出ればバスや地下鉄の利用もいい。しかし、帰りはなるべくタクシーを考えよう。お金をケチって危険な目に遭うことのないようにしたい。

ダフ屋に注意

当日、会場の回りにいるダフ屋のことをアメリカでは"スキャルパーScalper"という。彼らはチケットブローカーとちがって違法。フロリダ州のように、売る側だけでなく、買う側も違反で、見つかれば逮捕されることもある。また、ニューヨークでは、本物そっくりの偽のチケットをつかまされる観光客があとをたたない。もちろん、旅行者は泣き寝入りだ。できるだけ彼らから買わないようにしたい。しかし、会場前で来られなくなった友人や家族のチケットを売る人も、町によってはよく見かける。周囲の様子をよく見て、これらの人から買うのも悪くない。

会場から帰るときのアシは確保しておきたい

日本とアメリカで異なることは実にさまざま。たとえば、自動車は右側通行、祝日はもちろんのことモノを測る単位もちがう。日本とは異なる、アメリカを旅するうえで重要かつ基本的なインフォメーションを、ここでは頭にインプットしておこう。

★ 郵便について ★

絵ハガキを出そう

旅には筆不精の人でも手紙を書く気にさせる不思議な力がある。歩き疲れて入ったカフェで、バスや飛行機が出発するまでの時間に、美術館のベンチで、ちょっとした暇を見つければハガキを書くぐらいの時間はいくらでもある。受け取るほうも、海外からの絵ハガキや手紙はとても嬉しいものだ。切手は郵便局でまとめ買いするか、空港や郵便局の切手自動販売機を利用するようおすすめする。

重い荷物は船便で

旅先ではパンフレットや本などは自然に増えてくる。荷物が増えるのは嫌だが、捨てるには忍びない旅の思い出。こんなときは郵便で日本に送ってしまえば気軽に旅を続けることができる。送る荷物が多い場合は、船便にすれば時間はかかるが、安く送ることができる。パンフレットなどの印刷物は"Printed Matter"、本は"Book"にすればさらに安く送れる。

日本への所要日数
所要日数は航空便Airmailで約1週間、船便SurfaceまたはSeamailで約6週間かかる。

T/Cを使う際に注意
郵便局でT/Cを使う場合、支払金額がT/Cの額面金額の半分に満たないとき、受け取ってもらえないことがあるので注意。

これは損！
切手はホテルのロビーやスーパーなどにも自動販売機が置かれているが、これには手数料が含まれていて割高。"U.S. Postal Sevice"の表示のある機械から買うように。

用意のいい郵便局
大きな郵便局では、梱包用の箱や大きな封筒を売っているので、フェルトペンとテープを持っていけばその場で荷作りができる。

アメリカの郵便局。ワシと国旗が目印

日本への郵便料金

(’99年4月現在)

	Air Mail		Sea Mail (Surface)	
封書 Letters & Letter Packages	1/2 oz（約14g）	60¢	1oz	70¢
	1oz	$1	2oz	95¢
	※1/2ozごとに40¢を加算		※1ozごとに25¢を加算	
※航空書簡（アエログラム）50¢			最大重量4 lbs（約1.8kg）	
Post Card	50¢			
印刷物 （Greeting Cardを除く） Printed Matter	1 oz	$1	1 oz	50¢
	2〜5	1 ozごとに55¢	2 oz以上のものは郵便局で量ってもらう	
	6〜18	2 ozごとに$1.10		
	19oz以上のものは郵便局で量ってもらう			
	最大重量41lbs（約1.8kg）			
書籍 楽譜	印刷物と同じ		1lb	$1.56
			2lbs	$2.76
			3lbs	96¢ずつ加算
	最大重量11lbs（約5kg）			
小型包装物 Small Packets	印刷物と同じ		印刷物と同じ	
	最大重量4 lbs（約1.8kg）			
小包 Parcel	1 lbまで	$12.80	2 lbs未満	$9
	2〜4	1 lbごとに$6.40加算	3〜15 lbs	1 lbごとに$1.92加算
	6〜15	1 lbごとに$5.44加算		
	最大重量44 lbs（約20kg）			

電話について

公衆電話 (Pay Phone) の使い方

　ホテルのロビーや街角、地下鉄の構内など、どこでも見かける公衆電話。かけるたびに手数料がプラスされるホテルの電話を利用するより得だし、国際電話だってかけられる。

　公衆電話で使えるコインは、25¢、10¢、5¢の3種類。空港などではクレジットカードが使える電話もある。

●市内通話 (Local Call) のかけ方

受話器を持ち上げて、ツーという音が聞こえるかどうか確認。
ポイント！：日本とは違い、アメリカの公衆電話はお金を入れていなくても、受話器を上げればツーという音が聞こえる。つまり音がしないということは、その電話は壊れているということ。意外と壊れたままの電話は多い

最低通話料金（町によって25〜35¢）を投入する

市内局番以降（最後の7ケタ）をダイヤル

通話料が足りている場合には電話がつながる
　　　　通話料が足りていない場合にはアナウンスが流れるので、その金額を投入する。
ポイント！：通話料がわからないときには、硬貨を投入しないでダイヤルしてみる。アナウンスが必要な金額を教えてくれる

相手につながる

●市外通話 (Long Distance Call) のかけ方

最初に"1"をダイヤルしてから、電話番号（全10ケタ）をダイヤルする

最初の1分の通話料を知らせるアナウンスが流れる。
注意！：ダイヤルをしたときに、アナウンスではなくオペレーターが出てくる場合がある。その際には長距離電話をかけたい旨を伝える

告げられた金額を投入する

相手につながる

日本への国際電話のかけ方

　日本へ国際電話をかける方法は、基本的に次の3つの方法がある。ひとつめはオペレーターを通さずに日本へ直接ダイヤルする方法、2つめはアメリカまたは日本のオペレーターを通して通話する方法、3つめはクレジットカードやコーリングカードを使ってガイダンスに従ってかける方法だ。オペレーターを通して通話する方法のなかには、料金を受信者に支払ってもらう**コレクト・コールCollect Call**という手段もある。

●日本への直通国際通話のかけ方

　オペレーターを通さず、特別な操作も必要としないので、いちばん簡単にかけられる。公衆電話からもかけられるが、最初の3分で$7ほどのコインが必要。ただし、公衆電話から国際電話をかける人は少ないので、オペレーターが出てしまうこともよくある。

アメリカの電話番号
　エリアコード（3ケタ、日本の市外局番）＋市内局番（3ケタ）＋個人番号（4ケタ）の計10ケタから構成されている。たとえば(212)のエリアコードから始まる都市はニューヨーク、(213)から始まる都市はロスアンゼルスといったぐあい。

日本と同じ
　市内通話は日本の市内通話のかけ方と同じ要領。

コインの用意を
　公衆電話でかけるアメリカの市外通話は非常に高い。隣の市にかけても1分間に$2近くとられることもある。事前にたくさんのコインを用意しておこう。

わからないときは
　料金を知りたいときや、国際電話のコレクトコールなどオペレーターを最初から呼び出すときは"0"をダイヤルすればよい。

クレジットカードで電話をかけるときは極力注意！
　クレジットカード番号をプッシュする際に注意してほしいことがある。周囲の人に見られないようにしてほしいということだ。最近、アメリカでは、公衆電話にプッシュするクレジットカード番号を盗み見して、悪用する犯罪が増えている。クレジットカード番号が見られそうなときは、カバンでガードするなど防犯も忘れずに。

国際電話に関する問い
合わせ先
●KDD 局番なしの 0057
●IDC 0120-03-0061
●日本テレコム
　 0088-41
●DDI0120-110077

011（国際通話認識番号）+81（日本の国番号）+相手先の電話番号（市
外局番の最初の0は取る）

・03-1234-5678にかける場合には011-81-3-1234-5678と
ダイヤルする

▼

アナウンスが最低通話料金（1分）を告げるのでその金額を投入する

▼

相手につながる

●日本のオペレーターによるサービス

　日本の電話会社のオペレーターを通して通話する方法で、料
金はクレジットカードを使って引き落とすか、あるいはコレク
ト・コールのいずれかだ。料金は高いが、すべて日本語ですま
せられる。

日本の国際電話会社の電話番号にダイヤルする		
KDD ☎(1-800)543-0051	IDC ☎(1-800)354-0120	日本テレコム（JT） ☎(1-800)700-4641

▼

オペレーターにつながる

▼

かける相手先の電話番号、支払方法などを告げる

▼

相手につながる

●クレジットカードを使って音声ガイダンスによるサービス

　日本の電話会社の番号にアクセスし、音声ガイダンスによっ
て通話する方法。クレジットカード番号、暗証番号が必要で、
支払いはクレジットカードの引き落とし。

日本の国際電話会社の電話番号にダイヤルする		
KDD ☎(1-800)433-0081	IDC ☎(1-800)381-0080	日本テレコム（JT） ☎(1-800)326-7043

▼

音声ガイダンスにしたがって、必要な項目(クレジットカード番号、暗証番
号、相手の電話番号など)をダイヤルする

▼

相手につながる

アルファベットの電話
番号はこう読め
　アメリカでは、広告やチ
ラシの中でよくアルファベ
ットの電話番号を見かけ
る。たとえば、ヒルトン・
ホテルのトールフリー（後
述）の予約番号は
HILTONSとなっている。
昔のアメリカの電話番号が
アルファベットであったこ
とから、今でも電話機のダ
イヤルの数字の上にアルフ
ァベットが書かれている。
アルファベットの電話番号
は次のように読めばよい。

アルファベット	数字
ABC	2
DEF	3
GHI	4
JKL	5
MNO	6
PRS	7
TUV	8
WXY	9

同じ市外局番（212）にかける場合〔電話番号（212）123-4567〕

$\boxed{123}$ ＋ $\boxed{4567}$

市外局番（212以外）にかける場合〔電話番号（718）123-4567〕

$\boxed{1}$ ＋ $\boxed{718}$ ＋ $\boxed{123\text{-}4567}$

アメリカから日本にかける場合〔電話番号（03）1234-5678〕

$\boxed{011}$ ＋ $\boxed{81}$ ＋ $\boxed{3}$ ＋ $\boxed{1234\text{-}5678}$

国際通話認識番号　日本の国番　市外局番から0を取った番号　相手の電話番号

日本からアメリカにかける場合〔電話番号（213）123-4567〕のとき

| 001　（KDD）
0041　（JT）
0061　（IDC） | ＋ | 1 | ＋ | 213 | ＋ | 123-4567 |

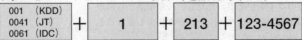

国際通話認識番号 ＋ アメリカの国番号 ＋ 市外局番 ＋ 相手の電話番号

ホテルの電話

　朝早く、夜遅く、ゆっくり話がしたいときなど、やはりホテルの電話が便利だ。かけ方は簡単。まず、外線につなぐ番号（市内通話と市外通話や国際通話の番号は違う。普通8または9）をダイヤルし、あとは公衆電話から国際電話をかける要領と同じ。電話についている説明を読めばすぐわかるはずだ。

　ホテルの電話で注意したいのがチャージ料金。通常市内通話なら公衆電話では25¢で済むところが、ホテルからだと最低75¢のチャージがかかってしまう。これはトールフリーの番号にかけても同じ。また、市外通話や国際電話をかけたときに相手が不在で出ない場合でも手数料を取られることがある。そしてよくあるのが、かけてもいない電話料金を**不当にチャージされる**こと。チェックアウトのときは、レシートを調べ、料金を確かめ、納得いかないときははっきりするまでとことん聞くことだ。クレジットカードを使う際はとくに注意。ろくに料金も見ずにサインしてしまい、後悔することのないように。

ホテルから電話をかけると
手数料をとられる

トールフリー Toll Freeは無料電話

　日本の市外局番にあたるエリアコードが（800）、（888）、（877）で始まる、料金を先方が払う電話番号のこと。日本のフリーダイヤルとまったく同じ。旅行者が利用しやすいのは、ホテルや航空会社、レンタカー会社などの予約を受け付ける番号など。かけ方は市外通話と同じく初めに1をダイヤル、そして800、888 or 877＋電話番号の順でダイヤルする。電話料金も回数が増えればばかにならない。大いに利用しよう。

イエローページ Yellow Pageは旅行者にも便利

　イエローページとは職業別電話帳、日本のタウンページのこと。希望の商品を扱うお店やホテルを探すのはもちろんのこと、料理の種類別にリストアップされているレストラン、タキシードやドレスのレンタル、靴の修理などなど、旅をより楽しくする情報源として利用価値は大きい。アルファベット順に業種が並んでいるが、電話帳の最初のページにある、Quick Reference Indexという索引には細かい職業名まで載っているので、ここから探したほうがわかりやすい。

ホテルのオペレーターが出てしまったら
　ホテルから国際電話をかけるとき、ときおりホテルのオペレーターが出てしまうが、そのときはOverseas Callということを、ハッキリと言う。料金を部屋の精算につけるときは"Charge to my room"と言おう。

イエローページはどこにある？
　イエローページは公衆電話やホテルの部屋に置いてある。

★ 時差と夏時間について ★

　時差というと日本との時差ばかり考えてしまうが、アメリカ国内の時差にも注意が必要だ。違う時間帯に移動したことに気がつかず、到着時間や乗り継ぎ時間を間違えて旅行中の貴重な時間を無駄に過ごしてしまったという話をよく耳にする。とくに長距離バスや飛行機を利用して、大陸を横断する場合など注意したい。また、アメリカには夏時間（Daylight Saving Time）があり、4月の第1日曜日から10月の最終土曜日まで時間が1時間早くなる。以下は時差についての基本的な知識。覚えて効率よくスケジュールを立てよう。

●**本土には東部時間Eastern Time（ET）、中部時間Central Time（CT）、山岳部時間Mountain Time（MT）、太平洋時間Pacific Time（PT）の4つの時間帯**があり、そのほかPT＋2時間のアラスカ、ハワイの時間帯がある。

●**ETとPTの時差は3時間。** ニューヨークが昼12：00のとき、ロスアンゼルスは朝9：00。

●**東への移動は時間が早く進み（損）、西への移動は時間が遅く進む（得）。**

（例）朝9時LAX（ロスアンゼルス国際空港）発のUA000便でJFK（ニューヨークJFK国際空港）に向かう。飛行時間は5時間半なので同じ時間帯であれば14時半に到着だが、実際のJFKの到着時間は時差の3時間を足して17時半。逆に朝9時にJFK発のLAX行きDL999便に乗る場合、LAXの到着時間は飛行時間の5時間半を足した14時半ではなく、そこから時差3時間を引いた11時半。つまり東へ向かう場合、**飛行時間プラス時差**、西に向かう場合、**飛行時間マイナス時差**が見た目にかかる時間である。

●飛行機やバスの**時刻表に書かれている時刻はいつも現地時間。**

電話をかける時間帯に要注意

　4つも時間帯があると、アメリカ国内へ電話するときも時差を考えなければならない。

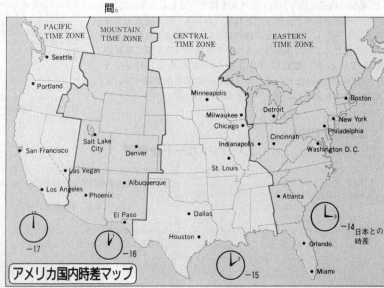

アメリカ国内時差マップ

●夏時間はアリゾナ州、ハワイ州、インディアナ州の一部では採用されていない。たとえば、本来ならば1時間の時差があるはずのアリゾナ州にあるグランドキャニオンとカリフォルニア州にあるロスアンゼルスは夏時間の間は同じ時間帯だ。
●日本との時差はETでマイナス14時間。PTでマイナス17時間。

★ アメリカの祝日 ★

　全国的に休日になるのは以下の10日。このほかに州によって異なる祝日がある。

"年中無休"は年中無休あらず

　年中無休をうたっているアトラクションやレストランなどでも、元日New Year's Day、感謝祭Thanksgiving Day、クリスマスChristmas Dayの3日間はほとんどが休みになる。また、メモリアル・デーからレイバー・デーにかけての夏休みの期間中は、営業時間などのスケジュールを変更するところが多い。

アメリカの祝日

月	休日	休日名
1	1日	元日 New Year's Day
	第3月曜	マーチン・ルーサー・キング牧師誕生日Martin Luther King, Jr.'s Birthday
2	第3月曜	大統領の日　President's Day
5	最終月曜	メモリアル・デー(戦没者追悼の日)Memorial Day
7	4日	独立記念日Independence Day
9	第1月曜	レイバー・デー(労働者の日)Labor Day
10	第2月曜	コロンブス記念日Columbus Day
11	11日	ベテランズ・デー(退役軍人の日)Veteran's Day
	第4木曜	感謝祭Thanksgiving Day
12	25日	クリスマスChristmas Day

★ 数量単位の比較 ★

　アメリカに行って戸惑うことのひとつに数量単位がある。世界的に見ればメートル法を使っている国が圧倒的だが、郷に入っては郷に従え。おもな換算の数量を覚えよう。また、自分の身長や体重をインチやパウンドで覚えておくと何かと便利。

●長さ　　1インチ（inch）=2.54cm
　　　　　1フィート（foot）=30.48cm
　　　　　（12inches = 1 foot）
　　　　　1マイル（mile）=1.61km
●重さ　　1オンス（oz）=28.3g
　　　　　1パウンド（lb）=452.8g
●容量　　1ガロン（gal）=3.785ℓ
　　　　　1クォート（quart）=950㎖
●面積　　1エーカー（acre）
　　　　　=0.004平方km

休日ではないが10月下旬のハロウィンも盛り上がる

州によっては休日にならない日もある。

交通標識もマイル表記

身長

フィート／インチ	4'8"	4'10"	5'0"	5'2"	5'4"	5'6"	5'8"	5'10"	6'0"	6'2"	6'4"	6'6"
センチメートル	142.2	147.3	152.4	157.5	162.6	167.6	172.7	177.8	182.9	188.0	193.0	198.1

体重

ポンド	80	90	100	110	120	130	140	150	160	170	180	190	200
キログラム	36.3	40.9	45.4	50.0	54.5	59.0	63.6	68.1	72.6	77.2	81.7	86.3	90.8

紳士服標準サイズ

アメリカサイズ	Small		Medium		Large		X-Large	
首まわり (inches)	14	14½	15	15½	16	16½	17	17½
日本サイズ (cm)	35.5	37	38	39	40.5	42	43	44.5
胸囲 (inches)	34	36	38	40	42	44	46	48
日本サイズ (cm)	86.5	91.5	96.5	101.5	106.5	112	117	122
胴まわり (inches)	28	30	32	34	36	38	40	42
日本サイズ (cm)	71	76	81	85.5	91.5	96.5	101.5	106.5
袖丈 (inches)	31½	33	33½	33½	34½	35	35½	36
日本サイズ (cm)	82.5	84	85	86.5	87.5	89	90	91.5

婦人服サイズ

アメリカサイズ	X-Small	Small		Medium		Large		X-Large
	4	6	8	10	12	14	16	18
日本サイズ	7	9	11	13	15	17	19	

靴サイズ

婦人用	アメリカサイズ	4½	5	5½	6	6½	7	7½
	日本サイズ (cm)	22	22.5	23	23.5	24	24.5	25
紳士用	アメリカサイズ	6½	7½	8	8½	9½	10½	11
	日本サイズ (cm)	24.5	25	25.5	26	27	28	28.5
子供用	アメリカサイズ	1	4½	6½	8	9	10	12
	日本サイズ (cm)	7.5	10	12	14	15	16.5	18

ジーンズなどのサイズ

アメリカサイズ (inches)	29	30	31	32	33	34	36
日本サイズ (cm)	73.5	76	78.5	81	84	86	91.5

ボーイサイズ

アメリカサイズ	8	9	10	11	12	14	16	18
身長 (cm)	128〜	133〜	138.5〜	143.5〜	148.5〜	156〜	164〜	167

ガールサイズ

アメリカサイズ	7	8	10	12	14	16
身長 (cm)	124.5〜	131〜	134.5〜	141〜	147.5〜	153.5〜160

幼児サイズ

アメリカサイズ	3	4	5	6	7(6X)
身長 (cm)	91.5〜	98〜	105.5〜	113〜	118〜123

靴の幅

AAA AA A	B C D	E EE EEE
狭い	標準	広い

洋服のサイズ表記も日本とは違う

●温度

アメリカの温度の単位は華氏Farenheit。生まれたときから摂氏Celsiusで育ってきた私たちは、身体で温度の感覚を覚えているものだ。だからアメリカの天気予報で「明日は100度を超えるでしょう」と言われても、どのくらい暑いか見当もつかない。

○華氏＝(摂氏×9/5)＋32　　○摂氏＝(華氏−32)×5/9

華氏／摂氏温度早見表								
摂氏℃	−40	−20	0	20	37	60	80	100
華氏F	−40	0	32 氷点	80	98.6 体温	160		212 沸点

当然靴のサイズも違うので注意

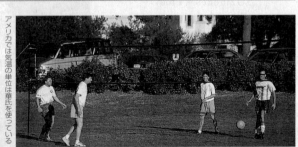

アメリカでは気温の単位は華氏を使っている

第15章 チップとマナー

旅の準備と技術編

★ チップについて ★

　アメリカではサービスを受けたらチップを渡す習慣があり、チップの習慣がない日本人には面倒でムダなような気がするが、郷に入れば郷に従えと割り切って、チップは気持ちよく支払おう。チップは労働の対価だから、これで生活している人も多い。

　一般的なチップの基準は
●**ベルマン・ドアマン・空港のポーター**／荷物1個につき＄1〜2。
●**レストラン**／合計金額の15〜20％。ただし、サービス料が含まれていれば小銭程度でよい。近年、都市部では20％を置くのが一般的。バーカウンターでは1杯の飲みものごとにバーテンダーに＄1。
●**タクシー**／料金の15〜20％。料金が低くても最低＄1。人数が多かったり、荷物が多い場合は若干多めに払うのが常識。
●**空港シャトルバン**／決められたルートを回る大型バスのチップは不要だが、乗客ひとりひとりの行き先を聞いて回る小型バンは、乗り合いタクシー的な意味を含めて＄1〜3。
●**ルームメイド**／日本人の添乗員の間では毎朝ひとり＄1〜3というのが定説だが、とくに部屋を汚した、などの場合でなければ基本的には必要なく、1泊だけなら必要ない。もし、渡すなら朝、ホテルを出るときベッドサイドのライトテーブルに1泊につき＄1〜2。どうやら、チェックアウトのとき、「ルームメイドさんへ」として宿泊日数分まとめて置くのが一般的。
●**ルームサービス**／ルームサービスを頼んだら10〜15％。タ

チップを渡すのが一般的なアメリカ社会

レストランでもチップを置くのが当然

お釣りをよこさない！
　ドライバーがチップ相当のお釣りと判断してお釣りをよこさないときもあるが、お釣りを返してほしいときははっきりと "XX dollars back, please" などと言おう。

読*者*投*稿
チップの出し方にもマナーはある

　アメリカ人のレストランでのチップの出し方を見ていると、昼は通常代金の10〜12％、夜は15〜20％、朝は、たとえ1人＄5くらいでも＄1は置いていく。バフェ形式は基本的にいらないのだが、それでもお皿を下げてくれたり、飲み物を持ってきてくれたりするので、＄2くらいは置いていったほうがよい。

　また、日本人はチップを払わないことが多いので、最近は英語の話せない日本人の団体などには、あらかじめチップを請求書に入れてあることもある。Service FeeとかGratuityと書いてあるものがチップのことで、その場合はそれ以上払う必要はない。私は普段チップを請求されたことはないのだが、英語を話せない人を含む日本人のグループで食事をしたとき、

Gratuityと書かれていたのを見て驚いたことがある。請求書に、食事代、Tax以外に何か書かれていたら、チップかどうかを確かめたほうがよい。

　また、ホテルでのチップは、毎朝出かけるときに、＄2くらいは置きたい。ただし、机の下に入れたりしないで、テーブルがあればその上や、バスルームの洗面台の脇などのわかりやすいところに追いておく。連泊する場合には、最後の日にはチップは置かないアメリカ人も多い。

　チップとは必ず払うものである。チップを必要としている職業の人は、それがないと生活が大変になるということを忘れてはいけない。

（Junko Saito　ユタ州在住　'98夏）

107

小銭は失礼
1¢の小銭を何十枚もおくのは大変失礼なものなので、できればお札を。

オルや毛布の不足を持ってきてもらったら＄1。

- **バレー・パーキング**／車を正面に回してもらい、自分が乗り込むときに＄2〜4。
- **カーブサイド・チェックイン**／荷物1個につき＄1。
- **コンシェルジュ**／その場で答えてくれるような簡単な質問ならチップはいらないが、入手の難しいチケットをとってもらったときはその難易度に応じて＄10、20、30以上といった具合。
- **観光バス**／大型バスで乗客もたくさんいる1日ツアーやトロリーツアーなら＄1〜2。小型バンの1日ツアーなら＄5程度。

★　　　　　**基本的なマナー＆常識**　　　　　★

アメリカは、いうまでもなく多民族国家だ。習慣、宗教、文化など、異なったバックグラウンドを持つ人々がひとつの国で暮らしてるわけだから、他人と接するときのアメリカ人の姿勢は実に慎重だ。それだけに、マナーを守ることはこの国では基本中の基本。訴訟社会を象徴していることかもしれない。

- 人にちょっとでもぶつかったら"Sorry"、"Pardon"と誤る
- 混雑した場所などで、自分が先へ進みたいときは"Excuse me"とひとこと
- 郵便局やトイレなど、公の場で並ぶところは一列に並ぶ。ただし、スーパーは除く
- 公共の場のほとんどは禁煙。喫煙は定められたところで。とくにカリフォルニア州では要注意
- "レディファースト"。エレベーターの乗り降りなど、女性が先。とくに年輩の女性がいちばん先
- 個人宅で——トイレ使用時以外はトイレの戸を閉めない
- あいさつは人と接するときの基本。コンビニでも、航空会社のカウンターでも、人と応対するときは"Hi！"と必ず声をかけよう
- ライブハウスやバーなど、お酒をサーブするところに入るときは、ID（身分証明書）を忘れずに
- ほとんどの州で、飲酒年齢は21歳以上（21歳未満は不可）。酔っぱらいはつまみ出される
- 飲酒はレストランやバー、ライブハウスなど定められた場所で。公園や歩きながらは厳禁

ほかにもあります、こんな常識
- ビルの入口やバスなどの扉は後ろの人のために押さえておく。
- トールフリーの電話番号を市内通話で利用するのは非常識。
- アメリカでは公園やビーチなどでビールなどのアルコールを飲んでいると罰せられることがある。

タクシーでも荷物が多かったときはチップを多めに

禁煙や禁酒に関するマナーにはとくに気を付けて

日本人がやってしまいがちなマナー違反

ときどき、空港の動く歩道などで、横に広がって歩道の全部をふさぎながら話している日本人を見かける。このようなときには、必ず片側を開けておくべき。また、人を待っているときには、他の人の邪魔にならない場所を探してもらいたい。日本人のグループには多いのだが、人通りの真ん中に立っていることがよくある。周りの人が大きな荷物を持って、わざわざ遠回りしていることもある。これも、空港でよく見かける姿であるが、とくに公共の場所ではマナーに気をつけていただきたいと思う。

それから、くわえタバコや歩きながらタバコを吸っている日本人を見かける。これは、マナー違反である。アメリカは自由な国、何をしてもよい、と思って来る人も多いようだが、実はマナーにとてもうるさい。お行儀の悪いのは大嫌いなのだ。アメリカでも、一部の若者のなかにはマナー違反や行儀の悪い人はいるのだが、それらの人たちに対しアメリカ人でも顔をしかめて見ている。どうか、そのような人たちを真似しないように、また、それがアメリカであるなどと思わないようにしていただきたい。

（Junko Saito ユタ州在住 '98夏）

地球の歩き方ホームページ

http://www.arukikata.co.jp/gio/

トップページ

海外特派員レポート
海外在住の特派員から届く現地最新情報

最新情報を素早くキャッチ!

フォーラム
旅行仲間の集う投稿掲示板です

海外為替情報
毎日更新される為替情報はとっても便利

世界のホテルガイド
海外のホテルがオンラインで予約できる

地球の歩き方ホームページは、1日平均延べ6万人が訪れるWEBです。膨大なデータと世界各都市を自在に行き来する壮快さをお試しください!

日本の25倍の国土を持つアメリカ。この国で、隣の町に移動するとしても日本の感覚をはるかに超える距離だ。たとえば、よく隣町にたとえられるニューヨーク～ボストン間も300km以上もあり、車で4時間かかる。くどいようだが、アメリカは実に大きい。日本の感覚は捨ててスケジュールを組んでみよう。

旅行の期間が短く、行きたい町の数も少ないなら、飛行機がいい。短時間に長距離を移動できるのが利点だ。時間に追われない気ままな旅をして、アメリカの大きさや生活

第16章 アメリカ飛行機の旅

広大なアメリカだからこそ発達した交通手段が、飛行機といえるだろう。

アメリカの航空機のネットワーク網は、日本と比較すると想像以上に細かく発達している。たとえるなら、ちょうどJRの路線網のようだ。運行頻度も高く、路線によっては1時間に1本程度の割合で飛んでいる。日本人が新幹線や特急列車に乗るような感覚で、アメリカ人は飛行機に乗り、広大な北米大陸を移動しているのだ。また、日本で飛行機というと、まだまだ割高感があるが、この自由競争の国では、鉄道運賃より航空運賃のほうが、ずっと安いこともよくある。アメリカで飛行機は、車に次ぐ第2の足としてすっかり定着しているのだ。

★ 飛行機旅行のメリットとデメリット ★

もう一度、どの交通機関を使う?

どの交通機関を使ってアメリカ大陸を移動するかは、①旅に費やせる時間、②予算、③その交通機関に興味があるか、の順によって左右されるだろう。旅行の期間が短い人、長距離の移動がある人は、いの一番に飛行機の利用をすすめる。アメリカ旅行は2度目以降で、ほかの交通機関を使ってみたい人や近距離を移動するなら鉄道や長距離バスもおすすめ。町によっては、飛行機より早く着くこともある。時間があって、できるだけ多くの町へ行ってみたいという人は、鉄道か長距離バスをすすめる。以下のメリット・デメリットを参照してほしい。

旅行代理店の人に相談してみよう!
旅行代理店の人はその道のプロ。自分の行きたい都市を告げれば、どの航空会社のどんなタイプの航空券が合っているか的確な判断を下してくれる。逆にいうと、そうした情報が十分に得られない旅行会社には、複雑なアメリカ国内線の手配を頼むべきでない。

飛行機旅行のメリット&デメリット

メリット	デメリット
★短時間に長距離を移動できる	★普通運賃は長距離バスに比べて高い
★飲み物やスナックのサービスがある	★空港―ダウンタウン間の時間とお金がかかる
★大自然の鳥瞰図が楽しめる	
★いわゆる"都市"という規模の町には行ける	★町並みや雄大な景色を間近に見ることができない
	★小さな町へ行くことはできない

のにおいを実感したいなら、長距離バスや鉄道の利用がおすすめだ。外国人用に安いパスも発売されている。好きなところへ行って、好きなだけ時間を過ごしたい人にはレンタカーがぴったりだ。グループで利用すれは経済的だし、バスの走っていない国立公園などでは、ひとりで利用してもその価値が十分に発揮できる。

これらの交通手段を上手に組み合わせて使い分ければ、旅の印象がぐっと深くなる。じっくり考えて、旅を作っていこう。

★　　あなたの行きたい都市はいくつ？　　★

あなたは今回の旅行でいくつの町を回りたいのだろう……。人により千差万別のはず。基本的には4都市以下か5都市以上を回るかによって、大きく2つに分けられる。

4都市以下ならゾーン制運賃がお得

日本からアメリカへの直行便を持つ航空会社はアメリカ系と日系、そしてアジア系とブラジル系の2つに大きく分けられる。なかでも、本拠地アメリカ系の航空会社だけが持つ大きな利点がある。それがゾーン制運賃だ。

日本へ直接乗り入れているアメリカ系の航空会社は、アメリカン航空（航空会社の略号AA）、コンチネンタル航空（CO）、デルタ航空（DL）、ノースウエスト航空（NW）、ユナイテッド航空（UA）の5社。この5社はアメリカ大陸を、東海岸と西海岸と大きく2つのゾーン（デルタ航空は1つだけ）に分け、そのゾーンによって航空運賃を定めている。**そのゾーン内であれば、1都市を単純往復したときと同じ料金で最高4都市まで飛べる**のである。もう少しわかりやすくいうと、ニューヨーク往復の料金で、ほかにもオーランドやロスアンゼルス、サンフランシスコなど計4都市まで行くことができるというわけだ。選ぶ都市は、東西のゾーンにまたがってもかまわない。行きたい都市が4都市以下だったら、このゾーン制運賃の利用をまず初めに考えたい。別の言葉でいえば、国際線の運賃で4都市の国内周遊が可能になったというわけだ。

ゾーン制運賃利用のルール（適用条件）

ただし、このチケットには次のような厳しい制限がある。
①国際線と国内線は同一航空会社のフライトを利用する
②周遊できる都市は最高4都市まで。2つ以上のゾーンにまたがって周遊する場合でも、この制限は同じ。このとき乗り継ぎ都市は含めないが、乗り継ぎ空港では、最も早い接続便を利用するのが原則
③いちばん遠いゾーンの運賃が適用される（デルタ航空は同じ）
④ゾーン間の移動は1往復まで（大陸横断は1往復）
⑤日本出発前に全ルートとフライトを決定し、予約する。一度FIX（フライト決定後、コンピュータにインプット）されたルートとフライトの変更はできない

1都市だけの往復だったら

1都市しか行かないのなら、アメリカの航空会社4社以外にも、ほかの航空会社を考えてみたい。アジア系やブラジル系、場合によっては日系の航空会社のほうが安い運賃を出していることが多い。

ゾーン制では乗り継ぎ都市は考えない

たとえば、ユナイテッド航空で、ボストン、ワシントン、オーランド、ラスベガスの4都市を回ると、実際のルートは成田〜シカゴ〜ボストン〜ワシントン〜オーランド〜デンバー〜ラスベガス〜サンフランシスコ〜成田といったようになり、7都市にストップするように思える。しかし、シカゴ、デンバー、サンフランシスコは乗り継ぎだけなので、4都市以内におさまり、東海岸往復の運賃でOKというわけだ。

予約は日本で

このゾーン制運賃が適用される航空券は、日本で発券したもので、予約も日本ですませなければならない。アメリカに着いてから追加することはできない。念のため。

ゾーン間の往復

たとえば、どの航空会社でも西ゾーンのサンフランシスコに入り、東ゾーンのニューヨークへ飛び、西ゾーンのロスアンゼルスに戻ったら、その後再び東ゾーンのボストンに飛ぶことはできない。

最大手4社のハブ空港

●アメリカン（AA）
ダラス／フォートワース
シカゴ
サンノゼ
ラリー／ダーハム
ナッシュビル

●デルタ（DL）
アトランタ
シンシナティ
ダラス／フォートワース
ソルトレイク・シティ
ロスアンゼルス

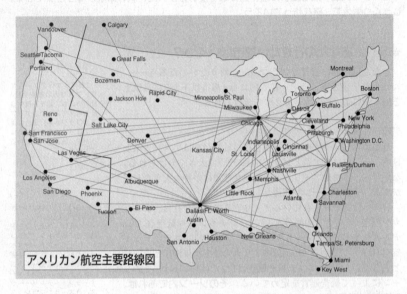

アメリカン航空主要路線図

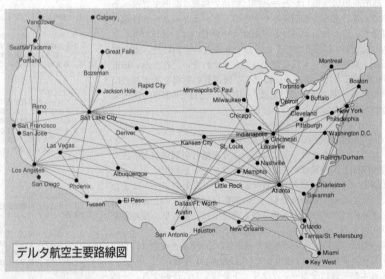

デルタ航空主要路線図

●ノースウエスト（NW）
ミネアポリス／セントポール
デトロイト
メンフィス

●ユナイテッド（UA）
シカゴ
デンバー
サンフランシスコ
ワシントンDC（ダレス）

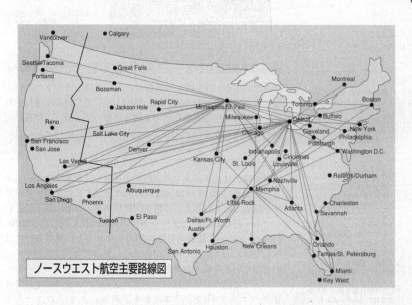

ノースウエスト航空主要路線図

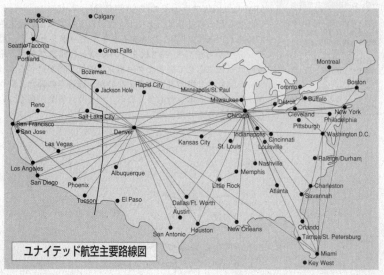

ユナイテッド航空主要路線図

周遊券のクーポンといっても、一般のチケットと同じ

★ 5都市以上回るなら、アメリカ国内周遊券がおすすめ ★

訪問都市が5都市以上の場合や、ゾーン制が適用されないかなり小さな都市を回る場合は、外国人旅行者に対して発行されるアメリカ国内周遊券を使って回るのがいい。以下、周遊券について学んでみよう。

アメリカ国内航空周遊っていったい何？

周遊券とは、アメリカの国内線を運行する航空会社が、アメリカ国境から101km以上離れた国の旅行者に対して、アメリカを旅するときに与える特別割引運賃制度のこと。周遊券といっても一般の航空券とチケット自体はまったく同じスタイル。JRのように一定期間内乗り放題のチケットとは異なるので注意してほしい。券面には航空会社名、使用者名、フライトNo.、都市名や出発時間が記載されている。

アメリカ国内周遊券は、アメリカン、ノースウエスト、アメリカウエスト（HP）、コンチネンタル、トランスワールド（TW）、USエアウェイズ（US）が発行している。

ほとんどの周遊券は、クーポン枚数によって料金が設定されている（**クーポン制**）。1フライトを1クーポンと数え、最低2〜3枚から最高8〜12枚までいくつかの種類があり、旅行者のニーズに応じて好きなクーポン数の航空券が選べる。なお、ゾーン制は乗り継ぎ都市は考えないが、周遊券の場合、乗り継ぎが多いとクーポン数も多くなる。つまり、料金が高くついてしまうということだ。

周遊券は回数券ではありません

周遊券は回数券ではない！ 4枚のクーポンを2人で2枚ずつ利用しようと考える人がいるが、これはムリ。チケットに記載されている名義人しか使用できない。

1クーポンと1フライトの関係

周遊券のフライト数（クーポン数）のカウント方法について注意してもらいたい点がある（下図参照）。A市からB市へのダイレクトフライトは、問題なく1フライト（1クーポン）だ。それでは、A市から飛びたってC市を経由して、B市へ至るケースはどう考えればよいだろうか。答えは、①C市で飛行機を乗り換える場合は2クーポンとなり（A→C、C→Bの便名が異なる）、②C市に途中寄港し、お客と荷物の積み降ろしを行った後、再び同じ航空機でB市へ向かう場合は、1クーポンでOK（A→C、C→Bの便名は同じ）となる。つまり、飛行機を乗り換えるたびに、フライト数（クーポン数）が加算されていく、と考えるとわかりやすい。

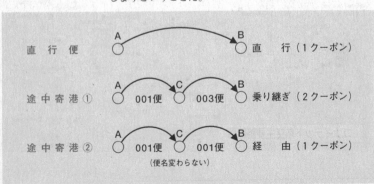

| 直 行 便 | A ──────→ B | 直　行（1クーポン） |

| 途中寄港① | A　001便　C　003便　B | 乗り継ぎ（2クーポン） |

| 途中寄港② | A　001便　C　001便　B
（便名変わらない） | 経　由（1クーポン） |

エアライン連絡先リスト（日本国内）

（'99年4月現在）

航空会社名	東京 (03)	大阪 (06)	名古屋 (052)	福岡 (092)
アメリカン航空 (AA)	3214-2111	🆓 (0120) 000860		
コンチネンタル航空 (CO)	3508-6411	🆓 (0120) 242414		
デルタ航空 (DL)	5404-3200	🆓 (0120) 333742		
アメリカウエスト (HP)	3597-9157	—	—	—
日本航空 (JL)	🆓 (0120) 25-5931			
大韓航空 (KE)	5443-3311	6264-3311	586-3311	441-3311
マレーシア航空 (MH)	3503-5961	6635-3070	561-3636	733-6006
全日空 (NH)	🆓 (0120) 029-333			
ノースウエスト航空 (NW)	3533-6000		🆓 (0120) 120747	
トランスワールド航空 (TW)	3437-3395	🆓 (0120) 800-737		
ヴァリグ・ブラジル航空 (RG)	3211-6751	6221-0611	565-1641	714-1809
シンガポール航空 (SQ)	3213-3431	—	—	—
ユナイテッド航空 (UA)	🆓 (0120) 11-4466			

周遊券利用のルール

　各社共通した基本的な条件は下記の通り。

①外国人旅行者に与えられた特典のため、**アメリカ国内では購入できない**

②日本出発前に訪問都市およびルートを決定すること

③**最初のフライト（第1区間）の予約を出発前に入れなければならない**。第2区間以降の予約については、日本ですべて済ませることもできるし、フライトの日時を空欄（オープン）にしておいて現地で予約を入れることも可能

④有効期間は、ほとんどの航空会社が使い始めの日から60日間。ただし、使用開始日数や、旅行完了の日数を定めてある航空会社もあるので注意

⑤**大陸横断フライト制限は、通常各社2回（1往復）まで**

⑥同一都市に何度も滞在できないという規則があり、多くの場合1都市滞在は2回までとなっているが、1回の会社もある。ただし、乗り継ぎのために寄港する都市は回数に数えない

⑦航空会社によりさまざまだが、**ルートの変更には$50〜75の手数料がかかる場合もある**。ルートの変更は、やむを得ない場合に限ったほうがいい

　　　　　　　　　　※

　周遊券は、どの国際線を利用するかに関係なく利用できる。日本やアジア系の航空会社でアメリカまで飛んで、そこからアメリカ国内大手航空会社の周遊券で移動するといったパターンも可能なのだ。そこが、同一航空会社で国際線と国内線をつなぐゾーン制運賃との大きな違いでもある。

USエアウェイズのクーポンの数え方はちがう！

　ほとんどの航空会社が1フライト＝1クーポン制をとっているが、USエアウェイズは別。次の訪問目的地までを1区間と考え、異なる便での乗り継ぎがあっても料金は1区間分となる。他の航空会社は異なる便での乗り継ぎは2クーポンとなる。

取り消し、払い戻しについて

　完全未使用の航空券は支払い額から手数料（約$50〜75）を差し引いて行われる。ただし、一部未使用の航空券の払い戻しや紛失・盗難についての再発行・払い戻しは不可とする航空会社もあるので要確認。

チェックインは余裕をもって

周遊券、ピークシーズンは高めです

周遊券の場合、同じクーポン枚数でも各航空会社によって、値段もまちまち。夏のピークシーズンには料金が加算される航空会社もある。

1999年4/1〜2000年3/31アメリカ国内周遊券運賃一覧表

航空会社	クーポン枚数	料金	適用地域	その他
アメリカン航空（AA）	3	¥60,000	アメリカ48州とカナダ路線、太平洋路線にアメリカ航空、または米国航空会社を除く〈コンチネンタル航空を利用すること〉（6/1〜8/31、11/25〜12/2、12/15〜2000年1/10は$5,000円アップ。子供料金あり）	●追加クーポンでハワイ、メキシコ、カリブまで飛べる ●ラスベガス〜グランドキャニオン、ブライスキャニオン間は別途直直で飛べる ●同一都市は2回、夏の場合は更にもう1度可能、都市によっては途中降機無制限 ●有効期限は60日だが、北米到着後45日以内に旅行を開始すること ●予約変更、未使用クーポンの払戻しは$75の手数料
	4	¥70,000		
	5	¥80,000		
	〜10	1枚につき¥10,000円アップ		
コンチネンタル航空（CO）	3	¥45,000	米国大陸とカナダ路線、太平洋路線にコンチネンタル航空、またはノースウエスト航空を利用すること（6/1〜8/31は6,900〜16,000円のアップ。12/15〜1/9は使用不可）	●追加クーポンでハワイ、カリブ、メキシコで飛べる ●同一都市は2回まで。トランジットは無制限 ●いかなる変更も出発の2時間前までに。ルート変更$75 ●有効期間は60日だが、北米到着後21日以内に旅行を開始すること ●4時間以内の乗継便であれば1クーポンとみなす（ただし、最初の2回まで）
	4	¥56,000		
	5	¥68,000		
	6	¥78,000		
	7	¥82,000		
	8	¥86,000		
	9	¥92,000		
	10	¥98,000		
トランスワールド航空（TW）	1/2	$198	米国大陸とカナダ路線（日本からの国際線は太平洋線と大西洋線の世界一周でも可。ただし、大西洋線はTWA利用に限る。）（6/15〜8/31は$10〜81アップ。子供料金あり）	●追加クーポンでハワイ、サンフアン、サントドミンゴ、カンクーン、モンテゴベイ、メキシコシティ、プエルトプラタ、セントマーチン、アンカレッジまで飛べる ●経路変更、未使用クーポンの払戻しは$500の手数料 ●同一都市は2回まで。ニューヨーク、セントルイスでの乗り継ぎは2回まで ●有効期限は60日。ただし、米国またはカナダに到着後120日以内に全旅程を終えること
	3	$297/349		
	4	$379		
	5	$429		
	6	$479		
	7	$529		
	8	$579		
ノースウエスト航空（NW）	3	¥61,000	米国大陸とカナダ路線（太平洋路線にノースウエスト航空を利用すること）（ファーストクラス料金、子供料金あり）	●追加クーポンでアラスカ、ハワイ、メキシコ、カリブ、プエルトリコまで飛べる ●追加クーポンで、ロスアンゼルス〜ラスベガス間も飛べる ●有効期限は60日だが、トランジットは無制限 ●有効期限は60日だが、米国、カナダ到着後120日以内に旅行を完了すること ●国際線のチケットと同時に発券すること ●経路変更、未使用クーポンの払い戻しは$75の手数料
	4〜10	1枚につき¥6,000ずつ加算		
USエアウェイズ（US）　トランス・パシフィックシステム	2	$369	米国大陸とカナダ路線（太平洋線もJL/NH/OZ/SQ/TG/KE/MHなど米国籍でない航空会社を利用した場合）（6/15〜8/31は$40アップ。子供料金あり）	●追加クーポンでカリブ諸島、メキシコまで飛べる ●同一都市は2回まで ●航空券は60日有効だが、アメリカ到着後、120日以内に旅程を終了すること ●経路変更、払い戻しは$75の手数料
	3	$379		
	4〜10	1枚につき$40ずつ加算		
インターラインシステム	2	$529	米国大陸とカナダ路線（米国籍航空会社で太平洋線を利用した場合）（6/15〜8/31は$80〜210アップ。子供料金あり）	
	3	$539		
	4	$629		
	6	$719		
	7	$809		
	8	$989		
アメリカウエスト航空（HP）　西海岸 Tri State	2	$169	カリフォルニア、ネバダ、アリゾナの3州内（子供料金あり）	●同一都市は1回のみ。ただし、PHXとLASは2回まで ●追加クーポンでラスベガス〜グランドキャニオン、ロスアンゼルス〜ホノルル、ニューヨーク〜バッファロー、ニューヨーク〜マイアミまたはオーランド、メキシコとアラスカまで飛べる ●便によって使用不可期間があるので要確認 ●第一区間よりオープン可 ●予約上のキャンセル待ちは不可 ●滞在日数は発券日より6ヶ月間有効 ●経路変更、未使用クーポンの払い戻しは$75の手数料
	3	$219		
	4	$269		
	5〜12	1枚につき$50ずつ加算		
西海岸 Tri City	2	$159	サンディエゴ、ラスベガス、フェニックスの3都市（子供料金あり）	
	3〜8	1枚につき$50ずつ加算		
大陸周遊	3	$379	全米各都市とカナダ、メキシコ路線（子供料金あり）	
	4〜12	1枚につき$70ずつ加算		

※上記周遊券の基本的なルールはP.115を参照。料金はエコノミークラスのもの。詳細は各航空会社へ。

('99年3月末現在)

アメリカン航空のカウンター

ハブ（路線の軸となる都市）＆スポーク・システム

　大手4社の主要路線図（P.112、113）をまず見てみよう。各社ともいくつかの軸（中心）となる都市があることがわかる。その軸となる都市、キーステーションになる都市を中心に、ルートが各都市へと放射状（スポーク）に延びている。この"軸"となる都市がハブHubだ。

　代表的なものだけを挙げると、ＡＡはシカゴ、ダラス／フォートワース、ＤＬはソルトレイク・シティ、アトランタ、ＮＷはミネアポリス、デトロイト、ＵＡはデンバー、シカゴといった具合。これは各航空会社が意図的に、それらの都市を自社路線の中心と位置付けていることの現れで、各航空会社の路線展開の基本的な戦略なのである。

ゾーン制の4都市内、周遊券でカバーしきれない都市が出てきた

　計画を煮詰めていき、どこの会社を利用するかも決まったけれど、選んだ航空会社の路線が訪問予定都市をどうしてもカバーしきれないことがある。また、次の都市まで飛行機に乗るほどではないとか、訪問予定都市間の便数が少なく時間のロスが大きいときは、ほかの交通機関の利用を考えてみよう。バスやレンタカー、場合によっては鉄道などがその方法だ。

　行きたい都市への直行便がなくても、ハブになっている都市を経由すれば、目的の都市にたどり着ける。しかし、ルート作成上、ハブの都市を経由すると遠回りを余儀なくされるケースがある。たとえば、UAでマイアミからニューオリンズに飛ぼうとすると、直行便がないので、一度ワシントンまたはシカゴに行き、便を乗り換えてニューオリンズに向かうことになる。位置をみるとかなり遠回りになり、直行便なら2時間足らずで着くところが、乗り継ぎ時間を含めると6時間近くかかってしまう。しかも周遊券の場合チケットは2枚必要だ。ルートを作成するときは、各社の特徴を理解したうえで、多少の遠回りや乗り継ぎを気にせずに、利用航空会社の路線内でルーティングすることが大切だ。安い周遊券でつないでいたら、乗り継ぎが多くなってしまい、結局高いほうの会社を利用したほうがお得になったという逆転現象も十分に起こりうるのである。

各航空会社のフリークエント・フライヤー・プログラム

会社名／プログラム名	問い合わせ先	加算マイル数	マイルが加算される提携航空会社	主な無料航空券と必要マイル数	そのほかのマイル加算方法
デルタ航空 スカイマイル	(0120)333742 (03)5275-7000	エコノミーで飛行距離500マイル以下は500マイル、501マイル以上は実際の飛行マイル。ファーストクラスは150%、ビジネスクラスは125%での換算。	全日空、エールフランス航空、スイス航空、サベナ・ベルギー航空、オーストリアン航空、ポルトガル航空、エア・ジャマイカ、アエロメヒコ、フィンランド航空、大韓航空、マレーシア航空の指定路線。	日本↔北米 6万、日本↔ヨーロッパ 11万、日本↔東南アジア 5万、日本↔アジア 3万	●提携ホテルでの宿泊 ●提携レンタカー会社の利用 ●携帯電話会社の利用
日本航空 マイレージバンク	(0120)255931	エコノミーで実際の飛行距離。ファーストクラスは150%、ビジネスクラスは125%、ペックスなどの特別運賃は70%で換算。	アメリカン航空、エールフランス、カナディアン・パシフィックの指定路線。	日本↔アジア 2万（ソウルは 1万5千）、日本↔東南アジア 3万5千、日本↔ハワイ 4万、日本↔北米 5万	●提携ホテルでの宿泊 ●提携クレジットカードの利用
ノースウエスト航空 ワールドパークス	東京 (03)3533-6000 大阪 (06)6228-0747 上記以外の地域 (0120)120-747	エコノミーで飛行距離500マイル以下は500マイル、501マイル以上は実際の飛行マイル。ファーストクラスは150%、ビジネスクラスは125%での換算。	JAS、KLMオランダ航空、アシアナ航空、ニュージーランド航空、アラスカ航空、パシフィックアイランド航空、USエアウェイズ、アメリカウエスト航空、トランス・ステイツ航空、アロハ航空、エアUKの指定路線。	アジア↔アメリカ本土48州・カナダ 5万5千、アジア↔東南アジア 2万、アジア↔ホノルル 3万、アジア↔ヨーロッパ 6万	●提携ホテルでの宿泊 ●提携レンタカー会社の利用 ●提携クレジットカードの利用 ●提携電話会社のコーリングカードの利用
ユナイテッド航空 マイレージ・プラス	東京 (03)3817-4411 (0120)11-4466	エコノミーで実際の飛行距離。ファーストクラスは150%、ビジネスクラスは125%で換算。	エア・カナダ、アロハ航空、アンセット・オーストラリア航空、タイ航空、ニュージーランド航空、スカンジナビア航空、ヴァリグ・ブラジル、ルフトハンザ航空、チリ、インターナショナル・エアラインの指定路線。	日本↔アメリカ・カナダ 6万、日本↔アジア 2万、日本↔グアム 2万、日本↔ハワイ 4万、日本↔ドイツ 7万	●提携ホテルでの宿泊 ●提携レンタカー会社の利用 ●提携クレジットカードの利用 ●提携クルーズ・ラインの乗船

※　'98年10月現在、プログラムの規則、提携会社、利用条件等の特典内容は各航空会社とも予告なく変更される場合がある。
※1　主催航空会社と提携航空会社のマイル加算規定、換算率等は異なる場合がある。
※2　スタンダード・シーズン、エコノミー・クラスの必要マイル数。利用可能な時期等の詳しい条件は、各プログラムのパンフレットまたは受付で要確認。

カーブサイドのチェックイン
カウンター

ABC：ABC World Airli-
nes Guide
OAG：Official Airlines
Guide

北米版OAG
　OAGはポケット・フラ
イトガイドというポケット
版などの洋書店で販
売されており、この"北ア
メリカ編 North America
Edition"さえあればアメリ
カ大陸を旅行するルート作
成にはたいへん便利だ。し
かも値段は1,300円前後と
手ごろ。じっくり考えたい
人はこれを入手するといい
だろう。

到着地より検索
　OAGの時刻表は、到着
地から引いて調べるので要
注意。

時差がある！
　4つの時間帯があるアメ
リカ本土。西から東への移
動は実際の飛行時間より長
くなり、東から西への移動
は短くなる。念のため。

**空港がいくつかある大
都市**
　どの空港に発着するか
は、発着時刻の横のアルフ
ァベット1文字をその空港
のコードとして用いる場合
が多い。コードの説明は必
ずその項の上部に記載され
ている。
ニューヨーク
●ジョン・F・ケネディ
国際空港（JFK）
●ラガーディア空港（LGA）
●ニューアーク空港（EWR）
ワシントンDC
●ナショナル空港（DCA）
●ダレス国際空港（IAD）
●ボルチモア・ワシントン
国際空港（BWI）
シカゴ
●オヘア国際空港（ORD）
●ミッドウェイ空港（MDW）

　たとえばニューヨーク～フィラデルフィア、ニューヨーク～
ワシントンDC間などはバスや鉄道の利用がポピュラーだ。バ
スや鉄道の駅はほとんどが町の中心部に位置するため、空港
←→ダウンタウン間の移動時間と交通費の節約にもなる。

★　　　　タイムテーブルの読み方　　　　★

希望のフライトを選ぶ

　現在、旅行代理店などで幅広く利用されている航空時刻表の
代表的なものとして、**ABCとOAGの2種類がある**。どちらも
電話帳のように、ぶ厚い月刊のタイムテーブルで、世界中の定
期運航便がすべて掲載されている。両時刻表とも値段が1冊約
1万円以上と高く、一部の洋書店でしか扱っていないので入手
が容易とはいえない。

　すでに自分のフライトのルートと日程が決まっていれば、**旅
行代理店の人に相談してコンピュータで便の出発時刻をプリン
トしてもらうのがいちばん早い**。そのほかにも各航空会社が発
行しているタイムテーブルを活用する方法もある。タイムテー
ブルは各社のカウンターに用意されている。もちろん、インタ
ーネットを通して調べることもできるが、とくに他社と比較す
るうえで大変な手間がかかる。

タイムテーブルの見方

①**出発地から引いて調べる**。たとえば、サンフランシスコから
ニューヨークへフライトするときは、まずSan Franciscoの
項目を引き、その中に出ている目的地（To）のNew Yorkを見
つけだす。都市はすべてABC順に並んでいる。

②**発着時刻は、午前と午後を分けた12時間表記、現地時刻で
記載されている**。1210pはお昼過ぎの午後0時10分のことで、
1210aならば深夜の0時10分ということになり、左側が出発時
刻（Lv）、右側が到着時刻（Ar）となっている。到着時刻の横
の＋1や★、§などの記号は、翌日に到着することを示している。

③**運行曜日は1～7までの数字で表される**。1が月曜日で7が
日曜日。逆に数字の前に×がある場合は、その曜日は運休とい
う意味。×6とあれば、土曜日のみ運休。

④**フライトは、直行便、経由便、乗り換え便の区別なく、出発
の早い順に並んでいる**。どの便が直行便で、どの便が経由便・
乗り換え便かは、便名やストップ数の欄で判断する。便名が
111／222と2つになっていれば、111便と222便を乗り継いで
最終目的地まで行くことがわかる。このような場合、ストップ
数の欄には、コネクション（Connection）を示すCという文字
や、ストップ回数の数字が記されている。ちなみに"0"だけ
がノンストップ便。

⑤**ニューヨークやワシントンDC、ロスアンゼルスといった大
都市には、いくつか空港があり、それらをまとめて記載してい
ることが多いので注意**。

118

チケットの見方

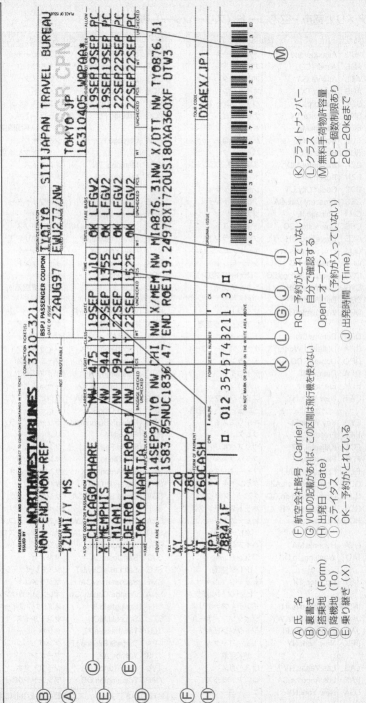

Ⓐ 氏　名
Ⓑ 裏書き
Ⓒ 搭乗地 (Form)
Ⓓ 降機地 (To)
Ⓔ 乗り継ぎ (X)

Ⓕ 航空会社略号 (Carrier)
Ⓖ VOIDの記載があれば、この区間は飛行機を使わない
Ⓗ 出発日 (Date)
Ⓘ ステイタス
　OK→予約がとれている

Ⓘ RQ→予約がとれていない
　自分で確認する
Open→オープン
　(予約が入っていない)
Ⓙ 出発時間 (Time)

Ⓚ フライトナンバー
Ⓛ クラス
Ⓜ 無料手荷物許容量
　PC→個数制限あり
　20～20kgまで

アメリカ都市・空港コード（スリーレター）表

略号	都市名	
ABQ	Albuquerque,NM	アルバカーキ
ASE	Aspen,CO	アスペン
ATL	Atlanta,GA	アトランタ
AUS	Austin,TX	オースチン
BDL	Hartford,CT	ハートフォード
BNA	Nashville,TN	ナッシュビル
BOS	Boston,MA	ボストン
BUF	Buffalo,NY	バッファロー
BUR	Burbank,CA	バーバンク
BWI	Baltimore,MD	ボルチモア，ワシントン
BZN	Bozeman,MT	ボーズマン
CDC	Cedar City,UT	シーダーシティ
CEC	Crescent City,CA	クレセントシティ
CHI	Chicago,IL	シカゴ
CHS	Charleston,SC	チャールストン
CLE	Cleveland,OH	クリーブランド
CLM	Port Angeles,WA	ポート・エンジェルズ
CLT	Charlotte,NC	シャーロット
COS	Colorado Springs,CO	コロラド・スプリングス
CVG	Cincinnati,OH	シンシナティ
DBQ	Dubuque,IA	デビューク
DCA	Washington DC	ワシントン＝ ナショナル空港
DEN	Denver,CO	デンバー
DFW	Dallas/Ft.Worth,TX	ダラス／フォートワース
DRO	Durango,CO	デュランゴ
DTW	Detroit,MI	デトロイト
ELP	El Paso,TX	エルパソ
EWR	New York,NY	ニューヨーク＝ ニューアーク空港
EYW	Key West,FL	キーウエスト
FAT	Fresno,CA	フレズノ
FCA	Kalispell,MT	カリスペル
FLG	Flagstaff,AZ	フラッグスタッフ
FLL	Ft.Lauderdale,FL	フォートローダーデール
GCN	Grand Canyon,AZ	グランドキャニオン
GJT	Grand Junction,CO	グランド・ジャンクション
HOT	Hot Springs,AR	ホットスプリングス
HOU	Houston,TX	ヒューストン＝ ホビー空港
HYA	Hyannis,MA	ハイアニス
IAD	Washington DC	ワシントン＝ ダレス空港
IAH	Houston,TX	ヒューストン＝ ヒューストン国際空港
IND	Indianapolis,IN	インディアナポリス
JAC	Jackson Hole,WY	ジャクソン・ホール
JAX	Jacksonville,FL	ジャクソンビル
JFK	New York,NY	ニューヨーク＝ JFK空港
LAS	Las Vegas,NV	ラスベガス
LAX	Los Angeles,CA	ロスアンゼルス
LGA	New York,NY	ニューヨーク＝ ラガーディア空港

略号	都市名	
LGB	Long Beach,CA	ロングビーチ
LIT	Little Rock,AR	リトルロック
LNS	Lancaster,PA	ランカスター
MCE	Merced,CA	マーセド
MCI	Kansas City,MO	カンザス・シティ
MCO	Orlando,FL	オーランド＝ オーランド国際空港
MDW	Chicago,IL	シカゴ＝ ミッドウェイ空港
MEM	Memphis,TN	メンフィス
MFR	Medford,OR	メッドフォード
MIA	Miami,FL	マイアミ
MKE	Milwaukee,WI	ミルウォーキー
MRY	Monterey,CA	モントレー
MSP	Minneapolis/St.Paul,MN	ミネアポリス
MSY	New Orleans,LA	ニューオリンズ
NYC	New York,NY	ニューヨーク
OAK	Oakland,CA	オークランド
ORD	Chicago,IL	シカゴ＝ オヘア空港
ORL	Orlando,FL	オーランド
PBI	West Palm Beach,FL	ウエスト・パームビーチ
PDX	Portland,OR	ポートランド
PGA	Page,AZ	ペイジ
PHL	Philadelphia,PA	フィラデルフィア
PHX	Phoenix,AZ	フェニックス
PIT	Pittsburgh,PA	ピッツバーグ
PSP	Palm Springs,CA	パームスプリングス
PVC	Provincetown,MA	プロビンスタウン
RAP	Rapid City,SD	ラピッドシティ
RDU	Raleigh/Durham,NC	ラリー／ダーラム
RNO	Reno,NV	リノ
SAF	Santa Fe,NM	サンタフェ
SAN	San Diego,CA	サンディエゴ
SAT	San Antonio,TX	サンアントニオ
SAV	Savannah,GA	サバンナ
SBA	Santa Barbara,CA	サンタバーバラ
SDF	Louisville,KY	ルイビル
SEA	Seattle/Tacoma,WA	シアトル／タコマ
SFO	San Francisco,CA	サンフランシスコ
SGU	St.George,UT	セントジョージ
SJC	San Jose,CA	サンノゼ
SLC	Salt Lake City,UT	ソルトレイク・シティ
SMF	Sacramento,CA	サクラメント
SNA	Orange County,CA	オレンジ・カウンティ
SPI	Springfield,IL	スプリングフィールド
STL	St.Louis,MO	セントルイス
TLH	Tallahassee,FL	タラハッシー
TPA	Tampa/St.Petersburg,FL	タンパ
TUS	Tucson,AZ	ツーソン
TVL	Lake Tahoe,CA	レイク・タホ
WAS	Washington DC	ワシントンDC

『地球の歩き方』シリーズに掲載の町を中心に選択しました。

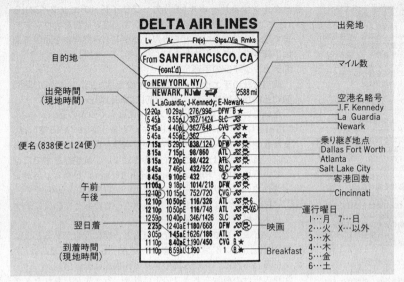

DELTA AIR LINES

- 出発地
- マイル数
- 目的地
- 空港名略号
  - J.F. Kennedy
  - La Guardia
  - Newark
- 出発時間（現地時間）
- 便名（838便と124便）
- 乗り継ぎ地点
  - Dallas Fort Worth
  - Atlanta
  - Salt Lake City
  - 寄港回数
  - Cincinnati
- 午前 / 午後
- 翌日着
- 運行曜日
  - 1…月 7…日
  - 2…火 X…以外
  - 3…水
  - 4…木
  - 5…金
  - 6…土
- 映画
- 到着時間（現地時間）
- Breakfast

ちょっと実践

　これらのことを踏まえたうえで、デルタ航空のタイムテーブルを例にとってみよう（上記参照）。

　朝7時15分にサンフランシスコを出発する(715a)便は、838便と124便を乗り継いで(838／124)午後5時29分にニューヨークのラガーディア空港に到着し(529pL)、ダラスで乗り継ぐ(Stps／Viaの欄がDFW)便であることがわかる。同様に、夜11時10分発(1110p)の190便はどこか途中1カ所(Stps／Viaの欄が1)に寄り、翌朝8時59分にラガーディア空港に到着(859a)するということになる。いずれの便も運行日については触れていないので、毎日運行されていることになる。

★ 飛行機に乗る手順 ★

空港へ向かう

　国内線の場合、空港へはフライト時間の少なくとも1時間前に着くようにしたい。空港へはタクシー、空港シャトルバン、路線バス、地下鉄など、いくつかの交通機関があるが、とりわけポピュラーなのは空港シャトルバンだろう。乗り合いタクシーのように利用できるので便利だが、ほとんどが予約制。ホテルのフロントに頼んで予約を入れてもらうといい。

　シャトルバンにしろ、タクシーにしろ、空港に着く前にドライバーがお客に利用航空会社を尋ねる。大規模なアメリカの空港では、航空会社ごとにカウンターがかなり離れた場所にあることもめずらしくないからだ。

①カーブサイド・チェックインで荷物を預ける

　航空会社によっては、カウンターまで行かなくてもタクシーや空港シャトルバンを降りた建物の外で、荷物だけを先にチェ

国内線のリコンファームは不要

　アメリカの国内線を利用する際、一度予約がとれていれば、原則としてリコンファーム（予約の再確認）の必要はない。しかし、念のためフライト前日までに出発時刻の確認をするとよいだろう。マイナーチェンジはよくある。なお、国際線のリコンファームは航空会社によって必要。

路線バスや地下鉄で向かう人は注意

路線バスや地下鉄で空港へ向かう場合、空港見取図を見て航空会社のカウンターを目指そう。空港バスはターミナルごとに航空会社の名前を言うので聞き逃さないように。

カーブサイドで荷物を預けたら

大変便利なカーブサイド・チェックイン。ここで荷物を預けたときは、荷物1個につき$1のチップを渡すのが常識。チップをあげたくない人は、ターミナル内のカウンターまで自分で荷物を運ぶこと。

カーブサイド・チェックインで荷物を預けてしまえば、あとはフライトゲート前のカウンターでチェックイン（搭乗手続き）を行ってもよい。

タグの確認を！

荷物に付けられたタグの行き先は、航空会社が使う空港シティコード3レターで表示される。各都市の空港の項、またはP.120を参照して自分のこれから行く都市のコードを覚えておけば、荷物の行き先が正しいかどうか自分の目で確かめられる。また、この3レターは時刻表にもしばしば使われる。

コンピュータ・ディスプレイ

コンピュータ・ディスプレイは出発便Departuresと到着便Arrivalsに分かれ、最新の運行状況が刻一刻と表示される。

空港でも禁煙です

年々、喫煙にシビアになっていくアメリカ。いまや、アメリカの国内線は全線禁煙だ。ついでに、空港も禁煙というところが多い。禁煙でなくても、喫煙は指定の場所と決められているから注意。

アルコール以外の飲みものは無料

飛行機が巡航高度になると、まずおつまみといっしょに飲み物のサービスがある。アルコール以外の飲みものは無料だ。

ックインするサービス（通称**カーブサイド・チェックイン**）を行っている。手続きも早く終わるうえ、重い荷物をカウンターまで運ぶ必要がない。もちろん、カウンターで荷物を預けて搭乗手続きをしてもかまわない。

②チェックインの手順

航空会社の**チェックイン**（搭乗手続き）は通常、出発の2時間前ぐらいから始められ、20分前には締め切られる。

たいてい、航空会社のカウンターにはいくつかの窓口がある。"Ticket"や"Ticket Purchase"と表示されている窓口は、まだ航空券を購入していない人が航空券を買う窓口。チケットを購入済みの人は、ここに並ぶ必要はない。航空券をすでに持っている場合は、"Passengers with Tickets"か乗る便名が表示されているカウンターに並べばよい。自分の順番がきたら、

① "Hi！"または"Hello！"とあいさつしたあとで係員にチケットを提示し、行き先を告げる。

②コンピュータで予約を確認したあと、席に余裕があるときは"Windowウインドウ"（窓側）か"Aisleアイル"（通路側）かを尋ねられる。ちなみにアメリカ国内線は全席禁煙。

③機内預けの荷物をハカリの上に置き、行き先が記されたタグを付けてもらう。その半券（クレームタグ）は搭乗券のカバーにホチキスでとめてくれる。荷物は、乗り換えがあっても最終目的地まで届けられる。

④席が決まったら、搭乗券（ボーディング・パス）を受け取る。受け取ったら、ゲートナンバー（搭乗口）を必ず確認しよう。

⑤カウンターで以上のことを済ませたら、早速ゲートへ行こう。途中ハイジャック防止のためのX線検査を経て（置き引きに注意！）コンコースに出る。コンコースの中や搭乗待合室にはモニター（**コンピュータ・ディスプレイ**）があり、飛行機出発時刻やゲートナンバーが映し出されているから、自分の乗る飛行機の情報をもう一度確認しておこう。ゲートの変更は離陸直前までよくあること。

⑥ゲート前の搭乗待合室で待っていると、出発の20分ぐらい前にボーディング（搭乗）開始を告げるアナウンスがある。「座席番号20番から30番までのお客様はご搭乗ください」といった具合にアナウンスしていることがよくあるので、あせって列に並ばないほうがいい。すべてのお客さんが乗り終わったら、ドアが閉まりTake-Off！

航空券とパスポートはそろえて渡すとよい

乗り継ぎ便で目的地に行くには

　大陸横断のように長距離の飛行は直行便が少なく、ほとんどがハブの都市（各航空会社の中心となる都市）で乗り継ぐことになる。言葉も通じにくい不慣れな空港での乗り継ぎは、とても不安に感じるかもしれないが、慣れればごく自然に行えるようになる。

　たとえば、ロスアンゼルスからソルトレイク・シティで乗り継いでニューヨークに向かうとしよう。

　ロスアンゼルスでチェックインの際、もし、ソルトレイク・シティで乗り換える飛行機が同じ航空会社なら乗り継ぎもスムーズ。チェックインすると、ロスアンゼルスからソルトレイク・シティまでとソルトレイク・シティからニューヨークまでの2枚の搭乗券が渡される。そして、荷物には最終目的地である"NY"のタグが付けられ、自動的に最終目的地まで運ばれる。

　いつもと同じ順序でソルトレイク・シティ行きの便に乗り、ソルトレイク・シティに着いたら、ここからが乗り継ぎだ。飛行機から出たら最初に"Departure"のコンピュータ・ディスプレイを探さなくてはいけない。ロスアンゼルスで2枚渡された搭乗券のうちニューヨーク行きの搭乗券が手元に残っているはずだ。この搭乗券とコンピュータ・ディスプレイを照合して、ゲートナンバー、その便が定刻どおりかなどの最新情報を確認しよう。

荷物の乗り継ぎ
　同一航空会社での乗り継ぎをするとき、荷物のタグは最終目的地のものが付けられる。荷物も乗客と同じ便に乗り、乗り継ぎ都市では自動的に乗り換えが行われる。自分の荷物と御対面するのは、最終目的地のバゲージクレームだ。乗り継ぎ都市で荷物をピックアップする必要はない。

　同じ航空会社の乗り継ぎだと、同じターミナル内または隣りあったターミナルで、歩いてゲートへ行くことができ、迷うことはない。しかし、違う会社の飛行機だと、地下鉄やバスに乗ってターミナル間を移動する必要がある。そんなときは、空港見取図で位置をよく確認するか、案内所の係員に移動方法や場所をよく聞いてから動くこと。違う会社の飛行機での乗り継ぎの際は、時間に余裕をみておく必要がある。

　アメリカの空港は広いが、合理的に設計されていて、言葉が不自由な外国人でも、そのシステムさえ理解してしまえば、むずかしいことは何もない。

フライト状況はここでチェックできる

アメリカを飛んで無料航空券を手に入れよう！
フリークエント・フライヤー・プログラム（FFP）

　日本の航空会社も始めた"フリークエント・フライヤー・プログラム"。これは航空会社が自社のお得意様に用意した会員サービスで、飛行距離に応じて次の旅行の無料航空券がもらえたり、エコノミークラスがビジネスクラスにアップグレードされるなどの特典がある。ユナイテッドがルフトハンザと、ノースウエストが

KLMオランダと提携するなど、飛行距離が以前よりかせぎやすくなった。

　太平洋路線のない航空会社（例えばUSエアウェイズは全日空と提携）もいろいろな航空会社と提携し、自社路線でなくても飛行距離がかせげる。詳細は各航空会社、または旅行代理店で。（参照P.117）

荷物がでてくるのを待つ人々

荷物をなくしたらここへ届けよう

目的地の空港に着いたら

荷物とタグの照合がある空港
　ニューヨークやロスアンゼルスの空港のように、荷物が本人のものであるかどうか、荷物とクレームタグを確認するところもある。クレームタグはくれぐれもなくさないように！

　国内線だから当然、税関や入国審査はない。到着したら標識に従って、バゲージクレームへ進もう。自分の搭乗した便名の掲示されたバゲージ・エリアを探すとよい。あとは荷物をピックアップするだけ。もし、自分の荷物が見つからなかったら近くの Baggage Service Office へ行き "I can't find my luggage！" と訴えよう。クレームタグ（なくさないこと！）を見せ、所定の用紙に荷物の外観や被害金額などを記入することになる。多くの場合、ほかの目的地へ行ってしまったのであって、半日後、または数日後には滞在先のホテルへ届けてくれる。

　標識に従って到着ロビーに着くと、そこにはインフォメーションやレンタカーのデスクがあり、ロビーの外からはタクシーや空港シャトル、路線バスなどの交通機関（Ground Transportation）が出発している。空港からダウンタウンへの行き方については各都市の"ダウンタウンへの行き方"を参照すること。

アメリカの空港ってどんな構造？

　中規模以上の空港は、**Upper Level** と呼ばれる2階の**出発階**と、**Lower Level** と呼ばれる1階の**到着階**から構成されている。出発階には各航空会社のチェックイン・カウンター、レストランやカフェテリア、売店、そして出発ゲートなどがあり、出発前にコーヒーで一服している人やおみやげを選んでいる人、別れを惜しむ人の姿が見うけられる。到着階にはバゲージクレーム、インフォメーション、レンタカーの受付デスク、空港ホテルへの無料直通電話などがあり、市内への交通機関（Ground Transportation）はここから出発する。しかし、家族や友人との再会を喜ぶ光景が目にできるのは到着階ではなく出発階。これは、アメリカの国内線の空港がX線によるセキュリティ・チェックを通れば、送迎客も搭乗ゲートの目の前まで行けるしくみになっているからだ。乗客、送迎客の双方とも利用しやすいのがアメリカの空港の特徴でもある。

　空港内も非常に機能的にできており、アルファベットと数字さえ読めれば簡単に移動できるようになっている。よくわからなかったとしたら、それはあなたが非常にあがってしまっているか、混乱しているかのどちらか。もし移動などについてわからなかったら、インフォメーションに遠慮なく尋ねてみよう。といっても返事は英語だから、わからないときはメモに書いてもらうのも一つの手。

　アメリカの大規模な空港のいくつかはターミナル間がかなり離れているため、**空港内を無料のシャトルバスや地下鉄、モノレールが走り**、各ターミナルを結んでいる。日本の空港しか知らない人はド肝を抜かれるだろう。そして、空港は清潔で美しい。よく空港は都市や国の玄関口としてたとえられるが、まさにそれを誇示しているかのようでもある。

第17章 アメリカ長距離バスの旅

どこまでもまっすぐ延びる道を、長距離バスの狭いシートに座り、フリーウェイの振動に揺られながら地平線に沈む夕陽を眺めていると、その瞬間アメリカにいることを強烈に感じる。決して楽な旅じゃないし、他の交通機関と比べればトラブルも多い。でも、アメリカ大陸の広さを体で感じ、日本にはない奇観と遭遇し、日本には伝わってこない市井の人々とふれあい、アメリカ人の暮らしぶりを垣間見られるバスの旅は、最もアメリカを「実感」できる旅になることは間違いない。

★ グレイハウンドはもうひとつのアメリカ ★

長距離バスは駅馬車

全米に網の目のように広がった長距離バスの路線は、アメリカ開拓の歴史に深くかかわりを持っている。かつて鉄道ができるまで、あるいは鉄道が敷かれていない場所での長距離の移動手段は駅馬車だけだった。そして現在、長距離バスは市民の足としての駅馬車と同じ役割を果たしていて、長距離バスで行けない町はないといっていいほど、そのネットワーク網は充実している（西部の山岳地帯、国立公園の一部へは行けないところもある）。

自由の女神もディズニーランドもアメリカだが、駅馬車の歴史を乗せて走る長距離バスに乗って、アメリカ人と同じ目でこの国を眺めてみよう。

グレイハウンドでアメリカを回ろう

現在アメリカで唯一、最大の長距離バスの会社はグレイハウンドGreyhound。かつては数社があったが、市民の足は飛行機や車に取って代わり、長距離バス離れが加速、数社が競合していては会社の維持ができなくなった。現在業界1位のグレイハウンドが同業他社を包括、全米をネットする路線網を確保している。

バス旅行のハウツーを伝授『地球の歩き方 旅マニュアル259 アメリカ鉄道とバスの旅』（1,640円+税）

バスでアメリカを旅すると、真のアメリカが見えてくる……。本書ではバス旅行で体験するアメリカの広さ、魅力、そして、ハウツーをしっかり伝授する。アメリカでも入手しにくいタイムテーブルも掲載され、とても便利。

バス発着所の呼び方

アメリカでは、長距離バスの駅はバスディーポBus Depotと呼ばれている。グレイハウンド以外にも市バスや他社のバスがいくつか発着しているところはバスターミナルBus Terminal。

バスのチケットはカウンターで購入する

アメリカを横断するグレイハウンドバス

(上) 出発の時間におくれないようにしよう
(右) 全米を網羅している

★ お得な"アメリパス"で、アメリカを縦横無尽に動く ★

グレイハウンドでは、外国人向けに"アメリパスAmeripass"という周遊券を発行している。これは期間内ならグレイハウンドと、60の提携会社の路線はすべて乗り放題のお得なパス。このパスを使えば西部山岳地帯や一部の国立公園を除き、行けないところはほとんどないという大変便利なパスだ。アメリパスはアメリカ国内でも買うことができるが、買う場所が限られてしまう。できれば、出発前に日本で買っていくほうがいいだろう。

アメリパスは期間の長いパスほど割安になるように料金設定されていて、8種類のアメリパスが現在発行されている。

アメリパス料金（日本国内での販売料金）

期　　間	おとな	3〜11歳
4 日間	14,700円	—
5 日間	17,100円	—
7 日間	22,100円	11,100円
10日間	28,200円	14,100円
15日間	33,100円	16,600円
30日間	45,400円	22,700円
45日間	49,100円	24,600円
60日間	66,300円	33,200円

'99年4月現在

アメリパスについての注意

かつてのアメリパスは15枚つづりの束だったが、現在のパスは表紙の1枚のみ。これをチケットカウンターで見せて行き先を告げれば乗車券を発行してくれるが、実際のところ乗車券を発券しないバスディーポがとても多い。直接ゲートへ行けと指示されるはずだ。なお、パスを最初に使うときは、パスポートが必要。これは本人と確認するためで、パスの使用開始日と終了日を記入してくれる。紛失、盗難によるパスの再発行は行われないので、注意して!

アメリパスはどこで売っている?

国内でのアメリパスの購入は旅行代理店、または下記のところで。

ジオクラブ日本旅行
☎0120-155-850

ジオクラブJTBパルサービス
☎03-5391-3601
☎06-6261-8444 (転送)

ジオクラブ郵船トラベル
☎03-3502-3010
☎06-6251-1632 (転送)

アメリカでのアメリパス販売価格（各都市のTaxがプラスされる）

7日間　$179
10日間　$229
15日間　$269
30日間　$369
45日間　$399
60日間　$539
('99年5月現在)
※日本で販売されているものとは種類が異なる。

普通に乗ることもできます

もちろん、アメリパスでない普通のチケットを現地で買うこともできる。カウンターに行って、行き先、枚数、大人か子供Adult or Child、片道か往復One Way or Round Tripを告げて買う。1〜2回、短距離だけバスに乗りたい場合はアメリパスを購入するほどのことはない。支払いは現金のほかにT/C、AMVも受け付ける。

グレイハウンド・おもな都市間料金表 　　　　　　　　　　　　（'99年4月）

乗車区間	片道料金	乗車区間	片道料金	乗車区間	片道料金
シアトル〜ポートランド	$19	シアトル〜サンフランシスコ	$52	サンフランシスコ〜ロスアンゼルス	$36
ロスアンゼルス〜サンディエゴ	$12	ロスアンゼルス〜ラスベガス	$34	ロスアンゼルス〜フェニックス	$33
ラスベガス〜ソルトレイク・シティ	$41	ソルトレイク・シティ〜デンバー	$38	デンバー〜シカゴ	$69
フェニックス〜ヒューストン	$102	シカゴ〜ニューヨーク	$91	シカゴ〜ニューオリンズ	$69
シカゴ〜バッファロー	$55	シカゴ〜セントルイス	$28	ヒューストン〜ニューオリンズ	$37
ニューオリンズ〜アトランタ	$67	ニューヨーク〜バッファロー	$51	ニューヨーク〜ボストン	$34
ニューヨーク〜ワシントンDC	$34	ワシントンDC〜アトランタ	$59	ワシントンDC〜オーランド	$79
アトランタ〜オーランド	$57	オーランド〜マイアミ	$34	マイアミ〜キーウエスト	$32

読*者*投*稿

アメリカの広さを実感できるグレイハウンドの旅

　今回はアメリパスを使って、合計22回グレイハウンドのバスに乗った。時刻表は頼めばプリントアウトしてくれるが、出発時間が正確だったのは数回のみだった。乗り継ぎの客を待つため、遅れてくる他のバスを待たなければならないなどの理由もある。ただ、到着時間が遅れたことは数えるほどしかなかった。1度だけバスの故障があり、代わりのバスが来るまで、2時間ほど夜空の下で待たされたこともあった。

　アメリパスを使うとき、窓口でバスの乗車券を手に入れる必要はない。窓口では出発時間と出発ゲートの確認のみ。改札が始まってから、バスに乗り込む前にドライバーにパスを見せて、自分の行き先を言うだけでよい。ドライバーによっては、IDのチェックをすることもある。ただし、なぜかエルパソ発着のバスだけは、乗車券を持っていなければならない。このシステムは全国でもここだけらしい。

　バスの座席については、最前列のシートから見る風景と後方から見るものとでは全然違う。早めに並んでいれば最前列でも比較的とりやすいが、夜行バスはたいてい満員になっている。車内の冷暖房の強さはドライバーによって違うが、あまりに寒かったり暑かったりする場合は、ドライバーに頼めば弱めてくれる。

　また、アメリパスを使っての旅行中は、グレイハウンド直営のカフェや売店を使うとき、パスを見せれば10％引きになる。

　30日間で大小あわせて15都市ほどを訪れたが、ほとんどの町で日本人を目にした。しかし、バスやバスディーポでは1回も見なかった。合計で115時間はバスの中にいたことになるが、話し相手がいたので、思ったほど長く感じなかった。

　やはりグレイハウンドは最高だ。アメリカという広大な国を実感するにはこれしかないと思う。時間があれば、ぜひまたグレイハウンドを使いたい。

（レイ＆ケン　北海道　'98夏）

バスから望む、壮大なアメリカの光景

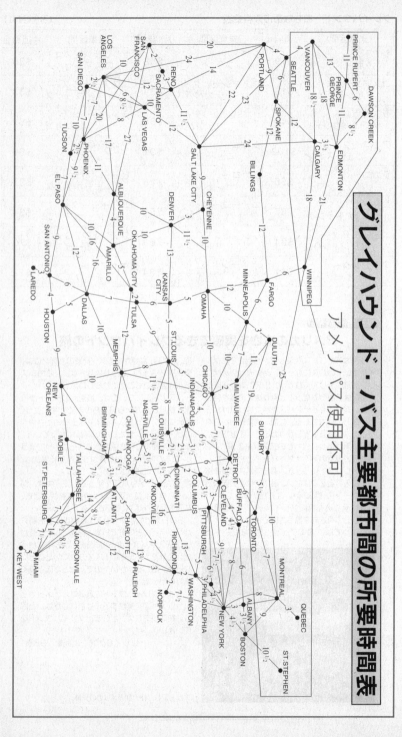

グレイハウンド・バス主要都市間の所要時間表

アメリカ・バス使用不可

128

★　スケジュールを立てるにあたって　★

スケジュールを立てるにあたって、まずは都市間の所要時間を知ることが必要だ（グレイハウンド所要時間マップP.128参照）。飛行機と違って、バスではノンストップの大陸横断便は運行されていない。必ず、大きな都市で乗り換えるか、または、休憩してから次の町へ向かうことになる。その間に観光することを織り混ぜて計画を練っていく。もちろん、旅行に費やせる日数がどのくらいあるかということも頭において……。

①バスにも鈍行と急行がある

本書の所要時間は、エキスプレス便（急行便）の所要時間を表している。エキスプレス便と、多くの町を経由する便とでは、所要時間に大幅な差があるので要注意。

②スケジュールの頻度

バスの運行頻度はルートによってかなり異なる。たとえばサンフランシスコとロスアンジェルスの間は1日15本以上運行されているし、ニューヨークとワシントンDC間は1〜2時間に1本ぐらい頻繁に運行している。逆に地方に行けば1日1本しかないルートもある。予定を立てるときは、そのことを頭に入れておかないと、バスを乗り過ごしたために1日無駄にすることもあり得る。

③ディーポは24時間営業ではない

大きなバスターミナルやディーポは24時間営業が多いが、中規模以下の町では夜は閉めてしまうところもある。なるべく、深夜の到着や出発は避けるようなスケジュールを立てよう。やむをえず、深夜便を利用するときは、前もってそのディーポの営業時間を確認しておくこと。グレイハウンドのインフォメーション電話番号☎(1-800)231-2222にかけるか、インターネットのグレイハウンドのホームページで調べられる。

グレイハウンドのホームページ
HOMEwww.greyhound.com

グレイハウンド・バスディーポの目印

　現在、グレイハウンド社では印刷物になったタイムテーブルは用意していない。では、どうして調べればいいのかというと次の3つの方法がある。ひとつは☎(1-800)231-2222（料金無料）に電話をかけて教えてもらう方法。電話の向こうの係員は少々早口だが、自分が日本からの旅行者であることを伝えれば、ゆっくりとしゃべってくれるはずだ。出発場所、行き先、バスに乗車する日、運賃などは最低限の質問事項。乗り換えがあるときは乗り換えする町と時刻、できればレストストップの回数と時間も尋ねたい。

　ふたつめは、大きいバスディーポではタイムテーブルの**プリントアウト・サービス**を行っている。そこで、これから回る都市間のタイムテーブルをプリントアウトしてもらおう。

　3つめは**インターネットのホームページ**にアクセスする方法。ホームページなら最新のタイムテーブル、料金などを知ることができ、しかも日本から調べられるというのも大きな利点。どんどん活用しよう。

●グレイハウンドのホームページ
HOME www. greyhound. com

　いずれにせよ、バスを使って旅行を予定している人は、**遅延の時間なども考慮して時間に余裕のあるスケジュールを組む**ようにしたい。

グレイハウンドは走りっぱなしではない

　バスは2〜3時間おきに15分前後の休憩レストストップRest-Stopがあり、朝、昼、晩の食事時には40分前後のミールストップMeal-Stopがスケジュールに組み込まれている。トイレやティータイム、食事時間などを頭に入れて旅をしていると長旅も苦にならない。

★ **バスの乗り方** ★

①バスディーポへ行く

　バスディーポ、またはターミナルへは出発時刻の45分前に着くように行こう。そしてカウンターに並ぶ。

②発券

　アメリパス携帯者は、パスをカウンターに出し、行き先をハッキリ告げること。たとえば"To New York, please"と言えば係員はアメリパスを見ながら、必要事項をコンピュータに入力して、ボーディング・チケットを発券してくれる。そして出発ゲートの番号を教えてくれるのだが、現在乗車券を発券することはまれで、直接ゲートに行けと指示されることが非常に多い。

　さて、荷物だが、飛行機なら搭乗券発券のときにカウンターに荷物を差し出してクレームタグをもらえばよい。しかし、グレイハウンドで

アメリパスを現地で買うには

　グレイハウンドのアメリパスは、ニューヨークのオフィスでのみ、外国人割引のものが買える。ニューヨーク以外からの場合、電話での申し込みも可能。その際に必要なものは、パスポート番号、クレジットカードの番号（MVのみ）で、さらに郵送料が＄4かかる。
☎(212)971-0492、☎(1-800)246-8572
（海藤喜久恵　渋谷区　'98）

ディーポにも掲示されています。

　そのほかにも、各ディーポで掲示されている時刻表を見る、各ディーポのインフォメーション・カウンターの係員に尋ねるなどの方法がある。

グレイハウンドの待合室

チケットは乗る前にドライバーに渡す

は発券のときに預けたい荷物の数を申告する。すると、カウンターの係員がその数だけ行き先の付いたタグを発券してくれる。タグは自分で荷物に付け、バスに乗るまで自分で保管する。そして、バスに乗る直前になって荷物を預けることになる（もぎりをするドライバーの横に大きなカートがあり、そこに荷物を置くことになる）。そのとき、タグの半券をくれるというわけだ。降りるときは、たいてい荷物の係員がいるから、その人にタグを見せて自分の荷物をその場で出してもらうようにしよう。

③乗車

　乗車が始まるのは出発時刻の10〜15分ぐらい前。そのころには長い列ができているはずだ。バスは自由席なので、好きな席に座りたいと思う人はもちろんのこと、最近は満席になってもバスを増便してくれることが少なくなったので、乗車券を手にしたら早めに並んだほうがよい。ただ、いくら早く並んでも先に人が乗っていたら別。普通は改札が始まるとそれまで乗っていた人が先に乗車を開始（Reboarding）して、余った席にそこから乗り込んできた乗客が座る。ディーポによっては再乗車（Reboarding）と始発（Originate）のゲートが異なるところもある。改札が始まると、車掌兼ドライバーがドアのところに立っていて一人一人からチケットを受け取り、半券を返してくれる。アメリバスの場合、ここでパスポートのチェックがあることが多いので用意しておこう。預けたい荷物がある場合は、そのときにドライバーに伝え、指示を仰ぐ。最後にバス前方に表示されている"行き先"を再度確認して乗車すればOK。

ディーポの周囲の環境に注意

　一度倒産してしまったグレイハウンド。その再建のため、ダウンタウンの一等地にあったバスディーポやターミナルを売却し、中心部から転居することを余儀なくされた。現在バスディーポやターミナルは土地代の安いところにあるのが現状だ。そのためかどうかは定かではないが、ディーポやターミナル周辺の治安は悪いことが多い。とくに暗くなってからは要注意だ。暗い時間帯にディーポへ行くときこそ、タクシーを使おう。

便利なバスディーポ＆ターミナル

　バスターミナルには旅行者にとって便利な設備がそろっている。着いた町に泊まらないなら1日$1のロッカー（ディーポによって料金が異なる）に荷物を入れて、身軽に観光できる。また、売店、カフェテリア、トイレなどが完備している。

読★者★投★稿

クレームタグがないとクレームが言えない

　グレイハウンドで、途中のディーポで荷物だけ降ろされるというトラブルに遭った。幸い名札を付けていたので、調べてもらったらすぐに所在がわかり、サンフランシスコへ届けてもらうよう手配することができた。

　ところが翌日、S.F.のバスターミナルへ受け取りに行くと、クレームタグを持っていなかったため窓口では取り扱ってくれず、さんざん交渉してどうにか荷物室へ入れてもらい、荷物を探し出すことができた。荷物を預ける際、バスに積み込まれるのは確認したが、ドライバーが忙しそうだったのでクレームタグはもらわなかったのだ。しかし、トラブルになるとやはり

クレームタグがないと大変。必ずもらっておくようにしよう。

（草場 歩 多摩市）('98)

グレイハウンドのクレームタグ

トイレはバスの最後尾にある

飲み物を持ち込もう
冷房でノドが乾くこともあるので飲み物も持ち込むといい。

次のところを移動するとき時差に注意
●スタンダード・タイム（10月の最終日曜から4月の第1土曜まで）時のカリフォルニア州〜アリゾナ州（とくにグランドキャニオンに行くとき）。夏はカリフォルニア州とアリゾナ州の時間帯は同じだが、スタンダード・タイム時は1時間の時差がある。

④車内では

乗客が全員乗り込むとドライバーは乗客の数を確認し、空席の状況を見るために中をひと通り見てから出発。バスが動き始めると、ドライバーは自己紹介と運行スケジュール、車内のルールなどを簡単に説明する。**ドライバーはバスの管理から、乗客へのサービスなどをすべて任されているので、車内での迷惑行為や喫煙などはマイクを通じて厳重に注意される。**グレイハウンドでは現在車内、バスディーポは一切禁煙である。タバコを吸いたい人はディーポの建物の外で、レストストップを利用するといい。また、ミールストップやレストストップなどの前にはどのくらい停車しているかアナウンスがあるので注意して聞こう。わからなかったら遠慮なくドライバーに聞くことだ。また、数分のストップでも必ず**貴重品は身につけてバスを離れること。**

★　バス旅行のアドバイス　★

●夏の冷房には要注意

窓の開かないバスの内部は、エアコンによって温度調整されているのだが、このエアコンの寒さが強烈。風の吹き出し口は窓のすぐ下なので、通路側に座るか、夏でも長袖を用意してバスに乗り込もう。

●自分のバスの番号を覚える

休憩後、駐車場に何台もグレイハウンドのバスが停っていると自分のバスがわからなくなることがある。フロントガラスの上とドアの上、車内では正面右上に4桁の数字が書いてある。これが車両番号なので覚えておこう。

●再乗車券 Reboarding Ticket

大きな町に着くと30分以上の休憩というのがよくある。乗客は降りるときにReboarding Ticketを渡される。これは休憩後に出発する際、先に乗っていた乗客が優先的にバスに乗り込めるようにするもので、新しい乗客が乗り込む前に再乗車客はドライバーにReboarding Ticketを提示しバスに乗る。

●時差に注意

長距離を移動するときには時差に注意。時計を合わせるのを忘れ、乗り換えの時間を間違えたり、降りるべきところを乗り過ごしたり、などのトラブルはよくあることだ。出発前にスケジュールを確認して、タイムゾーンを移動するときにはとくに時間に注意すること。タイムゾーンが変わったときは、車内でドライバーも一応放送する。

バスの出発を待つ乗客たち

読*者*投*稿

グレイハウンドバスの旅についての私の体験談

　1週間のアメリパスを買って旅をしてきた中でおきたトラブル。自分のちょっとした注意で防げるので、参考までにご一読を。

　広大なアメリカでは、同じ地名があらゆるところにある。私は、カリフォルニア州のサンディエゴからニューメキシコ州のサンタフェに行きたかったのだが、途中乗り換えのカリフォルニア州のバスディーポで、とんでもないミスをしてしまった。フェニックス行きのバスに乗り、運転手に「サンタフェ」に行く旨を伝えると、15分後に別の便がダイレクトに行くという。おかしいな？　と思いつつ、窓口で再度確認をし、そのバスのスケジュールまでもらって、初めのバスを見送った。ところが、いつになってもサンタフェ行きのバスが来ない。もう一度、窓口で別の人に尋ねると、次の便は8時間後のこと。どうして!!　結局、運転手が指していたのはサンディエゴのサンタフェ駅のことだったらしい。

　今のアメリパスは、運転手に提示し「○○に行きたい」と告げるだけで、クーポン制ではない。各ターミナル、ディーポにより、チケットを発行するところと、パスの提示だけでOKというところがあり、だいたい大きなターミナルでは、パスの提示だけでいいようだ。アメリカ全土に路線をもつグレハン。必ず行き先を告げるときは、その都市名のほか州名も忘れずに。「ここは有名な町だから」と思っても、アメリカ人の感覚とは違う場合もおおいにあるのだから。

（亀山由輝子　奈良県）('98)

陸路ならではの旅を満喫しよう

★ 第18章 アメリカレンタカーの旅

アメリカをアメリカたらしめているものは数々あるが、車もそのひとつと言えるだろう。もはやアメリカ社会は車抜きには考えられない。車は人々の生活の重要な一部などというものではなく、人々は車で移動することを基本に生活していると言っていいほどだ。だから『アメリカをドライブする』ということは、大げさに言えばアメリカ文明の根源に触れることでもある。

もちろん、そんな大げさに考えなくても、単純にドライブが楽しめるのがアメリカだし、公共交通機関ではアクセスが難しい国立公園などに向かうには貴重な足となる。

片側5車線のハイウェイを走り、モーテルに泊まり、地平線を目指してアクセルを踏む。アメリカの大地を自分の手ごたえとしてしっかり感じ取ろう。

★ 走り出す前に ★

国際運転免許証の取得方法

アメリカで運転するには、各州発行の運転免許証か国際運転免許証が必要だ。国際運転免許証は、すでに日本の免許証を所持している人ならすぐに取得できる。所持する免許証を発行している都道府県の免許センター（県によっては警察署でも申請可能）へ行き、有効なパスポート、有効な日本の免許証、写真（タテ5cm×ヨコ4cm）1枚、窓口にある申請書を提出すると、その場で発行してくれる。**手数料は2,600円で有効期間は1年間。**

年齢制限について

大手のレンタカー会社では25歳未満の人にはレンタルを認めていない。なかには、21歳以上の人にレンタルを認めている会社もいくつかあるが、かなり高い追加料金が設定されており、25歳未満の人にとって気軽にレンタカードライブを楽しむのは厳しい状況になっている。

アメリカのドライブを極めるために

「もっともっとアメリカでのドライブについて知りたい」という人には、『地球の歩き方 旅マニュアル⑤アメリカ・ドライブ』（1,437円+税）が心強い味方だ。かゆいところに手の届く、交通法規やハイウェイの詳しい情報、そして実際に旅した人たちの体験談から具体的な旅の形が見えてくる。ドライブ旅行計画中の不安もこれで一気に解消だ。

AAA（トリプルA）

日本のJAFに相当する機関。JAF会員はそのままAAAのロードサービスを受けられるし、全米各地にある事務所でJAF会員証を提示すれば、とても便利なツアーブックと道路地図が無料でもらえる。AAA割引料金で泊まれるホテルも多い。

出発前にJAF海外旅行サービスに電話してAAA事務所のリストと案内書を送ってもらうといい。

東京支部
☎ (03) 5976-9730
大阪支部
☎ (06) 6543-5821
上記以外にも全国に地方支部あり。

自分に合った車を選ぼう

ドライブの心構え

　国によって交通ルールは違っても、基本となるドライブマナーは世界共通のはず。アメリカのドライブマナーは日本よりかなりいい。日本の、それも大都市での運転に慣れていて、「オレは運転がうまい」と思っているあなた、とくに要注意だ。日本の常識はアメリカでは通用しない。たとえば合流のときは必ず1台ずつ交互に。遅い車がいるからとあおったり、パッシングしたり、クラクションを鳴らしたりしない。歩行者は常に優先。当たり前のことなのだが、日本では守られていない

アメリカでの運転は右側通行を忘れずに

ようだ。アメリカではこれがごく自然に行われていて、車社会の成熟度を感じさせてくれる。そのなかで運転するのだから、初心にかえって安全運転に徹しよう。

　また、アメリカでは、日本よりはるかに簡単に運転免許証が取得できる。つまり運転技術がそれほど高くない人もたくさん走っているというわけ。かなりの御老体が運転している姿もよく見かける。他の車が自分の思っている通りの動きをするとは限らない。このことは十分頭にたたき込んでおいてほしい。

日本の免許証を忘れずに
アメリカでレンタルするときは、日本の免許証も忘れずに携行すること。

スピードの出し過ぎに注意

　片側5車線のような広いフリーウェイや、大平原を突き抜けるハイウェイではスピード感があまりなく、ついついスピードの出し過ぎになってしまう。慣れないうちは、スピードメーターがマイル表示であることもスピード超過の一因となる。70mph（時速70マイル）はさほど速く感じないが、キロに直せば時速112kmだ。インターステート（いくつかの州をまたいで通っているフリーウェイ）の速度制限が州によって異なることも日本の感覚で考えると不思議だ。東部から中西部にかけては65mphの州が多く、西部では多くの州が70mphまたは75mph。モンタナ州のように速度無制限の州もある。一般のハイウェイや市内の一般道は35〜55mphといったところ。いずれにしても目立つ標識が出ているので、速度超過にはくれぐれも注意を。

読★者★投★稿

「アメリカ人の運転マナーは良い」に異議あり！

　『地球の歩き方』には「アメリカ人の運転マナーは良い」と書かれているが、これには異議がある。まず、車線変更でウィンカーを出さないのは当たり前。交差点で歩行者の確認を怠るドライバーも多く、車にひかれそうになったことが何回もある。横断歩道で、「早く渡れ、東洋人野郎！」と言われたこともある。車線変更でのトラブルもしょっちゅうで、日本人の友人は、相手が間違えたにもかかわらず、怒鳴られ、挙げ句の果てにピストルで撃たれて、フロントガラスなどに弾丸が当たって怖い思いをした。アメリカでは、不法入国者のなかに勝手放題をする者がいるため、観光客や在留邦人まで目の敵にされている地域がある。ネバダ州では'96年からしばらくの間、全外国人に免許発行禁止措置を取ったが、これは一部の不良外国人と不法移民を追放するためだった。とにかく、運転マナーは決して良くないので気をつけよう。
（ケン・ワタナベ　リノ在住）（'98）

レンタカー会社の日本での問い合わせ、予約先：
（'99年5月現在）

●ハーツ・アジア・パシフィック㈱
〒105-0011東京都港区芝公園1-8-21芝公園リッジビル2F
📞0120-489882（ヨヤクハ ハーツ）
FAX (03) 3249-7210 BOX 8200#
HOME www.hertz-car.co.jp

●エイビス・レンタカー日本総代理店
㈱ノビーアンドアソシエイツ
〒104-0061 東京都中央区銀座3-13-19MYKビル6F
☎ (03) 5550-1011
FAX (03) 5550-1012
📞0120-31-1911

●ニッポン・レンタカー・インターレント・センター
（ナショナル日本総代理店）
〒150-0047東京都渋谷区神山町5-5-5ニッポン・レンタカー・ビル1F
☎ (03) 3485-7131
📞0120-107186

●ダラーレンタカー日本総代理店
㈱アクセス
〒104-0031東京都中央区京橋2-5-22キムラヤビル5F
☎ (03) 3567-2818
📞0120-117-801
FAX (03) 3567-2826
HOME www.access-jp.com / dollar/

●バジェットレンタカー日本総代理店
㈱ジェイバ
〒103-0014東京都中央区日本橋蛎殻町1-29-6水天宮前東急ビル4F
☎ (03) 5695-1351
📞0120-150-801
FAX (03) 5695-2703

●アラモ・レンタカー日本総代理店
トップレップ社
〒105-0013東京都港区浜松町2-6-2藤和浜松町ビル7F
☎ (03) 5403-2552
📞0120-088-980（東京23区外）
FAX (03) 5403-2504

★ レンタカーを借りる手続きと返却する手続き ★

レンタカー会社のいろいろと日本からの予約

　アメリカには全国、全世界をカバーする大手から、地方の中小にいたるまで実に多くのレンタカー会社が存在している。

　大手の会社としては、**ハーツHertz、エイビスAvis、ダラーDollar、アラモAlamo、ナショナルNational、バジェットBudget**などがある。全国各地に営業所があり、所有する車の台数も多く、車種も豊富。万一のトラブルのことや、乗り捨てのことを考えると、そのスケールメリットは大きい。また、日本支社や代理店を通じ、日本から予約ができるのも大きな魅力だ（後述参照）。

　一方、中小の会社は、大手に対抗するため値段をかなり下げている。ただし、保険の不備などの問題があることも多いので注意が必要だ。もちろん、なかには中小ならではの格安料金もあるので、地元の人の意見を聞くなど十分検討を。

どこで借りるか

　大手レンタカー会社は、ほとんどの中～大都市では空港とダウンタウンに営業所を持っている。空港ではおおむね到着ロビーにレンタカー会社のカウンターが並んでいるし、ダウンタウンでは電話帳で探せば簡単に見つかる。大都市のダウンタウンは交通量が多く、一方通行も多いので、**初めてのレンタカーなら、空港でのレンタル**をおすすめする。アメリカ人は旅行、あるいは出張で「フライ・アンド・ドライブ」（目的地まで飛行機で飛び、現地では空港で借りたレンタカーで移動する）をよく使う。そのため、これがシステムとして成熟しており、空港でのレンタルは実にスムーズに利用できる。

　予約なしでカウンターに出向いてももちろん構わないが、大手で借りるなら**日本から予約していこう**。日本から予約したときにのみ適用される割引料金もあるし、何よりも安心だ。

日本から予約するときに

　予約にあたっては次のことを伝えなければならない。
①借りる日時、場所。②返す日時、場所。③車種のクラス。④以上の変更の可能性があるか。

　これによってレンタカー会社は、その条件に合ういちばん安いレートを提示してくれる。日時については「〇月〇日の朝」といった言い方でOK。空港から借りるときには、到着する便名も伝えておく。場所は都市だけでなく、空港や、ダウンタウンまで指定する。車種についてはグレード（各社によって微妙に違う）の指定のみで、車種そのものを特定することはできない。④があるのは特別料金のため、どの会社でも特別料金で予約を入れると、借りてしまった後での変更はできないのだ。

車種について

　あなたが計画しているドライブの質によって利用すべき車種はまったく異なってくる。ただでさえ慣れない環境。ニーズに

合った車を選んで快適なドライブを楽しみたい。

都市走行中心なら小回りのきく小型車がいい。長距離ドライブなら疲れの少ない中～大型車。利用する人数も考えて疲れないような車を選ぼう。

大手レンタカー会社の場合、ほとんどの車が、オートマチック、パワーステアリング、パワーブレーキ、エアコン、AM・FMラジオ付きだ。また、中型以上の車には、クルーズ・コントロール、パワーウインドー機能も付いている。

借り出すとき、カウンターで

車を借り出すことを『チェックアウト』、返すことを『チェックイン』と言い、ホテルの場合とは逆になる。チェックアウト時のことから説明しよう。

予約をしてある場合は、カウンターで国際免許証、日本の免許証とともに予約確認書を提示すれば、係員がレンタル契約書を出してくれる。チェックアウト、インの日時、車種、料金など記載事項に誤りがないか、しっかりチェックしよう。これを怠るとトラブルのもとだ。

次に任意保険（後述）に加入するか否か係員が尋ねてくるので、加入したい場合はイニシャルかサインで同意する。

支払い方法としては、クレジットカード使用がベスト。現金やT/Cでも支払えるが、その場合でもクレジットカードの控えを取られる。カードがないと高額の保証金を置くことになるか、営業所によってはレンタルを拒否するところもある。

すべてがクリアになったら同意したということでサインする。このサインは『契約を結んだ』ことを意味する重要なもので、契約書の内容を十分理解してから行うこと。

保険について

レンタカーの基本料金には、通常最低限の対人・対物補償の保険が含まれている。ただし、この保険金はかなり安いものなので、海外旅行傷害保険のレンタカー特約か、以下の任意保険に加入しておいたほうが安心だ。前者の場合、適用されるのは、大手レンタカー会社から借りた場合のみなので注意。

●LIS（追加自動車損害賠償保険）

基本料金に含まれている対人・対物補償の限度額をアップする。会社によってはALIという場合もある。

●PAI（搭乗者傷害保険）

運転者を含め、搭乗者全員を対象とした死亡・傷害保険。

●PEC（携行品保険）

契約者及び同行している同居家族が携行する荷物（現金などを含まない）にかかる保険。PEPという場合もある。

●LDW（自車両損害補償制度）

事故の際の自車両の損害については、当人が負担義務を負うが、これを免除する制度。日本向けの割引料金やクーポンの中に含まれている場合もある。厳密には保険ではない。

任意保険は基本的には別料金。ただし、特別料金によっては

大手レンタカー会社トールフリーナンバー（アメリカ国内）

●ハーツ
☎ (1-800) 654-3131
（"Japanese, please" と言えば日本語の話せる係員にかわってくれる）
●エイビス
☎ (1-800) 230-4898
●ナショナル
☎ (1-800) 227-7368
●バジェット
☎ (1-800) 572-0700
●ダラー
☎ (1-800) 800-4000
●アラモ
☎ (1-877) 252-6600

空港で車を借りる

空港で借りる場合は、到着階のバゲージクレームを出たあたりに各レンタカー会社のカウンターがあるから、そこへ行こう。ここに係員がいない場合は、空港の外に出るとレンタカー会社のピックアップ用シャトルが、空港バスターミナルとレンタカー会社のオフィス間を往復している。指定の乗り場（表示されている）からこのシャトルに乗ってオフィスへ行こう。

アメリカならではの車もいい

キャデラックに乗ってみたいとか、LAならやっぱりコンバーチブルとかいう人は、そういう選び方もできる。アメリカならではの車をレンタルするのもいいかも。

やっぱりクレジットカードが必要

日本で支払い済みのクーポンを出してもクレジットカードの提示を求められることがあるので、クレジットカードを必ず持っていくこと。

追加ドライバーについて

契約した本人以外にも運転する人がいたら、その旨を必ず申告する。契約者以外の人が運転中に事故を起こすと、契約違反のため保険金が支払われないのだ。その人も国際免許証を所持していることが必要だが、クレジットカードは要求されない。

割引料金

　各社さまざまな割引料金を出しているが、よくあるのがウイークエンド料金で、これは週末に借りると安くなるというもの。また、週単位、月単位で借りると安くなる長期割引は、時に驚くほど安くなる。

駐車場内での練習

　『地球の歩き方』ではかねてから「駐車場内での練習」をすすめてきたが、駐車場でさっそく事故を起こしてしまうケースもあると聞いて愕然!!　しかし、よく聞いてみると、走りながら計器類をいじるためのよそ見による事故が大半だとか。計器類のチェックは走り出す前に。くれぐれも準備に時間をかけて、ご自愛のほどを……。

これらを含む場合もあるので、条件など、よく理解しておくことが大切だ。

レンタカーの料金

　レンタカーの料金のシステムには①アンリミテッドマイレッジまたはフリーマイレッジ（走行距離無制限）、②マイレッジ、③①、②の組み合わせ、の３つタイプがある。

　現在大手では①のフリーマイレッジが主流となっていて、基本料金を払えば、あとは何マイル走ろうが追加料金なしというシステム。長距離を走るには断然有利。②は基本料金が安く押さえられ、１マイル走るごとにいくらという計算。③はたとえば、100マイルまでは基本料金のみで、それを超えるとマイル当たりいくらの追加料金がかかるシステム。

　これに前記の任意保険、税金などが加算されて料金となる。場所、季節などにより料金は大きく変動するが、小型車で１日＄40〜70が目安となる。

チェックアウト時の注意

　カウンターでの契約が済むと、契約書の控えが渡され、駐車場の番号を指定される。駐車場に出て指定された区画に行けば今日からの愛車と御対面というわけだ。

　自分の希望していたような車かどうかを確かめ、車の機能をしっかりチェックしよう。もし不備なところがあったら必ず申し出ること。とにかく、あわてて出発してはいけない。公道に出てからとまどうことのないように、ウインカー、ライト、ワイパー、ガスタンクのオープナーなどの操作方法をしっかりと確認してから出発しよう。

チェックインの手続き

　契約書で指定された日時までにレンタカー会社に戻る。ガソリンは満タンにして返すのが原則。規定の場所に車を止めたら、走行距離、ガソリンの残量、時刻をメモし、キーはイグニッションにさしたまま、ドア・ロックはせずにチェックインのカウンターに行く。請求金額に納得したら支払い（カードのサイン）を行い、それですべて終了だ。そのとき必ず領収書を取っておくように。あとでトラブルが発生したときに必要になる。

ハーツ・ドライビング・ディレクション
Hertz Driving Direction

　ハーツ・レンタカーが導入したコンピュータによる行先案内。ハーツの営業所のうち、大都市などの60カ所以上に設置されている。レストラン、ホテル、おもな観光ポイントなどをリストのなかから選ぶと、その営業所からの行き方を詳しくプリントアウトしてくれるというものだ。また、目的地までのおよその距離や所要時間、ラジオ局のリストなども同時にプリントアウトされる。英語のほかに、日本語、フランス語、ドイツ語、イタリア語、スペイン語での利用も可能。ただし、日本語はローマ字表記なのでちょっと読みづらい。

　このシステム、何回使っても無料だ。ハーツ・レンタカーを利用する予定の方はぜひ試してみよう。

日本で予約する特別料金

日本に支社や代理店を持つ大手レンタカー会社では、日本人旅行者向けの特別料金や日本支払いのクーポンなどの割引料金プランを持っている。それぞれに特徴があるので、条件などを比較のうえ予約しよう。詳細は各レンタカー会社まで。

特別割引

日本で予約することによって、料金的にも安くなり、現地での手続きがスムーズになるシステム。保険が含まれているのがメリット。各社の料金は変更される場合もあるので、予約の際には確認が必要。

●ハーツ　Hertz

5日以上続けて利用すると格安。レンタル開始日の1日前（24時間）までに日本で予約すること。また、予約の際に決めた条件は（返却の日時、場所など）、借りた後の変更は不可。走行距離は無制限。

■ハーツ・アフォーダブル料金表 （単位：$）2000年3月31日まで有効

車のクラス	期間	カリフォルニア州	西部	フロリダ州	ニューヨーク州	その他の地域
エコノミー A	1日	50	50	35	66	59
	5〜7日	195	195	175	255	230
コンパクト4ドア B	1日	50	50	48	68	66
	5〜7日	195	195	185	265	255
ミディアム C	1日	58	58	48	72	72
	5〜7日	225	225	185	280	280
フルサイズ4ドア F	1日	66	66	57	80	80
	5〜7日	255	255	222	310	310
ミニバン R	1日	103	103	98	109	109
	5〜7日	400	400	380	425	425

※25歳から利用可
※西部に含まれる州……アリゾナ、コロラド、ニューメキシコ、ネバダ、オレゴン、テキサス、ユタ、ワシントンの各州
※上記料金はLDWを含むが、ニューヨーク州については含んでいない
※ハイシーズン期間、適用除外期間には追加料金あり
※乗り捨て可（一部の地域、クラスを除く）

●エイビス　Avis

エイビスのトラベル/ツアーバウチャーの購入者に限られ、最低2日以上のレンタルが必要。利用日より48時間前に予約し、バウチャーの発券を日本出発までに完了しておくこと。走行距離無制限。

大手レンタカー会社、Avisのカウンター

ハイウェイの種類

●インターステート
Interstate
ハイウェイの基幹で、日本の高速道路に相当する。I-5などと表記される。南北を走るものは奇数、東西を走るものには偶数の番号がついている。

●U.S.ハイウェイ
U.S. Highway
日本の幹線国道に相当する。インターステートを補完する存在。US-101などと表記される。

●ステート・ハイウェイ
State Highway
州道。日本の地方国道といったところ。州名を付してCA-60などと表記される。

●セカンダリー
Secondary State Highway
カウンティ
County Highway
ともに日本の県道クラス。

ハーツも特別料金がある

この区間は乗り捨て無料
　エイビスのスーパーバリュー・レートではフロリダ州内、カリフォルニア州内、LA←→ラスベガス間の乗り捨て料金は無料。

■エイビス円建て新スーパーバリュー・レート （単位：円） 2000年3月31日まで

車のクラス	期間	西部	フロリダ州	その他の地域
サブコンパクト4ドア A	1日	6,000	4,800	7,500
	4～7日	23,000	18,000	28,000
インターミディエイト C	1日	7,500	6,500	9,000
	4～7日	28,700	25,000	33,500
フルサイズ4ドア E	1日	8,800	7,600	10,000
	4～7日	32,800	28,000	38,000
ミニバン V	1日	12,000	11,000	13,000
	4～7日	44,500	41,000	50,000

※25歳以上でクレジットカード所有者及び免許取得後1年以上の者に限られる
※西部に含まれる州……アリゾナ、カリフォルニア、コロラド、モンタナ、ネバダ、
　ニューメキシコ、オレゴン、テキサス、ユタ、ワシントン、ワイオミングの各州
※上記料金はLDW（自車両損害金支払免除制度）を含む。ただし、一部地域
　では含まれない
※ハイシーズン期間は追加料金あり
※ニューヨーク州は追加料金が加算される
※乗り捨ては車種により不可能な場合や乗り捨て料がかかる場合がある

●アラモ　Alamo

　車のレンタル料金に、CDW（自車両損害補償制度）、IEP（自車両損害賠償保険、100万ドル対人対物追加補償）、CPP（搭乗者傷害・携行品補償・緊急援助制度）を含む、いわゆるフルカバーの保険、補償制度の料金が含まれた64プラン（地方税、州税、空港税、空港使用料は含まない）、ほかにも、前記のフルカバーの保険を含んだものに加え地方税、州税、空港税、空港使用料、貸出時のガソリン代まで含んだジャパンボーナスプラン、CDWのみ含まれるCNプランがある。料金については問い合わせのこと。日本出発前に予約を入れる必要がある。走行距離無制限。

■アラモ・64プラン （単位：$） 2000年3月31日まで

車のクラス	期間	カリフォルニア州	フロリダ州	その他の地域
エコノミー EC／E4	1日	52	50	52
	1週間	260	248	260
コンパクト CC／C4	1日	56	54	56
	1週間	280	268	280
インターミディエイト IC／I4	1日	63	57	63
	1週間	315	284	315
フルサイズ SC／S4	1日	69	65	69
	1週間	345	321	345
ミニバン LX	1日	80	76	80
	1週間	400	375	400

※ カリフォルニア州、フロリダ州内での乗り捨ては無料。他の地域では追加料金がかかる。エコノミークラスの乗り捨てはフロリダ州でのみ可
※ ニューヨーク州はCDWの制度がない。免責額がある
※ フロリダ州ではレンタル契約時に1日＄2.50、カリフォルニア州は＄1.89が課税される

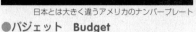

日本とは大きく違うアメリカのナンバープレート　　　　　ゆったりとしたアメリカのドライブウェイ

●バジェット　Budget
現地払いのプランで、走行距離無制限。

■バジェット・ワールド・トラベル・プラン （単位：$）2000年3月31日まで

車のクラス	期間	カリフォルニア州	フロリダ州	ニューヨーク州	その他の地域
エコノミー	3～5日の1日料金	35	27	66	38
	1週間	175	135	330	190
コンパクト	3～5日の1日料金	37	33	68	40
	1週間	185	165	340	200
インターミディエイト	3～5日の1日料金	41	39	72	42
	1週間	205	195	360	210
スタンダード	3～5日の1日料金	44	41	78	48
	1週間	220	205	390	240
フルサイズ	3～5日の1日料金	46	43	80	50
	1週間	230	215	400	250
ミニバン	3～5日の1日料金	59	59	84	62
	1週間	295	295	420	310

※自動車損害賠償保険（LP）が含まれる

●ダラー　Dollar
日本で予約を入れて、現地で支払い。走行距離無制限。

■ダラー・リテール・レート 　（単位：$）2000年3月31日まで

車のクラス	期間	カリフォルニア州	フロリダ州	ニューヨーク、イリノイ、ニュージャージー州	その他の地域
エコノミー2ドア	1日	42	32	53	42
	5～7日	170	130	208	174
コンパクト2ドア	1日	45	38	56	46
	5～7日	185	153	232	188
ミッドサイズ2ドア	1日	48	43	58	51
	5～7日	198	176	239	211
フルサイズ2ドア	1日	50	49	63	55
	5～7日	209	200	254	223
プレミアサイズ4ドア	1日	54	53	66	57
	5～7日	223	211	265	235

※各サイズとも4ドアは1日プラス$2
※年齢制限が21歳以上（クレジットカード所有者で、一部車種はレンタルできない）
※LP（自動車損害賠償保険）、LDW（自車両損害保障制度）が含まれる
※フロリダ州内、およびカリフォルニア州内の一部の空港営業所での乗り捨ては無料

クーポン

　日本出発前に主要旅行代理店で購入し、1枚で24時間レンタルできるクーポン。クーポンの購入とは別に、予約は各レンタカー会社で行うこと。基本的にクレジットカードの提示を求められるが、ない場合は保証金の前払いが必要。1日や2日の短い期間の利用に便利。

●ハーツ　Hertz

　日本で購入するプリペイドクーポンなので、現地での手続きが簡単。走行距離無制限。

■ハーツ・ドライビング・クーポン　　　（単位：円）2000年3月31日まで

	期間	A／B	C／D	F	I／R／U
フロリダ州	1日	6,300	7,900	8,400	14,000
	4〜7日	24,100	30,300	32,600	54,500
カリフォルニア州・西部地区	1日	7,100	8,200	9,200	14,600
	4〜7日	27,300	31,600	36,100	57,000
その他の地域	1日	9,200	10,200	11,300	15,600
	4〜7日	36,100	40,000	43,800	60,100

※ クラス：A-エコノミー、B-コンパクト4ドア、C-ミディアム2/4ドア、D-スポーティ2ドア、F-フルサイズ4ドア、I-ラグジュアリー、R-ミニバン、U-コンバーチブル
※ 西部地区：コロラド、テキサス、アリゾナ、ユタ、ニューメキシコ、ネバダ、オレゴン、ワシントン
※ 25歳以上から利用可
※ 未使用クーポンの払い戻し可
※ 一部の地域、クラスを除いて乗り捨て可
※ LDW（車両損害保険）加入料が含まれる

●ダラー　Dollar

　1日1枚のクーポンのほかに、5〜7日間（1週間）有効の割引料金によるクーポンがある。おもな旅行会社で購入でき、有効期限は発行日から1年間。予約は現地でも変更できる。走行距離無制限。

■ダラー・ドライブ・トゥ・パラダイス・クーポン
（単位：$）2000年3月31日まで有効

地域	期間	ECAR〜CDAR	ICAR〜SDAR	LDAR,MVAR,STAR	SFAR SVAR	FVAR
フロリダ州	1日	47	55	75	83	97
	1週間	213	248	337	339	529
ニューヨーク州 ニュージャージー州 イリノイ州	1日	75	86	97	―	―
	1週間	337	387	437	―	―
その他の州	1日	55	61	75	83	97
	1週間	248	273	337	339	529

※ECAR…エコノミー、CDAR…コンパクト、ICAR…ミッドサイズ、SDAR…フルサイズ、LCAR…ラグジュアリー、MVAR…ミニバン、STAR…オープンカー
※年齢制限が21歳以上（ただし、クレジットカード所有者で1日＄8〜40の追加料金が必要）
※LDW（自車両損害補償制度）、LP（自動車損害賠償保険）、PAI（搭乗者傷害保険）、PEP（所持品盗難保険）が含まれるが、カリフォルニア州はLPの補償額がない
※フロリダ州内およびカリフォルニア州内の一部の空港営業所でのみ乗り捨て可

森林の中をまっすぐに伸びる車線

★ 交通法規について ★

　アメリカの道路は右側通行。これは考えているよりすぐ慣れるようだ。ただ、少し慣れてからでも、右折、左折のとき、駐車場や細い道から広い道に出るときなど、つい間違えてしまうこともある。はじめのうちは『右側通行』を常に頭のなかに入れておくことが大切だ。

　日本と大きく違う点に赤信号時の右折がある。赤信号の交差点で一時停止した車が左右の安全を確認し、右折することができるというもの。

　とにかく安全運転を心がけていれば、何も面くらうことはない。快適なドライブが楽しめるはずだ。

★ ガスステーション ★

ガソリンを入れよう

　日本のガソリンスタンドでは、係員がガソリンを入れることから窓拭きまですべてやってくれる。これは、アメリカのガスステーション（G.S.）では、フルサービスFull Serviceといわれる方式で、ガソリンの値段がやや高くなる。もうひとつ、セルフサービスSelf Serviceという方式があり、これは自分でガソリンを入れることで、その分ガソリン代が安くなっている。日本ではなかなかできない体験だ。ぜひセルフサービスにチャレンジしよう。

　たいていのG.S.で、ディーゼルのほかにガソリンは3種類ある。

Leaded（有鉛）、Unleaded（無鉛）、Super Unleaded（ハイオク）の3つで、レンタカーの場合は必ず無鉛またはハイオクを入れること。もちろん値段は有鉛がもっとも安く、ハイオクは高い。店頭に出ている料金は1ガロン（約3.8リットル）当たりの料金だ。

アメリカでの給油はセルフサービスが常

読★者★投★稿

レンタカーのキーにご注意

　アメリカ車のレンタカーの場合、エンジンキーとドアキーが分かれていることがある。必ずドアキーが車に合っているかどうか確かめよう。レストエリアなどですべてロックしたあと、ドアキーが間違っていたときはどうしようもない。実際体験してしまったのだが、レンタカー会社に連絡しようにもすべてが車の中で非常に困った。電話帳を備えていない公衆電話も多い。

　結局4時間ほどかけてやっと連絡をとり、タクシーでレンタカー会社へ行った。タクシー代はレンタカー会社でもってくれたが、ホテルはとれなくなるし、食事もできなくてさんざんだった。
（ミヤハラカヨ　サクラメント在住）（'98）

読★者★投★稿

知って得するパーキング・メーター利用法

①時間を残したまま出て行く車が多いので、まだ動いているメーターがたくさんある。残り時間の多いメーターを選べば、短時間ならタダで停められるかも。

②大通りから少し離れると料金は安くなる。ただし、周辺の環境が悪くないか、強盗や盗難に狙われやすい寂しい場所でないかなどに気をつけて。

③実際の時間よりも少し早く回ってしまうメー

ターもあるので、時間には常に余裕を持ったほうがいい。

④とくに観光地では、駐車違反のパトロールは頻繁に行われており、ほんの少し時間をオーバーしただけでもすぐに違反キップを切られるので注意。私はサンフランシスコで、たった4分オーバーで$15もとられた。
（西田洋一　埼玉県）（'98）

セルフサービスの給油法

　先払い、後払いの両方があるが、都市部では先払い、田舎では後払いが多いようだ。前者の場合は、"Please Pay First"や"Pre-Pay"などと書かれている。先払いの場合は、使用したいポンプの前に車を停めて（必ずエンジンを切ってドアをロックする）、ポンプ番号を覚えておいてキャッシャーに行き、ポンプ番号と入れたい量（何ガロンまたは何ドル分）を告げて料金を支払う。そうすると初めてポンプを使える状態にしてくれるのだ。車に戻ったら給油口のフタを取り、ポンプのノズルを差し込む。ポンプのレバー（いろいろな形態がある）をOnのほうに向け、あるいはボタンを押してOnにし、グリップを握るとガソリンが出てくる。自分が告げた分のガソリンが入ると自動的に止まるようになっている。満タンになったときも自動的に止まる。レバーをOffにし、ノズルを元に戻したら給油口のフタをしめて終わり。はじめに支払った料金が多かったらもう一度キャッシャーへ行けばお釣りがもらえる。

　文章で書くとややこしそうだが、実際にやってみると意外に簡単なものだ。

★　　　　トラブルのとき　　　　★

　あっては困ることだが、故障、事故、違反といったトラブルにもし遭ってしまったらどうするか。

●故障のとき

　近くのレンタカー会社の営業所に連絡する。できないときはG.S.などで修理してもらう。このとき、修理代は自己負担になることが多い。パンクの場合、スペアタイヤが必ずついているのでスペアタイヤへの交換ぐらいは自分で行いたい。

●事故のとき

　警察に連絡し、あとは警察の指示通りに動く。ただし、レンタカー会社への連絡は忘れずに。

●違反

　スピード違反などで警官に停まるよう指示されたら、素直に停車し、ハンドルに両手を乗せて警官が来るのを待つ。警官にはうやうやしく接し、バカにしたような態度は決してとってはいけない。アメリカの警官はコワいのだ。違反キップは切られてしまったら絶対に取り消されることはない。罰金は必ず払うこと。払わないと請求が帰国後も追いかけてくる。

警察の電話番号は"911"

事故が起きたら
　たとえ軽度の接触事故の場合でも、現場では当事者間で解決しようとしないこと。

罰金の支払い方法
　指定された地域の裁判所などに出向いて支払う、あるいは郵便局で為替Money Orderをつくって郵送する、のいずれかだ。チケット自体が封筒になっているという親切さだが、現金やトラベラーズ・チェックの郵送は不可。帰国間際などで支払う時間がない場合は、レンタカー返却時に相談して、手続きを代行してもらうよう頼むという手もある。

第19章 アメリカ鉄道の旅

知られていないことだが、世界最長の鉄道王国は、実はアメリカなのである。車と飛行機が国の文化の一つとして発達したこの国で、その事実にはピンとこない人も多いだろう。また、人々が"列車の旅"を語ることは多いとはいえない。しかし、踏切で目の当たりにする貨物列車の長さや、飛行機の窓からのぞく白く長い軌跡を実感すると、この言葉にも納得がいくだろう。

いま、アメリカでは移動の時間を旅の楽しみと考える人が増えてきたようだ。夏のシーズンともなると、車中泊のある長距離列車は予約でいっぱいになる。車中で景色を眺めたり、食事に舌鼓を打ち、ほかの乗客との会話を楽しむ……。アメリカの鉄道旅行は日本のそれとは、まったく異なった体験になることは間違いない。

★ 鉄道での旅は優雅 ★

今世紀前半の鉄道黄金時代、大陸横断鉄道は世界でもっともデラックスな陸上交通機関であった。いまもその伝統を受け継いだ列車がアメリカを走っている。座席はゆったり、展望車あり、食堂車あり、映画上映あり、十分な広さの個室寝台など鉄道の旅は、現在アメリカで最も優雅な旅のスタイルだといえる。

1971年、政府と各鉄道会社の共同出資による半官半民の国有旅客鉄道会社が設立された。これが**アムトラックAmtrak**だ。アムトラックが車両と乗務員を保有し、各私鉄の線路にその車両を走らせ、旅客部門を一手に引き受けている。したがって、アメリカ鉄道の旅といえばイコール、アムトラックの旅ということになる。

アムトラック
Amtrak
半官半民企業であるアメリカ鉄道旅客輸送公社 National Rail Passenger Corporation (NRPC) のトレードネーム。アムトラックの営業距離は約30万km、日本の約15倍。

アムトラック主要路線

アムトラックは目的地に着くための交通手段ではなく、**列車の中でゆっくりとした時間を楽しむための乗り物**だ。車内にはじゅうたんが敷かれ、座席はもちろんリクライニングシート。長距離用客車にはフットレストまでつき、寝台車、ラウンジカー（展望車）、ダイニングカー（食堂車）、スナックバー（売店）などがある。優雅な時を演出するため、車内の設備はとてもぜいたくだ。

車内はゆったりしている

アムトラックが網羅する町

アムトラックは全米を走っているとはいうものの、そのネットワーク網は残念ながらグレイハウンドのように隅々までというわけにはいかない。多くの大都市には走っているものの、フェニックスやラスベガスのように走っていない都市もある。しかし、ご心配なく。アムトラックでは大都市を基点とした周辺のいくつかの都市に**アムトラック連絡バスAmtrak Thruway Bus**を運行させている。この連絡バスの運行によって、本書で紹介している都市のほとんどへアムトラック、またはその連絡バスを使って行くことができる。

アムトラック連絡バスが走っている都市
- サンフランシスコ（オークランドから）
- ラスベガス（ロスアンゼルスの西Barstowから）
- フェニックス（ツーソンから）

アムトラックの人気列車

列車名	走行区間	運行本数	所要時間	ルート解説
サンセット・リミテッド Sunset Limited	Los Angeles ～Orlando	週3便	63時間	現在走っている唯一の大陸横断鉄道。新興のサンベルト地帯を結び、広大なコーン畑、牧場、油田などが見られ、アメリカの広さが実感できる。途中、ニューオリンズにも停車。オーランドからマイアミへ接続列車が運行されている。
コースト・スターライト Coast Starlight	Los Angeles ～Seattle	1日1便	35時間	太平洋岸の美しい景色の中を走る。チェルムルトからユージンまでのカスケード山脈の森林地帯を3時間かけて走る。アムトラックが力を入れて売り出している路線。
サウスウエスト・チーフ Southwest Chief	Chicago ～Los Angeles	1日1便	42時間	かつてのアメリカの大動脈旧ルート66に沿った路線で、穀倉地帯、砂漠を走る豪快なルート。グランドキャニオンの入口、フラッグスタッフに停車。
カリフォルニア・ゼファー California Zephyr	Chicago ～San Francisco	1日1便	48時間	トンネルだらけのロッキーの山越えのある、アムトラックのなかで最も人気の高い路線。Oakland～San Francisco間は連絡バスの運行。
エンパイア・ビルダー Empire Builder	Chicago ～Seattle/Portland	1日1便	45時間	ダイナミックな最北端のルート。春夏秋は森林生い茂る雄大な大自然、冬は一面の銀世界が広がる。車窓の景色が一変に開拓者時代の色彩を濃くして酪農地帯と小麦畑が続く。ミネアポリス、ミルウォーキーに停車。
シティ・オブ・ニューオリンズ City of New Orleans	Chicago ～New Orleans	1日1便	19時間	ミシシッピ川に沿ってシカゴからニューオリンズへ。ニューオリンズから出発すれば、アメリカ音楽の変遷と重なる。途中メンフィスにストップ。
キャピトル・リミテッド Capitol Limited	Chicago～ Washington, DC	1日1便	18～19時間	ピッツバーグ、クリーブランドといった工業都市を経由しながら、シカゴと首都ワシントンDCを結ぶ。
レイクショア・リミテッド Lake Shore Limited	Chicago～ Boston/New York	1日1便	17～21時間	シカゴと大都市ニューヨーク、またはボストンを結び、バッファローからトレドまではエリー湖岸を走る路線。いくつもの運河が圧巻。
クレセント Crescent	New York ～New Orleans	1日1便	18時間	フィラデルフィア、ワシントンDC、アパラチア山脈をくぐり抜け、アトランタを通り、ニューオリンズへ。
シルバー・ミーティア Silver Meteor	New York ～Miami	1日1便	14時間	ニューヨークから常夏のマイアミへ、東海岸を南北に縦断する。気温の変化の激しい路線。
メープル・リーフ Maple Leaf	New York～ Toronto(Canada)	1日1便	12時間	ニューヨークから人気景勝地のナイアガラ・フォールズ（アメリカ側、カナダ側の両方）にストップしてトロントへ。
メトロライナー Metroliner	New York～ Washington, DC	1日5～17便	3時間	東部の2大都市、ニューヨークとワシントンDCを結ぶアムトラック自慢のビジネス特急。この区間はアムトラックでもめずらしく電化され、観光客の利用は少ない。

どんな車両がつながっているか

アムトラックの車両は、走行する距離によって車両の編成が異なってくる。

近距離なら**コーチCoach**と呼ばれる一般の座席車両と、軽食や飲み物が買えるスナックバーの入った車両が連結されているだけ。長距離の場合は、列車の旅を本格的に楽しんでもらうために、コーチと**寝台車Sleeper**のほかに**展望車Lounge Car、食堂車Dining Car**などが連結される。また、アメリカ東海岸を縦断する路線は**シングル・レベル編成Single Level Fleet**と呼ばれる1階建ての車両、それ以外は**スーパーライナー編成Superliner Fleet**と呼ばれる2階建て車両が走っている。

コーチの座席は、前後が広々としたゆったりサイズ、リクライニングシートが後ろに35度倒れ、フットレストも高くあがるので寝台のような状態になる。テーブル、物入れ、読書灯もついてなかなか快適だ。寒ければ毛布を買うこともできる（夏期）。トイレにはトイレットペーパーはもちろんのこと、ペーパータオル、ティッシュ、石けん、紙コップ付きでお湯も出る。

展望車は天井がドーム型のガラス張りになっていて、座席が外に向くなど、車外に広がるダイナミックな景色を楽しめる工夫がされている。自由席なので、次に待っている人がいたら譲るよう心がけよう。

アムトラックのいいところは、どの列車にもスナックバーが付いていること。つまり、食いっぱぐれがないというわけ。スナックバーではホットドッグやスナック菓子、温かい飲み物、冷たい飲み物が買え、それ以外にも、アムトラック・グッズが売られている。また、車中泊があるような列車には食堂車が必ず連結されている。メニューはメインが$10〜15程度。なお、寝台利用客は、寝台料金のなかに食事代も含まれているので、あとは食事に応じたチップを置くだけ。

荷物スペースもゆったり
スーパーライナー編成は、1階に荷物置き場がある。シングル・レベル編成では、窓の上に荷物置き場があり、これが意外に広い。

ここにもチップを
スナックバーの係員は思ったよりも重労働。しかも温かいコーヒーなどを作ってくれるのだから、気持ち程度のチップを置きたい。

列車での旅をのんびりと楽しもう

2階建て車両のスーパーライナー

寝台車のチップ

寝台車には専門の乗務員がつき、ベッドメイキングをしてくれたり、新聞を運んだりと、乗客の要望にいろいろ応えてくれる。1日につき$5のチップが目安だが、部屋に食事を持ってきてもらうなど、特別なことをしてもらった場合はプラスするように。

車椅子用の寝台もあります

スペシャル寝台と呼ばれる個室がそれ。シャワーは付いていないが、トイレと洗面所は個室のなかにある。

コーチと寝台車の差

寝台車利用客とコーチ利用客は、待遇に1等、2等以上の差がある。たとえば、コーチ利用客は寝台車の車両に行くことができないし、寝台車のシャワーはコーチ利用者は使えない。また、寝台利用者には専門の乗務員がつく。

USAレイルパスはトクか損か

アムトラックではさまざまな割引制度を導入しているため、片道乗車だけだとUSAレイルパスの威力はさほど発揮できない。が、往復乗車ならグーンと格安になる。

鉄道マニアや時間に余裕のある人以外は、乗車予定回数と運賃をよく吟味し、自分のプランに有効に利用できるかどうかを検討したうえで購入するようにしよう。

寝台車のいろいろ

現在、寝台車は東部を縦断するシルバー・ミーティア、シルバー・スター号を除き、ほとんどがスーパーライナー編成の2階建て車両。以下の寝台はスーパーライナー編成用。

●エコノミー寝台Economy Bedroom（1、2階）　大人1人または2人用。昼は対面2シート、夜は上下のベッドになる。シャワー、トイレ、洗面台共同。

●ファミリー寝台Family Bedroom（1階）　大人2人、子供2人まで利用できる。シャワー、トイレ、洗面台共同。

●デラックス寝台Deluxe Bedroom（2階）　大人2人用。アムトラック自慢の豪華個室。昼はソファ、アームチェア、夜は上下2段のベッド。すべて2階にあって展望がよく、個室にはシャワー、トイレ、洗面台が付いている。

★　　　USAレイルパス　　　★

アムトラックでは外国人旅行者にUSAレイルパスという鉄道周遊券を販売している。購入にあたっての諸条件は次のとおり。

①日本出発前に日本で旅行代理店を通じて購入する。現地でも買えるが、場所が限られる。

②発行日から1年以内に使用開始する。通用期間は15日と30日間。

③USAレイルパスは全路線と地域限定の2種類がある。

④パスだけで乗れるのは、メトロライナー以外のすべての列車のコーチ（一般座席）に限られる。寝台車や、クラブ車を利用するときは、その差額料金を支払う。

⑤限定地域は、シカゴ〜ニューオリンズを結ぶ南北のルートが東部と西部の境界となっている。このルートは東部パスでも西部パスでも使える。

⑥アメリカでの使用開始に際しては、駅か旅行代理店で使用開始日と終了日を記入してもらう。このとき、パスポートまたはアメリカ（カナダを含む）以外の国の居住者であることの証明書の提示が必要である。

⑦レイルパレスには、列車の走っていない、いくつかの町へのアムトラック連絡バスAmtrak Thruway Busの料金も含まれる。

リッチな寝台車での旅

寝台車利用客は、飛行機で言えばファーストクラスかビジネスクラスの利用客並みの扱いを受ける。ワシントンDCとシカゴの両ユニオン駅には**専用の待合室Metropolitan Lounge**があり、そこにはソファやイスが十分に置いてあって飲み物や軽食のセルフサービスもある。トイレや公衆電話も専用だ。荷物を置くスペースもあって、ありがたい。

列車に乗ってからは、下車するまで**3度の食事は無料**（アルコールと給仕してくれた人へのチップは必要）で、朝は新聞のサービス、コーヒーやジュース、ソフトドリンクはいつでも飲み放題だ。

下車駅がワシントンDCかシカゴだったら、下車後も前記の専用待合室を使うことができる。

寝台車内部

列車に乗り込む人々

USAレイルパスはアメ
リカでも買える!
　パスはアメリカ国内に着
いてからでも買うことがで
きるし、そのほうが安い。
USAレイルパスが買える
アメリカ国内の駅は以下の
通り。
　Atlanta, Boston South
Station, Chicago Union
Station, Denver, Los
Angeles, Miami, New
Orleans, New York
Pennsylvania Station, San
Francisco Ferry Bldg.,
Seattle, Washington DC
Union Station
　しかし、これらの駅に行
く時間のない人は、日本で
買っていったほうがいい。

★　　　タイムテーブル（時刻表）について　　　★

アムトラックの時刻表を入手するには

　洋書を扱う書店で販売されている、イギリスの旅行会社トー
マスクック社発行の時刻表 "Thomas Cook Overseas Timetable"
（青い表紙）に、アムトラックの列車時刻表がすべて掲載されている。

　日本では入手不可能だが、アムトラック主要駅のインフォメ
ーション・カウンターに用意されているアムトラックの
"National Timetable（全国版）" や "Northeast Timetable
（北東部版）" の小冊子の時刻表は大変重宝。アメリカに到着し
たらぜひ入手しておこう。また、アムトラックではルート、ま
たは列車ごとのタイムテーブルを数多く配布しているので、ア
メリカの旅行社などを通じてこれらを入手することも可能だ。

　インターネットを使い、アムトラックのホームページで時刻
表を検索することもできる。これなら日本から出発前に調べら
れるので、スケジュールを組むのにとても便利。

HOME www.amtrak.com

アメリカ、カナダを回る
なら
　アメリカのアムトラック
とカナダのVIA鉄道が提携
して、新たに北米大陸の鉄
道に乗り放題のパスNorth
America Rail Passを発行
した。パスの期間は15日
間と30日間の2種類。アメ
リカとカナダの900都市を
結び、総延長45,000キロ。
パスの料金は1/1〜5/31と
10/16〜12/31が30日間
$450、15日間$300、6/1
〜10/15が30日間$645、
15日間$555。

USAレイルパス

1999年4月現在

			6/1〜9/6		左記以外	
			おとな	2〜15歳	おとな	2〜15歳
15日間	全　　　　　線		52,300円	28,200円	35,100円	17,600円
	西　部　特　定		29,600円	14,800円	22,800円	11,500円
	西　　　　　部		38,800円	19,500円	24,000円	12,100円
	東　　　　　部		30,800円	15,400円	25,300円	12,700円
	北　　東　　部		24,600円	12,300円	22,200円	11,100円
30日間	全　　　　　線		65,900円	33,000円	46,200円	23,200円
	西　部　特　定		38,200円	19,100円	29,600円	14,800円
	西　　　　　部		48,600円	24,400円	32,000円	16,000円
	東　　　　　部		38,200円	19,100円	31,400円	15,800円
	イーストコースト		33,900円	17,000円	27,700円	13,900円
	ウエストコースト		33,900円	17,000円	27,700円	13,900円
	北　　東　　部		29,000円	14,600円	27,100円	13,600円

※西部特定はモンタナ、コロラド、ユタ、ニューメキシコ州（テキサス州エルパソを含む）以西をさす。
北東部はバージニア州から、北はマサチューセッツ州のボストン、バーモント州のセントアルバンズ、
西のフィラデルフィア―ハリスバーグ間、同じく西のニューヨーク―ナイアガラ間をさす。

149

座席数のあまり多くない長距離列車やその寝台車、混雑が予想されるメトロライナーといった列車は、予約が必要といわれている。予約とは、アムトラックの予約電話番号 ☎(1-800)872-7245に電話をして、特定の列車に乗ることを告げるもので、座席の確保という意味を持つ。しかし、アムトラックの場合、シーズンの寝台車を除けば予約で満席になるということはほとんどない。予約が必要といっている列車でも、コーチシート（普通座席）なら当日早めに駅へ行ってチケットを買えばほとんど乗ることができる。

さて、USAレイルパスを持っている人は、まずチケットカウンターでレイルパスを提示し、使用開始日と終了日を記入してもらう。行き先を告げてチケットを受け取る。次に乗る切符をまとめて受け取りたいのだったら、スケジュールの用意をして頼めばいい。なお、アムトラックはユーレイルパス（ヨーロ

要予約列車のマーク
時刻表に Ⓡ のマークのある列車は予約が必要だが、席があいていれば当日チケットを買って乗ることもできる。

シニア・ディスカウント
65歳以上は15％の割引がある。チケット購入の際にIDを見せるといい。

使えるクレジットカード
窓口ではアメックス、マスターカード、ビザのほかにJCBカードも使える。

アムトラック ここに注意したい！

'98年の6月20日より1カ月かけて、アムトラックによるアメリカ一周旅行をしたので、そのときに感じたいくつかのことを記したい。

乗車券予約の際には
列車の予約をチケットカウンターでお願いすると嫌がられることがある。たとえ駅にいても、Ⓡマークの列車はまず☎(1-800)872-7245で予約してから発券してもらうほうがスムーズにいくようだ。ただし、トールフリーに電話するとすぐ係が出るのではなく、地区に合わせて、時間や方面を指定しなければならないだろう。レイルパス利用者は、エージェントにつなぐほうを選んだほうがいいだろう。

予約をするとき、相手が予約番号を聞き間違えて発券してもらえなかったことがあったので、もう一度繰り返すなどの注意が必要。また、前日まで満席でも、出発直前になると空席が出ることが多く、一度満席だといわれてもあきらめることはない。また、チケットのピックアップ日をうっかり忘れてしまわないように！

長距離列車での移動には
ニューオリンズでロスアンゼルスまでの寝台車をお願いしたところ、途中で部屋を代わるならあるといわれ、その方法で発券してもらった。乗車するときに、その旨をアテンダントに伝えると調整してくれたようで、部屋を代わらなくてもすんだということがあった。

時間にゆとりある計画を
1カ月で13本の列車に乗ったが、ほぼ定刻に着いたのは3本だけで、あとはだいたい1時間から2時間程度の遅れがあった。ニューオリンズからロスアンゼルスへ向かう、サンセット・リミテッドはなんと16時間の遅れ。しかも列車はロスアンゼルスへは着かず、2つ手前のオンタリオ駅に到着。そこからバスでロスアンゼルスへということに。長距離列車での移動は何があるかわからない。時間にはある程度ゆとりをもって計画を立てたほうがいいだろう。

料金が違うのは???
運賃や料金の仕組みはよくわからないが、同じ区間の乗車券で値段が違うということがあった。それは、サンセット・リミテッドに同乗する友人のために予約したときのことだ。6月に電話したときはニューオリンズ⇔ロスアンゼルスが$256だった。うっかりチケット発券日が過ぎてしまい、再度10日前くらいに予約したら$203に。必ずしも早く買ったほうがいいというわけではないようである。

車内はけっこう冷える
車内はけっこう冷え、夜は寒いくらいだった。コーチの客には枕しか貸してくれないため、エンパイア・ビルダーの中で毛布を買った（$7）。食堂車のメニューはどれも似たりよったりで変化に乏しいが、値段はそんなに高くはなく、味もまあまあだ。

コースト・スターライト、エンパイア・ビルダーの車内には、車窓案内のパンフレットがあった。とくにアムトラック・カリフォルニアはコースト・スターライトのサービスに力を入れているらしく、ほかの列車よりゴージャスな感じがした。　（平賀博司　八王子市）（'98夏）

ッパの鉄道パス）のようにパスだけでは乗れない。必ず駅でパスを見せて乗車券を発券してもらうこと。

改札は、発車の5〜15分前に始まり、改札の案内とともに列車の入線番号もアナウンスされるから、その番号のホームに向かう。なお、駅によっては乗る前に係員が乗車券をチェックする。

★ 車内の過ごし方 ★

短距離列車は好きな席に座れるが、長距離列車は乗る前に係員が座席を指示することがある。席についてからしばらくすると、車掌がチケットをチェックに来る。チケットをチェックしたら座席の上に行き先を3文字で示した紙を挟んでいく。座席を動くときなどは、これをいっしょに持っていくこと。

座ったらゆっくりとくつろごう。列車の旅の利点は、車内を自由に歩き回れること。コーチの乗客は寝台車に入ることはできないが、それ以外ならどこにいようが自由だ。

食堂車は予約制。ディナーは2〜3回に分けて供されるので、何人で何時のディナーを予約したいということを食堂車担当の係員に告げておく。ほとんどが相席になるから、他の乗客との会話を楽しもう。

★ アムトラック旅行の注意点 ★

●**列車はよく遅れる。**長距離を走るものは距離の長い分遅れる可能性が高い。その理由は、貨物列車と同じ線路を走っているためや、単線のためなどの理由があげられる。アムトラックで旅行する場合は、時間に余裕を持つこと。長距離の場合、少なくとも3時間〜半日の余裕を見ておきたい。

しかしながら、ニューヨーク〜ワシントンDC間はアムトラックの自社路線。しかも、電化されている。このあたりの列車はあまり遅れることはなく、遅れるときは1時間くらい。

●**日本のように、駅には売店や自動販売機はあまりない。**安くあげたい人は、前もって食料を買って持ち込むか、スナックバーを利用すること。

●夏の車内は冷房がかなり効いていて寒い。スナックバーで毛布も売っているが、なるべくジャケットなどを持っていこう。

●**唯一の大陸横断鉄道、サンセット・リミテッドだけは、毎日運行されていない。**計画を立てるときは、運行日に注意しよう。

■アムトラック主要列車料金の目安（料金は日にち、時間帯、予約の要・不要、シーズンによって変わる）

乗車区間	片道運賃	往復運賃
ボストン〜ニューヨーク	$44〜65	$88〜130
ニューヨーク〜ワシントン	$61〜87	$122〜179
サンディエゴ〜ロスアンゼルス	$20〜28	$40〜56
シカゴ〜サンフランシスコ	$120〜223	$240〜446

（1999年5月現在）

★読★者★投★稿
アメリカ横断旅行はたいへんだった！

'97年にニューヨークからカリフォルニアにいる知人のところまで、アメリカの雄大な景色を見ながら行こうと思い、アムトラックを利用した。ところが、それがそもそもの間違いでたいへんな目にあってしまった。

12月21日、ニューヨークを定刻に出発し、翌朝シカゴに到着。3時間後にカリフォルニア・ゼファー号に乗り換えシカゴを出発。と、ここまでは順調だったのだが…。次の朝（23日）起きてみると、列車はLincoln駅で止まった。朝の7：00に列車はこれ以上進めないので、バスに乗り換えるとのアナウンスで、大きな荷物を手にバスへ。4時間後にMcCook駅に到着し、再び列車へ。そして待つこと数時間あまりでやっと出発したのだ。そんなこんなで目指すカリフォルニア州のEmeryville駅に到着したのは、24日の朝の4：40。予定より13時間40分も遅れたのである。アメリカの長距離旅行は何が起こるかわからないので、くれぐれもご用心を！
（井鍋陽一　静岡県）（'98）

★読★者★投★稿
アムトラック「サンディエガン・サービス」に乗った

サンディエゴからロスアンゼルスへ向かうのにアムトラックを利用した。とても景色のいい路線なのでぜひおすすめする。

コーチとクラブカーの2クラスがあり、私たちはクラブカーのほうに乗った。クラブカーには、新聞のサービスのほか、朝の列車なら飲み放題のジュースにパン、クッキー、フルーツ各種類が出る。夕方ならチーズ、ワインなどの軽食が付くそうだ。コーチより＄10ぐらいしか高くないので、こちらのほうがお得だと思う。コーチでもきれいだし、大きなテーブルを囲む4人席もあり、食べ物を持ち込んでピクニック気分で乗るのも悪くない。

私たちが乗った列車は、コーチはがらがらに空いていた。クラブカーは数が少ないため、けっこう混んでおり、ボーイのサービスがいまひとつだった。
（橋本　剛・利枝　シカゴ在住　'98年秋）

151

近距離ならグレイハウンドバスに乗ってみるのもおすすめだ

カリフォルニアと西海岸

California & West Coast

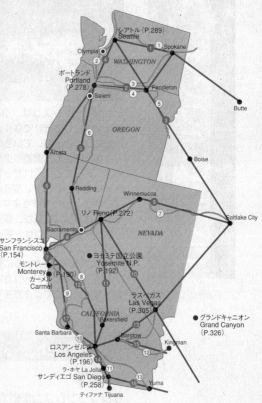

グレイハウンドでの所要時間

❶ Seattle～Spokane　6時間
❷ Portland～Pendleton　4時間
❸ Seattle～Salt Lake City　23時間
❹ Seattle～Portland　4時間
❺ Portland～Sacramento　14時間
❻ Portland～San Francisco　20時間
❼ San Francisco～Monterey　3時間
❽ San Francisco～Reno　5時間
❾ Reno～Salt Lake City　11時間
❿ Reno～Las Vegas　10時間
⓫ Reno～Los Angeles　12時間
⓬ San Francisco～Los Angeles　12時間
⓭ Los Angeles～Las Vegas　6時間
⓮ Los Angeles～San Diego　3時間
⓯ Los Angeles～Phoenix　7時間
⓰ San Deigo～Phoenix　7時間
⓱ Los Angeles～San Francisco　10時間

アムトラックでの所要時間

① Spokane～Seattle　8時間
② Seattle～Portland　4時間
③ Spokane～Portland　7.5時間
④ Pendleton～Portland　5時間（連絡バス）
⑤ Boise～Pendleton　6.5時間（連絡バス）
⑥ Portland～Sacramento　14時間
⑦ Salt Lake City～Emeryville　17時間
⑧ San Francisco～Bakersfiedl　6時間
⑨ San Francisco～Santa Barbara　9時間
⑩ Santa Barbara～Los Angeles　3時間
⑪ Los Angeles～San Diego　3時間
⑫ Barstow～Kingman　4時間
⑬ Los Angeles～Yuma　5時間

所要時間はおおよその時間です。停車する町や運行する時間によって変動があります。
また、乗り換えに要する時間は含まれていません。

San Francisco
Seattle
Denver Chicago
New York
Atlanta
Los Angeles New Orleans Miami

サンフランシスコ

　サンフランシスコは、小ぢんまりとした、実に美しい町だ。観光都市としてだけでなく、アメリカ人の間でも住みたい町の上位に長いこと輝いているのもうなずける。

　1年を通じて気温差の少ない気候は、夏涼しく冬暖かい。観光客にとっても住人にとっても理想的な気候だ。町の規模が小さいにもかかわらず、変化に富んだ美しい景観をもち、また、ここは西と東のさまざまな文化を吸収してきた港町でもある。そのやさしい雰囲気が、多くの人を引きつけているのだろう。

　サンフランシスコは、初めて海外を訪れる人にとってもうれしい町だ。路線バス、地下鉄、路面電車などの交通機関が発達し、町が碁盤の目のように整備されている。見どころも十分歩ける範囲にある。アメリカ旅行を始めるのにうってつけの町なのである。ここで歩き方をマスターして、アメリカでの第一歩を踏み出そう。

ダウンタウンへの行き方　Access ★

空 港

サンフランシスコ国際空港　San Francisco International Airport（空港の略称コードSFO）

　ダウンタウンの南約22kmに位置する国際空港。西海岸の玄関のひとつにしては、意外と小ぢんまりとしている。

d a t a

人　口	約724,000人	ＴＡＸ	セールス・タックス 8.50% ホテル・タックス 14%	
面　積	120km			
標　高	最高281m、最低 0m			
市の誕生	1850年	属する州	カリフォルニア州 California	
情　報	San Francisco Examiner（夕刊紙） 50¢、日曜版$1.50 San Francisco Bay Guardian（週刊情報誌）無料	州のニックネーム	黄金州 Golden State	
		時 間 帯	パシフィック・タイムゾーン	

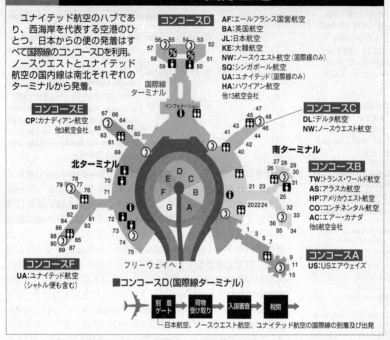

SFO サンフランシスコ国際空港

ユナイテッド航空のハブであり、西海岸を代表する空港のひとつ。日本からの便の発着はすべて国際線のコンコースDを利用。ノースウエストとユナイテッド航空の国内線は南北それぞれのターミナルから発着。

コンコースD
国際線
ターミナル

AF：エールフランス国営航空
BA：英国航空
JL：日本航空
KE：大韓航空
NW：ノースウエスト航空（国際線のみ）
SQ：シンガポール航空
UA：ユナイテッド（国際線のみ）
HA：ハワイアン航空
他13航空会社

コンコースE
CP：カナディアン航空
他3航空会社

北ターミナル

インフォメーション

コンコースC
DL：デルタ航空
NW：ノースウエスト航空

南ターミナル

コンコースB
TW：トランス・ワールド航空
AS：アラスカ航空
HP：アメリカウエスト航空
CO：コンチネンタル航空
AC：エアー・カナダ
他6航空会社

コンコースA
US：USエアウェイズ

コンコースF
UA：ユナイテッド航空
（シャトル便も含む）

フリーウェイへ→

■コンコースD（国際線ターミナル）

到着ゲート → 荷物受け取り → 入国審査 → 税関 →

└日本航空、ノースウエスト航空、ユナイテッド航空の国際線の到着及び出発

★
サンフランシスコ

ターミナルは南（A〜C）、国際（D）、北（E、F）と3つの建物から形成され、日本からのノンストップ便は国際線ターミナルに到着する。

各ターミナルは駐車場を円状に囲んで位置し、各ターミナル間は連絡通路でつながっている。ターミナル間の移動は歩くのがいちばんわかりやすい。

ターミナルの構造は、到着階（1階）のLower Levelと出発階（2階）のUpper Levelから構成され、出発階には各航空会社のチェックイン・カウンター、出発ゲート、みやげもの屋やレストランが、到着階には荷物の出てくるバゲージクレーム、案内所、レンタカー会社のカウンターなどがあり、市内への空港バスやタクシーもこの階から出ている。なお、空港シャトルバンと路線バスは、2階の国際線ターミナルの前から出発する。

●空港バス　ダウンタウンの主要ホテルを回るバス会社は、次のページの表のとおり。これらのホテルに泊まっている人はもちろんのこと、ルート外のホテルに泊まる人もドライバーに相談すると、ホテルの近くで降ろしてくれるので利用価値大だ。到着階の外、青い柱の横から乗る。空港へ向かう場合は、ホテルのフロントでピックアップの時刻を確認しよう。なお、バスを待つときはホテルの外の車寄せで待つほうが賢明だ。

サンフランシスコ国際空港
☎(1-800) 435-9736
　サンフランシスコ国際空港には、日本の成田から全日空、日本航空、ノースウエスト航空、ユナイテッド航空が、また、関西国際空港からは全日空、ユナイテッド航空のノンストップ便がそれぞれ運行している。
　両替所は国際線ターミナルの中。
脳P.187　A-2、159　E-4
地図外

アメリカの入国手順
　飛行機を降りたら、荷物のピックアップ→入国審査→税関→出口の順。ただし、ほかの空港は荷物のピックアップと入国審査の順が逆になる。

空港シャトルバンは2階の出発階でつかまえる

空港バス会社

運行会社と料金	ルート名	運行時間と間隔	ストップするホテル
SFO Airporter 片道＄10 ☎ (415) 495-8404 ☏ (1-800) 532-8405	Union Square Route	6：15〜23：45、30分間隔	ANA Hotel, Grand Hyatt, St. Francis, Hilton/Nikko, Parc55, Marriott
	Downtown Route	6：30〜24：00、30分間隔	Hyatt Regency, Sheraton Plaza, Holiday Inn, St. Francis, Hilton/Nikko, Marriott
Pacific Airporter 片道＄9、往復＄15 ☎ (415) 282-6088	Route A	7：20〜22：50、30分間隔	Pickwick, Savoy, Clarion Bedford, Pan Pacific, Maxwell, Vintage Court, King George, Holiday Inn (Civic Center)
	Route B	7：35〜23：05、30分間隔	Californian, Cartwright, Sheehan, Canterbury, Fairmont, Mark Hopkins, Stanford Court, Ritz-Carlton, Holiday Inn (Fin. Dist.), Park Hyatt
Wharf Airporter 片道＄10、往復＄18 ☎ (650) 991-2274 ☏ (1-800) 434-1222		7：10〜22：10、30分間隔	Travelodge, Howard Johnson, Holiday Inn, Marriott, Hyatt, Tuscan Inn, Sheraton, Ramada Inn, Travelodge Ghirad. Squ., Comfort Inn by the Bay, Holiday Inn, Golden Gate, Richelieu & Cathedral

空港シャトルバン
●SuperShuttle
☎ (415) 659-2547
☏ (1-800) 258-3826
●Lorries Airport Shuttle
☎ (415) 3343-9000
●Bay Shuttle
☎ (415) 564-3400など
🚌 ＄9〜14

サムトランズ
☏ (1-800) 660-4287
HOME www.samtrans.com

サムトランズ・バス＆バート
🚌 ＄2.25+＄1.10
運行：平日6：11〜23：33、
週末7：16〜21：36までの
30分間隔で運行。約20分

サムトランズのバス

タクシー
🚌 ダウンタウンまでチップ
を含めて＄29〜34前後

オークランド国際空港
☎ (510) 577-4000
🗺 P.187 B-2

Air BART
🚌 Coliseum駅まで＄2
BART
☎ (510) 465-2278
🚌 Coliseum駅からPowell
St.駅まで＄2.75

●**空港シャトルバン**　目的地の玄関までDoor-to-doorで連れていってくれる空港シャトルバンは、ホテルなどが決まっている場合にはとても便利。ただし、相乗りなのでいちばん最後に降ろされて、予想以上に時間がかかる場合もある。乗り場は出発階の国際線ターミナルの前を、出たあたりで、シャトルバン会社の係員かドライバーが、どこまで行くか声をかけてくれるだろう。料金を確認してから乗ること。シャトルバン会社は10社近くが待機している。空港へ向かうときは各自で電話をするか、ホテルのフロントに頼んでピックアップしにきてもらうといい。

●**路線バス——サムトランズ Sam Trans**　#7Fと#7Bのサムトランズのバスが、ダウンタウンのトランスベイ・トランジット・ターミナル Transbay Transit Terminalを結んでいる。#7Fの急行で約30分（＄3）、#7Bは約1時間（＄1.10）ほどかかる。いちばん経済的だが、荷物は一つしか持ち込めないのが難点。乗り場は、出発階国際線ターミナルの前。サムトランズ・バスの#7Fと#7BはダウンタウンのMarket St.より1本南のMission St.を走るので、泊まるホテルによってはミュニ・バスなどに乗り換えたほうがいい。

●**サムトランズ・バス＆バート BART**　空港から#3X（＄2）の『Stonestown via BART』行きのバスでColma駅へ。そこからバートでダウンタウンへ行くことができる。空港から#3Bを使いDaly Cityからバートに乗ることもできるが時間がかかる。バスは路線バスと同じ乗り場。

●**タクシー**　ダウンタウンまで約20分だが、ラッシュアワーに巻き込まれると、倍以上かかることがある。

オークランド国際空港　Oakland International Airport (OAK)
ベイブリッジをはさんでサンフランシスコの対岸にある空港。
●**バート**　空港から“Air BART”というシャトルバスに乗り、バートのColiseum Oakland Airport駅でバートに乗り換える。Daly CityまたはColma行きのバートに乗ってユニオン・スクエアにいちばん近いPowell St.駅に到着。約25分。

サンノゼ国際空港　San Jose International Airport (SJC)

　サンフランシスコの南約75km、車で約1時間、シリコンバレーにある国際空港。日本からはアメリカン航空のノンストップ便が飛んでいる。アメリカン航空を利用する場合、日本の予約時に申し込んでおけば、サンノゼ空港からサンフランシスコのダウンタウンまで無料のシャトルバスが利用できる。公共の交通機関を使う場合は、サンタクララの市バス#65で、サンタクララSanta Claraまで出て、そこからカルトレインCaltrainでサンフランシスコ市内まで乗り継ぐ。

長距離バス

トランスベイ・トランジット・ターミナル　Transbay Transit Terminal

　ダウンタウンの東にある総合バスターミナル。ここからグレイハウンドやミュニ・バスをはじめ、空港に行くサムトランズやオークランドに行くACトランジットなどが発着している。観光ツアーであるグレイラインの発着所も中にある。

鉄　道

フェリー・ビル　Ferry Building

　サンフランシスコの町に、アムトラックの鉄道は直接乗り入れていない。対岸のオークランドのEmeryville駅またはOakland駅がアムトラックの駅だ。では、アムトラックの鉄道に乗るにはオークランドまで行かなくてはならないのかというと、そうではない。サンフランシスコのフェリー・ビルからEmeryville駅、Oakland駅までアムトラックの連絡バスが運行されている。アムトラックの鉄道利用者は無料。アムトラックのチケットは、フェリー・ビルのオフィスで買える。

サンフランシスコの歩き方　★ Walking

　サンフランシスコは、こぢんまりとした実に歩きやすい町だ。三方を海に囲まれ、坂の多さがサンフランシスコを風光明媚な町にしているようだ。なお、急な坂も多いので、ケーブルカーなどの交通機関をうまく使おう。道路は規則正しく碁盤の目のように走っているから、2つの通りの名前がわかっていれば、自分がどこにいるのかすぐに見当がつく。

　スタート地点は、町の中心であるユニオン・スクエアがいい。ケーブルカー、ミュニ・バス、地下鉄などの交通機関がここを中心に走っており、近くには観光案内所もある。この町で見逃せないのは、フィッシャーマンズ・ワーフ、アルカトラズ島、ゴールデンゲート・ブリッジ、チャイナタウンなど。観光シーズンのアルカトラズ島は大変な混雑で、できれば1週間前には予約を入れたい。また、サンフランシスコは、「全米で最もショッピングしやすい町」ともいわれている。ユニオン・スクエアを中心としたエリアにデパートや有名ブランド店が集中している。

　しっかり計画を立てれば、中身の濃い旅ができること間違いなし。決して期待を裏切らない町、それがサンフランシスコだ。

サンノゼ国際空港
☎ (408) 277-4441

Caltrain
🚉 Santa ClaraからSan Franciscoまで＄4.50

トランスベイ・トランジット・ターミナル
🏠 425 Mission & 1st Sts.
☎ (415) 495-1569
グレイハウンド ☎ (1-800) 231-2222
🕐 毎日5：00～24：00
🚶 ユニオン・スクエアまでは徒歩15～20分。ターミナルの前から出ているミュニ・メトロFラインでPowell St.まで5分、＄1
🗺 P.165　E、F-4

フェリー・ビル
🏠 Ferry Building, 31 Embarcadero
☎ (1-800) 872-7425
🚶 場所はMarket St.の東端。Market.St.を西に20分も歩けば観光案内所だ。2ブロック西のEmbarcadero駅からミュニ・メトロに乗れば2つめのPowell駅で下車。出口を出れば観光案内所は目の前。暗くなってからはタクシーを使うように
🗺 P.165　F-2

サンフランシスコが初めてなら
　名物の霧が出やすいので、まず初めにゴールデンゲート・ブリッジを見学し、#28のミュニ・バスでフォート・メイソンまで行く。そこから歩いてフィッシャーマンズ・ワーフへ。ワーフからチャイナタウンへは、ケーブルカーに乗ることをおすすめする。チャイナタウンのあとは、歩いてショッピングを楽しみながらユニオン・スクエアに戻るといいだろう。

一度は乗ってみたいケーブルカー

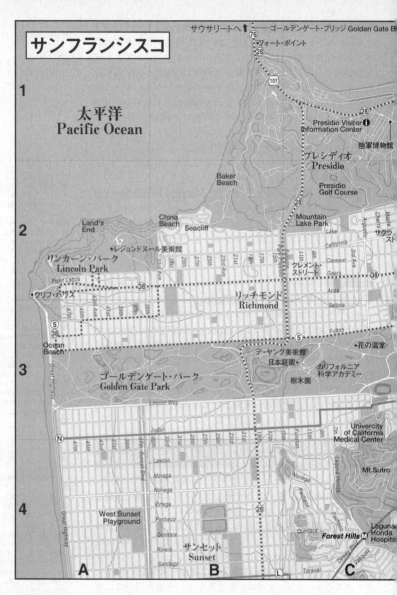

観光案内所 ★ Information

San Francisco Visitor Information Center

　ケーブルカーの発着所、Powell St. & Market St.の角。バートとミュニ・メトロのPowell駅へのエスカレーターを下りると目の前。地図、イベント情報、ツアーのパンフレット、ホテルリストなど観光に必要な情報をほとんど手に入れることができる。

San Francisco Visitor Information Center

🏠900 Market St., San Francisco, CA 94102

☎(415)391-2000

日本語によるイベント案内

☎(415)391-2101

🕐月～金9：00～17：30、土9：00～15：00、日10：00～14：00

🚫サンクスギビング、クリスマス、元日

🗺️P.164　C-5

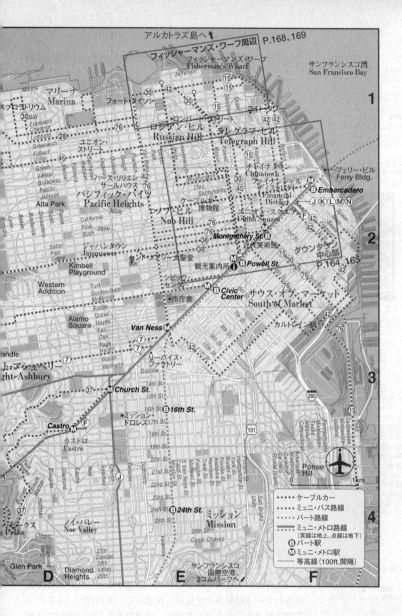

アルカトラズ島へ
フィッシャーマンズ・ワーフ周辺 P.168、169
フィッシャーマンズ・ワーフ
Fisherman's Wharf
Jefferson
サンフランシスコ湾
San Francisco Bay

マリーナ
Marina
フォート・メイソン
ロンバード・ストリート
ロシアン・ヒル
Russian Hill
テレグラフ・ヒル
Telegraph Hill

チャイナタウン
Chinatown
フェリー・ビル
Ferry Bldg.
Embarcadero

バーズ・リリエン
サールハウス
パシフィック・ハイツ
Pacific Heights
ノブ・ヒル
Nob Hill

フィナンシャル・ディストリクト
Financial District
ユニオン・スクエア
Union Square

ジャパンタウン
Japantown
セント・メアリー大聖堂
観光案内所
近代美術館
Montgomery St.
ダウンタウン
中心部
P.164、165

Western
Addition
Kimbell
Playground
シビック・
センター
市庁舎
Civic Center
Powell St.
サウス・オブ・マーケット
South of Market

Alamo
Square
Van Ness
リーバイス・
ファクトリー

ヘイト・アッシュベリー
Height-Ashbury
Church St.
16th St.
ミッション・
ドロレス
Castro
カストロ
Castro

Potrero Hill

1km

ツイン・ピークス
Twin Peaks
ノイ・バレー
Noe Valley
24th St.
ミッション
Mission
サンフランシスコ
国際空港へ、
3コムパークへ

Glen Park
Diamond Heights

1 / 2 / 3 / 4
D / E / F

•••• ケーブルカー
••• ミュニ・バス路線
••• バート路線
── ミュニ・メトロ路線
（実線は地上、点線は地下）
Ⓑ バート駅
Ⓜ ミュニ・メトロ駅
── 等高線（100ft.間隔）

観光案内所では観光局が発行している San Francisco Visitor Map と The San Francisco Book をもらっておこう。地図は主要なバスの路線も載っていて見やすく、見どころの位置関係などを知るには便利。本のほうは、さまざまな情報が100ページ以上詰まっており、最新の情報もバッチリ。

案内所では必ず地図をもらおう

サンフランシスコ市交通局　San Francisco Municipal Railway

サンフランシスコ市民の足となっているケーブルカー、ミュニ・バス、ミュニ・メトロ（中心部は地下鉄、郊外は路面電車）を管理運営している機関。24時間運行の路線もあり、実に便利な観光の足。観光案内所でもらえるSan Francisco Visitor Mapで行きたい場所と、そこを走っているバスなどの路線番号を確認しよう。

目的地までバスやメトロを乗り継いで行くようだったら、**トランスファー（乗り換え券・無料）**をもらっておこう。乗り換えはバスからメトロ、メトロからバスといった相互の乗り換えも可能で、2時間以内ならどちらの方向にも2回まで乗車できる。なお、バスやメトロからケーブルカーへは、このトランスファーと＄1の追加で乗車できる。

●ケーブルカー　Cable Car

1873年に初めて、サンフランシスコの丘をケーブルカーが走ってから、すでに120年以上がたった。サンフランシスコのシンボルのひとつでもあるケーブルカーは、1世紀前と同じく、いまも人々の足としても活躍している。

ケーブルカーの路線は**パウエル―ハイド線Powell-Hyde Line**、**パウエル―メイソン線Powell-Mason Line**、**カリフォルニア線California Line**の計3本。パウエル―ハイド線、パウエル―メイソン線はPowell & Market Sts.の交差点のターミナル発。ここではケーブルカーの向きを変えるために、ターンテーブルの上の車体を、グリップマンたちが人力で回転させるシーンが見られる。終点は両方ともフィッシャーマンズ・ワーフの手前。ケーブルカーは、急坂が多い南北の移動には大いに力を発揮する。カリフォルニア線はMarket St.からVan Ness Ave.までのCalifornia St.を東西に走っているので横の移動に便利。

●ミュニ・バス　Muni Bus

効率よく市内を移動するには、やはりバスがいちばん。道のわかりやすいサンフランシスコは、アメリカでのバスの乗り方をマスターするには絶好の町だ。

まずは観光案内所でもらったSan Francisco Visitor Mapで目的地までのバス番号と、どこを走っているかを確認する。同じバス停を何本ものルートのバスが通過するので、バス停に表示されている路線番号を最初に確認する。次に近づいてきたバスのフロントにある表示を見て、自分が乗りたいバスかどうかをもう一度チェック。

乗車は前からで、乗車と同時に料金を投入箱に入れる。コインでもお札でもOKだ。車内のアナウンスはないので、窓から通りの名前を確認していくか、ドライバーやまわりの人に停留所の場所を確認するしかない。下車する地点に近づいたら、窓の上に張ってあるワイヤーを引いて合図する。降りるときは前のドアでも後ろのドアでもかまわない。

サンフランシスコ市交通局
☎ (415) 673-6864（時間：毎日6：00～24：00）

旅行者に便利なミュニ・パスポート

交通局では、ケーブルカー、バス、メトロに乗り放題のミュニ・パスポートMuni Passportを発行している。
1日用＄6
3日用＄10
7日用＄15

ミュニ・パスポート

大人気のケーブルカー

サンフランシスコ名物のケーブルカーは非常に人気があり、観光シーズンともなると、ケーブルカーの発着所には乗ろうとする観光客のなが～い列が見受けられる。スムーズに乗りたいのだったら、早朝がすいている。また、途中から乗ろうとするときは、ケーブルカーが来たら手を挙げて合図すること。混雑ぶりによっては、途中のストップからの客を乗せてくれないこともある。

團＄2。ターミナル近くの自動販売機で買うか、または乗り込んでから車掌に直接支払ってもよい。ミュニ・パスポートも使える。

ミュニ・バス
團＄1

バスに乗るときの注意

アメリカは日本と違って、右側通行。逆の方向のバスに乗らないように注意しよう。

●ミュニ・メトロ　Muni Metro

Market St.の端、フェリー・ビルを起点に、サンフランシスコの西端まで延びる路面電車。以前はMarket St.の地上を走っていたが、交通渋滞緩和のため地下を走るようになった（Fラインのみ地上を走る）。

ダウンタウンのMarket St.沿いは、バートと駅の改札が同じ階なので間違えて乗らないようにしよう。ミュニ・メトロは、改札口のターンスティールにお金を投入して、バーを押して駅構内に入る。トランスファーで入るときは、係員のいる窓口からトランスファーを見せて入る。地上駅から乗る場合は、いちばん前の車両の入口から入り、そこで料金を払う。

ミュニ・メトロはE、F、J、K、L、M、Nの7路線運行されているが、観光に便利なのはミッション・ドロレスへ行く＃J。＃Eはカルトレイン駅からThe Embarcaderoを走っているが、将来フィッシャーマンズ・ワーフまで路線が延びる予定だ。

バート　BART（Bay Area Rapid Transit）

周辺の交通ラッシュを緩和するために、1974年につくられたBARTは、サンフランシスコとイースト・ベイを結ぶ近代的な交通システム。切符の販売から改札、運行スケジュールに至るまで、すべてコンピュータで管理されている。

ダウンタウンだけを観光する分には、あまり利用することはないが、郊外のバークレーやオークランド・コロシアムまで野球やフットボールを観戦するときに利用する。

路線は全部で5本。サンフランシスコの中心部にはEmbarcadero、Montgomery St.、Powell St.、Civic Centerといった駅があり、観光案内所に近いPowell St.駅が便利だろう。ミュニ・メトロと違い、乗るときはチケットが必要。チケットはフェアカード・システムになっており、入れた分だけ料金が磁気カードに記録される。$20まで記録することができ、何回も乗る予定のある人はまとめて買っておくといい。出口近くには精算機もある。

ミュニ・メトロ
圏バスと同じ＄1均一

中心部を出ると路面電車になる
ミュニ・メトロ

バート
圏行き先によって異なり、$1.10〜4.45。自動販売機で使えるお金は5￠、10￠、25￠のコインと、$1、$5、$10、$20の紙幣
注意：バートはサンフランシスコ市交通局の管轄ではない。したがって、トランスファーやミュニ・パスポートは使えない。

バート路線図

■ Richmond-Daly City/Colma
■ Fremont-Daly City
■ Fremont-Richmond
■ Pittsburg/Bay Point-Colma
■ Dublin/Pleasanton-Daly City

グレイライン
☎ (415) 558-7373
📱 (1-800) 862-0202

グレイライン　Gray Line of San Francisco

出発場所：1st & Mission Sts. (トランスベイ・バスターミナル)

番号	ツアー名	料金	運行	所要時間	内容など
1	San Francisco Deluxe City Tour	$28〜30	毎日9：00、10：00、11：00発、13：30、14：30発	4時間	シビック・センター、ツイン・ピークス、ゴールデンゲート・パーク、クリフ・ハウス、ゴールデンゲート・ブリッジ、フィッシャーマンズ・ワーフなど。日本語テープの貸出あり。
1W	Deluxe City Tour + Bay Cruise	$39〜41	毎日9：00、10：00、11：00発	4時間 + クルーズ 1時間15分	Tour1に加え、ピア39からの湾内クルーズ付き。
1A	Deluxe City Tour + Alcatraz	$42〜44	毎日9：00、10：00発	4時間 + アルカトラズ 2時間	Tour1に加え、人気のアルカトラズ島へのツアー付き。
12A	Muir Woods/Sausalito + Alcatraz	$44	毎日9：00、10：00、11：00発	7時間	ミュアウッズ、サウサリートに加え、アルカトラズ島へのツアー付き。
12W	Muir Woods/Sausalito + Bay Cruise	$41	毎日9：00、10：00、11：00発	6時間	ミュアウッズ、サウサリートに加え、湾内クルーズ付き。
11	San Francisco Trolley Hop	1日 $22	毎日ユニオン・スクエア、ピア39から頻繁に出発		解説付きでフィッシャーマンズ・ワーフ、エクスプロラトリウム、ゴールデンゲート・ブリッジ、プレシディオ、ユニオン・スクエア、チャイナタウン、ノース・ビーチなどを回る。一部のポイントは乗り降り自由。
5	Yosemite in a Day by Train	$130	毎日6：30発	15時間	アムトラック（アメリカの鉄道）を使ってヨセミテへアプローチ。Merced駅からはバンでハーフドーム、エルキャピタン、ブライダルベールなどを回る。
8	Monterey, Carmel & 17 Mile Drive	$59〜61	毎日9：00発	11時間	風光明媚なハイウェイ1を南下し、モントレーでは水族館に足を運ぶ。景色の美しいパシフィック・グローブと17マイルドライブ、カーメルではショッピングを楽しむ。日本語テープあり。
17	Napa Valley Wine Train	$91	毎日9：00発	9時間半	ナパバレーで人気のワイントレインに乗って昼食を楽しみ、その後ソノマのワイナリーに寄る。

ダウンタウン中心部 / Central Downtown

ユニオン・スクエア
🚃スクエアを囲む通りのひとつPowell St.はケーブルカー（パウエルーハイド線、パウエルーメイソン線）が走っている
📖P.164　B、C-4、5

ファイナンシャル・ディストリクト
🚶徒歩ならユニオン・スクエア周辺から10分、チャイナタウンからは5分。ミュニ・メトロのEmbarcadero駅、ケーブルカーのカリフォルニア線の利用が便利
📖P.165　D〜F-2、3

Attractions おもな見どころ ★

サンフランシスコ・ダウンタウンのヘソ
ユニオン・スクエア ★ Union Square

　サンフランシスコ・ダウンタウンの中心が、ユニオン・スクエアと呼ばれる小さな公園だ。ひと言でいえば単なる公園だが、この公園周辺にはデパート、有名ブランド店、レストラン、ホテルが建ち並び、一年中多くの人でにぎわっている。このあたりでは、ショッピングがいちばん楽しい。買い物好きなら1日いても飽きないところだ。

西のウォール・ストリート
ファイナンシャル・ディストリクト ★ Financial District

　ユニオン・スクエアを東に進んでいくと、西海岸のウォール・ストリートともいうべき、ファイナンシャル・ディストリクトに突き当たる。このあたりには銀行の本支店、保険会社、大きなオフィスビルが建ち並び、平日の活気は観光都市サンフランシスコからは想像もつかない。

　町のランドマークともいえる三角形のビルは、**トランスアメリカ・ピラミッド Transamerica Pyramid**。48階建てで、高さ260mはサンフランシスコでは最高を誇っている。展望台はな

いが、1階にはバーチャル展望台という、操作ボタンを動かすことによって、屋上からの景色が眺められるTV画面もある。**エンバーカデロ・センター Embarcadero Center**は6つの近代的なビルから構成され、オフィスのほかに、ホテル、レストランやショップもあって、観光客も足を運びたい。センター内の**スカイデッキ SkyDeck**からは町の鳥瞰図が楽しめる。

芸術鑑賞に浸りたい
シビック・センター ★ Civic Center

　観光案内所からMarket St.を西へ進むと、サンフランシスコ市庁舎を中心に連邦政府の建物が集まるエリアがある。ここは西海岸で1、2を争うパフォーミング・アートのメッカ。世界的なオペラやバレエが上演される**戦争記念オペラハウス War Memorial Opera House**や、サンフランシスコ交響楽団のコンサートが行われる**デイビス・シンフォニー・ホール Davis Symphony Hall**などがある。ここは観光をするというよりは、エンターテインメントを楽しみたいところ。詳しい公演のスケジュールなどは観光案内所で尋ねてみよう。

いま、サンフランシスコで成長著しいエリア
サウス・オブ・マーケット ★ South of Market (SoMa)

　Market St.の南側は、サンフランシスコでいちばんホットなエリア。再開発が進み、続々と新しいアトラクション、レストランが登場している。また、ここには人気のディスコやクラブがあることでも知られている。別名ソーマ。

●サンフランシスコ近代美術館
San Francisco Museum of Modern Art (SF MOMA)

　近代美術館としてはニューヨークに次いで全米第2位の規模を誇り、収蔵するコレクションの数は絵画の約4,000点を含んだ15,000点を超える。ピカソ、マティスなど20世紀の巨匠の作品から、地元カリフォルニアのアーティストの作品まで幅広く展示。また、写真やビデオ、テレビを使ったメディアアートのフロアも見逃せない。ガイドツアーは、毎日3〜6回（曜日により時間、回数は異なる）行われるので、効率よく回りたい人はぜひ、参加しよう。

●ヤーバブエナ・ガーデンと芸術センター
Yerba Buena Garden & Center for the Art

　3rd, Folsom, 4th, Missionに囲まれたヤーバブエナ・ガーデンは、美術館、ギャラリー、博物館、劇場、映画館（IMAXあり）、アトラクション、ボーリング場、スケート場、レストラン、コンベンションセンター、教会などが集う、サンフランシスカンの娯楽エリア。なかでもZeumにはビデオカメラ、ミキサーなどが整ったコンピュータ制御のスタジオがあって、人気を呼んでいる。

ビルが林立するファイナンシャル・ディストリクト

スカイデッキ
🏠 One Embarcadero Center
☎ (415) 772-0555
🕐 毎日9：30〜21：00
🚫 サンクスギビング、クリスマス、元日、祝日
💴 大人＄6、学生・62歳以上＄4、5〜12歳＄3.50

シビック・センター
🚋 ケーブルカーの発着所からMarket St.を西に徒歩10分
🗺 P.159　E-2
注意：シビック・センター周辺の治安は悪い。時間のない人はココをとばして、フィッシャーマンズ・ワーフへ行こう。

サウス・オブ・マーケット
🚋 ユニオン・スクエアから南西へ徒歩5分
🗺 P.165　D〜F-4,5

サンフランシスコ近代美術館
🏠 151 3rd St.
☎ (415) 357-4000
🌐 www.sfmoma.org
🕐 木〜火11：00〜18：00（木〜21：00）、ミュージアムショップは毎日10：30〜18：30（木〜21：30）
💴 大人＄8、学生・シニア＄5、毎月第一火曜日は終日無料、木18：00〜21：00は半額
🗺 P.165　D-5

Zeum
🏠 221 4th St.
☎ (415) 777-2800
🌐 www.zeum.com
🕐 水〜金12：00〜18：00、土日11：00〜17：00
💴 大人＄7、学生＄6、子供＄5

新しいポイントがふえたヤーバブエナ・ガーデン

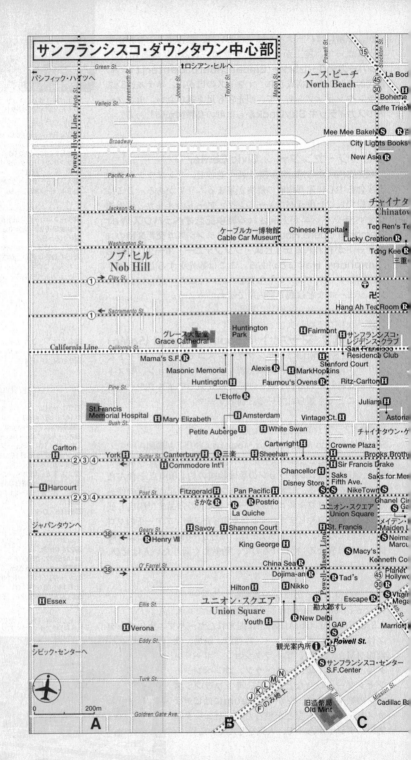

サンフランシスコ・ダウンタウン中心部

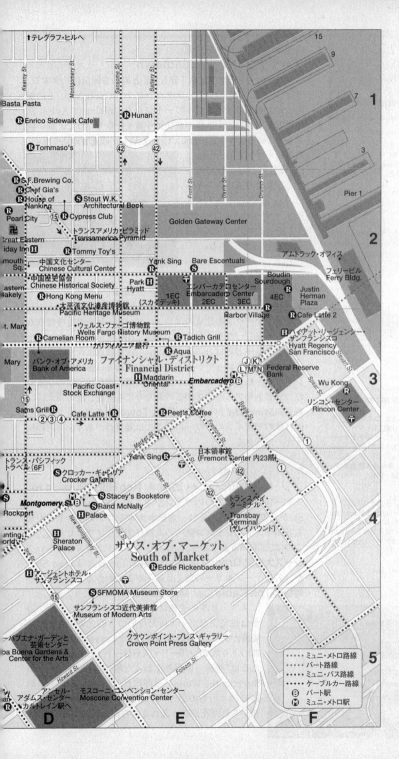

Basta Pasta

R Enrico Sidewalk Cafe

R Hunan

R Tommaso's

15

9

1

7

3

Pier 1

R S.F.Brewing Co.

R Chef Gia's

R House of Nanking

Pearl City

S Stout W.K. Architectural Book

15 **R** Cypress Club

Golden Gateway Center

Great Eastern

iday Inn **H**

mouth Sq.

中国文化センター Chinese Cultural Center

R Tommy Toy's

Yank Sing

Bare Escentuals

アムトラック・オフィス

フェリービル Ferry Bldg.

2

astern akely

中華歴史協会 Chinese Historical Society

R Hong Kong Menu

Park Hyatt **H**

エンバーカデロセンター Embarcadero Center

Boudin Sourdough

R Justin Herman Plaza

大平洋文化遺産博物館 Pacific Heritage Museum

1EC (スカイデッキ)

2EC

3EC

4EC

Harbor Village

R Cafe Latte 2

t. Mary

ウェルズ・ファーゴ博物館 Wells Fargo History Museum

R Tadich Grill

H ハイアット・リージェンシー・サンフランシスコ Hyatt Regency San Francisco

R Carnelian Room

カリフォルニア銀行

R Aqua

Mary

バンク・オブ・アメリカ Bank of America

ファイナンシャル・ディストリクト Financial District

J K **L M N**

H **B**

Federal Reserve Bank

Wu Kong

3

Pacific Coast Stock Exchange

H Mandarin Oriental

Embarcadero B

R

リンコン・センター Rincon Center

15

Sams Grill **R**

② ③ ④

Cafe Latte 1 **R**

R Peet's Coffee

1

トランス・パシフィック トラベル (6F)

R Yank Sing **R**

日本領事館 (Fremont Center 内23階)

R クロッカー・ギャレリア Crocker Galleria

S Stacey's Bookstore

S Rand McNally

42

1

S

M **B** Montgomery St.

Rockport

H Palace

トランスベイ ターミナル

Transbay Terminal (グレイハウンド)

42

42

4

unting orld

H Sheraton Palace

サウス・オブ・マーケット South of Market

R Eddie Rickenbacker's

アージェントホテル・サンフランシスコ **H**

S SFMOMA Museum Store

15

サンフランシスコ近代美術館 Museum of Modern Arts

クラウンポイント・プレス・ギャラリー Crown Point Press Gallery

5

ba Buena Gardens & Center for the Arts

Howard St.

Folsom St.

ミュニ・メトロ路線
バート路線
ミュニ・バス路線
ケーブルカー路線
B バート駅
M ミュニ・メトロ駅

W an

アンセル・アダムス・センター **R** カルトレイン駅へ

モスコーニ・コンベンション・センター Moscone Convention Center

D

E

F

チャイナタウン
🚶ユニオン・スクエアから
Post St.を1ブロック東、
Grant Ave.を2ブロック北
上すると、チャイナゲート
がある
🗺P.164、165　C、D-2、3

中国系住人のパワーに圧倒される
チャイナタウン ★ Chinatown

ユニオン・スクエアから5分も歩くと町の雰囲気は一変する。サンフランシスコのチャイナタウンは全米で最も古く、その規模も最大級だ。メインストリートになるのがGrant Ave.。漢字の看板が並び、中国語の飛びかう通りを歩くだけで、別の国を歩いているような気になる。Grant Ave.が観光客の通りなら、西側を平行に走るStockton St.は住民が買い物にやってくる庶民の通り。人々のパワーを感じる通りだ。チャイナタウンのシンボル、**チャイナゲート**はGrant & Bushの北側にある。

食事に行こう

コイト・タワー
☎(415)362-0808
🕐毎日10：00～19：30
💲大人$3、シニア$2、子供
（6～12歳）$1
🚶ユニオン・スクエアから
#30のバスでWashington
Square前に行き、そこで
#39に乗り換え終点まで
🗺P.159　F-1

ナイトスポットが集中する若者の町
ノース・ビーチとテレグラフ・ヒル ★ North Beach & Telegraph Hill

チャイナタウンの北東のエリアはノース・ビーチと呼ばれるところ。怪しげなネオンサインが輝くBroadway沿いと、リトル・イタリーと呼ばれるColumbus Ave.周辺は夜遅くまで地元の若者でにぎわっている。この2つの通りに挟まれた丘がテレグラフ・ヒル。サンフランシスコで最も古い住宅地のひとつだ。ビクトリア・ハウスがこのあたりにも並び、丘の頂上には高さ約54mの**コイト・タワー Coit Tower**がある。シンプルな円柱状のデザインのタワーの頂上には展望台があり、市内の様子が一望できる。

ケーブルカー博物館
🏛Washington & Mason Sts.
☎(415)474-1887
🕐4～10月の毎日10：00
～18：00（11～3月は17：00
まで）
💲無料
🗺P.164　B-2

サンフランシスコの高級住宅街
ノブ・ヒルとロシアン・ヒル ★ Nob Hill & Russian Hill

ケーブルカーの2つのラインが通るPowell St.とCalifornia St.が交差した小高い丘は、高級ホテルやコンドミニアムが建ち並ぶサンフランシスコ随一の高級住宅地、ノブ・ヒルだ。ここではCalifornia & Jones Sts.にあるステンドグラスが美しい**グレース大聖堂 Grace Cathedral** (California & Taylor Sts.)や、名物ケーブルカーの動く仕組みがよくわかる**ケーブルカー博物館 The Cable Car Museum**を訪れてみよう。

ロシアン・ヒルの
ロンバード・ストリート

ノブ・ヒルの北側にある丘がロシアン・ヒル。静かな住宅街だが一カ所だけいつも観光客の絶えない場所がある。それはHyde St.とLeavenworth St.の間の下り坂**ロンバード・ストリート Lombard St.**。ここは"世界一曲がりくねった坂（The Crookedest Street in the World）"と呼ばれ、わずか1ブロックの間に10カ所もの急カーブがある。春、カーブの間に植えられた花が咲き乱れるころがいちばん美しい。

166

人気No.1の観光スポット
フィッシャーマンズ・ワーフ ★ Fisherman's Wharf

サンフランシスコの人気ナンバー1のツーリストスポット。その昔、イタリア人漁師の船着き場だったところが、いまは観光客で一年中にぎわっている。Jefferson St.とTaylor St.の角の巨大なカニのマークは、フィッシャーマンズ・ワーフのランドマークになっており、付近にはカニやエビなどの魚介類の屋台が軒を連ねている。

●ピア39 Pier 39

フィッシャーマンズ・ワーフの東端にある桟橋に造られたショッピングモール。木造2階建てのしゃれた店やレストランが並び、フィッシャーマンズ・ワーフで最も人気があるところ。横ではアザラシが昼寝を楽しんでおり、桟橋の先から見るサンフランシスコ湾の眺めもすばらしい。

ピア39のアザラシ

●ザ・キャナリー The Cannery

Jefferson & Leavenworth Sts.にあるレンガ造りの3階建ての建物。かつてデルモンテの缶詰工場だったところが、いまはショッピングセンターになっている。

3階には**サンフランシスコ市博物館 Museum of the City of San Francisco**があり、市の歴史についての興味深い展示物が数多くある。

●ギラデリ・スクエア Ghirardelli Square

ケーブルカーのパウエル―ハイド線のターミナルの斜め前にあるショッピングセンター。かつてのチョコレート工場を改造したレンガ造りの建物の中には、ブティックやレストランがある。夜になると"Ghirardelli Square"の大きなイルミネーションがともり、港を行く船からもはっきりと見える。ちなみにギラデリというのはサンフランシスコ名物のチョコレート。ここだけでなく市内随所で入手できる。

●サンフランシスコ湾内クルーズ San Francisco Bay Cruise

港町サンフランシスコは、海から見ると一段と美しい。湾内クルーズはおすすめだ。フィッシャーマンズ・ワーフから2つのクルーズが出ている。

フィッシャーマンズ・
ワーフ周辺

**Fisherman's
Wharf**

★ サンフランシスコ

フィッシャーマンズ・
ワーフ

■ケーブルカーのパウエル―ハイド線、またはパウエル―メイソン線で終点まで行く。バスの場合は、Market & Kearny Sts.から＃15で終点まで。Stockton & Sutter Sts.の角から＃30のバスに乗り、Northpoint & Hyde Sts.で下車しても行ける
■P.168,169

ピア39
■Beach at Embarcadero
☎ (415) 981-8036
■P.169 D、E-1

ザ・キャナリー
■2801 Leavenworth St., bet. Beach & Jefferson
☎ (415) 771-3112
■P.168 B-2

サンフランシスコ市博物館
■無料

ギラデリ・スクエア
■900 North Point St.
☎ (415) 775-5500
■P.168 A、B-2

湾内クルーズ

●Blue & Gold Fleet
☎ (415) 705-5555
所要約1時間
🔳大人$17、子供$9
1時間に1本以上運行されている

●Red & White Fleet
☎ (415) 447-0597
所要1時間
🔳大人$17、子供$9(ヘッドホンによる解説つき)

アルカトラズ島

ピア41から30分ごとにフェリーが出ている。
🔳フェリー往復のみ大人$7.75、子供$4.50、ツアーカセット込みで大人$11.25、子供$6。予約はBlue & Gold Fleet ☎ (415) 705-5555(電話予約の場合、1枚につき$2の手数料がかかる)
🔳P.168 C-1地図外

アルカトラズ島の牢獄

●Blue & Gold Fleet ピア39のすぐ隣から出発するクルーズ。フィッシャーマンズ・ワーフを左手に見ながらゴールデンゲート・ブリッジの下をUターン。サウサリート、エンゼルアイランド、アルカトラズ島を見てベイブリッジの下でUターンをして戻ってくる。

●Red & White Fleet ピア43 1/2からアルカトラズ島、エンゼルアイランドなどを見てゴールデンゲート・ブリッジへ。ベイブリッジの方には行かない。

※ベイクルーズに参加する人は、海上は夏でもかなり冷えるので上着を忘れずに。

●アルカトラズ島 Alcatraz Island

にぎやかなフィッシャーマンズ・ワーフの沖3kmのところに浮かぶ小さな島が、かつて『悪魔島』と呼ばれていた連邦政府の刑務所だったとは、なかなか想像できない。1934～63年の間、ここには誘拐犯や銀行強盗犯、脱獄の常習犯などが投獄さ

れた。島ではカセットを聞きながら刑務所跡を歩くツアーがある(日本語のカセットもある)。なお、年間を通してかなり混雑するので、できるだけ早く電話予約をしたほうがよい。

フィッシャーマンズ・ワーフ周辺

アルカトラズ島へ↑

フィッシャーマンズ・ワーフ
Fisherman's Whar

Hercules
Eureka

S.F.Maritime
Nat'l Historic Park

•U.S.S.
Pampar

Scoma's Ⓡ

Boudin Sourdoug
Bakery & Ca

Fisherman's Grotto

Charley Brown's Ⓡ
Basic Brown Bear Ⓢ
Knights Ltd. Ⓢ
Confetti Fruits & Nuts Ⓢ
Ale Garden Cafe Ⓢ

Alioto's Ⓡ•

Tarantino's Ⓡ

Di Maggio's Ⓡ

Aquatic Park Beach

キャナリー
The Cannery

アンカレッジ
The Anchorage

Bobby Rubino's Ⓡ

Mu

国立海洋博物館•
National Maritime Museum

Buena Vista Cafe

A.Sabella's Restaurant Ⓡ

Holiday Inn Ⓗ

マリーナへ

ギラデリ・スクエア
Ghirardelli Square
Chocolate Manufactory Ⓡ
Ann Taylor Ⓢ
The Mandarin Ⓡ
Gaylord India Ⓡ
Alpaca Pete's Ⓢ
Timberland Ⓢ
Goosebumps Ⓢ
Boudin Sourdough Bakery Ⓡ
Carl Baron Leather Ⓢ

Ⓡ Fisherman's Wharf

American Ⓢ

Patagonia

North Point St.

Hyde Park Suites Ⓗ

ロシアン・ヒル・パーク
Russian Hill Park

Bay St.

Hyatt Fisherman's Ⓗ

Marriott Ⓗ

Harley Ⓡ
Davidson

Cost

ワーフ・
Wharf I

Fisherman's Wharf Ⓗ
Travelodge

Ⓗ ラマダ・プラザ
Ramada Pla
Hotel

Ⓢ
Tower Records

Francisco St.

30

ロシアン・ヒル
Russian Hill

コロンバス・アベニュー
Columbus Ave

Powell-Mason

Powell-Hyde Line

Franklin St.

Van Ness Ave.

42

Chestnut St.

200m

0

Polk St.

Larkin St.

コンバード・ストリート
Lombard St.

Lombard St.

テニスコート

Leavenworth St.

Jones St.

Michelang
•Playground

Taylor St.

Greenwich St.

Hyde St.

•••• ケーブルカー路線
•••• ミュニ・バス路線

A　　　　**B**　　　　**C**

168

海と緑が美しい
マリーナ ★ Marina

　市内ではいちばん北にある静かな住宅地。独立記念日には花火が上がるクリッシー・フィールドCrissy Fieldや、豪華なヨットが並ぶヨットハーバーなどがある。ここでは**エキスプロラトリウム Exploratorium**を訪れてみよう。体験型の科学博物館だ。

もとは陸軍の基地でした
プレシディオ ★ Presidio

　ゴールデンゲート・ブリッジのたもと、サンフランシスコの北に広がる200年もの歴史を持った元陸軍の基地。現在は都市型国立公園のレクリエーション地区として内部が整備されており、博物館やカルチャーセンターなど多様な施設が公開されている。ここではゴールデンゲート・ブリッジのサンフランシスコ側の橋脚にある**フォート・ポイント国定史跡 Fort Point National Historic Site**を訪れてみよう。その昔、太平洋に向けて大砲が備えられていた砦の跡があり、内部は博物館になっている。ここから眺めるゴールデンゲート・ブリッジは絶景。

エキスプロラトリウム
🏠3601 Lyon St., at Marina Blvd.
☎ (415) 563-7337
HOMEwww.exploratorium.edu
🕐火～日10：00～18：00（水～21：00）
💴大人＄9、学生＄7、子供＄5　毎月第一水曜日は無料（特別展示時と夏期は除く）
🗺P.159　D-1

プレシディオ
🚌ユニオン・スクエアから＃38のバスでGeary St.を西に向かい、Park Presidio Blvd.で＃28のバスに乗り換え、ゴールデンゲート・ブリッジの料金所の隣のビスタポイントへ。ここからフォート・ポイントへ下って徒歩約15～20分
🗺P.158　C-1、2

地図

Pier 41
バクルーサ号(博物館)
Balclutha
ピア39
Pier 39

Ⓡ Neptune's Palace
Ⓐ Alcatraz Bar & Grill
Ⓡ Pier Market
Ⓡ Bubba Gump Shrimp Co.
Ⓢ Disney Store
Ⓢ National Park Store
Ⓢ N.F.L. Shop
Ⓢ The College Shop
Ⓢ Benetton Tricaffee
Ⓢ Swatch

1
35

Jefferson St.

シティバンク・シネマックス・シアター
City Bank Cinemax Theater
アンダーウォーター・ワールド
Under Water World
Ⓗ Travelodge at the Wharf
Ⓗ シェラトン・アット・フィッシャーマンズワーフ
Sheraton at Fisherman's Wharf
Beach

2

North Point Shopping Plaza
42
⑮

Ⓗ San Remo

テレグラフ・ヒル
Telegraph Hill

3

⑮

oth Beach Playground

D　コイト・タワーへ30m　**E**

カニの大きな看板はフィッシャーマンズ・ワーフの目印

★

サンフランシスコのシンボル

ゴールデンゲート・ブリッジ ★ Golden Gate Bridge

ケーブルカーと並び、サンフランシスコのシンボルになっている世界でいちばん美しい橋。冷たく、速い潮流と霧の多い天候、両岸の地形の複雑さのため「建設不可能な橋」(Unbuildable Bridge)と言われた。このプロジェクトを1937年、4年の歳月と3,500万ドルの建設費そして11人の尊い命をかけて完成させたのは、ジョセフ・ストラウスというエンジニア。世界中に400以上の鉄橋を設計してきた彼の総決算とも言えるのが、この"不可能な橋"の建設だった。

全長2,789m、橋脚の最高部は水面から約227m、風速毎時100マイルの風にも耐えられる設計の橋は、その技術的確かさもさることながら、鮮やかなレンガ色の橋は、単に2つの岸をつなぐための手段以上に、芸術とも言えるほどの美しさをもつ。

橋には歩道があり歩いて渡ることができる。風のない日であれば約40分ほどで渡れるが、たいてい風が強く、海から吹きつける風は冷たいのでかなり疲れる。

ゴールデンゲート・ブリッジ
通行料：歩行者や自転車は無料だが、車で渡る場合、南行き（サンフランシスコに入る場合）のみ1台＄3の通行料。
橋を渡りきったサウサリート側には、展望台がある。ここから眺めるサンフランシスコの景色も美しい。なお、この展望台には売店がない。けっこうのどが渇くので、ミネラル・ウォーターなどを持参したい。
P.158 B-1

歩いて渡る人も多い

ジャパンタウン
ダウンタウンからGeary St.を走る#38、2、3、4のバスに乗り、右に五重塔が見えたら下車
P.159 D、E-2

小ぢんまりとした日本人街

ジャパンタウン ★ Japantown

ダウンタウンから西にバスで15分、1968年にオープンしたジャパンセンターを中心に、3ブロックの地区にレストランやホテル、日本食品のストア、日本の本やレコードを扱った店などが集まる。ベイエリア周辺に住む1万人以上の日系人の文化的な中心地であり、4月の桜祭りはサンフランシスコの民族祭のなかでは1、2を争う規模だ。

ゴールデンゲート・パーク
Market St.から#5、21のバスに乗り、Fulton St.& 8th Ave.で下車。博物館、日本庭園などにいちばん近いところに出られる
P.158 A〜C-3

文化施設も整った巨大な公園

ゴールデンゲート・パーク ★ Golden Gate Park

町の北西に位置する、幅800m、長さ5kmに及ぶ世界最大規模の公園。1887年、サンフランシスコ市が購入した荒れ地に、ジョン・マクラーレン氏が5千種類を超える植物を移植して造り上げた。園内には数々のレクリエーション施設、博物館、美術館などがあり、サンフランシスコ市民の憩いの場になっている。広い園内は自転車でまわることをおすすめする。

ゴールデンゲート・パークの植物園

エクスプローラーパス　Explorer Pass

　公園内のカリフォルニア科学アカデミー、デ・ヤング美術館、アジア美術館、日本庭園、花の温室の5つのアトラクションが$14で入場できるお得なパス。公園の地図もついている。

　各アトラクションの入口、またはユニオン・スクエアのTIXで買うことができる。

デ・ヤング美術館

●カリフォルニア科学アカデミー　California Academy of Science

　市内でもっとも充実した展示を誇る博物館。自然史の展示、水族館、プラネタリウムの3つに分かれるが、どれをとっても十分満足できる。

●デ・ヤング美術館とアジア美術館
M.H. De Young Memorial Museum & Asian Art Museum

　科学アカデミーの向かい側にある美術館。個性的なコレクションの展示で人気がある。デ・ヤング美術館はヨーロッパの絵画を中心とした展示。一方、アジア美術館は、エブリー・ブランデージ氏のコレクションが全体の95%を占め、日本、中国、インド、イランなどのアジアの国々からの貴重な芸術が並ぶ。

●日本庭園　Japanese Tea Garden

　デ・ヤング美術館の隣にある、こぢんまりとした庭園。かつては日本人の庭師が管理していたが、第2次大戦中ほかの日本人とともに強制収容され、名前も東洋ティーガーデンに変更された。1952年にもとの名前に戻ったが、現在の庭園は、日本庭園の地味で落ち着いた雰囲気より、華やかな彩りの仏教色の影響を受けているように見える。

カリフォルニア科学アカデミー
☎(415)750-7145
🕐毎日9：00～18：00（夏期～19：00）
🎫大人$8.50、シニア・学生$5.50、子供$2（プラネタリウムは入館料とは別で大人$2.50、学生$1.25）、第1水曜は無料

デ・ヤング美術館
☎(415)863-3600
🎫大人$7、シニア$5、学生$4

アジア美術館
☎(415)379-8880
🕐火～日10：00～17：00
🎫大人$7、シニア$5、学生$4

日本庭園
🕐3～9月の毎日9：00～18：30、10～2月の毎日8：30～18：00
🎫大人$2.50、子供$1

SFのユニーク・ストリート

カストロ通り

●ユニオン・ストリート
Union Street

　サンフランシスコいちの高級住宅街、パシフィック・ハイツにあるおしゃれなストリート。個性的なブティックやギャラリー、レストランが並ぶ通りは、さりげない上品さが漂う。サンフランシスコのセンスのいい若者たちが集まるスポット。

行き方：Sutter St.から#45のバスに乗り、Union & Gough Sts.で下車

●カストロ・ストリート
Castro Street

　サンフランシスコは、アメリカで最初にゲイの人たちに市民権を与えた進歩的な町。そして現在、ゲイ・コミュニティの中心が、このカストロ・ストリート。ミュニ・メトロのCastro駅を降りると、まわりはほとんどゲイの2人連れ。通り沿いにはゲイのシンボルである、7色のレインボーフラッグがはためいている。ここでは男同士、女同士が手をつないで歩いているのが普通の風景。

行き方：ミュニ・メトロ#K、L、MでCastro駅下車

●フィルモア・ストリート
Fillmore Street

　ユニオン・ストリートから丘を越えた反対側。雰囲気もユニオン・ストリートに似ているが、こちらのほうがよりカジュアル。人気のバーには夜中まで人があふれている。

行き方：Sutter St.の#2、3、4のバスでSutter & Fillmore Sts.下車。そこから坂を上るとしゃれた店が並ぶ

●Cole Valley（ゴールデンゲート・パーク周辺）

　観光客でいつもにぎわうヘイト・アシュベリーのすぐ裏側。かわいいお店やコーヒーショップの並ぶ一角が、秘かな人気を集めているコール・バレーエリア。カリフォルニア大学が近いためか学生も多く、落ちついた中にも若やいだ雰囲気だ。

行き方：ダウンタウンからミュニ#Nのメトロに乗り、Cole & Carl Sts.の角で下車

クリフ・ハウスから続くビーチ

ヒッピー発祥の地

ヘイト・アシュベリー ★ Haight-Ashbury

'60年代、ヒッピーと呼ばれる若者を中心に、独自のコミュニティを作り上げた地区。ゴールデンゲート・パークの東側のHaight St.を中心としたエリア。いまでも個性的なファッションの若者が集まり、古着屋やクラブなどが建ち並ぶ。付近の治安はあまり良くないので夜間の通行は控え、人けのない裏通りなどには入らないように。

太平洋を望む美術館

カリフォルニア・レジョンドヌール美術館 ★ California Palace of the Legion of Honor

総工費3,400万ドル、6つのギャラリースペース、自然光のあふれるコートエリア、そしてカフェ、ミュージアムショップもある"Legion of Honor"。ゴールデンゲート・ブリッジと太平洋を望む絶好のロケーション。全米でも指折りのヨーロピアン・アートの殿堂として、紀元前2500年から20世紀にまたがる絵画3,000点、蔵書2,000冊、プリント1,500点の展示品目を誇る。

9〜6月はアシカが名物

クリフ・ハウスとシール・ロック ★ Cliff House & Seal Rock

サンフランシスコの西端、太平洋を望むロボス岬の断崖にある建物がクリフ・ハウスだ。1階はアイリッシュ・コーヒーで有名なラウンジとギフトショップ、2階はレストランになっている。展望台から海を見渡すと、すぐ目の前にシール・ロックが見える。ここは、毎年9〜6月にかけてアシカの群れがやって来る。備え付けの双眼鏡をのぞくと愛敬のある顔がよく見える。残念ながら、夏にはアシカはいない。ただし、何種類かのカモメや海鳥を見ることはできる。

ここから眺めるサンフランシスコは絶景

ツイン・ピークス ★ Twin Peaks

276mと277mの2つの丘からなる自然の展望台。サンフランシスコのダウンタウンだけでなく、対岸のオークランドやバークレー、太平洋まで望むことができる。とくに夜景の美しさはサンフランシスコNo.1。ただ残念なことに、頂上まで行く交通機関がない（バスは途中まで）ので、レンタカーやツアーを利用するほうが便利。下から見て山頂が霧で覆われているときは、まったく何も見えないので注意。また、風が強く、霧も出やすいので寒い。夏でも上着を用意していったほうがよい。

ツイン・ピークスからの夜景

ヒスパニック系のコミュニティ
ミッション・ディストリクト ★ Mission District

ツイン・ピークスに向かってMarket St.を下って行き、フリーウェイの下をくぐった先の南側の地区、ヒスパニック系の住人が多くにぎやかなエリアだ。ここでの見どころは1776年に建てられた、この付近でもっとも古い教会ミッション・ドロレスMission Dolores。いまではめずらしいアドーベ（日干しレンガ）の壁が残り、教会内は静寂につつまれている。厳粛な気持ちになるところだ。

Entertainment
エンターテインメント

クラシック芸術

サンフランシスコ交響楽団
★ San Francisco Symphony Orchestra

1911年創設、過去、小澤征爾氏も籍を置いていたオーケストラだ。現在の音楽監督はマイケル・ティルソン＝トーマス。座席のほとんどは定期会員で占められるが、余った席がシングル・チケットとして売り出される。シングル・チケットも入手できなかったときは、当日開演の2時間前にセンター・テラス・シートが売り出される。ステージ後方に位置するシートで、オーケストラ楽員の背中しか見えないが、指揮者の顔がよく見える席だ。ただし、すべての公演にこの席があるわけではない。

サンフランシスコ・オペラ ★ San Francisco Opera

'98〜'99のシーズンで76周年を迎えるサンフランシスコ・オペラは、アメリカ三大オペラの一つ。出演者も超一流で、国際的にも高い評価を得ている。ファンも大変多く、旅行者がチケットを確保するのは容易ではない。ホテルのコンシェルジュかチケットブローカーに手配してもらうのが得策のようだ。

サンフランシスコ・バレエ ★ San Francisco Ballet

アメリカで最も古いバレエ団のひとつで、いつも大胆な振り付けで市民を魅了し続けている。毎年12月の定期公演、『くるみ割り人形』の人気が高い。

ミュージカル『ビーチ・ブランケット・バビロン』
★ Beach Blanket Babylon

初演以来25年目を迎える、サンフランシスコ名物のコメディ・ミュージカル。主人公が世界中を旅していくうちに、さまざまな人間に出会うのだが、それがエルビス・プレスリーやマリリン・モンローのそっくりさんだったりする。大きな帽子を使うのが、ひとつの特徴になっている。英語がわからなくても、けっこう楽しめる。料金は曜日と開演時間によっても異なり、$20〜55。

ミッション・ドロレス
🏠3321 16th St. at Dolores
☎(415) 621-8203
毎日9：00〜16：00
（夏期は16：30まで）
大人$2、子供$1、オーディオツアー＄5
ミュニ・メトロ#Jに乗りChurch St.駅から1ブロック。16th & Dolores Sts.の角
地P.159 E-3、4

★
サンフランシスコ

サンフランシスコ交響楽団
ホームホール──デイビス・シンフォニー・ホール Davies Symphony Hall, Grove St. bet. Van Ness & Franklin
☎(415) 864-6000
地P.159 E-2

サンフランシスコ交響楽団はデイビス・シンフォニー・ホールで演奏する

サンフランシスコ・オペラ
ホームホール──戦争記念オペラハウス War Memorial Opera House, 301 Van Ness Ave.
☎(415) 864-3330
地P.159 E-2

サンフランシスコ・バレエ
ホームホール──戦争記念オペラハウス War Memorial Opera House, 301 Van Ness Ave.
☎(415) 865-2000
バレエのボックスオフィスは455 Franklin St. at Fulton
地P.159 E-2

ビーチ・ブランケット・バビロン
劇場：Club Fugazi, 678 Green St.（ノース・ビーチ）
☎(415) 421-4222（チケット）
スケジュール：木木20：00、金土19：00と22：00、日15：00と19：00

サンフランシスコ・ジャイアンツ
本拠地——3コムパーク
3Com Park at Candlestick
Point, San Francisco
☎ (415) 467-8000
　チケットは球場のゲート
B、Eのほか、ダウンタウ
ンのGiants Dugout（844
Market St.）でも買える。
🚃試合開始の2時間前から
ミュニ・バス＃9X "Ballpark"
行きがSuttter St.とMontgo-
mery St.の角から出発して
いる。
　帰りは球場横から各方面
行きのバスが並んでいるの
で、ダウンタウンに戻りた
いときは＃9Xに乗ること。
料金は往復$5で、ミュニ・
パスポートを持っていれば
$2
🗺P.159　E-4地図外

オークランド・アスレ
チックス
本拠地——オークランド・
アラメダ・カウンティ・コロ
シアム Oakland-Alameda
County Coliseum Complex,
7000 Coliseum Way, North
of Hegenberger Rd. off I-880
☎ (510) 638-0500
🚃バートのFremont行きに
乗り約25分でColiseum駅
に着く。あとは人の流れにし
たがって行けばよい。20：00
以降と日曜日には、直通電
車がないのでPittsburg/Bay
Point行きに乗り、Oakland
City Center駅でFremont行
きに乗り換える

サンフランシスコ・フォ
ーティナイナーズ
本拠地——3コムパーク
3Com Park at Candlestick
Point, San Francisco
☎ (415) 468-2249
🚃ジャイアンツ参照

オークランド・レイダース
本拠地——オークランド・
アラメダ・カウンティ・コロ
シアム Oakland-Alameda
County Coliseum Complex,
7000 Coliseum Way North
of Hegenberger Rd. off I-880
☎ (1-800) 949-2626
🚃アスレチックス参照

ゴールデンステート・
ウォリアーズ
本拠地——ニューアリーナ
New Arena, 7001 Coliseum
Way, North of Hegenberger
Rd. off I-880
☎ (510) 986-2222
🚃オークランド・アラメダ・
カウンティ・コロシアムの向
かい

Spectator sports
観戦するスポーツ

ベースボール（MLB）

サンフランシスコ・ジャイアンツ
★ San Francisco Giants（ナショナル・リーグ西地区）

　'97年のシーズンはナショナル・リーグ西地区の地区優勝に
輝いたが、'98年はリーグ優勝を果たしたサンディエゴ・パドレ
スに破れた。しかし、主砲のバリー・ボンズを中心に、優勝候
補の一つとなっている。西暦2000年には本拠地をダウンタウン
のウォーターフロントに移す予定だ。

オークランド・アスレチックス
★ Oakland Athletics（アメリカン・リーグ西地区）

　'70年代以降、プレーオフ出場回数が最も多いのがアスレチ
ックスだ。全米を熱狂させたマグワイアの移籍以来、成績は低
迷しているが、'98年のアメリカン・リーグ新人王に輝いたグリ
ーブら若手の活躍が期待される。

アメリカン・フットボール（NFL）

サンフランシスコ・フォーティナイナーズ
★ San Francisco 49ers（NFC西地区）

　ダラス・カウボーイズと並んで、過去5度スーパーボウル・
チャンピオンに輝いているフォーティナイナーズは、全米で人
気No.1のチーム。レッドとゴールドがチームカラー。チケット
の入手は、SFのプロスポーツのなかで最も難しいといわれて
いるから、チケットブローカーに頼むのが賢いといえる。球場
回りにうろついている「スキャルパー」と呼ばれるダフ屋から
チケットを購入するのは違法。買う方も逮捕されるので注意。

オークランド・レイダース
★ Oakland Raiders（AFC西地区）

　'70年代に最強を誇ったチーム。近年の成績としては、あと
一歩でプレーオフへといったところ。チームカラーはブラッ
ク＆ゴールドで、間違ってもレッド＆ゴールド（49ers）のもの
は身につけていかないこと。

バスケットボール（NBA）

ゴールデンステート・ウォリアーズ
★ Golden State Warriors（西・太平洋地区）

　1946年、フィラデルフィアで創設された最も歴史ある3チー
ムのひとつ。NBAの前身時代も含めると、50シーズン中プレ
ーオフ進出26回、ワールドチャンピオンに輝くこと3回だ。近
年はプレーオフから遠ざかっている。NBAはここでも大変な
人気で、チケット入手はかなり難しい。

174

アイスホッケー（NHL）

サンノゼ・シャークス
★ San Jose Sharks （西・太平洋地区）

　1991年創設の比較的新しいチーム。'93〜'94のシーズンにプレーオフ出場を果たし、プレーオフでは予選1位のデトロイトを撃破し、ベイエリアのファンを熱狂させた。選手たちがサメの口から登場するシーンは、鳥肌が立つほどエキサイティング。なお、サンノゼまでは遠いので、ナイターのときは帰路の交通手段をよく考えておくこと。

サンノゼ・シャークス
本拠地――サンノゼ・アリーナ San Jose Arena, W. Santa Clara & Autumn Sts., San Jose
☎ (408) 999-5721
🚃サンフランシスコのカルトレイン駅(4th & King Sts.)まで行き、そこから列車で約1時間30分、San Jose Diridon駅下車。駅からアリーナまでは徒歩1分。
　自動車の場合、サンフランシスコからUS-101を南下、約45マイル走ると右手にサンノゼ空港の広い駐車場が見えてくる。そのあたりでCA-87, Guadalupe Pkwy.に入る。途中ハイウェイが終わるので、そこから信号を2つ通過して坂を上がり、Julian St.という出口を出て信号を右折。そのまま進んでAutumn St.を左折すると到着

スポーツ、コンサート、オペラのチケット手配ならおまかせ
VIC EVENTS（チケットブローカー）

　全米で行われるスポーツやコンサート、オペラ、ミュージカルなどのイベントのチケットを手配してくれる。発売前の仮予約、一般発売中のチケット、完売後のプレミアチケットの確保もほぼ可能。また全米主要都市発着のスポーツ観戦ツアーも定期的に運行。日本からは、氏名、電話番号、Fax番号、希望のイベントの日付け、開催地、席の種類、予算、チケット枚数をE-mailまたはFaxにて24時間受付。

49ersの応援にはゴールドと赤で決めていこう！

ヴィック・イベント
🏠 350 Townsend St., Suite 130, San Francisco, CA 94107
☎ (415) 778-2842
FAX (415) 778-2897
HOME VICEvents.tsx.org/
E-mail vincevents@mail.goo.ne.jp
🕐西海岸11：00〜19：00

★　★　★　ナイトスポット　★　★　★
Night Spot

カフェなのにジャズが楽しめる
Cafe du Nord

🏠 2170 Market St. at Church ☎ (415) 861-5016、 HOME www.cafedunord.com
🕐ディナー水〜土18：30〜23：00
バー水〜土16：00〜2：00、日18：00〜2：00　　　　　　　　🗺地図外

　若者の集まるマーケット・ストリートにあるカフェ。メインストリームからロック、ジャズなどレパートリーの多い店である。エレクトリックなジャズを楽しむにはおすすめ。また、アート系のイベントも数多く行われる。　　　　　　　　　　　　（'98）

全米でも注目を浴びている店
Yoshi's

🏠 510 Embarcadero Way, Jack London Square, Oakland
☎ (510) 238-9200　　　　　🗺地図外

　ジャズ熱狂派には必見の店。このクラブのラインナップは全米でも定評があり、ジャズファンはいつも注目している。トップスターからローカルアーティストまで、常に内容の濃いライブをモットーとしている。サンフランシスコからはBartでOakland City/Center 12th St.駅下車、徒歩10分。車の場合ベイブリッジから880 Southに向かい、Broadway Alamedaで下車。5th St.にぶつかったら右へ、Washingtonにぶつかったら、もう一度右へ。　　　　（'99）

やっぱりブルースにも浸りたい
Slim's

🏠 333 11th St. bet. Folsom & Harrison
☎ (415) 522-0333
HOME www.ticketweb.com　　🗺地図外

　ブルース、R&Bがメインのお店。サンフランシスコでブルースを聞くにはこのクラブが最高。　　　　　　　　　　　（'98）

有名なアーティストが出演する
Bimbo's 365 Club
🏠1025 Columbus at Chestnut
☎(415) 474-0365
HOMEwww.bimbos365club.com

　1931年創業の歴史あるナイトクラブ。とくにジャンルは定まっていないが、メジャーなアーティストがよく出演する。ライブというより、コンサートといったほうがふさわしいような規模のものも行われる。2ドリンクのミニマムあり。　　　　('98)

バラエティに富んだ音楽
Sol y Luna
🏠475 Sacramento St.　☎(415) 296-8696 (予約)、296-8191 (インフォメーション)
月〜土17:00〜2:00、休日 AMV

　バラエティに富むライブが呼び物のナイトクラブ。水〜土まで20:00〜22:00と22:00〜2:00と異なる2つのショーがある。水曜の20:00と21:30はフラメンコショー、22:00からはトロピカルナイト。木曜はジャズ、22:00からはキューバンサウス。金曜20:00と21:30はフラメンコショー、22:00からはキューバン・ミュージック。カバーチャージは$5。ただし、金曜のDisco Music、そして土曜の21:30からのショーは$10。平日はランチもある。とくに大晦日は大混雑するので、早めの予約が必要。　　　　　　　　　　　　　　　　　('98)

ドラッグ・ショーとレビューが呼びもの
Finocchio's
🏠506 Broadway　☎(415) 982-9388
ショーは20:30、22:00、23:30の3回。
21歳未満は入場不可　休日火　JMV

　サンフランシスコで唯一ドラッグ・ショーが楽しめる店として、旅行客を魅了し続けているのがこの店。目玉であるレビューには10人の女性（もともとは男だった人たち）が、ケバケバしい衣装で登場する。ブラック・ユーモアを交えてのショー。$14.50。

★　★　★　ショッピング　★　★　★
Shopping

ダウンタウン中心部

日本人スタッフがいる
Macy's
🏠Stockton & O'Farrell Sts.　☎(415) 397-3333、HOMEwww.macys.com
月〜土10:00〜20:00、日11:00〜19:00　休サンクスギビング、クリスマス
AJMV　地P.164　C-4

　本店がニューヨークにある老舗のデパート。メンズ・ファッションではサンフランシスコでナンバーワンの品揃えを誇る。Stockton St.をはさんでレディス・ファッション中心の西館Macy's West、メンズ・ファッション中心の東館Macy's Eastに分かれている。ビジターセンターでは手荷物の一時預かり、店内案内に加え、コーヒー、紅茶、日本茶の無料サービスを行っている。日本人スタッフが親切に応対してくれるのがうれしい。また、西館地下1階のエスカレーターを降りて右手、ずっと奥には郵便局がある。　　　　　　　　　　　　　('98)

サックス・フィフス・アベニューの男性版
Saks Fifth Ave. for Mens
🏠220 Post St.　☎(415) 986-4300
地P.164　C-4

　5階建てのビルにはダナ・キャランなどをはじめとして、有名デザイナーのスーツからスポーツウエアまで、なんでもそろっている。最上階の5階にはBar & Restaurant Loungeのスペースがあるので、時間をかけてショッピングが楽しめる。　　('98)

最近なぜか若者に人気の
Rockport
🏠165 Post St.　☎(415) 951-4801
AMV　地P.165　D-4

　「ロックポート」といえば、履き心地のいい靴としてアメリカでは有名な靴。その第5号店がサンフランシスコにオープンした。ここでは足のサイズに合わせた敷革を注文することも可能で、靴以外にも足の疲れを癒す専用クリーム、靴下、ジャケット類も置いてある。また、フットマッサージを無料で受けられるスペースもあるので、旅の疲れを癒してみては？フットマッサージの営業時間は、木金土12:00〜17:00で、レジの付近にあるノートに名前を書いて、その場で予約をするシステム。15分のマッサージは実にそう快。　　　　　　　('98)

全米で最大規模！？
Chanel

🏠155 Maiden Lane ☎ (415) 981-1550
🕐月～金10：00～18：30、土10：00～
18：00、日10：00～17：00　🈹祝日
　　　　　　ＡＪＭＶ　🗺P.164　C-4

　全米にあるシャネル・ブティックのうち
最大の規模。化粧品からスカーフ、バッグ、
ドレスまで、幅広いアイテムが手に入る。
　1階には香水、化粧品、アクセサリー、
中2階はバッグや靴、2階にはプレタポル
テ・コーナーがある。3階のサロンではオ
ートクチュールの顧客のためのファッショ
ン・ショーが開かれることもある。　（'98）

地図と旅行本の専門店
Rand McNally & Travel Store

🏠595 Market St.　☎ (415) 777-3131
🕐月～金９：00～18：30、土10：00～
18：00、日12：00～17：00　🈹祝日
　　　　　　ＡＪＭＶ　🗺P.165　D-4

　旅行ガイドブックや地図といったら、や
はりランド・マクナリー。使用目的に応じ
た地図の種類の豊富さは驚くほど。アメリ
カ国内のガイドブックのコーナーは入って
右側で、カリフォルニアに関する本だけで
1ブロック以上の本棚を占めている。地図
はインテリア用にマウントもしてくれるの
で、ひと味違ったおみやげにもなる。
　場所は、Market St.と2nd St.の角。ミュ
ニ・メトロとバートのMontgomery St. 駅
の前だ。　（'98）

アウトドアもファッショナブルに
The North Face

🏠180 Post St.　☎ (415) 433-3223
🕐月～土10：00～19：00、日11：00～
18：00　🈹祝日　ＪＭＶ　🗺P.165　D-4

　バークレーに本社と工場がある。機能性
とファッション性の両方を兼ね備えたアウ
トドア・グッズの店。

　1階はウエア類やデイバッグなどの小
物、2階はテント、3階には登山靴などの
フットウエアから、耐寒性抜群の本格的ス
リーピングバッグまでそろっている。（'98）

なにかとお世話になってしまう
San Francisco Shopping Center

🏠865 Market St.　☎ (415) 495-5656
🕐月～土９：30～20：00、日11：00～
18：00　🈹祝日　ＡＭＶ　🗺P.164　C-5

　マーケット通りに面したショッピング
センター。1階から3階まではブティッ
ク、書店、ギフトショップ、地下にはフ
ァストフードやレストランもある。4階
から7階はノードストロームというデパ
ートになっている。
　ショッピングセンターとしての機能は
もちろんだが、ビル中央の地下1階から
7階までの吹き抜けを取り囲むようにぐ
るりと上下する、らせん状のエスカレー
ターはみごと。　（'98）

ビジネス街でショッピング
Embarcadero Center

🏠Sacramento St. bet. Justin Herman
Plaza & Sansome　☎ (415) 772-0500
🕐月～金10：00～19：00、土10：00～18：
00、日12：00～17：00　🗺P.165 E, F-2, 3

　ビジネス街として知られるエンバーカ
デロ・センターにも、125のショップ＆
レストランが入っている。いかにもビジ
ネスマン、ビジネスウーマン御用達とい
った品揃えの店が多く、ランチタイムに
は、昼食を終えた彼らがよく足を運んで
いる。Banana Republic、The GAP、Liz
Claibone、Ann Taylor、Petite
Sophisticate、Victoria's Secret、Nine
Westなど、日本で人気の店にもお目に
かかれる。　（'98）

サンフランシスコ盗難情報

　最近、フィッシャーマンズ・ワーフやユニオ
ン・スクエア周辺のホテルで、見知らぬ人に声
をかけられているスキに、犯人グループからバ
ッグを盗まれるといった被害があとをたたな
い。盗難やひったくりはグループでの犯行が圧
倒的だ。被害を防ぐには、見知らぬ人から話し
かけられても、周囲に犯人グループがいるかも
しれないという意識を忘れずに。そのほかにも
バッグにはパスポートや多額の現金を入れな
い。バッグは体から離さないようになどの注意
事項を常に頭のなかに入れておきたい。

SF音楽の発信地

Haight Ashbury Music Center

🏠1540 Haight St. ☎ (415) 863-7327

HOMEwww.haight-ashbury-music.com/

🕐月〜金11：00〜19：00、土10：00（日12：00）〜18：00　地図外

　かつてヒッピーが集まったエリアだけに、ユニークな店が多くあるヘイト・アシュベリー。そのなかの音楽発信地といえるのがこのお店。自分が何を求めるのかさえハッキリしていたら、各種楽器からレッスンのことまで、音楽に関することなら何でも相談にのってくれる。　　　　　　（'98）

ノース・ビーチ

ノース・ビーチのポストカード屋さん

Tilt

🏠507 Columbus Ave. ☎ (415) 788-1112

🕐毎日11：00〜23：00

　店内の壁、四方の上から下までポストカードがびっしり並べられている。お店の人に「全部で何種類？」と聞いても「わからないよ」と言われるほど。

　天使の絵がついたアンティークのもの、'60〜'70年代の復刻版のサイケなサンフランシスコの絵はがきなどは、出すのがもったいないくらいキュート。あれもこれもと手にしてみたくなる素敵なデザインのものばかり。ヘイト・アシュベリーにも支店がある〔🏠1427 Haight St. ☎(415)255-1199〕。

その他の地区

A/Eがサンフランシスコに登場！

Armani Exchange

🏠2090 Union St. ☎ (415) 749-0891

HOMEwww.ArmaniExchange.com

🕐月〜土10：00〜20：00、日11：00〜18：00

　ジーンズ、シャツ、ジャケット、ドレスなど、ジョルジオ・アルマーニのデザインした、比較的カジュアルなアウトフィットが並ぶ。新しい店だが、ここサンフランシスコでも人気は相当なもの。　　　　　（'98）

★　★　★　ホテル　★　★　★
Hotel

ダウンタウン中心部

カートライト・ホテルの落ち着いたロビー

チャーミングなホテルに憧れるなら

Cartwright Hotel　読者割引

🏠524 Sutter St., San Francisco, CA 94102

☎ (415) 421-2865、FAX (415) 983-6244、
日本語専用予約(24時間) ☎(650)827-9491、
(650) 589-8296、FAX (650) 827-9105

HOMEwww.nishikaigan.com

E-mailhenrytakano@earthlink.net

Ⓢ $121、ⒹⓉ $131、スイート $205

AJMV　地P.164　C-4

　1915年開業というだけあって、ロビーやライブラリーには、重厚な雰囲気が漂っている。都会のホテルにはめずらしく、スタッフの応対がとても親切で、リクエストには笑顔で応えてくれる。最近改装を終えたばかりの114室ある部屋の内装はアンティーク家具と花柄のベッドカバーを使ったチャーミングなもの。

　ユニオン・スクエアの1ブロック北、Sutter St.とPowell St.の角にある。料金は通常Ⓢ $139、ⒹⓉ $159、スイート $250だが、日本語でヘンリー高野氏に予約を入れれば、左記の読者割引となる。これはバラエティに富んだ朝食とクッキー、ワイン付きのアフタヌーンティーも込みの料金だ。高野氏はいろいろな相談にも乗ってくれる人物。常連客でいつも混んでいるので早めに予約を入れたい。手紙の場合は"Attn：Mr. H. Takano"と明記のこと。予約のときはクレジットカードが必要。（'99）

劇場街の一角にあるホテル
Shannon Court 読者割引

🏠550 Geary St., San Francisco, CA 94102
☎ (415) 775-5000、FAX (415) 928-6813
日本語予約は前記の"Cartwright Hotel"
の項参照。⑤$115、①①$125、ファミリー
ルーム$135 [A][J][M][V] 地P.164 B-4

　ユニオン・スクエアへは2と1/2ブロッ
ク。1929年築と歴史ある建物だが、数年
前に改装済みなので、客室の内装や設備
はしっかりしている。⑤$129、①①$139、
ファミリールーム$150のところ、カート
ライト・ホテルと同様に高野氏に予約を
すれば、上記の読者割引料金となる。朝
のコーヒー、アフタヌーンティー、夕方の
カクテル・サービス付き。　　　　　　　('99)

シャノンコートはお手ごろ料金　お手ごろ料金は質のわりに

個人客専用のクラシックなホテル
Chancellor Hotel

🏠433 Powell St., San Francisco, CA 94102
☎ (415) 362-2004、FAX (415) 362-1403
⑤① $150 [A][J][M][V] 地P.164 C-4

　ケーブルカーの走るPowell St.に面し、
ユニオン・スクエアのはす向かいの伝統あ
るチャンセラー・ホテル。137室ある客室
の機能的で落ちついた内装には、過度の装
飾を排して快適な滞在を、というホテルの
コンセプトがよく表れている。レストラン、
ラウンジ、ヘルスクラブもあり、ホテルの
マーク入りカサは自由に使用できる。('98)

ユニオン・スクエア近くのユース
Hostelling International San Francisco Downtown

🏠312 Mason St., San Francisco, CA 94102
☎ (415) 788-5604、FAX (415) 788-3023
ドミトリー$17〜19 [M][V] 地P.164 B-5

　Greay St.とO'Farrell St.との間にあり、
ユニオン・スクエアだけでなく、ソーマ、
チャイナタウンも徒歩圏内。フロントは

11：00〜12：00を除いてオープンしてい
るのもありがたい。ベッド数は260と、ユ
ースとしてはかなり多い。1ルームに2段
ベッド2〜3台の割合で入っている。シャ
ワー&トイレは2室に1つある。手紙での
予約は、宿泊の2日〜2週間前、電話なら
48時間前までの予約をすすめる。　　('99)

　　　　　　　　　　　　※

　部屋によってはトイレ、バス付きのとこ
ろもある。以前はホテルだったので一部屋
2〜3人くらいが平均らしい。キッチンはあ
るがほとんど使えない。部屋は快適だが、
場所がら夜中でも救急車やそのほかの音が
うるさく、デリケートな人は安眠できない
かも。ロケーションはとてもよく観光には
便利。空港までのシャトルバンも手配して
くれる。鍵のデポジット$5。

　　　　　　　　　(Y. O 埼玉県 '98秋)

読★者★投★稿

スタッフの親切さと便のよさは掘り出しもの
The Barclay Hotel

🏠235 O'Farrel St. (at Powell St.), San
Francisco, CA 94102
☎ (415) 397-7800、FAX (415) 421-7631
バス・トイレなし$39

　フロントの女性が親切。ユニオン・スク
エアからも近いので、ショッピングなどに
便利。昼は出かけて夜寝るだけならここで
十分。駐車場はないので、車で回っていて
長期で泊まる人は、駐車場代でかえって高
くつくかもしれない。

　　　　　　　(竹本彩子 大田区 '98春)

シンプルに手ごろに泊まる
The Dakota Hotel

🏠606 Post St.,San Francisco, CA 94109
☎ (415) 931-7475、FAX (415) 931-7486
$60〜299

　ユニオン・スクエアにも歩いてすぐ。もち
ろんビジネス・エリアへのアクセスも簡単だ。
　ヨーロッパの雰囲気の落ち着いた建物
で、短期のアパートメントとしても貸し出
しているので、じっくり腰を据えたビジネ
スマンも利用している。　　　　　　('98)

ユニオン・スクエアに近いユース

安全な場所にあり感じのいいホテル
The Amsterdam Hotel

🏠749 Taylor St., San Francisco, CA 94108
☎(415)673-3277、📞(1-800)637-3444、
FAX(415)673-0453
Ⓢ Ⓓ $79〜109　AMV　地P.164　B-3
　Sutter St.とBush St.の間、Taylor St.の西側にあり、ユニオン・スクエアから歩いて10分くらい。ヨーロッパ風の小さなホテル。建物は新しくはないが、清潔で部屋も広々としている。　　　　　　　　('98)

朝食とアフタヌーンティーが付いている
Hotel Savoy

🏠580 Geary St., San Francisco, CA 94102
☎、FAX(415)441-7172、📞(1-800)227-4223
Ⓢ $99〜109、Ⓓ Ⓣ $109〜119　AJMV
地P.164　B-4
　ユニオン・スクエアを3ブロック東へ行ったGeary St.とJones St.のコーナー。スタッフは、親切に市内観光やショッピングの相談にのってくれる。館内はヨーロッパの家具でビクトリア調にまとめられている。料金は朝食(生ジュース、果物、ウインナ・コーヒー、紅茶、パン)と午後の紅茶、シェリー酒が含まれている。　　　　　　('98)

安全なホテルなら
The King George Hotel

🏠334 Mason St.(at Geary St.), San Francisco,
CA 94102-1783　☎(415)781-5050、
📞(1-800)288-6005、FAX(415)391-6976
Ⓢ $145〜155、Ⓓ $160〜235　ADJMV
地P.164　B-4
　部屋はとてもきれいで、ケーブルカーの通っているPowell St.から1ブロック入ったところにある。斜め向かいにヒルトン・ホテルがあるのですぐわかると思う。朝食とアフタヌーンティー付き。　　　　('98)

🔲読★者★投★稿🔲
いろいろな人が泊まっている
New Central Hotel & Hostel

🏠1412 Market St., San Francisco, CA 94102
☎(415)703-9988、FAX(415)703-9986
ドミトリー $15、ウイークリー $95
　オーナーは愛想がなく、ビルディングも、床なども少し傾いていたりして大丈夫かなと心配するようなところだったが、なぜずっと泊まったかというと、ここにはもとヒッピーや大学生など、皆親切で味のある人ばかりが泊まっていたから。やはりバックパッカーが多く、1週間以上滞在していた。Van Ness Ave.とMarket St.の交差点近く。　　　　(小川光枝　江東区　'98秋)

シャノンコートのアメニティ

ちょっぴり欧風のイタリア系格安ホテル
Hotel Verona

🏠317 Leavenworth St., San Francisco, CA
94102　☎(415)771-4242、📞(1-800)
422-3646、FAX(415)771-3355
トイレ・シャワー付きⓈ Ⓓ $57、Ⓣ $69、
バス・トイレ共同ならⓈ Ⓓ $42、Ⓣ $56
(Tax込み)　AJMV　　　　地地図外
　ヨーロッパ風のこぢんまりとしたホテルで、エレベーターは手動ドア。イタリア出身のオーナーがとてもフレンドリー。清潔度はまあまあといったところだが、なんといっても安いのが魅力。朝はドーナツのサービスがあり、コーヒーと紅茶はいつでも飲める。必ず部屋を見せてもらって、納得してから決めよう。Eddy St.との角にあるが、夜はひとりで出歩かないこと。('99)

Hotel Veronaの姉妹ホテル
AIDA Hotel

🏠1087 Market St., San Francisco, CA 94103
☎(415)863-4141、📞(1-800)863-2432、
FAX(415)863-5151
バス・トイレ共同Ⓢ Ⓓ $33、Ⓣ $43、バス付きⓈ Ⓓ $49、Ⓣ $59
AJMV　　　　地地図外
　Market St.沿い、6th St.と7th St.の間で、観光案内所の2ブロック先。スタッフは皆親切で、部屋も清潔に保たれている。コーヒー、紅茶が、いつでも飲めて、朝はドーナツのサービス付き。　　　　　　('99)

ロケーション抜群のホテル
Sheehan Hotel

🏠620 Sutter St., San Francisco, CA 94102
☎(415)775-6500、📞(1-800)848-1529、
FAX(415)775-3271、E-mailsheehot@aol.com
バス・トイレ共同Ⓢ＄45〜、バス・トイレ
付きは⒮＄69〜89、ⒹⓉ＄79〜149
　　　　　　　ＡＤＪＭＶ　地P.164　B-3
　Sutter St.とMason St.のほぼコーナーに
あり、Powell St.へ１ブロック、ユニオン・
スクエアやチャイナタウンへも近く、観光
にはとても便利！　もともとはYMCAのホ
テルだった建物をきれいに改築してホテル
として経営されている。オリンピックサイ
ズのスイミング・プール、フィットネス・
センターがあり自由に利用できる。コンチ
ネンタルの朝食付き。　　　　　　　（'98）

Sheehan Hotelの姉妹ホテル
Fitzgerald Hotel

🏠620 Post St., San Francisco, CA 94109
☎(415)775-8100、📞(1-800)334-6835、
FAX(415)775-1278
Ⓢ＄79〜99、Ⓓ＄95〜129、Ⓣ＄105〜135
　　　　　　　ＡＤＪＭＶ　地P.164　B-4
　室内は新しく、とてもきれい。ユニオン・
スクエアからすぐと、抜群のロケーションだ。
　ビールやワイン・サービスのあるパブが
１階にあり、またSheehan Hotelのプール
が無料で利用できるという特典も。
　ここで出される朝食のパン類やデニッシ
ュは、ホテル専用のベーカリーから焼きた
てが直送される。これが絶品の美味しさ。
料金は朝食込み。　　　　　　　　　（'98）

チャイナタウン・ゲートの横にある
Hotel Astoria

🏠510 Bush St., San Francisco, CA 94108
☎(415)434-8889、📞(1-800)666-6696
Ⓢ＄63〜　　　　　　　　　地P.164　C-3
　空港の案内ボードで見つけたホテル。場
所もよく、ユニオン・スクエアまで歩いて
５分もかからない。ロビーや入口はとても
きれい。部屋も清潔で、かわいらしい。シ
ャワールームは、まだリフォームしたばか
りで新しかった。ホテルの２階には中国人
用かと思われる免税店もあり、スタッフの
人たちもとても明るく、気持ちよく泊まれ
た。　　　　　　（斉藤越子　徳島県）（'99）

SF随一の観光スポットの真ん中
Ramada Plaza Hotel

🏠590 Bay St., San Francisco, CA 94133
☎(415)885-4700、📞(1-800)228-8408、
FAX(415)771-8945
Ⓢ＄105〜225、ⒹⓉ＄115〜240
　　　　　　　ＡＤＪＭＶ　地P.168　C-2
　フィッシャーマンズ・ワーフのウォーター
フロントもすぐ目の前という、サンフランシ
スコらしい景色が満喫できるロケーション。
　Bay St.とLeavenworth St.のほぼコー
ナーにあり、周りには、新鮮なシーフード
を食べさせてくれるお店が多い。　（'98）

フィッシャーマンズ・ワーフまで歩いて5分
San Remo Hotel

🏠2237 Mason St., San Francisco, CA 94133
☎(415)776-8688
　ヨーロッパ調のキュートなホテルで、と
ても気持ちが良かった。トイレ・バスは共
同だが数も多く、とてもきれい。バスタブ
の部屋が一つだけあり、窓からの景色がき
れいだった。私は夕陽を見ながらシャワー
を浴びた。Ⓓ＄50。T/Cは使えなかった。
　　　　　（斉藤越子　徳島県）（'97秋）

午後には飲みもののサービスのある
ホテルもある

ワーフもユニオン・ストリートも楽しめる
Pacific Heights Inn

🏠1555 Union St., San Francisco, CA 94123
☎(415)776-3310、📞(1-800)523-1801、
FAX(415)776-8176
Ⓢ＄65〜85、Ⓓ＄65〜100、Ⓣ＄79〜115
　　　　　　　　　　　　　ＡＤＭＶ
　US-101とUnion St.の交差点近くに位置
する。内装は茶系統でまとめられ、こぎれ
いだ。ふたりで泊まれば悪くない料金だ。
キッチン付きの部屋もあり、ウイークリー・
レートも利用できる。駐車代は無料。（'98）

環境も設備も最高のYH
Hostelling International-San Francisco-Fisherman's Wharf

🏠Fort Mason, Building 240, San Francisco, CA 94123 ☎(415)771-7277
ドミトリー$17～19 Ⓜ Ⓥ 🗺地図外

マリーナに面したフォート・メイソンという高台の森に囲まれたユースホステル。トランスベイ・ターミナルからは＃42のバスでVan Ness Ave.とBay St.の角で下車。ユニオン・スクエアからは、Stockton St.とSutter St.の角から＃30に乗り、Van Ness Ave.とBay St.の角で下車する。

いずれの場合も下車後、西へ歩き、Bay St.とFranklin St.の角からフォート・メイソンへ入って行くとわかる。保護者同伴の子供は半額。全150ベッドでキッチン、ランドリー、ジムなど諸設備完備。手紙による予約は宿泊の2週間前まで、電話なら48時間前までに手続きをすること。（'99）

その他の地域

静かな住宅街の日本人オーナーの民宿
Mr. Hiroshi Kawanami

🏠5328 Anza St., San Francisco, CA 94121 ☎(415)668-2312 🗺地図外
Ⓢ$25～、Ⓣ$40～ 長期割引あり

風光明媚な海岸線そばにある民宿。在住30年以上という、ひとり暮らしの日本人オーナーが経営しており、キッチン、ランドリー、バスはいつでも使える。

ダウンタウンから＃38のバスで海へ向かいGeary St. & 42nd Ave.で下車。44th Ave.まで歩いて坂を下ればAnza St.だ。これを右折して45th Ave.との間にある。クリフ・ハウスまで徒歩約5分。日本語OKなので手紙か電話で予約を入れよう。3室。

（小林弘明）（'99）

若い日本人でいつもにぎやかな宿
すずめのおやど

🏠8122 Geary Blvd., San Francisco, CA 94121 ☎(415)752-3330、ℱ𝒜𝒳(415)752-3114
ℋ𝒪𝑀ℰhome.att.net/~suzume/ 🗺地図外
バス・トイレ部共同 Ⓢ$55、Ⓣ$90

ロバートさんと日本人の奥様の経営。予約や宿内は日本語でOK。キッチンにパン、シリアル、コーヒー、日本茶、各種飲みものなどが用意されていて、洗濯機（$3）や冷蔵庫も自由に使える。平日なら夕食付きだ。なお、混雑時は相部屋になることもある。2泊以上で9：00～19：30なら空港や市内各所に送迎もしてくれるし、宿前を走る＃38バスはダウンタウンへ乗り換えなしで行ける。宿は貧乏旅行をする人向けだから、いわゆるホテルのサービスを期待しないように。詳しい情報や予約は事前にインターネットや電話、Fax、手紙で。支払いは現金、トラベラーズチェックのみ。1週間以上の長期滞在には割引あり。

（'99）

レストラン
Restaurant

ダウンタウン中心部

サンフランシスコNo.1の朝食賞受賞の店
Sears Fine Food

🏠439 Powell St. ☎(415)986-1160
🕐水～日6：30～15：30 🈑月火
クレジットカード不可

SF滞在中に一度は行ってみたい有名な店。いつも長い行列ができているので、並ぶのがイヤな人は朝いちばんに行くこと。

メニューの中で、とくに人気のあるのがSwedish Pancake。そのボリュームにびっくりするけど、軽いおいしさに、いつのまにかペロリとたいらげてしまう。山盛りの苺がうれしいStrawberry Waffle、Egg Benedictもおすすめ。料金は$7前後。場所はPowell St.を上り、ユニオン・スクエアを過ぎてすぐ左側。（'98）

シアーズのパンケーキ

地元の人も大推薦のステーキレストラン
Tad's Steak Restaurant

🏠120 Powell St. ☎ (415) 982-1718
🕐毎日7：00〜23：15　🗺P.164　C-4

　Powell St.のBooks Inc.の隣にあるステーキレストラン。大きな看板で、夜はハデなネオンなのですぐわかる。カフェテリア方式で、注文をとったその場で肉を焼いてくれ、出来上がりを待つ間に支払いを済ませる。いつも入口に人が並んでいるが、席は多いので料理を受け取ればすぐ食べられ、そんなに時間はかからない。メニューはTad'sステーキ＄6.19、ハンバーグステーキ＄5.19。焼いたアイダホポテト、ガーリックトースト、グリーンサラダが付いている。その他にもダイエット・ハンバーグやハムステーキ、ローストチキンもある。肉は炭火焼きのように網の上で焼いているのでおいしいし、またボリュームもある。何より、気取らないお店。　　　　　　　　（'98）

サンフランシスカンに根強い人気の日本食
Sanraku

🏠704 Sutter St. ☎ (415) 771-0803
🕐毎日11：00〜22：00　MV　🗺P.164 B-3

　店内に入って驚くのは、日本人の数よりアメリカ人が圧倒的に多いこと。その理由は、ディナーセットのメニューにありそう。そのセットにはみそ汁から寿司、刺身、天ぷら、チキン、そしてデザートまで付いていて、＄14.95！　もちろん、味も満足のいくものだ。そして、特筆すべきは店員の応対の良さ。また、店の名物だがメニューには載っていないキャタピラロール（別名モスラーロール？）は、知る人ぞ知る料理だ。去年好評だったタイガーロールに続いて'99年はうさぎロールのスペシャルがある。夕食時には予約をすすめる。なお、ヤーバブエナ・ガーデンのソニー館に2号店がオープンした。

ダウンタウン北部

イタリアン・スタイルのシーフード料理
Alioto's

🏠#8 Fisherman's Wharf ☎ (415) 673-0183
🕐毎日11：00〜23：00（ランチ11：00〜16：00）　🚫クリスマス　AJMV
　　　　　　　　　　　🗺P.168　C-1

　SFでシーフード料理といえば、スコマズ派と、このアリオトス派と言われるほど

人気の高いレストランだ。
　店内の大きな窓からはサンフランシスコ湾とゴールデンゲート・ブリッジが眺められ、夜にはテーブルにキャンドルが灯される。雰囲気は言うことなし。ゆっくりと食事をとりたいのなら3階がおすすめ。2階では食事以外にも、おいしいケーキといれたてのコーヒーを楽しむこともできる。
　メニューはシシリアン料理が中心。ワインの数も充実していて、その数なんと約300種。ディナーは予算＄30くらい。（'98）

SF名物のサワドウ・ブレッドをどうぞ
Boudin Sourdough Bakery & Cafe

🏠2980 Taylor St. ☎ (415) 776-1849
🕐日〜木7：00〜21：00、金土〜22：00
　　　　　　　　　　　　　　　MV

　サンフランシスコ名物のひとつサワドウ・ブレッド。1849年にこの店で焼き上げられたのが始まりだとか。
　ちょっと酸味があり、はじめての人にはクセが感じられるかもしれないが、焼きたてにバターをたっぷりつけて食べるのが最高。その他、ボウル型のサワドウ・ブレッドをくりぬいた、パン製の器の中にクラムチャウダーをたっぷり入れたもの、パンの生地で作ったピザも結構いける。また、日持ちもいいのでおみやげとしても人気がある。
支店：☎619 Market St.、4 Embarcadero Center、Ghirardelli Square、132 Hawthorne St.、Pier 39、Macy'sの地下

人気の飲茶がおすすめ
羊城茶定　Yank Sing

🏠427 Battery St.
☎ (415) 781-1111、362-1640（予約）
🕐月〜金11：00〜15：00、土日祝日10：00〜16：00　AJMV　🗺P.165 E-2

　地元の中国人、アメリカ人に人気がある店なので週末は混雑するが、行列に並ぶだけの価値は十分。点心専門で30年以上も経営しているためサービスも手際よい。メニューの数は60品以上。さっぱりとした味つけが多いのもありがたい。ワゴンサービスではなく、オーダーごとにサーバーされる。焼きそばなど別途メニューの注文もOK。中国茶は自分の好きなものを選べる。
　場所はファイナンシャル・ディストリクトの中心、Battery St.とClay St.の角の近く。大きなガラス張りのモダンな建物。（'98）

飲茶と北京ダックが名物
Harbor Village

🏠 4 Embarcadero Center, Lobby Level
☎ (415) 781-8833
🕐 ランチ月～金11：00～14：30、土10：30
～、日祝日10：00～、ディナー毎日17：30
～21：30　無休　A J M V　🗺 P.165 F-3

　エンバーカデロ・センター内にある人気の広東料理の店。伝統的広東料理の海鮮が主流ではあるが、中華ではあまり使わない食材を使ったりして、新しい味の追求も続けている。

　また、北京ダックはサンフランシスコNo.1と評価を得ている。パリッとした皮に適度の脂分がのっていて最高だ。ほか、ディナーは一品＄12～16が中心。昼の飲茶も人気がある。点心は品数も多く、味もいい。一品＄2.40～7。　　　　　　　　（'98）

エレガントなシーフード・レストラン
Aqua

🏠 252 California St.　☎ (415) 956-9662
🕐 ランチ月～金11：30～14：30、ディナー月～木17：30～22：30、金土17：30～
23：00　休日　　　　　🗺 P.165 E-3

　エントランスのドアには魚のしっぽの形をした取っ手、店内に入ると大きな花瓶に活けられた色とりどりの花が目につく。巨大な鏡、カリフォルニアの風景を描いた絵画…。すべてがエレガントで豪華だ。「食材は世界中から最高のものを取り寄せている」というだけあって、料理も見た目にも豪華。シェフのおすすめをいくつか挙げると、Hawaiian Swordfish "Au Proivre"、Porcini Crusted Atlantic Cod Steak、Salmon Loin Steamed in Swiss Chardなどメインディッシュが＄25～30。デザート＄8～。　（'98）

本場イタリアの味がするピザをどうぞ
Spaghetteria

🏠 42 Columbus Ave.　☎ (415) 397-2782

　Jackson St.の角にあるパスタとピザの店。種類が豊富で、どれをとっても本場の味。ピザならマルゲリータがおすすめだ。値段は＄4から、高くても＄8以内。営業時間は日によって違うが、大体12～19時ごろオープン。（橋場泰樹　埼玉県　'98冬）

地元の人の行きつけのレストラン
喜福家 Chef Jia's

🏠 925 Kearny St.　☎ (415) 398-1626
🕐 月～木11：00～22：00、金～日11：00
～22：30　　　　　　　🗺 P.165 D-2

　この店は電話で注文し、あらかじめテイクアウト用につくってくれるので、そのオーダーだけでも忙しそう。おすすめはビーフ・ウィズ・ピーナッツとモンゴリアン・チキン。辛さもマイルドからホットまで、注文に応じて加減してくれる。ふたりでおなかいっぱい食べても＄15前後。中でも食べられる。　　　　　　　　　　　　（'98）

おいしさと安さが大人気のレストラン
House of Nanking

🏠 919 Kearny St.　☎ (415) 421-1429
🕐 月～金11：00～22：00、土日11：00～
16：00　カード利用不可　🗺 P.165 D-2

　店の前はいつも長蛇の列だが、頑張って行ってみよう。料理はどれをとっても絶品で、何かひとつをすすめるのも難しいほど。場所はHoliday Innの斜め向かい側。いつも行列ができているのですぐわかる。30分は待たされるのを覚悟で行くこと。　（'98）

メニューには日本語あり
China Sea Restaurant

🏠 242 O'Farrell St. at Powell
☎ (415) 395-9633　　　🗺 P.164 C-4

　入口は一見小さいが、中に入ると広々としている。料理にはエビが豊富に使われていた。味も最高、ボリュームもたっぷりで動けないほど食べて2人で約＄35。
　　　　　　（辻貴美子　横浜市）（'98）

ピザが最高！
Tommaso's

🏠 1042 Kearny St.　☎ (415) 398-9696
🕐 火～土17：00～22：30、日16：00～
21：30　休月　J M V　🗺 P.165 D-1

　サンフランシスコでも最高のピザを出す店として名高い。映画監督のフランシス・コッポラも、この店の大ファンだという。

　生地は小麦粉、オリーブオイル、塩、イーストを混ぜた、極めてオーソドックスかつシンプルなもの。それでいて味が違うのは、ひとつには、それぞれの素材が新鮮であること。もうひとつは、ピザを焼くオー

ブンだ。自慢の煉瓦造りで、火力はオーク（樫）の薪。強い火力の遠火で焼くので、生地の表面はさっくりしていて、中はしっとりふっくらだ。なんの細工もない本物の味。ピザは12インチ＄13、15インチ＄16前後、ラザニア＄9.50もおすすめ。（'98）

パリのレストランみたい
La Bergerie

🏠4221 Geray Blvd. ☎（415）387-3573 ⏰毎日17：00～22：00 💳MV 🗺地図外

　サンフランシスコに5年間住んでいた僕がおすすめするフレンチ・レストラン。セットメニューは＄11からあって、サラダ、スープ、メイン、プラスコーヒー＆アイスクリームのフルサービス。肉料理、とくに子牛（ビール）はいける。ラビットもなかなかおすすめ。

　（Jun Ishida　ニュージャージー在住　'98）

エスニックが効いたカリフォルニア料理
Fog City Diner

🏠1300 Battery St., ☎（415）982-2000 ⏰日～木11：30～23：30、金土11：30～24：00　💳MV 🗺地図外

　韓国風の焼肉カルビを思わせるGrilled Skirt Steakをはじめ、アジアや中南米などのエスニックの良さを取り入れたメニューが並ぶ。（'98）

アメリカン・ブレックファストならここ！
Doidge's Kitchen

🏠2217 Union St. ☎（415）921-2149 ⏰月～金8：00～13：45、土日8：00～14：45 🏠サンクスギビング、クリスマス 💳MV 🗺地図外

　静まり返った早朝のユニオン・ストリートで、1軒だけ活気づいている店がこのドイジェス・カフェだ。ここで出されるメニューは普通のアメリカン・ブレックファスト（＄5～10）だが、なにをとってもおいしい。いちばん人気はエッグ・ベネディクト。ポーチドエッグの一種で、特別ソース付き。次に人気があるのがベーコンやソーセージ、またはフレッシュなベリーをあしらったパンケーキ。オムレツの種類も20以上。見た目にも美しく、ボリュームもたっぷり。新鮮な素材を生かしているのがなんともうれしい。値段は安くないが、食べてみればその価値を十二分に納得することができる。常連客や噂を聞いた人たちでいつも混雑している。

朝食で人気のドイジェス

ユースフル・インフォメーション ★ Useful Information

日本語で航空券、列車のチケット、ホテルの予約ならココ
●Trans Pacific Travel, Inc.

　現地で急に航空券が必要になり、なるべく安いチケットを手に入れたい人、列車、レンタカー、市内観光、ホテルの予約を日本語でしたい人、そのほか、旅に関するチケットやプログラムを探している人は、親切な日本人経営の旅行社へ連絡してみてほしい。サービスの内容は、①米国内・カナダ・メキシコへの航空券の予約・発券（日時と行き先を決めて行くこと）、②アムトラック、VIAレイルの予約・発券、③レンタカーの予約（希望の予算と車種に合わせて探してくれる）、④全米・カナダ各都市のグレイライン・ツアー、⑤グランドキャニオン・ヘリコプター、⑥カリフォルニア州の1泊2日、2泊3日などのパッケージ・ツアー、⑦全米・カナダ各都市のホテルの予約（ただし、契約のある中級以上のホテルに限る）、⑧日本への格安航空券など、⑨ヨーロッパほか世界各地への航空券など。

トランス・パシフィック・トラベル

🏠126 Post St., #618（6階）
☎（415）398-2383～4
📠（415）788-4654
🏠info@transpactravel.com
⏰10：00～17：00
🏠土日
🏠手数料＄10
🗺P.165　D-4

　旅行シーズンは混み合うので、希望のチケットやツアーをあらかじめメモにしてカウンターへ行くこと。日本人旅行者のために、予算に合ったプランを積極的に探してくれる。

Seattle
Denver
Chicago
New York
Atlanta
Los Angeles
New Orleans
Miami

サンフランシスコ近郊の町

サンフランシスコを中心とする、サンフランシスコ湾周辺の地域は〝ベイエリア Bay Area″と呼ばれている。そのベイエリアと近郊には、それぞれ特徴をもった魅力的な町が多い。芸術家の町として知られるサウサリートをはじめ、東対岸にあるバークレーは学生の町、北にはカリフォルニア・ワインのふるさと、ナパ・バレーを中心とするワイン・カントリーがある。モントレー、カーメルを除けばほとんどの地域がサンフランシスコから1時間以内のところにあり、ツアーバスはもちろんのこと路線バスやBARTなどの公共交通機関を使って行くところが多い。ぜひ足を運んでみよう。

Attractions ★ おもな見どころ

サウサリート ★ Sausalito

ゴールデンゲート・ブリッジを渡って、サンフランシスコ湾の北側がサウサリートの町だ。ブリッジから続く海岸線を走るBridgeway Blvd.の1kmほどの沿道に、しゃれたギャラリーやレストラン、ブティックなどが並び、芸術家の町にふさわしい雰囲気が感じられる。また、このあたりは高級住宅地としても知られ、マリーナには豪華なヨットやクルーザーが停泊している。サンフランシスコが霧に包まれていてもここは晴れていることが多い。霧の町を抜け出して1日のんびりするにはもってこいの町だ。サンフランシスコから自転車を借りてゴールデンゲート・ブリッジを越えて行くのがおすすめ。帰りはフェリーに自転車を乗せて帰ってくるとよい。

サウサリート
●バス
🚌トランスベイ・トランジット・ターミナルからゴールデン・トランジットバス#10、20に乗って、ゴールデンゲート・ブリッジを越えて行く。約35分
🎫$2
●フェリー
🚌Market St.の東端、Ferry BuildingからGolden Gate Ferry（🎫大人 片道$4.25）と、フィッシャーマンズ・ワーフのピア41からBlue & Gold Fleet（🎫大人 片道$5.50）の2つのフェリーがある。湾内クルーズをしながら行けるフェリーのほうが人気
🗺P.187 A-1

サンフランシスコの北の対岸がサウサリートだ

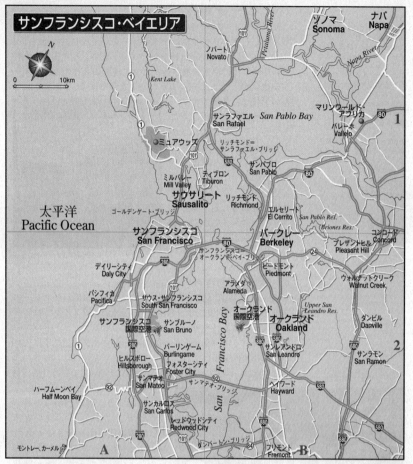

サンフランシスコ・ベイエリア

太平洋
Pacific Ocean

ソノマ Sonoma
ナパ Napa
ノバート Novato
サンラファエル San Rafael
ミュアウッズ
San Pablo Bay
マリンワールド・アフリカ
バレーホ Vallejo
サンパブロ San Pablo
リッチモンド＝サンラファエル・ブリッジ
ミルバレー Mill Valley
ティブロン Tiburon
サウサリート Sausalito
リッチモンド Richmond
エルセリート El Cerrito
San Pablo Res.
Briones Res.
コンコード Concord
ゴールデンゲート・ブリッジ
サンフランシスコ San Francisco
バークレー Berkeley
プレザントヒル Pleasant Hill
サンフランシスコ＝オークランド・ベイ・ブリッジ
デイリーシティ Daly City
ピードモント Piedmont
ウォルナットクリーク Walnut Creek
パシフィカ Pacifica
サウス・サンフランシスコ South San Francisco
アラメダ Alameda
Upper San Leandro Res.
サンフランシスコ国際空港
サンブルーノ San Bruno
オークランド国際空港
オークランド Oakland
ダンビル Danville
バーリンゲーム Burlingame
ヒルズボロー Hillsborough
フォスターシティ Foster City
サンレアンドロ San Leandro
サンラモン San Ramon
ハーフムーンベイ Half Moon Bay
サンマテオ San Mateo
サンマテオ・ブリッジ
ヘイワード Hayward
サンカルロス San Carlos
レッドウッドシティ Redwood City
ダンバートン・ブリッジ
モントレー、カーメルへ
フリモント Fremont

San Francisco Bay

サウサリートには、かわいらしい家並みが続いている

バークレー ★ Berkeley

サンフランシスコからベイ・ブリッジを渡ってバートで約30分。バークレーはカリフォルニア大学バークレー校University of California at Berkeley（UCバークレー）を中心とする学生の町だ。1960年代に全米を巻き込んだ学生運動の発祥の地のイメージが強いが、ここはアメリカの公立大学では1、2を争うレベルの学校で、数多くのノーベル賞受賞者が輩出したことでも、その学力の高さがよくわかる。

キャンパスは一般的なアメリカの大学のそれに比べて狭いので、キャンパスを見学し終わったらテレグラフ・アベニューや4th St.を散策してみよう。

バークレーのテレグラフ・アベニュー

バート
圏ダウンタウンからRichmond行きに乗って約30分でBerkeley駅に到着。駅からUniversity Ave.沿いに歩いてキャンパスへ約10分。Telegraph Ave.までは約20分。日曜日やRichmond行きがなかなか来ないときは、MacArthur駅まで出てRichmond行きを待つ
圏 $2.65

●ACトランジットバス♯F
圏トランスベイ・トランジット・ターミナルCターミナル出発。ベイブリッジは二重構造で、イーストベイに行くときは下、サンフランシスコに戻るときは上を通る
圏大人片道 $2.20。行きにバートを使ったら、帰りは眺めの良いバスを利用しよう
圏P.187 B-1,2

バークレーの歩き方

Bancroft Way & Telegraph Ave.にある、UCバークレーの**スチューデント・ユニオン Student Union** 1階メイン・ロビーに案内所がある。キャンパス・マップやセルフ・ガイドツアーのパンフレット、シャトルバスのルートマップなどを手に入れて、早速校内を歩いてみよう。

まずはUCバークレーのランドマークにもなっている時計塔、**セイザー・タワー Sather Tower**に行ってみよう。展望台からのパノラマはすばらしい。ユニオン近くの**UC美術館University Art Museum**もキャンパス内の見どころのひとつ。7つの展示ギャラリーがあり、大学付属とは思えないほどの質を誇る。場所はユニオンを出て、Bancroft Wayを左折、数分歩いた右側。おみやげを買うならユニオンの地下にあるThe Bear Student Storesに行こう。UCバークレーのロゴ入りのトレーナーやTシャツ、文房具などがたくさんある。

ユニオンから南に延びる**テレグラフ・アベニュー Telegraph Ave.**沿いには本屋やレストラン、クラブなどが並び、いつも学生でにぎわっている。Durant Ave.やBancroft Wayにも学生相手の気さくなバーなどが並んでいる。また、最近は**4番通り 4th St.**が新しいスポットとして人気を集めている。自分だけの店を開拓してみるのもおもしろい。

インテリジェンスな学生たち

セイザー・タワー
圏50¢

UC美術館
圏水〜日11：00〜17：00（木〜21：00）
圏大人 $6、12〜17歳・シニア $4 で木曜の11〜12時、15〜21時の間は無料

ワイン・カントリー（ナパ＆ソノマ）
★ Wine Country（Napa & Sonoma）

　アメリカで生産されるワインの大部分を占める、カリフォルニア・ワインの中心地ナパ・バレー。サンフランシスコから北へ車で約1時間のこののどかな丘陵地帯は、実はベイエリアでも1、2位を争う観光スポット。ワイン・カントリーには大小あわせて400近いワイナリーが点在している。そのうちナパ・バレーの真ん中を走るCA-29がワイン・カントリーのメインストリートだ。沿道にはそれぞれに特徴を持ったワイナリーが続き、レストランやギフトショップなども個性的な店が多い。

　なお、このエリアへはサンフランシスコから公共の交通機関は走っていない。レンタカーを借りる予定のない人はグレイラインなどの観光バスを利用するといいだろう。ワイナリーでの試飲は有料のことが多い。

ワイン・カントリー
🚌 サンフランシスコからはグレイラインなどの観光バスがソノマやナパを訪れる
　ナパ・バレーの田園風景を楽しみながらランチを楽しむ"ワイン・トレイン"もおすすめ ☎(707)253-2111、📞(1-800)427-4124、＄57～100）
　レンタカーを利用する場合は、ベイ・ブリッジを渡ってI-80を東に向かい、バレーホからCA-29に入るか、ゴールデンゲート・ブリッジを渡って、US-101からCA-37に進み、ナパやソノマを目指す方法がある。
🗺 P.187　B-1

読★者★投★稿

ナパ・バレーのワイナリー

　歴史あるワイナリーを利用して、それぞれ特徴のある名所に生まれ変わったふたつの施設を紹介します。毎日、訪れる人は後を絶ちません！ ぜひ、足を運んでみてください。

Culinary Institute of America at Greystone

　以前は『Christian Brothers』というワイナリーでしたが、建物を利用して『Culinary Institute of America at Greystone』という料理学校に転身しました。そこは、伝統と格式のあるプロのためのステップ・アップ・スクールで、世界中のシェフが新しいアイデアと刺激を求めてやってきます。さらにここには、『Greystone』というレストランが併設されており、いつも超満員で、予約なしでは待たされるのは当然覚悟！ というほどの人気スポットです。

🏠 2555 Main St., St. Helena, CA 94574
☎ (707) 967-0600（学校）、(707) 967-

1010（レストラン）
レストランの営業時間は火を除く毎日11：30～15：00、17：30～21：00

Niebaum-Coppola Estate Winery

　あのフランシス・コッポラに買い取られ『Niebaum-Coppola』と名称をかえて現在もワイナリーを続けています。コッポラのワイナリーらしく、『タッカー』などの代表作や映画に関する資料が展示され、美しいだけでなく、他のワイナリーとは一味ちがったものになっています。もちろん、ワイン自体も素晴らしいものをつくりだしていて、とくに『Zinfandel』の質の高さはかなりのランクで評価されています。

🏠 1991 St. Helena Hwy., Rutherford
☎ (707) 963-9099
🕙 毎日10：00～17：00。試飲は＄7.50
（小笠原由貴）('98)

ワインの試飲もできる　　　　ワインはアメリカでも流行

●オーパス・ワン　Opus One

オーパス・ワン
⌂ 7900 St. Helena Hwy., Oakville
☎ (707) 944-9442
🕐 毎日10：30～15：30オープン。ツアーは1日2回（10：30と13：30）で要予約
💲 $12

CA-29を走っていると、ぶどう畑の中に突如として近代的な建物が堂々と現れる。これがそのワインの質の高さで別格扱いされる"Opus One"だ。初めてここのワインが世に出たのは1979年と比較的歴史は浅いが、このワイナリーを創ったのが、ボルドーのシャトー・ムートンを所有するロスチャイルド家と、ナパ・バレーの代名詞的存在ともいえる、ロバート・モンダビ・ワイナリーのロバート・モンダビ氏と言えばその理由がわかるだろう。

●ベリンジャー・ビンヤード　Beringer Vineyards

ベリンジャー・ビンヤード
⌂ 2000 Main St., St. Helena
☎ (707) 963-7115
🕐 毎日9：30～17：00
💲 無料。ツアーは時間が決まっているので要確認

1876年からワインを造り続けている老舗のワイナリー。ステンドグラスが美しい、1883年築の豪華な屋敷でのワイン・テイスティングが、ここのワイナリー・ツアーのハイライトだ。

●スターリング・ビンヤード　Sterling Vineyards

スターリング・ビンヤード
⌂ 1111 Dunaweal Lane, Calistoga
☎ (707) 942-5151
🕐 毎日10：30～16：30
💲 試飲・トラムの料金は大人$6。16歳以下は無料

ナパ・バレーを見下ろす丘の上に建つワイナリー。駐車場から丘の上までトラムに乗ってワイナリーにたどり着く。セルフガイド・ツアーでワイナリーを見学した後、美しい景色を眺めながらのワイン・テイスティングは最高。

●ブエナ・ビスタ・ワイナリー　Buena Vista Winery

ブエナ・ビスタ・ワイナリー
⌂ 18000 Old Winery Rd., Sonoma
☎ (1-800) 938-1266
🕐 7～9月毎日10：30～16：30
💲 無料

ナパの隣、ソノマにあるワイナリー。現在のカリフォルニアのワイン産業の基を築いたハンガリー人、アゴストン・ハラジーは1857年にここでワインの生産を始めた。ワイナリーの見学のほか、レストラン、ギャラリーなどがある。

モントレー＆カーメル ★ Monterey & Carmel

モントレー＆カーメル
🗺 P.187　地図外

サンフランシスコから約200km南下すると、太平洋に面して海岸線の美しいモントレー半島がある。この半島には、**モントレーMonterey**と**カーメルCarmel**という風光明媚な町があり、これらの町はベイエリアの住人だけでなく、アメリカ人のあこがれの町としても非常に人気が高い。モントレーは小さな観光と漁業の町で、水族館と作家スタインベックゆかりの地として知られている。カーメルは、緑豊かな町並みのなかにショップやギャラリーが連なる芸術家たちの町。商業的なものがなく、実に小ぢんまりとした落ち着いた雰囲気を持つところだ。また、このふたつの町を結ぶ太平洋沿いに続く道路は**17マイル・ドライブ 17 Mile Drive**と呼ばれる景勝ドライブルートだ。

モントレーの
フィッシャーマンズ・ワーフ

太平洋に突き出たように立つローン・サイプレスという1本マツの景色を、どこかで目にした人も多いだろう。

モントレー、カーメル、17マイル・ドライブの3つは、サンフランシスコからのオプショナルツアーとしても人気が高い。大都会ではないアメリカを見るには、距離的にもおすすめの場所だ。オプショナルツアーのほかに、長距離バスや鉄道などを使って行くことができる。

モントレーへの時刻表（行き方については脚注参照）
グレイハウンドバス　📞 (1-800) 231-2222

4:45	6:30	8:30	12:30	17:45	発 San Francisco 着 ▲	12:40	17:00	19:30	20:50
8:24	12:35	12:45	16:45	22:05	着 Monterey 発 ▼	8:45	12:40	12:50	17:25

モントレー／サリナス・エアバス　☎ (408) 883-2871、📞 (1-800) 291-2877

7:20	10:20	12:20	15:20	18:50	着 SFO 発 ▲	9:30	12:30	15:30	18:00	20:30
6:20	9:20	11:20	14:20	17:50	着 SJC 発	10:30	13:30	16:30	19:00	21:30
4:30	7:30	9:30	12:30	16:00	発 モントレー 着 ▼	12:30	15:30	18:30	21:00	23:30

アムトラック・コースト・スターライト号　📞 (1-800) 872-7245

9:30	発 Oakland 着	20:57
12:06	着 Salinas 発 ▲	18:17
21:15	▼ 着 Los Angeles 発	9:30

ショッピングモールも
かわいらしいカーメル

モントレー＆カーメル

いちばん簡単なのが、グレイラインのような観光バス（P.162参照）を使う方法だ。申し込みは、ホテルのコンシェルジュやフロントに頼むといい。

ツアーに参加しない場合は、サンフランシスコのダウンタウンから出発するグレイハウンドとアムトラック、または、サンフランシスコ国際空港から出発するモントレー・サリナス・エアバスを利用する3つの方法がある。モントレーのバスストップは、町の東にあるガソリンスタンド。そこから中心部までは歩いて15分程度。

アムトラックの場合は、フェリー・ビルから無料連絡バスでオークランドのOakland駅へ行き、そこからロスアンゼルスとシアトルを結ぶコースト・スターライト号がサリナスSalinasにストップする。サリナスからモントレーまではアムトラックの無料連絡バスが走っている。

モントレーでのバスの到着場所は、路線バスの発着所でもあるモントレー・トランジットプラザ。

モントレー・サリナス・エアバスは1日5本の運行で、サンフランシスコ国際空港からモントレーのトランジットプラザまで3時間弱。

★ サンフランシスコ近郊の町

モントレー＆カーメルの歩き方

モントレー・ダウンタウンで観光客でにぎわっているのが、**フィッシャーマンズ・ワーフ Fisherman's Wharf**。サンフランシスコに比べれば規模はかなり小さいものの、海までの桟橋沿いにはギフトショップやレストランが連なり、薫製を焼くいい香りがする。モントレーに来たら見逃せないのが**モントレー・ベイ水族館 Monterey Bay Aquarium**だ。モントレー湾にスポットを当て、6,500を超える海洋生物や植物が展示されている。ラッコの餌づけ、オットセイの芸など、展示以外にも来館者を楽しませてくれる。

モントレーから路線バスで約30分の距離にあるカーメルは、芸術家が多く集まるこぢんまりとした実に美しい町。ギャラリーが多く、ケバケバしい商業的な看板などが見あたらない。ここではショッピングやギャラリー見学など町の散策が楽しい。時間があれば、町はずれの砂浜に行き太平洋に沈む夕陽をながめるのもいい。

モントレー、カーメルについてのさらに詳しい行き方、おもな見どころ、アクティビティ、宿の情報については、『地球の歩き方❸サンフランシスコ』編に掲載されています。

ヨセミテ国立公園

詳しくは『地球の歩き方⑭ アメリカ国立公園』編をご覧下さい。

　アメリカの見どころのひとつとして、大自然も忘れてはいけない。壮大な大自然との出会いは、日本ではできない体験だ。アメリカならではの大自然に触れてみたいと思っている人はぜひヨセミテに行ってほしい。昔から多くの人々を魅了してきた伝説の谷は、訪れる人の期待を決して裏切ることはない。その神々しさ、スケールの大きさには、ただ言葉を失うのみ。これは実際に体験してみた人でないとわからないだろう。

　人間の想像も及ばないような年月の間に作り上げられた大渓谷。うるさい雑踏から離れ、トレイルを歩いてみよう。それまでのざわめきはどこにいったのかと思えるほど静かな世界が広がり、聞こえてくるのは川のせせらぎと鳥の声だけ。風が吹くとどこからか滝の落ちる音も聞こえてくる。荒々しい姿とは対照的に、訪れる人はみな穏やかな気持ちになれる。ヨセミテとはそんなところだ。

　ヨセミテには、アメリカのみならず世界中から人々が詰めかける。狭いビレッジには車があふれ、ロッジはどこも満員……。夏の間にヨセミテを訪れる人はまず、宿の確保からしたい。

ヨセミテ国立公園への行き方　Access

　公園の西口、Arch Rock Entranceから約60マイルのところにある**マーセドMerced**は、ヨセミテ国立公園への拠点となっている小さな町。世界中からの観光客が、バスで、飛行機でこの町に集まってくる。マーセドへのアプローチでいちばん安上がりで便利なのは、サンフランシスコから出ているグレイハウンドバスを利用する方法。グレイハウンドでマーセドに着いたら、マーセドからはYosemite VIAバスが公園のカリー・ビレッジ、ヨセミテ・ロッジまで走っている。このほかアムトラック、飛行機、また、時間のない人はサンフランシスコ発の観光バスを使う手段もある。各自の日程や興味にあわせて交通機関を選ぶようにしよう。

サンフランシスコ〜マーセド間のグレイハウンドバスの料金：片道＄23、往復＄45

ヨセミテVIAバス
☎ (208) 384-2576
マーセド〜ヨセミテ間の料金：片道＄20、往復＄38

オルムステッド・ポイント

グレイハウンドバス　サンフランシスコ～マーセド間時刻表　☎(1-800)231-2222　('99春)

| 18:00 | 17:10 | 14:20 | 11:00 | 7:15 | 発 San Francisco 着 | ▲ | 9:30 | 12:35 | 18:45 | 20:00 | 23:25 | 6:40 |
| 23:05 | 21:25 | 18:30 | 14:55 | 11:25 | ↓ 着 Merced 発 | | 5:30 | 8:35 | 14:55 | 16:20 | 20:00 | 23:30 |

Yosemite VIA時刻表　☎(209)384-2576　　　　　　　　　　　　　　　　　　　　('99春)

| 8:25 | *13:10 | 16:15 | 発 Merced 着 | ▲ | 12:20 | 18:40 | 21:35 |
| 12:40 | 17:15 | 19:00 | ↓ 着 Yosemite 発 | | 9:00 | 16:15 | 19:05 |

＊の便は月～金のみの運行

サンフランシスコからヨセミテへの観光バス Tour Bus

グレイライン　Gray Line

●Tour 5 Yosemite in a Day by Train　所要15時間の日帰り　毎日6：30発　$130　アムトラックを使ってヨセミテまで行き、マーセドからは小型バンでハーフドーム、エルキャピタン、ブライダルベール滝などを回る。

グレイライン
☎(415)558-9400
出発場所：トランスベイ・トランジット・バスターミナル（Mission & Fremont Sts.）

カリフォルニア・パーラーカー・ツアーズ
California Parlor Car Tours

●Yosemite N.P. One Day Tour　所要13時間　毎日7：30～8：00発　$128　日帰りツアー。ヨセミテ・バレーへのツアーも含まれる。

●Yosemite N. P. Two Days Tour　所要2日間　毎日7：30～8：00発　$260～330　ヨセミテ・ロッジorアワニー・ホテルに1泊する。グレイシャー・ポイントへのツアーと1ランチも含まれる。

●Yosemite N.P. Three Days Tour　所要3日間　毎日7：30～8：00発　$362～511　ヨセミテ・ロッジorアワニー・ホテルに2泊する。グレイシャー・ポイント、またはバレーフロアへのツアーとランチも含まれる。

カリフォルニア・バーラーカー・ツアーズ
🏠1101 Van Ness Ave., San Francisco, CA 94109
☎(415)474-7500
日本からのトールフリー電話番号☎003-111-1361
HOMEwww.calpartours.com
出発場所：Cathedral Hill Hotel（1101 Van Ness Ave.）、Handley Hotel（351 Geary St.）、Travelodge（250 Beach St.）、Donatello Hotel（501 Post St.）

観光案内所 ★ Information

　ヨセミテ・バレーに到着したら、まずは**観光案内所Valley Visitor Center**へ行こう。地図や本などの資料が豊富にそろっている。また、センター内では、オリエンテーション・フィルムも上映している。

Valley Visitor Center
🕐毎日9：00～17：00（夏期は延長）
☎(209)372-0299
バレー・シャトル バス・ストップNo.6、9下車

圏内の交通機関 ★ Transportation

●バレー・シャトルバス
　バレー内の各ポイントを結んで、シャトルバスが循環している。ドライバーはガイド役も兼ねているので、オリエンテーションのつもりで、まずは一周してみよう。

●レンタル・バイク
　ヨセミテ・バレー内を自由に散策するのなら、自転車（＝バイク）を借りるといい。自転車専用道路も整備されているので、安全で快適なサイクリングが楽しめる。自転車は、4月から11月まで、ヨセミテ・ロッジとカーリー・ビレッジで借りられる。女性用、子供用も完備。デポジットにIDとクレジットカードが必要。

バレー・シャトルバス
🆓無料
運行：毎日7：00～22：00、10～20分ごと。ただし、季節により運行時間、ルート変更もあるので園内紙「Yosemite Guide」で新しい情報を確認すること

レンタル・バイク
🆓1時間$5.25、1日$20

●ヨセミテ公園内のツアーバス

　シャトルバスで行けないポイントへは、シーズン中、ツアーバスが運行している。早めに予約をしよう。各ツアーとも、ヨセミテ・ロッジ、カーリー・ビレッジ、アワニー・ホテルでピックアップしてくれる。

園内のツアーバス

ツアー名	出発時間	所要時間	おもな観光ポイント	運行期間	料金
バレー・フロア・ツアー	9:00～16:00 30分間隔	2時間	ヨセミテ滝、エルキャピタン、ブライダルベール滝、インスピレーション・ポイント、ハーフドーム	通　年	$17.50
マリポサ・グローブ・ツアー	9:00	6時間	公園の南端にあるセコイアの森を訪れて、巨木を見学するツアー	降雪時を除く	$34.50
グレーシャー・ポイント・ツアー	8:00,10:00,13:30	4時間	自然の展望台グレーシャー・ポイントから、渓谷やハーフドームを一望する。途中、エルキャピタンやブライダルベール滝にも寄る。	6/1～11月中旬	$20.50
グランド・ツアー	9:00	8時間	マリポサ・グローブ・ツアーとグレーシャー・ポイント・ツアーを一緒にしたツアー	6/1～11月中旬	$45.25

ハーフドーム

Attractions
おもな見どころ ★

　公園内のおもな観光ポイントは、ほとんどヨセミテ・バレーYosemite Valleyとよばれる谷と、その周辺に集中している。また、バレー内のポイントを結ぶ、バレー・シャトルバスが循環している。

　見逃せないのは、まずヨセミテのシンボルともいえるハーフドームHalf Dome。その名のごとく、まん丸のドームを縦半分に切り落としたような形をしており、氷河に削られた岩肌には2万年の風雪に耐えてきた貫禄と存在感があふれている。花こう岩としては世界最大の一枚岩といわれているのは、バレー入口のエルキャピタンEl Capitan。1,095mの高さで垂直にそびえているため、ロッククライマーたちの憧れの的にもなっている。

　また、これはあまり知られていないことだが、世界の〝落差の大きい滝ベストテン〟のうち3つの滝は、ここヨセミテに位置している。ヨセミテ滝Yosemite Falls、センチネル滝Sentinel Fall、リボン滝Ribbon Fallがその3つで、このほかにもたくさんの滝があり、それぞれの表情を見比べるのもなかなかおもしろいだろう。このほか、自然がつくった大パノラマ展望台グレーシャー・ポイントGlacier Pointや、アンセル・アダムスの写真にもたびたび登場する、ヨセミテでもっとも有名な景色を眺望できるインスピレーション・ポイントInspiration Pointなど、ヨセミテには見逃せない見どころがたくさんある。

ヨセミテおすすめトレイル

バーナル滝Vernal Falls、ネバダ滝Nevada Fallsへのトレイル

　シャトルバスでハッピーアイルHappy Islesまで行き、ここからマーセド川に沿って歩く。バーナル滝を左に見ながらの急な登りは、足場があまり良くないうえに、滝のしぶきでビショビショに。距離も難度も適当。バーナル滝まで往復2.4km、2～4時間、ネバダ滝まで往復3.4km、6～8時間。

アッパー・ヨセミテ滝Upper Yosemite Fallsまでのトレイル

　3段合わせて700m以上の落差をもつヨセミテ滝の上まで歩いてしまう。サニーサイド・キャンプ場から、ひたすらつづら折りの道を登る。約5.8km、6～8時間。

国立公園内

ヨセミテ国立公園の宿泊施設はすべて Yosemite Concession Services Co.によって管理運営されている。一流ホテルからテントキャビンまでいろいろあるが、夏は非常に混むので必ず予約すること。とくに午後になってからの宿探しは不可能に近い。

Yosemite Concession Services Co.

住5410 E. Home Ave., Fresno, CA 93727
☎ (209) 252-4848、FAX (209) 456-0542
HOMEwww.yosemitepark.com/lodging/
reservation.html ADJMV

ほとんどのホテル＆キャビンの料金は1人でも2人でも同じ。以下は'98年夏のデータ。

●Ahwahnee Hotel

アメリカでも屈指のリゾートホテル。ロケーションも折り紙付き。個室とコテージでオンシーズン＄246.50、オフシーズン＄223.90〜246.50。

●Curry Village

静かな林の中に木造キャビンとテントキャビンが建ち並ぶ。少数ながらホテル形式の部屋もある。毛布、シーツあり。鍵を見せるとシャワーが無料で利用できる。テント・キャビン＄34〜40、バスなしキャビン＄46.50〜59.25、バス付きキャビン＄66.50〜75.25、スタンダードルーム＄78.75〜91.75。

●Yosemite Lodge

ヨセミテ滝や観光案内所に近くて便利。園内で最大の収容人数を持つロッジで、設備はホテルと変わらない。バスなし＄70、バス付きキャビン＄66.50〜72.50、スタンダードルーム＄78.25〜91.75、ロッジ＄79.25〜112。

●Housekeeping Camp

キャンプ場に準ずる施設で、ヨセミテでもっとも安く泊まれるところ。1つのテントに4人までOKで＄43.75。夏のみのオープン。ただし質素なものなので、雨がしのげればいいという人向け。貸し毛布＆シーツあり。

●Wawona Hotel

園内最古のホテルで白いビクトリア調の木造ホテル。公園南口そばのマリポサ・グローブの入口にある。ゴルフ場もある。バス付き＄104.80〜112.80、バスなし＄81.75〜86.75。

●White Wolf Lodge

タイオガパスの途中にあり、ヨセミテ・バレーからは離れているのでレンタカー利用者向き。7〜8月のみオープン。テントキャビン＄44。

●Tuolumne Meadows Lodge

タイオガパスや公園東口に近く、7〜8月のみオープンする。テントキャビン＄44。

マーセド

Best Western Sequoia Inn

住1213 V. St., Merced, CA 95340
☎ (209) 723-3711、☏ (1-800) 735-3711、FAX (209) 722-8551
Ⓢ＄54〜59、ⒹⓉ＄59〜64 ADJMV
プールあり。90室。

Best Western Inn

住1033 Motel Dr., Merced, CA 95340
☎ (209) 723-2163、FAX (209) 384-7272
ⓈⒹ＄45〜55、Ⓣ＄52〜72 ADMV
バス・トイレ、TV、電子レンジ、ドライヤー付き、簡単な朝食込み。プールあり。42室。

Ramada Inn

住2000 Childs Ave., Merced, CA 95340
☎ (209) 723-3121、☏ (1-800) 272-6232、FAX (209) 723-0127
Ⓢ＄59〜69、ⒹⓉ＄69〜79 ADJMV
バス・トイレ・TV付き、コーヒーショップあり。112室。

バーナル滝。ヨセミテには世界的にみても落差の大きい滝がいくつかある

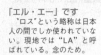
Los Angeles

ロスアンゼルス

ニューヨークなら摩天楼と自由の女神、サンフランシスコなら霧と坂の町と、町にはその町なりのイメージがある。では、ロスアンゼルスという町のイメージは何だろうか。ハリウッドの名から映画の都を思う人、ビバリーヒルズから高級ブランドショップや高級住宅地が浮かぶ人、また、夢の国ディズニーランドがすぐにでてくる人もいるだろう。ロスアンゼルスには、これこそはといったイメージがない。人それぞれ、イメージするものも求めるものも違うのがロスアンゼルスだ。そしてロスアンゼルスの魅力は、そんなたくさんのイメージのすべてに、それぞれ楽しみ方を提供できることだ。ロスアンゼルスには、訪れる人の数だけロスアンゼルスのイメージがあり、その数だけの楽しみ方がある。

「エル・エー」です
〝ロス〟という略称は日本人の間でしか使われていない。現地では〝LA〟と呼ばれている。念のため。

LAの歩き方 ★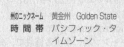
Walking

なんといってもロスアンゼルス（略してLA＝エル・エー）のいちばんの特徴はその広さ。関東平野に匹敵する広さとまで言われる。しかも公共交通機関はバス以外未発達。そのため、ひとくちにLAに行くといっても、自分の目的、目標をしっかり定め、プランを立てなければ2、3日の滞在では何もできずに終わってしまうだろう。プランニングには以下の三要素を考慮しよう。

d a t a

人 口	約3,620,000人
面 積	1,210km²
標 高	最高1,544m、最低0m
市の誕生	1850年
情 報	Los Angeles Times（西海岸最大の日刊紙）平日50¢、日曜版は$1.50。日曜版の『Calendar』は旅行業者にとって有益な情報がぎっしり。L.A.Weekly（エンターテインメント情報満載

週刊誌）無料
ゲートウェイU.S.A.（LAに住む日本人向けの情報誌）日本語、毎月1、16日発行で無料

TAX	セールス・タックス8.25% ホテル・タックス LA市14%、サンタモニカ市12%、アナハイム市15%など。
属する州	カリフォルニア州 California

州のニックネーム	黄金州 Golden State
時 間 帯	パシフィック・タイムゾーン

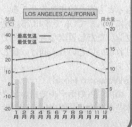
LOS ANGELES,CALIFORNIA
気温（℃） / 降水量（ミリ）
最高気温 最低気温

196

①何をするか

　ハリウッドの栄耀栄華の足跡をたどる、ビバリーヒルズの豪邸を見る、テーマパークで遊びまわる、ビーチでのんびりする、ショッピングモールで買い物三昧……など、ある程度のテーマを定める。

②どこを拠点にするか

　①のやりたいことを実現できるかどうかは、拠点となるホテルのロケーションにかかっている。ディズニーランドを思いっきり楽しみたい人はアナハイムに宿をとるべきだし、ビーチが好きなら、サンタモニカやベニスに泊まろう（自分の目的地と大きく離れた場所に泊まっていると、移動だけで日に3～4時間かかるなんてザラなのだ）。

③"足"をどうするか

　再三くりかえすように、LAは広い。そして車社会。というわけで、基本的にアトラクションにしろ、ショッピングモールにしろ、レストランにしろ、車で移動することを前提に造られていることが多い。

　バスの路線網はかなり緻密で、観光ポイントとしてよく知られているような場所へはなんとか行けるが、非常に時間がかかるし、本数も限られていることをあらかじめ覚悟しなければならない。時間や場所にこだわらず、目ざす場所に行きたいならやはりレンタカーを利用したい。

　以上をよく考えて、歩き方を研究しよう。ちなみに"歩き方"とはいっても、LAはぶらぶら歩いて回ることができる場所はほとんどないのでご注意を。なにしろ、隣の店やホテルまで車で行く土地柄だ。日本の町を歩く感覚は捨てなければならない。

各エリアへの行き方　★ Access

ロスアンゼルス国際空港
★ Los Angeles International Airport (LAX)

　西海岸最大の空港で、"ラックス LAX"という略称で呼ばれる。80社を超える航空会社が乗り入れている。成田からの直行便は10社、関空からの直行便も5社が、また名古屋空港から1社が飛ばしている。まさに西海岸の玄関口と言うべき空港だ。Terminal 1～8、Tom Bradley International Terminalに分かれ、航空会社によって使用するターミナルが異なる。JAL、ANAをはじめアメリカ以外の航空会社はTom Bradley International Terminalを使用、ほかにノースウエスト（Terminal 2）、アメリカン（Terminal 4）、デルタ（Terminal 5）、ユナイテッド（Terminal 7, 8）の国際線は各ターミナルに発着する。すべてのターミナルが2層構造で、上階が出発階、下階が到着階となっている。ターミナル間の移動は、到着階を走るシャトルバスA（無料）を利用する。白地に青と緑のラインが目印。"LAX Shuttle"と書かれたサインの下で待つ。

タクシーを利用しにくい町
　LAでは流しのタクシーはないし、タクシーは非常に高くつく。

ロスアンゼルス国際空港
■ # 1 World Way, Los Angeles
☎ (310) 646-5252
　Tom Bradley Terminalの到着階にはインフォメーション・カウンターがあり、空港の案内のほか、LAの観光地やホテルなどの情報も入手できる。

LAX Shuttle
■無料

エアポートバス
☎ (714) 938-8900
📞 (1-800) 772-5299
📖 以下の図参照
運行：LAX—アナハイム間
は30分間隔、ほかのルー
トは1時間おきに運行され
ている。詳しいタイムテー
ブルは、現地の観光局やホ
テルで手に入る。One
Way（片道）とRound Trip
（往復）のチケットがあり、
往復のほうが割安

● 空港バス　エアポートバス　Airport Bus　ロスアンゼルス
国際空港（LAX）、ダウンタウン、アナハイムを基点に、人気
の観光ポイントを効率的に結ぶ便利なシャトルバスがある。バ
スはまず空港からダウンタウンまたはアナハイムに向かうの
で、主要ホテルの前で降車することができる。空港へ向かうと
きは、行きに時刻表を入手しておき、降りたところで待ってい
ればいい。また、バスは主要ホテルからユニバーサル・スタジ
オ、ディズニーランド、パサデナ、ナッツベリー・ファーム、
ニューポートビーチなどへも運行されている。いま人気の町パ
サデナへの足としても便利だし、テーマパークへも直行するの
でメリットは大きい。日の長
い夏なら午前中にナッツベリ
ー・ファームに行って、午後
から夜遅くまでディズニーラ
ンドを楽しむというテーマパ
ークのはしごも可能だ。料金
もリーズナブルで、予約も不
要。レンタカーを借りなくて
も十分LAを楽しめる。

LAXのテーマビル

SuperShuttle
📞 (1-800) 258-3826
📖 ダウンタウンまで$12
（40分）、ハリウッドまで
$18（40分）、サンタモニ
カまで$14（20分）、アナ
ハイムまで$36（50分）
など。3人以上ならタクシ
ーのほうが割安だ

● 空港シャトルバン　LAXと各地を結んでいる。バゲージク
レームから道路に出て『Van Stop』と書かれた青いサインの下
で待つ。いくつもの会社があって、料金、サービスがまちま
ちなので注意が必要。スーパーシャトルSuperShuttleなら一
応安心。空港へ向かうときはホテルのフロントに頼んで迎え
にきてもらう。バンは行き先別になっているので、必ず行き
先を確認してから乗ること。逆に空港へ行きたいときは、ど
のホテルもどこかのシャトルバン会社と契約しているので、
フロントに頼めば手配してくれる。

メトロバス
📖 $1.35に、50¢〜$2.50
加算で約40分

● 路線バス　メトロバス　Metro Bus　バゲージクレームか
ら出たら"LAX Shuttle"のサインの下で白地に青と緑のライン
が入ったバスを待つ。"Lot C at 96th Street"という表示のあ
るバスに乗ってLot Cへ（無料）。終点で降りたらすぐ隣がメト
ロバス（市バス）の空港ターミナル。

　　ダウンタウンへは乗り場No.11から#439（フ
リーウェイ経由）を利用。

　　ハリウッドへは乗り場No.11から#439のダ
ウンタウン行きに乗る（すぐ隣の乗り場から
同じ#439の反対方向行きも出ているので注
意）。このバスはLa Cienega Blvd.を北上し
てやがてサンタモニカ・フリーウェイに入る
が、その直前に停まるトランジット・センタ
ー Transit Centerで降りる。初めてだとわかり

LAXシャトル

にくいのでドライバーに教えてもらおう。ここで#217に乗り換えればFairfax Ave.を北上して、やがてHollywood Blvd.へ出る。

サンタモニカへは乗り場No.3からSanta Monica Municipal Bus Lines（通称〝ビッグ・ブルー・バス〟）の#3を利用する。空港へ向かう際は逆のルートをたどればいい。

1999 エアポートバス料金一覧表

	ロスアンゼルス国際空港	アナハイム	ロスアンゼルス・ダウンタウン	パサデナ	ハリウッド／ユニバーサル・スタジオ	ニューポートビーチ
ロスアンゼルス国際空港		片道$14 往復$22	片道$8 往復$14	片道$12 往復$20	片道$10 往復$18	片道$24 往復$32
アナハイム	片道$14 往復$22		片道$8 往復$14	片道$10 往復$18	片道$10 往復$18	片道$10 ——
ロスアンゼルス・ダウンタウン	片道$8 往復$14	片道$8 往復$14		片道$6 往復$10	片道$6 往復$10	片道$18 往復$24
パサデナ	片道$12 往復$20	片道$10 往復$18	片道$6 往復$10		片道$8 往復$14	片道$20 往復$28
ハリウッド／ユニバーサル・スタジオ	片道$10 往復$18	片道$10 往復$18	片道$6 往復$10	片道$8 往復$14		片道$20 往復$28
ニューポートビーチ	片道$24 往復$32	片道$10 ——	片道$18 往復$24	片道$20 往復$28	片道$20 往復$28	

●**ライトレール　メトロ　Metro**　ライトレールのメトロ・グリーンラインとブルーラインを乗り継いでダウンタウンまで行くことができる。まずは "LAX Shuttle G（無料）" に内周道路から乗って、終点、グリーンラインのAviation/I-105駅へ。グリーンラインの東方面行きへ乗り、Imperial/Wilmington駅でブルーライン北方面行きへ乗り換える。終点がダウンタウンの7th St. /Metro Center駅。
●**タクシー**　黄色の Taxi マークの乗り場で乗ること。

長距離バス

グレイハウンド・バスターミナル　Greyhound Bus Terminal

　ダウンタウンの東のはずれにあり、周辺は決してガラのいい地域ではない。ダウンタウンの中心部からかなり離れているので、歩くには遠すぎる。暗い時間帯はタクシーを利用して、くれぐれも注意して利用しよう。

●**路線バス　メトロバス　Metro Bus**　ターミナルを出て道路を渡ると右手にバスストップがある。ダウンタウンへ向かう西行きに乗る。#60、360は7th St.経由でウィルシャー・グランド・ホテルなどへ。#470、471は5th St.経由でアルコ・プラザやボナベンチャー・ホテルへ。
●**タクシー**　ターミナル前にタクシーがいるが、なかには悪質

タクシー
ダウンタウンまで$30、ハリウッドまで$25、サンタモニカまで$20が目安

グレイハウンド・バスターミナル
1716 E. 7th St., Los-Angeles
☎ (213) 629-8401
(1-800) 231-2222
24時間営業
P.207　C-4地図外

メトロバス
$1.35

タクシー
ダウンタウンの中心まで$5

な運転手もいるので、必ず営業許可証を確かめて、2人以上で利用しよう。

鉄道

ユニオン駅　Amtrak Union Station

ユニオン駅
🏠800 N. Alameda St., Los Angeles
☎(213) 683-6729
🕐毎日5：45～23：00
🗺P.207　C-1、2

DASH
💰25¢

白い壁にパームツリーが美しく映えるユニオン駅はシカゴ、ニューオリンズ、シアトルなどからの長距離列車の終着駅だ。ダウンタウンの北東、リトル東京から徒歩10分の距離。

●ミニバス　ダッシュ
DASH

Alameda St.を渡ったところにあるバス停からDASHのルートBに乗れば、アルコ・プラザやボナベンチャー・ホテル方面へ行ける。

ユニオン駅

観光案内所 ★ Information

Los Angeles Convention & Visitors Bureau

Los Angeles
Convention &
Visitors Bureau
🏠685 S. Figueroa St., Los Angeles, CA 90017
☎(213) 689-8822
🕐月～金 8：00～17：00、土8：30～17：00
🚫日
🗺P.207　A-4

Figueroa St.沿いの7th St.とWilshire Blvd.間（ウィルシャー・グランド・ホテル1階）にある。各種資料がそろい、親切なスタッフがアドバイスをしてくれる。日本人スタッフが、たいていカウンターにいるので、英語に自信のない人も安心。また、カウンターに常駐はしていないが、日本人マネージャーのケイコ・ギャリソンさんに助けてもらうこともできる。なお、左記電話番号をダイヤルすると英語のテープで案内が出るが、迷わず3番を押すと日本語の案内になる。

市内の交通機関 ★ Public Transportation

メトロバス　Metro Bus

メトロバス
☎(1-800) 266-6883
💰$1.35でトランスファーは25¢。1時間以内なら2回まで乗り換えられる（逆方向は不可）。ただし2回目以降に使うには、25¢追加して乗車する。
400、500番台のフリーウェイを走る路線は、フリーウェイに入る前にエクスプレス料金を徴収される。行く先によって額は異なるが、50¢～$1.50加算される。
10個で$9というトークンもあるので利用しよう。

車で動くことを基本に成長し、車なしでは手も足もでないと言われるLAで、年間のバス利用客総数が全米No.1というのはやや意外な感じがするが、乗ってみれば利用者が多いことがよくわかるだろう。夜は利用しない、ガラの悪そうな場所で乗り降りしないなど、基本的なことを守っていれば、ある意味では車よりもずっと安全な乗り物だ。

メトロバス

メトロバスを使ってダウンタウンからおもなポイントへ

行き先	バスルート番号	ダウンタウンでの乗り場
Hollywood Blvd.	#1、420	Broadway北向き
Sunset Blvd.	#2、3	Broadway北向き
Melrose Ave.	#10	Broadway北向き
ビバリーセンター	#14	Olive St.北向き
〃	#16	5th St.西向き
ファーマーズ・マーケット	#16	5th St.北向き
ビバリーヒルズ（ロデオ・ドライブ）	#20、21、22 320、322	※ レッドライン Wilshire／Western駅
センチュリーシティ	#14	※ レッドライン Wilshire／Western駅
ウエストウッド	#21	※ レッドライン Wilshire／Western駅
サンタモニカ	#4	※ レッドライン Wilshire／Western駅
ベニス	#33、333	Spring St.南向き
LAX	#439	Flower St.南向き
エクスポジション・パーク	#81	Flower St.南向き
ハンティントン・ライブラリー	#79	Olive St.北向き
ワーナーブラザーズ・スタジオ	#96	Olive St.北向き
ユニバーサル・スタジオ	#424、425	Broadway北向き
ポーツ・オコール・ビレッジ	#447	Olive St.南向き
ナッツベリーファーム ディズニーランド	#460	Figueroa St.北向き または6th St.東向き

※レッドラインに乗車するときに＄1.60のチケットを購入する。

また、交通渋滞に悩むLAでは、通勤の足としても見直されている。

車体は白地に赤とオレンジのラインが入り、窓の部分は黒。200近くのルートを持つが、ルート番号によってそのバスの走る方向がある程度わかる。

メトロバスのバス停

★ メトロバスの案内所＆チケット・オフィス

ダウンタウンのメトロバス案内所は、**アルコ・プラザ ARCO Plaza**（5th St.と6th St.の間、Figueroa St.とFlower St.の間）の地下にある。路線別の時刻表が手に入るほか、バス類も買える。窓口で行き先を告げれば、何番のバスに乗ればいいのか教えてくれる。
📧515 S. Flower St., Level C, Los Angeles
🕐月〜金 7：30〜15：30

●**Gateway Transit Center**
ユニオン・ステーション内にある。営業時間が一番長い。🕐月〜金6：00〜18：30

●**Wilshire**
📧5301 Wilshire Blvd. 🕐月〜金9:00〜17:00

●**Hollywood**
📧6249 Hollywood Blvd.
🕐月〜金10:00〜18:00

※
トークンやパス類を買うだけなら、入口に"METRO PASS"などの表示があるスーパーやコンビニで事足りる。

DASHのルート

ルート番号	おもなルート	運行時間
ルートA	コンベンション・センターからアルコ・プラザ、ミュージックセンターを経てリトル東京へ。	月〜金6：30〜18：30 5分おき
ルートB	チャイナタウン、オルベラ街、シビックセンター、MOCAを通ってアルコ・プラザへ。	月〜金5：50〜18：30 5分おき
ルートC	中央図書館付近からGrand Ave.とOlive St.を走る。	月〜金9：00〜15：00 10分おき
ルートD	ユニオン駅とブルーラインのGrand駅を結んで、ダウンタウンの東側を走る。	月〜金5：50〜19：00 5分おき
ルートE	Harbor Fwy.の西側からブルーラインのSan Pedro駅を結んで、ダウンタウンの南東を走る。	月〜金6：30〜19：00（5分ごと） 土日10：00〜17：00（15分ごと）
ルートF	アルコ・プラザ付近からコンベンション・センターを経てエクスポジション・パークへ。	月〜金6：30〜18：30（15分ごと） 土日10：00〜17：00（20分ごと）
ルートDD	週末のみ走るルートAとBを組み合わせたようなルート。ダウンタウンの主要ポイントを結ぶ。	土日10：00〜17：00 20分おき

メトロバス・ルート解読法

1〜99	ダウンタウンを起点とする主要路線
100〜199	ダウンタウンを通らずに東西に走る普通路線
200〜299	ダウンタウンを通らずに南北に走る普通路線
300〜399	一部のバス停のみにしかストップしない路線
400〜499	ダウンタウンを起点とし、フリーウェイを走る路線
500〜599	ダウンタウンを通らずに、フリーウェイを走る路線
600〜699	コンサートやスポーツの試合などに合わせて運行する臨時便

ダッシュ
☎ (213) 808-2273（エリアコード310、818も同番号で）
🚌25¢、トランスファーは無料

ダウンタウン内の移動はこれでOK　ダッシュ　DASH

　ダウンタウンを循環するミニバスだったダッシュも、ダウンタウンだけで7路線に増え、ハリウッド、フェアファックス、ウエストウッドなどにも路線をもつほどになった。

　7路線あるダウンタウンでは、リトル東京と7th St./Metro Center付近を結ぶルートA、チャイナタウンとアルコ・プラザ付近を結ぶルートBが利用価値の高い路線だ（上のルート案内参照）。

メトロ・ブルーライン　Metro Blue Line

　総延長300マイル（480km）が計画されている地下鉄網（一部工事中）の一環。ダウンタウンの7th St.とFlower St.の角（地下）からロングビーチまで、22駅を約1時間で結んでいる。清潔な車内で乗り心地も快適だ。

　チケットはすべて自動販売機で購入する。改札はなく、普通は検札もない。

レッドライン

メトロ・レッドライン　Metro Red Line

　ブルーラインがライトレール（狭軌の小型車両）であるのに対し、こちらはLA初の本格的地下鉄。将来は北のサンフェルナンド・バレーまで行く計画だが、現在開業しているのは8駅6マイル（約9.7km）のみ。Union Station、Civic Center、Pershing Square、7th St./Metro Center（ブルーラインと接続）、Westlake/McArthur Park、Wilshire/Vermont、Wilshire/Normandie、Wilshire/Westernの8駅。'99年初夏にはハリウッドまでの路線が開通する予定（'99年5月現在）。

メトロ・グリーンライン　Metro Green Line

　LAX南のレドンド・ビーチから、ほぼI-105（フリーウェイ）に沿って東へノーウォークまで走る、メトロの第3弾。ブルーライン同様のライトレールで、Imperial/Wilmington駅でブルーラインと乗り換えられる。Aviation/I-105駅からLAXへはシャトルバスGも（無料）走っている。

ブルーライン

ツアー案内 ★ Sight-seeing Tour

　どの会社でもコース、料金ともそう大きな違いはない。一般的なのは各テーマパークへのツアー、ビバリーヒルズの豪邸めぐり、ロデオドライブやメルローズでのショッピングツアー、テーマパークのツアー、郊外のアウトレットへのツアー、サンディエゴやティファナを訪れるツアーなど。

グレイライン　Gray Lines of Los Angeles
出発場所：Gray Line Los Angeles Terminal　おもな祝日は休み

番号	ツアー名	料金	運行	所要時間	内容など
2	The Best of L.A. City Tour	$42	毎日午前中発	5時間	オルベラ街、チャイニーズ・シアター、サンタモニカなど市内のおもな見どころを回る。
3	Universal Studios	$79.50	毎日午前中発	10時間	ユニバーサル・スタジオで1日過ごす。送迎付き。

メトロ・ブルーライン
🚆 $1.35。メトロバスやロングビーチ・トランジット・バスへのトランスファーは25¢

★

メトロ・レッドライン
🚆全区間均一で$1.35。バスへのトランスファーは25¢

メトロ・グリーンライン
🚆 $1.35

グレイライン
☎ (213) 525-1212、
📠 (1-800) 266-8421、
HOME www.graylinela.com

ロスアンゼルス

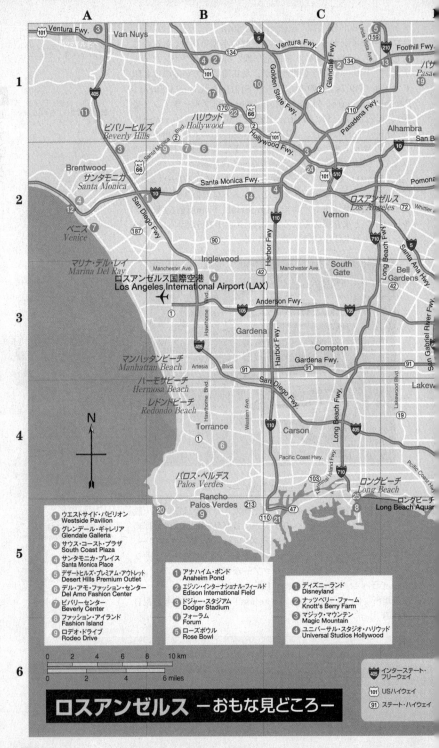

	A	B	C

A列・1行目
101 Ventura Fwy. 3 Van Nuys

B列・1行目
5 Ventura Fwy.
134
4 2
101
17
170 22 66 ALT
16 2
ハリウッド
Hollywood

C列・1行目
Glendale Fwy.
134
5 159
210 Foothill Fwy.
1 バサ
Pasa
19
13
2
110
Pasadena Fwy.
Alhambra
San B

11
ビバリーヒルズ
Beverly Hills
3
ALT 66
Brentwood
サンタモニカ
Santa Monica

2行目
Santa Monica Fwy.
10
San Diego Fwy.
9 7 6
3
24
101 510
14
4
ロスアンゼルス
Los Angeles
Vernon
72 Whittier
Pomona
10

4 2 12
ベニス 7
Venice
187
90
マリナ・デル・レイ
Marina Del Ray
Manchester Ave.
ロスアンゼルス国際空港
Los Angeles International Airport (LAX)
4
Inglewood
42 Manchester Ave.
South Gate
Bell Gardens
42
710 Long Beach Hwy.
Santa Ana Hwy.
5

3行目
1
マンハッタンビーチ
Manhattan Beach
Artesia
Hawthorne Blvd.
Anderson Fwy.
105
105
Gardena
Harbor Fwy.
Compton
Gardena Fwy.
91
91
91
San Gabriel River Fwy.
Lakew

ハーモサビーチ
Hermosa Beach
レドンドビーチ
Redondo Beach
405
91
San Diego Fwy.
Western Ave.
Lakewood Blvd
19

4行目
N
トーランス
Torrance
1
6
110
Carson
405
Long Beach Fwy.
Pacific Coast Hwy.
パロス・ベルデス
Palos Verdes
103
710
ロングビーチ
Long Beach
ロングビーチ
Long Beach Aquar
25
8
Rancho
Palos Verdes
213
9
20
110 21 47

凡例

1 ウエストサイド・パビリオン
Westside Pavilion
2 グレンデール・ギャレリア
Glendale Galleria
3 サウス・コースト・プラザ
South Coast Plaza
4 サンタモニカ・プレイス
Santa Monica Place
5 デザートヒルズ・プレミアム・アウトレット
Desert Hills Premium Outlet
6 デル・アモ・ファッション・センター
Del Amo Fashion Center
7 ビバリーセンター
Beverly Center
8 ファッション・アイランド
Fashion Island
9 ロデオ・ドライブ
Rodeo Drive

1 アナハイム・ポンド
Anaheim Pond
2 エジソン・インターナショナル・フィールド
Edison International Field
3 ドジャー・スタジアム
Dodger Stadium
4 フォーラム
Forum
5 ローズボウル
Rose Bowl

1 ディズニーランド
Disneyland
2 ナッツベリー・ファーム
Knott's Berry Farm
3 マジック・マウンテン
Magic Mountain
4 ユニバーサル・スタジオ・ハリウッド
Universal Studios Hollywood

0	2	4	6	8	10 km
0		2		4	6 miles

ロスアンゼルス －おもな見どころ－

405 インターステート・
フリーウェイ
101 USハイウェイ
91 ステート・ハイウェイ

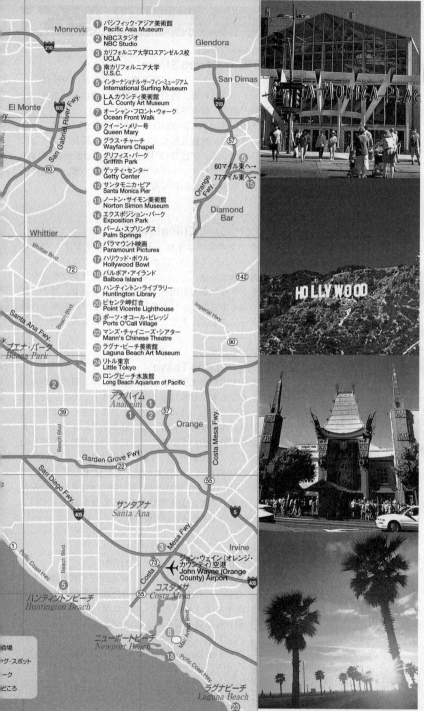

1 パシフィック・アジア美術館
Pacific Asia Museum

2 NBCスタジオ
NBC Studio

3 カリフォルニア大学ロスアンゼルス校
UCLA

4 南カリフォルニア大学
U.S.C.

5 インターナショナル・サーフィン・ミュージアム
International Surfing Museum

6 L.A.カウンティ美術館
L.A. County Art Museum

7 オーシャン・フロント・ウォーク
Ocean Front Walk

8 クイーン・メリー号
Queen Mary

9 グラス・チャーチ
Wayfarers Chapel

10 グリフィス・パーク
Griffith Park

11 ゲッティ・センター
Getty Center

12 サンタモニカ・ピア
Santa Monica Pier

13 ノートン・サイモン美術館
Norton Simon Museum

14 エクスポジション・パーク
Exposition Park

15 パーム・スプリングス
Palm Springs

16 パラマウント映画
Paramount Pictures

17 ハリウッド・ボウル
Hollywood Bowl

18 バルボア・アイランド
Balboa Island

19 ハンティントン・ライブラリー
Huntington Library

20 ビセンテ岬灯台
Point Vicente Lighthouse

21 ポーツ・オコール・ビレッジ
Ports O'Call Village

22 マンズ・チャイニーズ・シアター
Mann's Chinese Theatre

23 ラグナ・ビーチ美術館
Laguna Beach Art Museum

24 リトル東京
Little Tokyo

25 ロングビーチ水族館
Long Beach Aquarium of Pacific

みやげものが見つかるメキシコ人街
オルベラ街 ★ Olvera Street

　メキシカン・レストランや民芸品店が並ぶオルベラ街は、ロスアンゼルスの発祥の地。周辺は州立歴史公園に指定され、27の古い建物が修復、保存されている。

　オルベラ街自体はわずか200mほどのものだが、銀細工、ガラス細工、革製品、民族衣裳などの店が並び、縁日のようなにぎわいを見せている。**アビラ・アドビ Avila Adobe**は1818年に建てられた、現在ロスアンゼルスに残る最古の家。内部は当時の生活ぶりを伝える博物館になっている。

食事に悩んだらここへ
チャイナタウン ★ Chinatown

　ダウンタウンの北のはずれ、ドジャー・スタジアムのあるElysian Parkの丘のふもとに広がるチャイナタウンには、漢字の看板があふれている。といっても、たとえばサンフランシスコのチャイナタウンなどと比べると広々としており、ゴチャゴチャした中から生じる活気はあまり感じられない。しかし、飲茶にディナーにチャイナタウンのレストランは大人気だ。

日本語ですべてがすんでしまう
リトル東京 ★ Little Tokyo

　アメリカ最大の日本人街で、日本の新聞、本、日本食からカラオケバーまであり、日本に浸ることができる。ただ、近年は在留邦人が郊外に住むようになったこと、ここを心のよりどころとする日系人が減少していること、日本企業がオフィスをダウンタウンや郊外に開いていること、日本総領事館が転出したことなどマイナス要因が多く、今後が注目される。

　なかでも、'99年初春に改装オープンした**全米日系人博物館 Japanese American National Museum**は見学してみたいところ。日系人の歴史が理解できるような展示になっている。場所は1st St.とCentral Ave.の角。

展望台のある
シビック・センター ★ Civic Center

　上部が日本の国会議事堂にそっくりな**市庁舎 City Hall**を中心に、連邦、州、郡、市の行政機関が集中するエリア。とくに観光ポイントはないが、市庁舎の展望台には登ってみよう。Spring St.の正面入口から入ったら、エレベーターで22階へ。降りて右側の"Tower Elevator"に乗り換えて27階が展望台だ。

　また、市庁舎の地下はLos Angeles Mallというショッピングモールになっており、ランチを食べるのによい。

オルベラ街
🚇I-5、10の北側で、ユニオン駅近く。DASHルートBのPlaza前で下車
🗺P.207 C-1

チャイナタウン
🚇DASHルートBが町を貫いて走っている。夜はタクシーを利用しよう
🗺P.207 B-1

全米日系人博物館
🏠369 E. 1st St.,
Los Angeles
☎(213) 625-0414
🎟大人＄6、子供・シニア＄5
🕐火〜日10：00〜17：00
（木〜20：00）
🚫月
🗺P.207 C-3

注意：リトル東京の南側
（3rd St.以南）はLAでも治安の悪いエリアなので、フラフラと迷い込まないように注意しよう。
🚇観光案内所付近からはDASHルートAで

シビック・センター
🚇DASHルートAで1st St. & Spring St.で下車、DASHルートBならTemple St. & Spring St.で降りればよい。リトル東京からなら歩いてもすぐ
🗺P.207 B-2

リトル東京

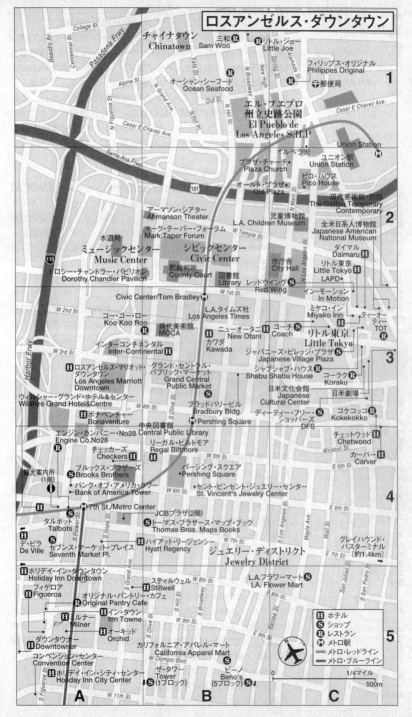

ロスアンゼルス・ダウンタウン

チャイナタウン
Chinatown

三和 Ⓡ Sam Woo

Ⓡ リトル・ジョー
Little Joe

フィリップス・オリジナル
Philippes Original

Ⓡ オーシャン・シーフード
Ocean Seafood

Ⓡ 郵便局

1

College St.

Beaudry Ave.

Centennial Ave.

Pasadena Frwy.

Yale St.

Alpine St.

N Broadway

N High St.

New High St.

Spring St.

Alameda St.

N Grand Ave.

N Hill St.

Ord St.

エル・プエブロ
州立史跡公園
El Pueblo de
Los Angeles S.H.P

Cesar E Chavez Ave.

N Figueroa St.

Cesar E Chavez Ave.

Santa Ana Frwy.

101

プラザ・チャーチ・
Plaza Church

オールド・プラザ・
Old Plaza

オルベラ街
Union Station

ユニオン駅 Ⓜ
Union Station

ピコ・ハウス
Pico House

現代美術館・別館
The Geffen Temporary
Contemporary

2

アーマソン・シアター
Ahmanson Theater

マーク・テーパー・フォーラム
Mark Taper Forum

水道局

ミュージックセンター
Music Center

ドロシー・チャンドラー・パビリオン
Dorothy Chandler Pavilion

110

Harbor Frwy.

W 2nd St.

コー・コー・ロー
Koo Koo Roo

現代美術館
MOCA

インターコンチネンタル
Inter-Continental

W 3rd St.

L.A. Children Museum

児童博物館

W Temple St.

シビックセンター
Civic Center

郡裁判所
County Court

図書館
Library

市庁舎
City Hall

レッドウイング
Red Wing

Civic Center/Tom Bradley Ⓜ

W 1st St.

L.A.タイムズ社
Los Angeles Times

ニューオータニ
New Otani

カワダ
Kawada

Ⓗ

N Los Angeles St.

S Main St.

全米日系人博物館
Japanese American
National Museum

ダイマル
Daimaru Ⓗ

リトル東京
Little Tokyo

LAPD Ⓗ

イン・モーション
In Motion

ミヤコ・イン
Miyako Inn

ティーオー
ティー
TOT
Ⓡ

コーチ
Coach

リトル東京
Little Tokyo

3

ロスアンゼルス・マリオット・
ダウンタウン
Los Angeles Marriott
Downtown

グランド・セントラル・
パブリック・マーケット
Grand Central
Public Market

ジャパニーズ・ビレッジ・プラザ
Japanese Village Plaza

シャブシャブ・ハウス
Shabu Shabu House

コーラク
Koraku

ウィルシャー・グランド・ホテル&センター
Wilshire Grand Hotel&Centre

W 4th St.

ブラッドバリービル
Bradbury Bldg.

Ⓗ ボナベンチャー
Bonaventure

Ⓢ Pershing Square

日米文化会館
Japanese
Cultural Center

日米劇場

ディーティー・フリー・
ショッパーズ Ⓢ
DFS

コケコッコ
Kokekokko

4

エンジン・カンパニー・No28
Engine Co.No28

中央図書館
Central Public Library

チェッカーズ
Checkers

リーガル・ビルトモア
Regal Biltmore

W 5th St.

パーシング・スクエア
・Pershing Square

チェットウッド
Chetwood Ⓗ

Winston St.

カーバー
Carver

観光案内所
(1階) Ⓘ

Ⓢ ブルックス・ブラザーズ
Brooks Brothers

バンク・オブ・アメリカ・タワー
Bank of America Tower

セント・ビンセント・ジュエリー・センター
St. Vincent's Jewelry Center

W 6th St.

E 5th St.

Ⓗ

Ⓢ

Ⓜ 7th St./Metro Center

S Flower St.

S Hope St.

S Grand Ave.

S Olive St.

S Hill St.

S Broadway

S Main St.

S Los Angeles St.

Maple Ave.

Wall St.

E 6th St.

JCBプラザ(2階)

トーマス・ブラザース・マップ・ブック
Thomas Bros. Maps Books Ⓢ

タルボット
Talbots

デ・ビラ
De Ville Ⓗ

ハイアット・リージェンシー
Hyatt Regency

セブンス・マーケット・プレイス
Seventh Market Pl.

ジュエリー・ディストリクト
Jewelry District

E 7th St.

グレイハウンド・
バスターミナル
(約1.4km)

5

ホリデイ・イン・ダウンタウン
Holiday Inn Downtown Ⓗ

フィゲロア
Figueroa Ⓗ

スティルウェル
Stillwell Ⓗ

オリジナル・パントリー・カフェ
Original Pantry Cafe Ⓡ

ミルナー
Milner Ⓗ

イン・タウン
Inn Towne

オーキッド
Orchid

L.A.フラワーマート Ⓢ
L.A. Flower Mart

San Julian St.

Santee St.

S San Pedro St.

W 8th St.

W 9th St.

ダウンタウナー
Downtowner Ⓗ

カリフォルニア・アパレル・マート
California Apparel Mart

コンベンション・センター
Convention Center Ⓗ

ホリデイ・イン・シティ・センター
Holiday Inn City Center

ザ・タワー
Tower
(1ブロック) Ⓢ

W Olympic Blvd.

ビーノ
Beno's
(5ブロック) Ⓢ

W 11th St.

S Figueroa St.

A

B

C

0   1/4マイル
0   500m

Ⓗ ホテル
Ⓢ ショップ
Ⓡ レストラン
Ⓜ メトロ駅
━━ メトロ・レッドライン
━━ メトロ・ブルーライン

左サイドバー

ミュージック・センター
📍DASH ルートA、Bで
Grand Ave.＆1st St.の角で
下車
🗺P.207 A-2
公演についての問い合わせ
☎(213)972-7200

ツアーの予約 ☎(213)972-7483

現代美術館
📍250 S. Grand Ave.,
Los Angeles
☎(213)626-6222
🕐火～日11：00～17：00
（木は～20：00）
🚫月
💰大人＄6、シニア・学生
＄4（現代美術館・別館と
共通）、木曜の17：00以降
は無料
📍DASH ルートBでGrand
Ave.沿いの4th Stと1st St.
の間
🗺P.207 B-3

現代美術館・別館
📍152 N. Central Ave.,
Los Angeles
☎(213)621-2766
🕐、💰MOCAと共通
📍リトル東京の1st St.から
Central Ave.を左に入って
右側。MOCAとここを結ぶ
無料シャトル（入館券を提
示する）もある。毎時00
分と30分発
🗺P.207 C-2

**カリフォルニア・サイ
エンス・センター**
📍700 State Dr.,
Los Angeles
☎(213)744-7400
🕐毎日10：00～17：00
🚫おもな祝日
💰無料

自然史博物館
📍900 Exposition Blvd.,
Los Angeles
☎(213)763-3466
🕐火～日10：00～17：00
🚫月
💰大人＄6、学生＄3.50、
子供＄2
📍DASH Fまたはメトロバ
ス＃81を利用。約10分
🗺P.204 B-2

本文

LAエンターテインメントの殿堂
ミュージック・センター ★ Music Center

　LAの音楽と演劇の中心で**ドロシー・チャンドラー・パビリオン
Dorothy Chandler Pavilion**、**マーク・テーパー・フォーラム
Mark Taper Forum**、**アーマンソン・シアター Ahmanson
Theater**という3つの大きな劇場から成っている。西海岸を代
表する文化の中心で、LAフィルの本拠地であるほか、ここ数
年はアカデミー賞授賞式が行われた。また、無料のガイドツア
ーもあるので参加してみてもいいだろう。集合場所はドロシ
ー・チャンドラー・パビリオンの正面入口。要予約。

建物のデザインもシャレている
現代美術館 ★ Museum of Contemporary Art（MOCA）

　1986年、ダウンタウンの再開発事業の一環としてバンカーヒ
ルのカリフォルニア・プラザに誕生。高層ビル群の足元に静か
にたたずむレンガ色の外壁とガラスのピラミッド―このユニー
クなデザインは、日本の建築家、磯崎新によるものだ。
　ガラスのピラミッドからの自然光のため、館内は明るく、現
代美術を代表する作家から若手まで幅広いコレクションが楽し

MOCA

める。2～3カ月ごとに変
わる企画展がメイン。収蔵
品のなかにはフランク・ス
テラ、ポーロック、ローテ
ンバーグらの作品もある。
ミュージアムショップもぜ
ひ、のぞいてみよう。Tシ
ャツ、マグカップなどもモ
ダンアートっぽく、楽しい。

別館はリトル東京にあります
現代美術館・別館 ★ The Geffen Contemporary at
MOCA

　MOCAの別館で、リトル東京にある。もとLA市警察の倉庫
だった建物だけあって、館内は広々としていて天井も高く、ロ
フト感覚。ポップアート中心で、MOCAとはひと味違った現代
美術を楽しめる。

週末に出掛けたい
エクスポジション・パーク ★ Exposition Park

　1932年と1984年の2回のオリンピックの主会場となったメ
モリアル・コロシアムを中心に、スポーツ・アリーナなどスポ
ーツ施設、文化施設を集めた広大な公園。**カリフォルニア・サ
イエンス・センター Calfornia Science Center**、**自然史博物
館 Natural History Museum**など見どころが多い。なかで
も見逃せないのは、サイエンス・センター内にある巨大スクリ
ーンが迫力モノの**アイマックス・シアター IMAX Theater**だ。
スケジュール、上映の映画等については☎(213)744-2014へ。

映画の都、ハリウッド。華やかなハリウッドの町も、1911年に最初の映画会社ができるまでは、農業を主とする小さなコミュニティだったという。ハリウッドというと華やかなイメージがあるが、現実はかなりすたれた感じのある町になっている。しかし、現在でもハリウッド・エリアにはパラマウント、コロンビアをはじめとする60以上の映画やTV番組の制作スタジオがあり、連日のように撮影が行われている。タイミングが良ければ、その撮影現場や憧れのスターに遭遇できるかもしれない。また、映画関係者の本や昔なつかしいスターのポスター、ブロマイドを売る専門店も多く、それを目当てにハリウッドまでやってくる映画ファンが後を断たない。大規模なリノベーションも進んでいて、5年後のハリウッドが楽しみだ。治安も良くなってきているが、夜間の治安はいまだに悪い。十分注意が必要だ。

観光案内所 ★ Information

Hollywood Visitors Information Center

ハリウッド・ブルバード沿いのWhitley Ave.とHudson Ave.の間、Janes Houseの1階が観光案内所になっている。ここでは観光名所、ホテルのパンフレットのほかにメトロの時刻表、公開TV番組の無料観覧券、各種イベントの割引券などが手に入る。担当者が少ないため、留守のときは一時クローズとなる。

Attractions ★
おもな見どころ

スターの手形、足形がある
チャイニーズ・シアター ★ Mann's Chinese Theater

ハリウッドのランドマーク的存在の建物が、このチャイニーズ・シアターだ。ハリウッド・ブルバード沿いのやや西寄りに位置し、赤と緑色が鮮やかな中国寺院風建築物。新作映画の封切館として常に話題の作品が上映されている。また、チャイニーズ・シアターは、入口前のコンクリートに残された大スターたちの手形、足形やサインがあることでも有名で、いつも多くの観光客でにぎわっている。ここには、映画界の頂点をきわめたマリリン・モンロー、ジョン・ウェイン、『スター・ウォーズ』のC3POなど200人近い名優の証が残っている。最近では、アル・パチーノ、メル・ギブソン、マイケル・キートン、変わったところでは、ケロッグ・コーン・フレークのタイガーが手形、足形を入れた。お気に入りのスターのサインを探したり、手形や足形を比べてみたりすると、映画の都に来たことが実感できるだろう。

ハリウッドへの行き方
ダウンタウンのBroadwayから出ているメトロバス＃1でハリウッドの中心部まで約40分～1時間。同じく、Broadwayから＃420に乗ればフリーウェイ経由で30～40分で着く。ただし、＃400番台は＄1.35にエクスプレス料金が加算される。チャイニーズ・シアターなどハリウッドの中心に行くのならHollywood Blvd.とHighland Ave.の角で降りるとよい。また、Broadwayから出る＃2、3がHollywood Blvd.の1本南のSunset Blvd.を通るので、宿がSunset Blvd.にある場合はこの2本を利用したほうが便利。
また、'99年初夏にはダウンタウンからメトロ・レッドラインが延長されるので行きやすくなる。

観光案内所
🏠The Janes House, Janes Square, 6541 Hollywood Blvd., Hollywood, CA 90028
☎(213) 689-8822
🕐月～土9：00～17：00
🗺P.211　C-1

チャイニーズ・シアター
🏠6925 Hollywood Blvd. Hollywood
☎(325) 464-8111
時間があれば、ぜひ中で映画を観てほしい。
💲＄7.50（第1、2回の上映は、マチネで＄4.50）料金は日本に比べて安く、トイレはとても豪華で一見の価値がある。
🚇Hollywood Blvd.沿いOrchid Ave.とOrange Dr.の間
🗺P.210　A-2

チャイニーズ・シアター

ウォーク・オブ・フェイム ★ Walk of Fame

ハリウッド商工会議所
🏠7018 Hollywood Blvd.,
Hollywood, CA 90028
☎ (323) 469-8311
　この商工会議所では、星形に刻まれているスターのリストが＄５で入手できる。

ハリウッド・ボウル
🏠2301 N. Highland Ave.,
Hollywood
☎ (323) 850-2000、チケット予約は☎ (323) 480-3232

　ハリウッドのメイン・ストリート、ハリウッド・ブルバードの近辺の歩道には、ショービジネス界で名をあげた人々の名前を記した星形のブロンズがはめ込まれている。星形の中にはスターの名と、それぞれの人が活躍した４つの分野（映画、ＴＶ、ラジオ、レコード）のマークが刻まれている。全長延べ５kmにもわたり、現在2,000人以上のスターの名が並んでいるから、お目あてのスターを探すのも容易ではない。

　なお、新しいウォーク・オブ・フェイムを埋め込むセレモニーが毎月１回行われているので、有名スターに会えるかも。詳しい時間と場所は観光局か、**ハリウッド商工会議所**で確認してみよう。

マイケル・ジャクソン

グレン・ミラー

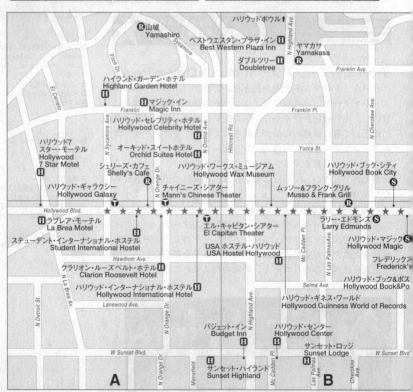

夏の夜のコンサートを楽しみたい
ハリウッド・ボウル ★ Hollywood Bowl

　ハリウッド丘陵地帯の自然の地形を生かして造られた巨大な野外劇場。半円形のステージを中心に、すり鉢状に広がる観客席の収容人員はなんと2万人。ストラビンスキー、ジュリーニなど150人以上の著名な指揮者が、ここでタクトを振ってきた。

　ハリウッド・ボウルのシーズンは6～9月だが、コンサートのないときでも自由に中へ入って見学できる。運が良ければリハーサル風景に出くわすこともある。また、チケット・ボックスへ向かう左手に**ハリウッド・ボウル・ミュージアム Hollywood Bowl Museum**があり、サイレント映画の歴史などに関しての展示がある。

ハリウッド・ボウル・
ミュージアム
🕐土日10：00～16：00、
コンサートのある日は
20：30まで
💲大人＄4、子供＄2
🚌ダウンタウンからメトロ
バス＃420でOdin St.下車、
約40分。ハリウッドから
は Hollywood Blvd.と
Highland Ave.の交差点か
ら同じく＃420に乗り、約
4～6分。徒歩なら20分く
らい
🗺P.210　B-1　地図外

ハリウッド・ボウル

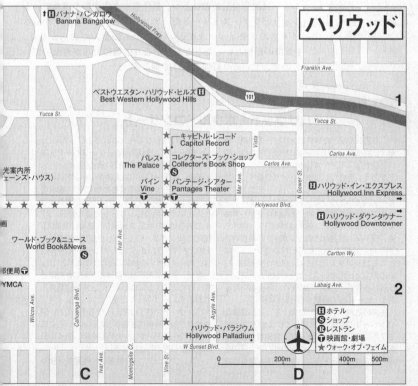

サンセット・ストリップ
🚌ダウンタウンから＃2
（サンセット・ブルバード
経由）、＃3のバスで行け
る

映画の都を痛感させてくれる

サンセット・ストリップ ★ Sunset Strip

ハリウッド・ブルバードの2ブロック南側を走る全長27km
のサンセット・ブルバードは、アメリカ映画によく登場するパー
ムツリーの街路樹が美しい道路。中心街はサンセット・ブル
バード沿いのCrescent Heights Blvd.からCarol Dr.の間あ
たりで、この周辺にはハリウッド名物ともいえるビルボード（広
告板）が、ニョキニョキと立っている。
最新ハリウッド映画をPRする数々の
ビルボードは『映画の都』を実感させ
る。また、このあたりはナイトクラブ、
ディスコ、ライブハウス、FM局、レ
コード屋、楽器屋など音楽関係の施設
やお店が多い。サンセット・ストリッ
プから西へ行くと高級住宅街のビバリ
ーヒルズに出る。そのためか、サンセ
ット・ブルバードはスゴ～イ高級車が
走りぬけていく。

サンセット・ストリップ

メルローズ・アベニュー
🚌Hollywood   Blvd.と
Highland Ave.の角からメ
トロバス＃217で約10分。
Melrose Ave. & Fairfax
Ave.の交差点で降り、東
へ歩いて行けばよい

変わったものをお探しならこの通りへ

メルローズ・アベニュー ★ Melrose Avenue

ファッショナブルな人が多いLAで、このメルローズ・アベ
ニューは流行発信地のひとつ。個性豊かな店が軒を連ねている
ショッピング・ストリートだ。アンティーク・ショップからヘ
ビメタのブティックまで、バラエティに豊んだお店が多く、
LA版の原宿といったところ。かなり広範にお店が連なってい
るので、じっくり時間をかけて歩こう。

読★者★投★稿

ハリウッド・ボウル・コンサート

1万7千人収容の野外コンサートの会場で毎
年、6月下旬から9月中旬にかけて開かれ、ロ
スアンゼルス市民が楽しみにしているコンサー
トがある。それがハリウッド・ボウル・コンサ
ート。ロスアンゼルス・フィルハーモニック・
オーケストラとハリウッド・ボウル・オーケス
トラの2団体で運営され、演目は月曜から木曜
までがクラシックで、週末はポップス、映画音
楽、ジャズ、民謡などのコンサートが行われる。
7月4日の独立記念日に行われるコンサートは
とてもゴージャスで、とくに花火が見もの。花
火の打ち上げのあるコンサートは1シーズンに
5回あるので、会場入口のチケット売場にある
スケジュール表で確認するといいだろう。
映画の町ハリウッドだけあって、映画音楽の
コンサートはとくに充実している。ちなみに
'97年には『スターウォーズ』特別編の公開を
記念して、作曲家のジョン・ウィリアムズの指
揮で『スターウォーズ』コンサートが開催され

た。音楽に合わせて花火は打ち上げられるわ、
レーザー光線は飛び交うわ、ダース・ベーダーは
飛び出すすで、会場は熱狂の渦と化した。
また、ステージ上に巨大スクリーンを吊るし、
そのスクリーンの映画にあわせて90人編成の
ハリウッド・ボウル・オーケストラが演奏を行
う、という異色のコンサートも毎年好評。'97
年の演目は20世紀フォックス映画の特集で、
『サウンド・オブ・ミュージック』、『猿の惑星』、
『クレオパトラ』、『インディペンデンス・デイ』
などのハイライトの映像に合わせて演奏された。
ただ、9月に入ると、夜は手がかじかむほど
寒くなるので、上にはおるものと手袋は用意し
ておこう。
コンサートの終了は23：00過ぎなので、帰
りはタクシーを利用するようにしよう。ここに
はタクシーステーションがないので、近くの公
衆電話から呼ぶことになる。

（神尾保行 横浜市 '98）

パラマウント映画の舞台裏をのぞいてみよう

パラマウント映画 ★ Paramount Pictures

　伝統あるメジャー映画会社、パラマウントが所有するこのスタジオでは、一般向けに見学ツアーを行っている。予約制ではないので、直接窓口でチケットを購入、指定された時間のツアーに参加するシステムになっている。

　ツアーは所要約2時間。1グループ約15人の編成で出発し、係員がさまざまな建物を案内してくれる。スタジオの敷地がほかの映画スタジオと違って狭いので、カートには乗らず、歩いて見学する。

パラマウント映画

LAの夜景を眺めるベストスポット

グリフィス・パーク ★ Griffith Park

　ハリウッドの北に連なる山々…と見えるのが実はアメリカ最大の都市公園であるグリフィス・パークだ。自然の地形をそのまま生かした1,600ヘクタールの広大な園内には、3つのゴルフ場、テニスコート、乗馬コース、野外劇場のほか、動物園や天文台もあり、子供から大人まで楽しめる。町の喧騒から離れ、リスや鳥たちと出会えるチャンスもある。休日ともなればピクニックやバーベキューを楽しむ人々でにぎわう。

　ただし、この公園は広い。歩いて回れる広さではないうえに、園内を回る公共交通機関がないので車のない人には少しつらい。

グリフィス天文台からの夜景

パラマウント映画
5555 Melrose Ave., Hollywood
☎(323)956-1777
HOME store.paramount.com/studio_tour.html
月～金の9：00～14：00の間、1時間ごとの催行
$15（10歳未満の参加は不可）。チケットはGower St.側の入口付近にある窓口にて購入する。詳しくは☎(323)956-1777（月～金 9：00～18：00）、ビジターセンター（860 N. Gower St.）にて
ハリウッドからはメトロバス#217で約10分
P.204　B-1

読★者★投★稿
期待外れのウォーキングツアー
　すごく期待して参加したが、私の感想は"がっかり"だった。試写室にはただ入るだけでフィルムもなかったし、2時間歩きっぱなしで楽しめなかった。
（Mie Goto　京都市 '98春）

ロスアンゼルス

LAの気候と映画スタジオの関係

　ハリウッドには映画やTVの製作スタジオが60カ所以上もある。なぜハリウッドに映画産業が発達したかというと、それは雨が少ないという理由にある。セットで人工的に雨を降らすことはやさしいが、大映画会社といえども雨を晴天に変えることはできない。ゆえに、晴天の多いハリウッドに撮影所がたくさんできた。もうひとつの理由は、西部劇が人気映画の中心になり、自然にニューヨークからロスアンゼルスに映画産業が移ってきたのだそうだ。

213

グリフィス天文台

グリフィス天文台
2800 Observatory Rd., Los Angeles
☎(323) 664-1191
火〜金14：00〜22：00、土日12：30〜22：00
月
無料。プラネタリウムは大人＄4、子供＄2、レーザーショーは＄大人＄7、子供＄6〜7
ダウンタウン、ハリウッドからメトロバス＃1に乗り、Hollywood Blvd.& Vermont Ave.で＃203に乗り換える。＃203は午後のみ1時間に1本運行（月休み）
P.204 B-1

●グリフィス天文台 Griffith Observatory

公園の南、LAの町を見おろす丘の上に建つ天文台で、現在は博物館となっている。内部には宇宙に関する展示やプラネタリウムがあるほか、空気の澄んだ夜は30cm反射望遠鏡をのぞかせてくれる。映画『理由なき反抗』や『ターミネーター』のロケ地で、天文台に向かって右側にはジェームス・ディーンの胸像もある。また、ここからのLAの夜景の迫力の前にはどんな言葉も意味を失う。車のある人はぜひ行ってみよう。

グリフィス天文台

生鮮食料品以外にもおみやげ物色もいい

ファーマーズ・マーケット ★ Farmer's Market

ファーマーズ・マーケット
6333 W. 3rd St., Los Angeles
☎(323) 933-9211
月〜土9：00〜19：00、日10：00〜18：00（冬期は1時間ほど早く閉まる）
祝日
ダウンタウンからはメトロバス＃16で40分、ハリウッドからは＃217で20分

野菜、果物、ナッツなどの生鮮食料品店を中心に、ギフトショップ、化粧品店、アンティーク・ショップ、革細工の店など、200を超える店舗がひしめき合っている大きなマーケット。1934年に近郊の農民たちが、自分たちが収穫した野菜を持ち寄って市場を開いたのがそもそもの始まりだったのだが、いまではすっかり観光名所として定着している。

LAの総合美術館

ロスアンゼルス・カウンティ美術館
★ Los Angeles County Museum of Art

ロスアンゼルス・カウンティ美術館
5905 Wilshire Blvd., Los Angeles
☎(323) 857-6000
火木12：00〜20：00、金12：00〜21：00、土日11：00〜20：00
水、おもな祝日
大人＄6、シニア・学生＄4、子供＄1（特別展のときは各々＄1増になる）
ダウンタウンからメトロバス＃20、21、22
P.204 B-2

なお、大きな荷物のある人はチケットブースの脇のチェックルームに預けなければならない（小さめのリュックサックは持ち込み可能だが、背中に背負っていると注意を受けるので、手で抱えて持つ）。

ハンコック公園の中に建つロスアンゼルス・カウンティ美術館（略称LACMA）は、西海岸で最大の規模と充実したコレクションを誇る総合美術館だ。美術館は6つのビルからなる。西側のアーマソン・ビル Ahmason Buildingは常設館、北側のハマー・ビル Hammer Buildingは現代美術の常設と企画展示、ギフトショップ、東のビング・センターBing Centerには劇場、カフェ、ライブラリーなどがある。ビング・センターの向かい側に建つアンダーソン・ビル Anderson Buildingは近代美術の常設展と特別企画の展示に使われている。ハマー・ビルの隣に建つ三角屋根の建物は日本館 Pavilion for Japanese Art（心遠館）。それに加えて、'98年秋にオープンしたのがラクマ・ウエストLACMA West。特別展とサウスウエスト美術館に使われている。この美術館では一番新しい展示館だ。

LACMA

214

すべての展示室をじっくり鑑賞するには丸一日以上かかるだろう。興味のある分野と特別展示に的を絞って鑑賞しよう。

タールを通して太古の昔を感じることのできる

ジョージ・C・ペイジ博物館とタール・ピッツ
★ George C. Page Museum & Tar Pits

この博物館の建っているハンコック公園には、数十におよぶタールの沼Tar Pitsが現存している。このタールは古代に地下で形成され、地層の亀裂を通って地面に湧き出したもの。いまから約5万年～1万年前に、多くの動物や鳥類がタールの沼、タール・ピッツに足をとられ死んでしまった。後年の発掘調査により、現在までに100万個以上の化石が、このハンコック公園内のタール・ピッツで発見されている。それらの化石の調査および公開の目的で1977年に建てられたのが、ジョージ・C・ペイジ博物館だ。

展示されている化石は水牛、マストドン（第三期の象）、マンモスなど、すでに絶滅してしまった動物がほとんどで、タールの粘着性を体験できるコーナーや、研究員が化石の分析調査を行っている様子をガラス越しに見学できるコーナーもある。

ジョージ・C・ペイジ博物館
🏠5801 Wilshire Blvd., Los Angeles
☎(323) 934-7243
🕐火～金9：30～17：00、土日10：00～17：00
休月
料大人＄6、シニア・学生＄3.50、子供＄2　第1火曜は無料
交ロスアンゼルス・カウンティ美術館と同じ

タール・ピッツ

LAタイムズ、日曜版を活用しよう

全米でも有数の発行部数を誇る新聞のロスアンゼルス・タイムズ紙。その日曜版は厚さ数センチにもなる大ボリューム。平日のものとはケタ違いに膨大な量の情報が詰まっている。なかでも『CALENDER』という冊子には、映画、ライブ、スポーツなどの時間、料金の情報が載っている。

また、『CLASSIFIED』という冊子には安売り航空券やライブ、コンサートのチケット情報などが満載。なかでも期日の迫ったチケットは信じられないような値段で叩き売られている。売り切れであきらめたチケットがポッと出ていたりすることもある。くまなくチェックしよう。

ロスアンゼルス

ビバリーヒルズ
🚌サンタモニカからはメトロバス＃20、22、ダウンタウンからはレッドラインのWilshire/Western駅で＃320に乗り換え。ハリウッドからは＃1、212を利用
🗺P.204　A-1、2

ご存じ、LAの高級住宅街

ビバリーヒルズ ★ Beverly Hills

　ビバリーヒルズの豪邸を目にすると、本物の豊かさというものを実感させられる。

　街路の美しさは、おそらくLAで随一であろう。しかし、ここは基本的に住宅地で、その環境を守るための条例があり、観光バスで乗り入れたりすることはできない。だからこそ、高級ブティック街ロデオ・ドライブが近くにあるにもかかわらず俗化されず、閑静なたたずまいを保っていられるのだろう…。

　どうしてもお屋敷街を見てみたいなら、レンタカーを借りるか、小さなバンを利用したツアーに参加するしかない。チラッと見るだけならSanta Monica Blvd.沿いから遠まきに眺めることもできる。住宅街は道を挟んで北側だ。ほんのさわりではあるが、一見してLAのほかの町とは空気が違うことを見てとれるだろう。

ビバリーヒルズ

センチュリー・シティ
🚌ダウンタウンからはレッドラインでWilshire/Western駅まで行き、＃316に乗り換える。ハリウッドからは＃217のバスで西に向かい、Wilshire Blvd.で＃22か322を利用

映画のロケ地としても登場する

センチュリー・シティ ★ Century City

　高層ビルが建ち並ぶ巨大な人工都市。以前は20世紀フォックス社が所有し、撮影所として機能していたのだが、1950年代に売却された。当時は不毛の土地で交通の便も悪く、しばらく放置されていたのだが、アルコア社が開発に乗りだし、約30年の間にどこか未来空間を思わせる近代都市へと生まれ変わったのだ。映画『ブレードランナー』の撮影に使われてすっかり有名になり、『ダイハード』や『リーサル・ウェポン2』などのロケにも使われている。ホテル、デパート、レストラン街、オフィスに銀行となんでもあり、センチュリー・シティ・ショッピングセンターもあるので、1日中いてもあきないところだ。

UCLA

LAの学生街

ウエストウッド ★ Westwood

　ウエストウッドは名門校カリフォルニア州立大学ロスアンゼルス校University of California Los Angeles UCLAを抱える学生の町。ハリウッドとサンタモニカの中間あたりに位置し、LA各方面へのバス路線の中継地点になっていることもあり、学生のみならず、いつも大勢の人でにぎわっている。

美術書を専門に扱う古本屋、ブティック、ギャラリー、スポーツショップなど、学生街らしく気楽に立ち寄れる店が数多い。また、時々大作映画のプレミア上映が行われることでも有名で、大挙して集まるスターたちと彼らを取りまくファンの様子が大々的に報道される。

以前は治安が良く、夜でも安心して遊べる町と評判だったのだが、このところ2、3の事件があり、残念ながら、そうそう気楽に歩くことができなくなった。とはいえ、それは夜間に限った話。昼間のウエストウッドは、いまも変わらず多くの学生が闊歩する、魅力にあふれた町だ。

西海岸の名門公立大学
カリフォルニア大学ロスアンゼルス校
★ University of California Los Angeles (UCLA)

UCLAの略称で日本人にもなじみの深いカリフォルニア大学ロスアンゼルス校。

構内には校舎のほかに、70点以上の20世紀彫刻が点在する**彫刻庭園** Franklin D. Murphy Sculpture Garden、**文化史博物館** Museum of Cultural History、**フレデリック・S・ワイト・ギャラリー** Frederick S.Wight Art Galleryなどの施設があり、一般に公開されている。まずはビジターセンターに立ち寄って、構内マップを手に入れよう。日本語版も用意されている。誰でも気軽に利用できる大学生協**アッカーマン・ユニオン** Ackerman Unionには、UCLAのロゴ入りグッズがいっぱいそろっている。値段のほうはそう安くはないが、品揃えは驚くほど豊富だ。Tシャツやトレーナーなどのカジュアルウェア、文房具、書籍、バッグ、日用品etc.…。場所はキャンパスのほぼ中央。正門からまっすぐ10分ほど歩くと右側にある。

建物もひとつの展示
ゲッティ・センター ★ The Getty Center

J・P・ゲッティ美術館を中心に、教育機関、研究機関などの施設を持つ総合アートセンター。ビジターはまず、無人運転トラムに乗る。メインプラザまでは約5分の乗車だが、これがまた、このセンターに来るひとつの楽しみ。眼下には、はるかダウンタウンまでの眺めが広がっている。

6つのパビリオンに分かれた館内は地上2階、地下1階の造り。1階には彫刻、装飾芸術、写真などを展示。2階に展示されている絵画は、17、18世紀のヨーロッパ絵画が大きな割合を占め、膨大な数のコレクションの中には、レンブラント、ターナー、モネなど有名なアーティストの名前もある。地階は特別展のセクション。

ゲッティ・センター

カリフォルニア大学ロスアンゼルス校
📍405 Hilgard Ave., Westwood
☎ (310) 825-4325
🕐月火 7：45～19：30、水～金 8：30～18：00、土10：00～17：00、日12：00～17：00
🚌サンタモニカからビッグ・ブルー・バスの#1、2、3、8に乗り終点で下車。ダウンタウンからはレッドラインのWilshire/ Western駅まで行き#21のメトロバスに乗り換え。ハリウッドからは、Sunset Blvd.を通る#2のメトロバスを利用
🗺P.204 A-2

ゲッティ・センター
📍1200 Getty Center Dr., Los Angeles
☎ (310) 440-7300
🚌ハリウッドからメトロバス#2からHilgardとWyton.St.の角で#561に乗り換える。車での来館は必ず予約が必要。人気のある見どころなので、タクシーかバスを利用したほうがいい。
予約は☎ (310) 440-7300
🕐火水11：00～19：00、木金11：00～21：00、土日10：00～18：00
🚫月、祝日
💰無料

ロスアンゼルスの北部に広がる丘陵地域はバレーと呼ばれている。ハリウッドの北側、ハリウッド・サインがある山のほうと考えれば大体の位置がつかめるだろう。観光スポットとして有名なユニバーサル・スタジオのあるユニバーサル・シティや空港のあるバーバンク、ローズボウルのパサデナなど、思った以上に身近なエリアである。ダウンタウンを中心に考えると少し遠く感じるが、このエリアを訪れるならハリウッドをベースにすると30～40分で各所へ出向くことができる。

映画のテーマパークはとことん楽しい

ユニバーサル・スタジオ・ハリウッド
★ Universal Studios Hollywood

メイン・ゲート

映画の都ハリウッドの人気最高のアトラクションがこのユニバーサル・スタジオだ。おなじみの映画のセットを見学する、特殊撮影のからくりを解きあかす、あの映画のワンシーンを体感する、スリリングなスタントショーを堪能する、映画の主人公たちと遭遇する……、映画の妙味をあらゆる角度から楽しませてくれるのだ。大人から子供までを魅了するユニバーサル・スタジオは映画の撮影所というより、いまやアミューズメント・パークのひとつになっている。映画ファンでなくても十二分に楽しめる、LA必見のアトラクションだ。

ユニバーサル・スタジオを楽しむために

スタジオ内は大きく、**バックロット・トラムツアー Backlot Tram Tour、スタジオ・センター Studio Center、エンターテインメント・センター Entertainment Center**の3つに分かれる。広さもさることながら、充実したアトラクションがいっぱい詰まっている。

また、入口横にある、'50年代風のカラフルなショッピング・ゾーン、**ユニバーサル・シティウォーク**も見逃せないスポットだ。レストラン、ショップ、バー、映画館などが入り、一つの町のよう。

ユニバーサル・スタジオでの楽しみは、ライドなどのアトラクションと、ステージなどで行われるライブショーの二本柱だ。

ライブショーの時間は、入園ゲートでその日のスケジュールをもらえば知ることができる。ライブショーの時間を軸にして、アトラクションを見ていくようにしたい。また、アトラクションをメインに回るのなら、ターミネーター2：3Dやジュラシック・パーク…ザ・ライドのような人気アトラクションは、開園直後や閉園間近の比較的人の少ない時間帯に回るのが得策。

ユニバーサル・スタジオ・ハリウッド

🏠100 Universal City Plaza Hollywood Fwy. at Lankershim), Universal City, CA 91608

☎ (818) 622-3801、
HOME www.universal studios.com

📅夏季の毎日8：00～23：00、それ以外の時期の毎日9：00～19：00

🚫サンクスギビング、クリスマス

💰1日券大人＄39、子供＄29 AJMV

🚌ダウンタウンからは、Broadwayから＃424、425のメトロバスで約40分から1時間。Hollywood Fwy.とLankershim Blvd.の角で降りる

ハリウッドからは、Highland Ave.とHollywood Blvd.の角あたりから＃420のメトロバスで約15～20分。降りる場所はHollywood Fwy.とLankershim Blvd.の角

バスを降りたら、右手側にあるフリーウェイをくぐると交差点になっている。向かい側に急な坂があり、バーンと"ユニバーサル・スタジオ"の看板が見えるので、迷うことはない。その坂のふもとにバス停があり、そこで待っていると、坂の上にあるスタジオまでの無料シャトルバスが来る。元気な人は歩いて登って10分くらい

🗺P.204 B-1

※夏期の観光シーズンはとくに混雑するから要注意。うまく計画を立てないと見逃してしまうアトラクションも出てくる。

ユニバーサル・スタジオ

バックロット・トラムツアー　Backlot Tram Tour

　4両編成のバスに乗って映画のセットや映画のワンシーンを体験する約40分のツアー。係員の臨場感あふれるナレーションも楽しい。

　誰もが懐かしい気分を味わうのは『バック・トゥ・ザ・フューチャー』でおなじみの時計台のある広場。"ゾッ"とさせられるのは『サイコ』の家とモーテル……、そして、あの部屋の窓に佇む人影。また、トラムを突然の大洪水が襲撃したり、『十戒』のように海が割れたり、橋ゲタが不意に崩れたりと、ツアーではセットの醍醐味を十二分に味わうことができる。文句なしにオモシロイのは『大地震』『キングコング』『ジョーズ』の3つ。ここではその内容の説明はあえてしないが、その迫力とリアリティにトラムの乗客は悲鳴をあげっぱなしだ。ツアーが終わるころには皆、満足感と疲労でクタクタになっているはず。

スタジオ・センター　Studio Center

　特撮のトリック解説を独立させ、一層内容の深いものとして紹介している。

●シネマジックの世界　The World of Cinemagic

　『バック・トゥ・ザ・フューチャー』やヒッチコックの映画の特殊撮影を、観客の中からエキストラを募り、彼らの協力を得て解説していくもの。

●ルーシーに捧ぐ　Lucy, A Tribute

　かつて日本でも人気の高かったコメディ番組『ルーシー・ショー』。主人公である赤毛のルーシーを記念して、彼女の生いたちが紹介されているコーナー。

●E.T. アドベンチャー　E.T. Adventure

　不滅の名作『E.T.』。映画では見られなかったE.T.のふるさとの惑星を訪れる。自分の名前をインプットして、E.T.といっしょに自転車に乗って空への旅にさあ出発！最後にE.T.がひとりひとりに感謝して名前を呼んでくれる。

●バックドラフト　Backdraft

　映画のなかの大火災を追体験でき、その迫力はハンパなものではない。ぼう然と炎をみつめる観客だが、突然足場が……！この大火災、なんと1時間に15回も繰り返されているというからすごい。

●ジュラシック・パーク…ザ・ライド
Jurassic Park…The Ride（待ち時間は最長4〜5時間）

　映画『ジュラシック・パーク』で大暴れした恐竜たちがよみがえる！数々の恐竜たちと遭遇したあと、圧巻はラスト、滝つぼへドーンと真っ逆さま。着ているものからなにからビショビショになり、全員放心状態。この部分だけで初めの恐竜の恐怖（？）も忘れてしまうほどだ。

トラムツアー

バックロット・トラム ツアー

　ニューヨークのブロードウェイやメキシコの町並みもみごとに再現され、これらのセットは実際のTV番組や歌手のプロモーションビデオにもたびたび登場している。

　なお、トラムツアーは撮影や混雑度に応じてコースが一部変更になることもある。

ジュラシック・パーク …ザ・ライド

　濡れたくない人は入口で売っているポンチョ（50￠）を買っておこう。

ジュラシック・パーク

エンターテインメント・センター　Entertainment Center

いい席で見たいのなら少なくともショーの始まる20分前に並ぶように。プロフェッショナルなスタントが見たい人には、スタント・ショーとウォーターワールド、特撮に興味があるならフリントストーンがおすすめ。

『バック・トゥ・ザ・フューチャー』と並んで人気の高い『ウォーターワールド』は必ず押さえておきたいアトラクション。ほかのショーも、どれもおすすめ。スケジュール表を見て計画を立てよう。

●ターミネーター2：3D　Terminator 2：3D

映画をテーマに刺激的なアトラクションが人気のユニバーサル・スタジオに'99年春、また1つのアトラクションが加わった。それが"ターミネーター2：3D"。すでにフロリダのユニバーサル・スタジオに登場し、好評を得ているこの3Dライブ・アトラクションが、ここハリウッドにもいよいよ登場。

ストーリーは映画"ターミネーター2"のその後。完全に破壊されたはずのコンピュータ・システム"Sky NET"が生きていたのだ。このままでは、コンピュータと人間の戦いは終わることはない。その野望を打ち砕くためにシュワルツェネッガーが演じる"T-100"とジョンが今未来に向かう！　というもの。

●バック・トゥ・ザ・フューチャー…ザ・ライド
Back to the Future…The Ride

（所要時間：4分、乗りものタイプで待ち時間あり）

バック・トゥ・ザ・フューチャー

画像とライドを組み合わせた体感シミュレーション型のアトラクションだ。2015年のヒルバレーをデロリアンで飛び立ち、時空を超えた大冒険へ。絶対のおすすめ！

●ビートルジュース
Beetlejuice Rockin' Graveyard Revue（所要時間：15分）

ビートルジュースのユニークな面々が繰り広げる、楽しいロックンロール・ミュージックショー。会場も一体となって「ビートルジュース！　ビートルジュース！」の大歓声だ。

●ウォーターワールド
Waterworld-A Live Sea War Spectacular（所要時間：15分）

ウォーターワールド

ケビン・コスナー主演で話題となった『ウォーターワールド』が大迫力ウォーターショーとして登場した。海中に浮かぶ要塞都市の中をジェットスキーが走り回る。クライマックスでは城壁を突き破って巨大戦闘機が出現する！

●ワイルド・ワイルド・ワイルド・ウエスト・スタントショー
Wild Wild Wild West Stunt Show（所要時間：15分）

西部の町を舞台に大悪党が思いっきり暴れまわるスタントショー。コメディも混ざって観客を笑わせるが、息をもつかせぬアクションの連続は、ウォーターワールドに勝るとも劣らない。

●アニマル・アクターズ・ステージ
Animal Actor's Stage（所要時間：20分）

かわいらしく、かしこい動物たちが、人間顔負けの妙技を披露する。ホストは実際の調教師。

●スペクトラ・ブラスト　Spectra Blast

　夏の夜だけに行われる、花火、水、レーザーのスペクタル・ショー。

絶叫ライドで叫びまくろう！

マジック・マウンテン ★ Six Flags Magic Mountain

　荒涼たる丘の向こうに赤い鉄塔が見えてくる。絶叫マシンとズブぬれマシンを徹底的にそろえたテーマパーク、マジック・マウンテンだ。Six Flags系列のテーマパークは全米各地にあるが、なかでもここがエキサイティングなのは、遊びをとことん追求する南カリフォルニアの土地柄かもしれない。続々と新しい絶叫マシンを取り入れているマジック・マウンテン。ジェットコースター・ファンには絶対に見逃せないポイントだ。

マジック・マウンテンの楽しみ方

　まず、チケット売場で地図の入ったパンフレットをもらおう。園内は一見狭いように感じるがかなり広い。また、夏休み中は非常に混むうえ、日中は猛烈に暑い。列に並んでいる間は日陰がないので、帽子や日焼け止めなどの予防対策も忘れずに。

夏のピーク対策

　まず最初に気をつけたいのが、ピーク時のための対策。マジック・マウンテンがいちばん混むのは、やはり夏の週末の午後。"フラッシュバック Flashback"、"バイパー Viper"、"スーパーマン・ジ・エスケープ Superman the Escape"、"バットマン・ザ・ライド Batman the Ride"そして最新の"リドラーズ・リベンジ Riddler's Revenge"あたりが1～2時間待ち。"コロッサス Colossus"、"フリーフォール Freefall"、"サイクロン Cyclone"、"ニンジャ Ninja"などが30分～1時間待ち。そういった人気のライドは入場者が少ない午前中か夜間に乗るようにしよう。

マジック・マウンテンのおもな絶叫マシン紹介

●スーパーマン・ジ・エスケープ　Superman The Escape

　コースターが7秒間に時速160kmという速さで41階建てのビルの高さまで上がり、その地点から今度は一気に降下、というもの。スーパーマンがニューヨークの高層ビルから飛び降りるとこんな感じなのだろうか!?

スペクトラ・ブラスト
　毎晩21：00、22：05、23：00の3回行われる。場所は昼間「ウォーターワールド」を行っているところ。

マジック・マウンテン
🏠 Magic Mountain Pkwy., Valencia, CA 93155
☎ (661) 255-4100、(818) 367-5965
🗓 メモリアル・デー（5月最終月曜）からレイバー・デー（9月第一月曜）の間は毎日オープン。その他の時期は、土日祝日しかオープンしていないので注意。時間は日によって細かく決まっているので、出かける前に確認を。☎ (805) 255-4818、255-4111（テープ案内）まで。おおよその時間は10：00～22：00、金土は24：00までオープン
💰 大人＄36、子供（身長122cm以下）＄9.99、シニア（55歳以上）＄20。駐車場料金は＄7 [A][J][M][V]
🚌 公共交通機関はないので、レンタカーまたは現地参加のツアーバスを利用することになる
レンタカー
　ダウンタウンからI-5を北へ約50分。CA-14と分岐してしばらくするとMagic Mountain Pkwy.の出口がある。ここで降りてすぐの信号を左折。あとは直進して道なりに進めばゲートだ。ウエストサイド・エリアやコースタル・エリアからはI-405を北へ。I-5に合流したらあとは上記のとおり
🗺 P.204　A-1

　夏期は混雑が予想されるので、時間が限られている場合は自分の乗りたいものに的を絞ること。スーパーマン、バットマン、バイパー、フラッシュバックなど人気のあるアトラクションは、とくに週末など1時間前後並ぶ覚悟が必要

スーパーマン・ジ・エスケープ
　その間6.7秒は無重力状態が体験できる！

ウォーターテーマパーク　Six Flags Hurricane Harbor

　マジック・マウンテンに隣接して、同じ系列の、水をテーマにしたテーマパークがオープンした。

　熱帯の島をイメージしたという園内には、海賊船や難破船、あるいはモアイ像や神殿を思わせるような大道具がちりばめられ、それらの周囲や間にさまざまなウォーター・アトラクションが置かれている。流れるプールや波のプールはもちろん、シックス・フラッグス系だけに、マジック・マウンテンのライドを思わせるようなハードなウォータースライドも……。

🗓 6～9月初旬は毎日オープン。10：00～。季節により開園～閉園時間にばらつきがあるため、要電話。

☎ (805) 255-4111

💰 大人＄18、身長122cm未満＄11、2歳未満は無料。マジック・マウンテンとの共通券あり。

●バットマン・ザ・ライド　Batman The Ride

マジック・マウンテンいちばん人気のコースターは、映画
『バットマン』の荒れ果てた世界を駆け巡る。ぶら下がり式で、
ヘアピンターン、垂直の宙返り、斜めの2回連続宙返りなど、
絶叫の連続だ。

●リドラーズ・リベンジ　Ridler's Revenge

マジック・マウンテン最新アトラクションが、名前も新たに
なったムービーディストリクトに登場した。このリドラーズ・
リベンジは、なんと立ったまま乗るローラーコースター。ガッ
チリと肩を固められてステーションから出発。落下の角度やル
ープは今までのローラーコースターとそう違いがあるわけでは
ないのに、座っていないというだけでこんなにも不安定でスリ
ルが増すのだ。しっかり足を踏ん張っていこう。

●フラッシュバック　Flashback

一見普通のローラーコースターだが、世界初の垂直180度の
超ヘアピン・ターンで、一瞬のうちに恐怖のどん底にたたき込
まれる。スピードはハンパではなくスリリングこの上ない。

●サイクロン　Psyclone

ニューヨークのコニーアイランドにあるもののレプリカだ
が、規模はこちらが断然大きい。まさに台風の暴風域にたたき
込まれた気分にさせられてしまうローラーコースター。

●バイパー　Viper

白い柱と赤い軌道が印象的な美しいローラーコースターだ
が、その名はバイパー（毒ヘビ）。18階建てのビルの高さから
の急降下ではじまり、あとは360度宙返り3回を含めて回転に
次ぐ回転だ。世界最大級のループコースター。

●コロッサス　Colossus

世界最大級の木造ローラーコースター。最初の急降下はド迫
力だ。その落差の激しさはお尻が浮いてしまうほど。長い間、
根強い人気を保っている。

●フリーフォール　Freefall

日本にもあるが、ここは周囲の風景が荒涼としているだけに
何とも言えない気分になる。約30mの高さから、4人乗りのカ
プセルがその名のとおり自由落下するというしろもの。心臓に
自信のない人、高所恐怖症の人は無理。

●タイダル・ウエーブ　Tidal Wave

数々の絶叫マシンと並んでマジック・マウンテンの名物とい
えばズブぬれマシン。その代表格がこのタイダル・ウエーブだ。
20人乗りのボートで急流を下り、川に突っ込んでビショぬれに
なるというだけのものだが、このアメリカ的な単純さ、豪快さ
が大受け。

●ローリング・ラピッズ　Roaring Rapids

10人乗りの円型いかだで急流を下る。座る場所
によってはビショビショに水をかぶる。タイダ
ル・ウエーブほどではないが、人気のあるズブぬ
れマシンだ。

サイクロン
木造の優美な外観だが、
いったん乗ったらそんなの
ん気なことは言ってられな
い。

コロッサス
所要時間も2分28秒とジ
ェットコースターとしては
かなり長い。

タイダル・ウエーブ
ぬれるなんていうもので
はなく、服のままプールに
飛び込んだような状態にな
ってしまう。それでも皆大
喜びしているさまが楽し
い。

マジック・マウンテン

サンタモニカ

　爽やかな潮風が渡り、どこを歩いても海を感じることのできる町、サンタモニカ。カリフォルニアのビーチのなかでは知名度は抜群で、リゾート地としての歴史も古い。現在のサンタモニカ・ビーチは家族連れでにぎわう大衆的なビーチ。一方で町は若者のもの。ハイセンスなショッピング・エリアとして、雰囲気のいいディナーの場として、人気を集めている。冬暖かく、夏はエアコン不要なほど涼しい気候で、居住地としての質も高い。旅行者にとってもLA観光の拠点としてのメリットは大きい。空港に近く、治安が良く、交通もまずまず便利。ダウンタウンやハリウッドとはまったく違った南カリフォルニアの開放感を味わえる。そして海の包容力。白く広い砂浜と、そこに寄せる波のリズムは昔も今も変わらない。

サンタモニカ・ピア

ダウンタウンからはレッドラインのWilshire/Western駅まで行き、メトロバス＃320に乗り換える。LAXからサンタモニカ・ビッグブルー・バス＃3。ハリウッドからはHollywood Blvd.から西行きのメトロバス＃212、217のバスに乗り、Santa Monica Blvd.でメトロバス＃4、304に乗り換える
地P.204　A-2

観光案内所 ★ Information

Santa Monica Convention & Visitors Bureau

　海岸沿いのパリセード・パークの中にビジターセンターがある。ウォーキング・マップやパンフレットなどを置いている。このほか、サード・ストリート・プロムナードにもブースがある、ビッグ・ブルー・パスのルートマップなどが手に入る。

Santa Monica Convention & Visitors Bureau
1400 Ocean Ave., Santa Monica, CA 90401
☎ (310) 393-7593
毎日10：00～16：00、夏は10：00～17：00
Santa Monica Blvd.から海沿いのOcean Ave.に出たら左折

サンタモニカ・ピア
Colorado Ave.が海に突き当たったところ

サンタモニカのシンボル
サンタモニカ・ピア ★ Santa Monica Pier

　サンタモニカのシンボルともいえる古い木の桟橋。ピアの上には、パシフィック・パークという遊園地があり、カフェ、レストラン、ゲームセンターもある。平日、週末と問わず、観光客、カップル、家族連れでにぎわう。子供たちには回転木馬が大人気だし、カップルには、海に沈んでゆく夕陽が最高の雰囲気を提供してくれる。

パシフィック・パーク

223

夜もにぎやかショッピング街
サード・ストリート・プロムナード
★ Third Street Promenade

3rd St.のサンタモニカ・プレイスからWilshire Blvd.までの3ブロックは、車が入ることのできない遊歩道になっている。道の中央のところどころに、噴水やオブジェがあり、夜はそれらがライティングされてとてもきれい。両脇はカフェ、ブティック、映画館などが並ぶショッピング街となっており、夜中まで若者たちでにぎわう。

サード・ストリート・プロムナード

メイン・ストリート
🚌ピアからは南のベニス寄り。Ocean Park Blvd.とPier Ave.の間あたりに店が多い。サード・ストリート・プロムナードとメイン・ストリートを結ぶタイド・シャトル（25¢）も走っている

ベニス
🚌サンタモニカからビッグ・ブルー・バス＃1、メトロバス＃33、333で約10分。ダウンタウンからもメトロバス＃33、333利用で約1時間
🗺P.204 A-2

ベニス・ビーチ

小粋なショッピングゾーン
メイン・ストリート ★ Main Street

サード・ストリート・プロムナードと並ぶ、サンタモニカのショッピング街。小物関係を扱うシャレた店が多く、雑貨屋めぐりが好きな人はとても楽しめるだろう。ほかにも、ギャラリー、ブティック、アンティーク・ショップ、雰囲気のいいレストランなどが並び、ファッショナブルなエリアとして注目されている。

ベニス

サンタモニカの南に続くビーチが**ベニス・ビーチ Venice Beach**だ。隣り合ってはいるものの、その色合いはまったく異なる。どちらかと言えば保守的な雰囲気のサンタモニカに対し、ベニスはまさに前衛的。南カリフォルニアの若者文化の震源地といえる。インライン・スケート、スケートボード、ビーチバレー、そしてさまざまなストリート・パフォーマー達。彼らを眺めているだけでも飽きることはない。

★ カタリナ島　Catalina Island

ロングビーチの沖合い約30kmに浮かぶ島で、LA市民に人気のリゾート。島にガソリン車は持ち込めず、小さな島にもかかわらず自然がよく残っている。島の中心はアバロンAvalonの町。ホテル、モーテル、B＆Bもほとんどがこの町にある。ここを基点に、山間部に入るツアーでバッファローなど野生動物に出会うもよし、海に出るツアーでアザラシやトビウオに出会うもよし、信じられないほど澄んだ海中をのぞくグラスボトム・ボートに乗ってみるのも楽しい。日帰りも可能だが、1泊してのんびりしたい美しい島だ。

🚌ブルーラインの終点、ロングビーチ・トランジットモールから小型のシャトルバス"Runabout"（25¢）に乗ってCatalina Terminalへ。ここから2社がフェリーを走らせている。夏の週末は予約が必要。Catalina Cruises ☎(1-800)228-2546、Catalina Express ☎(310)519-1212。ニューポート・ビーチからもフェリーは出ている☎(949)673-5245。3社ともに片道1時間半〜2時間。料金は往復$25〜36前後。ヘリコプターの便もある。

224

マリナ・デル・レイ

　人工の港としては世界最大といわれるヨットハーバー、**マリナ・デル・レイ** Marina del Rey。1万隻以上ものヨットやクルーザーが停泊し、周辺のコンドミニアムは庶民にはちょっと手の出ない値だそうだ。ヨットの白さと空や海の青さが鮮やかなコントラストを見せるマリナで、太平洋へと出入りするヨットや、羽を休めるカモメやペリカン達を眺めながらゆっくりと散策を楽しもう。雰囲気が良く、おいしいカリフォルニア料理を出すレストランも多く、とくにカップルにおすすめのスポットだ。

ロングビーチ

　LAの南にある臨海都市。9kmにも及ぶ美しい海岸があったことから名付けられ、古くからリゾートとしてにぎわっていた。今では重要な貿易港として、また軍港として栄える工業都市になっている。

'98年にオープンした楽しい水族館
ロングビーチ水族館
★ Long Beach Aquarium of the Pacific

　これまで見どころというと、クイーン・メリー号ぐらいしかなかったロングビーチに、大きなスポットが登場した。それが総工費1億1,700万ドルをかけて完成した南カリフォルニア最大規模の水族館、ロングビーチ水族館だ。敷地面積は14,560平方メートル。これはアメリカン・フットボール・コート3つ分の広さ。この巨大な館内には小さいもので1万9千リットル、大きなものでは136万8千リットル、総量では380万リットル以上の海水をたたえた、17の大水槽と、30以上の小さな観察用の水槽に、550種以上、1万2千の太平洋の生き物たちが棲んでいる。

　館内は3つのエリアに分かれ、それぞれ、南太平洋がメインのトロピカル・パシフィックTropical Pacific LAを中心とした南カリフォルニアを紹介する、サザン・カリフォルニア＆バハSouthern California & Baja、日本北部から、北極までの北の海をカバーするノーザン・パシフィックNorthern Pacificと名付けられている。どのエリアも、7つの海の中でも最大の太平洋の豊かな自然と、そこに生きるすばらしい生き物たちに触れることのできる、楽しいアトラクションでいっぱい。

　場所は再開発の進むクイーンズベイ。ショップやレストランが増えているロングビーチの新しい人気スポット。ロングビーチのダウンタウンから数分のところだ。

ロングビーチ水族館

マリナ・デル・レイ
🚌ダウンタウンからはメトロバス＃439に乗り、Fox Hill Mallで＃108乗り換える。約1時間。サンタモニカからはビッグ・ブルー・バス＃3でLincoln Blvd.とFiji Wayの角で下車
🗺P.204　A-2、3

ロングビーチ
🚌メトロバス　ダウンタウンからは で、＃60、360で1時間15分。ハリウッドからは、ダウンタウン経由で。ロスアンゼルス国際空港からは、メトロバス＃232で約50分。またスーパーシャトルだとひとり＄6くらい。アナハイムからは、オレンジ・カウンティの路線バスOCTAバス＃149で
🗺P.204　C-4

ロングビーチ水族館
🏠100 Aquarium Way, Long Beach CA 90801
☎ (562) 590-3100
🕐毎日10：00～18：00
💰大人＄13.95、子供（3～11歳）＄6.95、シニア（60歳以上）＄11.95
🗺P.204　C-4

エンターテインメント

ロスアンゼルス・フィルハーモニー
★ Los Angeles Philharmony

ロスアンゼルス・フィルハーモニー
ホームホール——ドロシー・チャンドラー・パビリオン, 135 N. Grand Ave., Los Angeles ☎ (213) 972-7200
📖P.207　A、B-2

　西海岸最高、世界的にみても有名なオーケストラで、ダウンタウンのドロシー・チャンドラー・パビリオンを本拠地として活動している。毎年夏には屋外劇場のハリウッド・ボウルで『星空のコンサート』と題して楽しいコンサートを3ヵ月にわたって展開する（P.212参照）。日によってディズニーキャラクターが登場するなどLAらしいコンサートだ。

★　　★　　★ **ナイトスポット** ★　　★　　★　★
Night Spot

大スターの登竜門
Troubadour

🏠9081 Santa Monica Blvd., West Hollywood
☎ (310) 276-1158
📖13：00〜23：00（日によっては〜24：00）
💲$3〜20

　ここのバーには、さまざまなアーティストの写真が飾ってある。Elton John、Guns'n Roses、Jackson Brown、Billy Joel、Sheryl Crow…。皆ここのステージに立ったアーティストたちだ。The Eaglesがこの店のバーのカウンターで結成されたのも、Linda Ronstadtがこの店でウエイトレスをしていたのも有名な逸話のひとつだ。

人気のチェーン・ライブハウス
House of Blues

🏠8430 Sunset Blvd., West Hollywood
☎ (213) 650-0247
📖毎日21：00〜2：00（レストランは11：30〜）
💲$10〜25　AMV

　Baby Face、L.L. Cool JからDeep PurpleにGregory Isaacsまで、連日のように各ジャンルのビッグ・ネームが出演者リストに

名を連ねているライブ・ハウスがココ。レコード・レーベルやFM局の企画したイベントも多く、これからのLAミュージックシーンを引っ張っていくであろうアーティストたちをチェックできるいい機会だ。

日々変わるイベントが楽しみ
Dragonfly

🏠6510 Santa Monica Blvd., Hollywood
☎ (213) 466-6111
📖毎日21：00〜2：00
💲$5〜10　AMV

　曜日ごとに雰囲気や音楽が変わるが、なかでも人気のイベントは、金土のファンク、ヒップホップ、'70sの"Dance Mix"と、日のレゲエ&ダンスホール・サウンドの"Jamiaican Gold"。夜8時ごろからライブイベントが始まって、ライブ終了後にクラブイベントにスライドすることも多い。入場は21歳から。

金曜日は一見の価値あり
Love Lounge

🏠657 N. Robertson Blvd., West Hollywood
☎ (310) 659-0472
📖毎日22：00〜2：00

　地元LA Times紙で特集を組まれるほど人気のイベント、金の"Cherry"は今年ですでに5年目。人気DJのジョセフ・ブルックをメインに、グラム、オルタナティブ、ニューウェーブのヒップホップ・アレンジをかけている。場所が場所だけに、艶っぽいゲイのダンサーがお立ち台で踊りまくっているのもスゴイ。入場は21歳以上。

トラバドール

オーナーは人気俳優
The Viper Room
🏠8852 Sunset Blvd., West Hollywood
☎(310) 358-1881
🕐毎日21：00～2：00

　ジョニー・デップがオーナーということやリバー・フェニックスが店先で急死したことで有名になった。最近はU.K.っぽいドラムン・ベース、トランス、ジャングルを中心にしたイベント "Atmosphere" が人気だ。250人くらい入ればいっぱいの空間だが、カリスマ的DJのパフォーマンスが間近で見れる絶好の機会だ。入場は21歳から。

本格的なジャズが楽しめる
Loews Hotel
🏠1700 Ocean Ave., Santa Monica
☎(310) 576-3115
🕐金土20：30～24：30、月火17：00～22：00、水木20：00～23：30
🍴飲食代のみ　Ⓐ Ⓙ Ⓜ Ⓥ

　サンタモニカでベスト・ビューを誇る高級リゾートホテル、ロウズ・ホテル内にあるラウンジ・バー。そのためカバーチャージはなしで飲み物代だけで音楽を楽しむことができる。毎日実力派のジャズ・ミュージシャンたちが出演していて、演奏を楽しむのはもちろん、お気に入りのカクテルを片手にサンタモニカ・ピアの景色も堪能できる。

Spectator sports
観戦するスポーツ

ベースボール（MLB）

ロスアンゼルス・ドジャース ★ Los Angeles Dodgers
（ナショナル・リーグ西地区）

　東のヤンキースに並ぶ、西の名門チーム。ここ何年も遠ざかっているワールド・チャンピオン制覇に向け、'99年のシーズン前に大胆なチームの改造をした。監督は、かつて日本の巨人にも在籍していたジョンソン監督。彼は現役監督のなかでは最高勝率を誇る名将。チームカラーは青。

アナハイム・エンジェルス ★ Anaheim Angels
（アメリカン・リーグ西地区）

　サウスポーのフィンレーから中継ぎ(セットアッパー)元オリックスの長谷川、快速のパーシバルへのリレーは球界でもトップクラス。'99年ボストンから、MVPにも輝いたことのある大スラッガー・ボーンが移籍し、リーグ優勝もいよいよ夢ではなくなった。

ロスアンゼルス・ドジャース
本拠地一ドジャー・スタジアム　Dodger Stadium, 1000 Elysian Park Ave.
☎(213) 224-1448（チケット）、(213) 224-1500
🚃ダウンタウンからタクシーで約15分、＄10前後。レンタカーならCA-110を北に走り、Stadium Wayで降りる。帰りのタクシーは球場の出入口で待っている
🗺P.204　C-2

アナハイム・エンジェルス
本拠地一エジソン・インターナショナル・フィールド　Edison International Fileld, 2000 S. Gene Autry Way, Anaheim　☎(714) 634-2000（チケット）、940-2000
🚃ダウンタウンのユニオン駅からAmtrakのサンディエゴ方面行きに乗り、2つ目のAnaheimで降りれば目の前。本数が少ないので注意。ディズニーランド周辺からならタクシーで約5分。エンジェルスの試合を観るときはなるべくアナハイムに宿をとろう。それから、タクシー会社の電話番号をひかえておくこと。
🗺P.205　F-4

エジソン・インターナショナル・フィールド

ロスアンゼルス・レイカーズ ★ Los Angeles Lakers
（西・太平洋地区）

'80年代に5度の王座に君臨した名門。現在NBAでチーム平均年齢で最年少ながら、超スーパースター、シャキール・オニール、コビー・ブライアントを中心に新たな黄金期に突入しようとしている。

ロスアンゼルス・クリッパーズ ★ Los Angeles Clippers
（西・太平洋地区）

レイカーズとは違って、下位での低迷が定着した感のあるチーム。おかげで観客の入りも、いつも会場の1/3程度だったりと、寂しい感じ。しかし、ひたむきなプレーと間抜けなミスに親しみが持てる（?）。

ロスアンゼルス・キングス ★ Los Angeles Kings
（西・太平洋地区）

NHL史上最高のスーパースターといわれる、ウェイン・グレツキー放出によって一時低迷していたが、スタンプルを中心に見事チーム再編成に成功。ワイルドなゲーム展開で優勝争いに絡むまでに成長した。

マイティ・ダックス・オブ・アナハイム
★ Mighty Ducks of Anaheim（西・太平洋地区）

五輪カナダ代表になった日系人プレーヤー、ポール・カリヤとオールスター戦のMVP、スレーニーのコンビはリーグ随一の破壊力。リーグ優勝も夢ではない。
※'99年秋よりロスアンゼルス・レイカーズ、ロスアンゼルス・クリッパーズ、ロスアンゼルス・キングスの3チームは本拠地をダウンタウンのステープルズ・センター（865 S. Figueroa St.）に移す。

読*者*投*稿

ドジャー・スタジアムへ行く方へ

行きはタクシーなどを利用して簡単に行けるが、問題は帰りの足だ。シャトルバスがなくなってしまい、帰る方法はタクシーのみ。しかし、絶対数が少なく、白タクも多い。ダウンタウンまで1人$20といわれ、相乗りだと1人$12以上とふっかけられる。粘り強く交渉しても$10が限度。私は頭に来て、チャイナタウンまで15分歩き、ここからバスで帰った。運転手によると、ダウンタウンまで$30も払う日本人がいるらしく、完璧にカモにされている。

（渡辺聡直 名古屋市）('99)

★
ロスアンゼルス

ダウンタウン

セブンス・マーケット・プレイス
Seventh Market Place
🏠735 S. Figueroa St.
☎ (213) 955-7150
🕐月～金10：00～19：00、土10：00～
18：00、日（一部の店舗）12：00～17：
00　🗺P.207　A-4

　観光案内所のあるグランド・ウィルシャー・ホテルと7th St.を挟んで隣り合っている明るいショッピングセンターで、50店舗とそう大きくはないが、Bullock'sとRobinson's Mayの2つのデパートをキーテナントに見て回りやすい構造になっており、ダウンタウンのショッピングの中心だ。フードコートなども充実している。　('98)

リトル東京にあるブーツ店
Red Wing Shoe Store
🏠110 Judge John Aliso St.
☎ (213) 625-8246
🕐月～土10：00～19：00、日12：00～
17：00　🅰🅳🅹🅼🆅　🗺P.207　C-3

　1st St.角の、住友銀行の対角にある。日本でもワークブーツやトレッキングブーツが人気の老舗ブーツメーカー、レッド・ウイング・シューズの専門店で、日本語ペラペラの店員さんが日本人の足にぴったりのサイズを選んでくれる。品数も多く、値段は日本よりかなり安い。ここなら旅向きのブーツが見つけられそうだ。　('98)

GUCCIの時計がアウトレットより安い!
Okadaya
🏠123 Onizuka St., Los Angeles
☎ (213) 626-6546
🕐毎日8：30～22：00　🅰🅹🅼🆅

　G-SHOCKブーム時には海外版のプレミアものを月に2,000個売った記録を持つショップ。ハンティング・ワールド、フェラガモ、カルティエ、エルメス、フェンディを専門ブティックとしてもち、すべてを州税サービスで販売してくれる。そのうえ日本で人気のアイテムに焦点を置いているので、A&Gのシルバージュエリーからポール・スミスのネクタイ、STORMウォッチなどLAで入手困難なアイテムを廉価でゲ

ットできる。リトル東京内にあるので、ダウンタウンのホテルを利用する人には便利。

ハリウッド

掘り出し物のポスターはいかが
Hollywood Book & Poster Company
🏠6562 Hollywood Blvd., Hollywood
☎ (323) 465-8764
🕐月～木11：00～18：00　金土11：00
～19：00　日12：00～17：00　🅰🅼🆅
🗺P.210　B-2

　映画に関する資料やブロマイド（スチール写真）が多く並んでいる。とくにポスターは古いものから最新作のものまでそろっていて、ほかの店より安く販売されている。

ハリウッドのランドマーク的存在
Frederick's of Hollywood
🏠6608 Hollywood Blvd., Hollywood
☎ (323) 466-8506
🕐月～金 10：00～21：00、土10：00～
19：00、日 11：00～18：00　🅰🅼🆅
🗺P.210　B-2

　ハリウッド・ブルバードにさん然と光り輝く紫のビル。ここがあの、見るだけで恥ずかしくなってしまうランジェリーのフレデリック総本店だ。店内にはランジェリーの歴史を説明する教育的コーナーもある。普通のデパートにはない特殊デザインやサイズが人気。マドンナの衣装になったビスチェは、ここのオリジナルだそうだ。

ハリウッド関係の本が充実
Samuel French's Theatre & Film Bookshop
🏠7623 Sunset Blvd., Hollywood
☎ (323) 876-0570
🕐月～金10：00～18：00、土10：00～
17：00　🈡日　🅰🅼🆅

　名前のとおりハリウッド関係の本の専門店。プロも映画の勉強をしてる学生も、ファンも楽しめる本がそろっている。リハーサルのメモやマネージメント・データなどの珍品もあるから、コレクターには見逃せない。La Brea Ave.とFairfax Ave.の間。

芸能関係の本の大コレクション
Larry Edmunds
🏠6644 Hollywood Blvd, Hollywood
☎(323)463-3273　　　🗺P.210　B-2
🕐月～土10：00～18：00　休日　MV

　LAの業界で知らない人はいないのがこ
こラリー・エドマンズ。映画、芝居関連の
本なら最新刊から絶版本までそろってい
る。珍しい映画ポスターや、かつてのアイ
ドル俳優の自伝まで手に入る。芸能関係で
探している本がある人は、まずここに行っ
てみるとよい。Cherokee Ave.そば。

LA最大のレコード店
Virgin Megastore
🏠8800 Sunset Blvd., Los Angeles
☎(323)650-8666
🕐月9：00～24：30、水10：00～24：
00、火木9：00～24：00、金土9：00
～1：00、日9：00～24：00　AJMV

　LA最大規模のレコード店。1階はCD、
カセット、バージン・レコードのTシャツ
や帽子など、2階にはビデオがぎっしり詰
まっている。店内は広々としていて、いつ
もゴミゴミしているタワーレコードとは対
照的。

日本のゴジラに会える店
Golden Apple
🏠7711 Melrose Ave., Los Angeles
☎(323)658-6047　24時間ホットライン
☎(323)651-0455
🕐月～土10：00～21：00、日11：00～
19：00　MV

　コミック関係の専門店。アメリカのコミ
ックはもちろん、日本のマンガ本や、ポス
ター、オモチャ、関連商品などがそろう。
時には人気マンガ家を招いてのイベントな
ども行っている。新作の入荷情報やイベン
ト情報は、24時間ホットラインでチェック
できる。

ぜんまい仕かけのオモチャがいっぱい
Wound & Wound
🏠7374 Melrose Ave., Los Angeles
☎(323)653-6703
🕐月～木11：00～21：00、金土11：00
～23：00、日12：00～19：00　MV

　ぜんまい仕かけのオモチャならここがい
ちばん。カエル、恐竜、ロボットなどのぜ

んまい仕かけのほか、オルゴールも数多い。
ほのぼのとした雰囲気がいい。

流行の品を常時取りそろえている店
Sarah
🏠7600 Melrose Ave., Los Angeles
☎(323)852-0335
🕐毎日11：00～19：00　AJMV

　この店のモットーは、常に最新流行の品
を取りそろえるということ。リーバイス、
レザーグッズや、いま流行のヒップホップ
な洋服など、ディスカウント価格の新着、
古着で店内はいっぱい。英語に自信のない
人も、日本人スタッフが親切に相談にのっ
てくれるので安心だ。

カリフォルニアならではのポップなスニーカー
Sketchers U.S.A.
🏠7500 Melrose Ave., Los Angeles
☎(323)653-6302
🕐月～土10：00～21：00、日11：00～
19：00　AMV

　カリフォルニア生まれのポップなスニー
カーのブランド。その直営ブティックがメ
ルローズにも'98年後半にオープンした。
ぶ厚い靴底とカラフルなカラーは、このブ
ランドの定番。メンズ、レディースはもち
ろん、子供用もバラエティ豊か。

ウエストサイド

LAらしいショッピングセンター
Beverly Center
🏠8500 Beverly Blvd., Los Angeles
☎(310)854-0070
🕐月～金10：00～21：00、土10：00～
20：00、日11：00～18：00

　デパートのブルーミングデールズとメイ
シーズをキーテナントに、160以上の専門
店の集まっているモールとして有名。La
Cienega Blvd.に面し、Beverly Blvd.と3rd
St.の間。1階には、Hard Rock Cafeも入っ
ている。

アメリカン・ジュエリーの定番
Tiffany & Co.
🏠210 N. Rodeo Dr., Beverly Hills
☎(310)273-8880
☎月～土10：00～18：00、日12：00～
17：00　AJMV

高級宝飾店のフレッド
Fred
🏠401 N. Rodeo Dr., Beverly Hills
☎(310) 278-3733
🕐月〜土10：00〜18：00 休日 ⒶⓂⓋ

ウインドーショッピングだけでも楽しい
Cartier
🏠370 N. Rodeo Dr., Beverly Hills
☎(310) 275-4272
🏠20 N.Rodeo Dr., Beverly Hills
☎(310) 275-5155
🕐月〜金10：00〜17：30、土10：00〜
17：00 休日 ⒶⒹⒿⓂⓋ

人気のシャネル・ブティック
Chanel
🏠400 N. Rodeo Dr., Beverly Hills
☎(310) 278-5500
🕐月〜土10：00〜18：00、日12：00〜
17：00 ⒶⒹⒿⓂⓋ

イギリスの高級クラシックブランド
Jaeger
🏠9699 Wilshire Blvd., Beverly Hills
☎(310) 276-1062
🕐月〜土10：00〜18：00 休日 ⒶⒿⓂⓋ

クラシック＆エレガント
Celine
🏠313 N. Rodeo Dr., Beverly Hills
☎(310) 273-1243
🕐月〜土10：00〜18：00 休日 ⒶⓂⓋ

スイスの名門バリーの紳士靴
Bally of Switzerland
🏠340 N. Rodeo Dr., Beverly Hills
☎(310) 271-0666
🕐月〜土10：00〜18：00、日12：00〜
17：00 ⒶⒹⒿⓂⓋ

革の服ならココ ベルサーチ へ
Gianni Versace
🏠248 N. Rodeo Dr., Beverly Hills
☎(310) 205-3921
🕐月〜土10：00〜18：00、日12：00〜
17：00 ⒶⓂⓋ

デパートというより大きなブティック
Barneys New York
🏠9570 Wilshire Blvd., Beverly Hills
☎(310) 276-4400
🕐月〜土10：00〜19：00（木〜20：00）、
日12：00〜18：00 ⒶⓂⓋ

アメリカン・トラッドの老舗
Polo Ralph Lauren
🏠444 N. Rodeo Dr., Beverly Hills
☎(310) 281-7200
🕐月〜土10：00〜18：00、日12：00〜
17：00 ⒶⓂⓋ

シルク・スカーフの豊富な
Hermes
🏠434 N. Rodeo Dr., Beverly Hills
☎(310) 278-6440
🕐月〜土10：00〜18：00、日12：00〜
17：00 ⒶⒹⒿⓂⓋ

センチュリー・シティにあるショッピングセンター
Century City Shopping Mall
🏠10250 Santa Monica Blvd., West Los Angeles
☎(310) 277-3898
🕐月〜金10：00〜21：00、土10：00〜
18：00、日11：00〜18：00
　明るいムードの屋外モール。140の専門店が並ぶ。ここのフードコートは20店以上あり、屋外テラスもあって気持ちいい。

人気のアルマーニスーツが手ごろな価格で
Emporio Armani
🏠9533 Brighton Way, Beverly Hills
☎(310) 271-7790
🕐毎日10：30〜20：00 ⒶⒹⒿⓂⓋ
　1階はスーツが中心で、2階はデニム物を中心にメンズ、レディースとも豊富にそろえている。いずれも手ごろな価格だ。ジョルジオ・アルマーニのスーツは高くて買えなかった人にも、アルマーニのスーツは夢ではなくなった。夏と冬には50％オフの大バーゲンを行っているので、絶対に見逃せない。
　また、3階にはイタリアンレストランArmani Cafe〔☎(310) 271-9940〕もあり、パスタの類が＄8〜と、こちらの価格も手ごろだ。

ただいま、全米展開中
Urban Outfitters
🏠 1440 3rd St., Santa Monica
☎ (310) 394-1404
🕐 月～土10：00～23：00、日11：00～
21：00

　スーパーモデルからデニス・ロッドマンまでが愛用するネイル"URBAN DECAY"の発祥のショップとしても有名。倉庫のような2層式の店内ではストリートカジュアルのウェア類から下着、小物、店内装飾のアクセサリー、本まで幅広く陳列されている。また、格安の値段でバラエティなアイデア商品も充実。ちょっと笑えるHなアイテムもおみやげにはおすすめ。

本格アウトドア・ショップ
Patagonia
🏠 2936 Main St., Santa Monica
☎ (310) 314-1776
🕐 月～土10：00～19：00、日11：00～
18：00（冬期は閉店時間が1時間繰り上がる） A M V

　アウトドアを楽しむ人にはおなじみのパタゴニアが、サンタモニカにオープンした。スノーボード、スキー、クライミング、サーフィンなどの、アウトドア・ライフには欠かせない商品が勢ぞろい。シャツは＄65～72ぐらい、キャップは＄21から手に入る。

スターが着たあの服が買える！
Star Wares
🏠 2817 Main St., Santa Monica
☎ (310) 399-0224
🕐 月～土10：30～18：00、日11：00～
16：00 A M V

　映画で実際に使用されたアイテムを売るお店はLAでも数店舗はあるが、とくにここのショップは人気スター、人気映画のアイテムをタイムリーに入荷することで有名。現在の目玉はやはり『タイタニック』。レオナルド・ディカプリオがタイタニックの船首で叫んでいるシーンの写真にサイン入りで＄145。このほかレッドフォードが着用したシャツやシュワルツェネッガー着用のコスチュームまであって、映画ファンには見るだけでも大満足の内容だ。

アーリーアメリカン調のインテリア
Raintree Antique Co.
🏠 2711 Main St., Santa Monica
☎ (310) 392-7731
🕐 月～木11：00～22：00、金土11：00
～23：00、日10：00～21：00 A M V

　入口の両側に飾ってある大きな丸いステンドグラスが目印のお店。店内はビンテージ物のシルバー・アクセサリーやカラフルなガラスプレートが中心。ほかにもプロペラ機のオモチャや時計、カードなどがある。

★　　★　　★　ホテル　★　　★　　★
Hotel

ヘルス・スパで長旅も疲れ知らず
Miyako Inn & Spa
🏠 328 E.1st St., Los Angeles., CA 90012
☎ (213) 617-2000、📞 (1-800) 228-6596、
FAX (213) 617-2700、東京案内所 (03)
3572-8301
Ⓢ ＄103～113、ⒹⓉ ＄113～123
A D J M V 🗺 P.207　C-3

　リトル東京にある日本のホテルチェーンだから、チェックインからチェックアウトまですべて日本語で過ごせる。全174室と大きくはないが、シンプルゆえに機能性が高い。客室はベッドが広めで、家族向けの部屋もある。

　室内のTVでは日本の番組が見られ、最新の文字放送を流している。

　また、3階にあるヘルス・スパも売り物。現地のビジネスウーマンやビジネスマンが会員になっているようだが、宿泊客は＄10でジャクージ・バスとサウナ、ミスト・バスのスパ施設が利用できる。45分で＄45（スパ込み、税別）の指圧マッサージを受ければ、飛行機で凝り固まった身体もすっきりとほぐれるはずだ。　　　　　　　　　　　　　（'99）

立地も良く、機能的な高級ホテル
Hotel Inter-Continental Los Angeles
🏠 251 S. Olive St., Los Angeles,CA
90012
☎ (213) 617-3300、📞 (1-800) 442-5251、

FAX (213) 617-3399、日本オフィス🔲 (0120) 455655

⑤ $ 250〜、⑩⑪ $ 270〜　ＡＤＪＭＶ
🗺P.207　B-3

　ダウンタウンのMOCAのすぐ隣に建つ。ロビーの大きなオブジェに見るように、MOCAのイメージを内装に取り入れ、清潔感あふれる空間を演出している。部屋も華美な装飾を避け、明るく、機能性重視の造り。居心地のいいホテルだ。

　ホテル前には噴水や小さな野外劇場のあるウォーターコート。都会のオアシスといった風情だ。商店やデリなども入っており、便利。日本総領事館が隣のビルに入っている。430室

リトル東京のランドマーク
New Otani Hotel & Garden

🏨120 S. Los Angeles St., Los Angeles, CA 90012

☎ (213) 629-1200、FAX (213) 622-0980、
HOMEwww.newotani.com、
日本の予約・問い合わせ先🔲0120-112211

⑤⑩⑪ $ 165〜365　ＡＤＪＭＶ
🗺P.207 C-3

　リトル東京にひときわ目立つ白いホテル。荒廃していたリトル東京の再開発はこのホテルの建設から始まった。まさにリトル東京のランドマーク的存在。ロビーは近年改装されて広く明るくなった。3つのレストラン、ラウンジ、サウナなどの施設も充実。434室。　　　　　　　　　('99)

設備が充実した快適で便利なホテル
Holiday Inn L.A. City Center

🏨1020 S. Figueroa St., Los Angeles, CA 90015

☎ (213) 748-1291、📞 (1-800) 465-4329、
FAX (213) 748-6028

⑤⑩⑪ $ 69〜　ＡＤＪＭＶ　🗺P.207 A-5

　コンベンションセンターに近く、しかも7th Market Placeからも2ブロック。レストラン、バー、ギフトショップ、プール、エクササイズルーム、サウナ、サンデッキなど、一流ホテル並みの施設を持つ。部屋は広く、窓が大きいのが特徴。壁やじゅうたん、ベッドカバーには暖色系の落ち着いた色を用い、飾り気はないが、上品で清潔な部屋になっている。195室。　　　('99)

スペイン調の中級ホテル
Figueroa Hotel

🏨939 S. Figueroa St., Los Angeles, CA 90015

☎ (213) 627-8971、📞 (1-800) 421-9092、
FAX (213) 689-0305

⑤⑩⑪ $ 78〜120　ＡＪＭＶ　🗺P.207 A-5

　ダウンタウン名物のオリジナル・パントリー・カフェ前に建っている、チャーミングなスペイン風のホテル。コンベンションセンターや、主要ホテルなどへも歩いて数分で行ける。プール、レストラン、セルフサービスのランドリーなどもそろっている。285室。　　　　　　　　　　　　('99)

ダウンタウンの中心で安心して泊まれる
Kawada Hotel

🏨200 S. Hill St., Los Angeles, CA 90012

☎ (213) 621-4455、📞 (1-800) 752-9232、
FAX (213) 687-4455、日本の予約・問い合わせ先：☎ (03) 3274-3961

⑤⑩⑪ $ 89〜119　ＡＤＪＭＶ　🗺P.207 B-3

　Hill St.と2nd St.の角にある、赤いレンガ造りのホテル。レッドラインのCivic Center駅下車徒歩1分。市庁舎、リトル東京、ミュージックセンターなどは徒歩圏内にあり、ダウンタウンのビジネス街も近く、商用にも観光にも最適なロケーションだ。全室バス・トイレ・冷蔵庫・エアコン・電話・TV付きで、ロケーションや設備を考えると、随分リーズナブルな料金だろう。セキュリティにも気を配っているので安心。日本から予約していけるのも、うれしいサービスだ。全116室。　　　('99)

ニッポンに浸って安心したい人向け
Little Tokyo Hotel

🏨327 1/2 E.1St St.,Los Angeles,CA 90012　☎ (213) 613-9352、617-0128、
FAX (213) 617-0128

⑤ $ 26.32〜30.70、⑩ $ 39.47、⑪ $ 43.86〜　🗺P.207 C-3

　ミヤコ・インの向かいにある格安ホテル。もちろん日本語が通じるし、滞在者も日本人が多い。リトル東京の中なので買物も日本語ですんでしまう。部屋は簡素で清潔だが、必ず見せてもらって納得してから決めること。バスルームは共同で。共同TV、ランドリーあり。38室。　　　('99)

バックパッカーには必要十分なリトル東京の安ホテル
Daimaru Hotel

⌂345 E. 1st St., Los Angels, CA 90012
☎(213)972-9208、FAX(213)680-2234
シャワー・トイレ共同Ⓢ＄25、Ⓓ＄30、バス・トイレ付きⓉ＄140、週料金＄155〜

リトル東京内の北東に位置し、ミヤコ・インの斜め向かいにある。予約は日本語でも可。日本からの旅行者、長期滞在者が多く、2階の管理人室の前で、ビール（＄1）などを片手に気さくな宿のおばさんを交えながら情報交換するのも楽しい。オプショナルツアーとして、水土の朝から2泊3日でラスベガス、グランドキャニオンへのツアー（ホテル代込み、＄150）も手配してくれる。自炊室もあり、長期滞在者には便利。

管理人室の壁には、学生時代に長期滞在していた赤井英和氏の色紙があった。昔を懐かしんで、再び訪れたときのものらしい。
（土屋真二　岡山県　'98夏）

ダウンタウンの安いモーテル
Motel de Ville

⌂1123 W. 7th St., Los Angeles, CA 90017
☎(213)624-8474、FAX(213)624-7652
ⓈⒹ＄35〜42、Ⓣ＄40〜45　ⒶⒹⓂⓋ
地P.207　A-4

7th St/Metro Center駅から7th St.を西に向かい、オムニを過ぎ、フリーウェイを越えた少し先にある。全室バス、トイレ、テレビが付いており、ランドリーもあるのがうれしい。駐車場無料、プールもあって、ダウンタウンでこの料金はお買い得。日本語を話すスタッフもいる。63室。（'99）

少し古いがロケーションは良いホテル
Orchid Hotel

⌂819 S. Flower St., Los Angeles, CA 90017
☎(213)624-5855、📞(1-800)874-5855、FAX(213)624-8740　地P.207　A-5
Ⓢ＄30、ⒹⓉ＄35　ⒶⒿⓂⓋ

7th Market Placeから2ブロック、Flower St.沿い、9th St.のそばで、DASHのルートにも近い。東洋系のスタッフが多い。建物は古いが、設備は整っている。JCBカード使用で10%引、日本人学生は15%引になる。コインランドリーあり。469室。（'98）

ダウンタウンのまん中
Milner Hotel

⌂813 S. Flower St., Los Angeles, CA 90017
☎(213)627-6981、📞(1-800)827-0411、HOMEwww.milner_hotels.com
ⓈⒹ＄40〜65　ⒶⒹⒿⓂⓋ
地P.207　A-5

Flower St.と8th St.のそば。DASHの乗り場にも近い。ブロードウェイプラザ、セブンス・マーケット・プレイスに近いのでショッピングに便利だ。ちょっと狭くて古いが、部屋はきれいにしてある。ホテル内にはコーヒーショップやパブもある。卵2個、ベーコンまたはソーセージ、トースト、コーヒーの朝食付き。178室。（'99）

日系人経営の経済的ホテル
Hotel Chetwood

⌂411 E. 4th St., Los Angeles, CA 90013
☎(213)972-9704、FAX(213)622-0980
Ⓢ＄20、Ⓓ＄28、Ⓣ＄30、ウィークリー＄100（税込）　地P.207　C-3

リトル東京の南側、デューティーフリーショッパーズと同じブロックの4th St.側にある。San Pedro St.から少し東に入ったところ。周辺の環境はよくないが、リトル東京方面から昼間歩く分には大丈夫。ホテルのセキュリティはしっかりしており、部屋はまずまず。バス、トイレ共同で全57室。キッチンもあって自由に使える。お米とパンはいつでも無料で使える。日系人経営で日本人マネージャーがおり、安心。（'98）

住人の気分になれる旅行者用アパート
Chateau Normandie Tourist Apartments

⌂522 S. Normandie Ave., Los Angeles, CA 90020
☎(213)386-1944、FAX(213)386-2006
Ⓢ3日＄90、1週間＄175、1カ月＄650、スイート3日＄150、1週間＄280、1カ月＄900

旅行者用アパートで、寝室とリビングに分かれ、ソファもあって住人気分が味わえる。キッチン付きで、ナベ、食器も備えつけ。マネージャーのカズエさんは日本人で

とても親切。ダウンタウンから#20、21、22のバスを利用しよう。LAX、ユニバーサル・スタジオなどへ車での送迎もあり（有料）、数人でシェアするとよい。支払いはT/Cか現金のみ。20室。　　　　（'99）

ハリウッド

ハリウッドには、安いホテル、モーテルが比較的多く、観光のベースとしても便利なことから、学生など若者にとくに人気がある。治安の面でも、最近はかなり改善され、ダウンタウン・エリアよりも安全、との評判だ。しかし、ホテルの場所や内容はそれぞれ違うので、選択は各自の判断が頼りだ。もちろん、夜間の外出や人けの少ない場所が要注意なのはいうまでもない。

全室スイートの優雅なホテル
Le Montrose

🏠900 Hammond St.,West Hollywood, CA 90069
☎ (310) 855-1115、📞 (1-800) 776-0666、
FAX (310) 657-9192
HOMEwww.calendarlive.com/lemontrose
スイート$155〜440　AJMV

サンセット・ストリップのすぐ近く、にもかかわらず静かなウエスト・ハリウッドの住宅地にあるシャレたホテル。場所柄、映画、テレビ関係者の利用が多い。もともとアパート（といっても日本なら高級マンション！）として建てられ、ホテルに改装されたものだけあって、全部で124あるスイートはどれも広い！　全室冷蔵庫完備、82室にはキッチンもついており、ハリウッド生活を味わえる。プール、スパ、テニスコート、レンタサイクル、レストランあり。

場所は、Sunset Blvd.からDoheny Dr.を南に入り、2本目のCynthia St.を左折。2つ目のHammond St.との角にある。車ならセキュリティドア付きの屋内駐車場が利用できる。　　　　　　　　　　　（'99）

ハリウッド・ボウルにも近い
Club Hotel by Doubletree

🏠2005 N. Highland Ave., Hollywood, CA 90068　☎ (323) 850-5811、FAX (323) 876-3272、HOMEwww.clubhotels.com
SDT $89〜169 ADJMV　地P.210 B-1

Hollywood Blvd.とHighland Ave.の交差点近く。ハリウッド・ボウルやウォーク・オ

ル・モントローズ

ブ・フェイムへは歩いて観光に行ける。部屋によっては宝石をちりばめたような夜景が眺められる。　　　　　　　　　　（'99）

チャイニーズ・シアター裏の美しいホテル
Hollywood Orchid Suites Hotel

🏠1753 N. Orchid Ave., Hollywood, CA 90028
☎ (323) 874-9678、📞 (1-800) 537-3052、
FAX (323) 874-5246、HOMEwww.orchid suites.com
オンシーズン$75〜119、オフシーズン$55〜99 ADJMV　地P.210 A-1

チャイニーズ・シアターまで歩いて2分、ホリディ・インの前にあるおすすめホテル。キッチン付きの部屋もあり、ホテル内のすみずみまで掃除が行き届いていて非常にきれい！ プールのまわりに花が飾られていて、雰囲気もいい。スイートのみで、地下は無料駐車場になっている。40室。
　　　　　　　　　　　　　　　（'98）

ライブハウス通いにはベスト・ロケーション
Best Western Sunset Plaza Hotel

🏠8400 Sunset Blvd., West Hollywood, CA 90069
☎ (323) 654-0750、📞 (1-800) 421-3652（州外）、FAX (323) 650-6146、
HOMEwww.Bestwestern.com
SDT $95〜139 ADJMV

場所はレストランやナイトクラブが集まるサンセット・ストリップ。歩いてレストランへ行ける。ケーブルTV・冷蔵庫付き。デラックスな朝食バイキング込み。温水プール、コインランドリー、無料駐車場あり。セキュリティ・モニター完備で安全。スタッフも親切だし、サンデッキからは夜景を楽しめる。バス#2、3がSunset Blvd.を走っている。100室。　　　　　　（'99）

ハリウッド大通りへほんの2ブロック
Best Western Hollywood Plaza Inn

🏠2011 N. Highland Ave., Hollywood, CA 90068

☎(323)851-1800、📞(1-800)232-4353、FAX(323)851-1836　🗺P.210　B-1
Ⓢ$65〜89、ⒹⓉ$69〜109　ADMV

Hollywood Blvd.とHighland Ave.の角から北へ2ブロックにあるので、どこへ行くにも便利。チャイニーズ・シアターまでは歩いて7分ほど。ハリウッド・ボウル、ワックスミュージアムへも歩いて行ける。各部屋にはTV、フリームービー、冷蔵庫が付いており、温水プールもある。　（'99）

バスを使ってどこまでもスイスイ
Hollywood Downtowner Motel

🏠5601 Hollywood Blvd., Hollywood, CA 90028

☎(323)464-7191、FAX(323)467-5863
Ⓢ$40〜45、Ⓓ$40〜48、Ⓣ$44〜50　ADJMV　🗺P.211　D-2　地図外

目の前を#1、180、181のバスが通っているのでセンチュリーシティ、ハリウッド、ダウンタウン、パサデナへも乗り換えなしで行ける。ハリウッドFwy.へはほんの2ブロックだ。　（'99）

アール・デコ調の優雅なホテル
Hollywood Celebrity Hotel

🏠1775 N. Orchid Ave., Hollywood, CA 90028

☎(323)850-6464、📞(1-800)222-7017（州外）、FAX(323)850-7667
ⓈⒹ$55〜70、Ⓣ$375〜425　🗺P.210　A-1

アール・デコ調の外観に、1部屋ずつ映画の都ハリウッドらしいペイントがされている中級ホテル。Orchid Suitesの数メートル北と、ロケーションもいい。部屋は広くて清潔。また、駐車場代が無料というのもうれしい。　（'99）

チャイニーズ・シアターに近い
Hollywood La Brea Motel

🏠7110 Hollywood Blvd., Hollywood, CA 90046

☎(323)876-8000、FAX(323)874-6490
Ⓢ$36〜40、Ⓓ$38〜42、Ⓣ$44〜48　ADJMV　🗺P.210　A-2

Hollywood Blvd.とLa Brea Ave.の交差点

の少し奥にあるモーテル。全42室と小さいが、とてもフレンドリー。シャワー・トイレ・エアコン・TV・電話付き　（'97）

設備充実のゴキゲンなホステル
Banana Bungalow Hollywood

🏠2775 Cahuenga Blvd., West Hollywood, CA 90068

☎(323)851-1129、📞(1-800)446-7835、FAX(323)851-1569、HOME www.bananabungalow.com
ドミトリーは$18、ⓈⒹⓉ$55〜　MV　🗺P.211　C-1　地図外

ユニバーサル・スタジオに近いハリウッドヒルズにあるホステル。各部屋にケーブルテレビとプライベートバスがついている。施設は充実しており、食堂、ゲスト用キッチン、売店、プール、バスケットボールのコート、ビリヤード台、ビデオ室などなど。リネン類がそろっているのも嬉しい。無料の送迎バスが出ていて、LAX、ユニオン駅、バスターミナルをはじめ、ユニバーサル・スタジオ、ディズニーランド、ベニス・ビーチなどへも行ける。　（'99）

ハリウッド・セレブリティ・ホテル

ハリウッドでなんと1泊$13！
Hollywood International Youth Hostel

🏠6820 Hollywood Blvd., Hollywood, CA 90028

☎(323)463-0797、📞(1-800)750-6561、FAX(323)463-1705
E-mail hollywoodintlhostel@travelbase.com
ドミトリー$13、プライベート$35　AV　🗺P.210　A-2

各部屋に2〜4人のドミトリー。キッチンあり。受付は9：00〜20：00。チャイニーズ・シアターの向かいというハリウッドでは最高のロケーションだ。空港からの無料送迎サービスあり。ほかに、ユニバーサル・スタジオなどへも送迎あり。42室。（'99）

非会員制ホステルはロケーションもマル！
USA Hostels Hollywood
🏠6772 Hawthorn Ave., Hollywood, CA
90028

☎ (323) 462-3777、🆓 (1-800) 524-6783、
FAX (323) 462-3228

ドミトリー＄16〜17、プライベート＄38〜
40 地P.210 B-2

　Hollywood Blvd.からHawthorn Ave.を南
へ１ブロック。チャイニーズ・シアターも
近い、ハリウッドの中心にある。

　部屋は４人または６人のドミトリー。朝
食付き。空港へはシャトルバスで１人＄8。
ユニバーサル・スタジオとベニス・ビーチ
へ毎日、無料送迎あり。フロントの受付は
9：30〜19：00。

※ドミトリーは男女混合の場合あり。

ウエストウッド

ウエストウッドに泊まるなら
**Doubletree Hotel Los Angeles/
Westwood**
🏠10740 Wilshire Blvd., Los Angeles, CA
90024

☎ (310) 475-8711、🆓 (1-800) 472-8556、
FAX (310) 475-5220

ⓈⒹⓉ＄129〜160 ＡＤＪＭＶ

　ウエストウッド、UCLAまで歩いて行け
る距離にある。各部屋にドライヤー、ケー
ブルTV、冷蔵庫付き。プール、フィット
ネスジムあり。ロデオ・ドライブまでは、
車で数分。302室。　　　　　　　（'99）

ウエストウッドに近い
Travelodge Los Angeles West
🏠10740 Santa Monica Blvd., Los
Angeles, CA 90025

☎ (310) 474-4576、🆓 (1-800) 578-7878、
FAX (310) 470-3117

Ⓢ＄59〜64、Ⓓ＄64〜69、Ⓣ＄75〜85
ＡＤＪＭＶ

　ウエストウッド、センチュリーシティ、
UCLAへ２マイル、と場所がいいのが魅力。
ビバリーヒルズ、サンタモニカまでは３マ
イルほどの距離だ。冷蔵庫付きの部屋、プ
ール、カフェなどがある。55室。（'99）

朝食がおいしい
Hotel Del Capri
🏠10587 Wilshire Blvd., Los Angeles, CA

90024 ☎ (310) 474-3511、🆓 (1-800)
444-6835、FAX (310) 470-9999

Ⓢ＄90〜145、Ⓓ＄100〜145、Ⓣ＄110
〜145 ＡＤＭＶ

　ウエストウッドに位置し、ビバリーヒル
ズやセンチュリー・シティにも近い。レス
トラン、ウエイトトレーニングルームなど
を完備。空港送迎あり。上品な調度品をそ
ろえたリゾート感覚の洗練されたホテル
だ。プールのある中庭も美しい。部屋数は
81で、値段も大きさも手ごろ。　　（'99）

ビバリーヒルズ

ビバリーヒルズのビジネスマンに人気の
格式あるホテル
Regent Beverly Wilshire
🏠9500 Wilshire Blvd., Beverly Hills, CA
90212

☎ (310) 275-5200、🆓 (1-800) 427-4354、
FAX (310) 274-2851、HOMEwww.rih
.com、日本の問い合わせ先：☎ (03)
3239-2081

Ⓢ＄295〜380、ⒹⓉ＄335〜420
ＡＤＪＭＶ

　Wilshire Blvd.沿い、Rodeo Dr.のすぐ近
くにある、映画『ビバリーヒルズコップ』、
『プリティ・ウーマン』などにも出てきた、
超高級ホテル。大理石の柱や、ロビーの床
に敷きつめられた真紅のじゅうたんが、重
厚なインテリアとうまく調和し、伝統と格
式をいっそう強く感じさせる。もし、新婚
旅行などで『プリティ・ウーマン』の世界
に浸るなら、Wilshire Wing側に泊まろう。
Beverly Wing側は、ベージュで統一された
インテリアで何だか高級ビジネスホテルの
ようで、ロマンチックではないのだ。275
室。　　　　　　　　　　　　　　　（'98）

ビバリーヒルズのお手ごろホテル
Beverly Hills Reeves Hotel
🏠120 S. Reeves Dr., Beverly Hills, CA
90212

☎ (310) 271-3006、FAX (310) 271-2278

Ⓢ＄50〜80、ⒹⓉ＄60〜80　ＡＤＪＭＶ

　価格も手ごろな小さなホテル。ウエイト
トレーニングルーム、プールなどの施設も
ある。部屋は、キッチンユニットが付いて
いて便利だ。改築されてそれほどたってい
ないのでとてもきれい。屋上にはサンデッ
キもある。　　　　　　　　　　　（'99）

イーグルスのアルバム・ジャケットにもなった
Beverly Hills Hotel
🏨9641 Sunset Blvd., Beverly Hills, CA 90210

☎(310)276-2251、📞(1-800)283-8885、
FAX(310)887-2887、HOME www.the BeverlyhillsHotel.com

⑤\$275～325、⑩\$300～350、①\$335～350 ⒶⒿⓂⓋ

　広い芝生と花壇で囲まれた、ピンクの壁のこの建物は、おとぎ話のお城のようだ。有名なポロラウンジを含む、高級ブティックなども入っている。温水プール、テニスコートなどのスポーツ施設もあって快適なこと間違いなし。　　　　　　　　　('99)

▬ センチュリー・シティ ▬

センチュリー・シティの快適なホテル
Holiday Inn Express-Century City
🏨10330 W. Olympic Blvd., Los Angeles, CA 90064

☎(310)553-1000、📞(1-800)465-4329、
FAX(310)277-1633

⑤\$85、⑩①\$95 ⒶⒹⒿⓂⓋ

　レンガ造りのオールドスタイルの外観ながら室内はモダン。気のきいた備品は、ほぼそろっている。ビバリーヒルズ、ウエストウッドへはほんの数分だ。シューベルト劇場、デパート、映画館、ショッピングモール、レストラン、スーパーマーケットいずれにも近い。　　　　　　　　　('98)

▬ サンタモニカ ▬

サンタモニカの潮風が心地よい
Shangri-La Hotel
🏨1301 Ocean Ave., Santa Monica, CA 90401

☎(310)394-2791、📞(1-800)345-7829、
FAX(310)451-3351、HOME www.shangrila-hotel.com

シャングリラ・ホテル

⑤⑩①\$120～245

ⒶⒹⒿⓂⓋ

　海に面したOcean Ave.とArizona Ave.の角に建つ、外観の白い壁とアール・デコの装飾

様式が印象的なホテル。外部とは完全に隔離された中庭があり、8階のサンデッキは宿泊客ならだれでも自由に使用可能。客室はとても広く、やはり白を基調にしたインテリアが、とてもさわやか。このホテルでは、しばしば映画の撮影が行われ、カルバン・クラインのファッション写真もここで撮影されている。上の階はペントハウスで、映画の関係者がよく泊まることでも有名。料金にはコンチネンタルブレックファストと午後のお茶の料金も含まれていて、かなりお得。アフタヌーン・ティーの時間は14：30～でケーキもついてくる。　　('99)

スイートルームでゆったりできる
Cal Mar Hotel Suites
🏨220 California Ave., Santa Monica, CA 90403

☎(310)395-5555、📞(1-800)776-6007、
FAX（310）451-1111、HOME www.arukikata.co.jp/gio/world-hotel/self/santa-monica1.html

⑤⑩①\$89～169　ⒶⒹⒿⓂⓋ

　ベッドルームのほか、リビング、キッチン、バス、トイレの完備したスイートルームばかり36室。清潔でしかも広々した部屋は居住性バツグン。電話、駐車場、コインランドリー、温水プールも完備している。しかもビーチまで2ブロック、ショッピング・エリアまでも歩いて行けるロケーションの良さだ。　　　　　　　　　('99)

全室バルコニー付きで眺望バツグン
Pacific Shore Hotel
🏨1819 Ocean Ave., Santa Monica, CA 90401

☎(310)451-8711、📞(1-800)622-8711、
FAX(310)394-6657

HOME www.pacificshorehotel.com

⑤⑩①\$89～115　ⒶⒹⒿⓂⓋ

　Ocean Ave.とPico Blvd.のそば。部屋にはバルコニーがついており、太平洋あるいはサンタモニカ山脈の見晴らしが良い。サンタモニカビーチへは歩いて3分で行ける。ホテルのバンが周辺のモールやレストランへ連れていってくれるので便利だ。('99)

清潔で、快適な生活が送れる
Travelodge Santa Monica Beach
🏨1525 Ocean Ave., Santa Monica, CA

90401

☎ (310) 451-0761、🆃 (1-800) 578-7878、FAX (310) 393-5311

HOME www.travelodge.com

Ⓢ $ 70〜170、Ⓓ $ 80〜180、Ⓣ $ 95〜190 ＡＤＭＶ

　サンタモニカの中心近く、Broadwayと Colorado Ave. の間にある小さなトラベロッジ。ビーチや店も、近くにたくさんある。プール付き。29室。　　　　　　('99)

オーシャン・ビューの部屋もある
Bayside Hotel

🏠2001 Ocean Ave., Santa Monica, CA 90405

☎ (310) 396-6000、🆃 (1 -800) 525-4447、FAX (310) 451-1111

HOME www.arukikata.co.jp/gio/world-hotel/self/hotel-list.html

ⓈⒹⓉ $ 69〜119 ＡＤＪＭＶ

　Ocean Ave.に面した最高のロケーション。客室は清潔で、TV、エアコン、冷蔵庫、コーヒーメーカー（無料）も付いている。45室。　　　　　　　　　　　('99)

（読★者★投★稿）

ビーチに近い清潔なユース
Hostelling International-Los Angeles /Santa Monica

🏠1436 2nd St., Santa Monica, CA 90401

☎ (310) 393-9913、FAX (310) 393-1769

ドミトリー＄18〜20

　2nd St.沿い、Santa Monica Blvd.のそばにあるユース。部屋は清潔でマットレスは新しく、寝心地は抜群。ドアロックも厳重だったので、貴重品の自己管理さえきちんとできれば安全で快適に滞在できる。LAXまではシャトルバスが出ており（有料、要予約）、ほかにビッグ・ブルー・バス＃3やメトロバスを使うこともできる。全200ベッド。　　（千葉陽子　京都市）('99)

空港へ送ってくれる
Best Western Ocean View Hotel

🏠1447 Ocean Ave., Santa Monica, CA 90401

☎ (310) 458-4888、🆃 (1-800) 452-4888、FAX (310) 458-0848

ⓈⒹⓉ $ 99〜225 ＡＤＪＭＶ

　ビーチ、ピア、サンタモニカ・プレイス、観光案内所のいずれにも歩いていける抜群のロケーション。食事やショッピングで少々遅くなってもココなら安心。全米に展開しているBest Western系列のホテルなのでサービスに不安はない。各部屋にケーブルTV、冷蔵庫、コーヒーメーカー、ヘア・ドライヤー付き。海に面した高台に建っているため、西側の部屋のバルコニーからは、サンタモニカの海を眺めることができる。帰りはLAXまでの送迎サービスがある。駐車場は1日＄7。72室。　　('98)

スイートスタイルなのにリーズナブル
Cal Mar Hotel Suite

🏠220 California Ave., Santa Monica, CA 90403

☎(310)395-5555、🆃 (1-800)776-6007、FAX (310)451-1111、HOME www.arukikata.co.jp/gio/world-hotel/self/santa-monica1.html

Ⓢ$89〜169　ＡＤＪＭＶ

　ベッドルームに加えて、リビング、キッチン、バス・トイレの完備したスイートルームが36室。駐車場、コインランドリー、温水プールもあって、長期滞在にも適している。ビーチまで2ブロック、ショッピングエリアも徒歩圏内と、ロケーションもいい。市内観光やディズニーやユニバーサルへのオプショナルツアーも催行している。　　　　　　　　　　　　　　('99)

その他のコースタル・エリア

レンタカー派におすすめ、日本語OKの宿
Redondo Beach Inn

🏠1912 W. Redondo Beach Blvd., Gardena, CA 90247

☎ (310) 538-1488、FAX (310) 538-2036

Ⓢ $ 40〜45、Ⓓ $ 45〜50、Ⓣ $ 50〜55 ＡＭＶ

　Harbor Fwy.とSan Diego Fwy.の間、日本人がたくさん住むガーデナにある。ホテルの近くには牛丼屋や、ヤオハンなどがあり便利。ダウンタウンからは＃1のメトロバス。

　部屋は広くてベッドも大きい。TV、冷蔵庫、エアコン、和朝食付き。26室。洗濯機使用は無料。コーヒー、紅茶、ウーロン茶はいつでも飲める。

レンタカー・オフィスに近い
Howard Johnson-LAX

🏠8620 Airport Blvd., Los Angeles, CA 90045

☎(310) 645-7700、📞(1-888) 645-7001、
FAX (310) 645-2958

Ⓢ$59〜、ⒹⓉ$69〜　ＡＤＪＭＶ

　全米に展開している、ハワード・ジョンソン系列のホテルで、空港から無料のシャトルバスでほんの5分のところにある。駐車場は無料で使え、レンタカー会社の営業所の集まっているAirport Blvd. 沿いなので、レンタカーを返却してから、ここで1泊。翌日は空港へ直行という使い方をするのにも便利。I-105、I-405両方の出入口からも近く、ガスステーションも目の前にあるという、レンタカー利用者にはかなり便利なロケーション。ホテル内には中華料理のレストランも入っていて食事に困ることはない。また、料金に含まれる朝食は、この中華料理店でのバフェ形式でとることができるのもうれしい。日本語を話すスタッフもいるので不安もない。160室。　　　　　('99)

機能的なホテル
Embassy Suites

🏠9801 Airport Blvd., Los Angeles, CA 90045

☎(310) 215-1000、📞(1-800) 362-2779、
FAX (310) 215-1952

⒮ⒹⓉ$109〜129　ＡＤＪＭＶ

　LAXからCentury Blvd.を東へ走り、マリオットの角(Airport Blvd.)を左折してすぐ左にある。ホテルは、中央のアトリウム(吹き抜け)を囲むように部屋が並ぶスタイルで、全室スイート。部屋に入ると広いリビングがあり、奥にベッドルームがあるという造り。リビングにはソファ、TV、ダイニングテーブル。ベッドルームにもTVがある。バスルームを含めて、ゆったりと空間が生かされている。華美な装飾はまったくなく、機能的だ。

　ランドリーやアイスマシンがほぼ各階にあり、プール、サウナもある。明るいアトリウムでは朝食の無料サービスもある。卵、ベーコン、マフィン、フルーツ、ジュースなど、好きなだけ食べられる。　　　('99)

I-405からすぐ
Quality Hotel LAX

🏠5249 W. Century Blvd., Los Angeles, CA 90045

☎(310) 645-2200、📞(1-800) 266-2200、
FAX (310) 649-2856

⒮ⒹⓉ$70〜136　ＡＤＪＭＶ

　LAXからほんの6ブロックにあるホテル。タクシーで3分、歩いても20分だ。無料のシャトルが24時間出ているので大変便利。I-405からもすぐで、これを使うと、マリナ・デル・レイ、レドンドビーチ、UCLAへはほんの数分。温水プール、ランドリーあり。278室。　　　　('99)

なんでもそろっている
Crowne Plaza Los Angeles Airport

🏠5985 W. Century Blvd., Los Angeles, CA 90045

☎(310) 642-7500、📞(1-800) 315-3700、
FAX (310) 417-3608、
HOMEwww.crowneplaza.com/hotels/laxap

⒮Ⓓ$89〜99、Ⓣ$130〜　ＡＤＪＭＶ

　LAXの東400mのところで、Century Blvd.とSepulveda Blvd.のほぼコーナーにある。ホテル内にはギフトショップ、ツアーデスク、レストランがある。マンハッタン・ビーチやモールへは、ホテルからシャトルバスが出ているので、利用すると便利。615室。　　　　　　　('99)

サウナ・スパのある
Best Western Airport Plaza Inn

🏠1730 Centinela Ave., Inglewood, CA 90302

☎(310) 568-0071、📞(1-800) 233-8061、
FAX (310) 337-1919

Ⓢ$59〜79、ⒹⓉ$69〜89　ＡＤＪＭＶ

　空港から10分ほど。もちろん無料送迎あり。スパ、サウナ、ランドリーあり。朝食は無料。モーテルタイプの部屋で快適だ。58室。　　　　　　　　　('99)

ロングビーチのお手ごろモーテル
Super 8 Motel

🏠4201 E. Pacific Coast Hwy., Long Beach, CA 90804

☎(562) 597-7701、📞(1-800) 800-8000、

FAX (562) 494-7373

⑤ $ 49〜59、⑪ $ 53〜63、⑪ $ 56〜66

ADMV

　空港よりシャトルバスで約45分。プール
やジャクージも利用価値あり。49室。（'98)

ヨットマークが目印
Best Western Golden Sails Hotel

🏠6285 E. Pacific Coast Hwy., Long
Beach, CA 90803

☎ (562) 596-1631、FAX (562) 594-0623

⑤⑪⑪ $ 79〜109　ADMV

　料金のわりにはとてもきれいなホテル。
まさにロングビーチそのものといった、白
と青を基調にした建物。プールもあり、部
屋にはコーヒーメーカーもある。　　（'98)

LAのユースはサンペドロの海沿い
Hostelling International-Los Angeles South Bay

🏠3601 S. Gaffey St., #613, San Pedro,

CA 90733-6969

☎ (310) 831-8109、FAX (301) 831-4635
(6〜8月）E-mail hisanpedro@aol.com

ドミトリー $ 11〜13　JJMV

　サンペドロの突端、海に面したAngeles
Gate Parkの中にあるユース。遠くカタリ
ナ島まで見渡すことができ、冬には運がよ
ければクジラも見えるかも！　ポーツ・オ
コール・ビレッジもすぐそば。オフィスが
開いているのは7：00〜24：00。ダウンタ
ウンからはメトロのバス#446のKorean
Bell Site行きに乗る（15時ごろが最終）。途
中までしか行かないものもあるので確認し
て乗ること。サン・ペドロのGaffey &
Shepard Sts.で降り、Gaffey St.の坂を上が
って公園まで行くと、36th St.との角にユ
ースの入口がある。LAXからは空港内循
環無料バスでメトロ・グリーンラインの
Aviation/ I -105駅へ行きHarbor Fwy.駅下
車。ここからメトロバス#446でKorean
Bell下車。　　　　　　　　　　　　（'99)

★　　★　　★　レストラン　★　　★　　★
Restaurant

ダウンタウン

あいててよかったの24時間営業
The Original Pantry Cafe

🏠877 S. Figueroa St.　☎ (213) 972-9279

🕐年中無休、24時間営業　🗺P.207　A-5

　Figueroa St.と9th St.の交差点にはいつも
長蛇の列ができている。その列の先端がこ
こ、Original Pantryだ。"We Never Close"
をモットーに、雨の日も風の日もステーキ
を提供しつづけること60年以上。最もアメ
リカ的なステーキ（すなわちちょっと硬い）
を、最も大衆的な料金（$ 10前後）で24時
間いつでも食べさせてくれるのは、ダウン
タウンでもここだけ。朝食だけなら$ 4で
も十分。

おいしくて手ごろな値段のサンドイッチ
Philippe's Original Sandwich Shop

🏠1001 N. Alameda St.

☎ (213) 628-3781

🕐毎日6：00〜22：00、朝食 6：00〜
10：30　🈙サンクスギビング、クリスマ
ス　🗺P.207　C-1

　1908年、フィリップ氏が生み出したとい
う〝フレンチ・ディップ・サンドイッチ〟で
有名な店。どんなサンドイッチかというと、
フレンチロールの中に、ローストビーフ、
ローストポーク、ニュージーランドラム、
ターキー、ハムの中から好きなものを入れ
るもの。いまではどこのデリでも食べられ
るといってしまえばそれまでだが、当時と
しては画期的なメニューだったそうだ。
〝オリジナル〟を名のるだけあっておいし
く、安い（$ 3.75）のも魅力。大恐慌時代か
ら変わっていないといわれる10¢コーヒー
といっしょに食べよう。オルベラ街、ユニ
オン駅を北に1ブロックのところにある。

オリジナル・パントリー・カフェ

ジャッキー・チェンの映画にも使われた
Foo-Chow Restaurant

🏠949 Hill St., Los Angeles

☎ (213) 485-1294

🕐火〜日11：00〜23：00　休月　ＭＶ

　全米で大ヒットになったジャッキー・チェン主演の映画“Rush Hour”。このレストランは、その映画の格闘シーンの撮影に使われ、壁には撮影風景の写真が掛けてある。

　人気メニューはオーダーの簡単なセット・メニュー。ランチは45種類あるメイン・ディッシュから選んで、それにライスとスープが付いて一人前＄2.95〜4.95。また、アーリーバード・ディナーという18：00までのセット・メニューは＄3.95〜、ディナーでもワンタンスープとエビフライ、春巻き、ライスが付いて＄8.95〜という値段がうれしい。場所はバンブープラザのすぐ斜め前。　　　　　　　　　　　　（'98）

24時間営業のハンバーガースタンド
Tommy's

🏠2575 W. Beverly Blvd.

☎ (213) 389-9060

🕐年中無休、24時間営業

　Beverly Blvd.とRampart Blvd.の角。ダウンタウンから少しはずれるが、観光バスも停まるという超人気ぶり。あんまり人気があるのでTonny'sとかTammy'sとかいう店も出てくる始末。ここのバーガーは、あまり辛くないチリソースがドドーッとかかっているのが特色。ゆえにすぐに食べないとバンズがフニャフニャになってしまう。お持ち帰りはバツ。キミドリ色のカウンターで立ち食いするのがいい。ここでポテトを頼むと袋入りのポテトチップスが出てくる。フレンチフライと思ってだまされないように。ハンバーガー、チーズバーガーも超ボリュームで約＄1.45〜＄2.25程度。メトロバスで行く人は＃14で。サンタモニカにも支店あり。場所はLincoln Blvd.とPico Blvd.との南西の角。

地震をテーマにしたレストラン
Epicentre

🏠200 S. Hill St.（カワダ・ホテル内）

☎ (213) 625-0000

🕐月〜金11：00〜21：00、土17：00〜21：00　休日　ＡＭＶ　地P.207　B-3

　エピセンターとは“震源地”という意味。その名のとおり、地震をテーマにしたメニュー構成がユニークだ。カレーは震度1（甘口）から震度10（激辛）まであるし、デザートはAftershocks（ゆり戻し）といった具合。亀裂が入ったような壁のデザインも斬新だ。各種パスタ、パエリア、シーフード、肉料理とメニューの幅広いカリフォルニア料理のレストラン。

　場所は、レッドラインのCivic Center駅から近いHill St.と2nd St.の角、Kawada Hotelの1階。駐車場あり。ディナーの予算は1人＄30〜35程度。

ウエストサイド

素朴なアメリカンパワーにあふれた
Barney's Beanery

🏠8447 Santa Monica Blvd., West Hollywood

☎ (323) 654-2287

🕐毎日10：00〜2：00　ＡＭＶ

　1920年から営業しているというこのレストランの最大の売り物はビール。生ビールが43種、世界中のボトルビールが200種以上という驚くべき種類の豊富さ。奥のカウンターに生ビールを注ぐレバーがずらりと並ぶ様は壮観。料理は名物のチリ、大きな自家製のピザ、ホームメイドのBBQソースが最高のリブが豪快。素朴で無骨な見た目だが、味がいいのも驚き！　活気あふれる店内には、ビリヤード台、ジュークボックス、壁や天井の古い新聞の切り抜き、古いナンバープレート、時代もののビールのポスターなど、いつか映画で見たような“アメリカ”そのもの。　　　　　　　　（'98）

LAのベスト・レストラン
Spago

🏠176 N. Canon Dr., Beverly Hills

☎ (310) 385-0880

🕐毎日11：30〜15：00、17：30〜23：00　ＡＪＭＶ

　Oba Chineのオーナーとして有名なWolfgang Puckの、カリフォルニア料理の代表的なレストラン。ここBeverly Hillsの支店はオープンして間もないが、早くもLAのベスト・レストランの呼び声が高い。有名人も数多く通い詰めているようだ。この店では客を見て席を決めるので、行ってみて自分がどこに座らされるか試してみるのもおもしろい。　有名人でもそれは同じ

で、誰がどこに座ったかのデータがすべて残っているそうだ。パティオにどれだけ近いかが決め手だ。

おすすめメニューはCrawfish Salad、Filet Mignon Tartare、Veal Chop。デザートだと、Kaiseschmarren、Eggy Pancakes With Sauteed Strawberriesといったところ。1人の予算はディナーで＄40といったところ。予約は必ずしていこう。　　　　（'98）

本場イタリアの味
Chianti／Chianti Cucina

Chianti一🏠7383 Melrose Ave., Los Angeles
☎ (323) 653-8333
🕐月〜土17：30〜23：00、日17：00〜23：00

Chianti Cucina一🏠7383 Melrose Ave., Los Angeles
☎ (323) 653-8333
🕐月〜土11：30〜24：00、日16：00〜24：00

移り変わりの激しいメルローズのレストランのなかでは、もはや老舗のひとつと言っていい人気のイタリアン。落ち着いた雰囲気のなかでエレガントに食事したいならChiantiへ。暗い店内、ディナーの相手とぴったりくっつかざるを得ないテーブル配置など、親密なムードを盛り上げたい夜にはうってつけだ。逆にお隣のChianti Cucinaは、「キャンティの台所」の店名のとおり、店内はにぎやかでカジュアル。料理はいずれもアメリカナイズされていない、コンテンポラリーイタリアン。量も多すぎず、パスタもアルデンテで、日本人にもちょうどいい。Chiantiは飲み物抜きでふたりで$70程度、Chianti Cucinaは$50程度。Chiantiはディナーだけのオープン。　　　　（'98）

カリフォルニア・テイストのイタリアン
Louise's Trattoria

🏠7505 Melrose Ave., Los Angeles
☎ (323) 651-3880
🕐日〜木11：00〜23：00、金土11：00〜24：00　Ａ Ｍ Ｖ

ジョニーロケッツのとなりにあるカジュアルなイタリアンレストラン。通りを眺められるパティオがあるので、ショッピングをする人々をウォッチングしながら食事を楽しめるのも魅力。

ピザ、パスタ、チキン料理、シーフードなどカリフォルニア・テイストのイタリアンが、ほとんど＄10以下。人気はゴートチーズやフォンティナチーズ、アーティチョーク、バーベキューチキン、シイタケなど、グルメなトッピングが豊富なピザ。ピザは一切れ単位でもオーダーできる。一切れでもかなり大きいので、そんなにお腹が空いていないのなら、お昼はこの一切れとスープで十分になってしまうかも。シャルドネクリームソースにチキン、サンドライドトマト、スカリオンがトッピングされたフィットチーネパスタも人気のメニュー。ホームメイドのデザートも人気。ティラミスにはぜひトライしてもらいたい。　　　　（'98）

手づかみで食べるリブがうまい
RJ's the Rib Joint

🏠252 N. Beverly Dr., Beverly Hills
☎ (310) 274-7427
🕐月〜木11：30〜22：00、金土11：30〜23：00、日12：30〜22：00　Ａ Ｍ Ｖ

リブステーキが自慢の店。こんがりと焼きたての骨つきあばら肉は、豪快に手づかみでガブっとかじりつこう。また "All you can eat" のサラダバーも充実。デザートにはブラウニーをどうぞ。2人で＄60くらい。Wilshire Blvd.とBeverly Dr.の角から1/2ブロック。

フレッシュフルーツで作るスムージー
Jamba Juice

🏠474 N. Rodeo Dr., Beverly Hills
☎ (310) 247-7828
🕐月〜金7：30〜20：00（金〜21：00）、土日7：00〜20：00（土〜21：00）

フレッシュジュースとスムージーの専門店。ここの看板アイテムは、いろいろなフルーツをフローズンヨーグルトやシャーベットとブレンドした、まるでシェイクのようにどっしりしたスムージーという「飲み物」だ。たくさんあるメニューの中からお気に入りのブレンドを選んで注文すると、その場で作ってくれる。スムージーはどれも24オンス入りと、かなり大きいカップに入ってくるので、ヘルシーなランチとしても最適。バナナやラズベリー、ブルーベリーをオレンジジュースやアップルジュースとブレンドしたスムージーはさっぱりしていて、しかも飲みごたえたっぷり。

深海気分で楽しもう！
Dive！

🏠10250 Santa Monica Blvd., Los Angeles

☎(310)788-3483

📅日〜木11：30〜22：00、金土11：30〜23：30　Ⓐ Ⓜ Ⓥ

センチュリー・シティ・ショッピングセンターのSanta Monica Blvd.側に、大きな潜水艦の形をしたレストラン "Dive!" がある。このレストランは、映画監督であり有能なプロデューサーでもあるスティーブン・スピルバーグが経営する店。

料理はサンドイッチがほとんどで、値段も$10前後と手ごろ。味はなかなかよく、ボリュームもあるので、ランチやディナーとして十分楽しめる。

おみやげグッズの値段も手ごろで、すべての製品にDive！のかわいい潜水艦のマークが入っている。

スピルバーグの交際の広さを反映してか、常連客にも有名スターが多い。なかでも親友のジョージ・ルーカスは、よく１階のバーを訪れているようだ。

'50年代のアメリカがここにある
Ed Dedevic's

🏠134 N. La Cienega Blvd., Beverly Hills

☎(310)659-1952

📅月〜木17：30〜22：00、金土11：30〜24：00、日11：30〜22：00　Ⓐ Ⓜ Ⓥ

若者に人気のデートスポットでもある。なんて言うと落ち着いたムードを想像するかもしれないが、まったくの逆。ロックンロールの響く店内は、人々でごった返している。店内のディスプレイからウエイター、ウエイトレスの髪型、服装まですべて'50年代。ここのウエイターやウエイトレスは、みな役者やダンサーの卵で、オーディションで採用しているのだそうだ。ショータイムもある。料理はありきたりのアメリカ料理だが、雰囲気を楽しみに行ってみる価値あり。値段も手ごろ。

超人気のカフェ
Hard Rock Cafe

🏠8600 Beverly Blvd. (Beverly Center)

☎(310)276-7605

📅月〜木11：30〜23：30、金〜日11：30〜23：00　Ⓐ Ⓙ Ⓜ Ⓥ

ビバリーセンターにある、いまさら説明もいらない超人気のカフェ＆レストラン。

メニューはいわゆるアメリカのカフェにあるようなものなのだが、ボリュームがすごい。1/3ポンドの巨大ハンバーガーは女の子にはチョット多め。ライムB-B-Qチキンとウォーターメロンリブもおすすめだ。ドリンクのおすすめはハードロックハリケーン。ピンク色がきれいな、ドリンクが入ってくるロゴ入りのグラスは、おみやげに持って帰れる。アルコールはちょっと高め。

■ サンタモニカ

パティオのあるイタリアン・レストラン
LAGO

🏠231 Arizona Ave., Santa Monica

☎(310)451-3525

📅月〜金11：30〜21：00、土日9：00〜21：30　Ⓐ Ⓙ Ⓓ Ⓜ Ⓥ

Arizonと2nd Stの角にある、緑を基調にしたイタリアン・レストラン。パティオもあるので、カリフォルニアの太陽の下、ランチを楽しむことができる。ランチはパスタが$8.50〜13.50、グラスワインは$4.95〜$7.50。ディナーはピザ、パスタなどが$8.50から。メインは$15.50〜22.50といったところ。ボトルのワインは$20〜35で十分おいしいワインが飲める。１日くらい贅沢したいと思う人にはランチがおすすめ。

（'98）

カリフォルニア料理のファストフード
Wolfgang Pack Express

🏠1315 3rd St., Santa Monica

☎(310)576-47770

📅毎日11：00〜21：30

カリフォルニア料理の巨頭としても名高いウルフガング・パックのファストフードショップ。手ごろな価格でおいしい料理をテイクアウト感覚で堪能できるのが魅力。目の前で調理するオリーブオイルをふんだんに使った料理はピザ（$6.75）、パスタ（$7.50）などイタリア系中心で、どれも$9以下。チップがいらないことを考えてもお得な価格だ。ロケーションも映画館の前でサードプロムナードを見下ろすテラス席もあるため、映画の上映時間待ちを兼ねて、路上のパフォーマンスでも見ながら食事というスタイルが大人気だ。　（'98）

ファッショナブルな若者向きイタリア料理
Capoccione Itameshi-ya
🏠401 Santa Monica Blvd., Santa Monica
☎(310) 319-9157
🕐月〜木11：30〜22：00、金11：30〜23：00、土12：00〜23：00、日12：00〜22：00　ＡＭＶ

　オシャレなオリエンタル風イタリアンレストラン。さっぱりした味のドレッシングがキメ手のサラダ、トロリと溶けたチーズがおいしいライスコロッケ、ガーリックの香り高いパスタ、とくにシーフード入りのパスタの数々はおすすめ。どれもボリューム満点で味も最高。お腹一杯食べて、2人で＄30〜35とお得なお値段。プロムナードでショッピングを楽しんだ後に立ち寄るのに最高の場所。
Santa Monica Blvd.と4th St.の角。

LA No.1 レストランの呼び声高い
Chinois on Main
🏠2709 Main St., Santa Monica
☎(310) 392-9025
🕐ランチ水〜金11：30〜14：00、ディナー毎日18：00〜22：00　ＡＪＭＶ

　オシャレな若者が集まるサンタモニカのメイン・ストリート。その一角にあるダイニングスポットがこのシノワズ・オン・メイン。プライムアワー（19：30〜21：00）にディナーを、というときは最低3日前の予約が必要。シェフ、マツサカ氏の作り出すカリフォルニア風のチャイニーズはとてもユニーク。メインコースのおすすめは、キャットフィッシュのジンジャー風味、グリルドサーモン、うずらのソテーの3点。ディナーの予算は＄65ぐらい。LAでは値段の高いレストランなので、店の造りとは裏腹にお客の層は高い。ドレスアップが必要。Main St.とHill St.の近くにある。

シュワルツェネッガーの店だ！
Schatzi on Main
🏠3110 Main St., Santa Monica
☎(310) 399-4800
🕐ランチ月〜金11：30〜15：00、土日9：00〜15：00、ディナー日〜木18：00〜22：00、金土18：00〜23：00　ＡＭＶ

　アーノルド・シュワルツェネッガーが、

妻でありTVのニュースキャスターのマリア・シュライバーとともに経営するレストランだ。彼は長年サンタモニカ近辺に住んでおり、地元の友人のたまり場として、メイン・ストリートに店を開いた。
　料理はアメリカ料理中心だが、彼のお母さんがシェフにレシピを伝授したというオーストリア料理が売り物。まさにオーストリア版おふくろの味だ。朝食は＄6〜7程度、ディナーは＄10〜20程度で結構おいしいものが食べられる。

その他のエリア

アイスクリームのおいしい
Robin Rose
🏠215 Rose Ave., Venice
☎(310) 399-1774
🕐日〜木11：00〜22：00、金土11：00〜23：00　ＡＪＭ

　ラズベリー・チョコレート・トラッフルはこの店がオリジナル。ベイリーズ・アイリッシュ・クリーム、フラアンジェリコ・ヘーゼルナッツ、カルア・アーモンドなどのリキュールを使った大人のフレーバーが好評。もうひとつの人気はチョコレート。なんと7種ものチョコレートがそろっていてビックリ。"The best ice cream in LA"の評判どおりの店。山盛りのシングルコーンは＄2くらい。Ocean Front 沿いにもある。

クロスカルチャーが新鮮
Casablanca
🏠220 Lincoln Blvd., Venice
☎(310) 392-5751
🕐日〜木11：00〜22：00、金土11：00〜23：00　ＭＶ

　中近東スタイルのウエイター、メキシコ風シーフード、料理のネーミングは映画『カサブランカ』の俳優から取ったもの。そのミスマッチのいいかげんさ（？）に対し、料理はなかなか本格的。おすすめはなんといってもカラマリ。レモンバター、フレッシュサルサ、ガーリック風味など、7種類の調理方法からお好みのスタイルを選べる。メカジキのシャンペンソースやメキシコ風シーフードパスタもなかなかのもの。予算は＄30〜35というところ。場所はLincoln Blvd.とRose Av.のそば。

ディズニーランド
🏠1313 Harbor Blvd., Anaheim, CA 92803
☎ (714) 999-4565
HOME www.disney.com/Disneyland

入園料
1日パス 大人＄38、子供（3〜11歳）＄28
2日パス 大人＄68、子供（3〜11歳）＄51
3日パス 大人＄82、子供（3〜11歳）＄75
年間パス大人＄199、子供（3〜11歳）＄199
ガイド付きツアー大人＄14、子供（3〜11歳）＄12
　2日、3日のパスは有効期限なしなので必ずしも連続して使う必要はない。パスは中央入口のチケット売り場で購入できる。3歳未満の子供は無料。AJMV での支払いも可能。7歳以下の子供は、どんなアトラクションにも大人の引率が必要。

パーキング
　1台につき＄7。駐車場は広いので位置を列と番号で必ず覚えておくこと。

開園時間
冬期（9月頃〜3月頃）平日10：00〜18：00、週末9：00〜24：00
夏期（4月頃〜8月頃）とクリスマス・シーズン毎日8：00〜1：00
　これはおおよその目安。日によってさらに細かく決められており、変更になることもある。事前に☎ (714) 999-4565に電話してから行くこと。また、インターネットのホームページ（上記）でも情報入手できる。

　上記の時間はいわばオフィシャルの開園時間だが、実際に正面ゲートが開くのはもっと早い。ディズニーランドでは、その時々の混み具合に応じて30分から1時間前にはメインストリートを開きている。オフィシャルの開園時間には、メインストリートの端ギリギリまで来て、開園と同時にアトラクションへ直行すれば、いくぶん混雑が避けられるだろう。

ディズニーランド　Disneyland

©Disney

　ディズニーランドのあるアナハイム市は、ロスアンゼルスとサンディエゴに挟まれたオレンジ・カウンティにある。アナハイム市は安全で健康的な観光都市で、交通網もよく整備された便利な町だ。

　本家本元のディズニーランドのゲートをくぐると、そこはもう夢と遊びのワンダーランド。ディズニーランドは世界中の人々を、年齢・性別を問わず魅了している。

　「この世界にイマジネーションがある限り常に発展し、新しいアトラクションを次々に加え続けます―ウォルト・ディズニー」の言葉どおり、毎年ユニークなアトラクションが追加されているのはもちろん、シーズンごとにさまざまなイベントが用意されている。サンクスギビングデー、クリスマス、イースターなどのホリデーシーズンはとくににぎやかで、この時期は開園時間も延長される。

　やっぱり本場で味わう楽しさは最高！　と誰もが思うディズニーランド。奇想天外なアトラクションが、ひとまわり大きくなったハートを、めいっぱい刺激してくれる。

ディズニーランドの楽しみ方　★ Walking

　ディズニーランドへ入場したら、正面ゲートまたはシティ・ホールで、マップとその日のイベント情報を手に入れておこう。どこからスタートするかはお好み次第だが、メインストリート・ステーションからディズニーランド鉄道に乗り、場内を一周してレイアウトを頭に入れるのもひとつの手。ここで、何をどのように見てまわるか作戦を立ててみるとよいかもしれない。

　現在ディズニーランド内は、メインストリートUSA、フロンティアランド、ニューオリンズ・スクエア、クリッターカントリー、アドベンチャーランド、ファンタジーランド、トゥーンタウン、トゥモローランドの8つのテーマランドより構成され、60以上のアトラクション、60軒近くのショップ、30カ所

以上のレストラン、ジュース・スタンドがある。

　とくに人気が集中するのは、やはりダイナミックでスリリングなアトラクション。多少並んでも午前中に見ておくことをおすすめする。

　メインストリート・パレードは1日1回（夏は午後に2回）行われる。花火は夜のパレード終了後の21：25ごろに打ち上げられる。お城の前のセントラル・プラザあたりがいちばんよいポジションなので、パレードの1時間ぐらい前から確保しておこう。この位置からなら、ティンカーベルが夜空を横切るのもよく見えるし、花火も絵になるアングルだ。そして、いちばん人気はアメリカ河でくりひろげられるショー、ファンタズミック。ベスト・ポジションは「カリブの海賊」の前あたり。場所取りは2時間前ぐらいから始まる。

　なにはともあれ、園内には刺激的なアトラクションがめじろ押し。納得いくまで楽しむなら、やはり最低でも2日は必要だろう。

アトラクション紹介

メインストリートUSA●Main Street U.S.A.
● 「リンカーンと偉大なる時」ウォルト・ディズニー・ストーリー　The Walt Disney Story Featuring "Great Moments with Mr. Lincoln"　ディズニー賞や記念品、ウォルト・ディズニーの個室を見学し、16代アメリカ大統領に捧げるオーディオ・アニマトロニクスを見る。

読★者★投★稿
ミッキーとツーショットを撮るなら
　入園のときにもらえるパンフレットには、キャラクターに会える時間と場所が載っている。ここへ行けば確実に写真が撮れるので要チェック！ 日本語のパンフレットには出ていない。
（楠理恵子　松戸市）（'99）

Access　ディズニーランドへの行き方

ロスアンゼルス国際空港から
●バス（私営バス会社とメトロバス）
　Airport Coach社〔☎（714）938-8900〕のエアポート・バスでもディズニーランドへ直接行ける。片道＄14、往復＄22、所要時間約75分。各空港ターミナル・ビルを出たら赤いサインで待つ。30分に1本運行。

　空港ターミナルからシャトルバスCに乗ってシティ・バス・センターへ。ここで＄1.60（トランスファー込み）払って#120に乗り、Avitation/ハ-105駅でメトロ・グリーンラインに乗り換える。終点のI-605/I-105で#460のメトロバスに乗り換えればディズニーランドまで行く。いちばん安上りだが時間と手間がかなりかかる。

LAのダウンタウンから
●メトロバス
　ダウンタウンの6th St.から出ているナッツベリー経由のメトロバス#460を利用、ディズニーランド・ホテル前下車。90〜120分。片道＄3.35。バス停と背中合わせにあるのがエアポート・バスのターミナルで、West St.を反対側に渡ったところが、ディズニーランドの大駐車場。アナハイムで1泊しようと思う人はディズニーランド・ホテルまで行かず

Harbor Blvd.とKatella Ave.の角で下車するとモーテル街だ。

　LAへのバス停もここにあるのでチェックしておこう。エアポート・バスのターミナルにはCourtesy Phone（サービス電話）があり、加入のホテル、モーテルの出迎えを頼むことができる。また、コインロッカーもある。

　ここからディズニーランドの正面入口へはディズニーランド・ホテル前より無料のトラムが15分間隔で出ており、パーキング入口のフェンスのところでメトロバスからの乗客をピックアップするので、LA方面から来る人は、バス停を降りたら反対側に渡って待っているとよい。

　このほかディズニーランド・ホテルから直接モノレールでも入場できるし、周辺のホテルやモーテルからも送迎バスを出してくれるので、帰りのバスの時間と場所を確認しておこう。

アナハイム・グレイハウンドのバスディーポから
　グレイハウンドを使ってアナハイムに来た場合、ディーポを出てすぐ前の道を右へ少し行ったところにOCTAのバス停がある。そこから#43 Brea行きのバスに乗り、5分ほどでディズニーランドの正面を通る。West St.を曲がり、ディズニーランド・ホテルの前で停まる。

■ クリッターカントリー CRITTER COUNTRY

❶ カントリーベア劇場
Country Bear Playhouse

❷ デイビー・クロケットのカヌー探検
Davy Crockett's Explorer Canoes

✓ ❸ スプラッシュ・マウンテン
Splash Mountain

❹ テディバラのスイングアーケード
Teddi Barra's Swingin Arcade

■ フロンティアランド FRONTIERLAND

❺ 蒸気船マークトウェイン号
Mark Twain Riverboat

❻ 帆船コロンビア号
Sailing Ship Columbia

❼ トムソーヤ島いかだ
Raft to Tom Sawyer Island

❽ ファンタズミック
Fantasmic!

❾ ゴールデンホースシュー
The Golden Horseshoe

❿ ビックサンダー・マウンテン
Big Thunder Mountain Railroad

- •••• パレードルート
- ☆ キャラクター登場スポット
- ❶ インフォメーション
- ✚ 救護室
- 🖃 コインロッカー
- ☏ 公衆電話
- 🚻 トイレ
- $ ATM
- 🅱 ベビーカー・レンタル
- ♿ 車イス・レンタル
- 🔟 ベビーセンター

■ ミッキーのトゥーンタウン MICKY'S TOONTOWN

⓫ ジョリートロリー
Jolly Trolley

⓬ チップとデールのすべり台
Chip'n Dale Tree Slide

⓭ ミッキーの家とミート・ミッキー
Mickey's House & Meet Mickey

⓮ ミニーの家
Minnie's House

⓯ ロジャーラビットのカートゥーンスピン
Roger Rabbit's Car Toon Spin

⓰ グーフィーのはずむ家
Goofy's Bounce House

⓱ ドナルドのボート
Donald's Boat

⓲ ガジェットのゴーコースター
Gadget's Go Coaster

クリッターカントリー
CRITTER COUNTRY

フロンティアランド
FRONTIERLAND

ニューオリンズスクエア
NEW ORLEANS SQUARE

アドベンチャーランド
ADVENTURELAND

■ ニューオリンズスクエア NEW ORLEANS SQUARE

㊴ カリブの海賊
Pirates of the Caribbean

㊵ ディズニーギャラリー
Disney Gallery

✓ ㊶ ホーンテッドマンション
The Haunted Mansion

■ メインストリートU.S.A. MAIN STREET, U.S.A.

㊷ メインストリート・シネマ
Main Street Cinema

㊸ ディズニーストーリー "リンカー
Disney Story featuring "

出口

ファンタジーランド FANTASYLAND

⑨ おとぎの国のカナルボート
Storybook Land Canal Boats

⑩ イッツア・スモール・ワールド
It's a Small World

⑪ マッターホーン・ボブスレー
Matterhorn Bobsleds

⑫ トード氏のワイルドライド
Mr. Toad's Wild Ride

⑬ 不思議の国のアリス
Alice in Wonderland

ミッキーのトゥーンタウン
MICKY'S TOONTOWN

⑭ ピーターパン空の旅
Peter Pan's Flight

⑮ 眠れる森の美女の城
Sleeping Beauty Castle

⑯ 白雪姫のアドベンチャー
Snow White's Scary Adventures

⑰ ピノキオの冒険旅行
Pinocchino's Daring Journey

⑱ キングアーサー・カルーセル
King Arthur Carrousel

⑲ 空飛ぶダンボ
Dumbo the Flying Elephant

⑳ マッド・ティーパーティー
Mad Tea Party

■ トゥモローランド
TOMORROWLAND

㉛ スターケード
Starcade

㉜ スペースマウンテン
Space Mountain

㉝ ミクロ・オーディエンス
Honey, I Shrunk
The Andience

㉞ アストロ・オービター
Astro Orbitor

㉟ モノレール
Monorail

㊱ スター・ツアーズ
Star Tours

㊲ ロケット・ロッド
Rocket Rods

㊳ イノベンション
Innovention

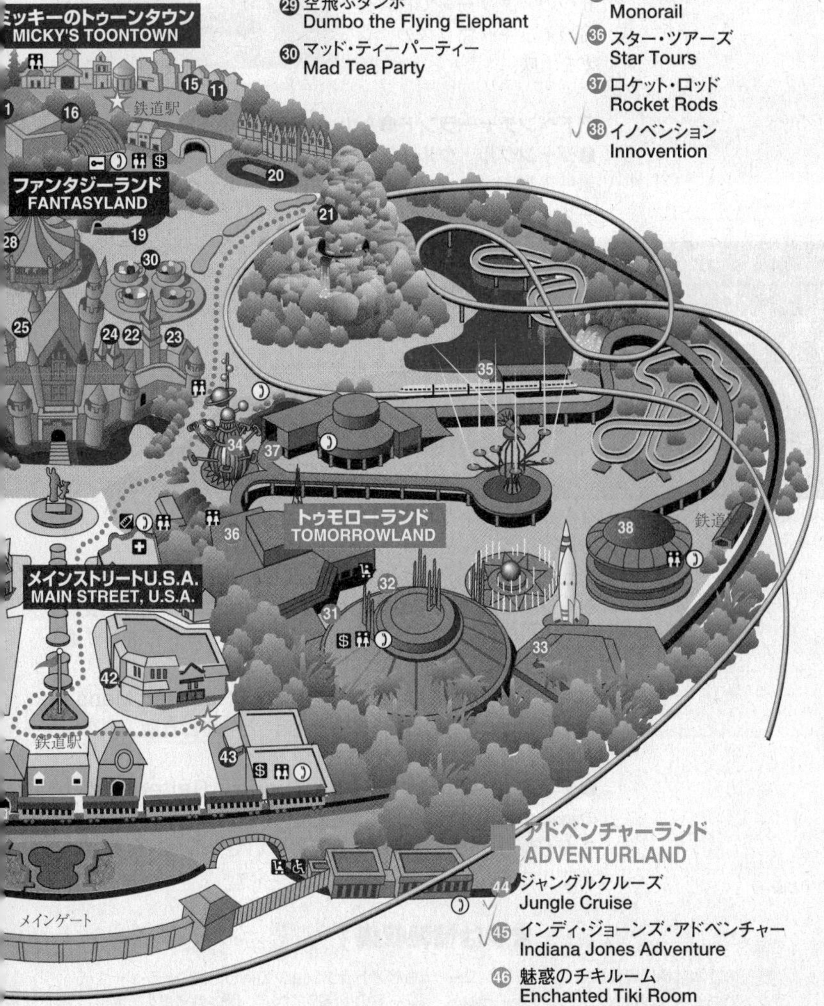

ロスアンゼルス ★

ファンタジーランド
FANTASYLAND

トゥモローランド
TOMORROWLAND

メインストリートU.S.A.
MAIN STREET, U.S.A.

鉄道駅

メインゲート

アドベンチャーランド
ADVENTURLAND

㊹ ジャングルクルーズ
Jungle Cruise

㊺ インディ・ジョーンズ・アドベンチャー
Indiana Jones Adventure

㊻ 魅惑のチキルーム
Enchanted Tiki Room

時"
nt with Mr. Lincoln"

ディズニーランド

249

ディズニーランド鉄道
Disneyland Railroad
旧型蒸気機関車でディズニーランドを1周、グランドキャニオンや原始の旅へ。

●ディズニーランド・ショーケース Disneyland Showcase アーティストによるディズニーランドの過去、未来、模型、写真を陳列。ウォルト・ディズニー社のニューイベントのハイライトも楽しめる。

●メインストリート・シネマ Main Street Cinema 6つのスクリーンで古典作品のミッキーマウスのマンガを上映。

メインストリートにもいろいろな乗り物がある

アドベンチャーランド●Adventureland

✓●ジャングル・クルーズ Jungle Cruise 探検隊の大型ボートに乗り、世界の熱帯地方の川下り、ジャングルをクルーズする。

大人気のインディ・ジョーンズ

●スイスファミリーツリーハウス Swiss Family Treehouse 難破にあったスイス人の家族作製の木の上の家に上り、ディズニーランドの眺めを楽しむアトラクション。

✓●インディ・ジョーンズ・アドベンチャー Indiana Jones Adventure ジープに乗り込んでインディ・ジョーンズの大冒険に出発だ。超人気アトラクションなので、長い待ち時間は覚悟。でも並ぶ価値あり！

ニューオリンズ・スクエア●New Orleans Square

●カリブの海賊 Pirates of the Caribbean 海賊姿のクルーと、カリブ海沿岸を暴れまくろう。ボートに乗って進むアトラクション。

✓●ホーンテッドマンション（幽霊屋敷） Haunted Mansion 怖くて愉快な999の"ハッピーお化け"と一緒に冒険！ 2〜3人乗りで座って回れる。

●ディズニーギャラリー The Disney Gallery カリブの海賊のある洋館の2階にあるギャラリー。気づく人も訪れる人も少なく、園内がいくら混んでいても、ここは静かでのんびりできる。

まずは情報収集！

　旅行の基本は情報収集から。ここディズニーランドでもそれは同じ。アドベンチャーランド入口の近くにある、**セントラル・プラザ・インフォメーション・デスク**Central Plaza Information Deskにまずは行ってみよう。お

もなアトラクションの待ち時間や、ショーやパレードの上演時間など、園内の情報を提供してくれる。また、日本語版のガイドマップもここでもらえる。ぜひ利用しよう。

('98)

クリッターカントリー●Critter Country

✓●スプラッシュ・マウンテン Splash Mountain ディズニーの名作 "Song of the South" をモチーフにしたアトラクション。豪快な降下が1回ある。ぬれるので気をつけて！
●デビー・クロケットのカヌー探検 Davy Crockett's Explorer Canoes 荒野の暴れん坊ガイドとアメリカ河をカヌーで進む。自分でこぐので横着しちゃダメ（日没まで）。
●カントリー・ベア劇場 Country Bear Playhouse カントリー・ウエスタンレビューに参加！ 楽しいクマのバリトンはここの名物。夕方閉鎖。

ビッグサンダー・マウンテン

フロンティアランド●Frontierland

●ビッグサンダー・マウンテン Big Thunder Mountain Railroad ゴールドラッシュに沸く山を暴走するスリル満点のジェットコースターにトライ！
●蒸気船マークトウェイン号 Mark Twain Steamboat 大きな外輪船に乗ってアメリカの川を下る。
●帆船コロンビア号 Sailing Ship Columbia 複製のアメリカ初の帆船コロンビア号に乗って地球を航行。特定の祭日、夏期のみ運行。
●ゴールデンホースシュー・ステージ Golden Horseshoe Stage 古き良き時代の西部を再現したコメディショー。ショーの当日予約はディズニーランド開園後、ゴールデンホースシューで受け付け。

Horseshoe Jamboreeを予約しよう

西部開拓時代の酒場を舞台に繰り広げる、歌ありダンスあり笑いありのミュージカルは開園以来人気を保ち続ける爆笑ショー。一見の価値あり。予約は開園15分過ぎより受け付けてくれるので、まずはフロンティアランドの"ゴールデン・ホースシュー"に行き、予約カードをもらう（無料）のがいちばん確実。早い者勝ち。すぐに満杯になってしまうので、ご用心。

ファンタジーランド●Fantasyland

●白雪姫のアドベンチャー Snow White's Scary Adventures 7人の小人の小屋から魔法使いの城までを冒険！
●ピノキオの冒険旅行 Pinocchio's Daring Journey ピノキオといっしょに彼の家まで旅するアトラクション。誘惑に負けないように！

白雪姫に会える

©Disney

荷物を預けて身軽になろう

ディズニーランド内のショップにはディズニー・グッズがいっぱい。ついつい買いすぎて、両手にいっぱいの荷物。そんな状態じゃあせっかくのアトラクションを楽しめない。そこで利用したいのが**パッケージ・エクスプレス Package Express**。ショッピングしたものを無料で預かってもらえるうれしいサービス。ピックアップは、帰りにメイン・エントランス外のニューススタンドで。また、ディズニー公認ホテルに滞在している人には、部屋までの無料デリバリーもある。

（'98）

●キングアーサー・カルーセル　King Arthur Carrousel
（回転木馬）　72頭の駿馬にまたがり、レッツ・ギャロップ！！
●空飛ぶダンボ　Dumbo the Flying Elephant　ファンタジーランドの空高く飛びあがろう。
●ケーシー・ジュニアのサーカス列車　Casey Jr. Circus Train　小さな汽車に乗って、物語の国へ旅行する。
●おとぎの国のボート　Storybookland Canal Boats　おとぎ話に出てくるミニチュアの世界の国をボートで訪問。
●イッツ・ア・スモールワールド　It's a Small World　ボートに乗り、世界中のかわいい子供たちに会おう。
✓●マッターホーン・ボブスレー　Matterhorn Bobsleds　雪男の待ちうける氷の洞窟を走るジェットコースター。
●不思議の国のアリス　Alice in Wonderland　マッド・ハンターの回転カップや皿に乗って遊ぼう。
●トード氏のワイルド・ライド　Mr.Toad's Wild-Ride　予想もつかない方向へ行く、ハラハラ、ドキドキのドライブ旅行。

イッツ・ア・スモールワールド

［読＊者＊投＊稿］

ディズニーランド攻略のヒント

入園者がピークになるのは何時？

　早めに来園した人の入場がピークになるのは10：00〜11：00だ。乗り物への列が最長になるのは12：00〜14：00。午後になると混みだすのはファンタジーランドとニューオリンズ・スクエア。逆にすいてくるのはクリッターランドとトゥモローランドだ。

いちばんすいているのは何曜日？

　一般的に土日は混んでいるのは常識。どうしても週末しか時間がとれないなら日曜日、それも午前中と、午後遅くが狙い目。

　夏の間は月曜、火曜は大変混雑している。水曜、木曜は中程度、いちばんすいているのは金曜日だ。9月から5月のオフシーズンも金曜が

いちばんすいているのは変わらない。それに次いで木曜、月曜、火曜、水曜と続く。10月から2月の間は月・火曜は休園となることもあるので注意。

9月のディズニーランドはガラガラ……

　ディズニーランドはすごーく混んでいるとのことだったので、「どーしよう！？」と思っていたのだが、9月中旬だったせいかガラガラ。人気のアトラクションでも10分待ちくらいだった。レイバー・デー（9月第1月曜）が終わって新学期が始まったこの時期、けっこう狙い目だ。

（滑川涼子　豊島区）（'98）

●ピーターパン空の旅　Peter Pan's Flight　ロンドン上空からネバーランドの海賊がいるガレオン船までの飛行旅行。

ミッキーのトゥーンタウン●Mickey's Toontown

●ミッキーの家とミート・ミッキー　Mickey's House & Meet Mickey　ミッキーの家を訪れ、最後はミッキーと記念撮影ができる。週末は人数制限あり。

●ミニーのハウス　Minnie's House　ミニーの可愛らしい家を訪れよう。裏庭の泉では願い事を…。

●グーフィーのはずむハウス　Goofy's Bounce House　グーフィーの変てこな家で跳んだりはねたり。

●ガジェットのゴーコースター　Gadget's Go-Coaster　短いけれどトンネルあり池ありの楽しいローラーコースター。

●ジョリー・トロリー　Jolly Trolley　トゥーンタウンをフラフラゆれながらのんびり走るトロリー。

●ロジャー・ラビットのカートゥーンスピン　Roger Rabitt's Car Toon Spin　トゥーンタウンのタクシーに乗って悪いイタチから逃げまわれ！トゥーンタウン最新のアトラクションで大人気！

トゥモローランド●Tomorrowland

✓●スターツアーズ　Star Tours　フライト・シミュレーターを用い、宇宙の旅へ。体感シミュレーション型の大人気アトラクション。

●ミクロ・オーディエンス　Honey, I Shrunk the Audience　ディズニー映画『ミクロ・キッズ』をモチーフにした3D映画を上映。

✓●スペース・マウンテン　Space Mountain　スリル満点のジェットコースター。大宇宙の果てまで超スピードの冒険！

●トゥモローランド・オートピア　Tomorrowland Autopia　ドライバーになってトゥモローランドの道を走り回る。

●ディズニーランド・モノレール　Disneyland Monorail　ディズニーランド上をディズニーランド・ホテルまで往復。

●ロケット・ロッド　Roket Rod　トゥモローランドを一周する超高速ライド。

ディズニーランド鉄道 Disneyland Railroad

グランドキャニオンや原始の世界を描いた幻想画の中を行く鉄道。ニューオリンズ広場で降りるか、園内を1周できる。

ディズニーランドのサービス

●ロッカールーム

メインストリートのタウン広場にある消防署とエンポリアムの間に、おみやげや衣服用の設備がある。スーツケースなど大型のものは、駐車場行き専用トラムの近く、ディズニーランド中央入口チケット売り場の西側の設備へ。

●落とし物

☎ (714) 999-4565

メインストリートのエンポリアムの隣にロスト＆ファウンド（遺失物センター）がある。

●インフォメーション

南カリフォルニア内のほかのレクリエーション関係のイベントや交通機関の情報は、メインストリートの終わりにあるカードコーナーで受け付けている。

ディズニーランドの一般情報は、タウン広場内のシティ・ホールで入手できる。迷子の案内もここでOK。

●レンタル

ベビーカーは1日＄6（デポジット＄5）、車椅子1日＄7（デポジット＄20）また、メインストリートのカメラセンターではカメラもレンタル。1日＄5。

●その他

食べ物、飲み物の持ち込み、アトラクション内でのフラッシュ付き写真撮影は禁止。

新しくなったトゥモローランド

©Disney

253

ナッツベリー・ファーム
📮8039 Beach Blvd.,
Buena Park, CA 90620
☎（714）220-5200
💰大人＄36 子供（3〜11
歳）＄26
AJV
🕐夏期 毎日9：00〜24：
00冬期 月〜金10：00〜
18：00、土10：00〜22：
00、日10：00〜19：00
📅クリスマス

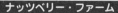

ナッツベリー・ファーム

　ナッツベリー・ファームは"ゴーストタウン""ワイルド・ウォーター・ワイルドネス""ボードウォーク""フィエスタ・ビレッジ""キャンプ・スヌーピー""インディアン・トレイル""マーケット・プレイス"の7つのテーマランドで構成されている。

●ゴーストタウン Ghost Town　1880年代のカリフォルニア西部の鉱村を再現したエリア。建物は、本物を廃村から移築したものなので、リアルだ。砂金採りや、丸太乗り（ログ・ライド）など、アトラクションもそれっぽい。カウボーイやカンカンガールがオールド・ウエスタンのムードを盛り上げてくれる。ワイルド・ウエスタン・ショーは、カウボーイのスタントショーで、迫力があっておもしろい。

●インディアン・トレイル Indian Trails　ナッツベリー・ファームでは、オレンジ・カウンティをはじめ、北米に住むアメリカ先住民の文化を伝えるための運動も進めている。その運動のひとつを見ることができるのが、インディアン・トレイルだ。

　中央にすえられた舞台では、1日5〜6回彼らの踊りを伝承するダンサーたちが、華麗な踊りを披露している。それぞれのダンスの由来や意味をていねいに説明してくれる。

●フィエスタ・ビレッジ Fiesta Village　その昔、カリフォルニアにやってきたスペイン人が聞いた村をイメージしたもの。ここには、ファーム最高人気のローラーコースター"モンティズマの復讐 Montezoomaa's Revenge"がある。最初に前向きで一回転宙返り、そして今度は後ろ向きで一回転

スヌーピーもいる

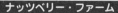

⭐ Access　ナッツベリー・ファームへの行き方

ロスアンゼルス国際空港から
●メトロ＆メトロバス
　空港ターミナルからシャトルバスCに乗ってシティバス・センターへ。ここで＄1.60（トランスファー込み）払って＃120に乗り、Avitation/I-105駅でメトロ・グリーンラインに乗り換える。終点のI-605/I-105で＃460のメトロバスに乗り換えればナッツベリー・ファームまで行く。一番安上がりだが時間と手間がかなりかかる。
LAのダウンタウンから
●メトロバス

ダウンタウンの6th St.とFigeroa St.から出ているナッツベリー経由ディズニーランド・パーク行きメトロバス＃460を利用。夏であれば、LAを早朝出発し、午前中ナッツで遊び、その後、ディズニーランドで深夜まで楽しむこともできる。＄3.35。
ディズニーランドから
●OCTAバス
　ディズニーランドからはKatella Ave.を走るオレンジ・カウンティの路線バスOCTAバス＃50に乗ってBeach Blvd.まで行き、＃29の北向きに乗り換える。

254

させられる、エキサイティングマシーンだ。

●**キャンプ・スヌーピー　Camp Snoopy**　子供たちのアイドル、スヌーピーの町。もちろん、チャーリー・ブラウンやルーシー、ライナスもいる。ここには、滝や小川、つり橋などが造られている。

●**ワイルド・ウォーター・ウィルダネス　Wild Water Wilderness**　1900年代のカリフォルニア・リバー・ワイルドネスパークを再現しているエリア。カリフォルニア特有の地形を、300本の木や100種類の花、低木などで表しているさまは見事なもので、一見の価値アリ。そして、ハイライトは、カリフォルニアでいちばん長い人工の川を下っていく、ワイルドなおもしろさ満点のビッグ・フット・ラピッズ。滝をくぐったり、急流に乗ったりと、かなり荒っぽい動きをするので、ビショぬれになってしまうが、やはり乗ってみたい。

●**ボードウォーク　The Boardwalk**　'20年代のカリフォルニア・アミューズメント・パークをモデルにしている。

　このエリアには、ナッツでいちばん新しく"激しい"ライドの**ウィンドジャマー WindJammer**がある。人気のライド、**ハンマーヘッド Hammerhead**、世界初の宙返りローラーコースター**ブーメラン Boomerung**や、地上約70mからパラシュートで降下する**スカイジャンプ Sky Jump**といった刺激のあるアトラクションがそろっている。

●**マーケット・プレイス　Market Place**　たっぷり遊んでお腹がすいたら、ナッツ名物のチキン料理をぜひ試したい。マーケット・プレイスにある**チキンディナー・レストラン Chicken Dinner Restaurant**はナッツのルーツともいえるレストラン。'94年には60周年を迎えた。また、"ゴースト・ライダーGhost Rider"と名の付いたローラーコースターもこのエリアにある。モチーフは金鉱を走り抜けるトロッコ。全長4,533フィート、約470mの全木製のレールを上へ下へ、全部で13の急降下を繰り返す、絶叫間違いなしのライドだ。

　もちろん、ほかにもバラエティに富んだ料理がたくさんある。各種のジャムやフルーツを使ったパイや、ケーキ、フルサービスのレストラン。ファストフードの店などもあって、満足できることまちがいなしである。

本物のゴーストタウンだけに迫力がある

★ ナッツベリー・ファームはこうして生まれた！

ナッツベリー・ファームの遊園地とゴーストタウンはユニークでおもしろい

　1930年代にナッツ夫妻がいちご（正確にはboysenberry）畑をつくり、とれたいちごやジャムを近所の人やハイウェイを通る車に売っていた。それが好評だったので、ナッツ夫人はチキン料理の店を出した。これまた大当たり

で、いつも長い行列が絶えない。気をよくしたナッツ氏一家は、集まってくる人たちを楽しませるために、古い西部のゴーストタウンを再現してみせた。これが、ナッツベリー・ファームの始まりだった。2つのスクリューコースター、パラシュート、ほんものSL……。決して広くはないが、園内には32の乗り物がある。

ディズニーランドやナッツベリー・ファームの周囲にはディズニーランド・ホテルのような高級リゾート・ホテルやビジネス用ホテル、モーターインなど100軒以上の宿泊施設がある。ホリデーシーズンはテーマパークの開園時間も延長され、思いきり遊ぶことができる。ここはやはりアナハイムに何泊かするのがよいだろう。なんといってもロスアンゼルスなどと違い、物価が安いから費用もセーブできるので一石二鳥だ。ただし、大きなコンベンションがあるときは、どこのホテルも満室になるのでご注意。

ディズニーランドへの旅行情報はウォルト・ディズニー・トラベルの東京オフィス、NTSへ。☎ (03) 5543-0787

ディズニーランド周辺

ディズニーランド正門前で快適&エコノミー
Anaheim Desert Inn & Suites

🏠1600 S.Harbor Blvd., Anaheim, CA 92802

☎ (714) 772-5050、📞 (1-800) 433-5270、
🆑 (714) 778-2754

⑤D $49〜79、① $44〜69　ADJMV

過度の装飾を一切せず、その分内容を充実させたモーテル。ベッドはクイーンかキングサイズが使われ、部屋にはTV、電話はもちろん、冷蔵庫や電子レンジまで付いている。ナッツベリー・ファームでチキンを買って帰って、部屋で温め直して食べることもできる。朝食にはデニッシュ、コーヒー、ココアが1階ギフトショップ隣の部屋に用意される。自由に入れるプールやジャクージ、コインランドリー、ゲームセンターなどはすべて1階にある。144室。('98)

老舗のディズニー直営ホテル
The Disneyland Hotel

🏠1150 W. Cerritos Ave., Anaheim, CA 92802

☎ (714) 778-6600、🆑 (714) 956-6597、
🏠http://www.disneyland.com

⑤D① $175〜270、スイート $325〜675
ADJMV

言わずと知れたディズニーランド・オフ

ィシャルホテル。ディズニーランドとはモノレールで直結。10面のテニスコート、3つのプールに加えてビーチやマリーナまであるリゾートホテルだ。レストランも6軒入っている。1,136室　　　　　　　('99)

スイートタイプのモーテル
Crystal Suites

🏠1752 S. Clementine St., Anaheim CA 92802

☎ (714) 535-7773、📞 (1-800) 992-4884、
🆑 (714) 776-9073

$79〜139　ADM

全室スイートのきれいなモーテル。スイートといっても料金はリーズナブル。部屋のタイプは3通りで、4人、6人、8人まで泊まれるスイートがある。ディズニーランド送迎の無料シャトルあり。歩いてもゲートまで5分ほどだ。130室。　　('98)

パームツリーが目印
Anaheim Desert Palm Inn & Suites

🏠631 W. Katella Ave., Anaheim, CA 92802

☎ (714) 535-1133、📞 (1-800) 635-5423
(州外)、🆑 (714) 491-7409

⑤ $42〜69、① $49〜89　ADJMV

ディズニーランドの目の前。ジャクージやマシーンルーム、サウナなどの各種設備も完備している。スイートルームもあるので、ハネムーナーにもオススメだ。82室。
　　　　　　　　　　　　　　　　　　('99)

ディズニーランドに歩いてどうぞ
Jolly Roger Inn

🏠640 W. Katella Ave., Anaheim, CA 92802

☎ (714) 772-7621、📞 (1-800) 446-1555、
🆑 (714) 635-2262

🏠www.tarsadia.com

⑤D① $99〜149　ADJMV

フロントが24時間オープンしているので、夜おそく着いても安心。全室バス・トイレ・TV付きで、プールもある。Harbor Blvd.とKatella Ave.の角。238室。　　('99)

読★者★投★稿

ディズニーランドのオフィシャルホテル
Disneyland Pacific Hotel

🏠1717 S. West St., Anaheim, CA 92802
☎（714）999-0990、FAX（714）776-5763、HOMEwww.disneyland.com
ⓈⒹⓉ＄225〜275　ＡＪＭＶ

　ディズニーランドのオフィシャルホテルなので、ディズニーランド・ホテルと同じ特典を受けることができる。いちばんの特典は、アーリー・アドミッションといって、通常より1時間半も早く入場できること。ほかにも、アメニティ・グッズがミッキーものでいっぱい！　ディズニー・ショップがホテル内にあるから、パークで買い忘れても大丈夫。

（泉美幸　大磯町）（'99）

ディズニーのすぐ裏
Best Western Courtesy Inn

🏠1200 S. West St., Anaheim, CA 92802
☎（714）772-2470、📞（1-800）233-8062、FAX（714）774-3425
Ⓢ＄49〜89、ⒹⓉ＄49〜99　ＡＤＭＶ

　ディズニーランド駐車場の出口側。ディズニーランドへは歩いても行ける距離だが、無料送迎も行っている。朝食付き。スイートや禁煙室もあるので、予約時に希望を告げるといい。37室。（'98）

ナッツベリー・ファームから徒歩2分
Super & Motel Buena Park

🏠7930 Beach Blvd., Buena Park, CA 90620
☎（714）994-6480、📞（1-800）854-6031、FAX（714）994-3874
ⓈⒹ＄34〜42、Ⓣ＄84〜50　ＡＤＪＭＶ

　キッチン付きの部屋もあるので、どちらかといえばグループの旅行者向き。料金も手ごろで、朝食付き。朝早くから、ナッツベリー・ファームで遊びたい人にもバッチリのロケーション。78室。（'99）

ミッキーよりスヌーピー・ファンのあなたへ
Inn Suites Hotels Buena Park

🏠7555 Beach Blvd., Buena Park, CA 90620
☎（714）522-7360、FAX（714）523-2883、HOMEwww.insuites.com
スイート＄49〜69　ＡＪＭＶ

　ナッツベリー・ファームから北へ1ブロック。メディバル・タイムズの正面にある。朝食付き。付近にはレストランやショップが多くて便利。朝食込み。プール、ジャクージあり。152室。（'99）

アナハイム・デザート・イン

雨が少なく温暖な気候、海と複雑な海岸線が織りなす美しい景観、カリフォルニア発祥の地という歴史。アメリカ西海岸最南端に位置するサンディエゴは、さまざまな魅力をもつ都市だ。

1542年にカブリヨがロマ岬に上陸、1769年にはカリフォルニア最初のミッションが建てられ、以後、スペイン、メキシコの支配下にあって彼らの影響を強く受けた文化を発展させてきた。近代に入ってからは、アメリカ太平洋艦隊の主要基地として発展し、さらに近年はメキシコ国境最大の都市として、合法、不法を問わず多くのメキシコ人を吸収し続けている。

その歴史とあいまって、この町には意外に見どころが多い。南カリフォルニアらしい陽気なアトラクションを楽しむもよし、風光明媚なリゾート地を訪ねるもよし、国境を越えるもよし。バラエティに富んだ観光を実践してみよう。

ダウンタウンへの行き方　★ Access

空港

サンディエゴ国際空港　San Diego International Airport (SAN)

ダウンタウンの西、わずか3kmに位置する大変便利な空港。ダウンタウンのビル群を左眼下に見ながら着陸する。ロスアンゼルスから50分、サンフランシスコから1時間半の距離だ。ターミナルは航空会社によってWest TerminalとEast Terminalに分かれている。市内のホテルの多くでは空港への送迎を行っているので、宿が決まっている人は問い合わせてみよう。

●空港シャトルバン　Cloud 9 Shuttle　両ターミナル前から出発。シャトルバスは数社あるので行き先、運賃等をしっかり確認すること。空港へ向かうときはホテルのフロントに頼む。

●路線バス　San Diego Transit　East Terminalを出て道路を1本渡った島状の部分に停留所がある。ダウンタウンのBroadwayを通る#992 "Airport Flyer"のバスが10分ごとに運行している。約10分。

●タクシー　ダウンタウンまで所要約5〜10分。

サンディエゴ国際空港
☎ (619) 231-2100
地図P.266　A-1、2

空港シャトルバン
☎ (619) 278-8877
料金ダウンタウンまでは所要約10分で$7

San Diego Transit
☎ (619) 233-3004
料金$1.50

タクシー
料金$6〜8

長距離バス

グレイハウンド・バスターミナル　Greyhound Bus Terminal

Broadwayの北側、Front St.と1st Ave.の間に位置する。ダウンタウンのど真ん中にあるので何かと便利だ。観光案内所まで2ブロック、Broadwayには空港へ行くバス#992も走っているし、まわりにホテルも多い。

鉄　道

サンタフェ駅　Amtrak Santa Fe Station

Broadwayの海側、Kettner Blvd.に沿って駅がある。エキゾチックな装飾で、西海岸の青い空によく映える美しい駅舎だ。LAからは海沿いを走る景色のいいルートだ。

グレイハウンド・バスターミナル
🏠120 W. Broadway
☎ (619) 239-3266
📞 (1-800) 231-2222
🕐24時間営業
🗺P.260　A-2
　LAからはエクスプレスで2時間半。1時間に1〜2本と便数も多く便利。

サンタフェ駅
🏠1050 Kettner Blvd.
📞 (1-800) 872-7245
🗺P.260　A-2
　LAから約3時間。1日8往復（週末は7往復）している。

サンディエゴの歩き方　Walking ★

　サンディエゴのおもしろさは、見どころ、遊びどころがバラエティに富んでいることにある。市内の見どころは、有名なサンディエゴ動物園のあるバルボア・パーク、シーワールドのあるミッションベイ・パーク、サンディエゴ湾などダウンタウンからバスで20〜30分以内にあり、散歩したり、のんびり日光浴したりするのにいい場所が数多くある。

　そのあとは、郊外へも足を延ばしてみよう。なかでもおすすめの場所が2カ所。ひとつはダウンタウンを北に約18kmのラ・ホヤという町。美しい海岸線と、しゃれたブティックやギャラリーが建ち並ぶ通りがなんとも心地よい。もうひとつは、南下して国境を越えたメキシコのティファナ。ダウンタウンからトロリーに乗って1時間弱で、そこはまるで別世界。革製品や銀製品のショッピングをメインに、メキシコ料理など手軽な本場メキシコ体験ができる。

　ダウンタウンの中心は**ホートン・プラザ**周辺。グレイハウンド・バスターミナル、アムトラック駅があり、路線バスもここを中心に走っている。観光案内所もホートン・プラザ内なので、まずここから歩き始めよう。

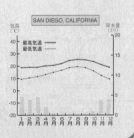

国境を越えてティファナの町まで行ってみよう

d a t a

人　口	約1,111,000人		日曜版＄1.50
面　積	857km²	T A X	セールス・タックス 7.75%
標　高	最高483m		ホテル・タックス 10.5%
	最低0m	属する州	カリフォルニア州 California
市の誕生	1850年		
情　報	San Diego This Week　無料情報誌（クーポン付）San Diego Union-Tribune（新聞）月〜土曜版35¢、	州のニックネーム	黄金州　Golden State
		時間帯	パシフィック・タイムゾーン

SAN DIEGO, CALIFORNIA
気温（℃）　　降水量（インチ）
最高気温 ——
最低気温 ——
1月 2月 3月 4月 5月 6月 7月 8月 9月 10月 11月 12月

観光案内所 ★ Information

San Diego International
Visitor Information
Center
🏠11 Horton Plaza (1st Ave.
& F St.), San Diego, CA 92101
☎ (619) 236-1212
ビジターホットライン☎ (619)
581-5000
HOMEwww.sandiego.org
📅月〜土8：30〜17：00、
日11：00〜17：00
📅6〜8月以外の日休み
📖P.260　A-2

San Diego International Visitor Information Center

ダウンタウンのショッピングセンター、Horton Plaza内1階にあり、1st Ave. 側に面している。市内や近郊の地図、観光案内の小冊子などをくれるほか、ホテルの紹介・予約もしてくれる。日本語の"Downtown Bus Map"は便利。

ホートン・プラザに観光案内所がある

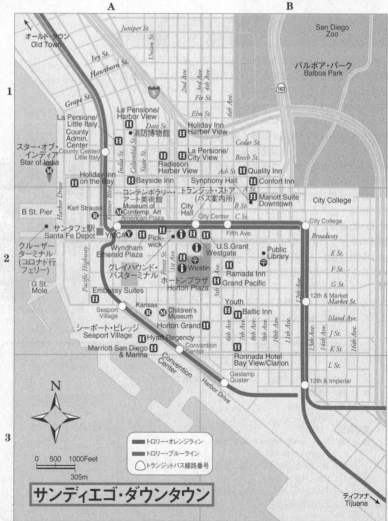

サンディエゴ・ダウンタウン

凡例：
■ トロリー・オレンジライン
■ トロリー・ブルーライン
○ トランジットバス線路番号

0　500　1000Feet
305m

サンディエゴ・トランジットバス　San Diego Transit Bus

　市内と郊外を広くカバーしている便利なバス。100以上の路線がありほとんどの見どころへ走っている。

　乗り放題の**Day Tripper Pass**は1日券$5、2日券$8、3日券$10、4日券$12。トロリーにも使える。Broadwayと1st Ave.の角にある**Transit Store**で購入できる。また、Day Tripper Passはトロリーの駅にある自動販売機でも買える。

　ダウンタウンではBroadwayを通るバスが多く、西向きのバスは1st Ave.と2nd Ave.の間、東向きのバスは2nd Ave.と3rd Ave.の間から出ている。本数はあまり多くないので、詳しいバス路線図と時刻表を観光案内所で入手しておくとよい。

サンディエゴ・トランジットバス

☎ (619) 233-3004、(619) 685-4900 (24時間)

囲 $1.50

　エクスプレスバスは$1.75～3で行き先によって異なる。トランスファーは1時間50分以内なら無料。乗車時にトランスファー・スリップをもらうこと。ローカルからエクスプレスに乗り換えるときは、差額を支払ってスリップをもらう

サンディエゴ・トランジットバスのおもなルート

行き先	路線番号	行き先	路線番号
サンディエゴ国際空港	992	クアルコム・スタジアム	13
バルボア・パーク	7、7A、7B	オールドタウン	34、34A、35、44
ミッション・ビーチ	34	コロナド	933、934、936
パシフィック・ビーチ	9、30、34	シーワールド	9
ラ・ホヤ	30、34、34A	サンディエゴ動物園	13

サンディエゴ・トロリー　San Diego Trolley

　路線バスと同じくMTS (Metropolitan Transit System) が運行するトロリー。真っ赤な車体が目印で、East Line (ウォーターフロントからぐるりと回り東のサンティフェまで) とNorth-South Line (北はスタジアム、南はメキシコとの国境まで) の2系統ある。

スタジアムまで走るようになったトロリー

サンディエゴ・トロリー

☎ (619) 231-8549

囲距離によって異なり75¢～$2。15分間隔の運行

　トロリーからバスへ乗り換えるときは、トロリーのチケットをバスの運転手に渡し、バス料金のほうが高いときは差額を支払う。バスからトロリーへは、運転手からもらうトランスファー・スリップがチケット代わりになる。トロリー代が高いときは差額のチケットを駅で買うこと。Day Tripper Pass類も使える。

乗り放題のバスを使ってバスに乗ろう

グレイライン　Gray Line of San Diego

出発場所：市内多くのホテルへのピックアップ・サービスあり

グレイライン

☎ (619) 491-0011

℡ (1-800) 331-5077 (州外)

番号	ツアー名	料金	運行	所要時間	内容など
301	Tijuana Shopping Tour	$28	毎日9：00、11：00、14：00発	4,6,8時間	国境を越えたティファナへのショッピングツアー。パスポート要。所要時間は選択できる。
308	San Diego City Tour	$25	毎日9：00、14：00発	4時間	ダウンタウン、バルボア・パーク、オールド・タウン、ラ・ホヤ、港などを回る。
311	Wild Animal Park	$43	毎日11：00発	6時間	路線バスでは不便なワイルド・アニマル・パークへのツアー。

★

サンディエゴ

オールド・タウン・トロリー　Old Town Trolley

オールド・タウン・トロリー
☎ (619) 298-8687
運行③のシーポート・ビレッジ発8：55から30分間隔で運行。16：30～17：00の便は帰る便のみ
圏大人＄20、子供＄8

動物園へも行くオールド・タウン・トロリー

サンディエゴのおもな見どころを結ぶ大変利用価値の高い観光用トロリーバス。サンディエゴからサンディエゴ湾を横切り、海軍基地のあるコロナドCoronadoへ渡る橋からの眺めは最高！サンディエゴ湾が一望できる。

ルートは① Old Town ② Cruise Ship Terminal（ハーバー・クルーズ乗り場）③ Seaport Village ④ Marriott Hotel & Marina ⑤ Horton Plaza内、Warner Brothers Store前 ⑥ Hotel del Coronado ⑦ San Diego Zoo ⑧⑨ Balboa Park（Aerospace Museum, El Prado）

ダウンタウンからは⑤のホートン・プラザにあるウエスティン・ホテル内のコンシェルジュ・デスクでチケットを買う（おもなホテルでも買える）。クレジットカードで支払いたい人は、ボーディングパスをもらって乗車し、①のオールド・タウンにあるオフィスで。運行時間内なら乗り降り自由。

Attractions　おもな見どころ ★

ショッピング、食事、映画も楽しめる
ホートン・プラザ ★ Horton Plaza

ホートン・プラザ
⌖ 324 Horton Plaza
☎ (619) 239-1596
圏月～金10：00～21：00、土10：00～18：00、日11：00～18：00、レストランは延長あり
圏P.260　A、B-2

ダウンタウンのど真ん中の7ブロックを貫いて建つ巨大なショッピング・モール。グレイハウンドのバスターミナルから1ブロックのBroadway、1st Ave.、G St.、4th Ave.に囲まれている。中にはNordstrom、Macy's、Mervyn'sの3軒のデパートと約140店のブティック、レストラン、銀行、フードマーケットなど何でもあって、サンディエゴ滞在中は日々の飲食や食料の買い出しからおみやげまで、何度となく足を運ぶことになるだろう。映画館では常にロードショー14本が上映されている。また1st Ave.とF St.の角からプラザへ入ったところには**観光案内所**もあって便利。1st Ave.との角にはプラネット・ハリウッドもある。

ホートン・プラザのプラネット・ハリウッド

ノスタルジックな海辺のスポット
シーポート・ビレッジ ★ Seaport Village

シーポート・ビレッジ
⌖ 849 W. Harbor Dr.
☎ (619) 235-4014
圏毎日10：00～21：00　6月～8月は10：00～22：00　レストランは延長あり
圏Kettner Blvd.を南下した突きあたり。湾内クルーズの桟橋からは海沿いに南へ4ブロック
圏P.260　A-2

港に面したショッピング・ビレッジで、市民の憩いの場＆デート・スポットといったところ。約100年前に造られたという灯台や、すばらしい回転木馬がムードを盛り上げている。港を行き交う船や、凧あげやジョギングに興じる人を眺めながらのんびりとブランチでも取りたいところだ。ブティック、ギフトショップ、レストランなど約75店があり、センスの良い品を見つけることができる。

バルボア・パーク ★ Balboa Park

ダウンタウンの北、約2kmに広がる小高い丘の上に造られた5.6k㎡の面積をもつ総合公園。有名な**サンディエゴ動物園 San Diego Zoo**のほか、**サンディエゴ自然史博物館 San Diego Natural History Museum**、**ルーベンフリート宇宙シアター Reuben H. Fleet Space Theater**、**サイエンス・センター Science Center**、**サンディエゴ美術館 San Diego Museum of Art**、**人類博物館 Museum of Man**などがあり、サンディエゴのレクリエーションや文化活動の中心である。見どころが非常に多いので、まる1日かけてもざっと回るのがやっと。じっくり見たいという人は、バルボア・パークだけで2日は予定しておいたほうがよい。パーク内は真っ赤な車体のBalboa Park Tramが無料で走っているので、ぜひ利用しよう。

バルボア・パークは
市民の憩いの場だ

★

サンディエゴ

●観光案内所　Balboa Park Visitors Center

バルボア広場から西へ延びるエルプラド通りに面したホスピタリティ・ハウス内にある。パーク内の地図は有料だが便利。1週間有効の**Passport to Balboa Park**を買っておくとよい。なお、このパスポートはホートン・プラザ内のTimes Arts Tixでも購入できる。

Balboa Park
Visitors Center
☎ (619) 239-0512
🕐毎日9：00～16：00
🗺P.260　B-1

●サンディエゴ動物園　San Diego Zoo

バルボア・パークでまず訪れたいのが、世界的にその名を知られたサンディエゴ動物園。約800種、3,400頭もの動物を飼育している世界的規模の動物園で、園内随所に配された亜熱帯植物のコレクションも有名だ。また、絶滅の危機に瀕している希少動物の保護と繁殖にも力を入れている。ただし、この点では郊外にある付属施設ワイルド・アニマル・パークのほうが、より自然に近い環境で育てられているためか、バルボア・パークの本園では"見せる動物園"の色が濃いようだ。

園内は広いので、まずはガイド付きの**バスツアー**（約35分）で園内を一周してアウトラインをつかもう。夏は混雑してかなり並ぶので、なるべく朝いちばんで乗ってしまいたい。入場の際にコンボチケットを購入しなかった人でも、園内でチケットだけ販売しているので大丈夫。また、全体を空から見下ろせる**スカイファリ Skyfari**にも乗ってみよう。ダウンタウンやサンディエゴ湾までのパノラマが楽しめる。

アウトラインがつかめたら今度は歩いて回ろう。トラムからは見えないところもたくさんある。見逃せないのは、ジャスミンや蘭の咲く森にトラなどがいる**タイガー・リバー Tiger River**、**コアラ Koala**、**オランウータン Orangutan**などだ。また3,000人収容の野外劇場では**アニマル・ショー**も行われている。

サンディエゴ動物園
🏠2920 Zoo Dr.
☎ (619) 234-3153
🕐毎日6/20～9/2が9：00～22：00（入園は21：00まで）、その他の時期は毎日9：00～18：00
💰入園料のみは大人＄16、子供（3～11歳）＄7、2歳以下無料
🚌ダウンタウンから#7のバスで

バスツアー
開園から15～20分おきの運行。最終バスは21：00発

動物だけでなくスカイファリからの景色も楽しめる

シーワールド

1720 S. Shores Rd., Mission Bay

☎ (619) 226-3901、(714) 939-6212

P.266　A-1

シーワールド ★ Sea World

　シャチやイルカの曲芸と海洋生物の飼育で知られるシーワールドは、ダウンタウンからみて北西、ミッション・ベイ・パークの入口にある。広い園内には6つのステージと10以上の展示パビリオンがあり、すべてのショーを観るつもりなら朝から晩までたっぷりと時間をとっておこう。

　入園したら、まず入口でもらった地図とショーのスケジュール表をチェックしたい。どのショーを何時に観るのかを決め、その合間にあちこちのパビリオンを回ったり食事をとれば、効率よく回れる。

シーワールドのタッチプールは
子供たちに人気

いちばん人気はシャムーのショー

毎日10：00～日没まで。夏期は9：00～23：00のオープン。

$32.95、11歳以下$24.95、3歳以下無料

ロスアンゼルスのナッツベリー・ファーム、ユニバーサル・スタジオ、マジック・マウンテンなどでもらえる割引券を利用しよう

ダウンタウンからトラムで#5、34、34Aのバスでオールド・タウンへ。そこから#9に乗り換える。土日はオールドタウンからダウンタウン行きのバスが19時で終わってしまうのでトラムを利用する（トラムは24：00まで運行）

● ドルフィン・ショー　Dolphin Show

　数種類のイルカと小型のクジラが繰り広げるパフォーマンス。日ごろ、あまりなじみのないイルカも登場して見事な演技を披露してくれる。ショーの最後には総出演でジャンプを披露してくれる。

● シャムー・ショー　Shamu Show

　シャムーと呼ばれるシャチの迫力満点のショーで、常にシーワールドの人気ナンバーワンを誇っている。黒と白のツートンカラーの美しい巨体がしなやかに宙を舞い、轟音をたてて飛び込む。〝スプラッシュゾーン〟と呼ばれる前12列くらいまでは容赦なく水をかぶるので注意！　ときにはヒレを叩いてわざと水しぶきのサービスもしてくれる。獰猛なイメージが強いシャチが、こんなにも頭が良く、我々と同じ哺乳類の仲間であったことを再認識できただけでもシーワールドの功績は大きい！

● アシカとカワウソのショー　Sea Lion and Otter Show

　アシカとセイウチとカワウソが海賊に扮するコメディショー。彼らの調子のよさと名コメディアンぶりで、大いに笑わせてくれる。

● スカイタワーとスカイライド　Skytower & Skyride

　シーワールドの中央に建つタワーで、ガラス張りのエレベーターで展望台へ昇ると、シーワールドだけでなく太平洋も、ダウンタウンもすべて一望の下。とくに空気の澄んでいる朝のうちと夕暮れどきがおすすめ。$2。また、園内のいちばん奥のミッション・ベイを望む場所にはスカイライドがある。こちらはケーブルに吊された乗り物で湾上を往復するもの。$2。なお、スカイタワーとスカイライドのセット券は$3で販売されている。

港町だからハーバー・
クルーズもいい

海軍基地を海から眺めよう
湾内クルーズ ★ Harbor Excursion

サンディエゴ湾は美しいリゾートの海である
と同時に、アメリカ有数の海軍基地に面した海
でもある。ブロードウェイ通りの先端の桟橋か
ら毎日、湾内クルーズが出ているので、海上か
ら基地の様子や豊かな緑が残る郊外の自然を眺
めてみよう。

右記のクルーズ以外に、1区間＄5で希望の場所へ乗せて
行ってくれる**ウォータータクシー ☎ (619) 235-8294**もある。要
予約で、シーポート・ビレッジなど10カ所に乗り場がある。

Harbor Excursion
🏠 1050 N. Harbor Dr.
☎ (619) 234-4111
📞 (1-800) 442-7847
●1時間コース　大人＄13
12歳以下＄6.50
　10/1～6/14は10：00、
11：15、12：45、16：15
発（土日は14：15が加わ
る）、6/15～9/30は10：00、
11：15、12：45、14：45、
17：30
●2時間コース　大人＄18
12歳以下＄9
　10/1～6/14は14：00発
（土日は9：45、12：30が加
わる）、6/15～9/30は9：45、
12：30、14：00発
※ウエスティン・ホテルの
コンシェルジュ・デスクで
申し込むと＄2割引になる。
🚃 ホートン・プラザから約10
分。Broadwayの突き当た
りの桟橋から出航
🗺 P.260　A-2

Suburb Points
郊外の見どころ ★

美しい芸術家の町
ラ・ホヤ ★ La Jolla

ダウンタウンから北へ11マイル（約18km）。ラ・ホヤは明るい
陽光に包まれた芸術家の町だ。変化に富んだ美しい海岸線、高
級ブティックやギャラリーが軒を連ねる通り。そぞろ歩きに、
ウインドー・ショッピングに、気持ちのいい一日を過ごそう。

荒波に削られ、下の部分が浸食された崖が複雑に入り組んで
いる**ラ・ホヤ・コーブ La Jolla Cove**はダイバーたちの基地。
海と陸との戦いが生み出した美しい景色が楽しめる。

町の中心は**Girard Ave.**と**Prospect St.**。ともにしゃれたブテ
ィックやギャラリーが並ぶ通りで、Hard Rock Caféやピンクの
壁が美しいコロニアル調の**バレンシア・ホテル La Valencia**も
Prospect St.にある。カリフォルニア大学サンディエゴ校
（UCSD）の海洋研究所の付属施設である**ステファン・バーグ水
族館 Stephen Birch Aquarium-Museum**では3,000種以
上の太平洋の魚が飼育されている。水槽も大きくダイビングし
たような気分になる。

ハードロック・カフェをはじめとして
人気の店がラ・ホヤには集まっている

ラ・ホヤ
🚌 ダウンタウンから#34か
#34Aのバスで40～50分。
Girard Ave.からSilverado St.
に右折したあたりで降りる
とよい。#34のほうが少し
時間がかかるが、美しい海
岸の景色を楽しめる。Girard
Ave.に戻って右折するとブ
ティックが並んでいる。#30
のバスでTorrey Pines Rd.と
Girard Ave.の角で下車して
も行けるが、少し歩くこと
になる。空港からならシャ
トルバンで約＄11
🗺 P.266　B-1

ステファン・バーグ水族館
🏠 2300 Expedition Way, La
Jolla
☎ (619) 534-3474
🕐 毎日9：00～17：00
休 サンクスギビング、クリ
スマス
💰 大人＄7.50、学生＄5、3
～17歳＄4

ワイルド・アニマル・
パーク
住15500 San Pasqual Valley
Rd., Escondido
☎(619) 747-8702
開6月中旬～9月初旬の毎日
9：00～18：00、それ以外
は9：00～16：00
料大人＄19.95、子供（3～11
歳）＄12.95、駐車料金＄3
交路線バスで行くのは現実
的ではない。グレイライン
などの観光バスの利用をす
すめる。観光バスはP.261
を参照。
　レンタカーなら、ダウン
タウンからI-15で北へ約20
分、Via Rancho Pkwy.の
出口を降り、標識に沿って
約5分で着く。
図地図外

まるでサファリのような広大な動物公園

ワイルド・アニマル・パーク ★San Diego Wild Animal Parks

　あまりにも有名なサンディエゴ動物園の影に隠れてしまった
ようだが、サンディエゴにはもうひとつ、ワイルド・アニマル・
パークという広大な動物公園がある。場所はダウンタウンから
北へ50kmほど離れた郊外で、バルボア・パークの動物園の何倍
も広い敷地に、アジア＆アフリカのめ
ずらしい動物たちを見ることができ
る。あまりにも広いので本当にサファ
リへ来たような気分！ 動物たちも自
然のまま、のびのびと暮らしている。

とにかく広い!!

　園内は一周約50分のモノレールで
見学でき、ほかにも動物園や動物ショ
ーなど見どころいっぱい、一日中楽
しめる。ゾウの背中に乗ることも可能。

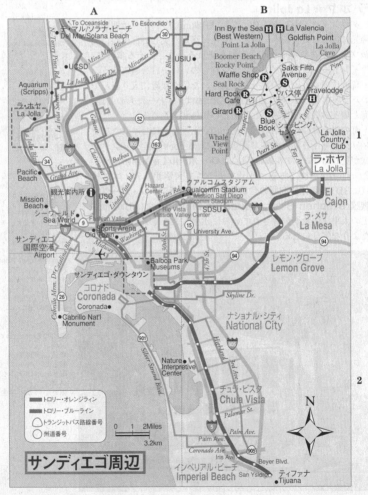

ティファナ ★ Tijuana

サンディエゴから南へ25km、アメリカ・メキシコ国境のメキシコ側の町がティファナだ。気軽にメキシコ情緒が味わえ、安い革製品や銀細工のショッピングが楽しめる町。マルガリータを飲みながらメキシコ料理を食し、マリアッチのメロディに耳を傾けられる町。そして強烈な異文化体験ができる町がこのティファナだ。

町の中心は**レボルシオン通り** Avenida Revoluciónで、観光局のあるCalle 1aから**ハイアライ競技場** Jai AlaiのあるCalle 7のあたりまでが最もにぎやか。ここを歩けばみやげもの屋から日本語で声をかけられる。商売熱心なティファナの人々のパワーにしばし圧倒されるだろう。

ティファナはサンディエゴと雰囲気がまったく変わる

Spectator sports
観戦するスポーツ

ベースボール〔MLB〕

サンディエゴ・パドレス ★ San Diego Padres
（ナショナル・リーグ西地区）

'98年のシーズンに念願のナショナル・リーグ・チャンピオンに輝いたのが、このサンディエゴ・パドレスだ。アメリカン・リーグの覇者ヤンキースには惨敗したものの、リーグ優勝には町中が熱狂した。そのシーズンオフに主力選手のいく人かを放出したが、昔からの看板打者であるグウィンを中心に'99年こそはワールド・チャンピオンの座を狙う。

ティファナ
🚋サンディエゴ・トロリーのSouth Lineで終点のSan Ysidro／Int'l Borderまで行き、トロリーを降りたら歩いて国境を越える方法がもっとも一般的ですすめられる（約15分）。鉄棒の回転ドアを押してメキシコに入国したら道なりに右に進む。タクシーの客引きは無視して大きな道路を横断し、その先のショッピング街を通り、橋を渡り、"Centro"という看板に従って人の波についていけばいい。

車での国境越えはすすめられない（レンタカーの場合は、ほとんどの会社が国境越えを認めていないし、盗難や事故のトラブルも多い）。車のときはI-5を南下し、国境手前の駐車場に車を止めて、歩いて国境を越えよう。グレイハウンド・バスも1日12往復走っている。Downtown行きとCentral Bus Terminal行きの2種類あるが、ティファナだけが目的なら、必ずDowntown行きに乗ること
🗺P.266 B-2

サンディエゴ・パドレス
本拠地──クアルコム・スタジアム Qualcomm Stadium, 9446 Friars Rd., San Diego
☎(619) 283-4494（チケット）、881-6500
🚋ダウンタウンからはサンディエゴ・トロリーのBlue Lineに乗る。北の終点がスタジアムだ
🗺P.266 B-1

国境越えの注意

アメリカに入国したあとティファナへ行く場合は、72時間以内にアメリカへもどってくるのであればツーリスト・カードはいらない。ただし、国境を越えるわけだからパスポートは忘れずに。メキシコには何の審査もなく入国できるが、アメリカ入国の際は荷物検査と簡単なパスポート・チェック（帰国便のチケットも）があり、税関と入国審査を通る。

また、ティファナからさらに南（100マイル以上）を目指したいという人や、72時間を超えて滞在したいという人は必ずツーリスト・カードを取得すること。これを怠ると不法入国となってしまう。サンディエゴにメキシコ領事館（🏢1549 India St. ☎(619)231-8414 🕐月〜金8：00〜13：30）があり、30日間有効のツーリスト・カードならすぐ発行してくれる。これを持って国境の回転ドア（2つあるうち最初のもの）を通ったら、右側にあるメキシコのイミグレーション・オフィスでスタンプをもらう。自主的に申し出なければもらえないので注意。

読★者★投★稿

ティファナへ行くならUSドルのキャッシュを用意しておこう

国境を越えて、メキシコのティファナで革ジャンや銀製品を買う予定のある人は、サンディエゴでT／Cを現金に換えたほうがよい。同じ品物でも、支払が現金かT／Cかカードかで値段が違う。ちなみに僕は、革ジャンを$135の現金で購入。T／Cだと$200、カードなら$350と言われた。やはり、現金がいちばん強いみたいだ。　（原田聡　三重県　'98夏）

サンディエゴ・チャージャーズ

本拠地——クアルコム・スタジアム Qualcomm Stadium,
9446 Friars Rd., San Diego
☎ (619) 280-2121
🗺 パドレス参照

サンディエゴ・チャージャーズ ★ San Diego Chargers

（AFC西地区）

青・白・金をチームカラーとし、クアルコム・スタジアムに本拠を置くAFC西地区の強豪チーム。数年前AFCを制し、スーパーボウル出場を果たしたものの近年は下位にあまんじている。

★ ★ ★ ショッピング ★ ★ ★
Shopping

シーポート・ビレッジもショッピングにいい

読★者★投★稿

手作りキャンドルの専門店
Toby's Candle Company
🏠 2645 San Diego Ave.
☎ (619) 297-5426

商品のほとんどはキャンドル職人の手によって作られていて、人間や動植物をかたどったユニークかつグロテスクなキャンドルで店内が埋めつくされている。値段はさすがにちょっと高めだが、なかには手ごろなものもあるので、ゆっくりと探してみよう。　　　　　　　（山本清美　山口県）('98)

★ ★ ★ ホテル ★ ★ ★
Hotel

ダウンタウンとその周辺

使いごこちのよいホテル
The Best Western Bayside Inn
🏠 555 W. Ash St., San Diego, CA 92101
☎ (619) 233-7500、📞 (1-800) 341-1818、
FAX (619) 239-8060
HOME www.baysidinn.com
Ⓢ $109〜129、Ⓓ $119〜149、Ⓣ $129〜159　　　ＡＤＪＭＶ　地 P.260　A-1

港近くのIndia St.とAsh St.の角に建つ新しくきれいなホテル。窓がかなり大きいため、部屋は明るく、広い。西側の部屋をとれば、港の風景が素晴らしい。1階にはプール、レストラン、バーがある。空港送迎無料。ツアー予約はフロントでやってもらえるし、ツアーバスが目の前から出る。電話は市内通話なら無料。

（'98）

港の景色が楽しめるベイサイド・イン

再開発地域にある
Ramada Inn & Suites
🏠 830 6th Ave., San Diego, CA 92101
☎ (619) 531-8877、📞 (1-800) 664-4400、
FAX (619) 231-8307
HOME www.stjameshotel.com
Ⓢ $109〜119、Ⓓ $119〜129、スイート $149〜400　ＡＤＪＭＶ　地 P.260　B-2

ホートン・プラザの東、Gaslamp Quarterという再開発地域にある。ホテル自体は改装されており、きれい。ロビーも豪華で、料金の割に高級感を味わえる。　　　（'99）

ユースが中心部にあるのはめずらしい

ダウンタウンのにぎやかなエリアにあるYH
Hostelling International-San Diego, Downtown

🏠521 Market St., San Diego, CA 92101
☎(619)525-1531、FAX(619)338-0129、
HOMEwww.hostelweb.com/sandiego
ドミトリー＄16〜18 ⒿⓂⓋ 地P.260 B-2

　Market St.と5th Ave.の角にあり、トロリー乗り場から3ブロックのところにある。空港からは＃992のバスで、5th Ave.とBroadwayの交差するところで下車。南へ4ブロック、Market St.に向かって歩けばよい。YHの周辺は、16ブロックにわたってカフェやクラブ、レストランなどが点在するホットな地区(Gaslamp Quarter)に位置している。150ベッド。オフィスは7:00〜深夜のオープン。　　　　　　　　　　('99)

ファミリーに大人気のスイート・タイプ
Embassy Suites, San Diego Bay

🏠601 Pacific Hwy., San Diego, CA 92101
☎(619)239-2400、☎(1-800)362-2779、
FAX(619)239-1520
HOMEwww.embassysuites.com
ⓈⒹⓉ＄145〜230 ⒶⒹⒿⓂⓋ 地P.260 A-2

　ビジネスマンに好評のエンバシー・スイートは、ここサンディエゴでも屈指の人気のホテルだ。シーポート・ビレッジに隣接した立地のため、全客室のおよそ半数の部屋からは、ドラマティックな落日を見ることができる。また、ファミリーにも圧倒的な支持を受けている。インドア・プールでは、一日中子供のはしゃぐ声がひびく。夜になるとホテル内の〝ウイニング・ストリーク・スポーツ＆ゲーム・バー〟が盛り上がる。このホテルならサンディエゴ滞在は充実したものになること受け合いだ。朝食、午後のドリンク＆スナックサービス付き。
　　　　　　　　　　　　　　　　　　　('98)

読★者★投★稿

週料金は長期滞在者に便利
Motel 6

🏠1546 2nd Ave., San Diego, CA 92101
☎(619)236-9292
ⓈⒹ＄54.99〜60.99

　アムトラック・サンタフェ駅から徒歩10分、Ceder St.と2nd Ave.の角にある。部屋はきれいで、冷蔵庫、テレビ、バス・トイレ付き。ホテルの隣に小さなコンビニがあり、ちょっとした買い物には便利。
　　　　　　　　　　（原田聡　三重県）('99)

読★者★投★稿

San Diegoで見つけたレジデンス
Barry Hotel

🏠615 8th Ave., San Diego, CA 92101
☎(619)595-1500、FAX(619)233-4441
週料金1人＄100、2人めは＋＄50、月料金1人＄330、2人めは＋＄100

　ダウンタウンの東。フロントのお兄さんは気さくだし、ほかのダウンタウンのレジデンスに比べて治安がいいし、セキュリティもしっかりしている。
　　　　　　　　　　（小川光枝　江東区　'98秋）

バス旅行者には便利なピックウィック・ホテル

バスターミナルの真上で便利なことこの上ナシ
Pickwick Hotel

🏠132 W. Broadway, San Diego, CA 92101
☎(619)234-9200、☎(1-800)826-0009、
FAX(619)544-9879
HOMEpickwickhotelsandiego.com
オンシーズンⓈⒹ＄89〜、スイート＄129〜、
オフシーズンⓈⒹ＄49〜、スイート＄79〜
　　　　　　　ⒶⒹⒿⓂⓋ 地P.260 A-2

　ダウンタウンの中心にあって、ホートン・プラザまで徒歩3分。あまりきれいではないが、とくにグレイハウンド利用者には最高の場所。バス・トイレ・TV付き。
　評価の分かれるホテルなので、必ず部屋を見せてもらい、設備などをチェックして納得してから決めよう。　　　　　　　('99)

イベント盛りだくさんのにぎやかなホステル
San Diego Ocean Beach Hostel

🏠4961 Newport Ave., San Diego, CA 92107
☎(619)223-7873、📞(1-800)339-7263、
FAX(619)223-7881
朝食付きでドミトリー1泊＄14〜16、Ⓓ16〜18
ⓂⓋ　　　　　　　　　　　🗺地図外

　ダウンタウンからは離れているが、ビ
ーチまで徒歩1分、シーワールドまで徒
歩15分と便利。空港、バスターミナル、駅
から送迎してくれる。毎晩のようにバー
ベキュー・パーティなどが行われる。シー
ツ無料。コインランドリー、ロッカーあり。
　　　　　　　　　　　　　　　　　　　　　　　（'99）

車のある人に便利なロケーション
San Diego Days Inn Mission Bay at Sea World

🏠2575 Clairmont Dr., San Diego, CA 92117
☎(619)275-5700、FAX(619)275-1703
Ⓢ＄45〜84、ⒹⓉ＄49〜94　　　ⒶⒹⓂⓋ
　　　　　　　　　　　🗺地図外

　フリーウェイI-5のClairmont Dr. Exitの
すぐそばで、シーワールドや海も近い。
モーテルから歩ける距離にレストラン、
ファストフード店があるのも便利。無料
の朝食付き。　　　　　　　　　　　　　（'98）

日本人が経営する家具付きアパート
Studio 819 Residential Hotel

🏠819 University Ave., San Diego, CA 92103
☎(619)542-0819、FAX(619)688-6512、
HOMEwww.studio 819.com
ⓈⒹ＄39〜、Ⓣ＄48〜、週料金ⓈⒹ＄266〜
ⒿⓂⓋ　　　　　　　　　　　🗺地図外

　空港から車で15分。シーワールド、バ
ルボア・パークに近いところに位置する
ホテル。全室家具付きで、ほかにTV、電
話、バス、電子レンジ、ミニ冷蔵庫もあ
る。ダウンタウンまではバスで10分。近
くにはスーパーやレストラン、ショッピ
ングモールもあり、とても便利だ。スタ
ッフは日本語OK、フロントは24時間オー
プンしているし、ランドリールーム、駐
車場もあるので、安全で快適に過ごせる
だろう。　　　　　　　　　　　　　　　（'98）

ラ・ホヤの散策に便利な
Best Western Inn by the Sea

🏠7830 Fay Ave., La Jolla, CA 92037
☎(619)459-4461、📞(1-800)462-9732、
FAX(619)456-2578
Ⓢ＄99〜150、ⒹⓉ＄105〜160　ⒶⒹⓂⓋ
　　　　　　　　　　　🗺P.266　B-1

　メインストリートであるProspect St.か
らFay Ave.を曲がるとホテルの看板がす
ぐ目に入る。ラ・ホヤの青空に白壁がすが
すがしい建物だ。室内はオフホワイトの落
ち着いた雰囲気。Fay Ave.とProspect St.
の角にはHard Rock Caféがあり、夜遅く
飲みに出かけても大丈夫。ラ・ホヤ・ビ
レッジのどこを歩き回るにも便利。プール、
ジャクージもある。　　　　　　　　　（'98）

ラ・ホヤの町ではエコノミー
Travelodge La Jolla

🏠1141 Silverado St., La Jolla, CA 92037
☎(619)454-0791、FAX(619)459-8534
Ⓢ＄39〜99、ⒹⓉ＄44〜110　ⒶⒹⒿⓂⓋ
　　　　　　　　　　　🗺P.266　B-1

　サンディエゴのダウンタウン行き#34バ
スのバス停の横のブロックにある。海側
繁華街の中心に位置しているため、いた
って便利なロケーション。この辺り、海
沿いのホテルは料金相場＄150を超える
が、海沿いではなくシンプルなモーテルの
ため格安料金だ。
　リモコンTV、時計、ドライヤー、コー
ヒーメーカー、製氷器、シャンプー、石鹸、
電話、冷蔵庫あり。　　　　　　　　　（'98）

古き良きヨーロッパの味わい
La Valencia

🏠1132 Prospect St., La Jolla, CA 92037
☎(619)454-0771、FAX(619)456-3921
ⓈⒹⓉ＄190〜450、スイート＄500〜800
ⒶⒹⒿⓂⓋ　　　　　　　　🗺P.266　B-1

　ラ・ホヤのランドマーク的存在。淡いピ
ンクの壁が美しい、コロニアル調の優雅な
ホテルだ。シーサイドビレッジの中心に位
置し、しかも大草原を見おろす絶好のロケ
ーション。重厚なロビーからも海が見える。
それぞれに特徴のある3つのレストランも
高級感が漂う。　　　　　　　　　　　（'98）

ちょっと休憩したいときに
Living Room

🏠1010 Prospect St., La Jolla
☎(619) 459-1187
🕐毎日6：30〜24：00

　ラ・ホヤのなかでもいちばんにぎわっているProspect St.にあるヨーロピアン風のカフェ。オススメはTea Au laitで、紅茶はアプリコット、ラズベリーなどのフレーバーを選ぶことができる。ペストリー、ケーキもおいしいのでぜひ試してみて。（'98）

人気バツグンのメキシカン

町でいちばんのメキシコ料理
Casa de Bandini

🏠Corner of Mason & Calhoun Sts.
☎(619) 297-8211
🕐毎日11：00〜21：00（オールドタウン）

　サンディエゴに数あるメキシカン・レストランのなかで、新聞の読者投票でNo.1に輝いた有名店。タコス、エンチラーダなどのセット＄7.25〜。テキーラ・ライム・シュリンプが人気。　　　　　　　　　　（'98）

ビール醸造所直営のレストラン・バー
Karl Strauss' Old Columbia Brewery & Grill

🏠1157 Columbia St.　☎(619) 234-2739
🗺P.260　A-2

　むき出しの木とレンガの内装、ガラスの向こうに大きなビール樽が見え、いかにもビール醸造所という店内。オリジナルビールが14種。Tasterとして小さなグラスで、全種もしくは4種類飲むこともできるのでぜひトライしてみて。各ビールの味や特色を書いた紙の上に載せてくれる。

　場所はColumbia St.に面し、B St.の南2軒目。家族連れや仲間同士の地元の人も多く、楽しい気分になれる。週末には醸造所の見学ツアーもある。　　　　　　　（'98）

サンディエゴ名物レストランのひとつ
Kansas City BBQ

🏠610 W. Market St.　☎(619) 231-9680
🕐毎日11：00〜1：00　MV　🗺P.260 A-2

　サンディエゴ近郊を舞台とした映画『トップガン』のバーのシーンを撮影したレストラン・バー。店内の壁は、ナンバープレートやペナント、ポスター、帽子などでぎっしり埋め尽くされ、トップガングッズも売られている。メニューは一般的なアメリカ料理で＄10〜20、ランチ＄8程度。トロリーのSeaport駅の目の前。　　　（'98）

読★者★投★稿

とにかくにぎやかで楽しいロブスターハウス
Rockin' Baja Lobster

🏠3890 Twigg St.　☎(619) 260-0305

　入る前からウキウキさせられるような外観で、中はまるで南国のパラダイス！華やかで、カラフルで、噴水まであり、音楽はもちろんラテン系。スタッフもかなりイケてる人たちで、なにか用があれば即座に駆けつけてくれる。ロブスターを＄20くらいで食べられるのが売りで、味付けはどちらかと言うとこってりしている。メキシカンフードもある。　（山本清美　山口県）（'98）

ラ・ホヤのビーチ。海水浴を楽しむ人もいる

"The Biggest Little City in the World" のキャッチフレーズを持つリノは、エキサイティングなギャンブル・シティだ。あふれるばかりのネオンの洪水、スロットマシンがはじく威勢のいいコインの音、一攫千金を夢みるギャンブラーたち、エンターテイナーのショー……。リノの町はまさにラスベガスの縮小版、ギャンブラーの熱気がムンムンとあふれている。リノはサンフランシスコから北東に車で5時間、9月には雪が降り始めるシエラネバダ山脈を越えたところにある。週末は町も活気づき、ギャンブルの町らしい光景が見受けられる。

ダウンタウンへの行き方　 Access

空港

リノ／タホ国際空港
🏠2001 E. Plumb Ln. &
Terminal Way, on I-580
☎ (775) 328-6876
📞 (1-888) 766-4685

空港シャトルバス
☎ (775) 323-3727
30分おき程度に運行している
🚌片道＄2.65。所要約15分

リノ／タホ国際空港
Reno / Tahoe International Airport (RNO)

　ダウンタウンの南東約5kmに位置し、9社が乗り入れている中規模の空港。カジノの町らしく空港にもスロットマシンがある。空港からダウンタウンへは大きなホテルならシャトルバン（無料）が30分おきに運行されている。大きなホテルへ泊まることが決まっている人はそれを利用するとよい。
●空港シャトルバス　Airport-Mini Bus　白い車体にブルーのラインが入ったミニバス。Sands Casinoのシャトルバスも

data

人口	約134,000人		9%
面積	608km²	属する州	ネバダ州　Nevada
標高	最高1365m	州のニックネーム	セージブラッシュ
市の誕生	1856年		（ヨモギの一種）州
情報	Sports & Gaming		Sagebrush State
	（週刊新聞）25¢		シルバー州
T A X	セールス・タックス　7%		Silver State
	ホテル・タックス	時間帯	パシフィック・タイムゾーン

RENO,NEVADA
気温(℃) 降水量(inch)
最高気温
最低気温
1 2 3 4 5 6 7 8 9 10 11 12月

兼ね、カジノ行きのバス乗り場から出発。空港へ行く際は電話
をすれば迎えにきてくれる。

●路線バス　Citifare Bus
　ダウンタウンのバスセンター（Citicenter）まで#24のバス
で。空港のバス乗り場に"Citifare"の標識が立っているのです
ぐわかる。空港へはバスセンターから乗る。

Citifare Bus
☎ (775) 348-7433
💰 $1.25。約25分

長距離バス

グレイハウンド・バスディーポ　Greyhound Bus Depot
　ダウンタウンの南、Stevenson St. 沿いの1st St.と2nd St.の
間にあるこぢんまりとしたバスディーポ。日曜の午後にはサク
ラメントやサンフランシスコに帰る人でいっぱいになる。

**グレイハウンド・バス
ディーポ**
🏠 155 Stevenson St.
☎ (775) 322-2970
⏰ 24時間営業
🗺 P.275

鉄道

アムトラック駅　Amtrak Train Station
　町の中心を東西に走っているのがアムトラックだ。駅は
Lake St.とCenter St.の間にあり、毎日1往復ずつシカゴとサン
フランシスコを結ぶカリフォルニア・ゼファー号が運行されて
いる。

アムトラック駅
🏠 E. Commercial Row & Lake
St.
☎ (775) 329-8638
📞 (1-800) 872-7245
⏰ 毎日7：30～20：30
🗺 P.275

リノの歩き方　★ Walking

　ギャンブルの町、リノのメイン・アトラクションはやっぱり
カジノだ。大きなカジノが集中するリノのメインストリートは
Virginia St.。町を南北に走るこの通りは、夜になるとネオン
の洪水とコインのカップを持ってカジノをはしごするギャンブ
ラーであふれかえる。Virginia St.にはリノの町を象徴する**リ
ノ・アーチ Reno Arch**のネオンサインが架かり、カジノから
聞こえてくるコインのハデな音と相まって、とても華やかな雰
囲気をつくり出している。カジノに飽きたら観光ポイントを回
ってみるとよい。ダウンタウンの見どころは歩いて行ける範囲
にあり、郊外の見どころもシティフェア・バスを使えばそう遠
くはない。ナショナル・オートモービル・ミュージアムは、カ
ーマニアならずとも足を運びたい。そして、夜は大きなカジノ
で行われているヘッドライナー・ショーやプロダクション・ショー
をのぞいてみてもいい。リノはラスベガス同様、まさに不夜城だ。

観光案内所 ★ Information

Reno-Tahoe Visitors Center
　ダウンタウンのLake St.沿い、3rd St.とW. 4th St.の間のナシ
ョナル・ボウリング・スタジアムの1階にある。見どころ、ホ
テルなどのパンフレット以外にも、ウェディング・チャペルの
パンフレットやディスカウント・クーポンも用意されている。
レイク・タホの資料も入手できる。また、この上の階はボウリ
ング場になっている。80もあるレーンと最新のアート・スコ
ア・システムや、自分の動きが見える巨大スクリーンを導入。
カジノに飽きたら行ってみよう。

**Reno-Tahoe Visitors
Center**
🏠 National Bowling Stadium,
300 N. Center St., Reno
☎ (775) 827-7600
📞 (1-800) 367-7366
⏰ 毎日9：00～17：00
資料請求はP.O. Box 837,
Reno, NV 89504へ
🗺 P.275

ボウリング・スタジアムの
1階に観光案内所がある

市内の交通機関 ★ Public Transportation

シティフェア・バス
☎ (775) 348-7433
圏 $1.25、トランスファー
は無料で同一方向のみ、1
時間以内なら有効
　もし3回以上バスに乗る
ときは、Daily Pass($3.75)
を買うことをすすめる。
Citicenterまたは、Meado-
wood Mallにて購入可能。

シティフェア・バス　Citifare Bus

　E. 4th St.とPlaza St.、Center St.とAlleyに囲まれた1ブロックは、路線バスCitifareのターミナル"Citicenter"だ。シティフェア・バスのほとんどがこのセンターを起点終点にして走っている。中央の建物のなかにはインフォメーションやバス売場があり、まずはここでタイムテーブルを入手してから郊外へ向かうといい。

ツアー案内 ★ Sight-seeing Tour

グレイライン
☎ (775) 331-1147
Ⅲ (1-800) 822-6009

グレイライン　Gray Line of Reno

出発場所：市内のおもなホテルへのピックアップ・サービスあり

番号	ツアー名	料金	運行	所要時間	内容など
R1	Virginia City-Carson	$25	7/1～12/31の火木土9：00発	5時間	1860年代、金採掘の町として栄えたバージニア・シティ、ネバダ州郡カーソン・シティと昔ながらの西部の雰囲気を味わう。
R3	Romance of the Sierras	$49	7/1～12/31の毎日9：00発	8.5時間	1960年冬季オリンピックの開催地スコー・バレー、サウス・レイクタホ、カーソン・シティなどを回る。
R4	South Lake Tahoe Fun Fare	$35	7/1～12/31の毎日8：00発	8時間	レイクタホのクルーズ、釣り、乗馬などが楽しめるZephyr Cove Resortとカジノが楽しめるサウス・レイクタホを回る。

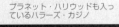

Attractions ★
おもな見どころ

リノ・アーチ
圏P.275

夜はとくに美しい

リノ・アーチ ★ Reno Arch

　リノの町のシンボルがリノ・アーチだ。Virginia St.沿い、アムトラックの線路の南、町のいちばんの繁華街に架かっている。アール・デコ調のアーチには1,600個もの電球が灯り、夜になると町のキャッチフレーズ"The Biggest Little City in the World"の文字が浮かび上がる。アーチが初めてお目見えしたのは1927年、現在のアーチは4代目にあたる。

リノのシンボル、リノ・アーチ

リノもカジノの町です

カジノ街 ★ Casinos

プラネット・ハリウッドも入っているバラーズ・カジノ

　きらびやかなネオン、威勢のいいコインの音……。カジノの前を歩くだけでもなんだか興奮してくるから不思議だ。いつもは貧乏旅行をしていても、リノの町ではちょっと奮発してゲームにチャレンジしよう。スロットマシンやゲームポーカーは5¢からの機械もある。運がよければ賭け金が何倍にもなって返ってくるかもしれないが、夢中になりすぎて破産しないように。夜になると、大きなカジノではブロードウェイ式の"プロダクション・ショー"や有名エンターテイナーによる"ヘッドライナー・ショー"が繰り広げられている。舞台と客席の距離も近く、一杯飲みながらのエンターテインメントは、いつもとは一味ちがった夜を満喫させてくれるだろう。リノのおもなカジノは次のとおり。

●Hilton Reno

フットボール場が2つは入るというフロアには、赤いじゅうたんが敷きつめられ、スロットマシンやブラックジャックの台がズラリと並んでいる。地下にはショッピングモールや映画館も入っている。ダウンタウンから少し離れているが、ダウンタウンのカジノに比べるとちょっと落ち着いたムード。

●Circus Circus

ピンクの大きなピエロが目印のカジノ。1階はカジノフロア、2階はぬいぐるみの景品がもらえるゲームフロアとなっている。2階ではミニサーカス(毎日11:00～深夜)も行われる。大人から子供まで楽しめる人気のカジノ。

●Silver Legacy

他のホテルに比べ、カジノフロアが明るく広い。2階にあるバフェ "The Victorian" の味もなかなか。デザートは20種類以上ある。

●Flamingo Hilton

カジノ以外にも、華やかなレビュー・ショーで有名。洗練されたダンサーたちの作り出すステージは一見の価値あり。

●Fitzgeralds

2階にはギャンブルの守護神のような"幸運の森"があり、大黒様も鎮座している。森の出口ではクジ引きがあり、景品ももらえる。

●Harrah's

故サミー・デイビスJr.の偉業をたたえて、彼のショールームがあり、サミーのポートレートや遺品が飾られている。

カーマニア必見の
ナショナル・オートモービル・ミュージアム
★ National Automobile Museum

日本ではまずお目にかかれない、プレミア付きの車が集められた自動車専門の博物館。ハラス・カジノの創設者ウイリアム・F・ハラのコレクションが母体となって完成したこのミュージアムには、1890年代からの200台以上にもおよぶめずらしい車が、それぞれの年代を再現したブースに展示されている。世界初の量産型自動車"フォードA型 Ford Model A"、1907年の世界一周レースでニューヨーク－パリ間を走行した"トーマス・フライヤー Thomas Flyer"、素晴らしくセクシーなボディラインを持つ1936年式メルセデス・ベンツ"スペシャル・ロードスター Special Roadstar"などの自動車史上に残る名車から、日本でも人気の高い"ジープ・チェロキー Jeep Cherokee"にランボルギーニ製の12気筒エンジンを載せてしまったゲテ物まで、じつに多様な車が集められている。映画館も入っている。

Hilton Reno
住2500 E. 2nd St.
☎ (775) 789-2000
交シティフェア・バスの#14で行ける(30分間隔で運行)
地図外

Circus Circus
住500 N. Sierra St.
☎ (775) 329-0711
P.275

Silver Legacy
住407 N. Virginia St.
☎ (775) 322-4777
P.275

Flamingo Hilton
住255 N. Sierra St.
☎ (775) 322-1111
P.275

Fitzgeralds
住255 N. Virginia St.
☎ (775) 785-3300
P.275

Harrah's
住219 N. Center St.
☎ (775) 786-3232
P.275

ナショナル・オートモービル・ミュージアム
住10 Lake St.
☎ (775) 333-9300
開月～土9:30～17:30、日10:00～16:00
料大人$7.50、子供$2.50、シニア$6.50
交ダウンタウンの南東、Mill St.とLake St.の角
P.275

リノ・ダウンタウン

フライッシュマン・プラネタリウム
📍University of Nevada, Reno, on N. Virginia St.
☎(775) 784-4811
ショーのスケジュールは現地で確認のこと
大人 $6、子供・シニア $4
シティフェア・バス#7でダウンタウンから約10分、ネバダ大学を越えてすぐ、白い大きなドームが見えたら降りる。この建物がプラネタリウム
地図外

大学付属のプラネタリウム
フライッシュマン・プラネタリウム
★ Fleischmann Planetarium

　ネバダ大学リノ校内にある、こぢんまりとしたプラネタリウム。ショーは独自のもので、夜空に映像を重ね合わせ、「惑星はどうして誕生したか？」、「銀河系にはどうして星雲がたくさんあるのか？」など宇宙に関する疑問を解きあかす。

★　★　★　ショッピング　★　★　★
Shopping

ダウンタウンから近いショッピングモール
Meadowood Mall
📍500 Meadowood Mall Cir., Reno
☎(775) 827-8450
月～金10：00～21：00、土10：00～19：00、日11：00～18：00

　ネバダ州北部ではもっとも大きいショッピングモール。メイシーズ、JC Penny、SEARSなどのデパートのほかに、Guess、Eddie Bauer、GAPなど日本でも人気のブティックや書店、宝石店、レストランなど約80軒のショップがある。また、案内所の横ではリノのおみやげも売っている。
　行き方はダウンタウンのシティフェア・バスのターミナルから#1、6、9、10で約20分。終点。

★　★　★　ホ テ ル　★　★　★
Hotel

　ギャンブル・シティは週末が稼ぎどき。周囲の町からバスや車を連ね続々とやってくる。平日は低料金のホテルも週末は料金がアップし、部屋の確保さえも難しくなる。週末にリノに滞在する場合は前もって予約の電話を入れておきたい。逆に平日なら豪華なホテルに予約なしで泊まることも可能だ。

カジノ街の中心にあるデラックスホテル
Flamingo Hilton Reno
📍255 N. Sierra St., Reno, NV 89501
☎(775) 322-1111、📞(1-800) 916-2221、
FAX (775) 785-7086
ⓈⒹⓉ平日 $59～139、週末 $99～219
ⒶⒹⒿⓂⓋ　地P.275

　夜になると華やかなネオンが輝くフラミンゴ・ヒルトン。カジノ街の真ん中にあるのでどこへ行くにも便利だ。トロピカルムード満点のホテル内には、5つのレストラン、カジノはもちろん、リノが一望できるバー"Top of the Flamingo"が最上階にある。2階のショールームでは一流のステージショーが楽しめて、1日中ホテルにいても飽きない。　　　　　　　（'98）

ひときわ目立つカジノ街の高級ホテル
Eldorado Hotel & Casino
📍4th & S. Virginia St., Reno, NV 89501
☎(775) 786-5700、FAX (775) 322-7124、
HOME www.ELDORADORENO.com
ⓈⒹⓉ $69～109　　ⒶⒹⓂⓋ　地P.275
　カジノ街の中でも他を圧倒する威容を誇るエルドラド。25階建てのタワーの中は広く豪華。　　　　　　　　　　　　　（'98）

ディーポに近く、清潔、格安なホテル
Hotel El Cortez
📍239 W. 2nd St., Reno, NV 89501
☎(775) 322-9161、FAX (775) 786-1977
ⓈⓉ $20～27　　　　ⓂⓋ　地P.275
　グレイハウンドのバスディーポを出ると、左手斜め前に看板が見えるのですぐにわかる。1934年設立と建物は古いが、何度も改装がなされているので内部はきれいだ。全室バス・トイレ付き。周囲のホテルのなかでもかなり安め。そのためかヨーロッパのバックパッカーに人気があり、平日でも満室になることが多い。ホテル内にはフィリピン料理のレストランもあり、便利だ。　　　　　　　　　　　　　（'98）

いま流行の名物カジノ
Silver Legacy Resort Hotel
住407 N. Virginia St., Reno, NV 89501
☎(775)322-4777、FAX(775)322-0372
平日⑤①①＄59〜79、週末⑤①＄79〜
99、①＄79〜119 ADJMV 地P.275
　ダウンタウンの中心に位置する超豪華ホ
テル。1,720室もの客室と5つのレストラ
ン、ショッピングセンターを持つタワーは、
カジノ街でも他を威圧するかのようにそび

え建っている。そして驚くのは、その横の
巨大ドーム。薄暗いアトリウムの中に入る
と、稲妻の音が聞こえる。そして、約366
メートルもある緑の採鉱マシーンが音をた
てながら動き続けている。この様子は一見
の価値アリ。
　アメリカ西部開拓時代をイメージしなが
らハイテクを取り入れた、まさに、カジノ
街ならではの奇抜でスケールの大きいホテ
ルだ。　　　　　　　　　　　　　　（'98）

★
リ
ノ

レストラン
Restaurant

　ギャンブルの町リノはラスベガス同様、
宿泊費のほかに食費も安い。大きなカジノ
では客寄せのため、バフェBuffetスタイル
（日本ではバイキング）とよばれる食べ放
題で低料金の食事を提供している。
　いろいろなカジノのバフェにチャレンジ
してみよう。ただし、お皿に取った料理は
残さず食べることがエチケット。また、飲
みものを運んでもらったら＄1程度のチッ
プはテーブルの上に残しておこう。

読★者★投★稿
リノにもあるプラネット・ハリウッド
Planet Hollywood
住206 N. Virginia St.　☎(775)323-7837
開毎日11：00〜2：00　　　　地P.275
　ブルース・ウィリス＆シルベスタ・スタ
ローン＆アーノルド・シュワルツェネッガ
ーがオーナーの店として人気のプラネット・
ハリウッドの17軒目が、リノのHarrah's内
にある。店内には映画撮影で使われた品々
がたくさん展示してあり、『ターミネータ
ー2』のダミー・ロボットや『E.T.』の人
形、『猿の惑星』の猿、マリリン・モンロ
ーが使った手袋などがあった。スティーブ
ン・シーガルの高校卒業アルバムもお見逃

しなく。　　　（高久秀次　江東区）（'98）

おすすめのバフェは…
　バフェ・スタイルのレストランでおすす
めは、Atlantis Hotel（住3800 S. Virginia
St.）。味、雰囲気も申し分ない。場所はS.
Virginia St.とMoana Ln.の角で、#10の
バスで行ける。とても目立つ建物なので、
すぐにわかる。また、その近くにあるショ
ッピングセンターに入っている、＄10で食
べ放題のMongolian BBQの店Genghis
Khan（住3702 S. Virginia St.）は、日本人
がよく利用する店。
　　　　　　（ケン・ワタナベ　リノ在住）（'98）

読★者★投★稿
中国料理がおいしいバフェ
Harrah's　　　　　　　　地P.275
　ハラーズの2階にあるバフェはなかなか
おいしい。中華コーナーでは香港式と北京
式の麺を選ぶことができ、さっぱり味で、
アメリカ料理に飽きた人には良い。また、
大根と牛肉の煮物は日本料理が懐かしくな
った人にもおすすめ。19時ごろは非常に混
むので、避けた方が良いと思う。
　　　　　　（ケン・ワタナベ　リノ在住　'98）

読★者★投★稿
郊外でタクシーを利用するなら

　タクシー会社は大手で3つあり、ダウンタウ
ンでは大概拾えるが、ちょっと郊外へ行った場
合はまず無理。料金的にはYellow Cab ☎
(775)355-5555がいちばん安く、Reno-
Sparks ☎(775)333-3333がいちばん高い。
私がいつも利用しているWhittlesea Taxi
☎(775)322-2222は、料金はYellow Cab

並みで、公衆電話からそこの電話番号をオペレ
ーターに伝えて呼べば、すぐその場所に来てく
れる。英語が苦手な人にはとても助かるシステ
ムだ。また、Meadowood Mallからタクシー
で戻る場合、タクシーは必ず、Macy'sのレデ
ィース館あたりに車寄せしている。
　　　　　　（ケン・ワタナベ　リノ在住）（'98）

Seattle
Denver
Chicago
New York
San Francisco
Atlanta
Los Angeles
New Orleans
Miami

ポートランド

　オレゴン州最大の都市ポートランドは、"バラの町"とも呼ばれる、花と緑にあふれた美しい都市だ。洗練され、美しく整備された町並み、ゴミひとつ落ちていないと言っても大げさではないほど清潔、まさに町全体が公園という印象だ。いまではめずらしくなくなった5セントディポジット制度（環境運動のひとつ。ジュースの空きカンを店に持って行くと5セント戻ってくる）をアメリカで最初に導入したのはこの町。エコロジーの考え方を町のそこここに見ることができる。ひどく治安の悪い地域もなく、公共交通機関も整っており、旅行者にとっても歩きやすいところだ。

　少し郊外へ出ればオレゴンの大自然が広がる。この自然の美しさを目にすれば、ポートランドが自然を征服するのではなく、自然と共存する方向へ進んだのもうなずける。

　一方で近年、西海岸経済の中心地のひとつとして求心力を増しつつあるこの町は、経済発展と環境保護を両立させた理想的都市として注目を集めている。

ダウンタウンへの行き方 ★ Access

空 港

ポートランド国際空港
☎ (503) 231-5000
Ⓣ (1-800) 547-8411

ポートランド国際空港
Portland International Airport (PDX)

　ダウンタウンの北東、コロンビア川沿いに位置する。ターミナルはA～Eに分かれてはいるが、そう大きくはなく、サインもはっきりしていてわかりやすい。デルタ航空が成田、名古屋、福岡からの直行便を運行させ、日本からのゲートシティとして定着しつつある。メイドイン・オレゴン、ナイキ、パウエルズ・ブックスなど、ポートランドの名物ショップが充実しているのでおみやげを買うのにも困らない。

Tri-Met Bus
☎ (503) 238-7433
園 $1.10
運行：平日は15分ごと、
土日と平日の21：00以降
は30分ごと

●路線バス Tri-Met Bus　空港からTri-Met Bus乗り場行きのシャトルバスに乗り、降りたすぐ後ろに＃12 Portland行きのバス停がある。ダウンタウンまで約50分で運んでくれる。ダウンタウンが終点ではないので注意。6th Ave. のヒルトン・ホテルの前で下車するといい。

●空港シャトルバン **Raz Tranz Airporter** 路線バスと同様に乗り場までシャトルで行き、⑦マークのブースの前から出ている。5：35～24：35の毎時5分と35分に出発。グレイハウンド・バスターミナル、ベンソン、ヒルトン、マリオットホテルなどに停まる。ダウンタウンまで約35分。

●タクシー **Portland Taxi** 路線バスの乗り場と同じ。ダウンタウンまで約20分。

Raz Tranz Airporter
☎ (503) 684-3322
📞 (1-888) 684-3322
🎫片道＄11、往復＄19.50

Portland Taxi
☎ (503) 256-5400
🎫チップ込みで約＄30

長距離バス

グレイハウンド・バスターミナル Greyhound Bus Terminal

　明るく清潔なターミナル。ダウンタウンの中心までは歩いても15分ほど。路線バスの無料ゾーン内なので、外に出てバスに乗れば無料でダウンタウンへ行ける。ただし、夜間は周囲の治安が少し悪くなるので歩くのはやめよう。

グレイハウンド・バスターミナル
🏠550 N.W. 6th Ave.
☎ (503) 256-5400
📞 (1-800) 231-2222
🕐毎日5：00～1：00
🗺P.280　B-1

鉄　道

アムトラック・ユニオン駅 Amtrak Union Station

　グレイハウンド・バスターミナルの隣、レンガ色の時計塔が目印。西海岸を縦断する列車のほか、グレイシャー国立公園を通ってシカゴへ向かう列車も出ている。

アムトラック・ユニオン駅
🏠800 N.W. 6th Ave.
☎ (503) 273-4866
📞 (1-800) 872-7245
🕐毎日6：30～18：00、20：30～21：30
🗺P.280　B-1

ポートランドの歩き方　Walking ★

　市は、町を東西に貫くBurnside St.、南北に貫くウィラメット川を境界として、N.W.（北西）、S.W.（南西）、N.E.（北東）、S.E.（南東）の4地域に分かれているが、おもな見どころやホテルなどはS.W.に集中している。
①なかでもダウンタウンの中心といえるのがTri-Metバスの無料ゾーン内で、Tri-Metの案内所のあるパイオニア・コートハウス・スクエアや観光案内所もこのエリアにある。ショッピングにも便利なエリアで、日程を考えるときはこのエリアに1日を費やしたい。
②もうひとつの観光の中心は西側の丘に広がるワシントン公園。バラ園、動物園などゆっくり見て回ると1日では足りない。

無料ゾーンについては『市内の交通機関』の項参照

---

d a t a

人　口	約508,000人	
面　積	354km²	
標　高	最高326m、最低0m	
市の誕生	1851年	
情　報	Oregonian（日刊紙）月～土曜版35¢、日曜版＄1.50 Willamette Week, Downtowner（ともに週刊で、イベントやエンターテインメント情報	

満載。若者向け）無料 Oregon Compass, Portland Guide（日本語の情報誌）

TAX セールス・タックス　0%
ホテル・タックス　9.0%

属する州 オレゴン州　Oregon
州のニックネーム ビーバー州　Beaver State
時間帯 パシフィック・タイムゾーン

PORTLAND OREGON
気温（℃）／降水量（ミリ）
最高気温／最低気温

③ポートランドの魅力は、市内の美しさもさることながら、郊外の自然に容易にアクセスできることにある。フッド山やオレゴン・コーストへは観光バスも出ている。ぜひ自然のふところに飛び込もう。

結局、ポートランド観光は4日あると基本が押さえられるということだ。大きな町ではないので、日程がきつければ①、②を1日で回ることもポイントをしぼれば可能。ダウンタウンは歩いてみるのがいちばんおもしろい。夜間のグレイハウンド・バスターミナル周辺を除いて、治安も全般に良い。

郊外にも見どころが多いのだが、行くにはレンタカーがないと難しい。しかし、コロンビア川上流やマウントフッドMt. Hoodへはグレイラインツアーが運行している。どちらもポートランド郊外の目玉ともいえる人気観光地なので、時間がある人はぜひ足を延ばしてみよう。

観光案内所 ★ Information

Portland／Oregon Visitors Association

ウィラメット川沿いのFront Ave.とSalmon St.の角（2 World Trade Center 1階）にある。見やすい地図や美しい小冊子などのほかに、オレゴン州のほかのエリアの情報が手に入る。

市内の交通機関 ★ Public Transportation

トライメット・バス　Tri-Met Bus

ポートランド市とその近郊の町を縦横にカバーするバス路線網を持ち、1〜3の3ゾーンに分かれる。1日乗降自由の**Day Pass**は＄3.50。また、ダウンタウンのI-405、N.W. Hoyt St.、ウィラメット川に囲まれたエリアは**無料ゾーン**で、すべてのバスが無料で利用できる。

Portland／Oregon Visitors Association
26 S.W. Salmon St., Portland, OR 97204
☎ (503) 275-9750
HOMEwww.pova.com
月〜金 9：00〜17：00
土10：00〜16：00（冬期 10：00〜14：00）
P.280　B-2, 282　A-2

Tri-Met Bus
701 S.W. 6th Ave.
☎ (503) 238-7433
同一ゾーン内または2ゾーンまでの移動は＄1.10。3ゾーンにまたがる移動は＄1.40。トランスファーは無料で、チケット上部の有効時間（最低1時間）内なら何度でも乗り換えられる

Tri-Met Bus案内所
パイオニア・コートハウス・スクエア（後述）内にあるTri-Metの案内所では、時刻表（無料）、路線図が入手できるほか、1日パス、1カ月パス、10枚つづりチケットなどが購入できる（月〜金9：00〜17：00、土日）。土日でも時刻表だけは案内所の表に出してあるので手に入る

ポートランド

ダウンタウンの5th Ave.と6th Ave.はバス専用道路で、トランジット・モールと呼ばれる。ポートランド発着のバスのほとんどがここを通る。行き先別にビーバー（茶色）、バラ（黄色）などイラストと色でバス停が識別できるようになっている。

マックス　MAX（Metropolitan Area Express）

　ポートランドの西はHilsboroと東のGresham市を結んで運行しているライトレール（鉄道）。コンベンションセンターやショッピングモールのロイド・センターに行くには便利。

MAX
🚃トライメット・バスと同様。無料ゾーン内はMAXも無料で利用できる

ツアー案内 ★ Sight-seeing Tour

グレイライン　Gray Line of Portland
出発場所：Union Station。指定ホテルへのピックアップ・サービスあり

グレイライン
☎ (503) 285-9845
📞 (1-800) 422-7042

番号	ツアー名	料金	運行	所要時間	内容など
1	Mount Hood Loop	$45	4/1〜6/11と6/15〜10/30の火木土9：00発	8.5時間	コロンビア・リバー・ゴージュ、フッド山へのツアー。帰路、クラウン・ビスタ・ポイントなどに寄る。
2B	Columbia River	$45	6/27〜9/19の日水金9：00発	8時間	コロンビア・ゴージュを2時間クルーズするボートとバスのツアー。
3	Valcano Country	$55	5/2〜10/10の日9：00発	9時間	セント・ヘレンズ火山へのツアー。
12	Northern Oregon Coast	$45	4/11〜10/28の日火木9：00発	9時間	US-101にシーサイド、キャノン・ビーチ、ティラムーク・チーズ工場などオレゴン・コーストの見どころを回る。

Attractions
おもな見どころ ★

★ Pioneer Courthouse Square
パイオニア・コートハウス・スクエア

　オシャレなブティックが軒を連ねる通り6th Ave.とYamhill St.が交差する場所にある小ぢんまりとした広場。昼食のサンドイッチをほおばる人々がいたり、のんびり昼寝をしているおじさんがいたり、かと思えば休日はライブ演奏やパフォーマンスが行われ一日中見物客でにぎわう、ダウンタウンのシンボル的存在だ。ここに早朝出向くと、広場内のカフェでのんびり朝食をとるビジネスマンとは対照的に、隅から隅まで掃除に余念のない清掃員の姿が目につく。人の出入りが激しいのにゴミひとつ落ちていないのは、こんな彼らの努力のたまもの。いかにもポートランドらしい光景だ。

パイオニア・コートハウス・スクエア
🗺P.282　A-1

オレゴン歴史センター ★ Oregon Historical Center

　オレゴンの歴史に関わる資料が展示してある。昔この地に生息していた動物たちのハク製、古い木製のおもちゃ、アメリカ先住民の衣服や道具類、オレゴン州出身の画家の手による絵画など変化に富んだ構成が楽しい。また、ここのミュージアムショップはたいへんに充実していておすすめ。西部開拓に関する書籍、写真集、アーリーアメリカン調のかわいらしいポストカードや小物類が手頃な価格で売られている。ディスプレイのセンスがとてもオシャレな店だ。

オレゴン歴史センター
🏠1200 S.W. Park Ave.
☎ (503) 222-1741
🕐火〜土10：00〜17：00（木〜20：00）、日12：00〜17：00
🗓月（3〜8月は月曜も営業）
💵大人＄6、学生＄3、子供（6〜12歳）＄1.50、5歳以下無料
🗺P.282　A-1

ポートランド美術館 ★ Portland Art Museum

ポートランド美術館
- 1219 S. W. Park Ave.
- ☎(503) 226-2811
- 火〜日10:00〜17:00
- 月
- 大人＄7.50、シニア・学生＄6、子供（5〜18歳）＄4、特別展は別料金
- P.282 A-1

　15〜16世紀の宗教画、17〜20世紀初頭のヨーロッパ絵画、アメリカのモダン・アートまで幅広いジャンルの作品を収集している。とくに、アメリカ先住民に関する展示物は博物館的な色合いが濃く、生活様式を紹介したビデオを上映したり、装飾品やテキスタイル、木製の仮面など変化に富んだ展示に見応えがある。

　美術館の周辺は緑豊かな公園になっていて、歴史博物館、オールドチャーチ、州立大学が複合し、散策にうってつけの文化ゾーンを形成している。

オレゴン科学産業博物館 ★ Oregon Museum of Science & Industry（OMSI）

オレゴン科学産業博物館
- 1945 S.E. Water Ave.
- ☎(503) 797-4000、796-4640
- 毎日9:30〜19:00、（冬期は火〜日のみ9:30〜17:00）
- 大人＄6.50、シニア・子供＄4.50
- Salmon St.と5th St.の角から＃63で約10分。1時間に1本運行
- P.282 A-2地図外

　ウィラメット川沿いに建つ巨大な科学博物館。館内は宇宙、地球、情報、生命、物理の5つの科学分野を体験しながら理解できるよういろいろな工夫がされている。また、600万ドルを費やして完成したオムニマックス・シアターではダイナミックな映像が楽しめる。スカイ・シアター（プラネタリウム）、レストランやピクニック・エリアもある。

料金

	OMSI	オムニマックス	サブマリン	3種セット
大人	＄6.50	＄6	＄3.50	＄14
子供	＄4.50	＄4.50	＄3.50	＄10.50

ポートランド・ダウンタウン

サタデー・マーケット ★ Portland Saturday Market

　Burnside橋のたもと、ウィラメット川沿いの公園で3〜12月の週末に開かれる手工芸市。アクセサリー、置き物、おもちゃ、衣類など250以上の出店が軒を並べる青空市だ。食事もできるし、大道芸も楽しめる。週末にポートランドを訪れるならぜひのぞいてみたいポイントだ。

ピトック邸 ★ Pittock Mansion

　オレゴン州最大の発行部数を誇る新聞『オレゴニアン』の創始者ヘンリー・ルイス・ピトックが建て、家族11人で住んでいた大邸宅。ポートランド市を見おろす美しい丘の上に建ち、ルネサンス様式の重厚さと優美さを兼ね備えている。

　日本語の案内書もあるのでそれをもらって邸内を見て回ろう。大きな窓がある音楽室が美しいし、2階の窓から望むダウンタウンの眺めも素晴らしい。約45分間のツアーもある。

新聞社創始者の豪邸

ワシントン公園 ★ Washington Park

　ダウンタウン西方の丘の上にひろがる332エーカー（1.33km²）の広大な公園。市民の憩いの場として、また観光ポイントとしても人気のスポットだ。動物園、日本庭園などもある。

●バラ園　International Rose Test Gardens

　ダウンタウンを見おろす静かな丘に、400種1万株以上のバラが咲き誇る、アメリカ最古のバラ試験場。シーズンの5〜6月にかけてバラの都ポートランドが実感できる見事さだ。

●オレゴン動物園　The Oregon Zoo

　アメリカで最初にゾウの赤ちゃんが生まれた動物園として知られ、自然の地形を利用した園内はいくつかのコーナーに分かれている。アラスカのコーナーでは、オオカミやグリズリーベアを見ることができるほか、美しいアラスカの自然のスライドやクイズも楽しめる。

●世界森林センター
World Forestry Center

　森林について、また林業について学べる教育文化施設。木の温かみを感じ、熱帯林破壊について学べる、オレゴンらしい施設といえる。

ワシントン公園のオレゴン動物園

サタデー・マーケット
🏠 108 W. Burnside St.
☎ (503) 222-6072
📅 3月からクリスマスまで。
土10：00〜17：00、日11：00〜16：30　雨天決行
🚌 バス＃63または、MAXのSkidmore Fountain駅下車
🗺 P.282　B-2

ピトック邸
🏠 3229 N.W. Pittock Dr.
☎ (503) 823-3624
📅 毎日12：00〜16：00（庭園は7：00〜21：00）
🚫 祝日
💰 大人＄4.50、シニア＄4、学生＄2
🚌 Burnside St.と6th Ave.の角からBurnsideを行く＃20 Beavertonに乗り、ドライバーに言えば降ろしてくれる。看板に従って坂道を10分ほど上る
🗺 P.280　A-1

ワシントン公園
🚌 ダウンタウン（Washington St.）から＃63利用。公園内のおもな見どころは＃63で回れる。バスの運行は1時間に1本程度
🗺 P.280　A-1、2

バラ園
🏠 400 S.W. Kingston St.
☎ (503) 796-5193
📅 日の出から日没まで
💰 任意の寄付

オレゴン動物園
🏠 4001 S. W. Canyon Rd.
☎ (503) 226-1561
📅 毎日9：30〜18：00、夏期の毎日9：00〜18：00、秋の毎日9：30〜17：00、冬の毎日9：30〜16：00
💰 大人＄5.50、シニア（65歳以上）＄4、子供（3〜11歳）＄3.50（毎月第2火曜15：00以降の入場は無料）

世界森林センター
🏠 4033 S.W. Canyon Rd.
☎ (503) 228-1367
📅 毎日9：00〜17：00（冬期は10：00〜）
💰 大人＄3.50、シニア・学生＄2、5歳以下無料

観戦するスポーツ

バスケットボール（NBA）

ポートランド・トレイルブレイザーズ　Portland Trail Blazers（西・太平洋地区）

'80年代の後半から力をつけてきたチームで、最も輝かしい成績を残したのが、'89〜'90年のシーズン。このときはプレーオフでもどんどん勝ち進み、ファイナルまで出場したが惜しくもチャンピオンの座に手は届かなかった。'90年代はプレーオフの常連で、ジョーダン引退後、優勝に近いチームのひとつだ。

ポートランド・トレイルブレイザーズ
本拠地——ローズ・ガーデン・アリーナ Rose Garden Arena, 1 Center Court
☎ (503) 231-8000
🚋 トランジット・モールからTri-Metの＃4、40、41で。MAXのColiseum駅からもすぐ

パイオニア・コートハウス・スクエアは町の中心

ウィラメット川を遊覧するクルーズ

ポートランドで人気のアトラクション。リバークルーズ、コンビネーションでディナーの付くコースなど、下記の2社がツアーを催行している。予算や船のムードなど、好みに合わせて選ぶといいだろう。

★Spirit of Portland
🏠 842 S. W. 1st Ave., Portland, OR 97204
☎ (503)224-3900、📞 (1-800)224-3901
・450人収容。3フロアで構成される船内にはダイニング・レストラン、ギフトショップなどの施設から、船上でのイベント、ライブ・エンターテインメントを楽しむためのスペースが整っている。昼・夕と何コースか設定されているが、食事付きのコースの人気が高いようだ。船上からの景色とおいしい料理を味わう贅沢なクルーズだ。冬期は運行されないものもあるので要注意。
●Dinner Cruise
🕐 水〜土19：00〜、日18：00〜
💲 $29.95〜39.95
●Lunch Cruise
🕐 水〜金　12：00〜　💲 $19.95
●Champagne Brunch Cruise
🕐 土日11：00〜　💲 $25.95
●River City Tour
🕐 土日　14：30〜　💲 $12.95

乗り場は観光案内所の近くにあるWaterfront Park（Salmon St. とFront Ave. に面している）。チケットブースも同じパーク内にあるが電話で予約することをすすめる。

★Willamette Jetboat Excursions
🏠 1945 S.E. Water Ave., Portland, OR 97214　☎ (503)231-1532、📞 (1-888)538-2628　Ⓜ Ⓥ
ジェットボートに乗り、ウィラメット川へ向かう。途中、アオサギの巣のそばまで行ったり、ポートランド港を通ったりとバラエティ豊かに構成されている。
●Scenic Tour
所要時間：2時間
💲 大人$22、子供$14
🕐 5/9〜9/7の毎日9：45（5/9〜6/12はなし）、12：45、15：45発
　9/8〜10/15の毎日10：45、14：45発
●Special "Sunset Cruise"
🕐 6/13〜9/7の毎日18：45発
　乗り場はOMSI（U.S.S. Blueback Submarineの近く）より。Spirit of Portlandの乗り場から南へ向かったHawthorne橋をくぐった側にあるRiver Placeから出船。予約した方が確実。

ポートランドのセールス・タックスはな
んと０％。同じものならほかの大都市で買
って6～8％もの税を払うのはバカらしい。
ショッピング好きには見逃せない町だ。

ナイキの本社はポートランド郊外
NikeTown

住930 S.W. 6th Ave.　☎ (503) 221-6453
開月～土10：00～19：00 (金～20：00)、
日11：30～18：30
ADJMV　地P.282　A-1

有名なスポーツ用品メーカー、ナイキの
本社はポートランド郊外にあるが、ショッ
プはポートランドのダウンタウン、6th
Ave.とSalmon St.の角にある。店内は単な
るスポーツ用品店ではなく、博物館の趣も
ある。ゴルフのタイガー・ウッズといった
スーパースターの使用したシューズやパン
ツが展示されている。買う気がなくても入
ってみる価値はある。　　　　　　　　（'98）

きれいでオシャレなショッピングモール
Pioneer Place

住700 S.W. 5th Ave.　☎ (503) 228-5800
開月～金9：30～21：00、土9：30～
19：00、日11：00～18：00
地P.282　B-2

80以上の専門店が入ったダウンタウンの
ショッピングモール。ガラス張りで太陽光
をうまく採り入れたアトリウム構造。洗練
された店が多い。地下のフードコート
『Cascade』は店の数も席数も多く、気軽な
ランチに最適。

また、スカイブリッジで隣のSaks Fifth
Avenueのデパートともつながっている。（'98）

オレゴンみやげが見つかるはず
Galleria

住921 S.W. Morrison St.
☎ (503) 228-2748
開月～金10：00～20：00、土10：00～
18：00、日12：00～17：00　レストラ
ンは一部延長あり　　　　地P.282　B-1

ダウンタウンの9th Ave.と10th Ave.の間
にある。ブティック、ギフトショップなど
のほか、こぢんまりとしたショッピングモー
ル。レストランも数軒入っている。（'98）

買い物好きにぴったりのショッピングモール
Lloyd Center

住2201 Lloyd Center　☎ (503) 282-2511
開月～土10：00～21：00、日11：00～
18：00　　　　　　　　　地P.280　B-1

コンベンション・センター近くにある、
170店舗以上が入ったオレゴン州でも大き
なショッピングモール。アイススケートリ
ンクもあるので、ひまつぶしにすべってみ
るのもいいかも。行き方は、MAXのLloyd
Center駅下車で北へ1ブロック。ダウンタ
ウンから5～10分で行ける。　　　　（'98）

アウトドア用品ならなんでもこい
U.S. Outdoor Store

住219 S.W. Broadway　☎ (503) 223-5937
開月～金9：00～20：00、土10：00～
18：00、日12：00～17：00
地P.282　B-1

品揃えは豊富で、一流ブランドもあり日
本で買うより安い。シーズン・オフのセー
ルが狙い目だ。安いものをより安く手に入
れるチャンス。安かろう悪かろうではない
ので安心して。　　　　　　　　　　（'98）

オレゴン州名産品の店
Made in Oregon

住921 S.W. Morrison St. (ギャレリア内)
☎ (503) 241-3630　　　地P.282　B-1

サーモンをはじめとする海産物の加工品、
各種ジャムやチーズなど農産品、『Made in
Oregon』のロゴ入りシャツやトレーナーな
ど、オレゴン州の名産品がズラリと並ぶ。
ほかにロイド・センター、空港内にも店を出
している。おみやげに最適だ。　　　（'98）

オシャレなノースウエスト地区へ行ってみよう

ポートランドのノースウエスト地区の辺
りはノブ・ヒルと呼ば
れ、オシャレなブティッ
クやギャラリー、レスト
ランが集まり、散策する
のにいいところ。とくに
N.W. 23rd Ave.のGlisan
St.からLovejoy St.の間が
おすすめ。ダウンタウン
から＃15または＃17に乗
り10分ほどで行ける。

オシャレなノブ・ヒル

オーナーのセンスの良さが光る雑貨
Salt Box Collection
🏠525 N.W. 23rd Ave. ☎ (503) 295-1102
🕐月～土11:00～18:00、日12:00～17:00
🗺P.280　A-1

オーナーが、ニューイングランドやペンシルバニアから買い付けてきたアンティークが、店内いっぱいにあふれている。$15～20くらいの商品がおもに置いてある。キャンドルの種類も実に豊富で、値段は$1.50～75と幅広い。野菜をベースに造られた、めずらしいソープなどもある。（'98)

★　　★　　★　　**ホテル**　　★　　★　　★
Hotel

ポートランドの歴史ある高級ホテル
The Benson Hotel
🏠309 S. W. Broadway, Portland, OR 97205
☎ (503) 228-2000、📞 (1-800) 426-0670、
📠 (503) 226-4603、
🏠www.holong.com/benson
ⓈⓉ $170～225

ⒶⒹⒿⓂⓋ　🗺P.282　B-1

ダウンタウンの威風堂々としたホテルで、1912年にSimon Benson氏によって建てられた。全館改装が終わっているため、機能的には十分に近代化されているが、オーストリアン・クリスタルのシャンデリアやイタリア産大理石の床など、クラシックな優美さは保たれている。

場所もダウンタウンの中心でとても便利。空港からのシャトルバンも正面玄関前に発着する。ロビーに一歩入ると、重厚なムードと同時に、温かい雰囲気だ。290の客室は、アメリカ・スタイルの機能重視のホテル客室とは異質のもので、インテリアにもかなり気を配っている。　　（'98)

ビジネスマンも安心の高級ホテル
Portland Marriott Hotel
🏠1401 S.W. Naito Pkwy., Portland, OR
97201　☎ (503) 226-7600、📞 (1-800)
228-9290、📠 (503) 221-1789、
🏠www.marriott.com
ⓈⒹⓉ $159～190

ⒶⒹⓂⓋ　🗺P.282　A-2
ウィラメット川のほとりに建つエレガントなホテル。　　（'98)

アーバン志向のラグジュリアスなホテル
5th Avenue Suites Hotel
🏠506 S.W. Washington St, Portland, OR
97205　☎ (503) 222-0001、📞 (1-800)
711-2971、📠 (503) 222-0004
Ⓢ $165～、ⒹⓉ $185～

ⒶⒹⒿⓂⓋ　🗺P.282　B-1
Washington St.と5th Ave.の交差するところにある。ダウンタウン中心部へのアクセスも徒歩で2、3分と、とても便利だ。室内はワームトーンのストライプの壁。ゴージャスかつ、ポップな雰囲気の内装でセンスの良さが感じられる造り。暖炉のあるゆったりとしたロビーでは、コーヒーサービスも行われている。　　（'98)

高級ホテルが割引料金で泊まれる
Hotel Vintage Plaza　　|読者割引|
🏠422 S.W. Broadway, Portland, OR 97205
☎ (503) 228-1212、📠 (503) 288-3598
🛏Ⓢ$140、ⒹⓉ$165、スイート$195

ⒶⒹⓂⓋ　🗺P.282　B-1
ヨーロッパ調のエレガントなホテルが、ビンテージ・プラザだ。建物は国の歴史的な建築物にも指定され、客室もグリーンと深紅が基調でまさに高級の名にふさわしい気品を備えている。それもそのはず、ポートランドでは数少ない4つ星を獲得しているのだ。ロビーではコーヒーと朝は新聞が用意され、24時間営業のルームサービスは、観光やビジネスで忙しい人にはありがたい。パイオニア・コートハウス・スクエアから3ブロックと、ロケーションもいい。

通常、Ⓢ $185、ⒹⓉ $210、スイート$350だが、ヘンリー高野氏を通して予約すれば上記の格安料金で泊まれる。なお、予約に際してはクレジットカード番号と有効期限が必要。Mr. Takanoの連絡先は☎(650) 827-9491、(650) 589-8296、📠(650) 827-9105、📧henrytakano@earthlink.net、🏠www.nishikaigan.com （'99)

ビジネスマンに人気のビンテージ・プラザ

日本語が通じ、朝食も付く
The Mark Spencer Hotel
🏠409 S.W. 11th Ave., Portland, OR 97205
☎(503) 224-3293、📞(1-800) 548-3934、
FAX(503) 223-7848、HOMEwww. mark
spencer.com（日本語のページあり）
Ⓢ Ⓓ$59〜76、Ⓣ$79〜104（スイート）
AJMV 地P.282 B-1
　パウエルズ・ブックス近くにあり、ダウ
ンタウン中心部にも徒歩5〜6分。全室キッ
チン付きでゆったり。週/月極割引があり、
劇場パフォーマーや映画撮影班がよく利用
する。日本に住んでいたフロントのAlixは
親切。コンチネンタル・ブレックファスト、
午後のお茶とクッキーの無料サービスがあ
る。　　　　　　　　　　　　　　　　（'99）

パイオニア・プレイスの周辺もホテルが多い

ロケーション、料金、質の三拍子
Imperial Hotel
🏠400 S.W. Broadway, Portland, OR 97205
☎(503) 228-7221、📞(1-800) 452-2323、
FAX(503) 223-4551、HOMEwww.hotel-
imperial.com
Ⓢ$80〜110、Ⓓ$85〜115、Ⓣ$95〜120
ADJMV 地P.282 B-1
　ダウンタウンの中心にあるホテルでは最
も手ごろな料金。部屋は小さめだが清潔。改
装後の新しい部屋は少々高くなるがゆった
りした広さ。館内も落ち着いた雰囲気で品
がある。豪華さこそないが、ロケーション、
フィットネスセンター無料パス、無料駐車
場、午後2時のチェックアウトなど特筆事
項がたくさん。　　　　　　　　　　　（'98）

ダウンタウンの手ごろなホテル
Days Inn City Center
🏠1414 S.W. 6th Ave., Portland, OR 97201
☎(503) 221-1611、📞(1-800) 899-0248、
FAX(503) 226-0447、
HOMEwww.daysinn.com
Ⓢ$69〜115、Ⓓ$79〜125、Ⓣ$89〜135
ADMV 地P.282 A-1
　ダウンタウンのやや南側にあり、歴史セ
ンターや美術館に近い。部屋は普通だが、
屋外プール、1階には"Portland Bar &
Grill"というレストランがある。近くのジム
の無料パス、無料駐車場があるのはプラ
ス。時期、混み具合によって料金に幅があ
るので、事前に確認すること。　　　（'98）

常連客の多さが物語る手ごろさと静かな立地
Mallory Hotel
🏠729 S.W. 15th Ave., Portland, OR 97205
☎(503) 223-6311、FAX(503) 223-0522、
📞(1-800) 228-8657、
HOMEwww.malloryhotel.com
Ⓢ$75、ⒹⓉ$80 ADJMV 地地図外
　パイオニア・コートハウス・スクエアか
らYamhill St.を、川と逆方向（西）へ7〜8分
歩いたところで、MAXの停車場にも3ブロ
ック。部屋はヨーロッパ調で、新しくはない
が清潔。高天井とシャンデリアのレストラ
ンでは、ムードある夕食が$14〜18で楽し
める。無料駐車場、午後1時のチェックアウ
トもプラス。　　　　　　　　　　　　（'98）

安くて便利なモーテル
6th Avenue Motel 読者割引
🏠2221 S.W. 6th Ave., Portland, OR
97204 ☎FAX(503) 226-2979
Ⓢ$45、Ⓓ$49.50、Ⓣ$54
AMV 地地図外
　6th Ave.を南に進み、フリーウェイを渡
ったところにあるモーテル。ダウンタウン
の安ホテルに比べて部屋がずっと広く、設
備もOK。ケーブルTV、バス、エアコン
付き。電話は市内通話なら無料。フリーウ
ェイを渡ればバス無料ゾーンなので意外と
便利だ。　　　　　　　　　　　　　（'98）

ダウンタウンから離れているのが難だが
Hostelling International—Portland

🏠3031 Hawthorne Blvd. SE., Portland, OR
97214 ☎(503)236-3380、FAX(503)236-
7940、HOMEwww.teleport.com/~hip/
ドミトリー＄14〜15MV
🗾P.280 B-2地図外
バスターミナルから#14のバスで25〜30
分、30thで下車。バス停から、進行方向左
側、徒歩1分。コーヒー、パン無料。オフ

ィスは8：00〜22：00のオープン。空港か
らは#12、14で。所要25分。33ベッドなの
で早めに行こう。
('99)

トレンディなノブ・ヒル探訪に絶好
Hostelling International-Northwest Portland

🏠1818 NW Glisan St., Portland, OR 97209
☎(503)241-2783、FAX(503)525-5910
ドミトリー会員$14〜15、一般$17〜18
受付は8：00〜23：00（冬期22：30）
JMV 🗾P.280 B-1
築95年のアパートが清潔でアットホーム
なホステルになってオープンした。フロン
トがエスプレッソバーを兼ね、ホストもフ
レンドリー。バスディーポから13ブロック、
路線バス#17。ノブ・ヒルへ徒歩数分、ダウ
ンタウンへは徒歩15分。建物は終日オープ
ン。予約はビザかマスターカードが必要。手
紙は到着3週間前に。
('99)

（縦書き）ノブ・ヒルにも宿がある

★　　★　　★　**レストラン**　★　　★　　★
Restaurant

朝食に困ったら
Pazzoria Bakery & Cafe

🏠621 S.W. Washington St.
☎(503)228-1695 🗾P.282 B-1
レストランPazzo Ristoranteの角を曲がっ
たところに入口がある。毎朝7時から営業し
ているのでとても便利（日曜日は8時から）。
メニューはサンドイッチ、スライスピザ、
マフィンなど。
('98)

歴史のあるレストラン
Gate Lodge Restaurant

🏠3229 N.W. Pittock Dr. ☎(503)823-
3627、予約☎(503)226-6266
🕐月〜土11：30〜14：30 1月は休み
🗾P.280 A-1
ピトック邸の裏から階段で降りるとある
小さなレストラン。ピトック邸と同じく
1914年に建てられた4階建ての建物だ。崖
を利用して建てられているため、入口は建
物の3階部分に当たる。可愛らしいコーデ
ィネートが施されている店内は、時間に余
裕のあるマダムたちに人気がある。ランチ
とティータイムのみの営業だが、小さな店
なので予約を入れた方が確実。豪華なピト
ック邸見学の後に優雅なランチ（それなり

に高いが）もいいものだ。ランチじゃなく
てちょっと休憩の人には、小さなサンドイ
ッチやミニ・マフィンの盛り合わせに、コ
ーヒーか紅茶がついているティープレート
（＄8）がおすすめ。
('98)

リーズナブルな魚介類が楽しめる
Harborside Pilsner Room

🏠309 S.W. Montgomery St.
☎(503)220-1865
🕐月〜木日11：30〜24：30、金土11：
30〜2：30 🗾P.280 B-2
太平洋の北西側で捕れる魚介類をメイン
に調理しているレストラン。前菜は＄10く
らいまで、メインディッシュは＄20くらい
まで。リバープレイス・マリーナの中に位
置するので、ウィラメット川の眺めを楽し
みながらの食事ができる。ワインの品揃え
も豊富。
('98)

（縦書き）ポートランドは海に面した町

Seattle

Denver　Chicago
San Francisco　　　New York
Los Angeles　New Orleans　Atlanta
　　　　　　　　　Miami

シアトル

　シアトルはいま、アメリカでも成長の著しい町だ。その要因のひとつは、この町の郊外に本社をもつコンピュータ企業の存在だろう。しかし、この町には多岐にわたる魅力がある。深い森、静かな海といった豊かな自然……。その例として郊外にはマウント・レーニエ、オリンピック、ノースカスケードと3つの国立公園をもつ。

　また、ここから160km北上すればそこはもうカナダとの国境だ。思い切ってシアトルからカナダやアラスカまで足を延ばす計画を立ててもいい。

　シアトルは、一度滞在したらその快適さに離れがたさを感じてしまうかもしれない。アメリカ本土で日本からもっとも近いこの町は、そんな居心地の良さを与えてくれると同時に、アメリカ大陸の大自然へと私たちを誘ってくれるのである。

ダウンタウンへの行き方　　　★Access

空港

シアトル・タコマ国際空港
Seattle-Tacoma International Airport (SEA)

　ダウンタウンの南約20km、シアトル市とタコマ市のほぼ中間に位置し、ノースウエスト、アメリカンに加え、ユナイテッド、全日空が日本からの直行便を運行している。南北両サテライトとメインターミナルの間は、無人のトラム（地下）が連絡しており、バゲージクレーム・エリアは1階。このフロアのほぼ中央に観光案内所がある。ホテル、交通、その他一般の観光情報、地図、美しいブックレットなど何でも入手でき、とても親切に応対してくれる。また、南側には日本語による観光案内カウンターもある。上記と同様の情報が日本語で入手できる。ここでは『シアトル・コンパス』という無料の日本語情報誌を、ぜひもらっておこう。

シアトルでは湾内クルーズも人気

シアトル・タコマ国際空港
☎ (206) 431-4444（フライト・インフォメーション）、(360) 431-5906
　この空港はシータック（Sea-Tac）と呼ばれることが多いので覚えておこう。

観光案内カウンター
☎ (206) 433-5217
🕘毎日9:30〜19:30

289

Gray Line Airport Express
☎ (206) 626-6088
🚌片道＄7.50、往復＄13

SuperShuttle
☎ (206) 622-1424
🚌ひとり目＄18、2人目プラス＄6、3人目以降プラス＄4

Metro Transit Bus
☎ (206) 553-3000
📞 (1-800) 542-7876
🚌＄1.25（月〜金の6：00〜9：00、15：00〜18：00は＄1.75）

タクシー
🚕＄30程度
STITA TAXI
☎ (206) 246-9999

グレイハウンド・バスディーポ
🏢8th Ave. & Stewart St.
☎ (206) 628-5526
📞 (1-800) 231-2222
🕐毎日5：00〜21：00と24：00〜2：00
🗺P.292 A-2

アムトラック・キング駅
🏢303 S. Jackson St., Seattle
☎ (206) 382-4120
📞 (1-800) 872-7245
🕐毎日7：00〜19：30
🗺P.293 B-4

●空港バス　Gray Line Airport Express　ダウンタウンの主要ホテル（Holiday Inn、Hilton、Four Seasons、Sheratonなど）まで約30分ごとに運行している。乗り場はバゲージクレームの南北両端。北側が始発なので、こちらで乗ったほうが楽に座れる。ダウンタウンまで約25分。

●空港シャトルバン　SuperShuttle　Door-to-Doorのサービスで、Traveler's Information CenterにあるCourtesy Phoneで呼ぶ。

●路線バス　Metro Transit Bus　バゲージクレーム南端に停留所があり、#174だと約40分、フリーウェイを走る#194だと約30分でダウンタウンまで行ける。本数も多いので利用しやすい。ただし、同じ番号の反対行きに乗らないよう注意。

●タクシー　ダウンタウンまで20〜25分。

長距離バス

グレイハウンド・バスディーポ　Greyhound Bus Depot

　ダウンタウンのStewart St.、8th Ave.と9th Ave.の間に位置する。あまり大きなターミナルではないが、バーガーキングが入っている。ウエストレイク・センターまで3ブロック。

鉄　道

アムトラック・キング駅　Amtrak King Station

　シカゴやロスアンゼルスからの列車が到着するのはキング駅。トンネルバス（後述）のInternational District駅も近く、ストリートカーの駅も目の前にあって便利。ダウンタウンまではバスを利用すれば無料。

シアトルの歩き方　★ Walking

　エリオット湾に面したダウンタウンをさらに細分化すると、シアトル・センター、ウォーターフロント、ダウンタウン地区に分けられるが、そう広い地域ではない。おもな見どころは、ほとんどがこれらのエリアに集中しているので十分歩いて回れる。ただし、町の東側から西のエリオット湾方向の間は坂が急なため、海沿いから中心部へ歩いて行くだけでも予想以上の労力を要する。中心部では、メトロバスを無料で利用できるのでうまく活用しよう。少し離れたユニバーシティ・ディストリクトもお忘れなく。

　また、3日以上シアトルに滞在できるのならぜひ郊外の大自然に触れてみてほしい。車で内陸に向かうのも、船でピュージェット湾を渡るのも思いのまま。シアトルは、ワシントン州の国立公園間に位置する交通の要所なのだ。

観光案内所　★ Information

Seattle-King County Convention and Visitors Bureau

　Pike St.沿いの7th Ave.と8th Ave.の間のコンベンションセンターの1階にある。観光、交通、ドライブなどに関する情報

をはじめ、ホテル情報が充実している。スタッフも親切だ。メトロバスのスケジュールも置いてある。近郊へ出かけたいという人もぜひ立ち寄ってみよう。入口はPike St.側。隣は、グレイラインツアーの窓口になっている。

市内の交通機関 ★ Public Transportation

メトロバス　Metro Bus

　シアトル市内のみならず、広くキング郡一帯を走り回る市民の足だ。なかでも観光客がよく利用するダウンタウンの路線はなんと無料で利用できる（19：00～6：00は85¢）。**無料ゾーンは北をBattery St. 南をS. Jackson St. 東を6th Ave. 西をAlaskan Wayに囲まれたエリア。**有料ゾーンは1-Zone（シアトル市内）と2-Zone（それ以外）に分かれ、ゾーン内では＄1（ピーク時＄1.25）、2ゾーンにまたがる場合には＄1.25（ピーク時＄1.75）。トランスファーは無料。ただしオフ・ピーク時に乗車し、トランスファーで次のバスに乗ったときにピーク時になっていたら差額を支払うことになる。また、無料ゾーンから有料ゾーンまで乗る場合、降車時に運賃を支払う。
※ピーク時は月～金6：00～9：00、15：00～18：00。
　1日パスはメトロバス1日乗り放題で、週末と祝日のみ発行される。＄2。パスはドライバーから直接買える。

トンネルバス　Tunnel Bus

　渋滞の激しかった3rd Ave.の地下に、メトロバス専用のトンネルがある。ダウンタウン内に5つの駅があり、渋滞知らず。ただし、平日の5：00～23：00と土曜日の10：00～18：00のみ走る。時刻表で地上orトンネルを通るか確認してから利用しよう。

ストリートカー　Street Car

　ウォーターフロントを、ピア70からインターナショナル・ディストリクトまでを結んで走る、黄色と緑のチンチン電車。オーストラリア生まれの昔懐かしい電車だ。駅は8カ所。

Seattle-King County Convention and Visitors Bureau
個8th Ave. & Pike St., Convention Place, Seattle, WA 98101
☎(206) 461-5840、ホテルの予約☎(206) 461-5882
☎(1-800) 535-7071
日本語案内
☎(206) 433-4679
圏月～金 9：30～17：00、土日祝日10：00～16：00（土日祝日は夏期のみ）
圏P.293　A-3

メトロバス
個821 2nd Ave. at Marion St.（オフィスの営業月～金8：00～17：00）
☎(206) 553-3000（24時間）
バスのスケジュール案内
☎(206) 287-8463
☎(1-800) 542-7876

メトロのカスタマーショップはWestlake駅にある

ストリートカー
圏＄1（ピーク時＄1.25）。20～30分に1本の割で走る

海沿いを走るアンティークなストリートカー

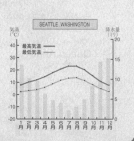

d a t a

人　口	約516,000人		日曜版＄2.50
面　積	375km²	T A X	セールス・タックス8.6%
標　高	最高164m、最低0m		ホテル・タックス15.2%
市の誕生	1869年	属する州	ワシントン州 Washington
情　報	Seattle Post-Intelligencer（朝刊紙）35¢、日曜版＄1.50 Seattle Times（夕刊紙）50¢、	州のニックネーム	常緑の州 Evergreen State
		時間帯	パシフィック・タイムゾーン

SEATTLE, WASHINGTON

気温（℃）　降水量（ミリ）
最高気温
最低気温

1 2 3 4 5 6 7 8 9 10 11 12月

グレイライン
☎ (206) 624-5813
▥ (1-800) 426-7505

グレイライン　Gray Line of Seattle
出発場所：観光案内所の入っているコンベンションセンター
（地P.293　A-3）から

番号	ツアー名	料金	運行	所要時間	内容など（料金にはTaxが加算される）
	City Tour	$ 26	5～10月の毎日9：00、10：00、13：00、15：00発と、上記以外は13：00発	3時間	チャイナタウン、ワシントン大学、ピージェット湾、クイーン・アン・ヒル、フィッシュ・ラダーなど市内の見どころを回る。
	Mt. Rainier	$ 49	5/1～10/11の毎日8：00発	10時間	北西部では最高峰を誇る火山、マウント・レニエ国立公園への日帰りツアー。
	Boeing Tour	$ 38	5/1～9/30の月～金14：00発、上記以外の火木14：00発	3時間	旅客機でおなじみのボーイング工場見学ツアー。

シアトル
センター

Seattle Center

Attractions
おもな見どころ ★

シアトル・センター ★ Seattle Center

　ダウンタウンの北に広がるシアトル・センターは、1962年に
開かれた世界博覧会の跡地に造られた総合公園。その広大な敷
地には科学館、展示場、オペラハウス、劇場、アリーナ、コロ
シアム、遊園地など20以上もの文化、娯楽施設が集まってお
り、入口にはシアトルのシンボルともいえるタワー、スペー
ス・ニードルが建っている。ダウンタウンからはモダンな高速
モノレールでたったの90秒で行けるし、スペース・ニードルか
らの展望は絶景！　見どころもたくさんあるので、夏は夜遅く
までにぎわう。

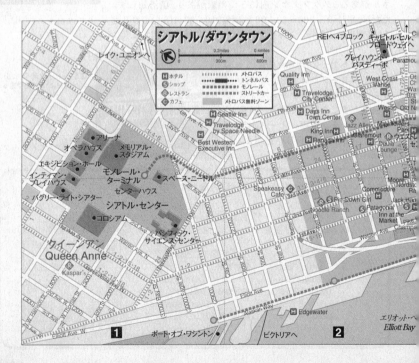

●スペース・ニードル　Space Needle

　シアトルのシンボル、スペース・ニードルは高さ184mのユニークなデザインのタワーだ。地上150mに浮かぶUFOのような円盤部分は、上が展望デッキ、下が回転レストランになっており、視界をさえぎるもののない360度のパノラマがみごと。南にダウンタウンと真っ白なマウント・レーニエ、東に大きなワシントン湖とカスケード山脈、北はユニオン湖とクイーン・アンの丘、そして西には船が行き交うエリオット湾と彼方に連なるオリンピック山脈……。シアトルがいかに自然に囲まれているかよくわかる。もちろん山々を朱に染める日没や町の灯が水に映る夜景もロマンティックだ。

シアトル・センター
📮305 Harrison St.
☎(206)684-7200、684-8582
🕐毎日9：00〜23：00（夏期は24：00まで）
🚝モノレールでダウンタウンの4th Ave. & Pine St.にあるショッピングセンター、ウエストレイク・センター Westlake Centerの3階から乗る。大きな窓からの景色も最高。90秒でスペース・ニードルの隣にあるターミナルに到着する
🎫片道＄1、5〜12歳50¢、シニア75¢
🗺P.292　A、B-1

スペース・ニードル
📮219 4th Ave., N. Seattle Center
☎(206)443-2100
🕐展望デッキ／日〜木8：00〜23：00、金土8：00〜24：00、レストラン／毎日8：00〜23：00（Top of the Needle Loungeは毎日12：00〜24：00)
🎫大人＄9、シニア＄8、子供（5〜12歳）＄5（レストランを利用する人は無料）

シアトル・センターの週末の光景　　　シアトルのシンボル、スペース・ニードル

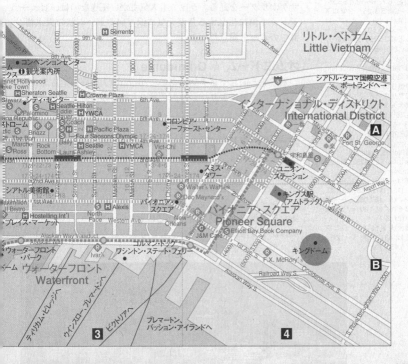

左サイドバー情報

パシフィック・サイエン
ス・センター
🏠200 2nd Ave., North Seattle
☎(206) 443-2001
🕐毎日10：00～17：00　週
末、夏期10：00～18：00
❌クリスマス
💰大人＄7.50、3～13歳・
シニア＄5.50、3歳以下は
無料　アイマックスとレー
ザーネーション・チケットは大
人＄8、シニア＄7、子供
＄5.50

ウォーター フロント / Waterfront

シアトル水族館
🏠Pier 59, 1483 Alaskan
Way, Waterfront Park
☎(206) 386-4300、386-
4320（テープ案内）
🕐毎日10：00～17：00
💰大人＄8、シニア（65歳
以上）＄7、6～18歳＄5.25、
3～5歳＄3.25、2歳以下
は無料（オーディオツアーは
プラス＄1.50、オムニドー
ムとのコンビチケットあり）
📖P.293　B-3

オムニドーム
🏠Pier 59, Waterfront Park
☎(206) 622-1868
🕐毎日10：00～19：50
❌クリスマス
💰大人＄6.95、シニア・学
生（6～18歳）＄5.95、子供
（3～5歳）＄4.95
📖P.293　B-3

ハーバークルーズ
🏠Pier 55, Suite 201
☎(206) 623-4252（Argosy
Cruises）
🕐11～3月は14：45発。4、
5、10月は12：15、13：30、
14：45、16：00発。6～9月
はそれに11：00、17：15発
が加わる
💰大人＄13.35、シニア
＄12.43、子供（5～12歳）
＄6.45＋Tax

●パシフィック・サイエンス・センター
Pacific Science Center

　スペース・ニードルの奥にある、科学というものを体験を通して楽しく理解するための本格的な科学館。中央の白いアーチを囲んで6つの建物からなる斬新なデザインは、ミノル・ヤマザキによるものだ。それぞれの建物には趣向を凝らしたアトラクションがいっぱい。人体器官の立体解説図、コンピュータを操作しながら、音楽や絵をつくるなど、体験をしながら科学を理解していくしくみだ。また巨大スクリーンに映し出されるド迫力の映像が人気の**アイマックス劇場 IMAX Theater**やレーザー・ファンタジー・ショー Laser Fantasy Show、プラネタリウム Planetariumもある。

　波静かなエリオット湾に面し、いくつもの埠頭（ピア）が並ぶウォーターフロントは、いまやシアトル随一のアミューズメント・スポットとなった。南のピア48から北のピア70まで、それぞれのピアに独特のもち味がある。人々の笑いさざめきをBGMに、のんびりと歩き回りたい。

シアトル水族館 ★ Seattle Aquarium

　そう大きくはないがユニークな展示が並ぶ楽しい水族館だ。ウォーターフロントいちの見どころ。350種類以上の海洋生物が飼育されている。初夏に訪れたのなら、産卵のため川に昇るサケがラダーを通る。ラッコも人気だが、圧巻なのは、ビュージェット湾に生息する魚が元気に泳ぎ回るドーム状の大水槽。海中のムード満点だ。

オムニドーム ★ Omnidome

　水族館と同じくピア59にある。70mmの大画面が迫る球状の劇場だ。季節により、いつも2本の大迫力のオムニマックスを上映している。

ハーバークルーズ ★ Harbor Cruise

　ピア55から出発し、エリオット湾内を約1時間で回る遊覧ツアー。海から見たダウンタウンのビル群、スペース・ニードル、キングドームは実に楽しい。オリンピック半島の山々やマウント・レーニエを遠く望み、風を受けて進む気分は最高だ。このあたりの海水温は夏でも7～8℃ほどにしか上がらないそうで、風はかなり冷たい。薄手の上着を用意しよう。ほかにも、レイククルーズなどがある。

クルーズ船から望むダウンタウン

パイク・プレイス・マーケット ★ Pike Place Market

Pike St.を海に向かって進み、突き当たったところにある。1907年に開かれた市場で、西海岸でもLAのファーマーズ・マーケットより古い。何層にも分かれた複雑な構造になっていて、新鮮な魚介類はもとより、みやげ物屋なども入っている。

パイオニア・スクエア ★ Pioneer Square

ここはシアトル発祥の地。1890年代のレンガや石造りの立派なビルが並ぶ。保存された古い町並みにシアトルらしい緑の木々がぴったりマッチしている。ギャラリー、ブティックなどをのぞきながらのんびり歩こう。カフェやレストランでひと休みもいいだろう。S. Main St.を行くストリートカーも風景に溶け込んでいる。古き日々へのタイム・トリップをじっくり楽しみたい。

生鮮食料品が売られているパイク・プレイス・マーケット

小粋なショップが連なるパイオニア・スクエア

●パイオニア・プレイス　Pioneer Place

Yesler Wayと1st Ave.の角にある三角形の広場で、高さ18mのトーテムポールが中心にあるほか、市名となった先住民の指導者シアルス首長の胸像がある。かつてのトロリーの待合所として愛された鉄のパーゴラ（つる棚）にも注目したい。アンダーグラウンド・ツアーもここに面したレストランから出る。

●スミス・タワー　Smith Tower

Yesler Wayと2nd Ave.の角にそびえる42階建ての白いビル。タイプライター王、L.C.スミスが1914年に建てたもので、当時「ミシシッピ以西でもっとも高いビル」であった。澄んだ青い空をバックにキリッと建っている。35階には展望台があり、ダウンタウンやエリオット湾の眺めは素晴らしい。'99年春現在改装工事中。

●アンダーグラウンド・ツアー　Underground Tours

パイオニア・スクエア付近の地下にはもうひとつのダウンタウンがある!?　そもそもの起こりは1889年の大火災。シアトルのダウンタウンはもともと海抜が低い場所にあったため、このとき、ほぼ全焼した町の一帯を、道路を約3mアップして地下に封じ込めてしまったのだった。

この地下のゴーストタウンを探検するのがアンダーグラウンド・ツアー。焼け跡の残がいも生々しい過去の町を、ガイドの説明付きで歩いて回って所要時間約90分。ちなみにここは、個人で勝手に行くことはできない。

パイク・プレイス・マーケット
🏠Pike St. & 1st Ave.
☎(206) 587-0351
🕐毎日10：00〜18：00
🚫祝日
🗺P.293　B-3
Pike St.と1st Ave.の角近くには、インフォメーション・ブースがある。ここで、毎月1回発行の"The Pike Place Market News"という新聞をもらっておくと便利（月〜土10：00〜18：00、日12：00〜18：00）。

パイオニア・スクエア
☎(206) 622-6235
🚌ダウンタウンから徒歩15分。メトロバス、トンネルバス#15、18、21、118、119、130などでPioneer Square下車
🗺P.293　B-3、4

スミス・タワー
改装工事中

アンダーグラウンド・ツアー
🏠610 1st Ave.
☎(206) 682-4646（予約）
🕐1日に、冬は2〜4回、夏は6〜7回でオフィスは9：00〜17：00スケジュールは毎月変わるので必ず確認すること
🚫サンクスギビング、クリスマス、元日、イースター
💰大人＄7、60歳以上＄6、13〜17歳＄5.50、6〜12歳＄2.75＋Tax
🎫パイオニア・プレイスに面したレストランDoc Maynard's（610 1st Ave.）が集合場所。チケットもここで購入する

インターナショナル・
ディストリクト
交 トンネルバス International
District、または3rd Ave.を
走るバス#1、7、14、39利用
ストリートカーの終点。キ
ングドームからなら徒歩5
分ほどだ
MAP P.293　A-4

インターナショナル・ディストリクト
★ International District

　ダウンタウンの南、キングドームの東側に広がるこのエリア
はアジア人街になっている。太平洋に向いたシアトルは、他の
西海岸の都市の例にもれずアジアからの移民が多く住む。中国
人をはじめ、日本人、韓国人、フィリピン人、ベトナム人も多
く、各国料理のレストランも点在している。このエリアの入口
にあり、ひときわ目立つ白い壁に青い屋根の建物が日系スーパ
ーの宇和島屋だ。お菓子から調味料まで、日本食の材料が何で
もそろう。

ウエストレイク・センター
住 1601 5th Ave.
☎ (206) 467-1600
圏 月～土9：30～20：00、
日11：00～18：00
休 クリスマス、元日、イー
スター
行 4th Ave.と5th Ave.の間
のパイン通り沿い。トンネ
ルバス Westlake下車
MAP P.292　A-2

キャピトル・ヒル
行 ダウンタウンから#7、10
のバスで約10～15分。こ
のバスはブロードウェイを
走るので、適当なところで
降りるとよい
MAP P.292　A-2地図外

ウエストレイク・センター ★ Westlake Center

　ダウンタウンにあるオシャレなショッピングセンター。エコ
ロジーや自然をテーマにしたお店や、ワシントン州で作られた
ものを集めた Made In Washington など、見て回るだけでも楽
しめるユニークな店がたくさん入っている。日本語付きのショ
ップカードが置いてあるのもうれしい。3階からシアトル・セ
ンター行きのモノレールが出ている。3階にはフードコートも
ある。

キャピトル・ヒル ★ Capitol Hill

　シアトルでもっとも若者でにぎわうのがキャピトル・ヒルと
呼ばれるダウンタウンの東側にあるエリアのなかの、**ブロード
ウェイ Broadway**沿いだ。通りの両側にはシャレた店、ポッ
プな古着屋、ユニークな店、レストランやカフェも楽しげな店
が多い。中心はRoy St.からDenny Wayの間あたり。

(右) ブロードウェイ沿いには
　　 カフェもある
(左) ときにはストリート・ミ
　　 ュージシャンも現れる

　ワシントン大学の西側は、ユニバーシティ・ディストリクト
と呼ばれる学生街としてにぎわっている。中心はN. E. 45th St.
とUniversity Wayの交差するあたり。忘れずに立ち寄りたい
大学生協 University Book Storeは、University Way沿い
45th St.と44th St.の間にある。書籍、文具、衣料品、雑貨と
ちょっとしたデパート並みの品揃えだ。なかでも目玉商品は、
"HUSKIES" のロゴ入りグッズ。トレード・カラーのパープ
ル＆ゴールドのTシャツ、トレーナー、スタジャン(革製)ほか
大小さまざまな商品がそろっている。キーホルダーなどはちょ
っとしたおみやげにもいい。

ワシントン大学 ★ University of Washington

シアトル・ダウンタウンから北東へバスで約20分。ピュージェット湾とワシントン湖を結ぶ運河を渡るとすぐ見えてくるのがワシントン大学だ。1862年創立のワシントン州最大の大学だ。水上スポーツのほか、フットボールやバスケットボールなどスポーツの人気、実力ともに評価が高い。ワシントン大のスポーツ・チームはハスキーズHUSKIES（シベリアン・ハスキーのこと）という愛称で親しまれており、ハスキー犬は大学のマスコットでもある。シーズンになると、学生はパープル＆ゴールドのトレード・カラーのシャツやジャケットを着込んで応援にくり出す。

また、校内には博物館やギャラリーなど、一般観光客でも気軽に立ち寄れる施設も多い。ビジターセンターまたはスチューデント・ユニオン・ビル（通称HUB）でキャンパス・マップをもらってぶらぶら散策してみよう。

Suburb Points
郊外の見どころ ★

航空博物館 ★ Museum of Flight

ボーイング社発祥の地であるエリオット湾沿いに建つ航空機専門の博物館。6階建ての高さに相当するガラス張りの館内には、Boeing 80-A型（1929）、ロッキードM-21、別名ブラックバードBlackbirdなど航空史を彩る機体が約50機並んでいる。ほかにも、ワシントン大学の学生が作ったライト兄弟1902年フライヤーの復元機、エアメールを運んだデハビランドが並び、ベトナム戦争で使われた、マクダネル・ファントムF-4は平和への願いをこめてここに収められている。また、空だけでなく宇宙船のコーナーもあり、アポロ宇宙計画の歴史のパネル展示や、月や火星の重力を体験できる展示もある。

隣接する小さな木造の建物は、"赤い納屋 Red Barn"と呼ばれるボーイング社初の工場。1910年、ボーイングがわずか10ドルでウォーターフロントのこの土地を購入したことが、ボーイング社創設の始まり。当時は1階が作業場で、2階に事務所があった。現在では、ライト兄弟から始まる飛行機の初期の歴史をつづった展示、設計図や工具、プロペラ機のいろいろを見学することができる。

ワシントン大学
🏠 N.E. 45th St. & 17th Ave. NE
☎ (206) 543-9198（案内所）
🚌 ダウンタウンから、#7、9、70、71、72、73、74、83のバスで行き、NE Campus Pkwy. & University Way NEあたりで下車。約20分。85¢（ピーク時 $1.10）
🗺 地図外

ワシントン大学のキャンパスにはなぜかグースが多い

航空博物館
🏠 9404 E. Marginal Way South, Seattle
☎ (206) 764-5720
🕐 毎日10：00～17：00（木～21：00）
🚫 クリスマス、サンクスギビング
💰 大人 $8、子供（5～17歳）$4、4歳以下は無料、65歳以上 $7
🚌 ダウンタウンから#174のバスで約30分
🗺 地図外

ノースロップF-18の操縦席に座ることもできる

★ マウント・レーニエ国立公園ツアー

シアトル郊外観光の目玉のひとつ、マウント・レーニエ国立公園へは、グレイラインツアー（P.292参照）で行くことができる。

標高4,392m。ふもとには原生林の樹海が広がり、山頂付近には27もの氷河が残る"神々しい"という言葉がぴったりの山…。

行きは山の南側からのアプローチとなり、ロングマイヤー博物館Longmire Museumに立ち寄った後、標高1,646mのパラダイスParadiseでランチタイムとなる。帰りはNadara Fallなど数種の滝を見学しながら山麓を回り、ダウンタウンへ。所要10時間でまぶしいほどの大自然がたっぷり楽しめるおすすめのツアーだ。

参加するなら何が何でも晴天の日に！ 天候が悪いと霧がかかってしまい、魅力が半減してしまうので。

ボーイング社の工場見学
Everett, WA Tour CTR.
526, Everett
☎ (206) 544-1264
📞 (1-800) 464-1476
月～金8：30～16：00
祝日
大人＄5、シニア（55歳以上）、子供（16歳以下）＄3
シアトルからグレイラインツアーが便利（P.292のツアー案内の項参照）
地図外

旅客機の製造過程は興味深い

ボーイング社の工場見学 ★ The Boeing Company

　旅客機で名高いボーイング社の工場見学は、シアトルで最も人気のある観光ポイントのひとつだ。ダウンタウンから北へ車で約40分ほど行ったエベレット市にある世界最大の工場（フットボール場が90も入る！）が公開され、工場はツアーで見学できる。車のある人は先着順のツアーに参加することもできるが、車のない人はグレイライン（ツアー案内の項参照）に参加するのがベスト。双方とも早めに申し込むか、出かけること。

　ツアーでは初めにボーイング社の歴史や747の組み立ての工程を紹介するフィルムを上映。そのあとに、地下道を通って世界最大の容積を有する工場（面積では900面のバスケットコートが入る）を見学する。工場の高さは11階建てに匹敵し、全長3.4km。内部は常に摂氏22度に保たれている。おもに747の製造過程を見学するが、あまりにも広大なため工具の数が少なく感じ、工場特有のせわしなさが感じられない。機体はボディやウィングなど9つのセクションに分かれ、最後には合体できるようなレイアウトとなっている。世界を変えたとさえいわれる革新的なマンモス機が、整然と造り上げられていく現場を目のあたりにするのは、貴重な体験となるだろう。工場内は撮影禁止。

読・者・投・稿
路線バスに乗ってボーイング社見学ツアーに参加する

　シアトル観光の最大の目玉であるボーイング社見学ツアーは、グレイラインのツアーバスで行くと、＄38＋税金がかかる。申し込みと集合は観光案内所のあるコンベンションセンターで、出発は14：00。毎日かなりの予約が入っており、数日先までいっぱいになることも多い。

　しかし、お金がなくて早起きできるという人なら、路線バスを乗り継いで行くという方法もある。料金は往復で＄4.90。

　直通バスで行く場合、University St.の2nd Ave.と3rd Ave.の間にあるバス停から6：30発のメトロバス#950のエキスプレスに乗る。エキスプレスなので、ダウンタウンではここからしか乗れない。料金は＄2.65で、＄1札は使えるが、お釣はもらえないのでなるべく小銭を用意しておいたほうがよい。所要時間40分ほどで、ボーイング社のゲート#72に着く。

　ツアーの案内所はバス停からも見え、ゲートから歩いて1分ほどだ。8：00ごろから無料整理券が配られ、8：30から毎時間ごとにツアーが出発する。ツアーの所要時間は約1時間。先のバスに乗れば、8：30のツアーのチケットがとれるハズだ。

　帰りのバスは、16：10までエキスプレスはないので、違う会社のバスを3路線乗り継いで行かなければならないが、バスの運転手が親切なので、あらかじめ言っておけば降りる場所を教えてくれる。まず、ゲート#72から出ているEverett Transit社の#2 North Bound行きのバスに乗る。9：50から1時間おきに出ており、料金は75¢。10分ほど乗って、Casino Rd.とEvergreen Wayの角で降りる。このとき、トランスファーチケットをもらっておくことを忘れずに。そのバス停から進行方向に30秒ほど歩いて、シェブロンのガソリンスタンドを曲がったところにEverett Transitと書かれたバス停がある。ここでCommunity Transit社の#610のバスに乗り、終点（Aurora Village Transit Center）まで行く。所要時間は約40分、料金はトランスファーチケットを渡して25¢。そこからさらにメトロバス#359のエキスプレスに乗ると、約50分ほどでシアトルのダウンタウンに到着する。料金は＄1.25。合計所要時間は約2時間だ。

（西村洋二郎　小平市　'98夏）

　　　　　　　　　※

　ボーイング社の工場まで路線バスを乗り継いで行ってみた。3回乗り換えなくてはならないが、往復＄4.50で行けた。ただし、バスの接続が悪いので、片道2時間くらいかかる。着いたらすぐに受付でツアーの整理券をもらうこと。ツアーは1時間ごとだが、とても混んでいて、私たちは3時間も待った。ツアーは約90分間。おみやげにカードをもらった。

（増谷美紀　藤井寺市　'98冬）

ティリカム・ビレッジ・ツアー ★ Tillicum Village Tour

　ティリカム・ビレッジは、ピュージェット湾に浮かぶブレイク島州立公園のなかにあり、北西海岸アメリカ先住民の生活が体感できる地である。もともとの住人であり、この地をシールルスと呼んでいた先住民の文化、伝統を残すための場所として選ばれ、ここはシアトル・インディアン首長生誕の地。ここを訪れるには、ピア56から出発するツアーに参加するのが唯一の方法だ。

　"ティリカム"とは、チヌーク語で"friendly people"の意味。まず、フェリーで着くと、あさりとバターのアツアツのスープでの出迎えだ。次は、西洋杉で作られたロングハウスと呼ばれる共同住宅に案内され、各自トレーに食べ物を盛っていくが、ここでのメインはアメリカ先住民スタイルのベークド・サーモン。見た目は悪いが、彼らの特製パンも取り忘れないように。席について食事が終わったあと、いよいよダンスのデモンストレーションが始まる。マスクやダンスの意味について解説があるが、アメリカ先住民の何世代にもわたって受け継がれたダンスを見ていると、彼らがいかに自然を尊重し、共存していたかが伝わってくるだろう。

　ディナーのあとは、手工芸品製作の実演を見たり、おみやげを買う時間も設けてある。

チッテンデン水門とフィッシュ・ラダー ★ Chittenden Locks & Fish Ladder

　ダウンタウンの北、ピュージェット湾側とワシントン湖を結んで東西に走るシップ運河。この運河の西にあるチッテンデン水門は、1916年、塩水のピュージェット側と淡水のワシントン湖の異なる水位を調節するために造られたもので、のちにこの水門の設計に多大な貢献をした陸軍少佐チッテンデン氏Hiram M. Chittendenの名がつけられた。中央のコントロールタワーを挟み大小2つに分かれたこの水門は、湖の水位状態により約1.8～7.8mもの水位差を調節している。

　また、水門の南側には、フィッシュ・ラダー（魚のはしご段）と呼ばれる階段がある。ここではサケ、ニジマスなどが毎年7～8月の産卵期になると、海から湖へとこの階段を上っていく様子が見られる。その生命力の強さに感動することだろう。

Spectator sports
観戦するスポーツ

ベースボール（MLB）

シアトル・マリナーズ ★ Seattle Mariners （アメリカン・リーグ西地区）

　日本でも有名なケン・グリフィー・ジュニア外野手、21歳の若さで首位打者に輝いたA・ロドリゲス遊撃手などスター選手の多いマリナーズ。地区優勝する回数は多いのだが、残念ながらリーグ優勝まではいかないのが現状。しかし、"Go！Mariners！"の声援を地元ファンといっしょに送ろう。

ティリカム・ビレッジ・ツアー
出発：Pier 55 & 56
☎ (206) 443-1244
🎫 大人＄50.25、4～5歳＄10、6～12歳＄20、13～19歳＄32.50、60歳以上＄46.50
🕐 毎日土に1日1～2回。夏期は毎日2～3回。詳しい時間は問い合わせること。
🗺 P.293　B-3地図外

　時間があればトレイルを散歩する（20分）のもいい。野生のシカとひょっこり遭遇するかもしれない。

先住民式のティリカム・ビレッジでの食事

チッテンデン水門とフィッシュ・ラダー
🏠 3015 NW 54 St.
☎ (206) 783-7059
🕐 毎日7：00～21：00
🚌 ダウンタウンから＃17のバスで
🗺 地図外

水位が変わるのを待つボート

シアトル・マリナーズ
本拠地――キングドーム
King Dome, 201 S. King St.
'99年7/15 Safeco Field（83 S. King St.）がオープンする
☎ (206) 346-4001（チケット）、346-4000
🚶 パイオニア・スクエア付近から南に5分強歩く。アムトラック・キング駅のすぐ隣
🗺 P.293　B-4

シアトル・シーホークス
本拠地——キング・ドーム
King Dome, 球団事務所
11220 N.E. 53rd St., Kirkland, WA 98033
☎ (206) 827-9766、628-0888（チケット情報）
🚇マリナーズ参照

シアトル・スーパーソニックス
本拠地——キー・アリーナ
Key Arena, 190 Queen Anne Ave., North Seattle
☎ (206) 283-3865（チケット）、628-0888（チケット・マスター）
🚇シアトル・センター内にある
🗺P.292　B-1

🚇マリナーズ参照

🗺P.292　B-1

アメリカン・フットボール（NFL）

シアトル・シーホークス ★ Seattle Seahawks

（AFC西地区）

　こちらもホームはキングドーム。青、緑、銀をチームカラーとするスマートなチーム。最近は中くらいの成績。

バスケットボール（NBA）

シアトル・スーパーソニックス ★ Seattle Super Sonics

（西・太平洋地区）

　シアトルでも人気の高いNBA。ソニックスも強豪のひとつで、ここ数年はプレーオフの常連だ。昨シーズンも7割を超える勝率をあげたものの、あと一歩のところでファイナル進出を逃した。実力、人気ともに高いため、チケットの入手もむずかしい。

★　★　★　ナイトスポット　★　★　★
Night Spot

一流のウエストコーストジャズが聴ける
Jazz Alley

🏠6th Ave. & Lenora St.　☎ (206) 441-9729
🕐毎日18：00～24：00　🗺P.292　A-2

　Westlake Centerより少しシアトル・センター寄り、Sixth Avenue Motor Innの向かいにある。本場ウエストコースト・ジャズを聴かせる貴重な店。一流ミュージシャンもよく出演する。天井が高く、広い店内で、音響設備もかなり良い。あらかじめ予約しておいた方が良い席に座れる。（'98）

★　★　★　ショッピング　★　★　★
Shopping

ファッショナブルでリーズナブル
Eddie Bauer Inc.

🏠1330 5th Ave.　☎ (206) 622-2766
🕐月～土9：30～21：00、日11：00～18：00
🅐🅜🅥　🗺P.293　A-3

　日本にも支店をもつ衣料中心のアウトドア用品専門店。さすがアウトドア・スポーツの中心、シアトルだけあって売場面積がとても広い。ヒルトン・ホテルともつながっている店内は、帽子、鞄、バッグまでもそろっている。日本よりも値段が手ごろ。場所は5th Ave.とUnion St.の角で、ダウンタウンのど真ん中。（'98）

本格的アウトドアライフを追求するなら
REI

🏠222 Yale Ave.　☎ (206) 223-1944
🕐月～金10：00～21：00、土9：00～21：00、日11：00～18：00　🅐🅜🅥
🗺P.292　A-2地図外

　ダウンタウンからすこし離れたI-5のハイウェイのそばにある巨大なビル。ここは、アウトドア・グッズの品揃えでは右に出るものがないREIのショップだ。とにかく広くて明るい店内には、登山、キャンプ、スキー、サイクリングなどなどのグッズをはじめ、"REIピナクル"と呼ばれるロッククライミング・トレーニング用の巨大な岩山があったり（予約をすればビジターでも登れる）、マウンテンバイク用のトレイル、登山靴のはき心地を試すトレイルなどもあり、ひとくちにアウトドアショップとはいえない本格派志向の大型店舗となっている。バッグ、ウエア類もファッション性が高い。ほかにも、キャンプ、スキー用品のレンタルコーナー、アウトドア情報が手に入るインフォメーション、書籍コーナーやカフェもあり、1日いても飽きない。（'98）

オシャレで開放的なショッピングセンター
Westlake Center

🏠400 Pine St.（Pike St.と4th & 5th

Aves.の間）☎(206)467-1600
📅月～土9：30～20：00、日11：00～
18：00　🗺P.292　A-2

　ダウンタウンの中心に位置するウエスト
レイク・センターはシアトルのダウンタウ
ンではもっとも大きいショッピングセンタ
ーだ。手ごろでオシャレなブティックや靴
屋はもちろん、ランチやおやつに最適なフ
ードコーナーや映画館、チケットマスター、
両替所などもある。　　　　　　　　　('98)

★　　★　　★　　★　**ホテル**　★　　★　　★　　★
H o t e l

目の前はパイク・プレイス・マーケット
Inn at the Market

🏠86 Pine St., Seattle, WA 98101
☎(206)443-3600、📞(1-800)446-4484、
FAX(206)448-0631
HOMEwww.innatthemarket.com
⑤Ⓓ＄145～345　ADIJMV　🗺P.292　B-2

　パイク・プレイス・マーケットのなかに
ある全65室の小さなホテル。南フランス風
の広くて清潔な部屋は、ベッドカバーや家
具なども落ち着いていてセンスがいい。ア
メニティキットも、綿棒、コットン、ソー
イングセット、バスソルトまであり、女性
なら喜びそうなアイテムが入っている。

　4階にはサンデッキがあり、ここからは
エリオット湾の眺めをのんびりと楽しめ
る。スタッフのサービスも温かく、ゆった
りと心地いい滞在ができること間違いな
し。ウォータービューの部屋もある。大人
気のホテルなので予約は早めに。　　('98)

とても落ち着けるビンテージ・パークの客室

たまにはリッチに4つ星ホテルで
Hotel Vintage Park　読者割引

🏠1100 5th Ave., Seattle, WA 98101
☎(206)624-8000、FAX(206)623-0568
⑤＄180、ⒹⓉ＄200、スイート＄500　ADMV

　ファイナンシャル・ディトストリクトに
位置し、ビジネスはもちろんのこと、ダウ
ンタウンの観光ポイントにもほとんど徒歩
圏内だ。アメリカで有名なモービルの4つ
星を獲得しており、客室は落ち着いた緑と
深紅が基調の内装で、とても気品がある。
24時間営業のルームサービス、コーヒー、
新聞（ロビーで）のほか、夕方にはワシン
トン州産のワインサービスがあるのがうれ
しい。なかにあるイタリアレストランは朝
からオープンしている。

　通常、⑤＄200、ⒹⓉ＄220、スイート
＄525だが、ヘンリー高野氏を通して予約
すれば前記の格安料金で泊まれる。なお、
予約に際してはクレジットカード番号と有
効期限が必要。Mr. Takanoの連絡先は☎
(650)827-9491、(650)589-8296、FAX(650)
827-9105、E-mailhenrytakano@
earthlink.net、HOMEwww.nishikaigan.
com　　　　　　　　　　　　　　　('99)

利用しやすいクラシックホテル
West Coast Vance Hotel

🏠620 Stewart St., Seattle, WA 98101
☎(206)441-4200、📞(1-800)426-0670、
FAX(206)443-5754
⑤＄110～120、Ⓓ＄120～130、Ⓣ＄130～
　　　　　　　ADJMV　🗺P.292　A-2

　1920年、ジョセフ・バンス氏によって
建てられ、ウエストコースト・バンスホテ
ルとして、いまもその伝統を受け継いでい
る。1990年にはクラシックなイメージを
そのままに大改装を行った。しかし、古い
ばかりのホテルでなく『あなたのチップを
節約するために、カバンはご自分でお運び
ください』といった合理的精神も兼ね備え
ているところがうれしい。

　グレイハウンド・バスディーポまで2ブロ
ック、隣のブロックからはバスの無料地区
という観光の拠点として地の利も大きい。
　　　　　　　　　　　　　　　　('98)

小さいながらも伝統のホテル
Pacific Plaza Hotel
🏨400 Spring St., Seattle, WA 98104
☎(206)623-3900、📞(1-800)426-1165、
FAX(206)777-7130
Ⓢ①①Ⓣ$95〜125 ⒶⒹⒿⓂⓋ 地P.293 A-3
　1928年創業の古いホテル。改装を重ねて
いるが、部屋の天井に回る扇風機や木製の
フロントデスクなど、クラシックな雰囲気
は受け継がれている。全160室と大きなホ
テルではないが、アメニティ・グッズや朝
食の紅茶の種類の多さなど、随所にホテル
の良さがうかがえる。　　　　　　　　（'98）

メトロバスの無料ゾーン内
Ramada Inn Downtown
🏨2200 5th Ave., Seattle, WA 98121
☎(206)441-9785、FAX(206)448-0924
Ⓢ$89〜165、①Ⓣ$99〜175 ⒶⒹⒿⓂⓋ
日本の予約・問い合わせ先：トップレップ
☎(03)5403-2551　　　　　　地P.292　A-2
　ダウンタウンのほとんどの観光ポイント
へ歩いていける距離。設備の整ったラマダ
のチェーンだから安心して泊まれる。120
室。　　　　　　　　　　　　　　　　（'98）

中心部へは無料のメトロバスですぐ
Kings Inn
🏨2106 5th Ave., Seattle, WA 98121
☎(206)441-8833、📞(1-800)546-4760、
FAX(206)441-0730
E-mailbac1266@msn.com
オンシーズンⓈ①$60〜75、Ⓣ$70〜75、
スイート$90〜100、オフシーズンⓈ①
$39〜55、Ⓣ$49〜60、スイート$80〜90
　　　　　　ⒶⒹⒿⓂⓋ　地P.292 A-2
　モノレールのターミナルからスペース・
ニードルの方向へ3ブロック。Lenora St.
とBlanchard St.の間。部屋は清潔でTV
（ケーブルも有り）、電話付き。朝のコーヒ
ーが無料。ワン・ブロック海側にはRalph's
というデリもあるので便利。68室。（'99）

> **読★者★投★稿**
パイク・プレイスにも近くてこの安さ！
St. Regis Hotel
🏨116 Stewart St., Seattle, WA 98101
☎(206)448-6366
Ⓢ①$35〜（バス・トイレ共同、テレビ
付）、$45〜（バス・トイレ・テレビ付）、

週料金あり
　Stewart St.と2nd Ave.の角にある。パ
イク・プレイス・マーケットやウォーター
フロントにも近くて、とても便利だった。
部屋もきれいで、1階にはコインランドリ
ーや自動販売機もある。この場所でこの値
段は得した気分だ
　　　　　　　（原田聡　三重県　'98夏）

安くて清潔なホテル
Commodore Motor Hotel
🏨2013 2nd Ave., Seattle, WA 98121
☎(206)448-8868、📞(1-800)714-8868、
FAX(206)269-0519
HOMEcommodorehotel.com
Ⓢ$42〜52、①$47〜57、Ⓣ$68〜73
　　　　　　ⒶⓂⓋ　地P.292　B-2
　改装されて間もないのでとてもきれいな
部屋だ。TV・バス付き。2nd St.とVirgi-
nia St.の角に大きな駐車場があるのですぐ
わかる。　　　　　　　　　　　　　（'98）

きれいじゃないけれどロケーションは抜群
Moore Hotel
🏨1926 2nd Ave., Seattle, WA 98101
☎(206)448-4851、📞(1-800)421-5508、
FAX(206)728-5668
Ⓢ$34〜49、①Ⓣ$39〜54　　　ⓂⓋ
　　　　　　　　　　　　地P.292　A-2
　ウォーターフロントもパイク・プレイスも
すぐそこというロケーション。少々汚くて
決して居心地がいいとはいえないが、2人
で泊まればユースより安い。140室。（'99）

世界中のバックパッカーでにぎやかな
American International Backpackers Hostel
🏨126 Broadway Ave. East, Seattle, WA
98102　　　　　　　　　　　地地図外
☎(206)720-2965、📞(1-800)600-2965
ひとり$15、バスなしⓈ$28、①$35
　エスニック・レストランが多く、夜も若
者や奇抜な人々でにぎやかなキャピトル・
ヒル地区にある私営のユースホステル。ち
ょっと奥まったところにあるので、
Broadway沿いの看板を見逃さないよう
に。フレンドリーな雰囲気なので、周囲の
人々とすぐ仲良くなってしまうような感
じだ。ホテルでは、曜日によってビールや
スパゲティがサービスになったり、毎朝卵
とパン、コーヒー、紅茶の朝食が付く。毛

布とシーツは無料で借りることができる。また、3人以上の場合、ダウンタウンのバスディーポやアムトラックの駅まで無料で送迎もしてくれる。

ホステルは予約も受け付ける。▽または Ⓜの番号と有効期限、到着日を事前にファックスしておけばよい。部屋によっては男女混合のこともあるので、チェックインの際に確認すること。 （'98）

※

独立記念日の夜に泊まりに行ったが、あまりの汚さに気分が悪くなった。シャワー室にはいろいろな人の私物がたくさん置いてあって、とてもシャワーを浴びる気にならなかった。朝食にはイングリッシュマフィンとコーンフレークが無料で食べられるのだが、マフィンに挟む具もなく、味気なかった。 （池上千鶴　横浜市　'98）

シアトルのきれいなユース
Hostelling International-Seattle
🏠84 Union St., Seattle, WA 98101
☎ (206) 622-5443、FAX (206) 682-2179、
HOMEwww.hiseattle.org
ドミトリー＄16〜18　　　　　AJMV
地P.293　B-3

場所はパイク・プレイス・マーケットのそばにあり、とても快適。セキュリティも万全で、部屋・ベッド番号・名前を言ってドアを開けてもらう。シアトルも宿が比較的高いのでユースの人気は高い。夏は予約を入れよう。 （'99）

清潔感いっぱいの新しいホステル
Seattle Green Tortoise Hostel
🏠1525 2nd Ave., Seattle, WA 98101
☎ (206) 340-1222、📱 (1-888) 424-6783、
FAX (206) 623-3207
ドミトリー＄15、ディポジット＄20

空港から#174または194のバスに乗り、ウエストレイク・センターで下車。Pike St.とPine St.の角にある。ダウンタウンの中心にあり、まだできて間もないので部屋だけでなく、バス・トイレもとてもきれい。一般的なホステルやドミトリーというイメージはまったくない。名前のとおり、シーツはすべてグリーンで、ベッドの下にはロッカーがあり荷物の管理も安心。朝食も無料で食べることができる。空港でもらったチラシを持って行ったら、1泊目が＄10、2泊目以降が＄14で泊まれた。
（北原通央　千葉市　'97秋）

ウォーターフロントにあるシアトルのユースは人気が高い

★　　　★　　レストラン　　★　　　★
Restaurant

地元の人もおすすめ、おいしいディナーなら
Kaspar's
🏠19 W. Harrison　☎ (206) 298-0123
🕐火〜日11：30〜21：00　休月　AMV
地P.292　B-1

ビルの最上階にあるこのレストランは、多くのシアトルっ子が"Seattle's Best"と推せんする店。名シェフ腕自慢の料理は独創的ながらも、味はすこぶるよし。魚介類も新鮮だ。ランチもオープンしている。（'98）

陽気なスポーツバー
F.X. McRory's Steak, Chop & Oyster House
🏠Occidental & King Sts.　☎ (206) 623-4800

🕐ランチ月〜金11：30〜16：00、ディナー火〜木17：00〜21：00、金土17：00〜22：30　　　　AMV　地P.293　B-4

キングドームの斜め向かいにあり、マリナーズの試合開催日は熱狂的なマリナーズファンで異様に盛り上がる。もともとはシアトル最大かつ最初のオイスターバー。カキのシーズンは、ぜひお試しを！　クラムチャウダーなどのシーフードのほかに、スペアリブもおいしい。値段もメインディッシュが＄10〜15程度で、とてもお手ごろ。加えて、バーボンのコレクションは世界最大だとか。 （'98）

クラムチャウダーで有名なレストラン
Ivar's Acres of Clams
🏠Pier 54 ☎(206) 624-6852
🕐月～木11：00～22：00、金～日11：00
～23：00、ファストフードコーナーは2：00
まで　　　　　　ＡＭＶ　🗺P.293　B-3

　新鮮なシーフードと美味しいクラムチャ
ウダーで有名な店。Madison St.が海に突
き当たったところがピア54。海に向かって
右側にテラス付きのレストラン、左側にファ
ストフードコーナーがある。ファストフー
ドコーナーではClam Chowderがカップ
＄1.55～、Baby Prawns in Chipsが＄4.99
～。レストランのほうはランチ＄10～くら
いから、ディナー＄15～くらいから。人気
のレストランなのでディナーは予約したほ
うがいい。

ベトナム料理はいかが
Viet Chi
🏠710 3rd Ave.　☎(206) 622-4180
🕐月～金11:00～18:00　📅土日
🗺P.293　A-3

　アジア料理のなかでも、ベトナム料理は
日本人の口によく合う。このレストランは
ビジネス街のなかにあるが、ちょっと小さ
いので見落としやすい。お米から作った麺
は、さっぱり味。ここでぜひトライしてほ
しいのが、生春巻"Shrimp Salad Roll-
Each"。特製のミソだれをつけて食べるの
だが、なかなかヘルシー。麺類も、大、中、
小ととりそろえて＄2.50～5、炒飯類も
＄3.35～5程度、日替わりランチが約＄4で、
庶民的な料金だ。最後は、ベトナミーズ・
アイスコーヒーでしめるのがツウ。　（'98)

本場のジャズを聴きながらケイジャン料理を
New Orleans Restaurant
🏠114 1st Ave. S.　☎(206) 622-2563
🕐月～木11:00～24:00、金～日12:00
～1:00　ＡＭＶ　　　　🗺P.293　B-4

　パイオニア・スクエア内、Yesler Way
とWashington St.の間にある。レンガ造
りの壁、重厚な木のテーブルという落ち着
いた雰囲気の店内では、夜、スタンダー
ド・ジャズの演奏がある（月は18：00～、
火～金は19：30～、土日は21：00～、そ
れぞれの約3時間）。メニューも南部ニュ
ーオリンズを代表するケイジャン料理だ。
シアトルで南部の夜を満喫しよう。　（'98)

ビクトリア・クリッパー・ツアー　Victoria Clipper Tour

　300人乗りの高速船ビクトリア・クリッパ
ーに乗ってカナダのビクトリアへ渡る、日帰り
ツアー。思いがけずカナダまで足を延ばせちゃ
うというところが、このツアーのミソだ。
　出発は早朝8：30。バスケットに入った朝
食セットを食べながらのんびり船旅を楽しん
で、約3時間後にビクトリアへ到着だ。
　船を降り、すぐわきに待機している赤いロン
ドンバスに乗り換え、まずは郊外のブッチャー
ト・ガーデンへ。ここはさまざまな国の庭園を
一堂に集め再現した大庭園。ゆっくり見て回る
と一日かかるくらいその規模は壮大で、また、
ため息がもれるほどに美しい。昼食を含め1時
間半のフリータイムがあり、再び桟橋付近へ戻
る。あとは帰りの船が出発する夕方まで、まっ
たくの自由行動だ。
　水族館、ろう人形館などアトラクションには
事欠かないし、ロマンティックな街並みを眺め
ながらブラブラ散歩するのも楽しいし、本当に
あっという間に時間が過ぎていく。あわただし
いのが嫌いな人は、ブリティッシュ・コロンビ
ア博物館だけにしぼって、じっくり見学すると
いいだろう。帰着19：30。
　ツアーに参加せずビクトリア・クリッパーの
みの利用もできるが、そうなるとブッチャー
ト・ガーデンへの足を確保するのが難しい。タ
クシーは高いし、バスは時間のロスが大きいか
らだ。日帰りで効率よく観光するならやはりツ
アー参加にかぎる。料金はちょっと高めだけれ
ど、女の子やカップルには絶対におすすめ。
　申し込みは予約制となっており、直接ピア
69の窓口☎(206)448-5000に出向くか、
代理店を通じて申し込むむになる。シアトル内
のほとんどの旅行代理店でも取り扱っているの
で、尋ねてみるのもいい。
🕐日帰り＄95～、1泊＄150～（ビクトリア・
クリッパーとブッチャート・ガーデンへのツア
ー含む）

【読★者★投★稿】
シアトルからビクトリアに行こう
　シアトルまで来たのなら、カナダのビクトリ
アVictoriaに行こう。バンクーバーよりもお
すすめ。ビクトリアへ行くには2種類のフェリ
ーがあり、Victoria Clipper（片道大人＄54
～66、Pier 69）はわずか2時間で行ける。
もう一方のPromcess Marguerite 3（片
道大人＄29、Pier 48）は4.5時間かかるが
料金はVictoria Clipperよりも格安。ちなみ
にPromcess Marguerite 3は9月下旬から
5月中旬は運休。　（池上千鶴　横浜市　'98)

Seattle
Denver
Chicago
San Francisco
New York
Las Angeles
Atlanta
New Orleans
Miami

Las Vegas

ラスベガス

　いま、全米で最も脚光を浴びている町、それがラスベガスだ。日本からの旅行者数も急カーブを描いて上昇中、'99年4月現在、日本から週6便の直行便がラスベガスへと飛んでいる。

　カジノの町として知られてきたラスベガスだが、近年の変貌ぶりは実に著しい。それぞれがテーマをもった超大型ホテル＆カジノの建設ラッシュ、テーマパークやテーマレストランの出現……など、家族連れにもターゲットを広げ、誰もが楽しめるエンターテインメントのキャピタルとして、その道を着実に歩んでいる。その変化もさることながら、この町が多くの人をひきつけるのは、現実離れした夢の世界を感じさせてくれるからだろう。大西部の砂漠に忽然と現れるネオンのかたまり。町に足を一歩踏み入れれば、誰もがその華やかさにあっけにとられ、われを忘れてしまう。世界中探しても、こんな町は見あたらない。アメリカで最も元気な町を肌で感じたいのなら、ラスベガスにかぎる。

ダウンタウンへの行き方　　★Access

空　港

マッカラン国際空港　McCarran International Airport (LAS)

　ストリップの中心から3マイル、ダウンタウンから5マイルのところに位置する。20以上の航空会社が乗り入れ、年間乗降客が2,700万人に迫る勢いのラスベガスの玄関口だ。空港では派手な内装とスロットマシンが乗降客を歓迎する。
●**空港シャトルバン　Bell Trans, Gray Line Tours**　5社がストリップとダウンタウンまでシャトルバンを運行している。
●**タクシー　Taxi**　左側のドアを出てすぐにタクシー乗り場がある。派手な看板が目をひくタクシーだ。
●**路線バス　CAT Bus**　空港から#108がパラダイス・ロードを経由してダウンタウンに行く。あくまでも安く行きたい人向け。

意外にもケバケバしくないターミナルもあるマッカラン国際空港

マッカラン国際空港
🗺P.307　D-2

空港シャトルバン
🏷ストリップの各ホテルまで＄4、ダウンタウンのホテルまで＄5。ドライバーへのチップは＄1が目安
●Bell Trans
☎ (702) 739-7990
●Gray Line Tours
☎ (702) 384-1234

タクシー
🏷ストリップの中心まで約15分、＄12〜15。ダウンタウンまでは約20分、＄15〜18

CAT Bus
🏷＄1.50

長距離バス

グレイハウンド・バスターミナル　Greyhound Bus Terminal

ダウンタウンFremont St.の突き当たり、少し西側にある。ロスアンゼルスやソルトレイク・シティから多くのバスが発着している。ここからグランドキャニオンに向かう人も多い。

ラスベガスの歩き方　★ Walking

ラスベガスはやはり夜の町。観光客も朝寝坊だ。バフェ（食べ放題の食事）で遅めのブランチをとり、午後はアトラクションで遊び、ショッピングをして夕食。ショーを観たあとにカジノでひと儲けする。これが典型的な行動パターンだ。行列が嫌いな人は、このパターンから時間を外して行動してみよう。午前中にショッピングを済ませ、午後は部屋で昼寝orカジノでゲーミング。大混雑のアトラクションは、皆が夕食やショーを楽しんでいる間（または朝いちばん）が空いている。もちろん食事時間もずらす。バフェは開店と同時に入るようにするといい。うれしいことにラスベガスでは、ショップもレストランも、アトラクションさえも夜遅くまで営業している。

ラスベガスの繁華街は、Las Vegas Blvd.沿いに華やかなカジノ＆ホテルが並ぶ**ストリップ**と、より庶民的な**ダウンタウン**に分けられる。2つの地区は約1マイルほど離れているが、路線バスが24時間結んでいる。

ストリップとダウンタウン　The Strip & Downtown

豪華なテーマホテル＆カジノなどが建ち並ぶLas Vegas Blvd.。世界的に知られたラスベガスのメインストリートだ。そのうちSahara Ave.からTropicana Ave.付近まで（最近Tropicana Ave.より南に広がりつつある）の間が"ストリップ"と呼ばれるもっとも華やかな地区。沿道の大型ホテルは1階がそれぞれテーマをもったカジノで、ホテル内には一流エンターテイナーが出演する劇場やレストラン、24時間営業のショップやレストランなどがあり、1日ホテルで過ごしても飽きることはない。プールはもちろんのことテニスコート、なかにはゴルフコースを持ったホテルもあり、ラスベガスでの1日をいろいろな形で楽しめる。ひとつひとつのホテルが巨大なので、歩いてのはしごはけっこう大変。

「ストリップ」の夜景。タワーはストラトスフィア・タワーだ

どんどんカジノが…
ストリップには近年、次々とテーマホテルがオープンし、いまなお建設中のものがある。ますます見逃せない通りだ。

data

人　口	約328,000人
面　積	142km²
市の誕生	1911年
情　報	Las Vegas Sun （夕刊）50¢、 Review-Journal （朝刊）50¢ 日曜版＄1.25
TAX	セールス・タックス 7.25%

ホテル・タックス	9%
属する州	ネバダ州　Nevada
州のニックネーム	やまよもぎの州 Sagebrush State、 シルバー州 Silver State
時間帯	パシフィック・タイムゾーン

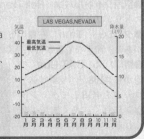

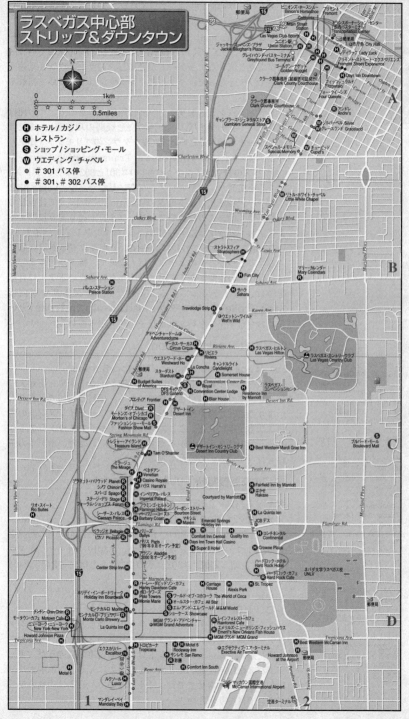

ラスベガス中心部
ストリップ＆ダウンタウン

H ホテル / カジノ
R レストラン
S ショップ / ショッピング・モール
W ウエディング・チャペル
○ ＃301 バス停
● ＃301、＃302 バス停

N

0　　　　　1km
0　　0.5miles

A

B

C

D

1

2

郵便局

Binion's Horseshoe
フリモント
Fremont
Main Street
Station
Las Vegas Club Sports
Union Station
ジャッキー・ゲーンズ・プラザ
Jackie Gaughan's Plaza
グレイハウンド・バスターミナル
Greyhound Bus Terminal
ゴールデン・ナゲット
Golden Nugget
クラーク郡事務所
Clark County Courthouse
クラーク郡事務所
Clark County Courthouse
ギャンブラーズ・ジェネラルストア
Gamblers General Store
スペシャル・メモリー
Special Memory
Cupid's
市庁舎 City Hall
Lady Luck
フリモント・ストリート・エクスペリエンス
Fremont Street Experience
Days Inn Downtown
アンドレ
Andre's
フォー・クイーンズ
Four Queens
シルバーベル Silver
グレースランド Graceland

リトル・ホワイト・チャペル
Little White Chapel

ストラトスフィア
Stratosphere

Fun City
マリー・カレンダー
Mary Calendars

サバラ
Sahara

Travelodge Strip
ウエット・ワイルド
Wet'n Wild
Karen Ave.

ラスベガス・ヒルトン
Las Vegas Hilton
ラスベガス・カントリー・クラブ
Las Vegas Country Club

アドベンチャードーム
Adventuredome
サーカス・サーカス
Circus Circus
リビエラ
Riviera
ウエストワード・ホー
Westward Ho
スターダスト
Stardust
DFSギャレリア
DFS Galleria
フロンティア
Frontier
ダイブ Dive!
モートンズ・オブ・シカゴ
Morton's of Chicago
ファッションショー・モール
Fashion Show Mall
トレジャー・アイランド
Treasure Island
ミラージュ
The Mirage
プラネット・ハリウッド Planet
シノワ Chinois
スパーゴ Spago
ステージ・デリ
Stage Deli
フォーラム・ショップス Forum
リオ・スイート
Rio Suites
シーザーズ・パレス
Caesars Palace
ベラージオ Bellagio
ピカソ Picasso
センター・ストリップ・イン
Center Strip Inn
ホリデイ・イン・ボードウォーク
Holiday Inn Boardwalk
ニュー・ヨーク・ニュー・ヨーク
New York-New York
Howard Johnson Plaza
Motel 6
マンダレイ・ベイ
Mandalay Bay
ルクソール
Luxor
エクスカリバー
Excalibur
トロピカーナ
Tropicana
モンテカルロ・ブリュワリー
Monte Carlo Brewery
モンテカルロ Monte
モーションカフェ Motown Cafe
チャイナチャイナ Chin Chin
La Quinta Inn
MGMグランド・アドベンチャー
MGM Grand Adventure
MGMグランド MGM Grand
ショーケース Showcase
エム・アンド・エム・ワールド M&M World
オールスター・カフェ All Star
ワールド・オブ・コカコーラ The World of Coca
ハーレー・ダビッドソン・カフェ
Harley Davidson Cafe
ポロ・タワーズ
Polo Towers
モニーマリー
Monie Marie
レインフォレストカフェ
Rainforest Cafe
エミリーズ・ニューオリンズ・フィッシュハウス
Emeril's New Orleans Fish House
キャリッジ・ハウス
Carriage House
アレキシス・パーク
Alexis Park
St. Tropez
ハードロック・カフェ
Hard Rock Cafe
ハードロック・ホテル
Hard Rock Hotel
ネバダ大学ラスベガス校
UNLV
コンチネンタル
Continental
クラウン・プラザ
Crowne Plaza
Quality Inn
Comfort Inn Central
Days Inn Town Hall Casino
Super 8 Hotel
Emerald Springs
Holiday Inn
La Quinta Inn
JCBデス
JCB
Courtyard by Marriott
Fairfield Inn by Marriott
はかせ
Hakase
ブルバード・モール
Boulevard Mall
Best Western Mardi Gras Inn
Desert Inn Country Club
ラスベガス・コンベンションセンター
Las Vegas Convention Center
Residence Inn
by Marriott
Blair House
Convention Center Lodge
キャンドルライト
Candlelight
Somerset House
Convention Center Dr.
ロイヤル
Royal
Budget Suites
of America
ラ・コンチャ
La Concha
デザート・イン
Desert Inn
パレス・ステーション
Palace Station
アラジン
Aladdin
バリーズ
Bally's
パリス Paris
フラミンゴ・ヒルトン
Flamingo Hilton
バーボン・ストリート
Bourbon Street
インペリアル・パレス
Imperial Palace
マキシム Maxim
バーバリー・コースト
Barbary Coast
ハラーズ Harrah's
カジノ・ロイヤル
Casino Royale
ベネチアン
Venetian
Tam O'Shanter
Motel 6
Rodeway Inn
サンレモ San Remo
Comfort Inn South
彩麗
エグゼクティブ・エア・ターミナル
Exective Air Terminal
Howard Johnson
マッカラン国際空港
McCarran International Airport
空港ターミナル
郵便局
Best Western McCarran Inn
郵便局
Charleston Blvd.
Oakey Blvd.
Wyoming Ave.
Lewis Ave.
Sahara Ave.
Karen Ave.
Riviera Ave.
Desert Inn Rd.
Spring Mountain Rd.
Twain Ave.
Flamingo Rd.
Harmon Ave.
Tropicana Ave.
Reno Ave.
Martin Luther King Jr. Blvd.
Valley View Blvd.
Rancho Dr.
Main St.
Las Vegas Blvd.
Paradise Rd.
Swenson St.
Maryland Pkwy.
Sandhill Rd.

308

サンレモの日本語ゲーミング講座でゲームについて学んでおこう

タクシー
🚕ダウンタウン～ストリップ間$8～15

Las Vegas
Convention and
Visitors Bureau
🏢Convention Center, 3150
Paradise Rd., Las Vegas,
NV 89109-9096
☎ (702) 892-7575
📞 (1-800) 332-5333
HOME www.lasvegas24
hours.com
🕐月～金7：00～18：00、
土日8：30～17：00
🚫クリスマス、大晦日
🗺P.307　C-2

キャットバス
Downtown
Transportation Center
🏢300 N. Casino Center
Blvd., Las Vegas
🗺P.307　A-2
☎ (702) 228-7433（月～金
6：00～22：00、土日祝日
6：00～8：00）
💰$1.50
#301は10分間隔で1日24
時間運行、それ以外のルー
トは毎日5：30～24：30の
10～15分間隔の運行

トロリー
☎ (702) 332-1464
🕐毎日9：30～2：00の15
分間隔の運行
💰$1.30

　ストリップの北1.6km、グレイハウンドのバスターミナルや路線バスのターミナルがあるダウンタウンは近年、変貌が著しいところ。Fremont St.の5ブロックには**フリモント・ストリート・エクスペリエンス Fremont Street Experience**という映像が次々と流れるアーケードが登場し、ダウンタウンも見逃せないエリアとなった。なお、ダウンタウンは十分歩いて回れる範囲にある。

　ダウンタウンとストリップの間は距離があるので、この間は路線バス（**キャットバス**　市内の交通機関の項参照）、またはタクシーを利用するといい。ダウンタウンのフリモント・ホテルの2ブロック北にあるDowntown Transportation CenterがCATバスの発着ポイント。CATの#301と302（エクスプレス）はここを出発し、大型カジノを左右に見ながらLas Vegas Blvd.（ストリップ）を南下、空港西のVacation Villageまで往復している。まずは、この路線でストリップをひと通り走り抜けてみよう。ストリップはSahara Ave.からマンダレイ・ベイまで、約7kmにも及び、この間にテーマホテル＆カジノが点在している。ひとつひとつのホテルが巨大なので、隣のホテルまでは見た目以上の距離がある。バスの中から行きたいホテルに目星をつけ、あとで戻ってくるといいだろう。ストリップ内は**Strip Trolley**、ダウンタウン内は**Downtown Trolley**という、おもなカジノを結ぶトロリーバスも走っている。

観光案内所 ★ Information

Las Vegas Convention and Visitors Bureau

　ラスベガス・ヒルトン隣のコンベンションセンター正面入口を入り、すぐ左手の小さな部屋にある。係員は親切で、資料もかなり豊富。地図やパンフレット、エンターテインメントの情報誌などが手に入る。ここにあるホテルやレストラン、アトラクションのリストはわかりやすく大変便利。また、ホテルの予約も行っているので尋ねてみるといい。

市内の交通機関 ★ Public Transportation

キャットバス　Citizen Area Transit（CAT）

　ダウンタウンのDTC（Downtown Transportation Center, Stewart St. & Casino Blvd.）から発着、市内に30以上の路線をもつ。このうち観光客に便利なのが、#301のストリップとダウンタウンを結ぶ路線。#302はその急行。あとは空港を結ぶ#108くらい。

トロリー Downtown Trolley & Strip Trolley

　ストラトスフィア・ホテルを乗り換え地点として、ダウンタウン・トロリーとストリップ・トロリーの2路線がおもなホテル間を結んで走っている。レトロな路面電車の風ぼうだ。キャットバスがLas Vegas Blvd.沿いを走るのに対し、このトロリーは各ホテルの車寄せまで行ってくれるので、日中は灼熱のラスベガスではありがたい。

ツアー案内 ★ Sight-seeing Tour

グレイライン　Gray Line of Las Vegas

グレイライン
☎ (702) 384-1234
🆓 (1-800) 634-6579

出発場所：ラスベガス市内のホテルへのピックアップ・サービスあり

番号	ツアー名	料金	運行	所要時間	内容など
1A	Hoover Dam Express	$29.50	毎日7：45、9：45、11：45発	5時間	南ネバダいちばんの見どころ、フーバー・ダムへのツアー。
6	Valley of Fire	$34.75	1/2～5/31と9/1～12/31の火木7：45発	7.5時間	バレー・オブ・ファイヤーした荒涼とした岩山の風景を見学したあとは、一転して豊かな水をたたえたレイク・ミードの湖岸を歩く。
13	Colorado River Raft	$79.59	2/1～11/30の毎日7：45発	8時間	フーバー・ダムの下からコロラド川をラフティングで下るアドベンチャー・ツアー。
15	Grand Canyon and Hoover Dam Air Tour	$119	毎日7：45発	9時間	フーバー・ダムを訪ね、グランド・キャニオンを空から見学、クランベリー・ワールドに寄る。
16	Grand Canyon	$99	毎日7：45、11：45発	3時間	グランド・キャニオン　フーバー・ダム、レイク・ミードを空から見学する。

Attractions
おもな見どころ ★

テーマホテル＆カジノ

　現在、ラスベガスでいちばんの見どころになっているのが、次々と出現している巨大なテーマホテル＆カジノだ。ひとつひとつがテーマをもち、外観、内装もさることながら、従業員のユニフォームまで徹底的にそのテーマに沿っている。単にカジノを楽しむだけでなく、雰囲気もすでにエンターテインメントしているから、ホテル＆カジノ見学だけでも、けっこう楽しめる。以下記載されているホテルは南から北へ向かっての順。

●**ルクソール Luxor**　完成当時は「世界8番目の不思議」と騒がれたホテルで、古代エジプトがテーマとなっている。この36階建てのピラミッドは、世界で4番目に大きく、その頂上から放たれる光はスペースシャトルからも見えるという強さ。カジノの上の階がアトラクション・レベルで、**オベリスクの探索 In Seach of the Obelisk**はピラミッド内部を飛ぶシミュレーター型ライド。**アイマックス劇場 IMAX Theater、ツタンカーメン博物館 Museum of King Tutankhamun**などもある。

●**エクスカリバー Excalibur**　「アーサー王の伝説」をテーマにしており、中世ヨーロッパの城郭に紛れ込んだよう。中にはチャペルがあり、中世風の衣装を身にまとっての結婚式も行える。毎日14：30と17：30に王と貴族の行進がある。

●**ニューヨーク・ニューヨーク New York-New York**　半世紀ほど前のマンハッタンをテーマにした、ノスタルジアに満ちたホテル。ニューヨークの象徴、自由の女神は実物の1/2の大きさ。周囲には、グランド・セントラル・ターミナルや証券取引所、エンパイア・ステート・ビル、クライスラー・ビル、ブルックリン・ブリッジが並ぶ。カジノの屋根にある**マンハッタン・エクスプレス Manhattan Express**は、ニューヨークの町並みを楽しめるジェットコースターだが、時速107kmとそのスピードは世界屈指。ひねりも加わるので、じっくりニューヨーク見物とはいかないので念のため。

ラスベガスにニューヨークのクライスラー・ビルが!?

ルクソール
🏠3900 Las Vegas Blvd. S.
🗺P.307 D-1
オベリスクの探索
🕐毎日9：00～23：00（金土は23：30まで）
💲$5
アイマックス劇場
🕐毎日9：00～22：55
💲$8
ツタンカーメン博物館
💲$4

エクスカリバー
🏠3850 Las Vegas Blvd.
🗺P.307 D-1

ニューヨーク・ニューヨーク
🏠3790 Las Vegas Blvd. S.
🗺P.307 D-1
マンハッタン・エクスプレス
💲$7
🕐毎日10：00～21：30（金土は23：00まで）
※身長137cm以上

モンテカルロ
🏨3770 Las Vegas Blvd.
🗺P.307 D-1

●モンテカルロ Monte Carlo　地中海の小国モナコをモチーフにしており、ラスベガス高級化の先駆けといわれるホテル。本家モナコの公営カジノを模した白亜の凱旋門をお見逃しなく。また、ランス・バートンによるマジック＆イリュージョンショーはラスベガス随一と評判だ。

ハードロック・ホテル
🏨4455 Paradise Rd.
🗺P.307 D-2

●ハードロック・ホテル Hard Rock Hotel　世界中にチェーン店を持つハードロック・カフェが、ついにホテルまで造った！　ロック・アーティストたちの使用グッズが館内のいたるところに展示されていて、ファンにはうれしい限り。もちろん、隣はハードロック・カフェのラスベガス店で、ホテル内の専用ショップではロゴ入りグッズも充実している。

ベラッジオ
🏨3400 Las Vegas Blvd. S.
🗺P.307 C-1
噴水ショー
⏰毎日14：00～24：00（冬期は日没～24：00）の30分ごと

●ベラッジオ Bellagio　'98年秋に開業した新しいホテルで、史上最高額と噂される総工費をかけたゴージャスなリゾート。北イタリアのコモ湖を模した池では優雅な噴水ショーが行われ、約1000本の噴水口から発射される水が、見事なバレエを踊ってくれる。

注意：宿泊客の家族を除き、21歳未満はカジノだけでなくホテル自体に立入禁止。若く見られる人はパスポートを持ち歩こう。

シーザース・パレス
🏨3570 Las Vegas Blvd
🗺P.307 C-1
フォーラム・ショップス
⏰10：00～23：00（金土は24：00まで）
🗺P.307 C-1

●シーザース・パレス Caesars Palace　古代ギリシャの帝国がそのままラスベガスに登場したような、荘厳な雰囲気をもつシーザース。このホテルの抜群の知名度の高さは、しばしば、ボクシングの世界タイトルマッチが開催されることに起因する。

カジノ　Casino

ラスベガスと言えばやはりカジノ。見ているだけでもおもしろいが、やはりできれば参加してみたい。どれもそれほど難しくないので気軽に参加してみよう。カジノには客が安心して遊べるようにいくつかの決まりがあるので気をつけたい。ゲームである以上、ルールに従うのは当然。気分よく遊んで、気分よく儲けたい。

なお、ラスベガスでは「ギャンブル」という言葉をあまり使わない。カジノのゲームを楽しむことは「ゲーミング gaming」と言うことが多いので覚えておくといい。

●カジノに入れるのは21歳から。日本人はだいたい若く見られるのでIDを常に携帯したほうがよい。
●客のプライバシーを守るためカジノ内の写真撮影は禁止。
●ブラックジャック、ルーレット、クラップスなど、2列に並んでいる台の間（ディーラーの立っている側）を通ってはならない。移動するときは列の外側を回ること。
●台についてプレーをしているとき、飲み物やタバコは無料だが、運んでくれるカクテル・ウエイトレスへのチップを忘れないこと。
●ブラックジャックで席に座れるのはプレーヤーのみ。見物人は立つ。
その他疑問があったら遠慮なくディーラーに

聞こう。大きなカジノでは、忙しくない時間帯に無料でゲーミング講座を開催している。わからないことがある人は大いに利用して、ここでコツをおぼえてからカジノに臨もう。なお、サンレモ San Remo〔☎(702)739-9000 ストリップ南部、トロピカーナの東P.307 D-1〕では毎日16：30～23：30の1時間おきに日本語による無料レッスンを行っている。15分ほど前にフロントへ行き、名前を登録する。21歳以上ならOKで、パスポート持参のこと。

代表的なゲーム
●スロットマシン Slot
コインを入れてレバーを引くかボタンを押すと絵柄が回転し、止まったときにいくつ絵が合うかによって配当がもらえるだけの単純なゲーム。使えるコインはマシンによって異なるが、普通5¢、25¢、50¢、$1の硬貨（なかには特別なチップを使って、賭け金が最低$100なんてマシンもある）。マシンは合う絵柄の数によって決まった配当が得られるストレート・スロットと、決まった配当のほかにジャックポットを当てると、積み立てられた賞金がもらえるプログレッシブ・スロットの2種類。ベンツなどの高級車をジャックポットの商品にしているカジノもあり、それぞれ客集めの工夫

隣接する**フォーラム・ショップス Forum Shops**は、100軒以上のブランドやブティックが並ぶショッピングセンター。センター内の**レース・フォー・アトランティス Race for Atlantis**は、アイマックス＋立体CG映像＋27人乗りモーション・シミュレーター・ライドだ。

●**フラミンゴ・ヒルトン Flamingo Hilton**　ストリップの発展は、このフラミンゴからという歴史あるホテルだ。ラスベガスが取り上げられるTVや映画などには必ず登場するランドマーク的存在。ホテルでは、マスコットのフラミンゴを飼育しており、観光客の人気を集めている。餌づけは毎日8：25と14：55の2回。プールが充実している。

●**ミラージュ The Mirage**　このホテルの誕生が、新生ラスベガスの幕開けとなった。暗くなると15分おきに始まるホテル前の**火山の噴火ショー**は大迫力で、無料で誰もが楽しめる。また、人気のマジックショー「ジークフリート＆ロイ」のショーはここで行われている。

●**トレジャー・アイランド Treasure Island**　スティーブンソンの冒険小説『宝島』から名付けられたホテルで、ホテルの前で毎晩90分ごとに行われる**バッカニア湾の戦い The Battle of Buccaneer Bay**は、無料とは思えないほどの大スタントショー。人気が高いので、なるべく早く行って見やすい場所を確保したい。

★
ラスベガス

に挑戦！

をしている。

●**ブラックジャック Blackjack**

　2枚以上のカードを組み合わせた合計でディーラーと勝負するゲーム。21を超えないでいかに21に近づけるかの判断、ディーラーとの駆け引きなど単純なようでなかなか難しい。ラスベガスで最も人気のあるゲームのひとつで、初心者でも比較的挑戦しやすいテーブルゲームだ。テーブルごとに最低の賭け金が決まっている。

●**キーノ Keno**

　1～80までの数字のうち、1～15個好きな数字を選び、専用のチケットにマークする。その後20個の数字が選ばれ、その中に自分が選んだ数字がいくつあるかで配当が決まる。例えば、$1賭けて、10個の数字を選び、そのうち6個が当たれば$18の配当がもらえる、という具合。当然$10賭けていれば、配当は$180。$1賭けて、10個のうち9個が当たれば、配当は$3,800にもなる。

●**ルーレット Roulette**

　回転するルーレットの1～36までの数字に、0と00を加えた38の数字のどこに玉が入るかに賭ける。ヨーロッパで生まれ、日本人にもおなじみのゲーム。1つの数字に賭けるか、4つの数字に賭けるか、または、奇数、偶数、赤、

黒などさまざまな賭け方があり、それによって配当の倍率が違ってくる。

●**クラップス Craps**

　2つのサイコロの出た目の合計で勝負するゲーム。テンポが速く、アメリカ的な最もにぎやかなゲームで、近年ラスベガスでも急速に台が増えている。ただし大きな賭け金が動くので、いい気になってやっているとあっという間にスッてしまうことがあるので注意。

※ゲームについてのハウツーは『地球の歩き方リゾート⑪ラスベガス』編に詳しく解説してあります。

ルールを守って楽しく遊びたい

サーカス・サーカス
📍2880 Las Vegas Blvd.
📖P.307 B-1
サーカス
🕐毎日11：00〜24：00、
30分ごとに始まる

ラスベガス・ヒルトン
📍3000 Paradise Rd.
📖P.307 B-2
スタートレック・ジ・エク
スペリエンス
💲$ 14.95
🕐毎日11：30〜23：00

ストラトスフィア
📍2000 Las Vegas Blvd. S.
📖P.307 B-2

　ハイ・ローラーとビッ
グ・ショットについては
P.315参照。

●**サーカス・サーカス Circus Circus**　カジノホテルに、"**サ
ーカス**"という子供も楽しめるアトラクションを初めて持ち込
んだ、元祖ともいうべきホテル。ショータイム以外にも、ピエ
ロなどが登場して、お客さんを楽しませている。裏に位置する
屋内遊園地の**アドベンチャードーム**とはモノレールでつながっ
ている。

●**ラスベガス・ヒルトン Las Vegas Hilton**　かつては「プレ
スリーのヒルトン」と呼ばれていたが、'98年「スタートレックの
ヒルトン」として生まれ変わった。巨費を投じて完成した**スタ
ートレック・ジ・エクスペリエンス Star Trek; The Experience**
では、「スタートレック」のTVと映画で登場したセットが再現
されていたり、特殊撮影装置、衣装、武器などの展示コーナー
もある。最後はシミュレーション・ライド。

●**ストラトスフィア Stratosphere**　「ストラトスフィア」と
は成層圏のこと。まさに成層圏にとどくかと思うように突き出
たタワーがシンボル。このホテルが注目を浴びているのは、タ
ワー最上部にあるジェットコースターの**ハイ・ローラー High
Roller**と、フリーフォールの**ビッグ・ショット Big Shot**の存在。
展望台の下には100分間で1周するレストラン、**トップ・オブ・
ザ・ワールド Top of the World**がある。

Entertainment
エンターテインメント
ラスベガスでショーを楽しむ

　カジノと並んでラスベガスで見逃せないものといえば、華や
かなショーだ。

　ラスベガスのショーは大きく分けて3つの種類がある。まず
はカジノの客寄せのための**無料観覧ショー**。見どころで紹介し
ているミラージュの火山の噴火ショー、トレジャー・アイラン
ドのバッカニア湾の戦いなどがそれだ。

　もうひとつはビッグスターのライブコンサートである**ヘッド
ライナー・ショー Headliner Shows**。かつては、エルビ
ス・プレスリー、サミー・デイビス・ジュニアなどが顔を並べ、
現在では、ダイアナ・ロス、バリー・マニロウ、エルトン・ジ
ョンらが定期的に公演を行う。観客の年齢層が高いせいか、い
ま売れているアーティストより、一昔前にヒットしたアーティ
ストが出演することが多い。

　最後のひとつは、プロダクションが運営するブロードウェイ
式のショー、**プロダクション・ショー Production Shows**
だ。といってもピンとこないかもしれないが、その種類はマジ
ック、レビュー、コメディなど。なかでも大仕掛けを使うもの
は**イリュージョン Illusion**といわれ、人気の「ジークフリー
ト＆ロイ」がその代表。マジックとイリュージョン・ショーの
レベルの高さは世界一。ラスベガスへ来てこれを見ないという
テはない。プロダクション・ショーは1晩に2ステージ行われ、
週に1、2回休演日がある。

ショーのお値段は…
　ヘッドライナー・ショー
の料金は出演者によって
$25〜100。

①情報の入手

いちばん簡単なのは、ホテルのロビーなどに置いてある "Showbiz" "Tourguide" などの無料の情報誌に、どのホテルで何をやっているかが詳しく載っているので利用しよう。ホテルの従業員、タクシーのドライバーなど身近な人に尋ねてみるのもいい。

②ショーの予約

見たいショーが決まったら、次は予約だ。英語力に自信があるのなら電話を1本入れればすむ。その際、クレジットカードが必要で、チケットは当日その劇場のボックスオフィスで受け取る。最近は、インターネットで予約することもできるが、このときもクレジットカードが必要だ。マッカラン空港にもチケットオフィスがあるので、そこで予約することもできるし、直接ホテルのボックスオフィスに出向くのもいい。座席表を見ながら選ぶことができるのが利点だ。最後の方法としては、当日、ショーの始まる1～2時間前に行き、キャンセル待ちの列に並ぶのもいい。

変わりつつあるチップとショーの座席

ラスベガスのショーというと、ほとんどのショーが自由席で、メイトラーディ maître d' と呼ばれる案内係にいくらチップを渡そうかと、観客はいつも頭を悩ませてきた。しかし、ほかの町のコンサート同様、指定席が定着しつつあるのだ。

ショーを楽しみたいのであって席はどこでもいいというシビアな一部のアメリカ人には、チップをまったく払わない人もいる。ひょっとしたら、近い将来にチップのシステムはなくなっているかもしれない……。

③ショーの当日

服装については、オシャレな服がある人はそれを着て行くことをすすめるが、ラスベガスでは誰もがカジュアルで通しているので、神経質になることはない。とはいうものの、ジーンズ、Tシャツ、ショートパンツ、サンダルは避けたい。

座席指定されていないチケットを持っている人は、開演時間の1時間ぐらい前に行って並ぶ。お気に入りのスターを目の前で見たいという人はさらに早く並ぼう。座席指定されている場合は30分前で十分だ。案内係へのチップも気持ち程度でよい。

さて、座席指定されていない場合のチップの金額だが、チップをはずめば良い席に案内される可能性はあるが、問題はいくら払えばよいのかだ。普通は2人で$5～20くらいが相場だ。ただ、ラスベガスのショー会場はどこからでもよく見えるような構造になっているので、「憧れのスターを目の前で見たい」という人以外はそれほど無理をする必要はないだろう。

これを参考に
見たいショーを探すときに気をつけたいのは、英語力。一般的に言って、視覚的に楽しめるマジック・ショーは問題なし。お目当てのスターが近くで見られればよいというヘッドライナー・ショーもOK。英語がわからなくて惨めな思いをするのはやはりコメディ。まわりが大笑いしているとき自分だけしらけているのはつらい。

ラスベガスの日本語情報誌"ようこそ西海岸"は英語の難易度が掲載されているので、参考になる。

チップの金額は
スターを間近で見たい人は$20～100、友人らと連れ立ってチップの額をふくらませて案内係に渡すという方法もある。

バリーズの らしいショー 「ジュビリー」 もラスベガス

313

Lance Burton
☎ (702) 730-7000
💰 $39.95、バルコニー席 $34.95
📅日月
🗺P.307　D-1

O
　チケットは7日前から発売されるが、ベラジオ、ミラージュ、トレジャー・アイランドの宿泊者なら90日前から購入できる。
☎ (702) 693-772
📞 (1-888) 488-7111
📅水木
💰 $90~100（税込み）
🗺P.307　C-1

Lord of the Dance
☎ (702) 740-6815
📅日月
💰 $50~60
🗺P.307　D-1

EFX
☎ (702) 891-7777
📞 (1-800) 929-1111
💰 $49.50~70
📅日月
🗺P.307　D-1

Jubilee
☎ (702) 739-4567
📅金
💰 $49.50~66
🗺P.307　C-1

King Arthur's Tournament
☎ (702) 597-7600
💰 $29.95（夕食付き、6日前から予約開始）
🗺P.307　D-1

Legends in Concert
☎ (702) 794-3261
📅日
💰 $29.50（2ドリンク付き）、12歳以下は $14.75
🗺P.307　C-1

Siegfried & Roy
☎ (702) 792-7777
📅水木と1カ月ごとに5~10日間休演
💰 $89.35
🗺P.307　C-1

Splash II
☎ (702) 794-9301
💰 $49.50（2ドリンク付き）
🗺P.307　B-1

Mystère
☎ (702) 894-7722（チケットは60日前から予約開始）
📅月火
💰 大人 $69.85、子供（12歳未満）$34.85
🗺P.307　C-1

ホテルを代表する人気のショー（'99年春現在）

● "ランス・バートン Lance Burton" at モンテカルロ Monte Carlo

権威あるマジック・コンテストで史上最年少で優勝に輝いたランス・バートンによるマジック＆イリュージョン・ショー。大掛かりな仕掛けもある。

● "オー O" at ベラジオ Bellagio

『サルティンバンコ』などの日本公演でも好評を博したシルク・ド・ソレイユの幻想的な水上サーカス。『オー』とは、輪廻転生の輪を表し、またフランス語の水の意味も含む言葉。舞台に設けられた大きなプールを使って、高飛び込みやシンクロナイズド・スイミング、空中ブランコなど数々のアクロバットが繰り広げられる。

● "ロード・オブ・ザ・ダンス Lord of the Dance" at ニューヨーク・ニューヨーク New York-New York

40名のダンサーが繰り広げるアイリッシュダンスのショー。タップダンスにストーリーを絡ませ、斬新な演出で楽しませてくれる。

● "イフェックス EFX" at MGMグランド MGM Grand

最新テクノロジーを駆使したスペクタクルショー。アクション、ダンス、マジック、ロックンロールとたくさんの要素を含んでいる。

● "ジュビリー Jubilee!" at バリーズ Bally's

100人近くのダンサーや歌手を使った、ラスベガスらしい華やかなミュージカル。タイタニック号沈没のシーンは迫力もの。

● "アーサー王のトーナメント King Arthur's Tournament" at エクスカリバー Excalibur

円卓の騎士を抱えていたという伝説的英国王のストーリーをもとに、巨大なアリーナいっぱいに展開される馬上試合。ここでは観客も参加して自分の陣地の騎士を応援する。ディナーはワイルドに素手で食べるのがルール。

● "レジェンズ・イン・コンサート Legends in Concert" at インペリアル・パレス Imperial Palace

アメリカ・ショウビズ界の伝説的スターのものまねショー。エルビス・プレスリー、ニール・ダイヤモンド、マドンナ、元プリンス、ブルース・ブラザーズなどが登場、徹底したものまねぶりにはただただ脱帽。

● "ジークフリート＆ロイ Siegfried & Roy" at ミラージュ The Mirage

日本でもおなじみ、ジークフリートとロイの大仕掛けのマジックショー。人気のホワイトタイガーが登場するマジックは圧巻！　ここ数年は彼らのショーが人気No.1といわれている。

● "スプラッシュII Splash II" at リビエラ Riviera

「ラスベガスで最高のショー」との評価も高いスプラッシュIIは、ダンスを主にコメディ、マジックなどが加味されたバラエティ豊かなショー。目玉の水中ショーには、だれもが圧倒される。

● "ミスティア Mystère" at トレジャー・アイランド Treasure Island

幻想的なサーカスで、その芸はバレエの要素を加味したミュ

ージカルのようでもある。直線を徹底的に排除した斬新なコスチュームにも注目。

カジノ以外のラスベガスの見どころ

フリーモント・ストリート・エクスペリエンス
★ Fremont Street Experience

　ストリップに顧客を奪われたダウンタウンが、起死回生の一発を放ったアトラクションが、フリーモント・ストリート・エクスペリエンスだ。かつては、"ネオンの洪水" という言葉がふさわしかったダウンタウンのフリーモント通りが、アーケードでおおわれ、一年中空調の効いた快適な歩行者天国として生まれ変わった。いちばんの見どころは、アーケード全体を使って1時間に1回行われる**光の祭典**。さまざまな映像が浮かび上がり、ショーガールの歌や踊りなどが約6分間楽しめる。

ワールド・オブ・コカ・コーラ ★ World of Coca Cola

　世界中で飲まれている清涼飲料水といえば、コカ・コーラ。そのパビリオンが、本社のあるアトランタに続き、ラスベガスにもオープンした。昔のTVコマーシャルを流したり、コークとの関わりを描いた歴史、映画、スポーツなどの短編フィルムを見せてくれるシアターもある。ハイライトは、世界のコカ・コーラ社のソフトドリンクの試飲ができるコーナー。ロゴショップでは、マークのついたグッズが豊富だ。

ストラトスフィア・タワー ★ Stratosphere Tower

　米国内でいちばん高い展望台（344m）をもち、そこからはラスベガスを360度見渡すことができる。タワー内のレストラン"トップ・オブ・ザ・ワールド" は240mの高さにあり、座席がゆっくりと回転する仕掛け。また、このホテルの目玉はタワーのてっぺんにある"ビッグ・ショット Big Shot"。タワーの先から針のように突き出たポールに沿って高度273mから真上に50m以上も、時速72kmの速さで打ち上げられたあと、もとの高さまで"フリーフォール"するもの。すっかりラスベガスの新しいシンボルとなっている。もうひとつの目玉は、地上277mを回るジェットコースター"ハイ・ローラー High Roller"で、世界一の高さを誇る。

MGMグランド・アドベンチャー
★ MGM Grand Adventure

　33エーカーの敷地内はカサブランカ・プラザ、ニューヨーク・ストリート、アジア・ビレッジなど9つのテーマ・エリアに分かれ、グランドキャニオン・ラピッド、オーバー・ザ・エッジなど絶叫ライドが点在する。海賊たちの決闘、ゴールドラッシュ・シアターなどショーやライブパフォーマンスもあって、1日いても決して飽きさせない構成だ。バンジージャンプに似たスカイスクリーマーも登場して、ますますテーマパークらしくなってきた。開園日が限られるので要注意。

フリーモント・ストリート・エクスペリエンス
🏠 ダウンタウンのFremont St.のMain St.から4th St.まで
☎ (702) 678-5600
🕐 光の祭典の時間18：00～24：00の毎正時で、『ビバ・ラスベガス』、『オデッセイ』、『カントリー・ウエスタン・ナイト』の3本が交替で映し出される
🗺 P.307　A-2

ワールド・オブ・コカ・コーラ
🏠 MGMグランドの北隣にあるショーケース
📞 (1-800) 720-2653
🕐 毎日10：00～23：00（金土は24：00まで）
💵 ツアーは＄2、5歳以下無料
🗺 P.307　D-1

宙に投げ出される!! ビッグ・ショット

ストラトスフィア・タワー
🏠 2000 Las Vegas Blvd. S.
☎ (702) 380-7777
🕐 日～木10：00～1：00、金土10：00～2：00
💵 ビッグ・ショットとハイローラーで＄10
🗺 P.307　B-2

MGMグランド・アドベンチャー
🏠 3799 Las Vegas Blvd. S.
☎ (702) 891-7979
🕐 毎日10：00～22：00
🚫 冬期
💵 入場料は無料だが、1日券＄12（スカイスクリーマーは別料金）
🗺 P.307　D-1

フォーラム・ショップスに新たに加わったナイキタウン

フォーラム・ショップス
🏠3500 Las Vegas Blvd. S.
☎ (702) 893-4800
　なお、フォーラム・ショップスを入ると自動的にシーザーズ・パレスのカジノ・フロアに導かれるようになっている。ショップスの入口から出ることはできない。
🕐毎日10：00～23：00（金土は24：00）
🗺P.307　C-1

アドベンチャードーム
🏠2880 Las Vegas Blvd.
サーカス・サーカスの裏手
☎ (702) 794-3939
🕐毎日10：00～24：00
💰入場無料。ライドによって料金は異なる。1日乗り放題は＄15.95
🗺P.307　B-1

フォーラム・ショップス ★ The Forum Shops at Caesars

　一言でいえばショッピングセンターだが、フォーラム・ショップスはその言葉をはるかに超越した存在だ。古代ローマを思わせる内装のモールのテナント数は107軒、ナイキタウンやFAOシュワルツ、アルマーニ・エクスチェンジなどが入っている。ところで、ここではショップより見逃せない無料のものが3つある。ひとつは、地中海の空を再現したモールの**天井**。空は時間を追うごとに朝、昼、夜へと変化していく。1時間で、1日の空の変化が楽しめるわけだ。そして、もうひとつは入口近くにある**フェスティバル・ファウンテン**。噴水の中央には、歓楽とワインの神バッカス、それを囲むようにしてアポロ、ヴィーナス、プルトスの神々が立っている。朝10：00から30分ごとに、彼らが集まった人々に話しかけるのだが、その動きたるや……。百聞は一見にしかず！ もう一つのショー、**アトランティス Atlantis**は、時間になると彫像が消えて、3人の神々が現れ、火と水のショーが始まる。10：00～23：00の毎正時。

アドベンチャードーム ★ Adventuredome

　サーカス・サーカスの隣にある巨大なドーム状の建物。全米唯一の屋内ダブルループ・コースター、キャニオン・ブラスターは宙返り2回にツイスト2回、かなりハードなライドだ。これを中心に、ウォーターシュートのリム・ランナー、ファンハウス・エクスプレスなど、高さ43メートルの岩山を中心にエキサイティングな乗りものがいろいろ。暑いラスベガスの気候ゆえ、インドアのテーマパークは実に快適。

Suburb Points ★
郊外の見どころ

　華やかなショーやカジノばかりが目立つラスベガスだが、周囲にはアメリカならではの壮大な自然が広がっている。これらを見ずしてラスベガスを去るというのは非常に残念なことだ。ツアーバスの種類も多く、レンタカーも空港や町なかで気軽に借りられるので、違ったラスベガスの一面を見てみよう。

ラスベガスで結婚式を挙げてみませんか

　ラスベガスでは毎年多くのカップルが結婚式を挙げ（ここ数年は10万組以上！）、結婚のメッカとしても知られている。ここにはあちこちに24時間オープンのWedding Chapelがあり、誰でも、いつでも気軽に結婚式ができるのだ。最低条件は、クラーク郡の役所でMarriage Licenseをもらうこと。費用は＄35でオフィス（🏠200 S. 3rd St.　☎455-3156）は日～木 8：00～24：00、週末は24時間オープンしている。この証明書を持ってチャペルに行くとすぐ挙式をしてくれる。挙式自体は約5分の簡単なものだが、白いリムジンの送迎は最高。

一度、ためしてみてはいかが？
●Little White Wedding Chapel
🏠1301 Las Vegas Blvd. S., Las Vegas, NV 89114 ☎ (702) 382-5943, 📞 (1-800) 545-8111
　"西部のウエディング・クイーン"と呼ばれる名物オーナーの有名なチャペル。マイケル・ジョーダンやブルース・ウィリスもここで挙式した。基本パッケージ＄55のほかに、ドライブアップ・ウェディング＄45～、エコノミー・パッケージなど＄139、奇想天外なプランがいっぱい。

フーバー・ダム ★ Hoover Dam

　ラスベガスから南東へ約48km、途中ネバダ州で唯一ギャンブルが違法な町Boulder Cityを通ってUS-93を約40分。岩山の間のカーブの多い道を上って行くと、高さが約223m（70階建てのビルに相当）、基礎のもっとも厚い部分が200mという巨大なフーバー・ダムが現れる。最上部の幅が14m、長さが約380m、北側には青々としたレイク・ミードが広がっている。とにかくその大きさには驚くばかりだ。

　1931年に始まった工事は46カ月かかり、せき止められたコロラド川によって巨大な人造湖レイク・ミードが誕生した。現在、このダムは年間40億キロワットの電力を供給している。

レイク・ミード ★ Lake Mead

　コロラド、バージン、マリーの3つの川の流れがフーバー・ダムによってせき止められてできた世界最大級の人造湖。しかし、その複雑な湖岸線と深く青い水の色は人造湖とは思えないほど美しい。周囲には6つのマリーナがあり、ヨットやウインドサーフィン、水上スキー、釣り、キャンプなど、さまざまなスポーツが楽しめる。

　US-93から湖沿いに走って最初のマリーナLake Mead Marinaには、ビーチ、湖クルーズ船の波止場、レンタルのボートやギフトショップ、レストランなどがあり、ゆっくりとあるいは活動的に美しい湖をエンジョイすることができる。

人造湖とは思えないレイク・ミード

バレー・オブ・ファイヤー州立公園 ★ Valley of Fire State Park

　ラスベガスの北東約90km。I-15を北へ、次にNV-169を東にずっと走ると、乾ききった大地に突如巨大な、ゴツゴツとした赤い岩の一帯が出現する。その名のとおり、まるで炎のような渓谷だ。赤い色はアメリカ先住民にとっては秘密の色。この地は彼らにとって長い間隠されてきた聖地だったわけだ。できれば車から降りて少しこの辺りを歩いてみよう。赤い岩の表面には、約8,000年前アメリカ先住民が刻んだ壁画が残っている。この壁画は地震などで地層が崩れ、その姿を現したもの。耳を澄ませば風と砂のこすり合わさる音しか聞こえない。

デスバレー国立公園 ★ Death Valley National Park

　ラスベガスから北へ車で約3時間、カリフォルニア州にある西半球で最も暑く、最も海抜が低い土地。夏の最高気温は50度を超え、最も低いバッドウォーターと呼ばれる場所の海抜はマイナス86m。『死の谷』という名にふさわしい荒涼とした場所だが、ファーニス・クリークやスコティーズ・キャッスル、美しい砂丘など見どころはたくさんある。

フーバー・ダム
　ダムの上には小さな案内所があり、そこで約40分間のツアーのチケット（＄6）を買い列に並ぶ。ここからエレベーターに乗って下まで降りて、ツアーが始まる。
圏5月下旬〜9月初旬が8：30〜17：45、他の季節は9：00〜16：45。詳しくは
☎ (702) 294-3523
HOME www.accessnv.com/hooverdamへ

レイク・ミード
　湖岸線の道路には"エコウォッシュ"と呼ばれる、水に浸食されたあとが無数に残っている。周辺に出没する野生の馬とともに注意して見てほしい。
レイク・ミードのクルーズ
圏毎日11：00、13：00、15：00
圏＄16

バレー・オブ・ファイヤー州立公園
　公園入口のビジターセンター（圏毎日8：30〜16：30
☎ (702) 397-2088）では、公園を説明した10分間のフィルムを流しているほか、アメリカ先住民の壁画や野生動物、植物についても解説している。なお、公園に行くときは飲料水を持って歩くこと。
圏車での入園は1台＄4

デスバレー国立公園
デスバレー国立公園ビジターセンター
☎ (760) 786-2331
圏毎日8：00〜18：00
　気候が穏やかな冬が観光シーズン。
　詳しくは『地球の歩き方㊾アメリカの国立公園』編参照。

カジノでもうかったら……
Fashion Show Mall

🏠 Las Vegas Blvd. at Spring Mountain Rd.

☎ (702) 369-8382

🕐 月〜金10：00〜21：00、土10：00〜19：00、日12：00〜18：00　🗺 P.307　C-1

　ストリップ沿い、トレジャー・アイランドの北に位置するショッピング・モール。Neiman Marcus、Saks Fifth Avenue、Dillard'sなど5軒のデパートとBenetton、Talbots、GAP、Banana Republicなどの店舗から構成されている。フードコートもあるので食事や休憩にも適している。意外に空いているが、大きな紙袋をいくつも抱えた人の数が目につくところでもある。

古代ローマでショッピング!?
The Forum Shops at Caesars

🏠 3500 Las Vegas Blvd.

☎ (702) 893-4800

🕐 毎日10：00〜23：00（金土〜24：00）
🗺 P.307　C-1

　いまやラスベガスの名所となってしまったフォーラム・ショップス。世界最大の品ぞろえを誇る運動靴店Just for Feetをはじめとして、Gucci、Gianni Versace、Louis Vuitton、Museum Company、Warner Brothers、NikeTownなど、高級店や個性豊かな店がいっぱい。ロスアンゼルスに本店を置くSpagoなどの有名レストランのほか、Planet Hollywoodも入っている。夜おそくまでオープンしているのが、実にありがたい。フェスティバル・ファウンテンとモールの天井の変化はお見逃しなく！

有名ブランドが多いアウトレット
Fashion Outlet

🏠 ラスベガスから車でI-15を南へ36マイル約40分。カリフォルニア州境

📞 (1-888) 424-6898

🕐 月〜木10：00〜21：00、金土〜23：00、日〜20：00、🈳 サンクスギビング、クリスマス　🗺 地図外

　市内から遠く離れているにもかかわらず、有名ブランドが集まっていることから話題集中の大型モール。マンハッタン風のオシャレなアーケードにダナ・キャラン、カルバン・クライン、ベルサーチ、BCBG、ナイン・ウエスト、ベネトンなど約100店が並ぶ。ニューヨーク・ニューヨークから9：15、12：00、14：00に送迎バスが出る。往復＄10、宿泊客は無料。

オシャレなチョコ・ショップ発見！
M&M's World

🏠 3785 Las Vegas Blvd.

☎ (702) 435-2655　　🗺 P.307　D-1

🕐 日〜木10：00〜24：00、金土10：00〜1：00　🈳 クリスマス、元日

　ＭＧＭグランドとワールド・オブ・コカ・コーラの間にある。スニッカーズやミルキーウェイでおなじみのチョコレート会社のショップだが、キャラクターグッズがたくさんあって可愛かった。もちろんチョコレートもたくさんそろっている。

　　　　　（谷口悦子　モンタナ在住　'98夏）

★

グランドキャニオン・ツアーについて

　ラスベガス発着のグランドキャニオン・ツアーはたくさんの会社が実施しているので、内容や料金をよく比較検討した上で決めたい。なお、料金とは別に空港使用料＄8が必要。

●**Gray Line Tours**　☎ (702) 384-1234、約1.5時間のフライトを含んだツアー（＄99、

7：45&11：45発）や、ほかのポイントを含んだツアー（＄119、7：45発）などがある。
●**Scenic Airlines**　☎ (702) 638-3348、📞 (1-800) 387-9032

　日帰りコース＄99〜399、宿泊コース＄189〜579などいろいろあり、日本でも申し込める。
☎ 03-3798-1003、FAX (03) 3798-1125

いま、全米でいちばん脚光を浴びている町だけあって、有名ホテルは満室の状態が続いていることが多い。とくに週末だけでなく祝日の前後、夏休みのシーズンも大変混雑するので、早めの予約が肝心。小さなホテルやモーテルならあいていることもある。

ストリップ地区

話題沸騰の超高級リゾート
Bellagio

住3400 Las Vegas Blvd.S., Las Vegas, NV 89109　☎(702)693-7111、📞(1-888)987-6667、FAX (702) 693-8576

HOME www.bellagiolasvegas.com

スタンダード$129〜279、スイート$300〜650　ADMV　地P.307 C-1

　チープだったラスベガスを、カジノの町として一気にグレードアップさせたのが、'98年秋開業のこのベラッジオだ。北イタリアのコモ湖を模した池では優雅な噴水ショーが行われ、カジノへのアプローチにはティファニー、シャネルといった高級店がずらりと並ぶ。ロビー奥の大きな花壇と、ゴッホやセザンヌなどの絵画を集めたギャラリーも話題の的。客室は、広さ、高級感ともに二重マル。イタリア料理を中心としたレストランやバフェのチェックもお忘れなく！　3,000室。　　　　　　　('99)

ラスベガスに海賊現る！
Treasure Island

住3300 Las Vegas Blvd. S., Las Vegas, NV 89109

☎(702)894-7111、📞(1-800)944-7444、FAX (702) 891-7446、

HOME www.treasureislandlasvegas.com

SDT $59〜299　ADJMV　地P.307 C-1

　ミラージュの北隣に位置するトレジャー・アイランドは、客室数2,900の大型ホテル。その名の通り、スィーブンソンの小説『宝島』をモチーフにしたホテル。夜、入口で1時間半おきに繰り広げられるバッカニア湾の戦いは、大変な人気だ。客室以外のスペースは、海賊たちが略奪した宝がディスプレイされ至極楽しい。Y字型をしたホテルの棟は、パイレーツがテーマで赤、黒、ベージュの3色に彩られ、宿泊客が迷わないように配慮されている。天井まで広がった窓から眺めるラスベガスの景色はすばらしい。　　　　　　　　　　　('99)

海賊バトルも行われるトレジャー・アイランド

ストリップの老舗ホテル
Bally's Las Vegas

🏨3645 Las Vegas Blvd., Las Vegas, NV 89109　☎(702)739-4111、📞(1-800)634-3434、FAX(702)739-3848

Ⓢ①Ⓣ$101〜145　ⒶⒿⒿⓂⓋ　🗺P.307　C-1

かつてのMGMグランドホテル。ホテルの各部屋に貼られた映画のポスターがその面影をしのばせる。部屋の大きさはラスベガスのなかでも最大級。無料のモノレールでMGMグランドまでわずか3分。2,832室。

（'98）

中世ヨーロッパに迷いこんだような
Excalibur Hotel/Casino

🏨3850 Las Vegas Blvd. S., Las Vegas, NV 89109

☎(702)597-7777、📞(1-800)937-7777、FAX(702)597-7040、HOME www.excalibur-casino.com

Ⓢ①Ⓣ$55〜150　ⒶⓂⓋ　🗺P.307　D-1

ザ・ストリップの南、MGMグランドのはす向かいに位置するエクスカリバーでは、タイムスリップしたようにすべてが中世ヨーロッパの城のよう。その外観をはじめとして、カジノの内装、客室の家具調度品、チャペル、ここで行われるショー『アーサー王…』もそうだし、カジノのディーラーからメイドまでのユニフォームも徹底して中世のお城をイメージしている。ちょうど子供のころに読んだ王子さまとお姫さまの世界が広がっているようだ。ホテル内

には、広い広いカジノフロア、6つのレストラン、プールなどの施設も整い、客室に入るときはルームキーを提示するなどセキュリティにも十分気が配られている。4,032室。

（'98）

古代エジプトへようこそ
Luxor Las Vegas

🏨3900 Las Vegas Blvd. S., Las Vegas, NV 89119-1000

☎(702)262-4000、📞(1-800)288-1000、FAX(702)262-4454、HOME www.luxor.com

Ⓢ①Ⓣ$69〜　ⒶⓂⓋ　🗺P.307　D-1

ストリップの南、Las Vegas Blvd.とTropicana Ave.の交差点は、いまラスベガスでもっとも忙しい場所。その交差点の角にあるエクスカリバーのすぐ南の、スフィンクスとピラミッドがルクソールだ。隣のエクスカリバーがヨーロッパのお城をフィーチャーしているのに対し、ルクソールは古代エジプトがテーマ。ピラミッドの4つの角に配されたエスカレーターは、これまでにないスタイルだ。全4,474室、コンベンション・スペースやチャペル、IMAXシアターが入っている。ルクソールもエクスカリバーと同じサーカス・サーカス・エンタープライズ経営だが、前者が家族向けであるのに対し、ルクソールは大人の層をターゲットにした高級感あふれるホテルをめざしている。

（'98）

1999年に新登場の巨大高級ホテル

マンダレイ・ベイ Mandalay Bay

ルクソールの南隣に、ゴールドに輝く巨大ビルが出現！'99年3月上旬、ピラミッドを押し潰すような迫力で、マンダレイ・ベイが開業した。プールからコンサート会場まで何もかもビッグ。ブロードウエイ・ミュージカル『シカゴ』や、ライブハウス『ハウス・オブ・ブルース』も楽しみだ。1泊$89〜279。

ベネチアン Venetian

'99年4月にミラージュの正面に開業したメガリゾート。4月の開業はとりあえず3,036室だが、すべて完成すると6,000室と世界最大のホテルになる。テーマは水の都。敷地内を運河がめぐり、ゴンドラも登場する。しかし、ベネチアン最大の特徴は、リッチな客室にある。全

室スイートで、調度品もバスルームもデラックス。ミニバー、ファクシミリ、プリンターも全室に備えられる。誰もがハイローラーになった気分で滞在できるホテルだ。

パリス Paris

'99年9月、ベラッジオの真正面にエッフェル塔がお目見えする。シャンゼリゼ通りを歩き、凱旋門をくぐれば、そこにパリのアパルトマンを模した2,900室のホテルタワーが現れる。まだ詳細は未定だが、ストリップ側の部屋からは、シャンゼリゼの夜景に加えてベラッジオの噴水ショーの眺めも期待できそう。もちろん、料理とワインにも力を入れるそうで、ラスベガス産の地ワインも作るとか。ベラッジオとのグルメ対決が楽しみ。

ライオン像がカッコよくなった
MGM Grand

🏠3799 Las Vegas Blvd. S., Las Vegas, NV 89109
☎(702) 891-7111、📞(1-800) 929-1111、FAX(702) 891-1000、HOMEwww.mgmgrand.com.
⑤①①$55～220 ⒶⒹⒿⓂⓋ 地P.307 D-1

　他に類を見ないスケールの大きさのホテル、MGMグランド。751室のスイートを含む総客室数5,005は世界第2位だ。エメラルド・グリーンのガラスにおおわれたホテルは4棟から成り、それぞれオズの魔法使い、ハリウッド、南部、カサブランカをテーマにした内装が施されている。イタリア産の大理石をあしらったバスルームもなかなかゴージャスだ。もちろん、11のレストラン、ヘルスクラブ、サウナ、テニスコート、プールなども充実している。　　（'98）

ラスベガスにニューヨークの町が！
New York-New York

🏠3790 Las Vegas Blvd. S., Las Vegas, NV 89109
☎(702) 740-6969、📞(1-800) 693-6763、FAX(702) 740-6841、HOMEwww.nynyhotelcasino.com
⑤①①$49～220 地P.307 D-1

　ニューヨークにあるビルや自由の女神が1/3～1/2の大きさで再現されている、いまラスベガスで人気の1、2を競うホテル。ホテルの周りを一周するコースターやシミュレーションライドも人気だ。2,034室。
　　　　　　　　　　　　　　　　　（'98）

地中海の雰囲気たっぷりの
Monte Carlo

🏠3770 Las Vegas Blvd. S., Las Vegas, NV 89109
☎(702) 730-7777、📞(1-800) 311-8999、FAX(702) 730-7250、HOMEwww.monte-carlo.com
⑤①①$69～249 地P.307 D-1

　モナコにある公営カジノPlace du Casinoをイメージしており、シャンデリア、大理石を使用したインテリアはホテルの高級感をいっそう高めている。ホテル内で行われる「ランス・バートン」のマジックショーは、ラスベガス・エンターテインメント賞を受賞。　　　　　　　　　　　　（'98）

ラスベガスを代表する豪華ホテル
Caesars Palace

🏠3570 Las Vegas Blvd. S., Las Vegas, NV 89109
☎(702) 731-7110、📞(1-800) 634-6661、FAX(702) 731-7172、HOMEwww.caesars.com
スタンダード$115～、スーペリア$199～
ⒶⒹⒿⓂⓋ 地P.307 C-1

　ストリップに建つ大理石のシーザーの像。ホテル正面の巨大な噴水。ローマの神殿を思わせる入口からホテルまで延びる動く歩道に乗ると、終点は巨大なカジノ。入口にはローマの兵士の姿をした従業員が立っている。ホテルの部屋の壁はすべて鏡張り。レストラン「Caesars Magical Empire」ではアトラクションも楽しめる。ラスベガス流の派手な演出が隅々にまで行き渡った最もラスベガスらしいホテルだ。また、この辺りのネオンは、華やかで写真に撮っても絵になる。2,500室　　　　　　　（'98）

ラスベガスの発展はこのホテルから
Flamingo Hilton

🏠3555 Las Vegas Blvd. S., Las Vegas, NV 89109
☎(702) 733-3111、📞(1-800) 732-2111、FAX(702) 733-3353
⑤①①$69～229 ⒶⒹⒿⓂⓋ 地P.307 C-1

　現在の華やかなラスベガスの基礎となった重要なホテル。ストリップを通れば必ず見える、大きなピンクのフラミンゴのサインが目印。ホテルの内装もピンクが基調。3,642室。　　　　　　　　　　　（'98）

ラスベガスNo.1のリゾートホテル
Desert Inn

🏠3145 Las Vegas Blvd. S., Las Vegas, NV 89109
☎(702) 733-4444、📞(1-800) 634-6906、FAX(702) 733-4676
デラックスルーム$195、スーペリアルーム$275 ⒶⒿⓂⓋ 地P.307 C-1

　ストリップにあるリゾートホテル。プールやアスレチックの施設はもちろんのこと、PGAのゴルフ・ツアーが毎年開催される18ホールのゴルフコースや、テニスコート、ジョギング用のトラックなどを完備。町の中にいることを忘れてしまう優雅なホテル。昼間は体を動かして、夜はカジノや

ショーを見に町に繰り出す。リッチなラスベガスの1日を過ごせること間違いなし。715室。　　　　　　　　　　　　　　（'98）

大物スターと御対面
Las Vegas Hilton
🏠3000 Paradise Rd., Las Vegas, NV 89109
☎（702）732-5111、📞（1-800）732-7117、
📠（702）732-5805
ⓈⒹ＄95〜275　ⒶⓂⓋ　🗺P.307　B-2
　ストリップから少しはずれたコンベンションセンターの近くに位置する。現在スタートレックのアトラクションが登場し、人気を集めている。有料だが、チャイルド・ケアの施設があるので家族連れに人気がある。レストランが13入っている。3,174室。（'98）

テーマは南海の楽園
The Mirage
🏠3400 Las Vegas Blvd. S., Las Vegas, NV 89109
☎（702）791-7111、📞（1-800）627-6667、
📠（702）791-7446
ⓈⒹⓉ＄79〜399　ⒶⒹⒿⓂⓋ
🗺P.307　C-1
　夜になるとホテルの前では火山の大噴火が始まり、ホテル内には緑がうっそうと生い茂ったなか、カラフルな魚やサメが泳ぎ回る水槽がある。ミラージュは南の楽園をテーマとしたホテルだ。このホテルは人気のイリュージョン・ショー『ジークフリート&ロイ』が行われることでおなじみ。（'98）

大人から子供まで楽しめるカジノ&ホテル
Circus Circus Hotel
🏠2880 Las Vegas Blvd. S., Las Vegas, NV 89109
☎（702）734-0410、📞（1-800）444-2472、
📠（702）734-5897
🏠www.circuscircus.lasvegas.com
ⓈⒹⓉ＄39〜89　ⒶⓂⓋ　🗺P.307　B-1

　毎日行われている無料のサーカスがこのホテルの目玉。ストリップにある巨大なピエロの看板が目印だ。あらゆる年齢層の人々にエンターテインメントを提供し続け、映画『007』にも登場したことがあるラスベガスを代表するホテル&カジノ。
　　　　　　　　　　　　　　（'98）

初のハードロック・ホテルはここだ
Hard Rock Hotel
🏠4455 Paradise Rd., Las Vegas, NV 89109
☎（702）693-5000、📞（1-800）473-7625、
📠（702）693-5010
🏠www.hardrock.com
平日＄75〜250、週末＄135〜300
🗺P.307　D-2
　ハードロック・カフェがホテルを建ててしまった。正面玄関からエアロスミスのドラムセット、元プリンスのステージ衣裳など大物展示物のオンパレードだ。土地柄、ロビーはすっかりスロットマシンに占領されているが、その他いたる所にマドンナのミニドレスやB. B.キングのギターなどが所狭しと並べられている。ロビー横にはハードロック・カフェ同様ショップが設置されている。　　　　　　　　　　　　　（'98）

ダウンタウン周辺

金を眺めてリッチな気分に
Golden Nugget Hotel
🏠129 E. Fremont St., Las Vegas, NV 89101
☎（702）385-7111、📞（1-800）634-3454、
📠（702）386-8362
ⓈⒹⓉ＄59〜299　ⒶⒹⓂⓋ　🗺P.307　A-2
　ダウンタウンの中心にあるホテル&カジノ。ラスベガスというよりもハリウッドのような派手さで売っている。ここでの見ものはショッピングアーケードの入口に展示された約28kgのゴールデン・ナゲット（金塊）。一般に展示されている金塊では世界最大。　　　　　　　　　　　　　（'98）

【読★者★投★稿】
コロラド川下りのツアーはなかなか楽しい！
　グレイライン・ツアー#13 Colorado River Raft Tourに参加した。電話で予約すると当日の朝ホテルへ迎えにきてくれる。ネバダ州とアリゾナ州を左右に眺めながら、流れの穏やかな川を下る。ガイドはわざと水しぶきをあげて皆を喜ばせてくれるので、前方の席だとかなり濡れる。途中でボートを降りてランチボックス（記念に持ち帰れる）に入ったサンドイッチ、クッキー、ソーダ、リンゴを頬張った。日差しが強いのでサングラスと日焼け止めがあったほうがいい。　　　　（山里ゆかり　港区）（'99）

ラスベガスいちフレンドリーなホテル
Fitzgeralds Casino Holiday Inn

🏠301 Fremont St., Las Vegas, NV 89101
☎ (702) 388-2400、📞 (1-800) 274-5825、
FAX (702) 388-2181
HOME www.Fitzgeralds.com
オンシーズン⑤① \$40〜100、スイート
\$200〜400、オフシーズン⑤① \$30〜90、
スイート\$200〜300　ADJMV
地P.307　A-2

　ダウンタウンのど真ん中で、外観も部屋もきれい。おまけにフロントの人は極めて親切。Kenoが無料でできたり、バフェが安くなるFun Bookをくれた。また、部屋に入ってから、わざわざ電話で「不都合なことはありませんか」と確認してくれたり。少し古いが部屋は一流の設備で、もちろんカジノもあり。フロント横には、ストリップでのショーチケットを買うこともできるカウンターまである。そして、なにより安い！　638室。　(谷真里江　神戸市)(′99)

バスディーポ向かいの格安モーテル
Nevada Hotel & Casino

🏠235 S. Main St., Las Vegas, NV 89101
☎ (702) 385-7311、📞 (1-800) 637-5777、
FAX (702) 382-1854
⑤ \$29〜49、①① \$29〜69　ADJMV
地P.307　A-2

　バスディーポの目の前にある。部屋は良いとは言えないが、とにかく安いので倹約旅行者におすすめ。バス・トイレ・TV付き。
(吉井新司、淳子　広島市)(′99)

レストラン
Restaurant

　成長著しいラスベガスだけあって、チェーン・レストラン＆カフェが続々とこの町に進出している。

マジカル・ミステリー・ディナー
Caesars Magical Empire

🏠シーザース・パレス1階
☎ (702) 731-7333、📞 (1-800) 445-4544
開16：30〜23：00 (完全予約制)
料 \$77.50、夕方と深夜は \$67.50。5〜
10歳は半額　　　　　　　　地P.307　C-1
　不思議なディナーとマジックショーを楽しめる。ダイニングルームにも仕掛けがあり、食事中も目の前でさまざまなマジックが行われる。ショーは、大きなセットを使ったイリュージョンと、観客のすぐそばで行われるカードマジックの2種類があり、心ゆくまで何回でも観ることができる。ステージの合間には、広間で炎のショーを見たり、妖しげなバーで時間をつぶすといい。ひと通り見学すると約3時間と見応えたっぷり。5歳以上のみ。ちょっぴりドレスアップして行こう。

'60年代にタイムトリップ
Motown Cafe

🏠ニューヨーク・ニューヨーク１階ストリップ側 ☎(702) 740-6440

🕐7：30～1：00（金土～2：00）

🗺P.307　D-1

　テンプテーションズ、シュープリームスなどモータウン・サウンドがテーマで、シックスティーズの魅力をたっぷりと味わえる。12：00～24：00まで30分ごとにライブがあり、ダイアナ・ロスやジャクソン５のそっくりさんが懐かしい曲を聴かせてくれる。大きなマイクロフォンをデザインしたロゴグッズもgood！

スピルバーグが作った潜水艦カフェ
DIVE！

🏠ファッションショー・モール内ストリップ側

☎(702) 369-3483

🕐11：30～22：00（金土～23：00）

　外も中も潜水艦というユニークなレストラン。１時間ごとに潜水を開始し、食事をしながら深海の様子が眺められる。計器類や探査カプセルもちゃんと備えられている。BGMは海に関係のある曲だけ。料理はシーフードが中心で、もちろんサブマリン・サンドもある。ファッションショー・モールへ行ったら、ぜひのぞいてみよう。

ここの主役はやっぱりエルビス
Hard Rock Cafe

🏠4475 Paradise Rd.　☎(702) 733-7625

🕐11：00～23：00（金土～24：00、ショップは9：00から）　🗺P.307　D-2

　ハードロック・ホテルの隣にあるご存じテーマカフェの元祖。ミスター・ラスベガス、エルビス・プレスリーのグッズを中心に、ビートルズからボン・ジョビまでさまざまな衣装や楽器、ゴールドディスクが飾られている。ロゴショップは狭いけれど種類豊富。おなじみのTシャツ以外にもカラフルなアイテムがたくさんあり、大人気のオリジナル・ピンズもいろいろ揃う。

ラスベガスのバフェ一覧表

ホテル名 バフェ名	朝　食 料金（＄）	ランチ 料金（＄）	ディナー 料金（＄）	日曜ブランチ 料金（＄）
Bally's Big Kitchen Buffet	7:00～11:00 8.95	11:00～14:30 9.95	16:30～22:00 13.95	―
Ballagio Buffet at Bellagio	7:00～10:30 8.95	11:00～15:30 12.50	16:00～22:00 19.50	8:00～16:00 18.50（土日）
Caesars Palace Palatium Buffet	7:30～11:00 7.35	11:30～15:30 9.25	16:30～22:00 13.95～22.95	8:30～15:30 14.95（土日）
Circus Circus Circus Buffet	6:00～11:30 4.49	12:00～16:00 5.49	16:30～23:00 6.99	6:00～16:00 5.49（土日）
Excalibur Round Table Buffet	6:30～11:00 4.99	11:00～16:00 5.99	16:00～22:00 7.99	―
Flamingo Hilton Paradise Garden Buffet	6:00～12:00 6.50	12:00～14:30 7.50	16:30～22:00 9.95	―
Las Veags Hilton Buffet of Champions	7:00～10:00 7.99	11:00～14:30 8.99	17:00～22:00 12.99	8:00～14:30 11.99（土日）
Luxor Pharaoh's Pheast	6:30～11:30 5.99	11:30～16:00 7.49	16:00～23:00 9.99	
MGM Grand Oz Buffet	7:00～14:30 7.95		16:30～22:00 12.95	
Mirage Mirage Buffet	7:00～10:45 8.50	11:00～14:45 9.50	15:00～22:00 13.50	8:00～15:45 14.50
Rio Suite Carnival World Buffet	8:00～10:30 7.95	11:00～15:30 9.95	15:30～23:00 11.95	8:00～15:30 11.95
Rio Suite Seafood Buffet	―	11:00～14:30 16.95	16:00～22:00 22.95	
Treasure Island Treasure Island Buffet	6:45～10:45 6.99	11:00～15:45 7.50	16:00～22:30 9.99	7:30～15:30 9.99

バイクのショールームでお食事を！
Harley Davidson Cafe
🏠3725 Las Vegas Blvd. at Harmon Ave.
☎(702) 740-4555　　　　🗺P.307　D-1
🕐11：30～24：00（金土～1：00）

　大型バイクの代名詞、ハーレーをテーマにしたカフェが登場！　通りに突き出した巨大なバイクが目印だ。メタリックな店内には常にバイクのエンジン音が聞こえていて、何台ものハーレーや有名人のハーレー・グッズが展示されている。腕時計やジッポー、マウスパッド、ショットグラスなどロゴグッズも大人気。

薄手のピザが絶品
Spago
🏠フォーラム・ショップス
☎(702) 369-6300　　　　🗺P.307　C-1
🕐カフェ11：00～24：00、ダイニングルーム18：00～22：30（金土は17：30～23：00）

　カリフォルニア風のヘルシーなイタリアン・レストランで、オーナーシェフのウォルフガング・パック氏は、グルメなアメリカ人なら誰もがその名を知っている有名人。とてもオシャレな店だが、テラスに面したカフェならカジュアルな服装でOK。名物のピザは、シンプルなトマト＄10からスモークサーモン＆キャビア＄19.50まで8種類。デザートのプレゼンテーションも素敵。飲み物も含めた予算はカフェがひとり＄20～40、ダイニングは＄40～70とい

ったところ。

洗練されたルイジアナの味
Emeril's New Orleans Fish House
🏠MGMグランド1階
☎(702) 891-7374　　　　🗺P.307　D-1
🕐11：00～14：30、17：30～22：30、オイスターバーは11：00～22：30

　クレオールと呼ばれる南部ルイジアナ地方の料理を、現代風にアレンジした味が楽しめる。ニューオリンズの代表的な料理、ガンボ（オクラが入ったスープ）もあっさりとしている。奥の落ち着いたダイニングルームもいいが、入口にあるオイスターバーなら、ラフな格好で新鮮な生ガキにありつける。

バフェはもっともラスベガスらしい食事だ
　宿泊代や食事代の安いラスベガスでは、ホテルのレストランでも気軽にバフェ（食べ放題の食事）を楽しめる。最近はバフェの質を上げると同時に料金も高く設定している傾向がある。朝食で＄4.49～8.95、夕食で＄6.99～22.95と幅広い。
　左記のホテルでバフェをやっている。おなかいっぱい食べるのはいいが、礼儀として、お皿に取ってきたものは残さず食べること。
　なお、バフェはセルフサービスだが、ファストフードと違って後片付けはウェイトレスがやってくれるので、チップを忘れずに。
　バフェの料金については左表を参照。

ラスベガス

グランドキャニオン国立公園

フラッグスタッフの観光
案内所
🏠1 E. SR66, Flagstaff, AZ
86001
☎(520) 774-9541
📠(1-800) 842-7293
🕐月～土8:00～21:00、
日祝日8:00～17:00

ナバホピ・ツアーズ
🏠P.O. Box 339, Flagstaff,
AZ 86002-0339
☎(520) 774-5003
📠(1-800) 892-8687
💰片道＄12.50。1日3本
フラッグスタッフ～フェ
ニックス空港の便があり、片
道＄22

　数億年の歳月とコロラド川の急流が創り上げた大自然の驚
異、宇宙から見える地上唯一の地形、大地の歴史を刻み込んだ
壮大な地球史の博物館、さまざまな形容を耳にするアメリカを
代表する国立公園、グランドキャニオン。しかし実際にその渓
谷の縁に立ち、足下に広がる景色を目の当たりにすると、すべ
ての言葉が意味を持たなくなる。人間が考えつく形容詞などは
るかに超越したそのスケールに言葉を失い、ただ立ちすくみ、
自らの小ささに唖然とする自分に気づくだろう。
　その壮大なスケールと美しさを自らの目で確かめるために、
毎年世界中から多くの人がここを訪れる。アメリカを代表する
観光地でありながら、観光化と自然環境保護とを両立させてい
るその状況は、アメリカ人の自然との共存の努力の結果だ。太
平洋を越え、はるばるこの大陸に来たら何としても見逃せない
ポイントだ。

ゲートシティへの行き方　　　　　Access

　全長460kmのグランドキャニオンのうち私たちが見られるの
はごく一部。公園はコロラド川を狭んで**サウスリム（南壁）**と
ノースリム（北壁）に分かれるが、交通の便が良く、施設の整
ったサウスリムが一般にポピュラーだ。
　グランドキャニオンのゲートシティは南約100kmに位置する
フラッグスタッフFlagstaff（アリゾナ州）。グレイハウンドバ
スのバスディーポはダウンタウンの南側、モーテルの集まる
Milton Rd.近くにある。ロスアンゼルス、フェニックス、アル
バカーキ、ラスベガスからの便が走っており、フラッグスタッ
フのバスディーポから公園内のトゥシャン、マスウィク・ロッ
ジまではナバホピ・ツアーズNava-Hopi Toursのバスが走っ
ている。アムトラックもロスアンゼルスとアルバカーキ、シカ
ゴを結んでSouthwest Chief号が1日1往復運行されている。
フラッグスタッフのアムトラック駅からグランドキャニオンの
ブライトエンジェル・ロッジまではアムトラックの連絡バスが
1日2便運行されている。観光案内所はアムトラック駅の隣、
歩いて約10分。

空港

グランドキャニオン空港　Grand Canyon Airport（GCN）

　空港はサウスゲートの約1マイル南のトゥシヤンの町にある。ラスベガスから一年中毎日小型機フライトがある。

●**空港シャトルバン　Canyon Airport Shuttle**　空港からビレッジへは上記のシャトルバンが8：30〜17：30（冬期は10：30〜16：30）のあいだ1時間おきに走っている。2人以上ならタクシー（＄10）もおすすめ。空港へ行くときは電話をして迎えにきてもらおう。

グランドキャニオン空港
☎ (520) 638-2446
　レンタカー会社はない。

Canyon Airport Shuttle
✉ P.O. Box 3036, Grand Canyon, AZ 86023
☎ (520) 638-2475
🚗 ビレッジまで片道＄5

レンタカー

　ラスベガスやフラッグスタッフでレンタカーが借りられる。フラッグスタッフからはUS-180を北上するだけ。約65マイル、1時間15分ほどのドライブだ。ラスベガスからはUS-93を南へ。アリゾナ州キングマン KingmanからI-40東に乗り、約120マイルでウィリアムズ Williamsだ。AZ-64に移ればサウスリムまで一本道。ラスベガスから約5時間の道のりだ。車があればモニュメント・バレーやノースリム、レイク・パウエルにだって足を延ばすことができる。せっかく車を借りたのだからアメリカ西部の大自然を大いに楽しもう。

グランドキャニオンにも小さな空港がある。公園まではシャトルバンかタクシーで

ナバホピ・ツアーズ時刻表　片道 ＄12.25							'99年5月中旬〜10月下旬	
7：30	14：30	発	Flagstaffアムトラック駅	▲	着	12：30	19：00
7：45	14：45	発	〃 ナバホピ・ターミナル	┃	着	12：15	18：50
9：20	16：15	着	Tusayan	┃	発	10：45	17：15
9：45	16：30	着	▼ Maswik Lodge		発	10：30	17：00

※季節によってスケジュールの変更があるので、要確認。

Scenic Airlines
📧2705 Airport Dr., North Las Vegas, NV 89030
☎ (702) 638-3348
🆃 (1-800) 387-9032
🆕 (702) 638-3275
🅷🅾🅼🅴www.scenic.com
東京 (03) 3798-1003
🆕 (03) 3798-1125

グランドキャニオン国立公園の入園料：車1台＄20、その他の入園方法はひとり＄10

観光案内所
☎ (520) 638-7888
🕐6～8月7：30～20：30、9～5月8：00～17：00
センターでは『The Guide』という公園の新聞を入手しよう。
📖P.329
園内を無料のシャトルバスが走っている

小型機によるツアー

　ラスベガスやロスアンゼルス、サンフランシスコから、小型セスナ機やヘリコプターでグランドキャニオンまで飛ぶツアーが多数ある。観光バスや昼食をセットした日帰りコースや、1～3時間の遊覧飛行コース、ホテル代をセットしたオーバーナイトコースなど、各社さまざまなツアーを企画している。ラスベガスから日帰りで＄100～400、ロスアンゼルスから日帰りで＄300～400程度。シーニック航空など数多くの航空会社があり、日本から予約できるものもある。

観光案内所 ★ Information

Main Visitor Center

　サウスリム・ビレッジにあるビジターセンター＆公園本部。グランドキャニオンについての一般的な情報から、公園内のホテルやキャンプ場の空き具合、レンジャーによる各種プログラムの予定などを知ることができる。また、近くには郵便局やスーパーマーケット、銀行などもある。

グランドキャニオン国立公園の歩き方　　Walking ★

　とてつもなく大きなグランドキャニオン、そのスケールを知るには1ヵ所にとどまっていてはダメ。とにかく動いてみることだ。私たちが見られる範囲は全体から見ればごく一部だが、それでもさまざまな景色を見ることにより、その大きさが実感できるだろう。そして時間があれば下から見上げたり、上から見下ろしたりして、3次元的に角度を変えてみるとさらに世界が広がる。
　最もポピュラーな観光の方法はリムからキャニオンを見下ろ

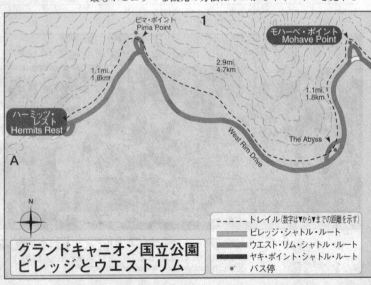

グランドキャニオン国立公園
ビレッジとウエストリム

ピマ・ポイント
Pima Point

モハーベ・ポイント
Mohave Point

1.1mi.
1.8km

2.9mi.
4.7km

1.1mi.
1.8km

ハーミッツ・レスト
Hermits Rest

West Rim Drive

The Abyss

A

N

---- トレイル（数字は▼から▼までの距離を示す）
──── ビレッジ・シャトル・ルート
──── ウエスト・リム・シャトル・ルート
──── ヤキ・ポイント・シャトル・ルート
● バス停

す方法。サウスリムではリムに沿ってビレッジから東西にドライブルートが延びている。3月中旬〜10月中旬の間はビレッジ内とビレッジ〜ウエストリム、ビレッジ〜ヤキ・ポイント間を3種類無料のシャトルが走っており、イーストリムの一部、ウエストリムのさまざまなビューポイントに車なしで行くことができる。さらに、ビレッジ東端のヤバパイ・ポイントからブライトエンジェル・ロッジまでトレイルが延びているので、ぜひ歩いてみよう。高低差もあまりなく誰でも歩けるトレイルだ。

サウスリムのおすすめポイントはいくつもあるが、日の出を見るのにいちばん適しているのは**ヤバパイ・ポイント Yavapai Point**。夕陽に比べて色の変化には乏しいが、その神々しい雰囲気はキャニオンが最も神秘的に見える一瞬だ。

グランドキャニオンのハイライトは日没。太陽が西に傾くにつれ、変わっていく色の変化と光と影が作り出すコントラストがキャニオンをより美しくする。夕陽を見るベスト・ポイントは、ウエストリムの**ホピ・ポイント Hopi Point**や**モハーベ・ポイント Mohave Point**。どちらもシャトルバスで行くことができる。イーストリムにはキャニオンのスケールを実感させてくれるビュー・ポイントがたくさんあるが、**ヤキ・ポイント Yaki Point**や**グランドビュー・ポイント Grand View Point**は、切り立った断崖の上にある展望台が迫力満点。最も東端にある**デザート・ビュー Desert View**からは、西に見える複雑な地形のキャニオンと北に広がる平坦な砂漠の対比がおもしろい。イーストリムへはツアーバスを利用することになる。

標高が300〜600m高い対岸のノースリムは、また違ったグランドキャニオンの顔を見せてくれる。樹木が豊富で木の葉が黄色に色づく秋はとくに美しい。冬は降雪も多く10月中旬から5月半ばまで閉鎖される。サウスリムに比べ不便であるが、静かで落ち着いた雰囲気を味わえる。

ウエストリムにもキャニオン沿いにトレイルが続いているので、歩いてそのスケールを実感したい。

リムの標高は2,000m以上の高地だが、キャニオン内は砂漠の気候に近い。日中はかなりの高温になるので、トレイルを歩く人は必ず十分な量の水を用意しよう。

ヤバパイ・ポイントから見る夕陽

★
グランドキャニオン国立公園

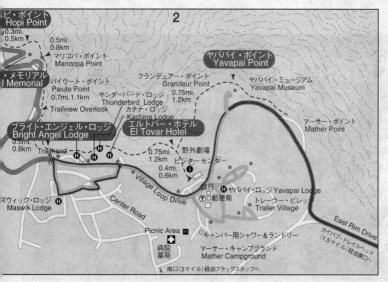

2

ホピ・ポイント
Hopi Point
0.3mi.
0.5km

0.5mi.
0.8km
マリコパ・ポイント
Maricopa Point

・メモリアル
I Memorial

パイウート・ポイント
Paiute Point
0.7mi.1.1km
Trailview Overlook

サンダーバード・ロッジ
Thunderbird Lodge
カチナ・ロッジ
Kachina Lodge

ブライト・エンジェル・ロッジ
Bright Angel Lodge
エルトバー・ホテル
El Tovar Hotel

0.5mi.
0.8km
Trail head

ヤバパイ・ポイント
Yavapai Point

グランデュアー・ポイント
Grandeur Point
0.75mi.
1.2km

ヤバパイ・ミュージアム
Yavapai Museum

マーサー・ポイント
Mather Point

0.75mi.
1.2km
野外劇場
0.4mi.
0.6km
ビジターセンター

Village Loop Drive

スウィック・ロッジ
Maswik Lodge

Center Road

銀行
郵便局

ヤバパイ・ロッジ Yavapai Lodge
トレーラー・ビレッジ
Trailer Village

East Rim Drive

Picnic Area

病院
薬局

キャンパー用シャワー＆ランドリー

マーサー・キャンプグランド
Mather Campground

カイバブ・トレイルヘッド
(1.5マイル)経由車口へ

南口(3マイル)経由フラッグスタッフへ

ブライトエンジェル・トレイル

1,600mを超える大岩壁を見上げると、さらに違ったキャニオンの姿が見えてくる。谷底に下りるトレイルはいくつかあるが、ビレッジにトレイル・ヘッドがあるのは**ブライトエンジェル・トレイル Bright Angel Trail**。コロラド川を見下ろすプラトー・ポイントまで往復6〜10時間、川までは9〜14時間もかかる（谷底までの日帰りの往復は決してしないこと）。帰りが登りということでかなりハードだが、2、3時間でもいいからぜひ下りてみよう。数十億年の歳月が創り上げた岩壁を見上げると、大自然の力にただ感激。

とりあえず、ポイントを素早く回ってしまいたい人には、Am Fac Park & Resort社が運行させている下記のビレッジ内発のツアーがおすすめ。とくにイーストリムは、園内の無料シャトルも行かない広範囲を回ってくれる。2つを合わせたコンビネーション・ツアーもある。予約はロッジのツアーデスク、または☎ (520) 638-2631へ。

ハーミッツ・レスト・ツアー
運行：6〜9月は1日3回、
10〜5月は1日1回の運行
料 大人 $12.50、所要2時間

●ハーミッツ・レスト・ツアー　Hermit's Rest Tour

ブライトエンジェル・ロッジを出発し、ウエストリムの各ビューポイントに停まりながらハーミッツ・レストまで行くツアー。シャトルバスのない時期には、このツアーを利用しよう。

読*者*投*稿

園内の無料シャトルについて

運行時間に気をつけて。シャトルはロッジ間を往復する①Village Loopと、ウエストリムを往復する②West Rim Loopに分かれており、①は6:30〜22:30、②は7:30〜日没となっている。②の最終便は、ウエストリム・インターチェンジを日没の40分前に出発し、行きは全停留所にストップするが、帰りはモハーベ・ポイントにしか停まらない。これとは別に臨時便が出るが、これはウエストリム・インターチェンジとホピ・ポイントにしか停まらない。つまり、これ以外のポイントで夕陽をみたり、停留所から遠く離れたところにいってしまうと、おいてけぼりをくらうおそれがあるのだ。私はホピ・ポイントで夕陽をみたあと、臨時便の最終便で帰ったのだが、辺りは電気もなく真っ暗。帰りの道で、運良くバスの運転手に発見され、乗せてもらった人が3組もいた。

（曽我部忠男　八尾市）

プラトー・ポイント

●デザートビュー・ツアー Desert View Tour

ブライトエンジェル・ロッジを出発し、エル・トバ・ホテル発でヤバパイ博物館を見たあと、イーストリムのビューポイントを巡って23マイル離れたデザートビューまで行く。変化に富んだ眺望を楽しめるおすすめツアー。

デザート・ビュー・ツアー
運行：6～9月は1日2回、
10～5月は1日1回
圏大人＄23.50。所要4時間

時間がない人におすすめなのは、空からキャニオンを眺めるツアー。グランドキャニオンの空港や近くのトゥシヤンの町には、ヘリコプターやセスナによる遊覧飛行を行っている会社がいくつかあり、手軽に空からの観光ができる。空中でホバリングしたり、少し谷に入ったりできる分、ヘリのほうが迫力がある。なお、トゥシヤンからのツアーに参加するときは一度公園から出るので、入園の際のレシートを忘れず持参すること。

Papillon Grand Canyon
Helicopters社
サウスリム発
☎ (520) 638-2419
FAX (520) 638-9349
HOMEwww.papillom.com
日本での予約先：アクセス
☎ (03) 3567-4815

●Papillon Grand Canyon Helicopters社

①ノースキャニオン・ツアー North Canyon Tour

ハーミッツ・レストの西からコロラド川上空を横断。そびえ立つ巨大な岩の芸術を足下に見る約30分の迫力のツアー。

②インペリアル・ツアー Imperial Tour

ビレッジ西方の複雑な地形のキャニオンから、東に広がる砂漠まで、さまざまな地形が見られる。大自然の力と美しさが楽しめる約45分のツアー。

ノースキャニオン・ツアー
圏大人＄99、子供＄80

インペリアル・ツアー
圏大人＄159、子供＄128

★ ★ ★ ホテル ★ ★ ★
Hotel

サウスリムの公園内にある宿泊施設は、すべてAmFac Parks & Resortsによって運営されている。ビレッジ内には合計で1,000室の部屋（＄277のスイートから＄21のドミトリーまで）がある。夏のピーク時でなければ予約なしでも宿泊は可能だが、やはり確実に予約を入れたほうがよい。手紙かFaxで、日時、到着予定時刻、人数、希望のロッジを第2希望まで明記の上、連絡をしよう。また、キャンセル時も必ず連絡をすること。

AmFac Parks & Resorts

住14001 E. Iliff Ave., Aurora, CO 80014
☎ (303) 297-2757、FAX (303) 297-3175、
当日予約は ☎ (520) 638-2401
HOMEwww.amfac.com AMV

サウスリムのビレッジ内には以下のようなロッジがある。なお、すべてバス付きとは限らない。

Bright Angel Lodge & Cabin

園内観光バスの発着所にもなっている便利なロッジ。88室。スタンダード⑤①$58、キャビン$94～114。　　　　地P.329

Yavapai Lodge

ビジターセンターの近く、園内最大のロッジ。358室。3～11月のオープンで⑤①①$83～93。　　　　　　　　　　地P.329

Maswik Lodge

部屋の種類が多い。リムから徒歩5分。288室。⑤①$75～111。　　　　地P.329

Thunderbird Lodge & Kachina Lodge

部屋からキャニオンが見える。新しいので料金は高め。計55室　⑤①$107、リム沿いの部屋は$117。　　　　　　地P.329

El Tovar Hotel

歴史と伝統を持つリゾートホテル。78室⑤①①$112～169、スイート$192～277。
　　　　　　　　　　　　　　　　地P.329

※

予約なしでグランドキャニオンを訪れる人は、なるべく午前中に到着しよう。着いたらすぐにロッジのフロントに直行して部屋の空き具合を聞く。部屋がなくても毎日かなりのキャンセルがでるので、ダメだったらフラッグスタッフまで戻る覚悟でキャンセル待ちにトライしてみよう。

フラッグスタッフ

Comfort Inn

🏠914 S. Milton Rd., Flagstaff, AZ 86001
☎(520)774-7326、FAX(520)774-7328
夏期⑤$49～80、①①$49～83、冬期⑤$35～60、①①39～69　　　　　ADMV
バスディーポの近く。サウスウエスト風の内装。67室。　　　　('98)

Holiday Inn Flagstaff

🏠2320 E. Lucky Ln.,Flagstaff, AZ 86004
☎(520)526-1150、FAX(520)779-2610
夏期⑤①①$89～129、冬期⑤①①$69～99　　　　　　　　　　　ADMV
コインランドリー、プール、レストランあり。比較的安いが設備が良い。157室。
　　　　　　　　　　　　　　　　('98)

Budge Host Saga Motel

🏠820 W. Route 66, Flagstaff AZ 86001
☎(520)779-3631
夏期⑤①$46、①$49～57、冬期⑤$30、①$34、①$38～46
小さいながらプールもあり。安いけれど清潔。週料金もある。29室。　　('98)

ウエスト・リム

ロッキー山脈と西部

Rocky Mountain & West

グレイハウンドでの所要時間

❶+❷　Fargo～Kansas City　17時間
❸+❹　Kansas City～Dallas　13時間
❺　Dallas～Houston　5時間
❻　Fargo～Billings　12時間
❷+❼　Kansas City～Salt Lake City　24時間
❽　Kansas City～Denver　13時間
❸+❾　Kansas City～Albuquerque　17時間
❿　Ft. Worth～El Paso　12時間
⓫　Ft. Worth～San Antonio　6時間
⓬　Houston～San Antonio　4時間
⓭　Denver～Albuquerque　10時間
⓮　Albuquerque～El Paso　5時間
⓯+⓰　Spokane～Salt Lake City　17時間
⓱　Salt Lake City～Portland　22時間
⓲　Salt Lake City～Las Vegas　12時間
⓳　Denver～Las Vegas　15時間
⓴　Albuquerque～Flagstaff　6時間
㉑　Flangstaff～Los Angeles　13時間
㉒　Flagstaff～Phoenix　3時間

㉓　Phoenix～Los Angeles　7時間
㉔　Phoenix～El Paso　9時間

アムトラックでの所要時間

①　Fargo～Spokane　21時間
②　Omaha～Denver　9時間
③　Kansas City～Albuquerque　17時間
④　Texarkana～Dallas　6時間
⑤　Ft. Worth～San Antonio　7.5時間
⑥　Houston～San Antonio　5時間
⑦　Denver～Salt Lake City　15時間
⑧　Albuquerque～Flagstaff　5時間
⑨　El Paso～Tucson　6時間
⑩　San Antonio～Tucson　13.5時間

所要時間はおおよその時間です。停車する町や運行する時間によって変動があります。
また、乗り換えに要する時間は含まれていません。

Salt Lake City

Seattle
Denver Chicago
San Francisco New York
Atlanta
Los Angeles New Orleans
Miami

ソルトレイク・シティ

　空港からダウンタウンに向かう。車窓に小ぢんまりとした町
と、背後に連なる雪におおわれた山々が美しく見える。郊外に
は西部ならではの荒野も広がっている。雄大な自然に親しむ旅
の基地として、また、世界一の雪質ともいわれるスキーリゾー
トの中心として、理想的な条件を備えているユタ州の州都ソル
トレイク・シティ。町そのものは、モルモン教の総本山の所在
地として知られる。クリーンで治安もよく宿泊費も比較的安い
この町を基点に、大自然と年間を通じて盛りだくさんのスポー
ツ・アクティビティを思いきり楽しみたい。カウントダウンも
始まった2002年冬季オリンピックの開催地として、これから
ますます脚光を浴びていくことはまちがいない。

ダウンタウンへの行き方　　　★ Access

空 港

ソルトレイク・シティ国際空港
Salt Lake City International Airport (SLC)

　ダウンタウンの西約5マイル（約8km）にあり、ここにハブ
をもつデルタ航空をはじめ、11の航空会社が乗り入れている。
バゲージクレームには、スキー板用のターンテーブルや、スキー
のレンタルショップ（11〜4月の8：00〜20：00オープン）まであ
る。さすがにスキー基地だ。パークシティ、スノーバードなど
といったスキーリゾートへは、空港から直行するシャトルも走っ
ていて、バゲージクレームの端に専用のカウンターがある。

d a t a

人　口	約171,800人		6.35%
面　積	608km²		ホテル・タックス
標　高	1,334m		9.9%
市の誕生	1856年	属する州	ユタ州　Utah State
情　報	Salt Lake Tribune	州のニックネーム	ビーハイブ（蜜蜂の巣箱）州
	（朝刊紙）平日版＄1		Beehive State
	日曜版＄2.50	時間帯	マウンテン・タイム
T A X	セールス・タックス		ゾーン

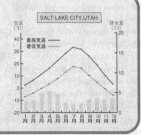

●**UTAバス　UTA Bus**　ターミナル１の前とターミナル１、２の間に停留所がある。#50（夜間は#150）のバスが走っており、ダウンタウンまで約30分。

●**ホテルの送迎バス　Courtesy Bus**　空港がダウンタウンに近いため、ダウンタウンのホテルの多くが、空港〜ホテル間の無料送迎シャトルバスを走らせている。到着ロビー（バゲージクレーム付近）にある直通電話で予約を入れてから待つといい。

●**タクシー**　ダウンタウンまで約10〜15分。

長距離バス

グレイハウンド・バスディーポ　Greyhound Bus Depot
ダウンタウンの中心、テンプル・スクエアまで１ブロック。西部の基点となる大きなディーポだ。

鉄　道

アムトラック・ディーポ　Amtrak Passenger Depot
ダウンタウンの西側、観光案内所にも近いところにある。

ソルトレイク・シティの歩き方　★ Walking
　町の中心はモルモン教の総本山、**テンプル・スクエア**。そのモルモン教徒がつくり上げた町は整然としており、とてもわかりやすい。市内の見どころも歩いて行ける範囲にあり、観光しやすい町といえるだろう。近郊の見どころへはツアーバスが便利。❶の資料を研究して、自分に合ったものを見つけよう。

観光案内所 ★ Information

Salt Lake Convention & Visitors Bureau
　バスディーポを出て左に歩くと最初の通りがWest Temple St.。これを右に曲がり、２番目の信号の手前がビジターセンター。ソルトレイク・シティについての情報のほかユタ州についての資料も豊富。ホテルの予約もできる。観光客用の駐車場あり。州議事堂にも案内所がある。

Utah Travel Council
　豊かな自然をもつユタ州内の、国立公園、国有林、州立公園などに関する情報がそろう。無料のパンフ類のほか、美しい写真集、地図、書籍がそろっている。州議事堂前のCouncil Hall内。

市内の交通機関 ★ Public Transportation

Utah Transit Authority（UTA）
　ダウンタウンから郊外までをカバーしているバス・システム。スケジュールはビジターセンターで手に入る。トランスファーは無料で、Outbound（郊外行き）は２時間以内、Inbound（ダウンタウン行き）は１時間以内に使用可。冬期はスキーバス（ダウンタウンから$４）の運行も行っている。市内の一部の区域（P.337地図参照）は無料。

テンプル・スクエアのアセンブリー・ホール

★ ソルトレイク・シティ

UTAバス
☎ (801) 287-4636
運行：平日昼間はおおむね30分に1本
🚌 $1

タクシー
🚌 $12〜15

グレイハウンド・バスディーポ
🏠 160 W. South Temple St.
☎ (801) 355-4684
🕐 24時間営業
🗺 P.337　A-1

アムトラック・ディーポ
🏠 320 S. Rio Grande
☎ (801) 531-0188
🗺 P.337　A-2

Salt Lake Convention & Visitors Bureau
🏠 90 South West Temple St., Salt Lake City, UT 84101
☎ (801) 521-2822
HOME www.visitsaltlake.com
🕐 月〜金8：00〜17：00、土9：00〜17：00、日10：00〜17：00
🗺 P.337　A-1

Utah Travel Council
🏠 300 N. State St., Salt Lake City, UT 84114
☎ (801) 538-1030、1467
🕐 月〜金8：00〜17：00、土日祝日10：00〜17：00
🗺 P.337　A-1

UTA
☎ (801) 287-4636
🚌 $1。ダウンタウンには無料乗車ゾーンがある。トランスファーは無料

読★者★投★稿
ソルトレイクのUTAバスは余裕をもって
　バスは時間に遅れるのが普通のよう。予定をたてるときには必ず20〜30分くらいの余裕を持つ必要がある。昼から夕方にかけては、私は30分バスを待っても来なかったことがあった。
（疋田幸子　岡山市　'98）

グレイライン
☎ (801) 521-7060
Ⓣ (1-800) 309-2352
HOME www.grayline.com/
saltlakecity

グレイライン　Gray Line of Salt Lake City

出発場所：Shilo Inn（住206 S. West Temple）のホテル前

番号	ツアー名	料金	運行	所要時間	内容など
1	Salt Lake City-AM & PM Tours	$17	4/1〜10/31の毎日 9：00、14：00発	3〜4時間	モルモン・テンプル、タバナクル、ブリガム・ヤング記念碑などモルモン教のゆかりの地、ユタ大学、州議事堂などを回る。
2	Utah Copper Mine	$27	4/1〜10/31の毎日 14：00発	4時間	ビンガム銅山、グレート・ソルトレイクなどにストップする。

Attractions
おもな見どころ ★

テンプル・スクエア
住50 W. North Temple
☎ (801) 240-2534
圖毎日9：00〜21：00
料無料
地P. 337　A-1

モルモン教の総本山
テンプル・スクエア ★ Temple Square

　全世界に1,000万人の信者を持つモルモン教（末日聖徒イエス・キリスト教会 The Church of Jesus Christ of Latter-day Saints）の総本山がテンプル・スクエアだ。1847年7月24日、ブリガム・ヤングに率いられたモルモン教徒がこの地に入植してから、常にソルトレイク・シティの中心として町の発展を見守ってきた。

UTAバス路線一覧表

行き先	路線番号	見どころ
Lagoon /Pioneer Village	#70	プール、動物園、夜はミュージカルも催される遊園地 パイオニア・ビレッジは開拓時代を再現した町
City and County Building	#15、27、29、32、33	建設当初の1896年、ユタ州の議事堂であった歴史的建物 '89年に新しく市庁舎として利用を始めた 火土にツアーあり ☎(801)533-0858
Trolley Square	#27、32、33	かつて、トロリーの車庫であったところを、ショップ、レストラン、劇場に利用している
Liberty Park	#6、10、27、32、33	たくさんのめずらしい鳥を集めた公園
Pioneer Trail State Park	#4	モルモン教徒の移住の記念碑と開拓期の生活をかいま見る、オールド・デザートなど
Hogle Zoological Gardens	#4	1,000頭以上の動物を集めた動物園
Fort Douglas	#4、29、54	リンカーン大統領のとき建てられた砦と博物館
University of Utah	#3、4、5、7、11、29、52、54、55	広大なキャンパスのあるユタ大学 大学内にあるPioneer Memorial Theatreでの舞台が人気 年6回ほど上演 ☎(801)581-6961
Utah Museum of Fine Arts	#4、29、54、55	17世紀から現在までの世界各国の美術作品がある
Utah Museum of Natural History	#4、5、7、11、52、54、55	ユタ大学内にある自然史博物館
The Avenues	#1、2、3	古い邸宅が並ぶ
Memory Grove	#1、2	ユタの戦争犠牲者を祭ってある
Utah State Capitol Building	#23、61	コリント式の州議事堂
Pioneer Memorial Museum	#23、61	37もの部屋に開拓時代の遺物が展示してある
Council Hall	#23	かつて政治に使われた会議場
South Temple Street	#3、4、5、7、11、52、54	歴史的見どころの集まった通り
Alta	#90、92、93、94、98	1,600エーカー、全米で2番目に古いスキー場
Snowbird	（スキーシーズンのみ）	1,900エーカー、半分は上級者用のコース
Brighton	#90、92、93、96	家族向きのスキー場
Solitude	（スキーシーズンのみ）	パウダー・スノーのスキー場として知られる

●ビジターセンター　Visitor Center

　まずは、モルモン教の歴史や教義などがわかりやすく解説されているビジターセンターを訪れてみよう。南北のゲートのすぐ隣にあり、それぞれ案内をしてくれる宣教師が常に数名いる。彼らは全員2カ国語以上の言葉が話せ、どんな質問にでも気軽に答えてくれる。ツアーは8：00〜22：00（冬期9：00〜21：00）の間で行われている。日本から来ている宣教師も6〜7人おり、申し込めばスクエア内を案内してくれる。日本語のガイドツアーは、9：00、11：00……と、おおむね奇数時に催行されることが多い。また、詳しく知りたい人のために日本語の映画もある。短いものは15分ぐらいなのでぜひ見てみよう。

ソルトレイク・シティを救ったカモメのモニュメント

●ソルトレイク・テンプル　Salt Lake Temple

　スクエアの中心となる6つの尖塔をもった神殿。モルモン教徒のバプテスマや結婚式などの儀式に使われるもので、モルモン教徒しか入ることができない。内部の様子の一部は南側のビジターセンター内で知ることができる。1853年から40年の歳月をかけて完成された建物は、近郊で採掘された花崗岩で作られている。

6つの尖塔を持つ
ソルトレイク・テンプル

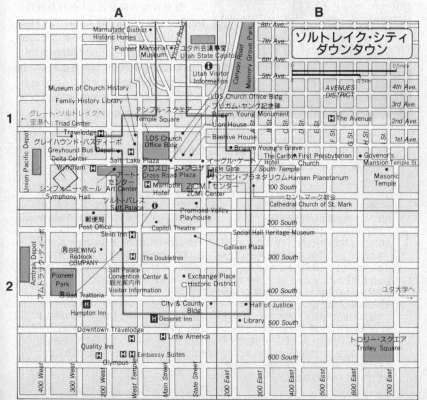

ソルトレイク・シティ
ダウンタウン

※赤ワク内はUTAの無料ゾーン

●大礼拝堂　Tabernacle

　1867年に完成した6,500人を収容できる礼拝堂。11,623本ものパイプからなる世界最大級のパイプオルガンが荘厳な雰囲気を作り出している。天井を支える柱を1本も用いていない構造とかすかな音でも隅々に響き渡る音響効果は、建築学的に見ても極めて優れたものだ。

　ここでの見どころはパイプオルガン・リサイタルと聖歌隊のコンサート。パイプオルガンのリサイタルは月～土は12：00（夏期は14：00からもあり）、日曜は14：00から行われる（約30分）。巨大なパイプオルガンの奏でる音は時に迫力があり、時に繊細に響き渡る。そして見逃せないのが、世界的にその名を知られている**モルモン・タバナクル聖歌隊 Mormon Tabernacle Choir**のコンサートだ。その美しい歌声を聞いていると心が洗われる思いがする。日曜日の9：30から行われるコンサートの模様は60年以上も前から全米各地に生放送されており、9：15までに入場すれば誰でもコンサートが楽しめる。

　また木曜の20：00からコンサートのリハーサルが行われており、こちらも見ることができる。指揮者の指揮の様子など、リハーサルならではの楽しみも味わえる。

　その他スクエア内には、有名な演奏家のコンサート（おおむね金土の19：30から。夏期は他の曜日にも）が行われる、1880年に完成した**集会場 Assembly Hall**や、**モルモン教徒開拓民の一家のモニュメント Mormon Pioneer Memorial**、1848年に農作物がイナゴの害にあって全滅しかけたときにカモメによって救われたことを記念する**カモメのモニュメント Seagull Monument**などがある。

タバナクル聖歌隊リサイタル
🈴無料

大礼拝堂のパイプオルガン。リサイタルも行われる

モルモン教ってどんなもの？

　1805年、ニューヨーク州の片田舎で生まれたジョセフ・スミスは、1823年に、モロナイという天使の訪れを受けた。そして、その天使から金版を授かったのである。モルモンという名はその教典を編集した予言者の名である。

　ふつうの人には読解不可能とされているこの金版をスミスは英語に翻訳、1830年にモルモン書を出版した。こうしてモルモン教は、アメリカで啓示を受けた最初のキリスト教の一派となったわけである。むろん、カトリックでもプロテスタントでもない。標準聖典は聖書のほかモルモン書、教義と聖約、高価な真珠がある。

　スミスは住民から抵抗、迫害を受け、信者を率いてオハイオ、ミズーリと西へ西へと移っていく。イリノイではノーブーという町を建てたが、1844年にスミスは暴徒に殺されてしまう。

　それを引き継いだのが、現代のモーセといわれるブリガム・ヤングである。

　1万5,000人の信徒、ワゴン3,000台、牛3万頭を引き連れて、ヤングの一行は凍てついたミシシッピ川を渡り、ミズーリ河畔で越冬し、1年がかりで2,000kmを踏破し、ユタ州の荒涼たるグレート・ソルトレイクのほとりに到着した。

　大陸横断鉄道完成の1869年ごろには、計8万5,000人のモルモン教徒がこの地に着いた。畑を耕し、やがて荒れ地を緑の地に変え、整然としたソルトレイク・シティをつくりあげたのである。

　一般的に、モルモン教というとすぐ一夫多妻主義という言葉が出てくるが、アメリカの法律にそって1890年禁止し、一夫一婦制をとっている。ちなみにモルモン教の正式名は末日聖徒イエス・キリスト教会で、日本の信徒数は約11万人。

テンプル・スクエア周辺のモルモン教ゆかりの見どころ

●教会史博物館と美術館　Museum of Church History and Art

テンプル・スクエアの西隣。1階にはモルモン教の歴史と開拓者たちの苦労、ソルトレイク・シティの発展の様子などの展示、2階は19世紀、20世紀の絵画や彫刻そしてモルモン教の発展に尽くした人々の肖像画が展示されている。

教会史博物館の展示

●ブリガム・ヤング記念碑　Brigham Yang Monument

South TempleとMain St.の交差点に建つモルモン教の英雄の記念碑。1897年に建てられた記念碑の北側にあるブロンズのプレートには、1847年7月24日にこの地に到着したモルモン教の入植者の名前が刻まれている。

●LDS教会本部ビル　The LDS Church Office Building

スクエアの東側にあるモルモン教会の事務的な仕事を行っているところ。このビルの26階にある展望台からは眼下のテンプル・スクエアからユタ大学、ワサッチの山々まで、すばらしい眺望が楽しめる。

●映画 "The Legacy"

LDS教会本部ビルと同じブロックのSouth Temple St.側にある堂々たる建物がJoseph Smith Memorial Building。かつては高級ホテルであっただけにロビーの豪華さは必見だ。そして、この建物の2階にある劇場で上映されているのが、初期モルモン教の苦難の歴史を描いた映画 "The Legacy" だ。普通の映画館よりもはるかに快適な座席で、大画面と優れた音響を楽しめる。70mmフィルムを使った53分の映画だ。内容は、ジョセフ・スミスに率いられて約束の地を求める人々の姿に、主人公イライザの恋なども交えて描いたもの。映像はとても美しく、迫力がある。

教会史博物館と美術館
📍45 North West Temple St.
☎ (801) 240-3310
🕐月～金9：00～16：30
💰無料
🗺 P. 337　A-1

LDS教会本部ビル
📍50 East North Temple St.
☎ (801) 240-2190
🕐月～土9：00～17：00
冬期は月～金9：00～16：30
💰無料
🗺 P. 337　A-1

The Legacy
☎ (801) 240-4383
🕐月～土10：30～19：30
💰無料。チケットはスクエアのビジターセンターか劇場のチケットブースで入手する
🗺 P. 337　A-1

★ソルトレイク・シティ

ユタ州議事堂
On Capitol Hill
☎ (801) 533-5681
🕐 月～金8：00～16：00
🗺 P. 337　A-1

花に囲まれた州議事堂
ユタ州議事堂 ★ Utah State Capitol

町を見下ろす小高い丘の上に、まわりを美しい花に囲まれた大理石と御影石で造られた州議事堂がある。1916年に建てられた比較的新しい議事堂で、美しい内部を見てまわる無料のツアーが随時行われている。議事堂の正面からは町の中を真っすぐに貫いて走るState Streetがどこまでも延びていくのが見える。

無料のツアーでも見学できる州議事堂

ハンセン・プラネタリウム
15 S. State St.
☎ (801) 538-2104
🕐 月～木9：30～21：00、金土9：30～24：00、日12：00～17：30、1時間30分ごと
　季節や日によってショーのメニューや時刻は変わる。
💲 プラネタリウムは大人＄4、子供（13歳未満）＄3、レーザーショーは＄7.50
🗺 P. 337　A-1

3Dのショーもあるプラネタリウム
ハンセン・プラネタリウム ★ Hansen Planetarium

ダウンタウンの真ん中にあり、併設する博物館とともに子供たちには大人気だ。プラネタリウムは1日4回あり、そのほかに音楽に合わせ、光が躍るレーザーショーや大人気の3-Dレーザーショーなどがある。高地にあり空気が澄んだ日が多いソルトレイク・シティ。昼間のプラネタリウムで見た実物を夜確かめるのもおもしろい。

Suburb Points
郊外の見どころ ★

グレート・ソルトレイク
🕐 夏期7：00～22：00、冬期日の出～日没
💲 車1台＄7、自転車1台＄3
🚗 公共の交通機関はないので、レンタカー（I-80のExit 104で降りる。ダウンタウンから16マイル）か観光バスを利用することになる
🗺 地図外

太古の昔ここは海だった
グレート・ソルトレイク ★ Great Salt Lake

市の西にひろがる巨大な塩水湖。その濃度は海水よりも濃く、泳げない人でも体が浮いてしまう。見た目に汚いのであまり泳ぐ気にはなれないが、遠浅の湖なので沖まで歩いていくことができる。とくに夕暮れどきは幻想的だ。7つの島があり、シャワーなどの施設を持ったキャンプ場がある。

ビンガム銅山
🕐 4～10月のオープン
💲 車1台＄3
🗺 地図外

世界最大の露天掘り銅採掘場
ビンガム銅山 ★ Bingham Canyon Copper Mine

ソルトレイク・シティの南西約40kmのところにある世界最大の露天掘り銅採掘場。すり鉢状になった採掘場の、直径は約4km、深さは約800m。とにかく驚くほどの大きさだ。展望台にはここで使われている運搬用のダンプカーのタイヤが展示されており、録音された日本語の説明を聞くことができる。

露天掘りのビンガム銅山

町の名の由来にもなっている
グレート・ソルトレイク

ユタ州は大自然の宝庫！

ユタ州には、アーチーズ、ブライスキャニオン、キャニオンランズ、キャピトルリーフ、ザイオンの5つの国立公園がある。どれもダイナミックな風景が広がるアメリカでしか見られないすばらしい場所ばかり。ソルトレイク・シティを基点にツアーやレンタカーを利用して、ぜひ大自然を満喫してほしい。

また、北へ向かえば**グランドティトン国立公園**まで5〜6時間、**イエローストーン国立公園**までは7〜9時間。ソルトレイク・シティ発の宿泊付きツアーもある。

宿泊付きツアーの例（グレイライン）

●グランドキャニオン、ブライス、ザイオン−2泊3日（6月上旬〜9月中旬の月曜発）　2人部屋利用 $415、1人部屋利用 $515。
●イエローストーン国立公園−2泊3日（6月上旬〜9月中旬の木曜発）　2人部屋利用 $415、1人部屋利用 $515。

国立公園についての詳しいインフォメーションはUtah Travel Council（P. 335）へ。または、「地球の歩き方㊾アメリカの国立公園」編を参照。

グレイライン
☎ (801) 521-7060
📞 (1-800) 309-2352
HOME www.grayline.com/saltlakecity
出発日については要確認

Spectator sports
観戦するスポーツ

バスケットボール（NBA）

ユタ・ジャズ ★ Utah Jazz（西・中西部地区）

'97〜'98のシーズンもプレーオフも順当に勝ち進み、ファイナル進出を果たした強豪ジャズ。ブルズの壁は厚かったが、ストックマン＆マローンのベテランコンビを中心としたチームで、今後新旧交替の成否がカギとなってくる。

ユタ・ジャズ
本拠地——デルタセンター
Delta Center, 301 West South Temple
☎ (801) 355-3865
🚇 ダウンタウン、Wyndham HotelとUnion Pacific Railroad Depotの間
🗺 P. 337　A-1

★　★　★　ショッピング　★　★　★
Shopping

最も古いデパートのひとつ
ZCMI (Zion's Cooperative Mercantile Institution)
🏠 15 S. Main St.　☎ (801) 579-6390
🕐 月〜金10：00〜21：00、土10：00〜19：00
🗺 P. 337　A-1

商業活性化のためにブリガム・ヤングが1868年に創設した商業協会が基礎になっている。ZCMIデパートは全米でもっとも古い百貨店のひとつで、3,000以上のブランドを扱っている。場所はテンプル・スクエアの南東のはす向かい。

ZCMIセンター

昔は倉庫だった
Trolley Square
🏠 600 South at 700 East
☎ (801) 521-9877
🕐 月〜金10：00〜21：00、土12：00〜17：00
🗺 P. 337　B-2

80以上のいろいろなお店の建ち並ぶマーケットプレイス。元々はトロリーバスの車庫として1908年に建てられたものだが、現在は歴史的な面影を残しつつ、バナナ・リパブリックやアン・テイラー、ウィリアム・ソノマなどのアメリカではメジャーなお店を持つショッピングセンターになっている。地元ならではのグッズやユニークな雑貨店などもたくさんある。また、レストランやクラブ、映画館もあるので、ショッピングの合間に立ち寄ってみては。

可愛らしい手芸品店
Mormon Handicraft

🏠105 N. Main St.　☎(801)355-2141
🕐月〜金9:00〜21:00、土9:00〜18:00、
6〜8月は月〜土9:00〜22:00
🗺P. 337　A-1

　モルモン教の"婦人部"とでもいうべき組織が1930年代から内職として行ってきた手芸品を販売している店。人形、パッチワーク、キルト、おもちゃ、オーナメント、ベビー服など手づくりの手芸品が9,000種以上もそろっていて、いつもにぎわっている。

オリンピック精神を感じよう
The U.S.Olympic Spirit Store

🏠371 Trolley Square　☎(801)595-8045
🕐月〜土10:00〜21:00、日12:00〜17:00
🗺P. 337　B-2

　次の冬季五輪（2002年）の開催地はソルトレイク・シティ。トロリースクエア・モール内にアメリカのオリンピック関係グッズばかりを集めた店がある。帽子、Tシャツ、トレーナー、タオル、バッグなど、どれも「アメリカ!!」というデザイン。アトランタ、ソルトレイクの両オリンピックのロゴ入りグッズも充実しており、おみやげにいい。6th Eastと6th Southの角あたりにある。

デパートのアウトレットがある
Sugar House

　ダウンタウンから#8のバスに乗って約10分くらいしたところにシュガー・ハウスというショッピングモールがある。ここにはデパート・ノードストロームのアウトレットがあり、半額くらいの値段で買える。また、映画館もあるので日本公開前に映画を観ることができるし、郵便局もあって便利。　　　　　　（疋田幸子　岡山市　'98）

★　★　★　ホテル　★　★　★
Hotel

使いやすい快適なホテル
The Doubletree Hotel

🏠255 South West Temple, Salt Lake City, UT 84101
☎(801)238-4813、📞(1-800)222-8733
📠(801)359-2938、✉dbletreslc@earthlink.net
Ⓢ$79〜189、ⒹⓉ$89〜199
ⒶⒹⒿⓂⓋ　　🗺P. 337　A-2

　ダウンタウンの観光案内所のはす向かいにある大型ホテル。西側、東側それぞれに眺望がすばらしい。プール、サウナ、ジャクージ、エクササイズ・ルームも完備。空港への無料送迎バスあり。部屋自体は、装飾を押さえ、機能的にできており、広い。ベッドはクイーンサイズ以上で、全体が広く取ってある。496室。　　　　　　（'99）

テンプル・スクエアまで2ブロックの高級ホテル
Wyndham Hotel-Salt Lake City

🏠215 W. South Temple, Salt Lake City, UT 84101　☎(801)531-7500、📠(801)329-1289
Ⓢ$149、ⒹⓉ$154　ⒶⒹⓂⓋ
🗺P. 337　A-1

　デルタセンターの向かい、落ち着いた雰囲気と行き届いたサービスで知られる。アスレチック・ジムと室内プールを備えている。新聞のサービスあり。ダウンタウンでも有数の高級ホテル。381室。　　（'98）

泊まってみたいリゾートホテル
Little America Hotel & Tower

🏠500 South Main St., Salt Lake City, UT 84101　☎(801)363-6781、📞(1-800)453-9450、📠(801)596-5910
Ⓢ$79〜124、ⒹⓉ$89〜134　ⒶⒹⓂⓋ
🗺P. 337　A-2

　客室数は850、市内最大のホテル。タワー、中庭に面した棟、道路に面した棟の3種類の特徴を持った部屋がある。それぞれユニークな内装でどの部屋も楽しめる。タワーにあるプールは半分は室内、半分は屋外にあるおもしろい構造だ。市内通話は無料。　　　　　　　　　　　　（'98）

シンプルだがゆったりできるデザレット・インの客室

パーキングエリアにホットタブ
Deseret Inn

🏠50 W. 500 South, Salt Lake City, UT 84101
☎(801)532-2900、📞(1-800)359-2170、
📠(801)592-2900
⑤① $35〜39、① $39〜51 ＡＤＭＶ
🗺P. 337 A-2

　500 South沿いのState St.と200 Eastの間に位置するホテル。コの字型の建物で、中庭が駐車場になっている。レストランもあり、客室80で規模は大きくないが、室内はゆったりとしたスペースで、落ち着いた雰囲気。駐車場の真ん中にスパのバスタブがあったりと、ちょっとユニークな部分もある。　　　　　　　　　　　　　　　　　　('99)

読★者★投★稿
観光案内所の真ん前のホテル
Shilo Inns

🏠206 S. West Temple St., Salt Lake City,
UT 84101 ☎(801)521-9500、📞(1-800)
222-2244、📠(801)359-6527
⑤① $100〜 ＡＤＭＶ 🗺P. 337 A-2

　アメリカ西部に広がりつつあるチェーン・ホテル。バスディーポから2ブロック、観光案内所の前に位置し、ロビーにはグレイラインのツアーデスクと非常に便利。広く清潔な部屋はTV・エアコン・ドライヤー付き。西側の部屋からは夜景も楽しめる。コインランドリー、温水プール、サウナ、レストランあり。

　　　　　　　　　(安井幸子　横浜市)('99)

気持ちの良い滞在はここで
Hampton Inn

🏠425 South 300 West, Salt Lake City,
UT 84101 ☎(801)741-1110、📠(801)
741-1171
⑤$89〜、①99〜 ＡＤＪＭＶ 🗺P. 337 B-2

　テンプル・スクエアまでは、徒歩約15分くらい。また、ダウンタウン内のおもなアトラクションへのアクセスも楽。ホテルの室内はシンプルに構成されているが、とても機能的で便利がいい。朝は無料の朝食がラウンジで用意されている。市内通話、パーキングを無料のサービスとしてゲストに提供しているのも魅力の一つ。フィットネスルーム、プール、コインランドリーあり。('99)

読★者★投★稿
静かな住宅街にあるホテル＆ホステル
Avenues Hostel（HI-Salt Lake City）

🏠107 F St., Salt Lake City, UT 84103
☎(801)359-3855、📞(1-888)884-4752、
📠(801)532-0182
ドミトリー$12〜17、① $20〜30、① $28
〜35(バス共同) ＭＶ 🗺P. 337 B-1

　ダウンタウンから#3のバスに乗り、2nd & E Sts.下車。1ブロック歩いた静かな住宅街にあり環境抜群。シャワー・台所付きの部屋もある。どこも清潔で居心地が良く、オーナーは親日家で気軽に相談にのってくれる。チェックインは8:00〜12:00と18:00〜22:00のみ。なおダウンタウンから歩いても15分くらいで行ける。2nd Ave.とその角。
(エンター光代　ソルトレイク・シティ在住)('99)

レストラン
Restaurant

一日の始まりはボリュームのある朝食で
Market Street Grill

🏠48 Market St. at Main (1/2ブロック西)
☎(801)322-4668 ＡＤＭＶ

　シーフードがメインのレストラン。もちろん、ステーキやチョップ、チキンなどの肉料理もあるが、おすすめしたいのはここでの朝食。パンケーキ、トースト、オムレツ…etc.。メニューも豊富。アメリカの定番のスタイルだが、どれをとってもボリュームがすごい。なんといっても、朝の食事は一日の活力源。好みのトッピングで食べるオムレツとパンケーキ、もしくはトーストをためしてみてはどうだろう。値段も比較的手ごろ。('98)

読★者★投★稿
評判のいい日本料理店
Shogun

🏠321 S. Main St. ☎(801)364-7142

　Main St.沿いのMarket St.との角近くにある。入口に提灯がたくさん飾ってあるので、遠くからでもすぐにわかる。バスのドライバーから安くておいしいという評判を聞いたが、確かにおいしかった。場所から、魚料理よりも肉料理のほうがおすすめ。

　　　　　　　(匿名希望　東京都　'99冬)

Baciはソルトレイク・シティで人気のレストラン

読★者★投★稿

人気抜群の
Baci Trattoria
🏠134 W. 230 South（Pierpoint Ave.）
☎(801)328-1500　　地P.337　A-2

　Market St.のまん中あたり。手ごろな値段のわりに、味付けも確かで、サービスも雰囲気も満点だ。大変人気があるので、夕方6時を過ぎると、急に混みだす。遅い時間なら予約がベター。

（匿名希望　東京都　'99冬）

バツグンの雪質でスキーを楽しもう

　ユタ州はスキーのメッカとして知られ、ソルトレイク・シティ近郊には14のスキー場がある。いくつかを紹介しよう。
①アルタ　Alta　☎(801)359-1078
　🎿1日$28、半日$21　リフト8基
②ディアーバレー　Deer Valley　☎(801)645-6623、🆓(1-800)424-3337
　🎿1日$54、半日$38　リフト11基
③スノーバード　Snowbird
　☎(801)742-2222
　🎿1日$47、半日$39　リフト9基
④ソリチュード　Solitude
　☎(801)536-5700
　🎿1日$36、半日$30　リフト7基
⑤パークシティ　Park City　☎(801)649-8111、FAX(801)647-5374
　🎿1日$52　リフト14基
⑥サンダンス　Sundance
　☎(801)225-4107

　🎿1日$35、半日$27　リフト7基
⑦ブライトン　Brighton
　☎(801)532-4731
　🎿1日$31、16:00～21:00（Night Ticket）$20　リフト7基
⑧パウダーマウンテン　Powder Mountain
　☎(801)745-3772
　🎿1日$27、半日$22　リフト6基

交通機関
●アルタ、ソリチュード、スノーバード、ブライトンの各スキー場へはUTAバスが便利。7:06、7:46、8:06、8:46に出発。ダウンタウンのホテルを回ってスキー場へ向かう。🎿$4.50。詳しいインフォメーションは☎(801)287-4636。
●空港から各スキー場へはリムジンバスのサービスあり。詳しいインフォメーションは☎(801)973-0202

読★者★投★稿

スキーへはUTAバスよりも……

　UTA BUSならバスの値段も確かに安いが、Park City地区（Deer Valley, Park City Resort, Canyonsなど）に行くことができないし、ダウンタウンだけでなく郊外にもこまめにストップするので非常に時間がかかる。また、市内のスキーバスのバス停もわかりにくく、とくに#92の混雑は、さながら日本の通勤バスのようだった。
　ルイスブラザーズやGo 5 Starなどのプライ

ベートコーチなら、ホテルの正面から出発できるし、値段も往復$20程度。私はGo 5 Starを数日利用したが、とても快適だった。しかもここのスタッフは日本へ長期滞在していた人が多く、ほとんどの人が流暢な日本語を話す。なお、ソルトレイク近郊のスキー場にはあちこち行ったが、比較してみると設備の充実度と一日券の値段がみごとに比例していることを発見した。　　（匿名希望　東京都　'99冬）

スキー場情報お役立ちホームページ

●HOME www.skiutah.com　ユタにスキーに行くなら、必見ともいうべきページ。各スキー場へのリンクや宿、交通機関の情報など盛りだくさんで、大変役に立った。ルイスブラザーズやGo 5 Starなどへのリンクもここにある。また、トップページの"Free Vacation Planner"では、無料のパンフレットやスキー場ガイドな

どが申し込める。
●HOME www.utah.com　ユタ州に関する基本情報の収集に便利。
●HOME www.utabus.com　ユタバスのホームページで、オンラインでルートやスケジュールの参照ができる。

（匿名希望　東京都　'99冬）

Denver

Seattle

San Francisco　Chicago　New York

Atlanta

Los Angeles　New Orleans　Miami

デンバー

　デンバーの魅力を知るには、町の観光のあとにロッキー山脈など大自然の観光をスケジュールに入れるべきだ。

　高層ビルが建ち並ぶ車窓風景が、あっという間にだだっ広い平原の景色へと変わっていく。周囲360度、視界をさえぎるものが一切ない大平原。その奥には荒々しい岩山がいくつもそびえ立つ。この瞬間の感動は、すべての旅人の目に焼きつき、消え去ることはないだろう。

　コロラド州都デンバーは、ロッキー山脈の裾野に広がる町、そして1858年の金鉱発見とともに栄え、現在はアメリカ中西部の心臓部としての機能を果たす近代都市でもある。

　西部開拓の名残を伝える歴史的建造物、ロッキーを核とする郊外の大景観美、全米にある3つの造幣局のうちのひとつを有する大都市の表情もあり、もちろん、アウトドア・スポーツのメッカであることは言うまでもない。

　ロッキー観光の拠点であるため、ただ通り過ぎるだけという旅行者も少なくないが、多面的な顔をもつ魅力的な町である。

ダウンタウンへの行き方　　　　★ Access

空 港

デンバー国際空港
Denver International Airport (DIA)

　デンバー国際空港は、マンハッタンの2倍の大きさの広大な敷地をもつ、世界最大級の空港だ。メインビル（Jeppesen Terminal）の外観は、いままでの空港のイメージを払拭させる斬新なデザインで、ロッキー山脈を想像させる白く連なる屋根が印象的だ。

　A（アメリカンやコンチネンタル）、B（ユナイテッド）、C（デルタなど）の各ターミナルとメインビル間の移動はレベル4（地下1階）を走る**トラム**を使う。チェックインの際、自分の行くターミナルを確認しておくこと。

デンバー国際空港
⌂8400 Pena Blvd., Denver
☎ (303) 342-2200

飛行機に乗るときは
　レベル6（地上2階に相当）は、チェックイン・カウンターになっている。バゲージ・チェックインを終えて身軽になったところでメイン・ホールへ。バーガーキングやパンダエクスプレスやアイスクリーム店、ショップの数々から郵便局、ゲームセンターまでそろっている。

レベル5（地上1階に相当）は、バゲージクレーム、市内への交通機関の乗り場、観光やホテルのインフォメーションなど到着時に必要なものがすべて整っている。飛行機を降りたら、まずトラムでメインビルへ行き、ホール中央の案内所で各種情報を収集し、空港シャトルバンかバスのチケット購入やレンタカーの受付を終える。それからTV画面で自分のバゲージクレームを確認するという、バゲージの待ち時間を有効利用し、荷物を引き上げてからは、外に出て車に乗るだけという合理的なシステムになっている。ビルを出ると1の乗り場がタクシーとリモ、2がデンバー以外に向かうマウンテン・キャリーズ、3が各種シャトルバンとスカイライドバスまたはホテルのサービスバンなど、4がレンタカー・ピックアップバスの乗り場となっている。一般の出迎えは、レベル4（地下1階）でのピックアップとなる。

●空港シャトルバン Denver Express Shuttle, SuperShuttle
　デンバー国際空港から各種シャトルバンがDoor-to-Doorのサービスを行っている。個人宅にも行ってくれるが、場所により若干料金は高くなる。その他ボウルダー（＄15）やベイル（＄56）に直接向かうシャトルもある。空港へ向かうときはホテルのフロントに頼んで呼んでもらう。

●スカイライド・バス Skyride Bus RTD　バスの#AFがダウンタウンへ向かう。ダウンタウンでは**デンバー・バスターミナル Denver Bus Terminal**（📕P.350　B-1）が終点で、ダウンタウンから空港へは**マーケット・ストリート・ステーション Market Street Station**（📕P.350　A-1）から出発。チケットは乗車する前に買うこと。その他、#AS＝ステイプルトン（旧空港）行き（20分、＄6）、#AB＝ボウルダー行き（90分、＄10）がある。Jeppesen TerminalにRTDのカウンターあり。

●タクシー　ダウンタウンまで30～40分。

d a t a

人　口	約493,600人	時間帯	マウンテン・タイムゾーン
面　積	400.5km²		
標　高	最高1,670m、最低1,563m		
市の誕生	1861年		
情　報	Denver Official Visitors Guide（観光情報誌）無料		

~金7：00～7：30 Channel 59にて日本のニュースを放映

TAX　セールス・タックス 7.5%
ホテル・タックス 12%

属する州　コロラド州 Colorado

州のニックネーム　センテニアル（百年目の）州 Centennial State

The Rocky Mountain News（新聞）35¢
Denver Post（新聞）25¢
日本語TV放送　月

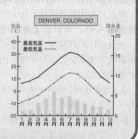

DENVER, COLORADO

気温
（℃）

降水量
（ミリ）

最高気温
最低気温

長距離バス

デンバー・バスターミナル　Denver Bus Terminal

　グレイハウンドと中西部に強いTNM&O社のバスが発着している。デンバーと、ダラス(1日4本)、エルパソ(1日4本)、ソルトレイク・シティ(1日2本)、シカゴ(1日3本)、コロラド・スプリングス(1日5本)などの町を結んでいる。

鉄　道

アムトラック・ユニオン駅　Amtrak Union Station

　ダウンタウンの北端に位置し、中心部まで徒歩20分。LA、サンフランシスコ、シアトル、シカゴから列車が乗り入れている。冬期には、スチーム・ボードなどに向かう**スキー・トレイン** ☎296-4754が運行される。こちらのオフィスは駅の右隣。

デンバーの歩き方　★ Walking

　デンバー観光のハイライトは、なんといっても**ロッキー山脈を中心とする郊外の大自然**だ。1時間程度で行けるデンバー・マウンテンパークから、バスで約3時間かかるパイクス・ピーク、ロッキーマウンテン国立公園まで、日本ではお目にかかれない変化に富んだ自然の姿がそこにはあって、もう何日いても足りないくらい。しかも、バスツアーを利用すれば、これらの場所に日帰りで行くことができるのだ。もし、滞在期間が短いのであれば、市内観光をスッ飛ばしても郊外に行くことを優先させるべき。

　とはいえ、ダウンタウンの魅力も捨てがたい。とくに西部開拓史に興味のある人なら、あちこちに残る歴史的建造物や博物館などを見て歩く価値も十分にある。市内観光に2日、郊外観光に3日以上というスケジュールなら申し分ない。

●ダウンタウン

　デンバーのダウンタウンは**16番ストリート・モール 16th Street Mall**と呼ばれるショッピング街を中心に、通りが碁盤の目のように通っているのでとても歩きやすい。町はたいした広さではないので、16thストリート・モールを走る**無料バス**とRTDバスを上手に乗りこなせば、見どころへは簡単に行くことができる。

●郊外

　見どころは多いが、レンタカーの利用者以外は、各地へのアクセスが不便なのが難点。場所によっては路線バスで行くこともできるが、日帰りは苦しい。そこで、観光バスを大いに利用しよう。グレイラインツアーのほか数社が主要観光地への日帰りツアーを行っており、値段は$22～。時間も免許もない人には、とにかくツアー利用を強力におすすめする。なお、山岳部にはオフシーズンがあり、ところによっては道が閉ざされることもあるので注意したい。初めから冬の景色を楽しむつもりなら話は別だが、やはりベストシーズンは5～8月だ。

デンバー・バスターミナル
[住]1055 19th St. at Arapaho
☎(303) 292-6555
[T](1-800) 231-2222
[時]毎日6:00～24:00
[地]P.350　B-1

アムトラック・ユニオン駅
[住]17th & Wynkoop Sts.
☎(303) 534-2812
[T](1-800) 872-7245
[時]毎日7:00～21:00
[地]P.350　A-1

スキー・トレインのオフィス
[時]月～金9:00～17:00
[休]土日

車を借りて郊外へ行こう
　レンタカーを2日間借りて、ロッキーマウンテン国立公園やパイクス・ピークへ行ってみたが、11月中旬ということもあって山はすでに雪で、ロッキーを一周するドライブウェイも、パイクス・ピークの頂上まで行く道もすべてクローズ。仕方なく、電車で頂上に行こうとしたが、これも運休。冬でも走ってると聞いていたのに…。やはりデンバー近郊への観光は、雪が降らないうちがいい。それでも、車がある人はぜひ、ロイヤル・ゴージュ・ブリッジへ行ってみよう。橋の近くのアトラクションはみんなクローズだけど、この橋からの眺めは絶景!　広いアメリカを実感できる。
　　　　　(周佐英徳　大阪府)

観光案内所 ★ Information

Denver Visitor Information Center
1668 Larimer St., Denver, CO 80202
☎ (303) 892-1112
FAX (303) 892-1636
月～金 8：00～17：00、
土 9：00～13：00
日、おもな祝日
P.350　A-2

Denver Visitor Information Center

　Larimer St.を16th St.から17th St.へ向かう右側に入口がある。デンバー市内だけでなく、コロラド州に関するパンフレット、地図などを豊富に取りそろえており、見どころやホテルに関する相談にも乗ってくれる。なお、『Denver』というオフィシャルガイド（無料）の折り込み地図が使いやすいので、ぜひ手に入れておこう。ホテルの予約サービスも行っているので、相談してみるといい。

Denver Metro Convention &Visitors Bureau
1555 California St., Suite 300, Denver, CO 80202-4264
☎ (303) 892-1112
FAX (303) 892-1636
HOME www.denver.org
月～金 8：00～17：00
※ほかにもデンバー国際空港メインターミナル5階にもある

市内の交通機関 ★ Public Transportation

16番ストリート無料バス　The 16th Street Mall Ride

　ダウンタウンの中心部、16番ストリート・モールの端から端（北はMarket St.、南はCheyenne Pl.）を往復するバス。他の車両は入れないようになっている。交差点ごとに停車。16th St.を横切る通りがそのまま駅名になっているのでとても利用しやすい。

16番ストリート・モールの無料バス

RTDバス　Regional Transportation District Bus

　デンバー市内とボウルダーなどの郊外を結んでいる。シビックセンターとマーケット・ストリートにターミナルがあり、各ルートマップが入手できる。

RTDバス
1600 Blake St.
☎ (303) 299-6000
平日6：00～9：00と16：00～18：00のピーク時は$1、オフピークは50¢。トランスファーは無料

ライトレール　Light Rail

　RTD運営の5.3マイルの市電で、ダウンタウン北東の30th & Downing Stationからダウンタウンの南およそ3マイルのI-25 & Broadwayを結ぶ。市民の足として利用されているが、観光客には利用価値は低い。将来はDIA空港まで延長される予定。

ライトレール
☎ (303) 299-6000
毎日4：00～1：00
$1

ツアー案内 ★ Sight-seeing Tour

グレイライン　Gray Line of Denver

出発場所：Cherry Creek Shopping Center, 1st & Milwaukee Sts.

グレイライン
☎ (303) 289-2841
(1-800) 348-6877

番号	ツアー名	料金	運行	所要時間	内容など
1	Rocky Mountains	$50	5/15～10/15の毎日 8：30発	10時間	デンバーで最も人気のあるツアー。ロッキーマウンテン国立公園へのツアーで、大陸分水嶺、クリアクリーク・キャニオンのトンネル、アラパホの森、グランド・レイクなどを回る。
27	Denver Mountains Parks	$30	毎日13：30発	4時間	デンバー近郊の、赤い岩の奇観で知られるレッド・ロック・パークやベアー・クリーク、バッファロー・ビルの墓、州議事堂やロッキーの山並が美しく見えるポイントでストップ。
31	Pikes Peak & Air Force Academy	$65	5/15～10/31の毎日 8：30発	10時間	標高4,290mの高さを誇るパイクス・ピークヘコグ鉄道で、ガーデン・オブ・ゴッドをドライブしたあと、空軍士官学校を見学する。コグ鉄道（アプト式鉄道）の料金込み。

マウンテン・ガイド　Mountain Guides, Inc

　小回りの利く観光ツアーで、簡単なことならお客のリクエストにも応えてくれる。基本的に2名から催行しているが、状況によっては催行できないこともある（ちなみにグレイラインは10名から）。なお、申し込みの電話は留守番電話のこともあるから、そのときは自分の名前とホテルの名前、客室番号をメッセージに残しておくといい。デンバーとボウルダーのホテルへのピックアップ・サービスあり。

●**Mt. Evans Tours**　夏期のみのツアーで、エバンス山の森とロッキー山脈の湖など、アメリカならではの、変化に富んだ景色が楽しめる。野生の動物を見られることもしばしば。

●**Pikes Peak Tour**　富士山より高いパイクス・ピークへ行く。コグ鉄道は使わず、頂上まで車で行くが、周囲の変化に富んだ景色をゆっくりと堪能できると好評。マニトウ・スプリングスで昼食のあと、ガーデン・オブ・ゴッドと空軍士官学校も訪れる。

●**Clear Creek Combo Tour**　素晴らしい景色が期待できるツアー。エバンス山やクリアー・クリーク峡谷の観光を含んだお得なコース設定になっている。

マウンテン・ガイド
🏠973 Vetch Cir., Lafayette
☎ (303) 665-7625

Mt. Evans Tours
💳 $36　5時間

Pikes Peak Tour
💳 $57　7〜8時間

Clear Creek Combo Tour
💳 $59　7〜8時間

Attractions
おもな見どころ ★

デンバーの町並みを眺めよう
コロラド州議事堂 ★ The Colorado State Capitol

　にぶい輝きを放つ金色のドームがひと際目立つ重厚な建物で、このドームを覆う約7kgの金は、鉱山業者によって寄贈されたもの。つまりこの建物は、かつて金鉱の町であったコロラドの繁栄の歴史の証でもある。

　内部は1階から3階までが吹き抜けになっており、壁には歴代州知事の肖像画が飾られている。会議室は2階。中には入れないが、3階から見おろすことができ、その全貌がよくわかる。さて、最後はらせん階段を利用して、てっぺんのドームまで上ってみよう。周囲が展望デッキになっており、デンバーの町並みはもちろん、晴れていれば、ロッキーの山々を一望のもとにすることができる。

コロラド州議事堂
🏠Lincoln & E. Colfax Aves.
☎ (303) 866-2604
🕐月〜金9：30〜14：30
🚃モール・ライドの南の終点シビックセンター・プラザ下車
🗺P.350　B-3
ツアー：30分ごとに無料のガイドツアーが行われており、申し込みは入口を入ってすぐ左手のカウンターで。

ドームの金箔は鉱山業者
から寄贈されたもの

デンバーの造幣局

合衆国造幣局
W. Colfax Ave. & Cherokee St.
☎ (303) 844-3582
月~金8：00~14：45
土日
無料
州議事堂より西へ3ブロック
P.350　A-3

合衆国のコインはここで造られる
合衆国造幣局 ★ U. S. Mint

　デンバー造幣局は、合衆国に3つある造幣局のうちの1つ（残り2つはフィラデルフィア、ワシントンDCにある）。民間の鋳造会社クラーク・ブルーバー社を政府が2万5千ドルで買収し、1863年より業務が開始された。ただし、当初は合衆国鉱石分析局として金鉱夫から持ち込まれる砂金や金塊を分析、加工することが主業務で、コインの鋳造が行われるようになったのは1895年から。現在では年間約50億枚の一般通貨、記念硬貨が生産されている。

　見学ツアーは月~金の20分おき。正面玄関とは別にツアー用の小さな入口があり、そこで待っていると適当な人数に区切って

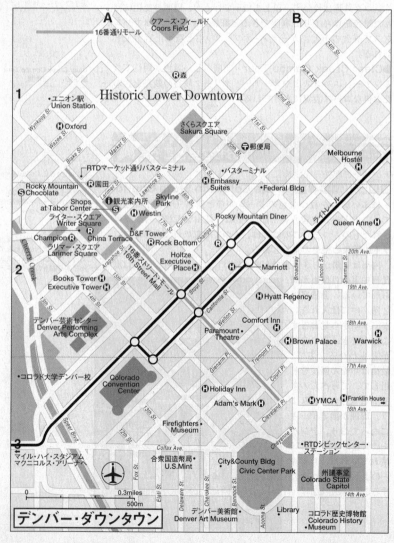

デンバー・ダウンタウン

中へ案内される。

　順路は中2階で、ガラス越しに作業場を見おろす仕組みになっている。順路の途上にある金塊、外国のコイン、鋳造関連の古い器具などの展示物を見ながら、型抜き、刻印の作業場を見学していき最後は特別展示室へ。ここにはいままで同造幣局で作られた数々の記念コインが展示してあり、それらを買うこともできる。

夜もにぎやかなエリア
ラリマー・スクエア ★ Larimer Square

　デンバーのダウンタウンで最もおしゃれな区域。1858年当時の町を再現したもので、道を挟んだ約100メートルの区間の両脇に建つビクトリア風の建物の中にはローラ・アシュレイ、アン・クライン、タルボットなどのブティックをはじめレストラン、ナイトスポットなど38軒の店が並ぶ。地元のスノッブな若者たちで連日にぎわっており、夜でも安心して歩けるのがうれしい。

食事や買いものに困ったらラリマー・スクエアへ

無料のバスが走る目抜き通り
16番ストリート・モール ★ The 16th Street Mall

　ダウンタウンの中心を南北につらぬく約1.6kmのショッピングストリートで、車は立入禁止となっている。高級ブティックからスーパーマーケット、おみやげ屋さん、ファストフードショップまで、ここに来れば何でもそろう。広場やベンチも数多くブラブラ歩くにはうってつけだ。疲れたらこの通りを1分おきに走る**無料バス—モール・ライド**に乗るとよい。ただし、夜は観光用の馬車が通るため本数がグッと少なくなる。

ホームシックにかかったら
さくらスクエア ★ Sakura Square

　日本人または日系人が経営する店が並ぶ一画。旅行代理店、食料品店、日本の雑誌が手に入る本屋、日本食レストランなどがひとつのビルの中に入っている。日本人スタッフが多いので英語が苦手な人はここで情報収集するといい。

アメリカ先住民のアートの多様性を教えてくれる
デンバー美術館 ★ Denver Art Museum

　ネイティブアメリカン・アートのコレクションが豊富な美術館。宝石、陶器、織物、バスケットなどの小物から、もちろんトーテム・ポールまで、150部族のコレクションの総計は2万点。ネイティブアメリカン・アートを扱ったものとしては、最も古く、最も大きな美術館。

　そのほかにも、アフリカ、ヨーロッパ、アジアの絵画、彫刻、テキスタイルなども収蔵品の一部で、その総数は4万点に達する。

ラリマー・スクエア
🏠1400 Block of Larimer St.
☎(303) 534-2367
🕐ショップの営業は月〜金10:00〜19:00、土は18:00閉店、日12:00〜17:00、レストランは延長
🚌16番ストリート無料バスに乗りLarimer St.下車。案内所もあり、ウォーキングツアーマップも用意している
📍P.350　A-2

16番ストリート・モール
📍P.350　A、B-1、2、3

さくらスクエア
🚌Larimer St.と16thストリート・モールの交差点を東へ3ブロック入ったところ
📍P.350　A、B-1

デンバー美術館
🏠100 W. 14th Ave. at Bannock St.
☎(303) 640-4433
🕐火〜土10:00〜17:00、（水〜 21:00）日12:00〜17:00
休月
💰大人$4.50、子供無料、学生・シニア$2.50
🚌シビックセンター公園の南西
📍P.350　B-3

ネイティブアメリカンのアートを展示

コロラド歴史博物館

コロラド歴史博物館
★ Colorado History Museum

　西部の歴史、それも、おもに人々の生活に関する品々を豊富に揃えたユニークな博物館。アンティーク・グッズに目のない人は必見だ。19世紀頭の上流社会の人々が身につけていた衣服、ピクニック用品。たくさんのセピア色に変色したスナップ写真。ゴールド・ラッシュ時代の活気をしのばせる巨大な機械、そしてジオラマなどが展示されている。さほど広くはないが、中身は充実している。

コロラド歴史博物館
- 13th & Broadway
- ☎ (303) 866-3682
- 月～土10：00～16：30、日12：00～16：30
- 大人＄3、学生・シニア＄2.50、子供＄1.50
- P.350　B-3

デンバー自然史博物館
- 2001 Colorado at Mountview Blvd.
- ☎ (303) 370-8313
- 毎日9：00～17：00（金～21：00）
- クリスマス
- 大人＄4.50、3～12歳とシニア＄2.50、IMAXは＄6、各種コンビネーション・チケットあり
- RTDバス#20、#32、#40
- 地図外

デンバー自然史博物館
★ Denver Museum of Natural History

　ダウンタウンから3マイル、シティパーク内のColorado Blvd.沿いにある。ここでの見ものは全米屈指の完成度を誇る野生動物のジオラマ。コロラド周辺に生息する動物だけでなく、ヒョウ、シマウマ、カンガルーなど、世界各地の野生動物の生態がはく製によって再現されている。ジオラマは陸上の動物以外にも、ゴマフアザラシなどの海洋哺乳類のものも展示されている。それら約90種のはく製を見るために、わざわざ訪れる人も多い。ほかにも、失われつつあるアメリカ先住民の文化を展示するコーナーや、プラネタリウム、IMAXシアターがあり、内容の濃い1日が過ごせる博物館となっている。

女性に人気のミニチュアと
人形とおもちゃの博物館

デンバー・ミニチュアと人形とおもちゃの博物館
★ Denver Museum of Miniatures, Dolls and Toys

　世界各国の古い人形やおもちゃ、ミニチュア家具や邸宅のセットなどを有する、1899年開業の小さな博物館。歴史のある展示物が多く、アンティークともいえる人形がすばらしい。

デンバー・ミニチュアと人形とおもちゃの博物館
- 1880 N. Gaylord St.
- ☎ (303) 322-3704
- 火～土10：00～16：00、日13：00～16：00
- 月
- 大人＄3、子供・シニア＄2
- RTDバス#15、#20、York St.下車
- 地図外

ロッキーマウンテン国立公園
　詳しくは『地球の歩き方49 アメリカの国立公園』編を参照。

Suburb Points
郊外の見どころ ★

ロッキーマウンテン国立公園
★ Rocky Mountain National Park

　ダウンタウンから車で約3時間。渓谷、森林、湖水、湿原と、変化に富む景観が楽しめる広大な山岳公園だ。アクティビティもさかん。

雄大なロッキーマウンテン国立公園

パイクス・ピークの頂上まで走っているコグ鉄道

頂上では揚げドーナツが名物
パイクス・ピーク ★ Pikes Peak

　コロラド・スプリングスの西側にそびえる標高約4,200mの美しい山。ダウンタウンから車で2時間弱。頂上へは車でも登ることができるが、ゆっくり景色を楽しむなら何といっても登山鉄道パイクス・ピーク・コグ鉄道 Pikes Peak Cog Railwayがおすすめ。息をのむ素晴らしい景色が広がる。

岩の奇観が楽しめる
ガーデン・オブ・ゴッド ★ Garden of God

　巨大な赤色砂岩があちこちに林立する940エーカーの公園。大きなものは100m以上の高さがあり、しばし見つめているとおごそかな気分にさえなる。別の惑星に降り立ったかのような、不思議な景色だ。ダウンタウンから車で約2時間。

さわやかな学園都市
ボウルダー ★ Boulder

　天国にもっとも近い学園都市といわれているのが、デンバーの北西にあるボウルダー。デンバーからRTDバス#B "Boulder"で1時間弱。コロラド大学を中心とした町で、背景のロッキーマウンテンが町並みによく似合うところだ。

空気がすがすがしいボウルダーはコロラド大学の町

Spectator sports
観戦するスポーツ

ベースボール（MLB）

コロラド・ロッキーズ ★ Colorado Rockies

（ナショナル・リーグ西地区）

　マウンテン・タイムゾーンに初めて誕生した大リーグチームだけに、大変な人気。

　"マイル・ハイ・シティ"（標高1,600m）のニックネームをもつデンバーは、空気が薄い分だけ、打球がよく飛ぶことでも有名。大リーグらしい豪快な打撃戦が最も期待できるチームだが、そんななか'96年9月この球場（クアーズ・フィールド）で打ちたてられた野茂投手（ロスアンゼルス・ドジャース・当時）のノーヒットノーランは、今後永遠に破られることのない金字塔といわれている。

パイクス・ピーク
　詳しくは『地球の歩き方⑨アメリカの魅力的な町』編を参照。

ガーデン・オブ・ゴッド
　詳しくは『地球の歩き方⑨アメリカの魅力的な町』編参照。

※上記郊外の見どころへは、レンタカーか日帰りの観光バスの利用となる。

ボウルダー
　詳しくは『地球の歩き方⑨アメリカの魅力的な町』編参照。

コロラド・ロッキーズ
本拠地──クアーズ・フィールド Coors Field, 2001 Blake St.
☎(303) 762-5437（チケット）、292-0200
地図P.350　A-1

★
デンバー

デンバー・ブロンコス ★ Denver Broncos

（AFC西地区）

デンバー・ブロンコス
本拠地――マイル・ハイ・スタ
ジアム Mile High Stadium,
1900 W. Eliot
☎ (303) 433-7466
🚌マイル・ハイ・スタジア
ム行きの臨時バス（ブロン
コ・ライド）で

　実はデンバーではベースボールよりもフットボールのほうが人気が高い。それは、デンバー・ブロンコスというチームの存在からだ。ブロンコスは何度かAFCの優勝に輝いていたものの、NFCの優勝チームをなかなかうち負かすことはできなかった。しかし、'98年と'99年と2年連続してのスーパーボウル・チャンピオンに輝きデンバーっ子を熱狂させた。その立て役者は'99年春惜しまれながら引退したQBのエルウェイ。

デンバー・ナゲッツ ★ Denver Nuggets

（西・中西部地区）

デンバー・ナゲッツ
本拠地――マクニコルス・
アリーナ McNichols Arena,
1635 Clay St.
☎ (303) 893-3865
🚌ホームコートのマクニコル
ス・アリーナは、ダウンタウ
ンを出たすぐ西にあり、ブ
ロンコスの本拠地マイル・ハ
イ・スタジアムのすぐ隣

　強豪がそろうデンバーで、いまひとつ元気がないのがバスケットのナゲッツだ。チケットも取りやすくなり、コートがダウンタウンにあることもあって、デンバーでNBA観戦もおすすめだ。

コロラド・アバランチ ★ Colorado Avalanche

（西・太平洋地区）

コロラド・アバランチ
本拠地――マクニコルス・
アリーナ McNichols Arena,
1635 Clay St.
☎ (303) 830-8497
🚌ナゲッツ参照

　デンバーでは、ブロンコスに次いで『強豪』という言葉が相応しいのがこのアバランチだ。アメリカのプロスポーツのなかでもアイスホッケーは選手層がまさに〝インターナショナル〟だが、長野オリンピックに各国から出場していた選手の多くが、このアバランチに属していたほど。アバランチは、移転早々優勝を果たしたこともあり、デンバーでは人気が高い。

★　　★　　★　ショッピング　★　　★　　★
Shopping

なんでもそろう郊外の大型ショッピングセンター
Cherry Creek Shopping Center
🏠3000 E. 1st Ave.　☎ (303) 388-3900
🕐月～金10：00～21：00、土10：00～19：00、日12：00～18：00

　Saks Fifth Avenue、Neiman Marcusなど4つのデパートと約140軒の専門店やレストラン、映画館、スーパーマーケットが集まっている。テナントとしてルイ・ヴィトン、バリー、ローラ・アシュレイ、バーバリー、アン・テイラーなどのブランド店や、マック、ディズニー・ストア、ワーナーブラザーズ・ストア、ネイチャー・カンパニーなど人気の店も入っている。
　ダウンタウンの17th St. からRTDバス#1か2に乗って約30分、1st & Filmore Plazaで降りる。50¢（ピーク時は＄1）。バスは約30分ごとに走っているが週末は本数が減り、帰りのバスも早い時間に終わってしまうので注意。

ダウンタウンの買い物＆休憩どころ
The Shops at Tabor Center
🏠16th St. Mall bet. Larimer & Arapahoe
☎ (303) 572-6865　　　🗺P.350　A-2
🕐月～金10：00～21：00、土10：00～18：00、日12：00～17：00

　16番ストリート・モール沿いにあるのですぐわかる。とくに大きいわけではないが、B. Dalton Bookseller、Crabtree & Evelyn、Hallmark Cards、Casual Cornerなど最低限のショップはそろっていて、フードコートもある。観光のひと休みにもってこいの場所だ。

設備、ロケーションとも申し分なし
Hyatt Regency Denver Downtown
🏠1750 Welton St., Denver, CO 80202
☎(303) 295-1234、FAX (303) 292-2472、
HOMEwww.hyatt.com
Ⓢ＄135〜235、Ⓓ＄160〜260、スイート
＄350〜1000　ADMV　地P.350　B-2
　16th St.モールより１ブロック、Welton
と17thの角に建つ高級ホテル。洗練された
客室は、広くゆったりと落ち着いた雰囲気
で、ビジネスにもレジャーにも最適。511
室。　　　　　　　　　　　　　　　　（'99)

プール、フィットネス付きのホテル
Embassy Suites Denver Downtown
🏠1881 Curtis St., Denver, CO 80202
☎(303) 297-8888、FAX (303) 298-1103、
HOMEwww.ESDENDT.com
平日Ⓢ＄169〜179、ⒹⓉ＄179〜189、週
末ⓈⒹⓉ＄129　ADJMV　地P.350　B-1
　場所は、デンバー・バスターミナルの隣
で便利だ。部屋はすべてスイートルームタ
イプで、４人はゆうに泊まれる広さ。夕方
のカクテルサービスとバイキングの朝食付
き。ガラス張りのエレベーターからはコロ
ラドの山々が見渡せる。337室。　　（'98)

ロマンチックなB&B
Queen Anne B & B Breakfast Inn
🏠2147 Tremont Pl., Denver, CO 80205
☎(303) 296-6666、☎(1-800) 432-4667
FAX (303) 296-2151、HOMEwww.bedand
breakfastinns.org/queenanne
ⓈⒹⓉ＄75〜155、スイート＄145〜175
　　　　　　　　ADMV　地P.350　B-2
　ビクトリア調の外観にロマンチックな家
具調度。16th St.モールから６ブロック。
朝食付き。14室。　　　　　　　　　（'99)

デンバーにユース誕生
The Hostel of the Rocky Mountains
🏠1530 Downing St., Denver, CO 80218
☎(303) 861-7777、E-mailhostel-denver
@sni.net
ドミトリー＄12　　　　AMV　地地図外
　デンバーの中心部、BroadwayとColfaxか
らColfax Ave.を12ブロック東へ。Downing

にぶつかったら左折し、しばらく行くとあ
る。36ベッドしかないので、早めに行くか、
電話で予約をしよう。オフィスの営業時間
は８：００〜12：００と17：００〜22：00。（'99)

心が温かくなるB & B
Franklin House B & B
🏠1620 Franklin St., Denver, CO 80218
☎(303) 331-9106、FAX (303) 320-6555
E-mailfranklinhouse@webtv.com
Ⓢ＄30〜、ⒹⓉ＄40〜（１部バス・トイ
レ共同）　ADJMV　地P.350　B-3地図外
　静かな住宅街の中にある、オーナー夫妻
のもてなしがうれしいB&B。RTDバス#15、
20のFranklin St. で下車。朝食付き。全８
室。　　　　　　　　　　　　　　　　（'99)

バスディーポから徒歩5分
Melbourne Hotel and Hostel
🏠607 22nd St., Denver, CO 80205
☎(303) 292-6386、FAX (303) 292-6536
HOMEwww.denverhostel.com.
Ⓢ＄24、Ⓓ＄30、ドミトリーもある　MV
　　　　　　　　　　　　地P.350　B-1
　バスターミナルから歩いて５分。22nd
St.とWelton St.の交差点で、周囲は閑散と
している。シャワー・トイレは共同。共同
の台所もあり、長期滞在の人も多い。10室。
　　　　　　　　　　　　　　　　　　（'99)

エレガントなB&B
Capitol Hill Mansion B & B
🏠1207 Pennsylvania St., Denver, CO 80203
☎(303) 839-5221、☎(1-800) 839-9329、
FAX (303) 839-9046、HOMEwww.capitolhill
mansion.com
オンシーズンⒹ＄95〜175、オフシーズ
ンⒹ＄85〜155　　　　　　　　AMV
　ロマネスク調の外観は、いまから100年
以上前に建てられた、歴史的な建物。全部
で９室ある客室は古いのかというとそうで
はなく、ひとつひとつの内装が異なってい
てしかも洗練されている。もちろん、朝食
付きで、夜は飲み物のサービスもあり。市
内通話は無料。ロマンチックに過ごしたい
人におすすめの宿だ。３日前よりキャンセ
ル料がかかる。　　　　　　　　　　（'99)

いかにも西部！のレストラン
Rocky Mountain Diner

🏠800 18th St. at Stout
☎ (303) 293-8383
🕐月～土11：00～23：00、日10：00～
21：00　　　ADMV　🗺P.350　B-2

　古き西部の酒場風の内装、メニューには「銃はバーに預けて下さい」という注意書き。料理自体も牧場の野外料理風に豪快なものばかり。肉のほか、トラウトなど魚の料理もあって、サンドイッチ類$5～7、ポテトや野菜もついたメインディッシュ類で$7～18といったところ。デザートにはコーヒーにウイスキーを入れた″峠のわが家コーヒー″なんていうメニューもあって楽しい。気どらない雰囲気と料理の量は申し分なし。味も結構いける、ダウンタウンではおすすめの店。18th St.のStout St.とChampa St.の間。　　　　　　　（'98）

ビール醸造所直営の、おいしくて楽しいお店
The Rock Bottom Brewery

🏠1061 16th & Curtis Sts.
☎ (303) 534-7616
🕐毎日11：00～23：00　　　ADMV
　　　　　　　　　　🗺P.350　A-2

　入口横には、ロゴ入りのトレーナーやグラスなどが売られていて、店員は若くて陽気。ちょっとハードロック・カフェのよう。さすがにビールはおいしい。小さめのグラスで、いろいろな種類のビールを試せるメニューもある。料理も充実していて、ハンバーガー類$8前後～、メイン料理$18前後。オリエンタルっぽい味付けの料理も多い。地元でも人気の店で、夕方には列ができている。　　　　　　　　（'98）

みんなで食べれば安くておいしい
China Terrace　中國酒樓

🏠1512 Larimer St.　☎ (303) 591-1032
　　　AMV　🗺P.350　A-2

　ライター・スクエアの中にある中国料理屋で、夜は意外にムーディな雰囲気。メニューは、春巻などのアペタイザーから、スープ、チキン、ビーフ、ポーク、ダック、野菜、焼きそば、炒飯など270種類あり、選ぶのに迷ってしまうほどで、味もなかなかのもの。メインディッシュ（$8～）には白いご飯も付いている。1皿のボリュームがたっぷりあるから、食べきれないときはDoggy Bagにしてもらうといい。土日の昼には飲茶もやっている。　　　　　（'98）

デンバーはビールの町
Champion Brewery

🏠1442 Larimer Square　☎ (303) 534-5444
　　　　　　　　　🗺P.350　A-2

　デンバーのビールの醸造所の数は、全米でも1、2を争うほど。当然、自家製のビールを飲ませる店がダウンタウンにいろいろあるが、ここはスポーツバー風でとても楽しい。店内には、著名な選手のパネル、奥にはビリヤード台もある。自家製のビールの種類は、デンバーのベストビールに選ばれた"Norm Clarke's Sports Ale"など全部で6種類。メインディッシュが"East Coast"、"Mid-West"、"South"といった地域別に分かれているのもおもしろい。なかには焼きソバやパスタもある。ディナーはひとり$20程度の予算でOK。平日は朝から、週末はランチから営業している。　　　（'98）

ユースフルインフォメーション ★ Useful Information

日本語の通じる旅行代理店
● M. E. M. TRAVEL

　航空券、日本からの呼び寄せチケット、アムトラック、観光ツアー、ホテルの予約など予算に応じた旅行の手配を日本語でしてくれる。
　また、日本語ガイドツアー（4名以上）、ウェディングパッケージ、各種イベントチケットの手配も行っており、日本からのファックスによる相談も受け付けている。各手配の手数料は$5から。

M. E. M. TRAVEL
🏠1209 19th St. Denver,
CO 80202（さくらスクエア内）
☎ (303) 295-1300
FAX (303) 295-2705
🕐月～金9：30～18：00
🗺P.350　A-1

Phoenix

フェニックス

『太陽の谷 The Valley of the Sun』。ソノラン砂漠の真ん中にある町、フェニックスのニックネームだ。足を運べば、ニックネームどおりに、ここがアメリカでいちばん太陽に近いと思わせるほど日差しがとても強く、異質の乾燥した大地が広がっている。気温も夏期は摂氏40度以上に上昇するが、温度ほど辛さを感じないのは湿度の低さのためだろう。年間平均300日ほど快晴の空が望め、年間の平均気温は摂氏29.4度、降雨量はわずか194ミリだ。町の観光シーズンは冬。周辺には150以上のゴルフコースがあり、ゴルフ天国としても知られている。また、このエリアには西部らしい大自然が広がり、近くには全米有数の高級リゾートホテルが並ぶ町、スコッツデールがある。

1998年の大リーグチーム、アリゾナ・ダイヤモンドバックスの誕生とともに、町の変貌ぶりには目を見張るものがある。大自然観光の基地として、また保養地として、ほかでは味わえない楽しみ方ができる町だ。

ダウンタウンへの行き方 ★ Access

空港

フェニックス・スカイハーバー国際空港
Phoenix Sky Harbor International Airport（PHX）

ダウンタウンの南東約7km。11の航空会社が乗り入れ、年間500万人以上の人が利用する。各ターミナルに案内所がある。空港内の移動は"Terminal"と表示された緑色のバスで。
●**路線バス　Valley Metro**　ターミナル3、4からRed Lineの西行きバスに乗ってダウンタウンまで約20分。
●**空港シャトルバン　SuperShuttle**　空港から指定の場所まで運んでくれる。フェニックス中心部ではなく、郊外に泊まる人にはとくにすすめる。空港へ行く際はホテルのフロントに頼んで呼んでもらう。
●**タクシー**　Courier ☎ (602) 232-2222
Yellow Cab ☎ (602) 252-5252

フェニックス・スカイハーバー国際空港
🏠3400 Sky Harbor Blvd.
☎ (602) 273-3321

Valley Metro
🚃 \$1.25。土日は運行本数がぐっと減る

SuperShuttle
☎ (602) 232-4610
📞 (1-800) 258-3826
🚐ダウンタウンまで\$7、約20分、スコッツデールまで\$10、約25分

タクシー
🚕最初の1マイルが\$3、1マイルふえるごとに\$1.50増加。ダウンタウンまで約\$15、約20分

357

グレイハウンド・バスディーポ
住2115 E. Buckeye Rd.
☎(608) 389-4200
開24時間営業
行ダウンタウンへはBuckeye Rd.を走るRed Line西行きのバスに乗って約15分。Red Lineは22：00までの運行
地P.360

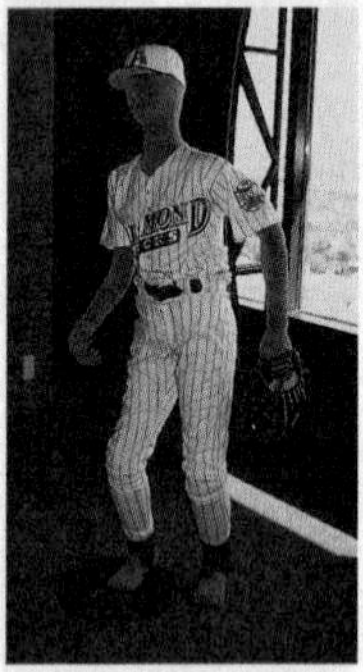

'98年フェニックスに誕生した大リーグ球団アリゾナ・ダイヤモンドバックス。インドアの天然芝の球場は全米でもめずらしい

Greater Phoenix Convention & Visitors Bureau
住400 E. Van Buren St., Suite 600, Phoenix, AZ 85016 ☎(602) 254-6500、252-5588（テープによる案内）
HOME www.arizonaguide.com/phoenix
開月～金 8：00～17：00
地P.360

長距離バス

グレイハウンド・バスディーポ　Greyhound Bus Depot

国際空港のすぐ西側。E. 21st St.とBuckeye Rd.との角にあり、ダウンタウンまでは歩ける距離ではない。

フェニックスの歩き方　Walking

フェニックスの町は広大だ。全米で7番目に大きな都市として、周辺には250万人以上の人が住んでいる。したがって、観光ポイントもダウンタウンだけでなく郊外にも点在し、レンタカーを利用しない観光客には、いかに路線バスを乗りこなすかがポイントになってくる。運行本数は多いとは言えないが、バス網は発達しているので、歩くのにそう難しい町ではないだろう。バスの路線と時刻表が掲載されている"**バス・ブック Bus Book**"は旅行者必携のものだ。

なお、夏場のフェニックスは日本人には想像できないほどの暑さになる。空気が乾燥しているため、日本より楽に感じるかもしれないが、油断は禁物。念のため、水を持って歩きたい。夏場、ダウンタウンを歩くと、町を歩いている人の少なさに驚くはずだ。**町の観光シーズンは冬**なので、夏は高級ホテルも驚くほどのディスカウント料金を提示している。

また、フェニックスのダウンタウンは、完全なビジネス街。土日はゴーストタウンのようで、路線バスのほとんどが運休するか、運行本数が極端に少なくなる。レンタカーを利用する人以外は、土日の観光は避けるようにしたい。

観光案内所 ★ Information

Greater Phoenix Convention & Visitors Bureau

アリゾナ・センター敷地内のVan Buren St.に面したオフィスビルの6階にある。

data

人　口	約983,000人	TAX	セールス・タックス 5.50% ホテル・タックス 10.35%
面　積	1,104㎢	属する州	アリゾナ州 Arizona
標　高	最高833m 最低309m	州のニックネーム	グランドキャニオン州 Grand Canyon State
市の誕生	1881年	時間帯	マウンテン・タイムゾーン（夏時間は採用されないので注意）
情　報	Arizona Republic（朝刊紙）50¢ Phoenix Gazette（夕刊紙）50¢ Valley Visitors Guide（観光情報誌）無料		

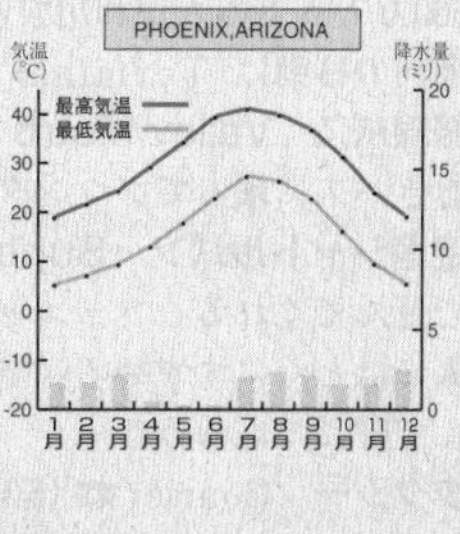

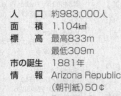

市内の交通機関 ★ Public Transportation

Valley Metro Transit System

　50以上の路線がメトロポリタン・エリアをカバーしている。ダウンタウンの路線バスターミナルはCentral Ave.とVan Buren St.の角にあり、おもなバスはここから発着している。なお、路線バスは日曜日と祝日は運行していないか、または運行本数がぐっと減る。詳しくはBus Bookで確認。

Valley Metro Transit
System
☎ (602) 253-5000
HOME www.azfms.com
働 $1.25、1日乗り放題の
All Day Passは$3.60
　トランスファーは無料で
紙に示された時間内なら乗
り換え可

DASH (Downtown Area Shuttle)

　ダウンタウンをまわるシャトル・サービス。東はアリゾナ・センター（ショッピングモール）から西は5th Ave.まで循環する。なお、11：00〜14：00の間はアリゾナ州議事堂のある18th Ave.まで走る。

DASH
働平日の6：30〜18：00の
間6〜12分間隔の運行
働30¢

ツアー案内 ★ Sight-seeing Tour

グレイライン　Gray Line of Phoenix

出発場所：おもなフェニックスのホテルへのピックアップ・サービスあり

グレイライン
☎ (602) 495-9100
☎ (1-800) 732-0327 (州外)

番号	ツアー名	料金	運行	所要時間	内容など
01	City Tour	$30	1/7〜4/30の火〜土 12：00発	4時間	州議事堂などのダウンタウンの見どころ、パラダイス・バレー、スコッツデール、アリゾナ州立大学などを見学する。
02	Sedona/Oak Creek	$55	1/9〜4/24の木8：00発 (要確認)	9時間	モンテズマ・キャッスル国定公園、セドナでゆっくり時間を取り、オーク・クリーク・キャニオンを回る。
04	Nogales, Mexico	$59	1/4〜4/25の土8：00発 (要確認)	10時間	メキシコ・ノガレスへのツアー。

Attractions
おもな見どころ ★

アリゾナの人々の生活を知ることができる
アリゾナ・ホール・オブ・フェイム博物館
★ Arizona Hall of Fame Museum

　カーネギー図書館の中にあり、もともと1908年4月、フェニックス初の図書館としてできた建物だ。館内は、アリゾナに焦点を当てた2、3の特別展が見学できるから、まずはアリゾナとフェニックスを歩き始める前に寄るといいだろう。

アリゾナ・ホール・オブ・
フェイム博物館
働1101 W. Washington St.
☎ (602) 255-2110
働月〜金8：00〜17：00
働土日、おもな祝日
働無料
働DASHで11th Ave. &
Washington St.の角で下
車
働P.360

　牧場主、炭坑夫、カウボーイといった開拓者たちの生活、アリゾナ州出身の女性国会議員、裁判官などの著名人、アメリカ先住民の生活様式などにスポットを当てている。また、図書館の設計の美しさにも注目したい。

朝早くからオープンしている

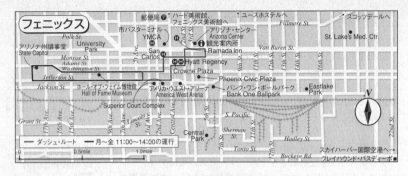

フェニックス

地図内ラベル:

郵便局　ハード美術館、フェニックス美術館へ　ユースホステルへ　スコッツデールへ
市バスターミナル　アリゾナ・センター　Fillmore St.
YMCA　Arizona Center　St. Lake's Med. Ctr.
アリゾナ州議事堂　観光案内所　Ramada Inn
State Capitol　San Carlos　Van Buren St.
Polk St.　Hyatt Regency
University Park　Crowne Plaza
Monroe St.　Phoenix Civic Plaza
Adams St.
Jefferson St.　アメリカ・ウエスト・アリーナ　バンク・ワン・ボールパーク
Jackson St.　America West Arena　Bank One Ballpark
ホール・オブ・フェイム博物館　Eastlake Park
Hall of Fame Museum
Superior Court Complex　S. Pacific
Grant St.　Central Park　Sherman St.
Tonto St.　Hadley St.
　ダッシュ・ルート　　月～金 11:00～14:00の運行
0　0.5mile　1.0mile　スカイハーバー国際空港へ／グレイハウンド・バスディーポ

アリゾナ州議事堂博物館

〒1700 W. Washington St.
☎ (602) 542-4581
HOME dlapr.lib.az.us
開 月～金 8:00～17:00、
土 10:00～15:00
休 日祝日と6～12月の土曜
料 無料
行 DASHが議事堂のすぐ近くに停まる
図 P.360

知事への贈りものも陳列されている

アリゾナ州議事堂博物館
★ Arizona State Capitol Museum

　アリゾナ州の州都は、ここフェニックス。ダウンタウンの西に位置する、銅でおおわれた建物が州議事堂で、その一部が州博物館として一般に公開されている。日本語の案内も用意されているので、1階の受付で尋ねてみるといい。館内には、それぞれの時代の州議事堂を彩ってきた歴史的なオーナメント、各国のVIPから知事への贈り物の数々、州最高裁判長や準州時代からの知事の肖像画などが陳列されている。また、復元された上院と下院の議会室、最高裁判所の法廷を見学することもできる。建物の頂上に建っているのは「ウィング・ビクトリー(勝利の翼)」。右手のトーチは「自由」を意味し、左手の月桂樹の王冠は「勝利」を意味している。

　州議事堂前の広場は、戦争のメモリアルになっており、ベトナム、朝鮮、湾岸戦争などのそれぞれの慰霊碑が建っている。

ハード美術館

〒22 E. Monte Vista Rd.
☎ (602) 252-8848 (テープ)、
252-8840
開 月～土 9:30～17:30、
日 12:00～17:00
休 おもな祝日
料 大人 $6、子供 $3、学生・シニア $5
行 ダウンタウンから#0ノースのバスに乗りCentral St. & Monte Vista (約5分)で下車。東に1ブロック入ったところ
図 P.360地図外

アメリカ南西部の先住民のアートを集めた

ハード美術館
★ The Heard Museum (Native Culture & Art)

　アリゾナ、ニューメキシコ、コロラド州といった南西部のアメリカ先住民の美術工芸品、有史前からの生活様式を紹介している博物館。ソノラン砂漠から採取した赤い土を使った土器、トルコ石を使ったアクセサリーなど、見学しているとそのエリアの旅行をしているような気分になる。かつて、プエブロ族、ヤバパイ族、ハバスパイ族、アパッチ族などがこのエリアに居住していたが、彼らの違いを装飾品などから発見するのもおもしろい。ホピ族の儀式に使う人形のコレクションは500体あり、これは圧巻。また、美術館では子供たちにも先住民について知ってもらおうという試みがいろいろとなされていて、大人でも興味深い。

　なお、ミュージアムショップで販売されている先住民の工芸品は無税。おみやげにもいい。

　さらに、先住民についてもっと知りたいという人には45分間のテープ(英語)を借りることをおすすめする。$3。

この博物館でのグッズは無税

彫像を見るのも楽しい

南西部のアーティストにも焦点をあてた
フェニックス美術館 ★ Phoenix Art Museum

　独特の気候と風土を持つアメリカ南西部。このエリアを題材にしたアートが充実した美術館。アメリカ先住民や西部開拓者たちの生活や、グランドキャニオンをテーマにした巨大な絵画などにきっと感動するだろう。ほかにもオキーフやウォーホルなどの現代美術、スペイン植民地時代や建国初期の肖像画や風景画、ルネッサンス期のイタリア美術、14〜19世紀ヨーロッパの絵画に加え、7〜8世紀中国の兵馬俑、江戸や明治の日本の浮世絵や屏風絵なども見学できる。17〜18世紀アメリカの家や17世紀フランスのサロンなどを見事に作り上げたミニチュアのギャラリーも見逃せない。

のんびりとした動物園
フェニックス動物園 ★ The Phoenix Zoo

　アフリカ、アリゾナ、熱帯、チルドレンの4つのトレイルに沿って見学できる動物たちの数は約1,300匹。

　広大な敷地と暑さのせいか、動物たちものんびりした雰囲気だ。動物園もさることながら、感心させられるのは動物園のエコロジーへの取り組み。園内ではプラスチック製品は使わないなどの努力をしている。ここでは動物だけでなく、植物にも注目しよう。フェニックスならではのものが豊富だ。

暑さに強い動物が多い

サボテンの種類が充実した
砂漠植物園 ★ Desert Botanical Garden

　いちばんフェニックスらしい観光ポイントが、この砂漠植物園だろう。植物の中で特筆すべきは、やはりサボテン。ひとくちにサボテンといっても姿も形もさまざまだ。西部劇に出てくるような背の高いひょろっとしたものから、トゲがまるでワタやコケのような姿のものまで、ソノラン砂漠のものだけでなく、中央アフリカのサボテンまで網羅されていて、その種類の多さに驚かされる。また、サボテンの花の美しさにも感動することだろう。ときおり、サボテンの間をすり抜けるトカゲや野ウサギたちにも注目。

フェニックス美術館
🏠1625 N. Central Ave.at McDowell Rd.
☎(602) 257-1222
🕐火〜日10：00〜17：00（木金〜21：00）
🚫月、おもな祝日
💲大人＄6、シニア＄4、学生・子供＄2、6歳以下無料、水曜日は任意の寄付
🚃ハード美術館の数ブロック南
🗺P.360地図外

フェニックス動物園
🏠455 N. Galvin Pkwy.
☎(602) 273-1341
HOMEaztec.asu.edu/phxzoo
🕐毎日9：00〜16：00 (5/1〜レイバー・デーは7：30〜16：00)
🚫クリスマス
💲大人＄8.50、シニア＄7.50、子供＄4.25
🚃ダウンタウンから#3イーストのバスで。"Zoo"行きバスは動物園の駐車場まで乗り入れている
🗺地図外

砂漠植物園
🏠1201 N. Galvin Pkwy. in Papago Park
☎(602) 941-1225
🕐10〜4月の毎日8：00〜20：00、5〜9月の毎日7：00〜20：00
🚫クリスマス
💲大人＄7.50、子供＄1.50、シニア＄6.50
🚃動物園のとなり（といっても30分ぐらい歩く）にあるので#3のバスを利用して動物園で降り、Galvin Parkwayを北に歩く
🗺地図外

こんなに暑いところにこれだけのサボテンが！

フェニックス・グレイハウンド・パーク

フェニックス・グレイハウンド・パーク
38th & East Washington Sts.
☎ (602) 273-7181
HOME www.phxgp.com
毎日19：30〜、9〜6月の木曜は14：00のマチネあり
$1.50（テラス・レベルはそれなりの服装が必要＄6.50）、13歳以下の子供は入場不可
ダウンタウンからR、Yのバスで東へ。ダウンタウンから行くと、右手に大きな駐車場とその向こうにレース場が見える。40th & E. Washington Sts.で降りる
地図外

テンペ
観光案内所
51 W. 3rd St., Suite 105, Tempe ☎ (602) 894-8158
Flashの運行：月〜木7：00〜20：00、金7：00〜18：00
10分間隔の運行
※グレイハウンドのバスディーポもこの町にある。
地図外

美術館
火〜土10：00〜17：00（火〜21：00）、日13：00〜17：00
ダウンタウンからはRかYのバスで約30分。Mill Ave.まで行くと中心街に着く

スコッツデール
ダウンタウンのバスターミナルからR、Y（Yは土日運休）のバスで東へ行き、アリゾナ州立大学の構内を通りUniversity Dr. & Rural Rd.で下車（約30分）。ここで#72のバスに乗り換え北へ。Rural Rd.は途中でScottsdale Rd.に変わる。乗り換えてから約35分、Indian School Rd.で下車すればOld Townなどはすぐだ
トロリーバス：（602）970-8130　1日乗り放題のバス＄4、1回＄1
地図外

観光案内所
7353 Scottsdale Mall, Scottsdale
☎ (602) 945-8481
(1-800) 877-1177

バスではなく犬のレースです
フェニックス・グレイハウンド・パーク
★ Phoenix Greyhound Park

グレイハウンドといってもバスではなく、グレイハウンドバスのシンボルになっているスリムなあの犬。日本では見られない迫力のあるドッグ・レースが行われる。レーストラックと建物は明るくとても清潔で、女性だけでも楽しめる雰囲気だ。曜日によって時間が異なるので事前にチェックしてから行ったほうがよい。

アリゾナ州立大学の町
テンペ ★ Tempe

さまざまな顔を持つフェニックス。この町にも、もちろん学生街がある。テンペという町はダウンタウンの南西にあり、その中心は**アリゾナ州立大学**。スコッツデールともフェニックスとも、まったく違った雰囲気が漂い、広大な町フェニックスではめずらしくこぢんまりとまとまったところだ。昼間のキャンパスは多くの学生たちで活気づいている。キャンパスで足を運んでほしいのが、**美術館 Nelson Fine Arts Center**（Mill Ave. bet. Gammage Pkwy.& University Dr.）。入場無料とは思えないほど、充実した現代美術に出会うことができる。Mill Ave.沿いには小さなショップや学生に人気のレストランやカフェバー、ライブハウスが連なり、夜のにぎわいに身を投じるのもまた一興。レストランは50軒以上もある。テンペには"Flash"と呼ばれる無料のシャトルバスが巡回しているので、まずはこれに乗って町を1周してみるといいだろう。

冬の高級リゾート地
スコッツデール ★ Scottsdale

ダウンタウンの北西に位置するスコッツデールは、マイアミのように避寒地として知られた高級保養地だ。ゴルフコースやプールを持つ大型ホテルが点在し、サイクリングにトライするなど、日頃の喧噪を忘れて真のリゾートを満喫するアメリカ人の姿が見られる。スコッツデールでぜひ足を運びたいのが、中心部にある**オールドタウン Old Town**。西部の古い町を再現したような家並みが連なり、みやげもの屋やレストランなどウインドーショッピングだけでも楽しい。5th Avenueもショッピングには最適だ。なお、スコッツデールのダウンタウンと大型ホテルを結ぶトロリーバスが1日5便運行されている。

スコッツデールのオールドタウン

テンペのアリゾナ州立大学

観戦するスポーツ

ベースボール（MLB）

アリゾナ・ダイヤモンドバックス
★ Arizona Diamondbacks（ナショナル・リーグ西地区）

'98年のエクスパンション（拡張）で新たに加わったチーム。開閉式のドーム球場はダウンタウンのど真ん中にあり、天然芝。暑いフェニックスの夏も快適に観戦できる。ダイヤモンドバックスとは、アリゾナ近辺に生息するガラガラヘビのこと。

アメリカン・フットボール（NFL）

アリゾナ・カージナルス ★ Arizona Cardinals
（NFC東地区）

もともとミズーリ州セントルイスに本拠地を置いていたチーム。移転後の成績はパッとしないが、お客はよくいる。

バスケットボール（NBA）

フェニックス・サンズ ★ Phoenix Suns（西・太平洋地区）

強豪チームのひとつで、毎年のようにプレーオフに出場するが、カンファレンス優勝まではなかなか進まない。

アイスホッケー（NHL）

フェニックス・コヨーテス ★ Phoenix Coyotes

もともとはカナダのウィニペグに本拠地を置いていたチームで、1996年の移転とともに名前を「コヨーテス」と改めた。移転後の初年度の勝率はほぼ5割。'97～'98のシーズンはギリギリながらもプレーオフに出場した。

アリゾナ・ダイヤモンド・バックス
本拠地──バンク・ワン・ボールパーク Bank One Ballpark, 401 E. Jefferson St.
☎ (602) 514-8400（チケット）、503-3111（チケット）、462-6000
🚇ダウンタウンの真ん中
🗺P.360

アリゾナ・カージナルス
本拠地──アリゾナ州立大学サンデビル・スタジアム ASU Sun Devil Stadium, Stadium Dr. & 5th St., Tempe
☎ (602) 379-0102（チケット）
🚇テンペにある。ダウンタウンからはRかYのバスで

フェニックス・サンズ
本拠地──アメリカ・ウエスト・アリーナ America West Arena, Phoenix Suns Plaza, 201 E. Jefferson St.
☎ (602) 379-7867
🚇ダウンタウンの真ん中
🗺P.360

フェニックス・コヨーテス
本拠地──America West Arena, 201 E. Jefferson St.
☎ (602) 503-5555（チケット）、514-8321
🚇サンズ参照

車ならフェニックスの行動範囲が広がる

広大な町、フェニックスを回るには車が断然威力を発揮する。もちろん、路線バスも発達していて、利用者が多いことも事実だが、やはり、車。レンタカーで回る人のための、郊外の観光ポイントを紹介しよう。

●ローハイド Rawhide
🚇23023 N. Scottsdale Rd., Scottsdale
☎ (602) 502-1880、502-5600

昔、日本でも好評を博したアメリカの西部劇ドラマ『ローハイド』。そのドラマの舞台のような1880年代の大西部の町が、スコッツデールの郊外に再現されている。特徴は、その徹底さ。わずかばかりのメインストリートには20のショップやギャラリーが並び、そこでは突如としてガンファイトが始まったりする。ステーキレストランも、もちろんウエスタン・スタイルだ。🕐6～9月の毎日17:00～22:00、10～5月の月～木17:00～22:00、金～日11:00～22:00 💰無料
🚇スコッツデールの中心部からScottsdale Rd.

を約10マイル北上、Peak Rd.と交差する少し手前

●タリアセン・ウエスト Taliesin West
🚇Frank Lloyd Wright Blvd. & Cactus Rd., Scottsdale ☎ (602) 8860-2700

旧帝国ホテルの設計を手掛けたことで、日本人にもなじみが深いフランク・ロイド・ライト。20世紀を代表する建築家は、ウィスコンシン州で生まれ、シカゴで名声を得て、そんな彼が最期の地として選んだのが、この地。マクドウェル山脈のもと、ライトの代表作とも言えるこの制作室と学校を兼ねた邸宅は、一般公開されている。大平原との調和を目指したライトの作品を堪能してみよう。
🕐毎日10:00～16:00、見学ツアーは1時間ごとの出発
💰大人＄14.35、シニア＄11.35
🚇スコッツデールの中心部からScottsdale Rd.を北上し、Cactus Rd.にぶつかったら東へ。Frank Lloyd Wright Blvd.と交差するあたり

ダウンタウンのショッピングセンター
The Shops at Arizona Center
🏠3rd St. & Van Buren ☎(602) 271-4000
HOMEwww.arizonacenter.com
🗺P.360

　ダウンタウンで唯一最大のショッピングモール。約60の店とレストラン、クラブ、映画館などが、中庭を向くというしゃれたレイアウト。フードコートもあるので、食事に迷ったらここに足を運ぶといい。観光用のパンフレットも置いてある。

スポーツのグッズが揃う
Team Shop
🏠America West Arena, 201 E. Jefferson St.
🕐月〜土10：00〜15：00 AMV 🗺P.360

　成長著しいフェニックスには、4大プロスポーツのすべてのチームがある。サンズ（NBA）、ダイヤモンドバックス（MLB）、コヨーテス（NHL）、カージナルス（NFL）がそれ。それら、プロスポーツ・チームのTシャツ、トレーナー、ジャケット、キャップなどが販売されている。

　冬がハイシーズンのフェニックス周辺。夏は強烈に暑いが、ホテルによっては冬の半額以下。スコッツデールの高級ホテルだって、6〜9月なら手の届く料金になるので、いろいろ当たってみよう。

便利で快適、そしてリーズナブル
Ramada Inn Downtown Phoenix
🏠401 N. 1st St. Phoenix, AZ 85004
☎(602) 258-3411、FAX(602) 258-3171
オフシーズン⑤① $59〜、オンシーズン
⑤① $89〜 ADJMV 🗺P.360

　フェニックス・ダウンタウンの中心部に位置するラマダ・ホテルは、抜群の便利さとエコノミーな料金でアメリカ人の家族連れやビジネスマンに人気だ。旅行者にとって何よりうれしいのは、空港やバスディーポ間の無料送迎シャトルがあることだ。到着したら電話して迎えに来てもらおう（ドライバーへのチップは忘れずに）。

　そしてダウンタウン最大のショッピング・モール、アリゾナ・センターへは大きな駐車場を渡ってすぐなので、夕方からのショッピングや食事も心配なし。162室。
（'99）

読★者★投★稿

大リーガーの春季キャンプを見に行こう

　アリゾナ州では毎年2月下旬〜3月下旬に約10チームのメジャーリーグのスプリング・トレーニングが行われており、フェニックス周辺でも4チームの大リーガーに会うことができる。僕はサンフランシスコ・ジャイアンツを見に行き、選手や監督など18人のサインをもらえた。球場へ行くときにはチームの帽子やTシャツを身に着けて、ファンだということをアピールするといい。皆とてもフレンドリーでサインや握手、写真など何でも気軽に応じてくれるはずだ。ペナントレース中はなかなかできないことなので、春にアリゾナを訪れたらぜひ行ってみよう。

●**サンフランシスコ・ジャイアンツ** Scottsdale Stadium（🏠408 E. Osborn Rd., Scottsdale）路線バス＃72（平日のみ）
●**アナハイム・エンジェルス** Tempe Diablo Stadium（🏠2220 W. Alameda Dr., Tempe）路線バス＃45、52（両方とも日曜運休）
●**オークランド・アスレチックス** Phoenix Municipal Stadium（🏠5999 E. Van Buren, Phoenix）路線バスYellow Line（平日のみ）＃3（日曜運休）
●**シカゴ・カブス** HoHokam Park（🏠1235 N. Center St., Mesa）路線バス＃104（平日のみ）　　（高橋直樹　栃木県）（'98）

リゾートにおすすめのマウンテン・シャドウの客室

★

フェニックス

リゾートという言葉がふさわしい
Mountain Shadows（Marriott's）

📍5641 E. Lincoln Dr., Scottsdale, AZ 85253

☎(602)948-7111、FAX(602)951-5430
オンシーズン⑤①① ＄209〜265、オフシーズン⑤①① ＄89〜109　ＡＤＪＭＶ
🗺地図外

　レンタカーでフェニックスを回る人におすすめしたいのがこのホテル。本格的なリゾート・ホテルで、周囲は大西部ならではの大自然に加え、ホテルの有するゴルフコースなどがある。中央の広いプールを囲むようにして客室が配置され、その客室は「スイートルーム」かと思われるほどの広さ。各部屋にはセーフティボックスやコーヒーメーカーも準備されている。長期リゾートを満喫する人のために、ランドリーの設備まであるというのは、ほかではちょっと見られない。ホテル内ですべてが済むよう、ショップやレストランも数軒あり、現世界から離れたような気分だ。スコッツデールのダウンタウンまでは、トロリーバスが1日5便運行されている。　　　　（'98）

夏なら安く泊まれる高級ホテル
Hyatt Regency Phoenix at Civic Plaza

📍122 N. 2nd St., Phoenix, AZ 85004

☎(602)252-1234、☎(1-800)233-1234、
FAX(602)256-0801、HOMEwww.hyatt.
com/pages/p/phxrpa.html　🗺P.360
オンシーズン⑤①① ＄159〜230、オフシーズン⑤①① ＄129〜230　ＡＤＪＭＶ
🗺P.360

　日本語が話せるスタッフもいる。ダウンタウンの中心部。ディーポから4ブロック。
　　　　　　　　　　　　　　　　（'99）

ダウンタウンで最も安く泊まれる
Downtown YMCA

📍350 N. 1st Ave., Phoenix, AZ 85004
☎(602)253-6181　ＭＶ　🗺P.360

　町の中心にあって便利なYMCA。Washington St.を西に1st Ave.まで行き、右折して6ブロック。139室あるがいつも混雑している。1泊1人＄28（バス、トイレ共同）。キーデポジット＄10。
　　　　　　　　　　　　　　　　（'99）

車で移動する人におすすめ
La Quinta Inn

📍911 S. 48th St., Tempe, AZ 85281
☎(602)967-4465、FAX(602)921-9172
オンシーズン⑤①① ＄98〜103、オフシーズン⑤①① ＄71〜76　ＡＤＪＭＶ　🗺地図外

　ダウンタウンとアリゾナ大学の中間にある。University Ave.に面したDenny'sの裏。空港へのシャトルバスがある。部屋はすべてバス、トイレ、CATV付きでとてもきれい。　　　　　　　　　　　　（'98）

スコッツデールでリゾート気分の1日を
Fair Field Inn Scottsdale

📍5101 N. Scottsdale Rd., Scottsdale, AZ 85250

☎(602)945-4392、FAX(602)947-3044
⑤①① ＄199〜139（夏期 ＄50〜89）ＡＭＶ

　スコッツデールのメインストリートにあり、ファッション・スクエアをはじめとするアトラクションへは、トロリーバスが走っているので便利。全室バス・トイレ・TV付き。ヤシの木に囲まれた中庭に温水プール、スパあり。　　　　　（'99）

読★者★投★稿

スコッツデールに泊まってショッピング三昧
Marriott Suites Scottsdale

📍7325 E. 3rd Ave., Scottsdale, AZ 85251
☎(602)945-1550、FAX(602)945-2005
オンシーズン⑤①① ＄219〜229、オフシーズン⑤①① ＄69〜99　ＡＤＭＶ　🗺地図外

　スコッツデールは空港から車で約15分、メキシコのような雰囲気のある町。とてもきれいで安全なので、スコッツデール内の大通りなら夜のひとり歩きもできそうなほど。ここは全米各地からお金持ちが避寒地として訪れるところ。オフシーズンになる夏は一流ホテルも約半額の料金で泊まれる。私たちの泊まったマリオットは、日本ではなかなか泊まれないような超デラックスなリゾートホテルだが、格安で泊まれた。　　　（山本多佳子　大阪府）（'98）

朝食付きの空港ホテル
Holiday Inn Express Phoenix

⌂3401 E. University Dr. & I-10, Phoenix, AZ 85034 ☎(602) 453-9900
オンシーズン⑤Ⓓ＄110～130、オフシーズン⑤Ⓓ＄70

　24時間空港への送迎サービスがあり、朝食もついている。空港からは、バゲージクレームのところにあるCourtesy Phone Centerで「45」をダイヤルする。到着便名と自分のいるターミナルというと、ダイヤモンドマークのところまで迎えに来てくれる。ダイヤモンドマークの場所は空港職員に尋ねるといい。Holiday Innとボディに書いたマイクロバスが来るので、手を振って合図すること。

（田中耕作　大阪府　'98冬）

会員なら1泊＄12
Hostelling International Phoenix、The Metcalf House

⌂1026 N. 9th St., Phoenix, AZ 85006
☎(602) 254-9803
ドミトリー会員＄12、非会員＄15　地図外
　少々古い建物だが、マネージャーがとても親切。すぐ近くにバスストップがありダウンタウンも近い。予約は不可。24時間オープンで自転車のレンタルあり。8/7～8/27は休み。35ベッド。（伊藤大介　札幌市）（'99)

レストラン
Restaurant

ダウンタウンでスポーツ観戦！
Player's Bar & Grill / Phoenix Live

⌂455 N. 3rd St., Arizona Center
☎(602) 252-6222　P.360
　「プロスポーツの試合を観に行きたい。でもチケットが入手できなかった！」という人は、ぜひこのお店で観戦を！店内の各所に取り付けられたTVが、試合のライブを映し出し店内は熱狂の嵐となる。料理の量はハンパじゃないが値段はディナー＄15程度。場所はアリゾナ・センター2階。

('98)

アリゾナ・センターのおしゃれなお店
Fat Tuesday

⌂455 N. 3rd St., Arizona Center
☎(602) 256-2444　P.360
　アリゾナ・センターの3rd St.側1階にあるこのお店は、各種のダイキリを揃えたオシャレな各地に支店のあるバー＆レストラン。案内係もいないので、自分で好きなところに座っていいシステムになっている。料理はいわゆるアメリカン・フードから南部料理風のものまで幅広く、＄10前後と一品の値段もおさえめでうれしい。テンペ（⌂680 S. Mill Ave ☎967-3917）にも支店がある。

('98)

スコッツデールのメキシカンならここ
Los Olivos Mexican Patio

⌂7328 2nd St., Scottsdale
☎(602) 946-2256　地図外
　1928年創業のフェニックスでは歴史のあるレストラン。パティオ風の内装で、夜はライブ演奏もあってなかなかいい雰囲気だ。雰囲気に反して、コンビネーションプレートが＄10以下と、とてもリーズナブル。店自慢のレシピは、メキシコの味を十分に堪能させてくれて、ボリュームもたっぷりだ。タコ、チリ、トルティーヤなどにチャレンジしてみよう。

('98)

チキンウイングとウエイトレスが名物
Hooters

⌂445 N. 3rd St., Arizona Center
☎(602) 495-1234　P.360
　全米にチェーン店があり、ジューシーなフライドチキンとタンクトップ＆ショートパンツ姿のセクシーなウエイトレスで有名。ハンバーガーやサンドイッチも＄5～7と安くてすごいボリューム。自分の名前を書いたお札を店内の壁などに貼ってくれる。（磯村信男　市川市）（'98)

地図（Seattle, Denver, Chicago, New York, San Francisco, Los Angeles, Atlanta, New Orleans, Miami）

　ここはアメリカなのだろうか、メキシコなのだろうか……。そんな独特の雰囲気をもつ町がエルパソだ。グレイハウンドの運転手はもちろんのこと、ホテルの従業員のなまり、人々の会話、市バスのドライバーと市民とのやりとり、この町で交わされる会話のほとんどがスペイン語なのである。この独特の雰囲気は、単にメキシコと国境を接していることにとどまらない。アメリカ先住民の土地だった場所に、スペイン、メキシコ、アメリカが統治者としてやってきた、そんな歴史が生んだ雰囲気だ。だから、この町は同じテキサス州でも南部に近いダラスとはまったく違うし、西部の町ともまた違う。

　アメリカの急成長地域と呼ばれるようになって久しい「サンベルト」にあり、コンベンションの開催も多いが、旅行者として町を歩いている限り、のどかな町にしか思えない。郊外では、冬でも温暖で乾燥した気候を利用して、チリ（唐辛子）やエジプト綿の栽培が盛んだ。避寒地として冬が観光シーズンだが、年間を通していつ訪れても楽しめる。

ダウンタウンへの行き方　★Access

空港

エルパソ国際空港　El Paso International Airport（ELP）

　1928年に開港。ダウンタウンの北東約12kmのところに位置し、現在アメリカン、コンチネンタル、デルタなど8つの航空会社が乗り入れている。エルパソ・ダウンタウンの多くのホテルでは国際空港までの送迎サービスを行っている。泊まるホテルに問い合わせてみるといいだろう。

●空港シャトルバン　Sprint Airport Shuttle　ダウンタウンまで約20分。空港へ行くときはホテルのフロントに頼んで呼んでもらう。

●路線バス　SUN METRO　#33のサンメトロ・バスがダウンタウンまで走っている。バス停は空港ターミナルから外に向かって一番左側。約50分。

●タクシー　ダウンタウンまで12～15分。

Sprint Airport Shuttle
☎ (915) 833-8282
圏1人＄12.50、2人＄18、3人＄21

SUN METRO
圏＄1
運行：平日はおよそ6：00〜21：00の間、1時間に1本（1日16本）。土は1日15本、日は12本と本数は減るが、いずれも1時間に1本の割合で運行している

タクシー
圏＄10〜15

長距離バス

グレイハウンド・バスディーポ　Greyhound Bus Depot

ビジターセンターの南側のブロックにあるディーポ。清潔で、見やすいディスプレイ、しっかりしたコインロッカー、と使いやすい。フードコートまである。

鉄　道

アムトラック・ユニオン駅　Amtrak Union Train Depot

プラザとの間は、"Union Depot Shuttle"という無料バスがつないでいる。月〜金の7：40〜17：00の間20分ごとの運行で、所要約6分。サンハシント広場まで歩いても10〜13分程度。ただし、暗くなってからはタクシーで。

エルパソの歩き方　Walking

町の中心は**サンハシント広場 San Jacinto Square**。単に"プラザPlaza"と呼ぶことが多い。ダウンタウンのMain、Mills、Oregon、Masaの各ストリートに囲まれたブロックで、路線バスの発着点になっている。

エルパソはメキシコと国境を接する町。ここでの観光の第一目的は、なんといっても国境越えにある。ダウンタウンからも歩いていける距離だ。アメリカ入国後メキシコ国境を越えるには、パスポートと日本への帰国便のチケットを持っていて、72時間以内に再びアメリカへ戻ってくるのなら特別な手続きはいらない。

次におすすめしたいのが、エルパソ近郊のアメリカならではの大自然、カールスバッド洞穴群国立公園と、ホワイトサンズ国定公園へのエクスカーション。エルパソからも観光ツアーは出ているが、ある程度人数が集まらないと催行されないので、レンタカーの利用をすすめる。

エルパソの路線バスはこのサンハシント広場が発着点

観光案内所 ★ Information

El Paso Visitor Center

周りを小さな人工池に囲まれたしゃれた観光案内所。路線バスのスケジュール、市内、近郊の見どころ情報を親切に教えてくれる。また、エルパソとファレスを結ぶトロリーのチケットはここで購入する。Camino Real Hotelのすぐそば。

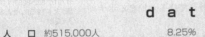

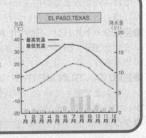

d a t a

人　口	約515,000人		8.25%
面　積	641km²		ホテル・タックス
標　高	1,216m		14%
市の誕生	1873年	属する州	テキサス州　Texas
情　報	El Paso Times	州のニックネーム	一つ星の州
	（朝刊紙）35¢		Lone Star State
	日曜版＄1.50	時間帯	マウンテン・タイム
TAX	セールス・タックス		ゾーン

EL PASO, TEXAS

最高気温
最低気温

市内の交通機関 ★ Public Transportation

サンメトロ・バス　Sun Metro Bus

　エルパソの路線バス、サンメトロ・バスは使いやすい。なぜなら、すべての路線がダウンタウンのサンハシント広場に発着するからだ。バス停は路線によって異なるので、通りに出ている看板で番号を確認しよう。バスの案内所がサンハシント広場の向かいにあるので、まずはここで路線図やタイムテーブルを入手するといい。一部の路線は、案内所向かいのハンバーガーショップの前からも発着する。

●トロリー　Trolley

　サンメトロではトロリースタイルのバスも運行している。トロリーはダウンタウンを走る、East/West、North/South、Magoffin Homeの3路線ある。旅行者がいちばん使いやすいのは、町を大きく1周し、メキシコとの国境近くまで行くNorth/South Route。この路線は運行時間も長めだ。ちなみに、1885年に開業した当時は、ダウンタウンとファレスを結んでいたため、"世界で唯一の国際路面電車"と呼ばれていたそうだ。

ツアー案内 ★ Sight-seeing Tour

カールスバッドとホワイトサンズへのツアー

　下記のローカルツアー会社が、カールスバッド洞穴群国立公園とホワイトサンズ国定公園へのツアーをそれぞれ催行している。ただし、4人以上集まらないと催行されない。事前の予約が必要だ。詳しくは、電話、またはFaxで尋ねてみるとよい。

ランチョ・グランデ・ツアーズ
Rancho Grande Tours/Shuttle

圏カールスバッドへ1人＄65、ホワイトサンズへ1人＄55。4人以上集まらないと催行されない。

Attractions
おもな見どころ ★

かつての西テキサスの商人の家
マゴフィン・ホーム
★ Magoffin Home State Historical Park

　1875年、メキシコから渡ってきた開拓者であり、政治家、商人であったジョセフ・マゴフィンによって建てられた家で、その後100年以上にわたり子孫代々住み継がれてきた。テキサスが準州だった時代の、なかでも1865〜1880年ごろ南西部で流行した様式で、アドーベとギリシャ復古調の装飾が見られるのが特徴。アドーベとは干しレンガのことで、テキサス州西部やニューメキシコ州を中心としたアメリカ先住民の家屋に使われた。内部はツアーによって回るが、最後に案内されるショップの天井は、家で最も古い部分。家具は、代々実際に使われてきたものだ。

サンメトロ・バス
案内所：館Oregon & Main Sts.　圏P.370 B-1
☎ (915) 533-3333
圏月〜金7：00〜18：00、土8：00〜17：00
圏＄1、トランスファーは10￠で次の1路線、1時間以内有効。最初に料金を払うときにドライバーからもらう

トロリー
運行：North/South 月〜金6：30〜21：00、土8：00〜21：00、日祝日9：00〜19：00。10分ごと
East/West 月〜金6：30〜18：30。15〜30分ごと
Magoffin Home 水〜日9：00〜16：00。30分ごと
圏25￠

国境を越えてファレスまで行ってみよう

Rancho Grande Tours/Shuttle
館6400 Airport Rd., Suite D., El Paso, TX 79925
☎ (915) 771-6661
圏 (1-800) 605-1257
FAX (915) 771-6664

マゴフィン・ホーム
館1120 Magoffin Ave.
☎ (915) 859-7718
圏毎日9：00〜16：00
圏祝日
圏大人＄3、子供(6〜12歳)＄2
圏ダウンタウンよりバス#21、22、55、62で約5分。中心部まで歩いても15分くらいの距離だ
圏P.370 B-2地図外

教会内はおごそかな空気が漂う

ミッション・トレイル
　ミッション・トレイルについての問い合わせはCivic Center Plaza ☎(915) 534-0630
■ダウンタウンからI-10を東へ。Zaragosa Rd.を南に向かい、Alameda Ave.と交差したところが最初のミッション（Ysleta Mission）。ここからはトレイルの標識に従ってドライブ。Ysleta Missionだけならサンメトロバスの＃61、62、63、64でも行ける（路線によってダウンタウンから1時間〜1時間20分。Candelavia at Alamedaあたりで下車）
■地図外

ブリス砦博物館
■Bldg. 5051, Pershing Rd.
☎(915) 568-4518
■毎日9：00〜16：30
■イースター、サンクスギビング、クリスマス、元日
■寄付金制
■ダウンタウンから＃7、31のバスに乗り、ブリス駐屯地に入ってしばらくしてからPershingとPleasantonの角で下車。左手に見えるアドーベの建物がブリス砦博物館、その向かいにあるのがエア・ディフェンス大砲博物館だ
■地図外

キリスト教はこの道を通って広まった
ミッション・トレイル ★ Mission Trail

　車があればぜひ走ってみたいのが、このミッション・トレイル。8マイルのトレイル沿いに3つのミッション（伝道所）があり、400年前に始まったスペイン人のキリスト教布教の歴史と、テキサス開拓、アメリカ先住民の生活の変化など、アメリカ史の断面に触れることのできる道だ。3つのミッションは、ダウンタウンに近いほうからMission Ysleta（1692）、Mission Socorro（1843）、Presidio Chapel San Elceario（1853）。少なくとも、ひとつの教会の内部に入ってみよう。アドーベの影響が見られる小さな木造の教会内は、おごそかな雰囲気が漂い、祭壇には太陽の光が差し込んでいる。キリストや聖母、聖者たちの像からその歴史を感じとることができるだろう。これらの教会は現在もその機能を果たしており、敬けんな信者たちの祈りをささげる姿を見ることができる。

昔の砦はいま防空基地
ブリス砦 ★ Fort Bliss

　1840年代にできた辺境の小さな砦が、現在アメリカ最大の大きさを誇る防空基地になっているのは興味深い。全米各地のみならず世界25カ国から集まった2万人以上の兵士が毎日訓練を続けている。広大な駐屯地の中にはオフィスビルや訓練場のほかに博物館や、かつての砦を復元したものなどもある。サンメトロ＃31のバスが基地内を通っている。

●ブリス砦博物館　Fort Bliss Replica Museum
　1848年から20年間に実際に使われた砦を復元した博物館。アドーベで造られた建物内部では、南北戦争に実際に使われた武器や軍服などの展示とブリス砦の歴史を見ることができる。

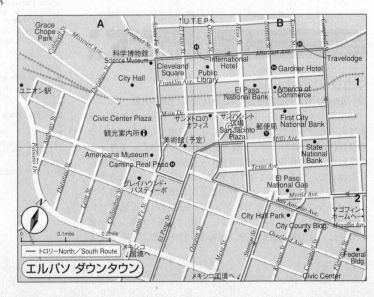

エルパソ ダウンタウン

●エア・ディフェンス大砲博物館
U.S. Army Air Defense Artillery Museum

　大砲やミサイルに関するアメリカで唯一の博物館。館内には実際の戦争で使われた大砲や火器が展示されており、戦争の歴史とこれらの兵器が使われた背景について知ることができる。

スペイン語もポピュラーな大学
テキサス大学エルパソ校
★ **University of Texas at El Paso (U.T.E.P.)**

　ダウンタウンの北西、フランクリン山脈のふもとに広大なキャンパスを持つU.T.E.P.（"ユーテップ"と発音する）は1813年に創立され、現在世界70ヵ国から1万7,000人以上の学生が勉学に励んでいる。校内には、エルパソ周辺で発見された化石や鉱物の展示を中心に、この地域の人間史と自然史について高い評価を受けている**百年記念博物館 Centennial Museum**や、サンボウルという大学フットボールの試合が行われる、山を削って作られた5万人収容の**サンボウル・スタジアム Sun Bowl Stadium**などがある。学生たちの間で交わされる言葉が、スペイン語が非常に多いというのもこの大学の特徴だ。

　East WingはU.T.E.P.の売店や書店、スナックスタンドがあり、キャンパスでいちばんにぎわっている。モザイクをあしらった建物のデザインも、この風土にマッチしているようで美しい。

メキシコとの国境が眺められる
シーニック・ドライブ ★ **Scenic Drive**

　ダウンタウンの北にあるフランクリン山脈は、ロッキー山脈の最南端にあたる。2つの国と3つの州が一度に見渡せるビューポイントからは、美しく迫力のある眺望が楽しめる。車があったらぜひ、夜訪れてみよう。夜景の美しさは格別。

エルパソの歴史が歌と踊りに！
ビバ！エルパソ ★ **Viva! El Paso**

　400年に及ぶエルパソの歴史を、伝統的な踊り、オリジナルの歌、色鮮やかなコスチュームを使って、1,560人収容の野外劇場に再現する約2時間のエンターテインメント。先住民の暮らし、スペインの侵略、メキシコ革命、ブリス砦の建設、西部開拓、鉄道の敷設といったエルパソの歴史上の事件をテーマに、華やかに展開する。開演前にディナーを取ることもできる（24時間前までの予約が必要）。場所は町の北側、フランクリン山脈のマッケリゴン・キャニオン McKelligon Canyon。なお、夏期以外にもイベントが行われる。

エア・ディフェンス博物館

ファレス
Juarez

エルパソは国境の町だ。国境を隔てたメキシコ側にはファレスの町がある。歩いて国境を越えてメキシコ体験をしてみよう。

エルパソのダウンタウンからEl Paso St.を南に歩く。道の両側に並ぶ商店は、国境を越えて買い出しにやってくるメキシコ人相手の店だ。決していい品物ではないが、いかにもアメリカ的なデザインのシャツ、帽子をはじめとした衣料品や日用品が格安で売られているので、ちょっとのぞいてみてもおもしろい。のんびり15分も歩けば国境だ。といっても、特別なゲートも審査もなにもない。橋を渡る前に25¢払うだけ。国境の川は**リオ・グランデ Rio Grande**。メキシコでは北ブラボ川 Rio Bravo del Norteと呼ばれるこの川は、コロラド州のロッキー山中に水源をもつ。ちょうど中流域にあたるエルパソから、アメリカとメキシコの国境となり、メキシコ湾に注ぐ全長約3,030kmの大河だ。国境パトロールの姿も目につくだろう。

国境を越えると雰囲気が変わる

橋を渡るともうメキシコ。そのまま道なりに直進しよう。このAv. Juarez沿いには、革製品や銀細工の店、レストランなどが並んでいるが、日本語で話しかけてくるなど、すれた店が多い。ひやかすのはいいが、買い物は何軒か見てからにしたい。10分ほど歩くとファレスのメインストリートである**Av.16 de Septiembre**に突き当たる。正面の堂々とした建物は旧税関で、現在は**ファレス市歴史博物館 Museo Historico de Ciudad Juarez**になっている。ファレスとチワワ州の歴史を中心に10の展示室があり、アメリカとメキシコとの関係をメキシコ側からの視点で捉えているのが興味深い。ただし、説明はスペイン語のみ。

Av. 16 de Septiembreを東（左手）に5分ほど歩くと、北側に**市場 Mercado Juarez**がある。驚くほど多種多様なチリをはじめとする香辛料、食品、革製品、銀細工、置き物、酒、ピニャータが並んでいる。ぶらぶら歩いて見ているだけでも飽きない。この市場は観光客だけでなく、地元の人も買い物に来ているのがおもしろい。また、市場の東側にはマリアッチを演奏するレストランがあるので、ここで3時のお茶をするのもいいだろう。もっとメキシコらしさを感じたいなら、Av. 16をさらに南へ行ってみたい。ロスアンゼルスのオルベラ街のような屋台が連なり、観光客らしい人の姿は皆無となる。週末のエルパソでは考えられないほどのにぎわいだ。アジアのように、町の匂いが感じられるところ。

ファレス市歴史博物館
🏛16th Septembre & Juarez Ave.
📅火～日 10：00～18：00
📕月
💰無料
🗺地図外

マリアッチに耳を傾けるもよし

国境越えの注意

72時間以内で、国境から18マイル（約29km）以内の滞在ならばビザも必要ないし、面倒な手続きはまったくない。メキシコ入国時に25¢、出国時に25¢を支払えばいい（車の場合は入国時に$1.25、出国時$1.35）。アメリカ再入国時にはパスポートのチェックがあるが、一般の日本のパスポート保持者ならば中を見ないでOKということも多い。ただし、帰国便の航空券も忘れずに。また、アメリカ国内で借りたレンタカーでメキシコに入ることはできない。必ず国境のアメリカ側にある駐車場に

停めて、歩いてメキシコに渡るように。

●エルパソ-ファレス・トロリー　El Paso-Juarez Trolley

エルパソとファレスを結ぶ便利なトロリーバス。ドライバーが解説しながら、ファレスの市場や免税店など9カ所に停車。チケット（手首に巻く）はビジターセンターで購入。

エルパソ-ファレス・トロリー
🏠1 Civic Center Plazaより出発
☎ (915) 544-0061
運行：4～10月の毎日10：00～17：00、11～3月の毎日10：00～16：00の間、1時間ごとにビジターセンターの前から出発
🎫 大人＄11、4～12歳＄8.50、3歳以下は無料

読★者★投★稿

チープに買い物が楽しめるStanton St.

エルパソのダウンタウンからファレスに延びているStanton St.はGood。2つの町を結んでいるトロリーバスは、停まらないことも多い。この通りには、グロサリーショップやチープな商品を売っている店がたくさんある。ファレスに向かって左手にあるKorean Restaurant（🏠504 Stanton St.）は安くておいしい。チゲ＄5、Koreanバーベキュー＄6などがある。テイクアウトもできるし、中華料理も作っている。また、Kansas Bakeryというパン屋もおいしい。店のおばさんはメキシコ人だが、英語も話せるので安心だ。おススメはパンプキン、アップル、パイナップルが中に入ったパン。2つ買っても＄1以内ですむ。エルパソに行った人は、ぜひ、Stanton St.を歩いてみてほしい。

（若木由佳　アメリカ在住　'98夏）

ヨーロッパの影響を受けた建物も残っている

読★者★投★稿

ファレスのおみやげもの屋は交渉次第

とくに買い物目当てではなかったが、せっかくだからメキシコ側のファレスへ行ってみた。

アメリカ国内で＄14.50で売っていた操り人形を発見。言い値で＄5だったものを＄3に値切って買ったが、あのときの感じではあと＄1は安くなったかもしれない。国境近くの店は高いし、値切りにくい。ファレスの町なかは、タクシーやみやげもの屋の客引きばかりだった。貧しいからか、2、3歳の子供までもが物乞いをしているのを見たのはショッキングだった。

再入国時には、パスポートのチェックだけで帰国便のチェックはなかった。アメリカ人の国境管理官は、とても愛想のいい人だった。　　　　　　（レイ＆ケン　北海道　'98夏）

Suburb Points
郊外の見どころ ★

とてつもなく大きい鍾乳洞
カールスバッド洞穴群国立公園
★ Carlsbad Caverns National Park

エルパソの東230kmに位置する世界最大級の鍾乳洞。5月下旬から9月下旬までの日没のころ、数万羽のコウモリが飛び立つさまは圧巻。洞穴内を歩くツアーも人気がある。TNM&O社のバスでホワイトシティまで行き、そこからレンタカーを利用するか、エルパソからは、不定期だがツアーバス（P.369）が運行されている。レンタカーの場合はUS-62/180を東へ約150マイル。

詳しくは
どちらの公園も詳しくは『地球の歩き方49アメリカの国立公園』編を参照。

ホワイトサンズ国定公園
★ White Sands National Monument

どこまでいっても一面真っ白な砂が続くホワイトサンズ国定公園は、エルパソからI-10とUS-70/82を使って北東に130km。レンタカー利用か、エルパソからは不定期だがツアーバス（P.369）が運行されている。

★　★　★　**ショッピング**　★　★　★
Shopping

アウトレットへ出掛けよう！

ダウンタウンには、あまりショッピングを楽しめるような店はない。ほとんどの店が品物の質や種類に乏しい。アウトレットの宝庫エルパソでは、ぜひアウトレット店が建ち並ぶ郊外や空港周辺へでかけよう。洋服や革製品、電化製品、家具、スポーツ用品まで、なんでもアウトレットで揃ってしまうほど。とくに、18,000足のカウボーイブーツ、10,000本のジーンズ、帽子などを揃えているウエスタン・ウエアの店 Cowtown Boots〔⌂11451 Gateway West ☎(915)593-2929〕の店内は一見の価値あり。　　　（阿部寿美子　福岡市）（'98）

その他のアウトレット

●Justin―ウエスタンブーツなど
⌂6601 Motana Ave.　☎(915)778-8060
バス#50で　地地図外
●Justin―ウエスタンブーツ、ワークブーツ、ベルトなどのアクセサリー。サンメトロ#1で。
⌂7100 Gateway East, I-10 at Hawkins

☎(915)779-5465、T(1-800)992-6687
地地図外

ブーツといえばトニーラマ
Tony Lama Factory Stores

⌂7156 Gateway East　☎(915)772-4327
圖月～金9：00～19：00、土9：00～18：00、日12：00～18：00　　AMV
地地図外

エルパソには、世界に名だたるブーツメーカー、トニーラマの本社がある。市の周辺に3軒のアウトレットもあって、いわゆる「ホームタウン・プライス」で安くブーツが買えるのだ。ダウンタウンから比較的近く、品数（常時15,000足以上）も豊富なのが、本社工場に隣接したここ。ブーツはデザインも値段もピンからキリまであるが、$70～120程度が中心。カウボーイハット、バックル、レディスブーツ、Tシャツなどのほか、スプレー、クリームなどシューケア用品も充実している。I-10のExit26近く、Best Western Airport Innの隣にある。バスならプラザから#63で。

★　★　★　**ホテル**　★　★　★
Hotel

エルパソ随一の豪華ホテル
Camino Real Hotel

⌂101 S. El Paso St,. El Paso, TX 79901
☎(915)534-3000、T(1-800)769-4300、
FAX(915)534-3024
HOMEwww.caminoreal.com/elpaso/
S$109～、DT$124～　　ADMV
地P.370　A-2

メキシコを中心とした高級チェーンホテルのひとつで、歴史的な建物を利用している。しかし、外観はレンガ造りというもの

の、内装は実に現代的で清潔だ。全部で365部屋あり、一部の部屋からはメキシコとの国境がよく見える。空気の乾燥したエルパソで、各部屋にコーヒーメーカーが用意されているのはうれしいサービス。バスルームのアメニティも高級品を使うなど、ホテル側の気配りがうかがえる。また、ホテルにはデラックスとカジュアルなレストランが2軒、コーヒーハウス、ギフトショップ、プールなどの施設も整っている。

（'98）

ファレスの夜景が一望できる
Comfort Inn

🏠900 N. Yarbrough Dr., El Paso, TX 79915
☎(915)594-9111、FAX(915)590-4364
ⓈⒹⓉ＄49〜　ＡＤＭＶ　地図外

　空港から5マイル離れたハイウェイ沿いにあるモーテル。プール、コインランドリー、空港への24時間無料送迎サービスあり。部屋は広々としており、エアコン、スーパーファミコンまである。コンチネンタルブレックファスト付き。夜景を楽しむなら、南側の3階の部屋を頼もう。
（阿部寿美子　福岡市）('98)

カールスバッド国立公園へのアクセスに便利
Best Western Airport Inn

🏠7144 Gateway East, El Paso, TX 79915
☎(915)779-7700、☏(1-800)528-1234
FAX(915)772-1920　地図外
Ⓢ＄45〜、ⒹⓉ＄50〜　ＡＤＭＶ

　空港から3マイルのところに位置するモーテル。周囲にはマクドナルドのほか、レストランも数軒あり。部屋は清潔で、エアコン、ゲームがある。コンチネンタルブレックファスト付き。空港への24時間無料送迎サービスもあるが、ドライバーの都合で長時間待たされる場合もあるので、急ぎの人はタクシー（＄4〜5）を利用したほうが確実。　（阿部寿美子　福岡市）('98)

全米にチェーンを持つ中級ホテル
El Paso City Center Travelodge

🏠409 E. Missouri St., El Paso, TX 79901
☎(915)544-3333、FAX(915)533-4109
Ⓢ＄44〜、Ⓣ＄46〜　ＡＤＭＶ　地P.370 B-1

　リーズナブルな値段でこぎれいな、ホテル。バスディーポから電話をすれば無料のバンで迎えに来てくれる。1階はレストラン。トロリーのストップが目の前にある。全室トイレ、バス、TV付き。空室が多ければ、割引に応じてくれる。　　　　　　　　('98)

クラシックな雰囲気の宿
Gardner Hotel

🏠311 E. Franklin Ave., El Paso, TX 79901
☎(915)532-3661、FAX(915)532-0302、
E-mailepihostel@whc.net
バスなしⓈⒹ＄19.95〜27.50、Ⓣ＄27.50〜37.50、バスありⓉ＄42.50〜55。ドミトリーは4人部屋で、ひとり＄15（税込み）
ＡＭＶ　地P.370 B-1

　エルパソのダウンタウンにある宿。ドミトリーのほか個室もあり、フロントの人も親切で快適。地下にキッチンとランドリーがあり、コモンルームはきれい。キャンセルは3日前までに済ませること。ロビーは24時間オープン。　　　　　　　　('99)

車があるなら
Coral Motel

🏠6420 Montana Ave., El Paso, TX
79925　☎(915)772-3263
Ⓢ＄38　　　　　　ＡＤＭＶ　地図外

　空港から歩いて20分くらい。レンタカーなら自分の部屋の前に車を停めることもできるので便利。部屋はクラシックな感じで、少し古いが思ったより清潔。フロントの雰囲気もいい。目の前にはK-Mart、近くにはチャイニーズ・レストラン、サブウェイもある。　　　　（狩谷　選　長野県　'98夏）

★　　★　　★　　レストラン　　★　　★　　★
Restaurant

アボカドのタコスもあります
Casa Gurado

🏠226 Cincinnati Ave.　☎(915)532-6429
開月〜土11：00〜20：00　ＡＭＶ

　エルパソに数あるメキシコ料理店の中で、"Best of El Paso"にも選ばれたことのあるレストラン。それもそのはず、先祖伝来のレシピを使っているのだ。タコスが2〜3個入って、エンチラーダなども付いたコンビネーション・プレートが＄6〜8と、＄10あればお腹いっぱいになる。この店でうれしいのは、タコスがビーフ、チキンのほかにガッカモーレ（アボカド）があること。ヘビーな物が苦手な人にはおすすめだ。ダウンタウンからはMesa Ave.を走る#12、13、14、15などのバスで約5分。Cincinnatiで下車し、1ブロック東側を入ったところにある。　　　　　　　　　　　('98)

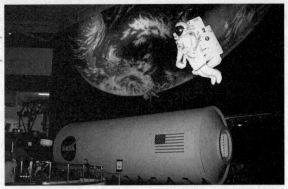

ヒューストン

テキサス州のニックネームになっている〝ローン・スター（ひとつの星）〟は、テキサスがメキシコから共和国として独立したときに付いた名前である。合衆国へ併合されテキサス州と名を変えてからも、独立独歩を好み、他人と同じことを嫌う気質は根強く残っている。そのテキサス州最大の都市ヒューストン。名はテキサスがメキシコから独立した際の指揮官サム・ヒューストンに由来する。

1836年、綿の交易所として始まったこの町は、20世紀初頭に発見された石油によって急速に発展を遂げたが、オイル・ショックによる経済の低迷で、一時は全米最大のゴースト・タウンになるのではと心配された。しかし、現在は宇宙開発計画の中心地として、再び活気を取り戻しつつある。

ダウンタウンへの行き方　　　★ Access

空港

ヒューストン国際空港
Houston Intercontinental Airport (IAH)

ヒューストン国際空港
☎ (713) 230-3000

ダウンタウンの北約35kmに位置する大空港で、'99年2月より成田からコンチネンタル航空のノンストップ便も1日1便飛び始めた。毎日国内外合わせて120以上の都市へ発着している。空港は4つのターミナルから構成され、それぞれ地下鉄で結ばれている。

data

人　口	約1,702,000人			
面　積	1,506km²			
標　高	最高36m、最低0m			
市の誕生	1837年			
情　報	Houston Post （朝刊）			
	Houston Chronicle （朝、夕刊）50¢ 日曜版 $1.75			

T A X	セールス・タックス 8.25% ホテル・タックス 15%
属する州	テキサス州 Texas
州のニックネーム	一つ星の州 Lone Star State
時間帯	セントラル・タイム ゾーン

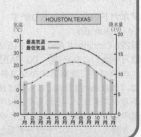

気温 (℃)　HOUSTON, TEXAS　降水量 (ミリ)
最高気温
最低気温

●路線バス　Metro　ターミナルCから#102のバスでダウンタウンまで約1時間10分、道がすいていれば40〜50分ほど。時間はかかるがいちばん安上がり。ただし平日のみで週末や祝日は運行されていないので注意。#112も走っている。
●空港バス　Airport Express　ダウンタウンのHyatt Regency Hotelにあるターミナルと空港を約40分で結ぶ。空港への便の出発はそのターミナルから。
●タクシー　ダウンタウン、ガレリア地区とも所要時間は約30分。

ホビー空港　Hobby Airport（HOU）

　国内72都市とヒューストンを結んでいる。ダウンタウンの南東、11km。
●路線バス　Metro　#50のバスで25分。毎日5：00〜深夜、30分間隔の運行。
●空港バス　Airport Express　国際空港とダウンタウンの間を結んでいるものと同じ会社で、ダウンタウンのHyatt Regency Hotelまで行く。
●タクシー　ダウンタウンまで約15分。

長距離バス

グレイハウンド・バスディーポ　Greyhound Bus Depot

　ダウンタウンの南西部、I-45を越えてすぐ。24時間オープン。

鉄道

アムトラック駅　Amtrak Station

　ロスアンゼルスとマイアミを結ぶ、唯一の大陸横断鉄道サンセット・リミテッド号が、週3本ヒューストンに停車する。ダウンタウンの北、メトロバス#36、85で。駅を出てまっすぐ100mほど歩いたところ、Franklin St.沿いにダウンタウンへのバスストップがある。

ヒューストンの歩き方　★Walking

　テキサス最大の都市ヒューストン。ポイントが分散し、とにかく広いこの町を目的も持たずにウロウロしていたら、あっという間に一日が終わってしまう。自分の滞在日数と興味を考え合わせ目的地を絞ろう。いちばんの見どころは、やはりスペースセンター。かなり離れたところに位置しているので、半日以上はかかる。また巨大なドームと遊園地、アストロドームとアストロワールドを存分に楽しむには、まる一日は必要だ。
　いずれにしてもレンタカーのない人に頼りになるのがメトロと呼ばれる路線バス。ダウンタウンにある**メトロ・ライド・ストア Metro Ride Store**に行って、路線図とスケジュールを手に入れよう。ちょっとわかりづらい路線図だが、地図と見比べながら目的地の位置を確認すればバスの番号はわかるはずだ。

Metro
運行：平日6：00〜22：00
の25分間隔
🚏 $1.50

Airport Express
☎ (713) 523-8888
🚏 $16

タクシー
🚏 ダウンタウンまで約$32、
ガレリア地区まで約$34

ホビー空港
☎ (713) 643-4597

Metro
🚏 $1

Airport Express
☎ (713) 523-8888
🚏 $13.50

タクシー
🚏 ダウンタウンまで約$20

グレイハウンド・バス
ディーポ
🏠 2121 Main St.
☎ (713) 759-6565
📞 (1-800) 231-2222
🕐 24時間営業
🗺 P.379　A-2

アムトラック駅
🏠 902 Washington Ave.
☎ (713) 224-1577
📞 (1-800) 872-7245
🕐 毎日7：00〜22：30
🗺 P.379　B-1

広大なヒューストンもメトロバス
を乗りこなせれば鬼に金棒

Greater Houston
Convention & Visitors
Bureau
📬901 Bagby, Houston, TX
77002
☎(713) 227-3100
📞(1-800) 446-8786
🕐毎日9：00～16：00
🗺P.379　B-1

観光案内所 ★ Information

Greater Houston Convention and Visitors Bureau

　バスディーポの前のMain St.からメトロバス＃8、9、15、25で約3分、Walkerで下車。その通りを4ブロック北へ。ヒューストンとその周辺の資料が豊富。おもな見どころへ行くバスのスケジュールも入手できる。そのほかホテルについての情報も充実し、係員も親切。

市内の交通機関 ★ Public Transportation

メトロバス　METRO (Metropolitan Transit Authority of Harris County, Texas)

　ヒューストン市からスペースセンターまで含むハリス・カウンティ内に100以上の路線を持つバス・システム。料金はローカルは＄1均一。エクスプレスが＄1.50。郊外に行く路線はゾーンによって＄1.65～3.30まで料金が異なる。トランスファーは無料で2時間以内1路線まで乗り換えることができる。ただし、トランスファーをもらった路線に再び乗ることはできない。

ツアー案内 ★ Sight-seeing Tour

グレイライン　Gray Line of Houston

出発場所：Hyatt Regency Downtown, 1200 Louisiana St.

番号	ツアー名	料金	運行	所要時間	内容など
1	City Tour	＄35	毎日9：00	2時間	ダウンタウン周辺の見どころ、ハーマン・パーク、サム・ライス大学、メディカル・センターなどを回る。

Attractions ★
おもな見どころ

ダウンタウン観光は2時間あればOK

ダウンタウン・エリア ★ Downtown Area

　高層ビルが建ち並ぶダウンタウンにはいくつか見どころがあるが、まずはMilam & Capitolの角に建つヒューストンでいちばん高い通称Texas Commerce Tower (Chance Tower)に昇ってみよう。75階建てのタワーはニューヨーク、シカゴ以外では最高の高さを誇り、60階にある無料の展望台からの眺めはすばらしい。1階にあるミロ作の彫像がタワーの目印だ。タワー北西のCongress、Preston、Travis、Milamに囲まれた地域はマーケット・スクエア歴史地区 Market Square Historic Districtと呼ばれる1850年代から1920年代の建築物が現存するところ。MainとCommerceの角のAllen's Landing Parkは、1836年ニューヨーク出身のアレン兄弟が初めてボートから足を踏みおろしたヒューストン発祥の地。

　ダウンタウンの北西にあるサム・ヒューストン公園 Sam Houston Parkは、復元された19世紀の学校、裕福な市民の家屋などが点在する屋外博物館〔☎(713) 655-1912〕。歴史に興味のある人にはおもしろい。

アポロ11号の月面着陸はここを通して世界に放映された

スペースセンター・ヒューストン
★ Space Center Houston

1969年7月20日、人類が初めて月面に降り立ったとき、「この一歩は小さな一歩だが、人類にとっては偉大なる一歩である」というアームストロング船長の第一声は、このジョンソン宇宙センター Johnson Space Centerの管制センターを通じて全世界に送られた。「こちらヒューストン」で始まる管制官とアポロ11号のやりとりは"ヒューストン、イコール宇宙基地の町"のイメージを世界中の人々に強く印象づけた。

ダウンタウンの南東約25マイルに位置するNASA（アメリカ航空宇宙局）のジョンソン宇宙センターは、アポロ計画、スペースシャトル計画などNASAの主要なプロジェクトの中心となってきた。現在でも、打ち上げ後のシャトルの管制、宇宙飛行士の訓練、月の石や隕石の研究など、NASAの心臓部ともいえる役割を担っている。

広い敷地にいくつもの建物が並んでいるが、ほとんどは一般には公開されていない研究所。しかし、宇宙センターの敷地内に観光客向けの施設として、**スペースセンター・ヒューストン Space Center Houston**がオープンしている。それまでの政府直轄の研究所が、その一部をそのまま活用しながらテーマパークとして生まれ変わったわけだ。スペースセンターには、トラムツアーをはじめとしてエキサイティングなアトラクションがいっぱい！見学には通常4〜6時間要するが、観光シーズンは、まる一日かかる。朝いちばんで訪れることをすすめる。

スペースセンター・ヒューストン
📮1601 NASA Rd. 1, Houston, TX 77058
☎(281) 244-2100
📞(1-800) 972-0369
🕐月〜金10：00〜19：00、夏期と土日祝日は9：00〜19：00
🚫クリスマス
💲大人 $12.95、12歳以下 $8.95、3歳以下は無料、65歳以上 $10.95 駐車料金は $3 ADMV
🗺地図外

★
ヒューストン

スペースセンターの外観

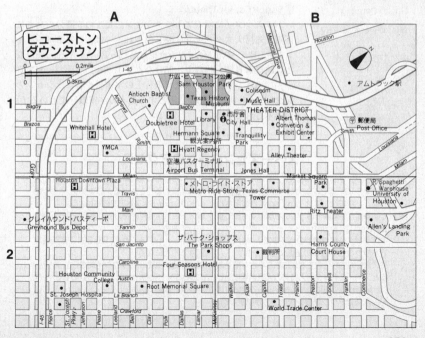

ヒューストンダウンタウン

A   B

0   0.2mile
0   0.3km

I-45

Houston

Memorial Drive

1

Bagby
Andrews
Antioch Baptist Church
Bagby
サム・ヒューストン公園 Sam Houston Park
Texas History Museum
Coliseum
Music Hall
アムトラック駅

Brazos
Whitehall Hotel
Doubletree Hotel
Library
市庁舎 City Hall
THEATER DISTRICT
Albert Thomas Convetion & Exhibit Center
郵便局 Post Office

Smith
Hermann Square
観光案内所
Tranquillity Park
Alley Theater
Smith
Louisiana

YMCA
Louisiana
Hyatt Regency
空港バスターミナル Airport Bus Terminal
Jones Hall
Milam

Gray
Milam
Houston Downtown Plaza
メトロ・ライド・ストア Metro Ride Store
Texas Commerce Tower
Market Square Park
Spaghetti Warehouse University of Houston

Travis
Main
Ritz Theater

I-45
グレイハウンド・バスディーポ Greyhound Bus Depot
Fannin
Allen's Landing Park

San Jacinto
ザ・パーク・ショップス The Park Shops
裁判所
Harris County Court House

2

Caroline
Four Seasons Hotel
Walker
Rusk
Capitol
Texas
Prairie
Preston
Congress
Franklin
Commerce

Houston Community College
Austin
Root Memorial Square

St. Joseph Hospital
La Branch
St. Joseph Pkwy
Pierce
Jefferson
Pease
Leeland
Crawford
Bell
Clay
Polk
Dallas
Lamar
McKinney
World Trade Center

トレーニングも少し体験させてもらえる

できれば1日かけて見学したい

スペースセンターの歩き方

　センターには、スペースシャトル操縦室の実物大の模型と4つのアトラクション、ギフトショップがある。いちばん人気はシャトルの右手の屋外から始まる90分間のトラムツアーだ。余った時間を他のアトラクションに割り当てるとよい。

以下の時間は季節によって変わるので注意

NASA Tram Tour
🕐10：00〜17：40　天候によっては中止

●NASA Tram Tour

　スペースセンターのメインアトラクションともいえる90分間のトラムツアー。人気があり、乗る前に列に並んで待たなくてはいけないので、これだけで半日を費やすことになる。

　このツアーでは、アポロ11号のときの管制室をはじめ、宇宙飛行士の訓練用シミュレーターなどを目の前で見学できる。平日は毎日のように訓練が行われているので、トレーニング中の飛行士に会えるかも！

　トラムツアーは実際のNASAの施設を見学する。周囲の職員に迷惑をかけないように注意しよう。ツアーの最後はロケットパーク Rocket Parkに寄る。ここには実際に宇宙を飛行したスカイラブやマーキュリーが陳列され、トラムから降りて自由に近くまで行くことができる。間近から見る宇宙船の大きさに、誰もが圧倒される。

Space Center
Theatre
🕐10：30〜18：30、60分おき

●Space Center Theatre

　トラムツアーに次ぐアトラクション。ビルの5階分の高さに匹敵する巨大スクリーンに映し出されるのは、ここスペースセンター・ヒューストンのオリジナル作品『To Be An Astronaut』など。映像も音響も抜群で、25分なんてアッという間だ。シアター入口のギャラリーでは歴代飛行士の宇宙服や各ミッションの記念写真（毛利さんをはじめとする日本の宇宙飛行士もいる！）が展示されている。

スペースセンターへのアクセス

　ダウンタウンのMilam St.とPierce St.を走る#246と#247のメトロバスで片道約1時間。#246のバスは "p.m. only" と表示されているが、午前中に待っていれば必ずやってくる。2nd St. & Saturn Ln. というジョンソン宇宙センター前の路上のバス停で下車（バスはアトラクション入口の正面には行かない）し、バス進行方向から見て右側にある小さな橋を渡るとスペースセンター入口前の大駐車場に出る（徒歩約5分）。帰りのバスが早いので朝いちばんのバスでダウンタウンを出るのが望ましい。

　スケジュールは'98年9月現在のもので、予告なしに変わることもある。必ずダウンタウンのメトロ・ライド・ストアで確認しよう。
🚌メトロバスは月〜金のみの運行なので、週末に行く場合はタクシーか、ツアーバン・アドベンチャー・ツアー ☎(713) 921-7675を利用することになる
🚌メトロバス＄1、タクシー約＄60、ツアーバン・アドベンチャー・ツアー＄40（スペースセンター入場料込み）

●Mission Status Center

今日現在、NASAおよびジョンソン宇宙センター内で何が行われているのかを、ハイテクを駆使した画像などによって、子供にもわかるように解説してくれる。内容は頻繁に入れ替えられており、常にアップ・トゥ・デイトな情報が得られる。宇宙飛行士の訓練風景や、シャトルとの交信なども交えながら、NASAのプロジェクトを具体的に理解できるアトラクション。

●The Feel of Space

シャトルの乗組員になったつもりでシミュレーターで遊べる。小さな画面だがシャトルの着陸など臨場感たっぷりだ。また、MMUトレーナーでは飛行士がシャトルの中で、寝る、食べる、トイレなどの日常生活をどのように行っているかを紹介するコーナー。宇宙飛行士の代理に選ばれた観客は四苦八苦!?

●Starship Gallery

宇宙開発に関する資料を展示するギャラリー。ここにあるアポロの回収カプセルやジェミニ、マーキュリー、スカイラブなどの宇宙船は模型でなくて本物! スペースシャトルに比べていかに狭いかに注目しよう。まったく身動きできないように見えるが、"空間"も使えるため（浮いているので）、意外に動けるとか。壁面も天井も操作パネルで埋まっており、トイレが天井に付いていたりする!?

Destiny Theatreで上映されている13分の "On Human Destiny（人類の運命）" はアメリカの宇宙計画史をドキュメンタリー・タッチにしたもの。ケネディ大統領のアポロ計画発表以外に言葉のない映像主体の映画だが、誰にでも楽しめる。また、ここに展示されている月の石は地球上では世界最大。そのスライスされた石の感触を確かめておこう。

トラムツアーでは宇宙飛行士のトレーニング施設を見学する

★ ヒューストン

Mission Status Center
■12：00～18：00の30分おき

The Feel of Space
■10：30～17：30、60～120分おき

Starship Gallery
■10：20～18：20、30分おき

本物の宇宙飛行士を見よう

スペースセンター近くのEllington空軍基地は、いつもというわけではないが、宇宙飛行士が見られる可能性があるところだ。スペースシャトルが地球に帰還する日がチャンス! スペースシャトルがフロリダのケネディ宇宙センターに帰還したあと、クルーたちが家族と一緒にNASA専用機で、この空軍基地に帰ってくる。原則として、帰還した日（地球への帰還が夜の場合は、翌日になる）に式典があり、誰でも入れるのでタイミングがよかったら行ってみるといい。

私がヒューストンを訪れたときは、ちょうど若田光一さんが帰還したときだったので、見に出かけた。さらに、別の公務でヒューストンを訪れていたクリントン大統領が、飛び入り参加（!?）でスピーチをした。近くで、大統領専用機も見ることができてラッキーだった。

（ヒロコ・フルタ　兵庫県）

ロケットパークには本物のロケットが並ぶ

アストロドーム＆アストロワールド
●Astrodome
🏠8400 Kirby Dr.（Corner of 6l0-South Loop＆Kirby Dr.）
☎(713)799-9595
●Six Flags Astroworld
🏠9001 Kirby Dr.
☎(713)799-8404
📅春期、秋期は週末、夏期は毎日10：00～20：00（7、8月は延長）、冬期は休み
💵アストロワールドは大人＄32.99、子供＄16.50＋Tax、ウォーター・ワールドは大人＄16.99、子供＄12.99＋Tax。共通券もあって大人＄39.99＋Tax
🚌ダウンタウンMain St.を走る＃9または＃15（＃15の方が近くにとまる）のバスで、約40分。車で行く場合、駐車料金は１台につき＄5
🗺地図外

ハーマン・パーク
☎(713)845-1000
🚌Main St.を南下する＃1、8、15で約15分、噴水の近くで降りて左手に向かえば自然科学博物館、手前に少しもどれば美術館がある
🗺P.382

ヒューストン美術館
🏠1001 Bissonnet, between Montrose ＆ Main, Houston
☎(713)639-7300
📅火～土10：00～17：00（木～21：00）、日12：15～18：00
📅月、おもな祝日
💵大人＄3、学生・シニア＄1.50　木曜17：00～21：00は入場無料

かつては世界の7不思議といわれた

アストロドーム＆アストロワールド
★ Astrodome & Six Flags Astroworld

　最大76,000人収容の世界初の室内球場。現在大リーグ**ヒューストン・アストロズ**のホームグラウンドだ。そのほかロデオやさまざまなイベントが行われる。試合、イベントがないときは球場内を見学できるツアーがある。1日3回（11：00、13：00、15：00）で＄4、6～11歳＆シニア＄3。

　フリーウェイを挟んでアストロドームと反対側にあるのが**アストロワールド**。全米各地にある遊園地『シックス・フラッグス』のひとつで、テキサス最大の規模を誇る。100種類以上の乗り物やアトラクション、ライブショーなどがあり、とても一日では回りきれない大きさ。

　隣接しているのが、さまざまなプールと迫力のウォータースライドが人気の**ウォーター・ワールド Water World**。夏のヒューストン、豪快に暑さを吹き飛ばそう。

見どころのとても多い広い公園

ハーマン・パーク ★ Hermann Park

　ダウンタウンから車で10分ほど、メディカル・センター手前にある美しい公園。広大な敷地内には各種の博物館や美術館をはじめ、プラネタリウム、動物園、ゴルフ場まである、まさにヒューストン市民の憩いの場。1日かけてじっくり散策したい。

●ヒューストン美術館　The Museum of Fine Arts, Houston

　古代から現代まで世界中から厳選された27,000点を収蔵する美術館。必見の展示はルネッサンス期の宗教画と彫像、そして20世紀初期の印象派と後期印象派の絵画。東アジアのコーナーも充実し、日本関係では縄文式土器や室町時代運慶作の阿弥陀像なども陳列されている。

　美術館に隣接する、イサム・ノグチ設計による**カレン彫刻庭園 Cullen Sculpture Garden**（毎日9：00～22：00、無料）は、マチスやロダンの彫像で満ちあふれている。

ハーマン・パークにあるバタフライ・センター

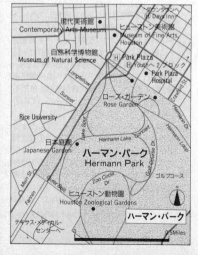

ハーマン・パーク
Hermann Park

現代美術館 Contemporary Arts Museum
ヒューストン美術館 Museum of Fine Arts, Houston
自然科学博物館 Museum of Natural Science
パーク・プラザ H. Park Plaza
パーク・プラザ・ホスピタル Park Plaza Hospital
ローズ・ガーデン Rose Garden
Rice University
日本庭園 Japanese Garden
ゴルフコース
ヒューストン動物園 Houston Zoological Gardens
テキサス・メディカル・センターへ

ハーマン・パークにある自然科学博物館（左）、ヒューストン動物園（右）

●現代美術館　Contemporary Arts Museum

展示は2種類の特別展から構成され、1945年以降のアメリカ＆テキサス・アーティストたちの自由な作品が広い空間を駆使して展示されている。

●ヒューストン自然科学博物館
Houston Museum of Natural Science

子供たちに人気の、ヒューストン市ご自慢の博物館。ヒューストン周辺の自然界の紹介をメインに恐竜、鉱石＆宝石、動物アート、ジオラマ、ヒューストンらしい宇宙など、展示はバラエティに富んでいる。2種類のIMAXに加え、レーザーショー、プラネタリウムなどのアトラクションも見逃せない。

●バタフライ・センター　Butterfly Center

熱帯の気候を再現した高さ21mの温室内に、40種類以上の蝶が放し飼いにされている、自然科学博物館のニューアトラクション。ところどころにエサ場が作ってあるので、蝶の生態を間近に観察できる。

●ガーデン・センター（バラ園）
Garden Center（Rose Garden）

博物館の少し東にある植物園。規模は小さいが5〜6月になると園内のバラが一斉に咲き乱れ、気品ある香りとあいまってまさにゴージャス！不定期だが植物の展示即売も行っているので、ミュージアム巡りの合間に寄ってみよう。

バラが美しいガーデン・センター

●ヒューストン動物園　Houston Zoological Gardens

こぢんまりとした動物園だが、65年以上にわたって市民に愛されている。約3万匹飼育されているなかで人気者はホワイト・ベンガル・タイガー。ほかに鳥類や爬虫類の種類も多く、いつも家族連れでにぎわっている。

ルネサンス美術が充実しているヒューストン美術館

★
ヒューストン

現代美術館
5216 Montrose at Bissonnet, Houston
☎ (713) 526-3129
無料
火〜土10:00〜17:00、（木〜21:00）、日12:00〜17:00
月、おもな祝日

ヒューストン自然科学博物館
1 Hermann Circle Dr., Houston
☎ (713) 639-4600
IMAXのスケジュール：
☎ (713) 639-4629
月〜土9:00〜18:00、日11:00〜18:00
博物館は大人＄3、12歳以下＄2、IMAX、プラネタリウム、レーザーショーは組み合わせによって料金が異なる

バタフライ・センター
1 Hermann Circle Dr., Houston
☎ (713) 639-4629
月〜土9:00〜18:00、日11:00〜18:00
大人＄3.50、子供＄2.50

ガーデン・センター
1500 Hermann Dr.
☎ (713) 529-5371
毎日8:00〜18:00（3〜9月は20:00まで）
無料

ヒューストン動物園
1513 N. MacGregor Way
☎ (713) 525-3300
毎日10:00〜18:00
13〜64歳＄2.50、3〜12歳50¢、65歳以上＄2、2歳以下無料

日本庭園
🏛Hermann Park
☎ (713) 520-3283
🕐4～9月10：00～18：00、
10～3月10：00～17：00
💰大人＄1.50、3～12歳25¢、
65歳以上＄1、3歳以下無料

● 日本庭園　The Japanese Garden

　サム・ヒューストンの彫像の南に、アメリカと日本の友好を記念した日本庭園がある。著名な造園設計家、Ken Nakajima氏によるこの庭園は、日本の庭園美とヒューストンの自然がみごとに調和したもの。海外にある日本庭園のなかでも規模が大きく、庭園の散策は大都会の喧噪を忘れさせ安らぎを与えてくれ

るだろう。園内にはヒューストンと姉妹都市である千葉市から贈られた雪見燈籠が、雰囲気づくりに一役買っている。

日本庭園の散策は心がなごむ

ガレリア・ショッピング
モール
🏛5075 Westheimer St. at
South Post Oak Blvd.
☎ (713) 621-1907
🕐月～土10：00～21：00、
日12：00～18：00
🚌ダウンタウンのSmith St.
から#82のバスで。約30分
🗺地図外

夏でもスケートが楽しめるショッピングモール

ガレリア・ショッピングモール ★ The Galleria

　ダウンタウン、メディカル・センターに次ぐ、グレーター・ヒューストンの3つめの中心地区といえるのが、このガレリア地区。観光名所はないものの、この地区はヒューストンのビジネス街としてオフィスビルや高級ホテルが建ち並ぶ。この地区で足を運びたいのがこの巨大ショッピングモール。ティファニー（日休）、バーバリー、フェンディ、アルマーニ、ギャップ、J.クルーなど300の専門店、ニーマン・マーカス、マーシャルフィールドのデパート、銀行、映画館があり、ブラブラするだけでも楽しい。1階にはスケートリンクもあり、暑いヒューストンの夏をスケートで涼むというのもいい。ウエスティン・ホテルに隣接。

Spectator sports
観戦するスポーツ

ショッピングならガレリアへ

ベースボール（MLB）

ヒューストン・アストロズ ★ Houston Astros
（ナショナル・リーグ中地区）

　ここ2年、アストロズはナショナルリーグの中地区の地区優勝を果たすものの、プレーオフで'90年代最強のチームといわれているアトランタ・ブレーブスにどうしても勝てない。しかし、監督を中心としたチームワークで、'99年はリーグ優勝をめざしている。レイノルズなど、投手陣もすばらしい。

ヒューストン・アストロズ
本拠地──アストロドーム
Astrodome, 8400 Kirby Dr.
☎ (713) 627-8767（チケット）、799-9500
🗺P.382のアストロドーム＆アストロワールドを参照
🗺地図外

大リーグチーム・アストロズの本拠地、
アストロドーム

バスケットボール（NBA）

ヒューストン・ロケッツ ★ Houston Rockets

（西・中西部地区）

　オランジュワンを軸にした強豪だが、バークレーといった名選手の参入にもかかわらず、その効果はなかなか表れていないようだ。'99年ブルズのピッペンを迎え、いよいよ念願のチャンピオンシップ達成なるか！

ヒューストン・ロケッツ
本拠地──コンパック・センター Compaq Center, 10 Greenway Plaza, Houston
☎ (713) 629-3700（チケット）
🚌ダウンタウンからはギャレリアと同じく＃82のメトロバスで
🗺地図外

★
ヒューストン

★　　★　　★　## ナイトスポット
Night Spot

ヒューストンのユース・マネージャー、ボブがすすめるナイトクラブ3軒

Cody's Rooftop Jazz Bar & Grill
🏠2540 University Blvd.
☎ (713) 520-5650　🗺地図外
　正統派ジャズを聴かせる店。ちょっとオシャレして行きたい。 　　　　　　（'98）

Power Tools
🏠709 Franklin St.　☎ (713) 227-8665
　トレンディなダンスクラブ。IDのチェックが厳しい。 　　　　　　　　　（'98）

Rich's
🏠2401 San Jacinto St.
☎ (713) 759-9606　🗺地図外

ディスコタイプのクラブ。客の90％はゲイ。これらのクラブはすべてハーマン・パークのユースからタクシーで＄7の範囲にある。また、I-610からHill CroftまでのRichmond沿いはナイトスポットの集まったエリア。タクシーで行こう。 　　　（'98）

ダウンタウンのウォールペインティング

★　　★　　★　## ホテル
Hotel

ハーマン・パークに隣接する4ツ星ホテル

Park Plaza Warwick
🏠5701 Main St., Houston, TX 77005
☎ (713) 526-1991、📞 (1-800) 670-7275、
📠 (713) 639-4545
Ⓢ ＄169〜、ⒹⓉ ＄189〜、スイート ＄350〜450　ダウンタウンより2マイル　ⒶⒹⒿⓂⓋ　🗺P.382
　高級感あふれるヨーロッパ調のホテルで、すべての客室から眺めることのできるヒューストンの景観がゴージャスだ。全室コーヒーメーカー、ヘアードライヤー付き、メディカル・センターやダウンタウンへのシャトルバンのサービスあり。ゆったりした滞在が楽しめる。308室。 　　（'99）

アットホームなユース

Hostelling International Houston
🏠5302 Crawford St., Houston, TX 77004

☎ (713) 523 -1009、📠 (713) 526-8618
ドミトリー＄11.39　🗺P.382 地図外
　ハーマン・パークの近くにあり、リビング、キッチンも広い。もちろんランドリーもついていて、マネージャーのボブはとても親切で観光の相談にものってくれる。ベッドの数は全部で30。ロッカーを使う人はデポジットが必要。バスディーポの前のMain St.をSouth行きのバス（＃2、4、8、9、15、65）に乗り、Southmore St.下車。Crawford St.まで6ブロック、右側を曲がる。オフィスは8：00〜10：00、17：00〜23：00オープン。30ベッド。 　　　　　　　　（'99）

手ごろな料金のデイズ・イン・メディカルセンター

ダウンタウンで最も安い宿
Houston Downtown YMCA
🏠1600 Louisiana St., Houston, TX 77002
☎ (713) 659-8501、 FAX (713) 659-4341
Ⓢ $ 18.65、Ⓓ $ 23.31（バス共同）　宿泊客はプラス $ 5 でフィットネスセンターを利用できる　ADMV　地P.379　A-1

エアポート・エクスプレスのターミナルまで3ブロック。各種アスレチック設備やプールを備え、ダウンタウンのビジネスマンやビジネスウーマンたちが仕事帰りに汗を流しにやって来る。ひとつの階のみが女性専用で、残りは男性用。料金が安いのでいつも混んでいる。　　　　　　（'98）

リーズナブルなホテル
Days Inn Downtown/Medical Center
🏠4640 Main St., Houston, TX 77002
☎ (713) 523-3777、 T (1-800) 799-9964、
FAX (713) 523-7501
Ⓢ $ 54〜、Ⓣ $ 59〜、1人増えるごとに
$ 10増　ADMV　　　　　　　　地地図外
　ダウンタウンからハーマン・パークへ向かうMain St.を走るバスに乗って5分。ハイウェイと交差するところにあるモーテルタイプのホテル。部屋も広く、4人十分に泊まれる。プールやフィットネスルーム、ゲームルームあり。朝、フロントでコーヒーとドーナツがサービスされる。　　（'99）

★　　★　　★　　★　レストラン　★　　★　　★　　★
Restaurant

気軽で安いスパゲティ屋
Spaghetti Warehouse
🏠90l Commerce St.　☎ (713) 229-9715
地P.379　B-2
　アメリカ南部に多くの支店を持つチェーン。店内はアメリカン・ノスタルジアを感じさせる内装で飾られ、地元の家族連れでいつもにぎわっている。各種パスタはサラダ、パン付きで $ 8 前後とリーズナブル。パスタのゆで方と店員の態度はやわらかく、アメリカを実感してしまうこと間違いなし。場所はTravis & Commerceの角。人通りが少ない場所なので、夜間に出かける場合はタクシーがおすすめ。　　（'98）

●読★者★投★稿
伝統料理を現代のセンスで
Canyon Cafe
🏠5000 Westheimer #250
☎ (713) 629-5565　　　　　　　地地図外
　名前はカフェだが、南西部の伝統的なレシピを新しい感覚でサーブしてくれるレストラン。階段を上がった入口の両脇に焚かれている大きなたいまつが名前の由来。ヒ

ューストンの暑い夏の夜、オープンテラスの2階席で食事をしながら種類豊富なアルコールを楽しむのは最高！ 飲んで食べて $ 20 くらい。ガレリア・ショッピングモールのすぐ近くにある。
　　　　（高畑 央　ヒューストン在住　'98春）

●読★者★投★稿
素敵なイタリアンレストラン
Michelangelo's
🏠307 Westheimer　☎ (713) 524-1085
地地図外
　30年近く続いている小ぢんまりとした店。前菜からデザートまでいずれも素材を大切にしていて、どのメニューを選んでも、盛り付けも含めて十分に満足できるはず。ワインも好みを伝えれば、安くて本当においしいものを用意してくれる。ボリュームたっぷりなので2人でシェアすれば安く済む。ジーンズは問題ないが、ショートパンツやタンクトップでは少々気が引ける。ダウンタウンからメトロバス#82でガレリアへ行く通り沿いにある。
　　　　（高畑 央　ヒューストン在住　'98春）

Dallas

ダラス

　1963年11月22日、数発の銃声がダラスの地にこだました……。"J.F.ケネディ暗殺"。米国民の信望を一身に集めていた若き大統領の突然の死は、古き良きアメリカに終焉を告げ、同時にダラスの知名度を世界中に一気に高めた。

　ダラスは1841年、ジョン・N・ブライアンがトリニティ川沿いに開いた交易所を起源とする町。20世紀に入り、石油が発見されたことに伴い、オイルビジネスの一大中心地として飛躍的成長を遂げ、巨大な商業都市に発展した。エクソン、アメリカン航空、JCペニー、セブン-イレブン、GTEをはじめとして、この町に本社をおく大企業は多い。地の利を生かしてコンベンション動員数も全米2位だ。一面の大平原のまっただなかに輝く巨大商業都市"Big D"。誇り高いテキサス人が誇るダラスは極めてアメリカらしい都市と言える。

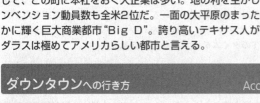

ダウンタウンへの行き方　　　Access ★

空港

ダラス・フォートワース国際空港
Dallas/Fort Worth International Airport (DFW)

ダラス・フォートワース
国際空港
☎(214)574-6701

　ダラスのダウンタウンから17マイル（約27km）北西にあり、アメリカン航空に続いて'99年3月より日本航空のノンストップ便（週2便）の運航が始まった。毎日約2,500機が発着し、年間5,000万人近くの人々の利用があり、どちらの数字も世界第2

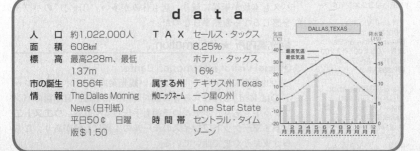

data

人　口	約1,022,000人	TAX	セールス・タックス 8.25%
面　積	608k㎡		ホテル・タックス 16%
標　高	最高228m、最低137m		
市の誕生	1856年	属する州	テキサス州 Texas
情　報	The Dallas Morning News（日刊紙）平日50¢　日曜版$1.50	州のニックネーム	一つ星の州 Lone Star State
		時間帯	セントラル・タイムゾーン

DALLAS, TEXAS

最高気温
最低気温

エアポート・アシスタンス・
センター
☎ (214) 574-4420
開月〜金8：00〜21：00、
土日10：00〜18：00

SuperShuttle
住729 E. Dallas Rd., Grape-
vine, TX 76051
☎ (817) 329-2000
📞 (1-800) 258-3826

TBS Transportation
住P.O. Box 610024, DFW
Airport, TX 75261
☎ (817) 267-5150
料 $ 10.50

タクシー
☎ (214) 426-6262
料 $ 20〜25（チップ含まず）

グレイハウンド・バス
ディーポ
住205 S. Lamar St.
☎ (214) 655-7082
📞 (1-800) 231-2222
地P.389　A-2

アムトラック・ユニオン駅
住400 S. Houston St.
☎ (214) 653-1101
📞 (1-800) 872-7245
開オフィスは9：00〜18：30
地P.389　A-2

ユニオン駅とリユニオン・タワー

Official Visitor
Information Center
住Main & Houston Sts.
開月〜金8：00〜17：00、
土日10：00〜17：00
地P.389　A-2

Dallas Convention &
Visitors Bureau
住Main & Houston Sts.,
Dallas, TX 75202
☎ (214) 746-6677、イベン
ト・ホットライン　☎746-
6679

位という巨大な空港だ。旅客ターミナルは大きく4つに分かれ、Airtransという無人のトラムが各ターミナルを結んでいる。3路線あるので乗り場で自分の行き先を確認してから乗ること。

慈善団体United Wayが運営する**Airport Assistance Center**はターミナル2WのセクションAにある。ダラス、フォートワースの地図や観光案内、ホテルの紹介など非常に親切。

●**空港シャトルバン　SuperShuttle, TBS Transportation**
スーパーシャトルの乗り場はShare RideのSuperShuttleのエリア。空港へ行く際はホテルのフロントに頼んで呼んでもらう。

●**タクシー**　ダウンタウンまで20〜25分。

長距離バス

グレイハウンド・バスディーポ　Greyhound Bus Depot

ダウンタウンのLamar St.とJackson St.の角にある。ダラスにはグレイハウンドの本社があるが、ターミナル自体はこぢんまりとしてきれい。チケットを持った乗客しか入れないエリアが広がるなど、安全面にも配慮したものとなっている。24時間オープン。なお、夜間はこの周囲を歩かないほうがいい。

鉄道

アムトラック・ユニオン駅　Amtrak Union Station

ダウンタウンの西側、ハイアット・ホテルやリユニオン・タワーと地下道で結ばれている。威厳のある堂々たる駅舎だ。ロビーにはダラスの観光案内パンフが並ぶコーナーがあり、DARTのタイムテーブルも入手できる。

ダラスの歩き方　★ Walking

この町を訪れたならシックス・フロアだけは何が何でも見学しよう。あとは余った時間に応じて美術館を楽しむもよし、ウエストエンドを散策するもよし。リユニオン・タワーからの展望は昼夜を問わず楽しんでみたい。ダウンタウン内の見どころは、自分の足とレイル・ランナーで十分回れる。一方、郊外のシックス・フラッグスなどへ行こうと思うとなかなか大変。ビジネスの町なので観光客向きにできていないのだ。逆にそのおかげで旅人気分にじっくり浸れるという長所もあるけれど…。

また、ダラスは週末には死んだように静まり返ってしまう。バスも本数が極端に減り、店も休みが多い。"Big-D"のパワーを感じるなら断然平日なのだ。

観光案内所　★ Information

Official Visitor Information Center

1999年春にオープンした新しい観光案内所。「オールドレッド Old Red」と呼ばれる昔の裁判所の中にある。日本語のパンフレットもあり、ホテルの予約も手伝ってくれる。**ウエストエンド・マーケットプレイス**のモールの1階にも❶があり、こちらは夜おそくまで開いている。

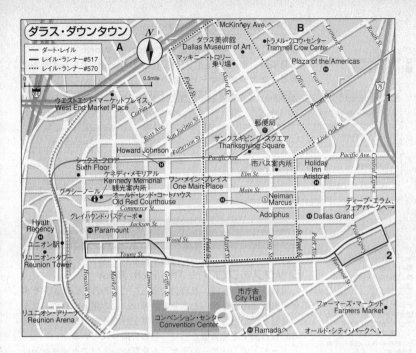

市内の交通機関 ★ Public Transportation

DART（Dallas Area Rapid Transit）

白と黄色に塗られたバス。ダウンタウンのサービスセンターでは時刻表も入手できる。硬貨への両替もできるので利用しよう。以下の2種のバスと路面電車もDARTが運行している。

●レイル・ランナー　Rail Runner

ダウンタウンのおもな見どころや、ダート・レイルの駅を結んで循環しているバス。経路が違う#517と#570の2路線があり、ダウンタウン南側のYoung St.で接続されている。

●ダート・レイル　Dart Rail

ダウンタウンと郊外を結ぶ路面電車。ダウンタウン内に6つの駅があるが、観光客にありがたい面はとくにない。

●マッキニー・アベニュー・トロリー
McKinney Avenue Trolley

ダウンタウンの北東、オシャレなブティックやレストランが連なるマッキニー・アベニューを往復約30分かけて走るノスタルジックなトロリー。起点はSt. Paul St.とRoss Ave.の角、ダラス美術館の横。

ダラスにもライトレールが走るようになった

DART
☎ (214) 979-1111（月〜金5：00〜22：00、土日祝日8：00〜18：00）
圏＄1、郊外へ行くルートは＄2、トランスファーは無料で、45分間有効。紙幣も使える

市バス案内所
圃Elm & Ervay Sts.
圏月〜金7：00〜18：00
圏P.389　B-1

レイル・ランナー
圏#517、6：00〜19：20の間、20分ごと、#570、6：00〜19：30の間、10分ごと
圏50¢

ダート・レイル
圏5：30〜12：30の間10分ごと、ラッシュアワーには5分ごと
圏＄1

マッキニー・アベニュー・トロリー
圃2908 McKinney Ave.
☎ (214) 855-5267
圏往復＄1.50（子供＄1）
圏月〜木10：00〜22：00、金土10：00〜24：00
圏P.389　B-1

グレイライン
☎ (972) 263-0294
☎ (1-800) 256-4723

グレイライン　Gray Line of Dallas/Ft. Worth

出発場所：West End Historical District（おもなホテルへのピックアップ・サービスあり）

番号	ツアー名	料金	運行	所要時間	内容など
1	Dallas Landmarks Tour	$ 22	月木9：00発、日火水金14：00発	3時間	オールド・シティ・パーク、パイオニア・プラザ、オリジナルのニーマン・マーカス、ウエストエンド歴史地区などを見学する。
2	J.F.K. Historical Tour	$ 26	日月水木金9：00発	3時間	J.F.ケネディ大統領暗殺にまつわるポイント、オズワルドが一時的に住んだ家、ジャック・ルビーのナイトクラブなどを訪ねる。
4	Fort Worth:Cowboys, Cattlemen & Culture	$ 28	火土9：00発	8時間	大西部の入口といわれるフォート・ワースへのツアー。ウィル・ロジャース記念コロシアム、シッド西部美術館、ストックヤード歴史地区などを回る。
8	Rodeo Round-up Tour	$ 25	4/4〜9/26金土18：00発	8時間	メスキート・チャンピオンシップ、ロデオを見学。エキサイトなカウボーイズの技を堪能する。最少催行人数8人。

Attractions
おもな見どころ ★

ケネディ大統領はここから狙撃された!?

シックス・フロア ★ The Sixth Floor

シックス・フロア
411 Elm St.
☎ (214) 653-6659
毎日9：00〜18：00（閉館1時間前までに入場のこと）
オーディオツアー付き大人＄7、65歳以上＄6、12〜18歳＄5、6〜11歳＄4（入館料のみだとそれぞれ＄2引き）
Elm St.とHouston St.の角にあるレンガ造りの建物。レイル・ランナー#517でユニオン駅で下車、徒歩5分
P.389　A-1

　建物は1963年当時、教科書倉庫として使われていたが、ケネディ大統領の命を奪った3発の銃弾は、この建物の6階の窓から発射されたとされている。その歴史的な6階がケネディと彼の暗殺に関する博物館として一般に公開されている。

　オーディオ・ツアーのチケットを買い、入口でカメラを預けてウォークマンを受け取る（日本語版あり）。これを首から下げ、ヘッドホンをしてエレベーターに乗り込んだら「Play」のスイッチを押す。6階で降りたらあとはテープの声に従って展示（パネル写真）を見て歩くわけだ。途中5分ほどのビデオが4本、10分ほどのフィルムが2本あるので、そのときはテープを止める。巻き戻しや早送りは自由なので自分のペースで見学しよう。

　最初のコーナーでは、'60年選挙からベトナム戦争、公民権運動、アポロ計画、キューバ危機…とケネディの時代を彼自身の演説や関係者の証言などで生々しく再現している。そして運命のテキサスへの出発。ダラス到着後の車列を追うビデオは、結末がわかっているのに下手なミステリードラマよりはるかにスリリングだ。あまりの迫力に鳥肌が立つ。

　このコーナーを過ぎると狙撃現場とされる窓に至る。一角は当時のままに復元されていて入ることはできないが、別の窓から外をのぞいてみよう。オズワルドは何を思いここから外を見ていたのだろうか。いまは何事もなく車が行きかっている。しばしもの思いにふけったらツアーに戻ろう。この事件に対しての内外の反応をつづったフィルムでは、まだ小さな息子が父の柩に向かって敬礼する姿が涙を誘う。一方でオズワルドも殺され、謎が謎を呼ぶ捜査のほうも興味深い。最後のフィルム"The Legacy"は有名な演説「国民が国に何を望むかではなく…」で終わる。見学を終えて泣いている人もいる。『歴史上最も偉大な指導者』に対するアメリカ国民の愛情が伝わってくる。ここは単なる博物館ではなく、現代史の一場面を多角的に再現した

ケネディ大統領はこのビルから狙撃されたといわれている

壮大な劇場でもあるのだ。

　なお、入館だけのチケットもあるが、オーディオツアーで見学するのが得策。日本語のテープの方は、ケネディ政権時の日米関係など、日本人向けの内容も加えて解説している。もし、英語に不自由ないのなら平易で、迫力がある英語テープの方がおすすめ。ゆっくり見て回ると2時間ほど。ギフトショップもあってビデオ、テープのほかにマジック・ブレット（魔法の弾丸）、当時の新聞のコピーなども置いてあるのでおみやげにいかが？

ディーリー・プラザと
J.F.K.メモリアル
地P.389　A-2

リユニオン・タワー
住300 Reunion Blvd.
☎(214) 651-1234
営日～木10：00～22：00、
金土9：00～24：00
料大人＄2、子供（12歳未
満）・シニア＄1
交レイル・ランナー＃517
でユニオン駅下車、地下道
を通り線路の反対側へ
地P.389　A-2

ケネディ大統領のためのメモリアル
ディーリー・プラザとJ.F.K.メモリアル
★ Dealey Plaza & John F. Kennedy Memorial

　シックス・フロアの南側と古い裁判所（通称Old Red）をはさんだ南東は、小さな緑地帯になっている。シックス・フロアの南側はディーリー・プラザと呼ばれ、Elm、Main、Commerceの3車線が合流していく小さなデルタ地帯。J.F.K.を乗せたオープンカーが、本来ならばMain St.を通る予定がコースを変え、Elm St.を通ったため射殺されてしまったといういわくつきの地点だ。暗殺から30年後に国の史跡として指定され、碑が埋め込まれている。また、南東に位置する公園の南には、コンクリートの壁で空間を囲んだシンプルながらも重厚な碑が鎮座している。これがJ.F.K.メモリアル。シックス・フロア見学のあと、これらに立ち寄りダラスの地に散っていったヒーローを偲んでいる人の姿が目につく場所でもある。また、メモリアルの横にはダラス最初の建物John Neely Bryan Cabinが建っている。

J.F.K.メモリアル

ダラスを代表するタワー
リユニオン・タワー ★ Reunion Tower

　先端が球状になったダラスのシンボル的存在のタワー。入ってすぐ右側のエレベーターに乗ると地上200mの展望デッキまで上がれる。昼ならテキサスの『大地』を実感できるし、夜はダウンタウンの夜景が美しい。カクテルラウンジとレストランもあり、飲食料金だけでダラスの鳥瞰図が楽しめる。

マッキニー・アベニュー
交トロリーのほかDARTで
は＃21、39、ダウンタウンか
ら10分ほど
地P.389　B-1

レストラン、カフェが連なる
マッキニー・アベニュー ★ McKinney Avenue

　ブティックやギャラリー、レストランやバーなどが並ぶダラスのアフター5スポットだ。Fairmount St.からHall St.あたりまでは店が多く、"Hard Rock Café"もこの通りにある。ダウンタウンとはまったく違ったダラスの一面を見せてくれるこの通りのもう1つの見どころはトロリー（『市内の交通機関』の項参照）だ。木製の車内は時の流れが止まっているかのよう。

リユニオン・タワーは上部が球状と
なっている

プラネット・ハリウッドもあるウエストエンド・マーケットプレイス

ウエストエンド・マーケットプレイス
☎ (214) 748-4801
🕐 月～木11：00～22：00、金土11：00～24：00、日12：00～18：00
🚃 レイル・ランナー#517で。シックス・フロアからは徒歩5分ぐらい
🗺 P.389 A-1

夜もにぎやかなダウンタウンのスポット

ウエストエンド歴史地区 ★ West End Historical District

　ダウンタウンの西北のはずれ、Main、Lamar、Woodall、Rogers、Recordの通りに囲まれたエリアで、赤いレンガ造りの古い建物が建ち並んでいる。うらぶれた倉庫街だったが、建物の外観を残したまま近年再開発され、いまは健全な歓楽街として市民に親しまれている。Market St.沿いをメインに飲食店が連なり、夕方6時以降はとくににぎやかだ。MungerとMarketの角にある**ウエストエンド・マーケットプレイス West End Market Place**は小粋なショッピングモール。5階建てのビルの中にフードコートや30以上のショップ、ゲームコーナーが入っている。映画館では10本の映画が上映されていて各＄6.50。また、モールの前の広場ではよくライブ演奏も行われ、夜おそくまで人通りが絶えない。プラネット・ハリウッドのダラス店もここにある。

ジョン・F・ケネディ大統領暗殺

　日本でテレビが大衆に浸透し始めた時代、初の日米衛星中継の電波に乗ってきたニュースは、「ケネディ大統領凶弾に倒る」という衝撃的なものだった。'60年の大統領選挙でテレビを最大限利用して当選したケネディが、テレビを通してその死を世界に目撃されたというのも歴史の皮肉といえる。

　1963年11月21日、第35代アメリカ合衆国大統領ジョン・F・ケネディは、翌年の次期大統領選挙に向けてテキサスへの遊説に出発した。サンアントニオ、ヒューストン、フォートワース。もともとこの町は保守的な土地柄で共和党の地盤。非WASP（ケネディはアイルランド系のカトリック教徒だ）でリベラル派の民主党員であるケネディに対しては強い反発が予想された。大統領側近の何人かはこの遊説には反対だったという。しかも当日の地元紙の朝刊にはケネディの政策に反対する一面広告が出た。それでも彼はダラス市内をパレードした。それも屋根を取り払ったリムジンに乗った。隣にはジャクリーン夫人、前席にはジョン・コナリー・テキサス州知事夫妻。熱狂的な市民の歓迎を受け、車列はダウンタウンの西端まで来た。Main St.からHouston St.に右折、州知事夫人は振り向いて大統領に「ダラスがあなたを愛していないなんて言わせませんよ」と言ったという。車列はさらにスピードを落としてElm St.へはヘアピンカーブを左折した。目撃者たちが銃声を聞いたのはこのときである。大統領が夫人のほうに倒れ込む。現場は大混乱に陥った。逃げまどう人々と走り回る警官。大統領のリムジンはスピードを上げてパークランド病院へと走り去った。

　午後1時、ケネディの死亡が発表され、1時50分、別の警官殺しの容疑でリー・ハーベイ・オズワルドが逮捕される。ダラス警察は、教科書倉庫6階に残されていたライフルからオズワルドの指紋が検出されたとして、彼を大統領暗殺の犯人と発表した。しかし、事件はこれで終わらない。2日後の24日11時21分、オズワルドは郡刑務所に移送される途中、ダラス警察本部の地下通路でジャック・ルビーという男に至近距離から撃たれて死亡する。これもテレビの生中継中であった。異常な事態だ。

　ケネディの死後、ジョンソン副大統領が大統領に就任、暗殺調査の委員会を設置した。委員長の名をとってウォレン委員会と呼ばれた。翌'64年、ウォレン委員会は暗殺事件をオズワルドの単独犯行と断定する結論を発表したが、これが疑問だらけのレポートだった。その後上院委員会などの調査が行われたが、公式にはウォレン委員会の結論はくつがえっていない。とはいえ委員会とは違った結論を出している書物は枚挙にいとまがない。CIA、FBIがからんでいるという説、マフィアによるという説、KGBによるという説、キューバ政府によるという説、そしてケネディの政敵リチャード・ニクソンによるという説。いずれにしても多くの目撃者や関係者が次々と死んでしまったこともあって真相はいまだヤミの中だ。

　テロで世の中は変えられないとはよく言われることだ。しかし、ケネディが死んでしまったことによってアメリカの進んだ道が変わらなかったとはとても思えない。しかもアメリカはこの後数年の間にマーチン・ルーサー・キングJr.、ロバート・ケネディという2人もの指導者を暗殺によって失うのだ。ダラスの秋の空にひびいた銃声は、古きよきアメリカの時代に幕を引いたといえよう。

昔のダラスの建造物が保存されている

オールド・シティ・パーク ★ Old City Park

　ダウンタウンのビル群をバックに、芝生の緑も鮮やかな公園がある。ここには1840〜1910年のダラスの創設期に造られた教会、学校、商店、市民の家など約35軒が集められ、復元されている。印刷屋、鍛冶屋などは当時の作業のようすをデモンストレーションで、チケット売場隣りのディーポでは昔のダラスをスライドショーで紹介してくれる。Brent Placeのレストランでは、100年前のテキサス料理を味わえる（圏火〜土11：00〜14：00）。

　なお、公園を出て左に進み、Harwood St.で左折してフリーウェイを渡るとファーマーズ・マーケット Farmer's Marketがある。観光用ではなく、テキサス各地から農民が売りに来ている本物の市場で、週末の朝はとくに活気づく。公園から徒歩10分、毎日、日の出から日没までフルーツの香りでいっぱいだ。

古い建物の向こうには摩天楼がそびえる

オールド・シティ・パーク
　1717 Gano St.
　☎ (214) 421-5141
　火〜土10：00〜16：00、
　日12：00〜16：00
　大人$5、子供$2、シニア$4
　DART #2
　P.389　B-2地図外

アトラクションがいろいろある公園

ステート・フェア公園 ★ Fair Park Dallas

　ダウンタウンの東にあるアメリカ最大と言われるステート・フェアの会場となる公園。敷地内には5つのミュージアム、コットン・ボウル・スタジアム、野外シアター、水族館、植物園などがあり、年間600万人もの人が訪れる。ポイントの中から一部を紹介すると……、自然史博物館 Dallas Museum of Natural Historyでは大都会ダラスからは想像できない、ダラス周辺の自然界のジオラマや恐竜の化石、植物、鉱石などの展示。サイエンス・プレイス The Science Placeは実際に子供が見て、聞いて、触れて体験しながら体の器官やエネルギーのしくみなどを理解していく楽しい学習の場。電気で髪の毛を逆立てたりする実験は好評だ。水族館 Dallas Aquariumは小さいながらも300種以上の熱帯魚、淡水魚がおり、サメやピラニアの餌づけも見学できる。ほかにテキサス州の偉人の殿堂、ホール・オブ・ステート Hall of Stateなどがある。

ステート・フェア公園
　1300 Robert B. Cullum Blvd.
　☎ (214) 890-2911
　DART #12、14、18、50などで約15分。Parry Ave.に突き当たったら下車
　P.389　B-2地図外

自然史博物館
　☎ (214) 421-3466
　毎日10：00〜17：00
　大人$4、3〜18歳$2.50

サイエンス・プレイス
　☎ (214) 428-5555
　月〜土9：30〜17：30、
　日12：00〜17：30
　大人$6、3〜12歳$3

水族館
　☎ (214) 670-8443
　毎日10：00〜16：30
　大人$2、3〜11歳$1

ホール・オブ・ステート
　☎ (214) 421-4500
　火〜土9：00〜17：00、
　日13：00〜17：00
　Great Hallは無料、それ以外は大人$3

読★者★投★稿

　ステート・フェアのある10月がシーズン。それ以外の時期は、人もまばらで、ひっそりとしていて恐い感じだった。
（西崎和歌子　ダラス在住　'98）

ステート・フェア公園の自然史博物館

393

ダラス消防士博物館
■3801 Parry Ave.
☎(214)821-1500
■月〜金10:00〜16:00
■無料
■ステート・フェア公園の
向かい

ディープ・エラム地区
☎(214)747-3337（イベン
ト情報など）
■量ならDART＃12、14で
約10分。Central Express
wayの高架を過ぎたら下車
■P.389　B-2地図外

ディープ・エラムの
ビジターセンター

ダラス美術館
■1717 N. Harwood St.
☎(214)922-1200
■火水11:00〜16:00、
木金11:00〜21:00、土
日祝日11:00〜17:00
■無料　特別展示は大人$3
■レイル・ランナー＃570
■P.389　B-1

シックス・フラッグス
■2201 Road to Six Flags,
I-30＆TX-360, Arlington
☎(817)640-8900
■5月下旬〜8月以外は基本
的に週末のみオープン。1、
2、11月は休園が多い。開
園時間はまちまちなので事
前に問い合わせるとよい。
■大人$34.99、子供$17.50。
駐車場$7。観光案内所な
どに割引クーポンが置いて
あるので入手しておこう
■グレイハウンドバスで
Arlingtonまで行って（本数
少ない）あとはタクシー利
用。レンタカーならI-30を
西へ。Arlington市に入ると
すぐに標識が出ている
■地図外

アメリカの消防士は昔からカッコよかった！
ダラス消防士博物館 ★ Dallas Firefighter Museum

　ステート・フェア公園の西側、Parry Ave.とCommerce St.
の交差点にある、古い消防署を改造した
博物館。1884年当時の馬式消防車や、
消防服などが所狭しと展示され、階上に
は消防士の宿舎も再現されている。展示
物の数が多く、一見しただけでは何がど
ういうものだか判断しかねるが、係員が
親切に説明してくれるので、興味深く観
覧できる。

消防士博物館の係員

ダラスいちおかしなところ
ディープ・エラム地区 ★ Deep Ellum

　フェア公園の西、Elm、Hall、Canton、Henryに囲まれたあ
たりはテキサスのグリニッチビレッジともいうべき、奇抜でオ
シャレなブティック、ギャラリー、レストラン、ナイトスポッ
トが集中するエリア。もとは倉庫街だったものが、今世紀初期
アフリカ系アメリカ人の文化や生活の中心地となり、ジャズ、
ブルースのアーティストが数多く誕生し、スピークイージー
（もぐりの酒場）が栄えたところでもある。夜はとくにWeird
People（直訳すると"奇妙な人々"）で活気づく。ライブハウス
もジャズからヘビメタまでバラエティに富み、音楽好き、アー
ト好きはぜひ足を運んでほしいところ。ダラスの意外な一面を
発見するにちがいない。なお、夜のアクセスは必ずタクシーで。

大作の多い美術館
ダラス美術館 ★ Dallas Museum of Art

　清潔で広々としており、太陽光をうまく取り入れた展示が美
しい。洋の東西を問わず幅広いコレクション。特筆すべきは20
世紀以降の現代美術。ウォーホル、ロスコ、フランツ・クライ
ンらの大作が広い展示室に並ぶほか、地元テキサス出身のアー
ティストの作品も目につく。印象派の作品もくまなく網羅。元
イギリス首相チャーチルの手による絵画も収蔵品の一部だ。

Suburb Points
郊外の見どころ ★

絶叫マシンでおなじみのテーマパーク
シックス・フラッグス ★ Six Flags Over Texas

　2001年に40周年を迎える元祖シックス・フラッグス。絶叫マ
シンでおなじみの遊園地で、テキサスらしい、巨大で豪快なコー
スターが並ぶ。とくにすごいのがTexas Giant。とにかくでか
い！ 長い降下をこれでもかと繰り返す木造のコースターで、
何度もお尻が浮いてしまう。しかも、レールの固定が悪いのか
横ゆれが激しく、怖さ倍増。コースターマニアには見逃せない。
Oil Derrickにものぼってみたい。広大なテキサスの大地が360
度見渡せる。

シックス・フラッグスの目玉、テキサス・ジャイアント

観戦するスポーツ

ベースボール（MLB）

テキサス・レンジャース ★ Texas Rangers

（アメリカン・リーグ西地区）

　'98のシーズンもアメリカン・リーグ西地区の地区優勝に輝いた強豪。投手陣も打撃陣もすばらしく、外野手ゴンザレスは'98年のMVPだ。元ドジャースの野茂投手が日本人としては初めて出場したオールスター・ゲーム（'95）が行われた球場だ。

テキサス・レンジャース
本拠地──ザ・ボールパーク・アット・アーリントン The Ballpark at Arlington, 1000 Ballpark Way, Arlington
☎（817）273-5100（チケット）、273-5222
🚖ダラスからタクシーを利用すると＄25〜30程度

アメリカン・フットボール（NFL）

ダラス・カウボーイズ ★ Dallas Cowboys

（NFC東地区）

　サンフランシスコ・フォーティナイナーズと並んで、過去5回のスーパーボウル出場を果たした"超"のつく強豪チーム。QBのエルウェイを中心に戦い続けているが、'98〜'99のシーズンも地区優勝を果たしたものの、プレーオフで破れた。

ダラス・カウボーイズ
本拠地──テキサス・スタジアム Texas Stadium, 2401 E. Airport Fwy., Irving
☎（214）579-5000（チケットとスケジュール）、373-8000
🚖スタジアムへはタクシー利用となる。試合開催日のスタジアム・シャトルは、ダウンタウンではなく郊外数カ所の駐車場発着なので注意

ダラス

★ レンタカーがあったら…

　ダラスとフォートワースの中間、シックス・フラッグスのある町がアーリントンだ。シックス・フラッグスの近くにあるノスタルジックな野球場が、ザ・ボールパーク・アット・アーリントン The Ballpark at Arlington。単に"ザ・ボールパーク"と呼ばれることも多い。ノスタルジックといっても、この球場は完成したのが1994年の4月。最新の設備を誇る球場なのだ。ただ、球場全体のムードを"古き良き時代のボールパーク"に統一している。この美しい球場を、ガイドについて見て回るツアーもあるのでぜひ参加してみよう。ダッグアウトにまで入れる！ ツアーは、ホームゲームのある日曜日以外は基本的に毎日行われているが、時間はまちまちなので事前に問い合わせのこと（☎（817）273-5098）。🎫大人＄5、子供（6〜13歳）＄3。また、球場内には"Legend of the Game"という野球博物館もある。ベーブ・ルース、ハンク・アーロンといった伝説的名プレイヤーたちゆかりの品々、古いユニフォーム、'50年代のベースボール・カードなど、大リーグの、とくにオールド・ファンなら涙ものの展示だ。🕐月〜土9：30〜19：30、日12：00〜17：00（11〜2月は月休み）のオープン。🎫大人＄6、子供＄4。ツアーとのコンビネーション・チケットもある。ギフトショップも充実している。

　同じアーリントンには、ニューヨーク・メッツ監督のボビー・バレンタインが経営するレストランがある。Bobby Valentine's Sports Gallery Cafe（🏠715 Ryan Plaza Dr. ☎（817）261-1000）がそれ。典型的なスポーツバーで、テーブルや壁一面に飾られたベースボール・カードやスター選手のサイン入りピンナップがハンパな数ではない。メニューも典型的アメリカンで、ボリュームたっぷり。予算は＄7〜15。長らくレンジャーズの監督を務めていたバレンタイン監督は、地元で絶大な人気を持ち続けている。ロッテ時代の彼や日本のプロ野球の話でもすれば喜ばれるだろう。

　もうひとつ訪れてみたいのが、アメリカン航空が運営する航空博物館、C.R.スミス博物館 C.R.Smith Museum（🏠4601 Hwy.360, Fort Worth ☎（817）967-1560）だ。無料だが、なかなかどうしておもしろい博物館だ。空港がどう運営されているのか、旅客便がどう運航されているのか、飛行機はどのようにして空を飛ぶのか、といったことを触れて学べる。アメリカン航空の広告の歴史も、時代背景が感じられて興味深い。全席ファーストクラス・シートの劇場で見る大画面映像（IMAX）も迫力だ。MD-11に乗ってDFW空港を離陸。空撮をまじえてアメリカン航空の歴史をたどる約15分のフィルムだ。レイク・パウエルの空撮は圧巻！ 最後はロスアンゼルス空港へのナイトランディングだ。🕐水〜土10：00〜18：00（6〜7月は火曜も）、日12：00〜17：00。
🚫サンクスギビング、クリスマス

ダラス・マーベリックス ★ Dallas Mavericks
（西・中西部地区）

ダラス・マーベリックス
本拠地──リユニオン・ア
リーナ Reunion Arena, 777
Reunion Blvd., Dallas
☎ (214) 373-8000
🚃ダウンタウンの西
📖P.389 A-2

　つわものぞろいのダラス・プロスポーツチームの中で、その反対ともいえるのが、バスケットのマーベリックスだ。プレーオフに数回進んだことはあるというものの、最近の勝率は3割前後とダラスっ子にとっては残念な状態が続いている。

ダラス・スターズ ★ Dallas Stars （西・中部地区）

ダラス・スターズ
本拠地──リユニオン・アリ
ーナReunion Arena, 777
Reunion Blvd., Dallas
☎ (214) 467-8277
🚃マーベリックス参照

'98〜'99のシーズンも、地区の首位を走るスターズ。その活躍ぶりは好調そのもの。ユニフォームにはテキサス州の州旗にも輝き、チームの名前にもなっている『ローン・スター Lone Star』がデザインされている。

テキサス州旗 "Lone Star"

★ ★ ★ ショッピング ★ ★ ★
Shopping

　ダウンタウンには全米に支店を持つ高級デパート、ニーマン・マーカスの本店のほか、ウエストエンド・マーケットプレイス、ワン・メインプレイスなどのショッピングゾーンがある。物足りない人は200以上のテナントが入った郊外の大ショッピングモール、**ギャレリア Galleria**がいい。サックス・フィフス・アベニューをはじめとした4つのデパートのほか、グッチ、ルイ・ヴィトン、ベルサーチ、ローラ・アシュレイも入っており、アイススケートリンクまで…。
🕐月〜土10：00〜21：00、日12：00〜18：00

📮読★者★投★稿

ちょっと高級なショッピング・モール
Northpark Center

🏠Northwest Hwy. at N. Central Expwy.
☎ (214) 363-7441
🕐月〜土10：00〜21：00、日11：00〜18：00

　ダウンタウンから北へ向かうバス#21で20分ほど（$1）のところにあるショッピング・モール。ニーマン・マーカス、ロード＆テイラーなどのデパートと150以上の店舗が入っている。また映画館は2軒あって$6.50と安い。（阿部浩子　渋谷区）（'98）

★ ★ ★ ホテル ★ ★ ★
Hotel

ウイークエンドパッケージについて

　テキサス一の商業都市ダラスでは、ビジネスの会合やレセプションのために平日のホテルはいつも満室の状態。それが週末になると客足がまったくなくなる。ビジネスを中心に動いている町の宿命とはいえ、ホテルとすれば週末も客が欲しい。そこで生まれたのがこの割引システム。普段なら素通りする高級ホテルもこのときは手の届く料金になる。さまざまなパックがあるので観光局で調べてみよう。

落ち着いた歴史を感じさせるホテル
Holiday Inn Aristocrat Hotel

🏠1933 Main St., Dallas, TX 75201
☎ (214) 741-7700、📞 (1-800) 231-4235、
FAX (214) 939-3639
⑤⑩ $155〜229、⑪ $165〜239、週末

は⑤⑩ $129～189、①$139～199 ADJMV 🗺P.389 B-2

現在はホリデイ・インの運営だが、1925年に建てられた由緒あるホテル。にぎやかなMainとHarwood St.の角にあり、上品な外観と落ち着いた内部が歴史を感じさせる。改装された部屋は古さを感じさせない美しさ。全室TV、バス、トイレ付き。ダウンタウン内のシャトル・サービスはこのホテルならではのサービス。172室。（'99）

ダウンタウンでは安い
Paramount Hotel
🏠302 S. Houston St., Dallas, TX 75202
☎(214)761-9090、FAX(214)761-0740
平日⑤$69～、⑩$79～、週末⑤$59、⑩$69　　　　　　　　　　　　　　AMV
🗺P. 389　A-2

ダラスは郊外のモーテルに行かなければ手頃な料金のホテルというのが少ない。ユニオン駅の目の前という好立地のこのホテルは希少価値といえる。1925年に建てられたもので、数年前に大改装し

て再オープンした。豪華さはないが清潔な部屋は全118室。1階にはレストランもある。　　　　　　　　　　　（'99）

便利なロケーションの
Ramada Plaza Dallas Convention Center
🏠1011 S. Akard St., Dallas, TX 75215
☎(214)421-1083、FAX(214)428-6827
⑤$140、⑩$150、スイート$160
ADMV 🗺P.389　B-2地図外

コンベンションセンターのすぐ南に位置し、オールド・シティ・パークへも2ブロックの距離。リゾートホテルを思わせるように、客室は淡いトーンのパステルカラーが基調。広いうえに清潔、ヘアドライヤー、Faxと宅配会社や旅行代理店等への直通機能のついた電話なども各部屋についていて、一歩抜きんでたサービスが光っている。夜は最上階の"Skyline"レストランでの食事がおすすめ。ダウンタウンのまさにゴージャスな夜景が堪能できる。236室。　（'98）

★ ダラス

★　　★　★　## レストラン　★　★　★　★
Restaurant

新鮮なカキが売り！
S.& D. Oyster Company
🏠2701 McKinney Ave.
☎(214)880-0111
🕐月～木 11：00～22：00、金土11：00～23：00　　　　MV 🗺地図外

マッキニー・アベニューにあるシーフードの店。店名の通り、売り物はなんといっても新鮮なカキだ。生ガキ1ダース約$7、カキフライ1ダース約$12など。南部のダラスらしくガンボスープもあって、ボウルで$4.35。もちろんほかにエビや魚類、サンドイッチといったメニューもある。　　　　　　　（'98）

ダラスにもあるぞ！
Hard Rock Café
🏠2601 McKinney Ave.
☎(214)855-0007
🕐日～木11：00～ 23：00、金土11：00～24：00　　　　　　🗺地図外

マッキニー・アベニューにあり、目印はテキサスらしく、石油の採掘機。ジョ

ン・レノンのジャケット、エルトン・ジョンのピアノなどがあり、ロックギンギンの店内では名物の大ハンバーガーにトライしよう。　　　　　　　　　（'98）

ヘルシーメニューで人気
Cafe Brazil
🏠2815 Elm St.　☎(214)747-2730
🕐金～火8：00～1：00、水木8：00～3：00　　　　　　　　　🗺地図外

とくにブラジル料理というわけではない。サラダ、オムレツ、サンドイッチなど、ヘルシーなメニューが並んでいて、平日のランチタイムなどビジネスマンたちでにぎわっている。$5～7程度。量がテキサスらしくなく、一般の日本人にちょうどいい。ランチや、夜飲んだあとの軽い夜食にもピッタリ。7種類のコーヒーが飲み放題で$2。ほかにカプチーノ、アイスコーヒーなども。

場所はディープ・エラムで、Elm St.沿い、Oakland St.の角近く。　（'98）

西部劇に出てくるような町は、もうアメリカには存在しないのだろうか? いやいや、まだあるのだ。ここフォートワースには大西部の昔がいまも息づいている。ダウンタウンには高層ビルが林立し、一見ツイン・シティのダラスと同じ印象を持つ。しかし、フォートワースいちの観光ポイント、ストックヤードに行けばカウボーイが活躍する昔ながらのテキサスの姿を目にすることができる。西部劇の時代にタイムスリップして古き良きテキサスを楽しんだあとは、フォートワース自慢のミュージアム・エリアに行って芸術鑑賞がいい。郊外には巨大な遊園地、シックス・フラッグスなどもある。変化のある観光が楽しめる町、それがフォートワースだ。

ダウンタウンへの行き方 ★ Access

空港

ダラス・フォートワース国際空港
Dallas-Fort Worth International Airport (DFW)

ダラスの空港の項（P.387）参照。

●空港バス **Airporter** 各ターミナルのLower Levelからダウンタウンのターミナルと主要ホテルを結ぶ。所要時間は35～60分、30分間隔の運行。

●空港シャトルバン **SuperShuttle**

●タクシー ダウンタウンまで。約30分。

Airporter
🏠1000 E. Weatherford
☎ (817) 334-0092
🚌片道 $ 8、16歳未満は大人の同伴者がいれば1人につき1人無料

SuperShuttle
☎ (817) 329-2000、📞 (1-800) 258-3826
🚌片道 $ 12

タクシー
🚕チップを含め $ 30～40

---

d a t a

人 口	約447,000人	**T A X**	セールス・タックス 8.25%		
面 積	765km		ホテル・タックス 13%		
標 高	最高237m、最低158m	**属する州**	テキサス州 Texas		
市の誕生	1873年	**州のニックネーム**	一つ星の州 Lone Star State		
情 報	Fort Worth Star-Telegram（日刊新聞）50 ¢、日曜版 $1.50	**時 間 帯**	セントラル・タイムゾーン		

FORT WORTH,TEXAS

気温 (℃) 最高気温 最低気温 降水量 (リ)

1月 2月 3月 4月 5月 6月 7月 8月 9月 10月 11月 12月

フォートワース

Fort Worth

Seattle Denver Chicago New York San Francisco Atlanta Los Angeles New Orleans Miami

長距離バス

グレイハウンド／トレイルウェイズ・バスターミナル
Greyhound/Trailways Bus Terminal

ダウンタウンのコンベンション・センターの北隣のロケーションに位置する、こぢんまりとしたターミナル（ディーポといった方がふさわしい）。

鉄 道

アムトラック駅　Amtrak Passenger Station

コンベンション・センターの東、Jones St.と15th St.の交差するところにある。

フォートワースの歩き方　Walking ★

フォートワースの見どころは大きく分けて2つ。昔のテキサスを感じさせる**ストックヤード**と、いまのテキサスの文化の中心ともいえる**カルチャー・ディストリクト**だ。ダウンタウンの見どころは少ないので簡単にダウンタウンを見学したら、すぐにどちらかをめざそう。どちらもダウンタウンからバスで15分ぐらいの距離にある。それぞれ1日かけてゆっくり楽しみたいが、時間のない人であれば、1日で両方を見ることも十分可能だ。

観光案内所 ★ Information

Fort Worth Convention and Visitors Bureau

ダウンタウンでは、バスターミナルからは、Commerce St.を北方向に歩き、4th St.を左に3ブロック。4th St.とThrockmortonの角にある。資料が充実しており、スタッフもとても親切。

ストックヤードの案内所はバス停からExchange Ave.を東に向かい、ステーションの手前、家畜取引所の向かいにある。周辺の安い宿の紹介もしてくれる。

市内の交通機関 ★ Public Transportation

ティー（路線バス）"The T"

ダウンタウンを中心に50以上の路線を持つ便利な路線バス。路線のほとんどがダウンタウンのThrockmorton St.とHouston St.を走り、赤、白、青の車体が目印（時おり派手な車体も見かける）。また、ダウンタウンの**Henderson, Lancaster, Jones, Belknap**に囲まれたエリアは、バスの料金が無料だ。乗る際運転手にその旨を告げ、無料用のプレートをもらい、降車するときにプレートをもどせばOK。無料のトランスファーを利用して、午前中ストックヤードに行って、帰りのバスでトランスファーをもらい、ダウンタウンでカルチャー・ディストリクト行きのバスにタダで乗り換えることができる。

グレイハウンド／トレイルウェイズ・バスターミナル
🏠901 Commerce St.
☎ (817) 263-1181
🕐毎日6：00～1：00
🚍ダラスより片道＄7で、ノンストップは1日7便、約40分の所要時間
📖P.400

アムトラック駅
🏠1501 Jones St., Fort Worth
☎ (817) 332-2931
📞 (1-800) 872-7245
🕐毎日9：00～18：30
📖P.400

充実したミュージアム群
テキサス州は裕福なのか、カルチャー・ディストリクトにある美術館や博物館はほとんどが入場無料。ただし、月曜日が休館日なので要注意。

Fort Worth Convention & Visitors Bureau
🏠415 Throckmorton St., Fort Worth, TX 76102
☎ (817) 336-8791
📞 (1-800) 433-5747
FAX (817) 336-3282
HOME www.fortworth.com
🕐月～金8：30～17：00、土10：00～16：00
📖P.400
●ストックヤード
🏠130 E. Exchange Ave.
☎ (817) 624-4741
🕐月～金9：00～18：00、土9：00～19：00、日12：00～18：00
📖P.401

ティー
☎ (817) 871-6200
🕐平日の運行は5：00～23：00の間になるが、週末は運行路線と時間帯が限られてくるので要注意
🎫80¢均一で、トランスファーは無料

サービスセンター
☎808 Houston St.
團月～金7：00～18：00、
土8：00～14：00、
土8：00～14：00（電話に
よる案内は月～金6：00～
20：00、土日8：00～17：00）

サービスセンター

　ダウンタウンの"The T"のサービスセンターは、Houston St.と8th St.の角から2軒目にある。路線図やタイムテーブルがあるほか、窓口での案内も行っている。

ツアー案内 ★ Sight-seeing Tour

　P.390ダラスの観光ツアーの項参照。

**ダウンタウン
エリア
★
Downtown
Area**

　まずはMain St.まで行ってみよう。このMain St.を中心としたエリアは**サンダンス・スクエア Sundance Square**と呼ばれるダウンタウン一の繁華街。レストラン、ナイトスポット、オフィスビルが集中し、夜までにぎやかだ。Main St.沿いにある**シッド・リチャード・コレクション Sid Richard Collection**

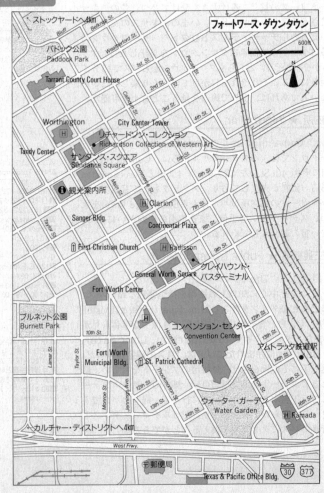

ストックヤードへ4km
フォートワース・ダウンタウン

0　　600m
N

パドック公園
Paddock Park

Tarrant County Court House

Worthington　City Center Tower

リチャードソン・コレクション
Richardson Collection of Western Art

Tandy Center

サンダンス・スクエア
Sundance Square

観光案内所

Sanger Bldg.　Clarion

Continental Plaza

First Christian Church　Radisson

グレイハウンド・
バスターミナル

General Worth Square

Fort Worth Center

ブルネット公園
Burnett Park

コンベンション・センター
Convention Center

アムトラック鉄道駅

Fort Worth
Municipal Bldg.　St. Patrick Cathedral

ウォーター・ガーデン
Water Garden

Ramada

カルチャー・ディストリクトへ4km

West Frwy.

郵便局

Texas & Pacific Office Bldg.

of Western Artはアメリカ先住民や西部開拓史がテーマの小さな博物館。C・ラッセルやF・レミントンのすぐれた作品が展示されている。ダウンタウン南の**ウォーター・ガーデン Water Gardens**（Commerce & 15th）はユニークなデザインの水の庭園。池や滝、噴水がおもしろく配置されている。

昔の西部の面影を残すここストックヤードは、フォートワースいちのアトラクション。かつてはアメリカ最大級の家畜取引が行われていた場所で、現在でもテキサスの重要な産業のひとつである家畜産業の中心だ。西部劇に出てきそうなバーやレストランの裏では、いまも家畜の取引が行われており、実際のオークションの模様を見ることができる。

Main St.とExchange Ave.の交差点を中心に数ブロックの広さに、レストラン、サロン、ウエスタン・ファッションの店などがあり一年中さまざまな行事が行われている。ここでは、ジーンズにカウボーイハットが正装だ。

ナマで見るロデオは大迫力
カウタウン・コロシアム ★ Cowtown Coliseum
世界最初の屋内のロデオ競技場。4月から9月まで毎週金土曜日の20：00からカウタウン・コロシアム・ロデオが行われている。カウボーイたちの名人芸は十分見ごたえあり。週末を中心に、いろいろなイベントがあるので❶で確認しよう。

家畜の売買を見ることができる
家畜取引所 ★ Livestock Exchange Building
ストックヤードの家畜取引の中心で、中には**ストックヤード博物館**やレストランがあり、隣にある**オークション会場 Auction Arena**では実際の競売を見ることができる。牛のオークションは毎週月曜10：00から、豚は火曜の12：00から行われる。オークションがないときでも雰囲気だけは味わえる。

最も大西部らしいナイトクラブ
ビリー・ボブズ・テキサス ★ Billy Bob's Texas
かつての家畜取引所の一部を改造した、収容人員6,000人というテキサス・サイズの複合ナイトクラブ。内部には52ものバーが軒を並べるほか、プール・テーブル、一流エンターティナーのカントリー＆ウエスタン・ショーなど、テキサス・スタイルの楽しみが目白押し。週末になると巨大なダンスフロアでは、「ホンキー・トンク」というテキサス名物のダンスが、老若男女入り乱れて繰り広げられる。ここのおすすめは夜がふけてから。平日の昼間も営業こそしているものの、人もまばらで面白さは半減。できるなら週末の深夜に出かけたい。

シッド・リチャード・コレクション
🏠309 Main St.
☎ (817)332-6554
🕐火水10：00〜17：00、木金10：00〜20：00、±11：00〜20：00、日13：00〜17：00
🚫月
💲無料
📖P.400

ストックヤード
🚌バスの#73A/B/Cに乗ってNorth Main St. & Exchange Ave.で下車。約15分。週末の終バスの時間は早いので注意。日曜運休
📖P.401

カウタウン・コロシアム
🏠121 E. Exchange Ave.
☎ (817)625-1025
💲予約席＄12、一般大人＄8、子供（3〜12歳）＄5
ボックスオフィス
☎ (817)654-1148

家畜取引所
🏠131 E. Exchange Ave.
☎ (817)625-5087
🕐月〜土10：00〜17：00
💲無料（寄付可）

オークション会場
☎ (817)626-3761

ビリー・ボブズ・テキサス
🏠2520 Rodeo Plaza
☎ (817)624-7117
🕐毎日11：00〜2：00
💲＄1

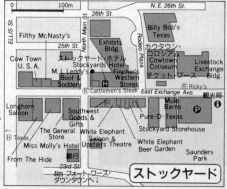

ストックヤード・ステーション・マーケット
140 E. Exchange Ave.
☎ (817) 625-9715
毎日10：00～19：00

タランチュラ・トレイン
140 E. Exchange Ave.
☎ (817) 625-7245、
(1-800) 952-5717
水～日（冬期は金～日）
13：15、15：30、17：45
発。月火（冬期は月～木）
の14：15にはディーゼル
機関車が走る
大人往復 $10、片道 $6、
子供（3～12歳）往復 $5.50、
片道 $3

カルチャー・ディストリクト

Fort Worth Cultural District

カルチャー・ディストリクト
ダウンタウンより#57、
58A/B、59、91A/Bのバスで。
Camp Bowie Blvd. &
Montgomery St. で下車す
るとエイモン・カーター美
術館のすぐ裏
P.403

キンベル美術館
3333 Camp Bowie Blvd.
☎ (817) 332-8451
火～木土10：00～17：00、
金12：00～20：00、日
12：00～17：00
月
無料

カフェテリア
火～木土11：30～16：00、
金12：00～19：30、日
12：00～16：00

建物も展示のひとつ、キンベル美術館

昔の取引所はいまショッピングセンター
ストックヤード・ステーション・マーケット
★ Stockyards Station Market

　1911年の完成当時は南西部最大の豚と羊の取引市場だったところで、この市場では1億6,000万頭以上の家畜が売買された。現在この建物にあるのは家畜ではなく、鉄道駅やギャラリー、レストラン、アンティーク・ショップなど。生演奏もあって、とても楽しいところだ。レンガの床とフェンスは当時からのもの。

蒸気機関車に乗っての旅
タランチュラ・トレイン ★ Tarantula Train

　ストックヤード・ステーションからは、1896年製造の蒸気機関車が往復約1時間のノスタルジックな旅に連れていってくれる。行き先の8th Ave. Stationの周囲には何もないので、ストックヤードから往復したほうがいい。

　何かにつけてダラスとよく比較されるフォートワースだが、博物館、美術館に関しては量、質とも文句なくフォートワースの勝ち、といえるのがこのカルチャー・ディストリクトにあるミュージアムたちだ。それぞれ近くにあるので歩いてまわれるし、歩き疲れたら隣にある公園の木陰や芝生の上で休むこともできる。テキサスで芸術鑑賞というのもなかなかおもしろい。

"America's Best Small Museum"
キンベル美術館 ★ Kimbell Art Museum

　キャッチどおり、小さいながらも充実した作品群が自慢の美術館。世界各国から収集された収蔵品は古代から20世紀まで幅も広く、ティツィアーノ、エル・グレコ、ベラスケス、ゴヤ、ドラクロワ、セザンヌ、マチス、ミロ、ピカソと西洋美術史の巨匠たちの顔が並ぶ。展示品だけでなく、著名な建築家ルイス・I・カーンLouis I. Kahn（1901～1974）の設計による建物もすばらしく、アメリカ建築の最高峰とも言われている。
キンベル美術館のカフェテリア

　美術館のカフェテリアにもいろいろある。気取っただけのところもあるが、ここキンベル美術館のカフェテリアは素晴らしい。立ちっぱなしの美術鑑賞にちょっと疲れたとき、のどを潤したくなったとき、そんなカフェテリア本来の役割を十二分に果たしてくれる。外からの陽光も優しくそそぎ込む。その採光以外は展示室と同じ作りになっているのだ。高い天井、広々とした空間、緑があって、木のフローリング。テーブルも椅子も木製だ。武骨そのもののストックヤードと同じ町にいるとは信じられないような…。自家製のスープ、サラダ、サンドイッチのほか、ワイン、ビールもある。

　また、金曜の17：30～19：30の間には、室内楽のライブ演奏がある。クラシックギターなどの静かな曲を聴きながら、パスタなど軽食が楽しめる。金曜にはぜひキンベル美術館へ！

アメリカ西部の絵画や彫刻が中心
エイモン・カーター美術館 ★ Amon Carter Museum

新聞社の経営者であるエイモン・G・カーターの、コレクションが核となって1961年に開館した美術館。現在はアメリカのアーティストによる絵画250点、彫刻200点、素描6,000点、写真10万点を有するが、やはり見ごたえがあるのはカーターが収集したF・レミントンとC・ラッセルの作品群。ホーマー、オキーフ、カサット、ウッドらの逸品も見逃せない。

エイモン・カーター美術
館
🏠3501 Camp Bowie Blvd.
☎ (817) 738-1933
🕐火~土10：00~17：00、
日12：00~17：00
🚫月
💰無料

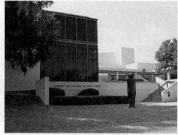

（右）近代美術館
（左）ストックヤードのカウタウン・コロシアム

★ フォートワース

アメリカの近代美術をフォートワースで見学
フォートワース近代美術館
★ Modern Art Museum of Fort Worth

フォートワース最初の美術館。アメリカを中心に世界中から集められた20世紀の絵画や彫刻が見られる。ピカソやミロ、ウォーホル、ロスコといったおなじみのアーティストから、日本ではあまりなじみのない人の作品まで約2,000点の作品を有する。

フォートワース近代美術館
🏠1309 Montgomery St.
☎ (817) 738-9215
🕐火~金10：00~17：00、
土11：00~17：00、日
12：00~17：00
🚫月
💰無料

レーザーショーが人気
フォートワース科学歴史博物館
★ Fort Worth Museum of Science and History

人間と地球の歴史がテーマの博物館。恐竜や化石、人体の不思議、医療の歴史といったテーマがわかりやすく解説されている。また、大画面でおなじみのオムニマックスシアターやプラネタリウムもあり、プラネタリウムで行われるレーザーショーは好評を博している。

フォートワース科学歴史
博物館
🏠1501 Montgomery St.
☎ (817) 654-1356
🕐日9：00~17：00（オム
ニ7回）、火~木9：00~
20：00（オムニ11回）、金
土9：00~21：00（オムニ
14回）、日12：00~20：
00（オムニ9回）
💰博物館のみ大人＄4、3~
12歳＄1.50。オムニマッ
クスやプラネタリウムとの
コンビネーションチケット
あり。組み合わせによって
大人＄6.50~12.50、子供
＄4~8

※

このほかにミュージアム・エリアではさまざまなイベントが開催される**ウィル・ロジャース記念センター** Will Rogers Memorial Centerや、Livestock Barnsの南には広大な**植物園Botanic Garden**〔🏠3220 Botanic Gardens Blvd. ☎(817)871-7686、無料〕があり、園内には香りもゴージャスなバラ園や、茶室、鯉が飼われている池のある日本庭園（かなり遠い。＄2.50）もあって、散策する人が見うけられる。

ミュージアム・エリア

403

ジャズ、ダンス、コメディもOK
Caravan of Dreams

312 Houston St. ☎(817)877-3000
毎日19：00〜2：00、ショータイム水
〜日20：00と22：30　　　地P.400

　ダウンタウンの真ん中、サンダンス・スクエア内。ジャズを中心にさまざまなアーティストのライブが見られ、212席のシアターではダンス、コメディなどのパフォーマンス、そして屋上にはルーフトップ・バー、とさまざまな楽しみ方ができる。夜は寂しげなダウンタウンでここだけは毎日、夜遅くまでにぎわっている。チケットは$5〜20ぐらい。　　　　　　　　　（'98）

ストックヤード内のライブハウス
White Elephant Saloon

106 E. Exchange Ave.（Stockyard）

☎(817)624-1887
日〜木12：00〜24：00、金土12：00〜2：00　　　　　　　　　地P.401

　ストックヤード内Exchange Ave.には、いくつかバーが並んでいるが、ここでは毎晩カントリー＆ウエスタンのライブ演奏が聴ける。ほかにも西部劇に出てきそうなサルーンがいくつもある。
　　　　　　　　　※
　4月から10月までの週末（土20：45〜1：30、日14：00〜18：00）に、店の外では木々の緑を屋根に、ビアガーデンがオープンする。もちろん、カントリーのライブ付き（チャージ$2、ソフトドリンク$1.25）。皆思い思いに立ち飲みしつつ聴いたり、踊ったりと暑い夏の夜を楽しんでいた。
　　　　　　　（岸　理恵　豊島区　'98春）

ダウンタウン周辺

目の前はウォーター・ガーデン
Ramada Plaza Hotel

1701 Commerce St., Fort Worth, TX 76102
☎(817)335-7000、FAX(817)882-8888、
HOMEwww.ramadaplaza.com
⑤$79〜99、⑩$85〜105、スイート
$175〜400　　ADJMV　地P.400

　高級感あふれるラマダホテル。斜め向かいにはコンベンション・センターがあり、DFWへの空港バスのピックアップ地点になっている。ホテル内のレストランは日曜の朝もオープンしているので便利。バス・トイレ・TV付き。　　　　　　　　（'99）

ダウンタウンの中央にあってとても便利
Clarion Hotel

600 Commerce St., Fort Worth, TX 76102
☎(817)332-6900、FAX(817)877-5440
⑤⑩$99〜109　　ADMV　地P.400

　バスターミナルとサンダンス・スクエアの間という抜群のロケーションで人気だったRemington Hotelが、親切なスタッフはそのままにClarion Hotelとしてリニュー

アル・オープン。各部屋にコーヒーメーカー、ドライヤーを装備している。　（'99）

クラリオン・ホテルの外観

バスターミナルより2ブロック半
Park Central Hotel

1010 Houston St., Fort Worth, TX 76102
☎(817)336-2011、☏(1-800)848-7275、
FAX(817)336-0623
⑤⑩⑦$55〜85　　AJMV

　モーテル形式のホテルで、全室バス・トイレ・TV付き。すぐ前のHouston St.を多くのバス路線が走っていて移動に便利。いつも混んでいるので早目に予約するか、宿泊当日の朝のチェックアウト時ぐらいに電話しよう。120室。　　　　　　　（'99）

エレガントで落ち着いた雰囲気の
Worthington Hotel

🏠200 Main St., Fort Worth, TX 76102
☎(817) 870-1000、📞(1-800) 433-5677
FAX (817) 332-5679
平日＄159～、週末＄225　　　ADMV
地P.400

　レストラン、ナイトスポットの集中する
サンダンス・スクエアの一画に位置し、夜
もにぎやか。ホテルには4軒のレストラ
ン＆デリがあり、利用価値大。　　　（'99）

ストックヤード周辺

西部劇の世界にタイムスリップ
Historic Stockyards Hotel

🏠109 E. Exchange Ave., Fort Worth, TX 76106
☎(817) 625-6427、FAX (817) 624-2571
平日Ⓢ＄115～、週末Ⓢ＄145～、1人追
加＋＄10　　　　　　JMV　地P.401

　ストックヤードの真ん中にある西部劇の
ころの宿を再現したホテル。客室は4つの
テーマに分かれた内装だ。必ず予約を。バ
ス、トイレ、CATV付き。　　　　（'99）

ストックヤードのB&B
Miss Molly's Hotel Bed & Breakfast

🏠109 1/2 W. Exchange Ave., Fort Worth,
TX 76106
☎(817) 626-1522、📞(1-800) 996-6559、
FAX (817) 625-2723　　　　　地P.401
HOME www.missmollys.com
Ⓓ＄75～95、特別室＄170　ADJMV

　ストックヤードの古い家に滞在しよう。
Miss Josie's Roomはとくにエレガント。
8室。　　　　　　　　　　　　　（'99）

改装された安いホテル
Texas Hotel

🏠2415 Ellis Ave., Fort Worth, TX 76106
☎(817) 624-2224、📞(1-800) 866-6660、
FAX (817) 624-7177、E-mail TEXAS
HOTEL@aol.com
Ⓢ＄49～99、Ⓓ＄59～99、Ⓣ＄79～129
ADMV　地P.401

　ストックヤードのW.Exchange Ave.と
Ellis Ave.の角にある。建物自体は古いが、
きれいに改装してある。簡単な朝食付き。
20室。　　　　　　　　　　　　　（'99）

★　★　★　レストラン　★　★　★
Restaurant

読★者★投★稿
女優もお気に入りのメキシカン
Joe T. Gracia's

🏠2201 N. Commerce St.（N. Main St.近く）
☎(817) 626-4356
営月～木11：00～14：30と17：00～22：
00、金土11：00～23：00、日11：00～
22：00

　ストックヤードのはずれ、1935年オープ
ンの地元客でにぎわうメキシカン・レス
トラン。フォートワース出身のブロードウ
ェイ女優Betty Buckleyもお気に入りだ。
週末のブランチメニュー、ハラペーニョ入
りスクランブルエッグ＄5.50が美味。スペ
イン風の中庭は花がいっぱいで、噴水もあ
って夢のような世界。
　　　　　　　　　（岸　理恵　豊島区　'98春）

フォートワースNo.1のリブ
Riscky's Barbecue

🏠140 E. Exchange Ave.（Stockyard）

☎(817) 626-7777　　　　　　地P.401
営月～木11：00～22：00、金土11：00
～24：00、日12：00～21：00

　1927年オープンのスペアリブで有名な店。
手で持ってかぶりつくのがテキサス流の食べ
方。ディナーで1品＄8ぐらいから。週末に
はライブあり。ストックヤードのマーケッ
ト・ステーションにある。　　　　　（'98）

テキサスのステーキを食べたい人に
Cattlemen's Steak House

🏠2458 N. Main St.（Stockyard）
☎(817) 624-3945
営月～土11：00～22：30、日16：00～
22：00　　　　　　　　　　　地P.401

　Main & Exchangeの交差点から2軒目。
ステーキはいずれもテキサスサイズ。普通の
胃袋の人がたいらげるのは一苦労。ステーキ
は＄10ぐらいから、ほかにもチキン、シーフ
ードなどがある。　　　　　　　　　（'98）

地球の歩き方 旅マニュアル264

エコツアー・完全ガイド

GLOBAL ECOTOUR GUIDE

ヒュー・G・バックストン & バックストン美登利 著

新しい旅の可能性を追求

エコツーリズムというと、とかく秘境や珍しい動植物だけがクローズアップされがち。しかし近年では、もっと広く、積極的に自然と関わる旅であると言えましょう。

本書ではエコツーリズムを、自然や地元の人々の生活に悪影響を与えずに、訪問地の歴史や文化を学び、自然保護にも貢献しながら日常では得られない体験をする旅と考え、世界のエコツアーを厳選・徹底取材しました。野生の王国アフリカの旅、二酸化炭素削減旅行法といったユニークなものまで網羅しています。

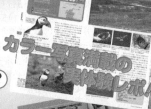

カラー写真満載の楽々現地レポ！

色々な知識を深めてくれる豊富な企画ページ

15のテーマからあなたはどの旅を選ぶ？

1 地球の神秘にふれる旅
2 生命の起源
3 エコ企業で快適滞在
4 環境保護を学ぶツアー
5 田舎にゆっくりと滞在する
6 アメリカのウィルダネスに浸る
7 エコツーリズムが国家最大の産業
8 自然環境や保護について学びたい人のエコ留学
9 先住民の生活に学ぶ
10 自然と一体になった地域生活に学ぶ
11 二酸化炭素削減旅行法
12 発見の旅ーエクスペディション
13 なんたってバードウォッチング
14 海が好きな人のための国際ボランティア
15 自然の中でボランティア

旅の会話集シリーズ

多くのエコツーリストへ、
きっと役立つことを、お約束します

留学 ホームステイ

ビジネス出張 英会話

フランス語 英語

米語/英語

好評発売中!! 全16冊!

Great Lakes & Midwest

五大湖と中西部

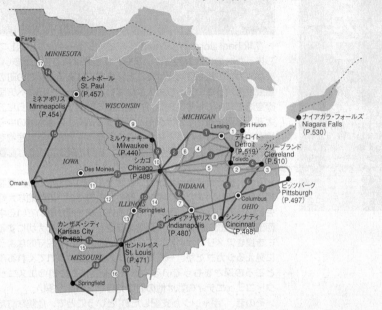

グレイハウンドでの所要時間

① + ② Chicago～Lansing　6時間
③ Chicago～Detroit　7時間
④ Detroit～Cleveland　4時間
⑤ Detroit～Cincinnati　6時間
⑥ Cleveland～Cincinnati　5時間
⑦ Pittsburgh～Indianapolis　7時間
⑧ Chicago～Indianapolis　4時間
⑨ Chicago～Milwaukee　2時間
⑩ Milwaukee～Minneapolis　7時間
⑪ + ⑯ Chicago～Kansas City　15時間
⑫ Chicago～St. Louis　5時間
⑬ Indianapolis～St. Louis　4.5時間
⑭ Minneapolis～Fargo　6時間
⑮ + ⑯ Minneapolis～Kansas City　15時間
⑰ Kansas City～St. Louis　5時間
⑱ St. Louis～Memphis　8時間

アムトラックでの所要時間

① Port Huron～East Lansing　2.5時間
② Cleveland～Toledo　2時間
③ Cleveland～Chicago　7時間
④ East Lansing～Chicago　4時間
⑤ Toledo～Chicago　5.5時間
⑥ Grand Rapids～Chicago　5時間
⑦ Chicago～Indianapolis　5時間
⑧ Indianapolis～Cincinnati　3.5時間
⑨ Milwaukee～Minneapolis　6.5時間
⑩ Chicago～Milwaukee　2時間
⑪ Chicago～Omaha　9時間
⑫ Chicago～Kansas City　8時間
⑬ Chicago～St. Louis　6.5時間
⑭ Chicago～Fulton　8時間
⑮ St. Louis～Kansas City　5.5時間
⑯ St. Louis～Walnut Ridge　5時間
⑰ Minneapolis～Fargo　4.5時間

所要時間はおおよその時間です。停車する町や運行する時間によって変動があります。
また、乗り換えに要する時間は含まれていません。

Chicago

Seattle
Denver
San Francisco
New York
Atlanta
Los Angeles
New Orleans
Miami

シカゴ

"Michael Jordan's Town"。すでにジョーダンは引退して
しまったものの、シカゴはいまも、こう呼ばれることが多い。
彼がシカゴの知名度を上げたことは事実ではあるが、この町の
重要性を知らないアメリカ人はいない。世界一忙しいオヘア国
際空港を玄関にもち、ミシガン湖からミシシッピ川、さらに五
大湖と運河を通じてカナダへと広がっていく、内陸水運の中心
地として知られるだけでなく、ここで取り引きされる農産物を
代表とするさまざまな商品の値段は、世界の経済に大きな影響
力をもつ。

では、旅行者にとってシカゴとはどんな町なのだろう。高層
ビル群の美しいスカイラインが最も印象的だが、近代的な大都
会という顔のほかに、アメリカの良き伝統を受け継いでいる中
西部の町の顔を併せもつ。勤勉を美徳とし、家庭を大切にする
古き良きアメリカがいまだに生きている。そして保守的なよう
に見えるシカゴだが、一方で新しい人間を受け入れてくれるふ
ところの深さをもっている。それが証拠にこの町のエスニッ
ク・コミュニティの数は他の町に見られないほど多い。

その昔、゛ギャングが支配した町゛ということで、危険な町だ
と思っている人も少なくないが、町は清潔で、比較的治安も良
い。『ウィンディ・シティ』といわれるほど一年中風が強く、冬
の寒さは厳しいが、晴れた夏の日、ミシガン湖からの爽やかな
風を受けながら、公園やミュージアムを巡り、高層ビルの谷間
を歩いているうちに、この町の虜になってしまう人も多い。

data

人 口	約2,784,000人		発行 無料
面 積	592km²	T A X	セールス・タックス 8.75%
標 高	最高204m、最低 176m		ホテル・タックス 14.9%
市の誕生	1837年	属する州	イリノイ州 Illinois
情 報	Chicago Tribune (新聞)月〜土曜版 50¢、日曜版$1.50、 Readers(情報週 刊誌)毎週木曜日	州のニックネーム	大平原州 Prairie State
		時 間 帯	セントラル・タイム ゾーン

CHICAGO,ILLINOIS

最高気温
最低気温

空港

オヘア国際空港　O'Hare International Airport（ORD）

　"世界で最も忙しい空港"がここ、シカゴのオヘア国際空港だ。ダウンタウンの北西約32kmに位置し、日本からは日本航空、ユナイテッド航空のノンストップ便が飛んでいる。空港は国内線用のターミナル1～3と国際線用のターミナル5と計4つのターミナルから構成され、各ターミナル間は無人のシャトル・モノレール、**ピープルムーバー People Mover**で結ばれている。ピープルムーバーはターミナル1～3では道路を挟んだ駐車場側、ターミナル5では中2階に乗り入れている。なお、ユナイテッド航空の日本への直行便は国際線専用のターミナル5ではなく、国内線用のターミナルでチェックインする。

●空港シャトルバン
Airport Express-Continental Air Transport　空港とダウンタウンのほとんどのホテルを結ぶ小型バン。チケットは各ターミナル1階のバゲージクレームを出たところにある同社のカウンターで買える。なお、国際線用ターミナルには同社のバンが頻繁にはストップしないので、備え付けの電話でストップしてもらうようリクエストしよう。

　主要なホテルを除き、ダウンタウンから空港へ向かうときは必ず予約を入れること。ホテルのフロントの人に頼んでもいい。

●地下鉄ブルーライン
Rapid Transit Blue Line（O'Hare-Congress Douglas）
　空港とダウンタウンを結ぶ最も安上がりな交通機関。地下鉄駅は、ターミナル2の地下に位置している。ターミナル5からはピープルムーバーに乗り、ターミナル2で下車して地下へ行く。ダウンタウンではエレベーターの完備したClark/Lake駅（他の駅ではエレベーターがないことがほとんど）で降りるのが便利。ほかの高架鉄道&地下鉄の路線と連絡している。

●タクシー　各ターミナルを出たカーブサイドの"Taxi"の看板の下で待つこと。

ミッドウェイ空港　Midway Airport（MDW）

　発着機数の多いオヘア空港の補助的役割をする空港。ダウンタウンの南西約17kmに位置し、シカゴ市内に直接乗り入れていることが、この空港のセールスポイント。

●空港シャトルバン
Airport Express-Continental Air Transport　サウスウエスト航空カウンター前に空港シャトルバンの案内所あり。空港へ向かうときはホテルのフロントに頼むといい。

オヘア国際空港
☎（773）686-2200、686-3800（カスタマーサービス）

Airport Express
☎（312）454-7800
☏（1-800）654-7871
🎫片道＄16、往復＄29（空港へのバンはプラス＄1）
所要時間45～60分
運行：毎日6：00～23：30の5～10分おきに出発している

地下鉄ブルーライン
☎（312）836-7000
🎫片道＄1.50
所要時間約40分
運行：日中は7分おきに運行されている。24時間運行だが、夜間は避けたほうが無難

タクシー
所要時間約30～45分
🎫＄28～35プラスTip

ミッドウェイ空港
🏠5700 S. Cicero Ave.
☎（773）582-4450

Airport Express
☎（312）454-7800
☏（1-800）654-7871
🎫片道＄11（空港へはプラス＄1）、往復＄20
所要時間約30分
運行：毎日7：00～22：00に約15～30分おきに運行している

★ シカゴ

行き先の玄関まで連れていってくれるシャトルバン

BAGGAGE CLAIM

ミッドウェイ空港の様子

高架鉄道オレンジライン
所要時間約25〜35分
🚋片道＄1.50

タクシー
🚋約＄19〜23

グレイハウンド／トレイルウェイズ・バスターミナル
📮630 W. Harrison
☎(312) 408-5980
📞(1-800) 231-2222
🕐24時間営業。深夜、カウンターはクローズする
🗺P.413　A-3

アムトラック・ユニオン駅
📮210 S. Canal St.at Adams
☎(312) 655-2385
📞(1-800) 872-7245
🕐月〜金6：00〜22：00、土日7：00〜22：00
🗺P.413　A-3

映画『アンタッチャブル』を観ましたか？
　映画『アンタッチャブル』のクライマックス、階段から乳母車が転げ落ちるシーンはこのユニオン駅で撮影された。

住所解読法
　碁盤の目のようなシカゴのダウンタウンは、歩きやすいうえ、住所も簡単に読み取れるようになっている。ダウンタウンを南北に走るステート・ストリートState St.と東西を抜けるマディソン・ストリートMadison St.が中心で、この交差点からそれぞれ東西南北に番地がふえていく。基本的には1ブロックで100番、ところによっては2〜3ブロックで100番となり、おおよそ8ブロックが1マイル（1.6km）という具合になっている。南北に走る通りの東側は偶数、西側は偶数、東西に走る通りの北側は偶数、南側は奇数の番地が付いている。

●**高架鉄道オレンジライン（ミッドウェイ線）**
"L" Rapid Transit Orange Line (Midway)
　ミッドウェイ空港とダウンタウンを結ぶ高架鉄道オレンジライン（ミッドウェイ線）は、空港を出発し、ダウンタウンではループの高架をぐるりと1周してまた空港にもどるというルート。ダウンタウンではAdams/Wabash、State/Lake、Clark/Lake、LaSalle/Van Burenの4つの高架駅から他の路線に乗り換えることができる。"L"のミッドウェイ空港駅は駐車場と道路を挟んだ向かいにあり、陸橋で結ばれている（徒歩5分）。
●**タクシー**　ダウンタウンまで約20分。

長距離バス

グレイハウンド／トレイルウェイズ・バスターミナル
Greyhound / Trailways Bus Terminal
　世界一大きい中央郵便局の裏、Harrison St.とJefferson St.の角にあるバスターミナル。設備は整っている。ダウンタウンの中心までは徒歩で20分くらい。Harrison St.を走るCTAバス#60でも中心まで行ける。地下鉄ならブルーラインのClinton駅下車、徒歩3分。

鉄道

アムトラック・ユニオン駅
Amtrak Union Station
　シカゴ川のすぐ西、Adams St.とCanal St.の交差するところにあるユニオン駅は、ヨーロッパの寺院を思わせる壮麗な造り。アムトラックのハブ（軸）として、路線はシカゴを中心に放射状に延びている。近郊列車メトラMetraの乗り入れ駅でもあり、平日のラッシュアワーはシカゴの活力を見せつけるよう。

シカゴの歩き方　★ **Walking**

　観光地としてはちょっとなじみの薄いシカゴの町だが、意外に見どころは多い。シカゴの町が世界に誇る摩天楼群とミュージアム群はその大きな見どころの2つ。できれば3日、ゆっくり見学するのなら相当の時間がかかる。リンカーン公園やミシガン湖から望むシカゴのスカイラインもぜひカメラに収めたいところ。夏はミシガン湖クルーズも人気がある。もちろん大都市だからショッピングに一日費やすのも楽しいし、シカゴ名物のスタッフド・ピザ（具がいっぱい詰まっている）にトライするのもいい。熱狂的なシカゴっ子の応援ぶりを見るだけでも楽しい、スポーツ観戦も断然おすすめだ。幸い、交通機関が発達し、ダウンタウンの見どころは歩いてまわれる範囲内にある。各自の滞在日数や目的に合わせてポイントを絞り、効率のいい計画を立てよう。シカゴで必見の観光ポイントは以下のとおり。建築や経済関係では、先物取引所、ルッカリー、シアーズ・タワー、トンプソン・センター、ジョン・ハンコック・センターなど、ミュージアム関係ではシカゴ美術館、科学産業博物館など。

観光案内所 ★ Information

Historic Water Tower Visitor Welcome Center

シカゴ川の北、ミシガン通りとシカゴ通りの交差点に建つ**ウォーター・タワー**、その1階にある。狭いスペースだが、イリノイ州全体の資料も用意されている。シカゴ川の北にホテルがある人はここで情報収集を！

Chicago Visitor Information Center at Culture Center

ループ地区、ランドルフ通りとミシガン通りの交差点にあるカルチャー・センターの中にある観光案内所。入口はランドルフ通り側。ボランティアの係員が丁寧に応対してくれる。

市内の交通機関 ★ Public Transportation

シカゴ交通局 Chicago Transit Authority（CTA）

略称CTAは、シカゴのダウンタウン全域と都市圏をカバーする地下鉄、高架鉄道（ループ）、バスを運営している。

CTAトランジット・カードを買おう

まずは、シカゴ市内を走る地下鉄と高架鉄道、バスに共通で使えるCTAトランジット・カードを利用したい。最低＄3からで＄10買うと＄1、＄20だと＄2のボーナスが出る。CTAに乗り放題の2日券＄9、3日券＄12、5日券＄18もあり、すぐもとはとれる。

購入料金	ボーナス料金
＄13.50	＋＄1.50
＄27	＋＄3
＄40.50	＋＄4.50
＄54	＋＄6
＄67.50	＋＄7.50
＄81	＋＄9
＄94.50〜＄100	＋＄10.50

通称 "L" の高架鉄道

●ループ Loop（高架鉄道）

見上げていると首が痛くなるような摩天楼のすきまを、疲れたような音を響かせながら、いまにも壊れそうな高架の上を電車が走っている。ニューヨークの地下鉄、サンフランシスコのケーブルカー、ニューオリンズの市電と並んでシカゴの町の名物となっている乗り物、ループ（高架鉄道）だ。"L" の通称をもつこの高架鉄道は、前身の市電がダウンタウンの中心を囲むように走っていたためループと呼ばれるようになった。そして、ループに囲まれた一角も同じくループと呼ばれ、シカゴではダウンタウンをループと呼ぶことが多い。路線については地下鉄の項参照。

ダウンタウンの高架鉄道駅

Historic Water Tower Visitor Welcome Center
📧806 N. Michigan Ave., Chicago, IL 60611
☎(312) 744-2400
🕐月〜金9：30〜18：00、土10：00〜18：00、日12：00〜17：00 🚫祝日
🗺P.413 B-2

Chicago Visitor Information Center at Culture Center
📧77 E. Randolph St.
🕐月〜金10：00〜18：00、土10：00〜17：00、日12：00〜17：00 🚫祝日
🗺P.413 A-2

シカゴ市長がすすめるイベント案内はイベント情報ラインで。
☎(312) 744-3315

CTA
📧Office：7th Floor, Merchandise Mart, 350 N. Wells
（月〜金8：00〜16：30）
☎(312) 836-7000（毎日5：00〜1：00）
🏠www.transitchicago.com
🕐時間や距離に関係なく＄1.50。乗り換えは、2時間以内に1回目は30¢。2時間以内で2回目からは乗り換え無料

ループに乗ろう！
シカゴ名物のループ、観光の足として利用するだけでなく、町並みを把握するにもおすすめの乗り物だ。

★
シカゴ

乗り換え（トランスファー）について

　CTAが運営するバス、"L"、地下鉄とも、バスからバス、"L"や地下鉄から"L"や地下鉄へだけでなく、バスと"L"の相互の乗り換えが可能でとても便利だ。

治安について

　ダウンタウンから南へ向かうレッドラインは治安の悪い地域を走るため、利用はすすめられない。南といってもチャイナタウンまではとくに問題ないが、夜間の利用は避けよう。

Mapを入手しよう

　空港から市内へ向かう人は、空港の案内所で"CTA System Map"または"CTA Downtown Transit"（無料）を入手しておこう。ダウンタウンではマーチャンダイズ・マートの7階にあるCTAのオフィスでも入手可能。

●地下鉄　Subway

　ループと地下鉄は地上と地下を走る違いはあるものの、公共交通機関として果たしている役目はまったく同じ。ダウンタウンを地下鉄として走っている路線が郊外では地上を走っていたりする。ループと地下鉄の2つをまとめて"CTA Trains"と呼び、路線は5つある。ブルー（O'Hare—Congress, Douglas）、レッド（Howard—Dan Ryan）、オレンジ（Midway）、ブラウン（Ravenswoods）、グリーン（Lake—Englewood, Jackson Park）の各ラインがループ地区を中心に走っている。各駅も色分けされてきて、初心者にもわかりやすくなってきた。前者2線が地下鉄、後者3線が高架鉄道としてダウンタウンを走っている。ループ内のLake Transfer（Clark/Lake）駅では、トランスファーなしで乗り換えができる。

●バス　Bus

　シカゴのバスの路線は、ダウンタウンから郊外まで広い範囲をカバーしている。この町ではループや地下鉄よりバスの利用価値が高く、路線は南北、または東西を単純に走るものが多い。青と白の標識がバスストップの印。自分の乗る路線番号を確認してからバスに乗ろう。なお、ラッシュ時はたいへんな混雑となるので時間に余裕をみておくこと。

#10は科学産業博物館行き

　覚えておくと便利な路線は、#146—ミシガン・アベニュー、ステート・ストリート（ウォーター・タワー、ジョン・ハンコック・センター、シカゴ美術館、グラント・パーク、自然史博物館、水族館など）、#151—ミシガン・アベニュー、ステート・ストリート、アダムス・ストリート、ジャクソン・ブルバード（シアーズ・タワー、ウォーター・タワー、リンカーン公園など）、#10—科学産業博物館、シカゴ大学など。

タクシー

🚖基本料金が＄1.60で、1/5マイル乗るごとに20¢加算される。大きな荷物は25¢加算。2人以上で乗る場合、2人目からは50¢ずつ加算される。また、待ち時間1分につき20¢の加算もある

●Checker Cab
☎ (312) 243-2537
●Flash Cab Company
☎ (773) 561-1444、561-1450（夜間20：00〜6：00）
●Yellow Cab Company
☎ (312) 829-4222

グレイライン
☎ (312) 251-3107
🆓 (1-800) 621-4153

●タクシー　Taxi

　大都会だけあって流しのタクシーも多く、拾いやすい。観光客ずれしていないせいかどうかは定かではないが、ボラれることが滅多になく、観光客にもうれしい存在だ。

ツアー案内 ★ Sight-seeing Tour

グレイライン　Gray Line of Chicago

出発場所：Palmer House Hilton, 17 E. Monroe St.

番号	ツアー名	料金	運行	所要時間	内容など
1	Inside Chicago	＄24	毎日9：45、13：45発	3時間	ループ地区の像像、マグニフィセント・マイル、ゴールドコースト、ハイド・パーク、シカゴ大学などシカゴ市内のおもな観光ポイントを回る。
1B	Inside Chicago/Lake Michigan	＄33	6/1〜9/29の毎日9：45発	4.5時間	Tour 1に加え、ミシガン湖のクルーズがある。
2	Historic Oak Park & Frank L. Wright	＄30	月木9：30発	3時間	オークパークのウォーキングツアーとライト邸と制作室を見学する。
3	Roaring 20's & Blues Tour	＄57（土曜は＄6の加算）	木金土18：30発	5.5時間	ローリング・トゥエンティズのコメディを見学したあと、シカゴのハウス・オブ・ブルースのセッションを1時間弱鑑賞する。

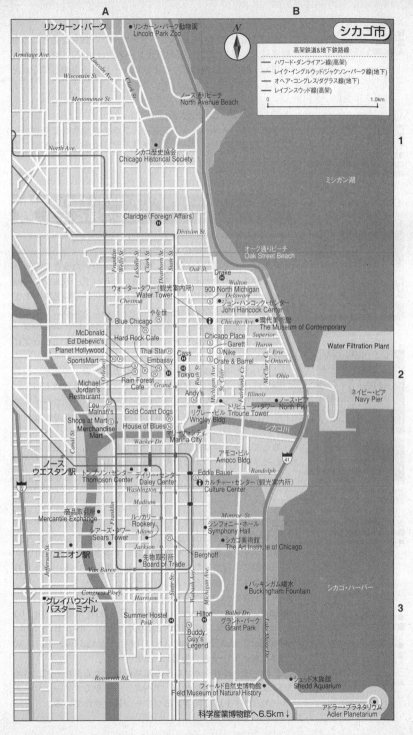

ダブルデッカー・バス

ダブルデッカー・バス
☎ (1-888) 332-8737
料1時間ツアー＄12、1日
乗り放題バス＄15

ダブルデッカー・バス　Double-Decker Bus

　赤い2階建てバスに乗ってダウンタウンのおもな見どころを
解説付きで回るツアー。夏の観光シーズンは頻繁に運行される。
1周約1時間。最後に降りるときは、一生懸命説明してくれた
ドライバーへチップを忘れずに。

トロリーバス
☎ (312) 738-0900
料大人＄15、シニア＄12、
子供＄8
運行：毎日10：00～16：00
（夏期は延長）の間10～15
分間隔で運行

トロリーバス　Chicago Trolley Co.

　シアーズ・タワーからアドラー・プラネタリウムまでカバー
する観光案内のトロリーバス。ダブルデッカー・バスと同じよ
うなコース。

Attractions
おもな見どころ ★

摩天楼群

★

Skyscrapers

シカゴの町は高層建築のギャラリーだ

　シカゴの町を訪れたなら、ダウンタウンのいたるところに林
立する摩天楼の数とその迫力に圧倒されるはず。未来からの贈
り物かと思うようなビル、ルネッサンス時代に迷い込んでしま
ったかと思うようなビル、立ちくらみを起こさせるような超高
層ビル、なんともユニークなデザインのビル……。ニューヨー
クの摩天楼たちとは趣を異にする摩天楼たちが、ここシカゴに
は存在している。

　これらのビルの多くは、1871年のシカゴの大火のあと、**シカ
ゴ派**と呼ばれる優れた建築家たちによって建設されたもの。バ
ーナム、ルート、ルイス・サリバン、ホラバード、ローチ、ア
ドラー、ミース・ファン・デル・ローエなどが個性豊かなデザ
インの建築を残している。

　加えて、シカゴは摩天楼発祥の地であり、全米で最も高い5
つのビルのうち3つがこの町にあるから、ひとつでも多くのビ
ルを見ておきたいところ。ただし、見上げるのに夢中になりす
ぎて人とぶつからないよう注意しよう。

近代的なノースウエスタン
駅のビル

シカゴ建築財団
住224 S. Michigan Ave.
☎ (312) 922-8687

シカゴの摩天楼を解説付きで回るシカゴ建築財団のツアー

　シカゴ建築財団Chicago Architecture Foundation (CAF)
では、シカゴ名物の摩天楼を解説付きで歩きながら見たり、ク
ルーズ船に乗って見たりするツアーを主催している。シカゴの
建築をより深く知りたい人におすすめ。

ループ・ウォーキングツアー

●Early Skyscrapers
料＄10

●Modern and Beyond
料＄10
　出発はCAF Shop & Tour
Center, 224 South Michigan
Ave.から

●**Early Skyscrapers**　3～11月の月～金10：00、土10：00
と14：30、日13：30、12～2月の月～土10：00、日13：30
●**Modern and Beyond**　3～11月の日～金13：30、土11：00
と13：30、12～2月の毎日13：30

　なお、ほかにもシカゴ川から建築を見学するクルーズ、バス
で回るツアー、北ミシガン・アベニューを歩くツアー、オーク
パークのライト邸を見学するツアーが催行されている。

眺めはバツグン

ジョン・ハンコック・センター ★ John Hancock Center

ミシガン・アベニューに面したジョン・ハンコック・センターは、オーイングスとメリルの設計による台形のユニークな形をした、オフィスやアパート、ショッピングセンターの入った共同ビル。100階建てのビルの高さは344m（1,127フィート）で全米第5位、シカゴでは第3位だ。ビルの側面はX字型の鉄骨が組まれ、台形のビル上に立っている2本のアンテナは角のように見える。ちなみに鉄骨の重さだけで4万6,000トンもある。

内部は1～12階がショッピングセンターやホテル、駐車場、12～41階がオフィス、42階以上がアパート、94階が展望階、95、96階の展望レストラン＆バー、さらにその上がテレビ局やFM局の送信機室室となっている。94階の展望階までは地階からエレベーターで39秒。ここからの景観は感動もので、北と東にミシガン湖と湖岸線、南と西にダウンタウンが一望できる。シアーズ・タワーと何かと比較されることが多いが、景色はダンゼンこちらのほうがいい。展望レストランは料金も高くて行きにくいが、バーで1ドリンク（$7）程度ならそれほどでもない。くつろぎながら夜景をながめる気分は最高だ。

ジョン・ハンコック・センター
🏢875 N. Michigan Ave.
☎(312) 751-3681
🕐毎日9：00～24：00
💵大人$8、学生・シニア $5
🚌#151のバスで。ミシガン・アベニューがチェスナット・ストリートと交差するところにある
🗺P.413 B-2

シカゴの大火で焼け残った

ウォーター・タワー ★ Water Tower

1867年から69年にかけて建築された給水塔。ミシガン湖から水を汲み上げるというその役目のおかげで、1871年のシカゴの大火にも唯一焼け残った公共の建造物だ。タワーは町のシンボルで、昔、ミシガン・アベニュー拡張工事の際タワーの取り壊し案が提出されたが、市民の猛反対により工事は中止、ミシガン・アベニューがここで少しカーブするはめになったという話が残っている。

現在タワーの1階には観光案内所が入り、旅行者のために情報を提供している。

ウォーター・タワー
🏢800 N. Michigan Ave. at Chicago Ave.
🚌#151のバスで。ミシガン・アベニューがシカゴ・アベニューと交差するところ
🗺P.413 B-2

有力地方紙の本社

トリビューン・タワー ★ Tribune Tower

ニューヨーク・タイムズ、ワシントン・ポストと並んでアメリカを代表する新聞、シカゴ・トリビューン。ミシガン・アベニュー橋の北に建つ36階建てのゴシック調のビルが、このシカゴ・トリビューンの本社だ。ビルの外壁には世界中の有名な建造物からの破片（万里の長城のものなどで、日本のものもある）がちりばめられている。また、ロビーには、ジョン・ラスキンによる報道の自由を語る引用文が刻まれ、トリビューン社の業務内容や歴史を紹介するタッチスクリーンなどがある。

トリビューン・タワー
🏢435 N. Michigan Ave.
☎(312) 222-2116
🚌#146、151のバスでミシガン・アベニューとフバード・ストリートが交差するところ
🗺P.413 B-2

台形の姿をしたジョン・ハンコック・センター

リグレー・ビル
住 400 N. Michigan Ave.
行 トリビューン・タワーのはす向かい
地 P.413　A-2

リグレー・ガムの本社です
リグレー・ビル ★ Wrigley Building

　ミシガン・アベニューを挟んでトリビューン・タワーの斜め向かいにあるフランス・ルネッサンス風の白い建物。有名なリグレー・チューインガムの本社ビルだ。グラハム、アンダーソン、プロブスト、ホワイトの4人によって設計され、完成はトリビューン・タワーより以前の1921年だった。シカゴ摩天楼の代表のひとつとして、しばしばお目にかかるリグレー・ビルの時計塔は、スペインのセビーリャにあるヒラルダの塔にそっくりだそうだ。ふたつに分かれている建物は3階のブリッジで結ばれている。夜のイルミネーションに照らされた姿も美しい。

マリーナ・シティ
住 300 N. State St. at Chicago River
行 ループ・ブラウン、パープル、オレンジラインClark駅下車
地 P.413　A-2

シカゴ名物のトウモロコシ・ビル
マリーナ・シティ ★ Marina City

　シカゴを舞台にした映画に必ず登場する、トウモロコシ型をした双子のビル。高さ168m、60階建てのコンクリートによる円筒形のビルは、ゴールドバーグの設計によるもので1963年に完成した。当時シカゴの建築物の主流を占めていたミース派に属さずに、唯一名声を上げた建築家がゴールドバーグだった。ビルは、上がアパート、下が駐車場になっている。遠くからビルを眺めると、トウモロコシの粒の下段の方に車がミニカーのように並んでいておもしろい。現在、1階に人気のナイトスポット"House of Blues"が入っている。

アモコ・ビル
住 200 E. Randolph St.
行 ループ・ブラウン、パープル、オレンジラインRandolph駅下車
地 P.413　B-2

アメリカで4番目に高い
アモコ・ビル ★ Amoco Building

　高さ約346m、80階建てのアモコ・ビルは全米第4位の高層建築。シカゴではシアーズ・タワーに次いで2番目の高さだ。スリムなビルの外装は花こう岩から成り、シンプルなデザインがかえって斬新。オフィスビルのため展望台はない。
　1階プラザにある**音の出る彫刻 Sounding Sculpture**はユニークな作品だ。水面から出ている4～16フィートある銅の棒がメタリックなサウンドを奏でる。製作者は、ベートイア。

デイリー・センタープラザ
住 Randolph St. between Dearborn & Clark Sts.
☎ (312) 346-3278 (イベント情報)
行 ループ・ブラウン、パープル、オレンジライン、地下鉄ブルーラインClark/Lake駅下車
地 P.413　A-2

トウモロコシのようなマリーナ・シティ

ビルの前に立つピカソの像が人気
デイリー・センタープラザ（シビック・センター）
★ Richard J. Daley Center Plaza (Civic Center)

　31階建ての鋼鉄製のビルで、かつてのシカゴの名市長リチャード・J・デイリーの功績を記念して造られた。腐食したような色の鉄骨は、コールテン鋼という初めから錆びているように見える素材の鉄で、メンテナンスの必要がなく年を重ねるごとに色が変化していく。中には、郡の役所と裁判所が入っており、ロビーのインフォメーション・ブースには地図やパンフレットが用意されている。
　ビル南側の広場には、四角い噴水と、ビルと同じ鋼鉄でできたピカソ作の彫像『無題 Untitled』が鎮座している。愛きょう満点のこの像は、ヒヒに見えたり、女性に見えたり、人によ

ってその印象はさまざま。Randolph St.を挟んだ向かいには
『ミロのシカゴ』もディスプレイされている。

　広場では夏期の平日正午からエンターテインメントが行われ
る。近くのベンチに腰をおろして眺めるのもまた一興。

デイリー・センター前の
ピカソ作の彫像

東京の西新宿で見たような
シカゴ・ファースト・ナショナル銀行
★ First National Bank of Chicago

　60階建ての末広がりのビルは世界最高の高さ（260m）を誇る
銀行。1969年の完成当時、ビルの画期的なデザインはシカゴっ
子をあっと驚かせたという。東京・西新宿にある安田火災海上
ビルは、このビルのデザインをまったくそのまま真似ていると
いわれている。

　南側の広場には、マルク・シャガール作のモザイク『四季
Four Seasons』がある。高さ4m、長さ23m、幅3mの計4
面の作品に使われているモザイクの色は約250種類。遠くから
は全体の構図を眺め、近づいてはモザイクの精巧さを見学しよ
う。きっと作品のすばらしさに感動してしまうにちがいない。

シカゴ・ファースト・
ナショナル銀行
🏠Monroe between Clark &
Dearborn Sts.
🚇地下鉄ブルーラインMonroe
駅下車

★

シカゴ

ひと休みにおすすめの
ジェームス・R・トンプソン・センター
★ James R. Thompson Center（旧イリノイ州センター）

　1983年に完成したトンプソン・センターは、そのデザインの
奇抜さで目を引く建物だ。円筒を四等分したようなビルの上に
は、斜めにカットされた小さい円筒がのっており、建物全体が
窓ガラスにおおわれている。吹き抜けのある17階建てで、その
地下と1階はアトリウム Atriumと呼ばれるレストランやショ
ッピングアーケード、郵便局、ギャラリーが入っているスペー
ス。中央広場の席は900もあるから、ゆっくり座ってコーヒー
ブレイクもいい。2～15階のバルコニー部には州政府のオフィ
ス、16階には州の立法機関がある。オフィス間を仕切る壁がな
いため、常に騒々しいのも特徴。ガラスのエレベーターで最上
階まで昇り、見下ろすとロビーのモザイク模様が美しい。

ジェームス・R・トンプ
ソン・センター
🏠Randolph, Lake, Clark,
LaSalle Sts.
☎ (312) 814-6660（アトリ
ウム）
🚇地下鉄、ループ全線 Lake
Transfer駅下車
🗺P.413　A-2

アトリウムの🌙月～金8：00
～18：00、土11：00～
16：00。朝食は平日6：30
から営業している店もある

ガラス張りのトンプソン・センター

現在の摩天楼はこのビルから始まった
ルッカリー ★ The Rookery

　シカゴの大火（1871年）のあと、1886年に建てられた、世界で
最も古い鉄骨高層ビル。シカゴ派を代表する著名な建築家バー
ナムとルートの設計で、それまでの組積工法とはまったく異な
ったスケルトン工法（骨組み）で造られているのが最大の特徴。
そのため、近代摩天楼建築の原本ともいわ
れている。竣工当時のロビーにはガラスで
おおわれたドームがかけられていたが、1905
年フランク・ロイド・ライトの手によって改
造された。鉄鋼工とガラスの調和の美しさ、
そして、建物の中にあるライト設計の〝光の
庭〟は一見の価値あり。

ルッカリー
🏠209 S. LaSalle St.
🚇ループ・ブラウン、パープル、
オレンジラインのLaSalle駅
下車
🗺P.413　A-3

重厚な雰囲気のルッカリー

シアーズ・タワー

シアーズ・タワー
🏢233 S. Wacker Dr. & Jackson Blvd.
☎(312)875-9696
🕐毎日9：00〜23：00（チケット・オフィスは22：30まで、秋冬期は22：00）
💲大人＄8.50、子供＄5.50、シニア＄6.50
　ちなみに、天気が悪く視界が0などとなると入場料が25％ディスカウントされる。
🚇ループ・ブラウン、パープル、オレンジラインQuincy駅下車
🗺P.413　A-3

世界で2番目に高いビル
シアーズ・タワー ★ Sears Tower

　高さ443m（1,454フィート）、110階建てのシアーズ・タワーは'96年、マレーシアのクアラルンプールに450mのペトロナス・ツインタワーが完成するまでは、世界一の高さを誇っていたビル。通信販売で有名なシアーズ・ローバック社の本社でもある。ビルの建設にあたっては7万6,000トンの鉄、1万6,000枚の窓ガラス、ピーク時の建設従業員数1万6,000人、1974年の完成まで3年の歳月を要した。現在、ビル内の労働者人口は日中1万2,000人になるというから、まるでひとつの町のよう。

　地下の切符売り場から入場すると、タワー模型での概要説明があり、タワーとシカゴの町を紹介するスライドが上映される。103階の展望階へは、超高速エレベーターがたったの1分間で乗客を運ぶ。展望階からは360度の大パノラマが楽しめ、その光景には息をのむばかり。天気のいい日には60マイル先のインディアナ、ウィスコンシン、ミシガンの各州を見ることができる。夕暮れどきや夜に再び昇って夜景を楽しめば、また違った感動が起こるだろう。

　このビルのWacker Dr.側の1階に展示されている**カルダー作の動く壁画『ユニバース』**も見逃せない。

摩天楼以外の見どころ
★

マグニフィセント・マイル
🗺P.413　B-2

ショッピングならココ
マグニフィセント・マイル ★ Magnificent Mile

　ミシガン・アベニューのシカゴ川の北側、川からオーク・ストリートの間は通称“マグニフィセント・マイル（魅惑の1マイル）”と呼ばれる、ニューヨークでいえば5番街、パリでいえばシャンゼリゼ通り、東京なら銀座通りにあたる、シカゴの目抜き通りだ。

　高級ホテル、高級ショップ、デパート、ショッピングモールが建ち並び、実際には1マイルにも満たない距離ながら、その豪華さはまさにMagnificent！　世界の有名店が軒を連ねる北ミシガン・アベニューを歩けば、買い物好きでなくても胸が高なる……。大都会シカゴのもつ華やかな名所のひとつだ。

ネイビー・ピア
🏢600 E. Grand Ave.
☎(312)791-7437
🚌#29、56、65、66のバスで
🗺P.413　B-2
ブラブラ歩きが楽しいネイビー・ピア

観覧車などアトラクションがいっぱい
ネイビー・ピア ★ Navy Pier

　シカゴっ子に「最近どこがおもしろいの？」と尋ねると、決まって返ってくる返事がこれ、「ネイビー・ピア！」。シカゴ川がミシガン湖に流れ込む北側にある桟橋、かつては水上の要所として活躍した場所が、さまざまなアトラクションを含むコンプレックスとして生まれ変わった。ここには、3DのIMAXシアター、充実した展示で子供たちの笑い声が絶えることのない子供博物館、観覧車やメリーゴーラウンド、催物が行われるステージ、巨大なイベント・ホール、レストランやショップなどが目白押し。パフォーマーやミュージシャンも出没し、アトラクションでお金を払わずとも結構楽しめる。

動物園も植物園もある市民の憩いの場

リンカーン公園 ★ Lincoln Park

　ダウンタウンの北、ミシガン湖畔にあるリンカーン公園はシカゴでいちばん広い公園。レイク・ショア・ドライブに面する公園の南北の長さは8.5キロ、面積は480ヘクタールもあるというから、歩いてまわるのも容易ではない。園内には、9ホールと、ミニチュアの18ホールのゴルフコース、ビーチが4カ所、ヨットハーバーが3カ所、ジョギングコース、サイクリングコースなどのスポーツ施設がある。夏期は4人乗りの貸しボート、貸し自転車の便宜もはかられている。

　公園内で子供たちにとくに人気があるのが、**動物園 Lincoln Park Zoo**。1868年ニューヨークのセントラルパークから2羽の白鳥が贈られたことが動物園の始まりで、現在35エーカーの敷地に約400種類、1,000頭以上の動物が飼育されている。類人猿の数が多いことでも有名で、入場無料とは思えないほど充実している。

　もう一つのアトラクションは、**植物園 Lincoln Park Conservatory**。約3エーカーの面積をもつ植物園には、4つの温室、18の繁殖室といくつかの庭がある。年4回フラワーショーも行われる。また、園内には**シカゴ歴史協会 Chicago Historical Society**、リンカーンの像もある。

　時間があれば、公園北のエリアから西へ出てClark St.沿いを北へ歩いてみよう。このあたりはシカゴで最も活気のある若者の町、**ニュータウン New Town**。観光地化されていない、真のシカゴにお目にかかれるエリアだ。

クルーズ船からのシカゴのスカイラインは絶品！

ミシガン湖クルーズ

　高層ビルから眺める広大なミシガン湖も素晴らしいが、逆に湖上から望む摩天楼群も美しい。写真を撮るなら朝陽を受ける午前中がいいが、ビル群がシルエットになる夕暮れもまた美しい。

　ミシガン・アベニュー橋、グラント・パークなどから数社がクルーズ船を出している。どこの会社も昼間の1時間から2時間のクルーズで、内容はほぼ同じ。**料金は＄11〜15といったところ**。スケジュールは季節によって変わるので各社に問い合わせのこと。だいたい5月〜10月の中旬ぐらいまで運行している。

読★者★投★稿

川を上って行くクルーズがおすすめ

　昼間のクルーズを体験したが、シカゴ川をシアーズ・タワーのほうへ上って行くルートのほうがおすすめ。建物がよく観察できるし、地理的にも理解でき、町をちがった角度からとらえるのはとても楽しい。町の中の川は、とてもアメリカにいるとは思えないくらい素敵な景色だった。なお、クルーズに参加するならジャケットなどの防寒着が必要。

（出口芳恵　足立区　'98秋）

リンカーン公園
🚌Lake Shore Dr., from N. to Aramore Aves.
📖P.413　A-1

動物園
🚌2200 N. Cannon Dr.
☎(312) 294-4600
📖P.413　A-1

植物園
🚌2400 N. Stockton Dr.
☎(312) 294-4770
📖地図外
🕐動物園、植物園とも毎日 9：00〜17：00
💴動物園、植物園とも無料
🚌ステート・ストリート、ミシガン・アベニューを北上する＃151のバスで約15分、Armitage Ave.で降りれば動物園横

★
シカゴ

ミシガン湖クルーズ
●Wendella Sightseeing Boats（出発場所：ミシガン・アベニュー橋）
☎(312) 337-1446
●Mercury Skyline Cruises（ミシガン・アベニュー橋）
☎(312) 332-1353
●Shoreline Marine（グラント・パーク水族館前）
☎(312) 222-9328
●Spirit of Chicago（ネイビー・ピア）ランチ、ディナークルーズ（＄30〜70）
☎(312) 836-7888

クルーズしながら摩天楼見学

シカゴ先物取引所

141 W. Jackson Blvd.
☎ (312) 435-3590
月〜金8：00〜13：15
無料
ループ・ブラウン、パープル、オレンジラインQuincy駅下車。5階が見学ギャラリー
P.413　A-3

取引光景がすごい!!

シカゴ商品取引所

30 S. Wacker Dr.
☎ (312) 930-8249
月〜金7：30〜15：15
無料
ループ・ブラウン、パープル、オレンジラインMadison駅下車
P.413　A-3

放送通信博物館

Michigan Ave. at Washington St.
☎ (312) 629-6000
月〜土10：00〜16：30、日12：00〜17：00
祝日
無料
＃151のバス、または、ブラウン、パープル、オレンジラインRandolph/Wabash駅下車
P.413　A-2

シカゴのスポーツキャスターたち

アメリカの経済を肌で感じることのできる
シカゴ先物取引所（穀物取引所）★ Chicago Board of Trade

　シカゴの金融街LaSalle St.。終点を締めくくるにふさわしいアール・デコ調のビルが、シカゴ先物取引所だ。ここは先物取引としては世界最大規模を誇る。「穀物は武器である」と考えるアメリカ政府が国際政治に与える影響、先物メジャーの動き、作物の収穫量予測と相場の上下……。シカゴ先物取引所は24時間、世界中から注目を浴びている。

　取引所の主要上場商品は、農鉱関連商品（大豆、大豆油、大豆粕、トウモロコシ、小麦、銀）とその他財務商品（財務省債券、財務省手形、担保付寄託証書）のグループに分かれる。

　市場は約2,100人の会員から構成されている。取引は8：00にスタートして13：00近くまで続けられるが、手や腕を大きく使って叫びながらのかけひきは、自由経済の活力を生で感じさせる。商品別に取引所があり、大豆とトウモロコシのセクションがいちばん活気がある。取引に参加している人たちは、売手、仲買人……。ギャラリーでは、スピーディーに出されるハンド・シグナルの解説もある。

取引できるテレビゲームが人気
シカゴ商品取引所 ★ Chicago Mercantile Exchange

　新聞の経済面で"シカゴ筋"という言葉が頻繁に登場する。シカゴ筋の動きで、円・ドル相場をはじめ世界の為替レートに大きな影響があるといわれる。1919年の設立以来、"Merc"の名で玄人筋の間では知られている取引所だ。Mercの主要上場商品（先物取引の商品）は、ドイツ・マルク、スイス・フラン、イギリス・ポンド、日本円、ユーロ、財務省証券、生牛、生豚、冷凍ポークベリーなど33品目にもわたる。

　この取引風景が見学できるのは4階のギャラリーから。場所がわかりにくく、うろうろしてしまうが、エレベーターか階段を見つければ、案内表示がしてあるのでわかる。その階には見学者用受付カウンターがあるので、パンフレットなどをもらって中に入ると、ガラス越しに取引風景が眺められる。説明のパネルはなんと日本語！ わかりやすい。パネルのほかにも、日本語を含む5カ国語での解説アナウンスが聞ける。ここのコンピュータゲーム（日本語あり）は人気。

アメリカのラジオ＆テレビ史の返遷がわかる
放送通信博物館 ★ Museum of Broadcast Communications

　カルチャー・センターの中、観光案内所の隣に位置する、全米でもめずらしい放送通信をテーマにした博物館。アメリカのラジオ、テレビ番組、広告放送に関する文献、器材などのコレクションが約60,000点、期間ごとの特別展で紹介されている。アメリカのTV&ラジオ番組をよく知らないと楽しめない面もあるが、常時流しているケネディとニクソンのTV討論、コマーシャルの変遷をつづったフィルムなどは来訪者をいつも魅きつけている。約6,000点のTV番組のビデオ・ライブラリーは、懐かしの番組を再び見たいと思っている人におすすめ（有料）。

イベントがよく行われる
グラント・パーク ★ Grant Park

ループの東、ミシガン湖畔に面した緑豊かな広い公園。これはミシガン湖を埋め立ててつくられたもので、サイクリング、ジョギング専用道、テニスコート、野球、フットボールなどができる施設があり、休日は多くの市民でにぎわっている。

中央に位置する**バッキンガム噴水 Buckingham Memorial Fountain**は、全米で最も美しい噴水といわれ、5月下旬から9月上旬までの11:30〜23:00の間のみ稼動している。コンピュータによって制御された噴水は最高40mまで水しぶきが上がる。21:00以降はイルミネーションが噴水を赤、青、黄、緑に照らすから、できれば夜も見ておきたい。

同じく夏季（6月下旬〜8月）の毎週水金土日曜の夕方には、グラント・パーク・シンフォニー・オーケストラによる無料のコンサートが行われ、シカゴっ子たちの夏の夜の楽しみとなっている。それ以外の日にもポップスコンサート、オペラやバレエなども行われる。また、ジェイムス・C・ペトリロ野外音楽堂で毎年6月には**ブルース・フェスティバル**と**ゴスペル・フェスティバル**、9月のレイバー・デー近くには、世界最大の**ジャズ・フェスティバル**が行われ、世界中から一流のミュージシャンが勢ぞろいする。質の高い内容のため毎年好評を博している。日程を新聞やイベント・カレンダーでチェックしたら、席確保のために早めに出かけよう。

グラント・パークの
バッキンガム噴水

グラント・パーク
🚇 E. Randolph to E. McFet-
ridge Dr. at Lake Michigan
☎ (312) 294-2493
🚶 ループを東へ向かって歩け
ばいい
📖 P.413　B-3

★
シカゴ

シカゴの野外ギャラリー

ダウンタウンのループ周辺を歩くとおもしろいデザインの巨大な彫刻をよく見かける。いくつかのビルでは、ビルのデザイン以外にその特徴を出すため、競って野外彫刻を制作した。それらの彫刻は、それぞれのビルのプラザ（大広場）に鎮座していることから、総称して**プラザ・アート Plaza Art**と呼ばれ、高層ビルと並んでシカゴの町の自慢の一つになっている。各プラザでは夏の間無料のコンサートが行われたり、昼食を楽しむビジネスマン、ウーマンたちでいっぱいになる。

ぜひ見ておきたいアートは……

ピカソがシカゴに贈った彫刻『**無題**』(Daley Center, Dearborn & Washington Sts.)。この彫刻は女性に見えたり、犬に見えたり、納税者を食いものにする政治家や……、いろいろな説を生み出している。さあ、あなたはどう見る!?

デイリー・センターの向かい、ブランズウィック・プラザ(Brunswick Plaza, 69 W. Washington St.)には『**ミロのシカゴ**』が見える。1981年にプラザ・アートの一員として加わった37フィートのブロンズ、コンクリート、陶器で作られた女性像。彼女のプロポーションはシカゴでも最高という評判だ。ファースト・ナショナル銀行の広場(First National Plaza, Monroe & Dearborn Sts.)には、シ

ャガールの大モザイク壁画『**四季**』がある。ガラス、大理石、花こう岩などのモザイクは、実際に人間の手によって細かく砕かれたもの。ディアボーン通りを南下したフェデラル・センター・プラザ(Federal Center Plaza, Adams & Dearborn Sts.)にどっしり構えているのが、**カルダー作の『フラミンゴ』**。赤いスタビール（針金、鉄板などで作られた抽象彫刻）は重さ50トン、高さは53フィート（約16m）ある。全米第4位の高さを誇るアモコ・ビルの人工池(200 East Randolph St.)にある**ベートイア作の『音の出る彫刻』**は、ユニークな音を奏でることで有名。シカゴ名物の風が作り出す音の芸術を鑑賞するのも楽しい。"日常生活のなかからの像"を作りたかったという『**バットコラム**』(Madison & Jefferson Sts.)は、シカゴ育ちの**オルデンバーグ**の作品。ピカソの像と同じコールテン鋼でできた巨大な野球のバットのような像で、高さ30m、重さ20トンもある。ループを離れて、シカゴ大学のキャンパス内(University of Chicago, S. Ellis Ave. between 56th & 57th Sts.)にある**ムーア**作の『**核エネルギー**』は、1942年に、シカゴ大学のフェルミ博士によって世界初の核融合反応の成功を記念して造られた。シカゴ大学や科学産業博物館を見学したあとに訪れてみるといい。

チャイナタウン
🚇Cermak Rd. & Wentworth Ave.
🚇地下鉄レッドラインでループから南方面にひとつ目。Cermak/Chinatown駅下車。駅から中華門が見える。なお、地下鉄レッドラインでチャイナタウンより南方面には行かないように！
CTAバスはClark St.を南下する#24で約20分
夜は土地勘のある人と複数で来ること。また、"L"を利用するのも避けること
🚇地図外

チャイナタウン ★ Chinatown

　ループ地区から地下鉄でひとつ目。このひとつの駅間がとても長いが、地下鉄がやがて地上に出て高架鉄道となると、右手前方に金と赤と緑の鮮やかな門が見えてくる。ここがシカゴのチャイナタウンだ。サンフランシスコやニューヨークに比べると、わずか3ブロック四方とかなり小さい。しかし、北京語や広東語しか聞こえてこない町は、人種のサラダボウル、多民族が住むシカゴらしい光景だ。

　チャイナタウンのいちばんの楽しみはやはり、食べること。4つ星レストランもあるほどだ。夜もいいが休日のお昼どきに出かけるのもいい。多くのレストランで飲茶をやっており、その混雑ぶりはまるで香港のよう。やはり、中国系のお客が多い店のほうが料理がおいしい。できれば、ひとりでなく数人で出かけたいところ。また、ここでは食材を探すのも楽しい。チャイナタウンのレストランは夜おそくまで営業しているから、夕食を食べ損ねたときに利用するもよし。

Museum & Gallery
ミュージアム&ギャラリー ★

無料開館日
　ミュージアムの多くは、それぞれの入場無料日を設けてあるので、旅費を節約したいなら、曜日をチェックしてから出かけよう。

　シカゴの次の観光目玉はミュージアム群だ。ミュージアムはおもなものだけでも9つ、それ以外にも10以上、ギャラリーは約60もあるというから、シカゴっ子たちの文化や芸術に寄せる関心の高さがうかがえる。美術館、博物館めぐりが好きな人にとっては欠かせない町でもある。

シカゴ美術館人気の印象派の部屋（中央はカイユボットの『パリ、雨の日』）

『グランド・ジャット島の日曜日の午後』はココでしか見られない！
シカゴ美術館 ★ The Art Institute of Chicago

　メトロポリタン美術館、ボストン美術館と並ぶアメリカ三大美術館のひとつ。南ミシガン・アベニューに面した正面入口にある2頭のライオンの彫刻に守られた美術館は、ビクトリア調の建造物。1893年シカゴで開催された博覧会のため1891年に建設された。

　巨大な美術館は、1日もしくはそれ以上の時間を費やして鑑賞したい。10部門、30万点以上の収蔵品を有している。レストランやカフェテリア、入口右手にあるミュージアムショップもたいへん充実している。もし時間が少ない場合、"Pocketguide to The Art Institute of Chicago"という小冊子（英語版）を買うとよい。ガイドには美術館の所有する有名な展示品が写真入りで載っている。

スタートは本館2階正面のヨーロッパの絵画から

　入場したら、インフォメーションのブースで日本語の見取図（リクエストに応じて出してくれる）をもらい、正面中央の階段を上り2階へ。201の部屋から順番に回ろう。

　コレクション中人気の高い絵画のひとつ、初期印象派、カイユボットの『パリ、雨の日 Paris, Rainy Day』は、石畳の光、冷たい空気を感じさせる雰囲気のある作品だ。ルノアールの『サーカスの二人娘 Two Little Circus Girls』は、シカゴ美術館に大量の印象派作品を寄贈したパーマー夫人のお気に入りの一点だ（201室）。202室にはドガの作品群、204室にはロートレックの『ムーラン・ルージュにて At the Moulin Rouge』が並ぶ。205室の正面の壁に掛かるひときわ大きな絵は、スーラの『グランド・ジャット島の日曜日の午後 Sunday Afternoon on the Island of La Grande Jatte』である。点描法によって描かれたのどかなバカンス風景は完成までに2年を要した。この作品の緻密さを鑑賞する人たちは、一度絵に近づいて筆のタッチを確認してから再び後ろに下がって、絵を見つめ直している。最も人気の高い作品でいつも人が集まっている。寄贈者の遺言によってこの作品は門外不出、シカゴ美術館でしか見られない。ゴッホの『アルルの寝室 Bedroom at Arles』、セザンヌの『リンゴの篭 The Basket of Apples』は2人の画家の作品の中でも傑作といえるもの。近くにはピカソの青の時代の代表作『老いたるギター弾き The Old Guitarist』が展示されている（205室）。モネには同じ対象を同じ位置から季節と時間を変えて描いた連作が多いが、その中の『つみわら The Haystack』にもぜひ注目しよう（206室）。

　207〜226室にかけては、15〜18世紀のヨーロッパ美術のコーナー。ジョバンニ・ディ・パオロの6連作『洗礼者ヨハネの生涯 Saint John the Baptist in the Wilderness』は500年以上前に制作されたとは思えないほど活力があふれている（208室）。エル・グレコの大作『聖母被昇天 The Assamption of Virgin』を見上げ（215室）、光の魔術師レンブラントの『金の首飾りの男 Officer with a Gold Chain』に感嘆する（216室）。ヨーロッパ絵画のコレクションは、まだまだ続く。

シカゴ美術館
🏠 111 S. Michigan Ave. at Adams St.
☎ (312) 443-3600、3500（テープによる案内）
🕐 月水〜金10:30〜16:30、火10:30〜20:00、土10:00〜17:00、日祝日12:00〜17:00
💰 任意ではあるが、いちおう大人＄8、学生＄4払うようにと書かれている。火曜は無料
🚇 ループ・ブラウン、パープル、オレンジラインAdams駅下車
🗺 P.413　B-3

　月〜土14:00から常設展の解説ツアー（無料）が行われている。出発は正面玄関左手奥、アフリカ美術の前。

　なお、入場する際、大きな手荷物は入口左手のロッカールームに預けなければならない。ひとつにつき50¢。

ライオンが守り神のシカゴ美術館

アメリカのコレクションはシカゴ美術館の自慢

　233室以降の部屋には、アメリカ美術をはじめとする20世紀の絵画のコレクションが展示されている。必見作品は、まず**エドワード・ホッパーの代表作『ナイトホークス Nighthawks』**。静まり返った深夜のカフェテリアのカウンターで、コーヒーを飲んでいる人たちがガラス越しに見える。都会の孤独がみごとに切りとられている作品だ（238室）。地方主義者**グラント・ウッド**の**『アメリカン・ゴシック American Gothic』**は、農夫とその妻の表情に頑固で偏狭な性格が鋭く表現されている。アメリカの田舎町に住む人たちの真実を綿密に描き出したアメリカ絵画の傑作中の傑作だ（247室）。さらに、戻って240室でまっ先に目に入るのは**マチス**の**『川辺の水浴者たち Bathers by a River』**。キュービズムの影響が顕著。この前後には抽象絵画、キュービズム関係の作品が並んでいて、このあたりは近代絵画の流れが一目瞭然となっている。そして、シカゴ美術館を代表する絵のひとつ**『母と子 Mother and Child』**をはじめとする**ピカソ**の作品を集めた部屋（243室）がある。

『アメリカン・ゴシック』ウッド

『ナイトホークス』ホッパー

新館1階、2階のコレクション

　シャガールのステンドグラス右手からが1989年に増築された新館のギャラリーだ。ここに展示されているのは、現代美術、アメリカ美術・工芸など。現代美術のセクションでは、1960年代のポップアート以降、とくに'70年代から'80年代にかけてに焦点を絞った作品が核を占め、斬新な展示で多様化する美術の状況をみごとにとらえている。アメリカ工芸では時代を追って家具調度品が、それぞれ時代を反映していておもしろい。

本館1階・地階の館内案内

　1階は、ギリシャ・ローマなどの原始美術から始まり、印象派に次いで豊富な東洋美術のセクション。ここでは中国の青銅器、磁器、仏像、芸者や歌舞伎役者を描いた歌麿などの日本の浮世絵や棟方志功の作品などが見学できる。浮世絵群はとくに質が高い。続いて印刷や素描のセクション、ヨーロッパ装飾美術のセクションでは、数多くの鎧、剣、銃など、中世のヨーロッパを扱った映画に登場するような武器類が出てくる。建築セクションでは、**ルイス・サリバン設計によるシカゴ証券取引所**として使われた部屋がそのまま保存されている。地下のミニチュア・インテリアルームも実に精巧にできている。

フィールド自然史博物館 ★ Field Museum of Natural History

有名なデパート『マーシャル・フィールド』の創始者フィールドの寄贈で創立された堂々たる博物館。入館すると天井の高い広々としたホールになっており、マンモスの復元とトーテムポール、恐竜の骨格が目をひく。1階のアメリカ先住民文明の展示は大変充実し、北西部、南西部、プレーリー（大平原）などに分けてわかりやすい展示をしている。展示物は数的にも質的にもかなりのもの。プレーリーの住居のレプリカはまるで別世界のよう。円形の住居で毛皮のベッドに腰かけていろりの炎を見ていると、常に宇宙を意識していたという彼らの気持ちが伝わってくるような気がする。

1階から地階にかけて続く古代エジプトのコーナーもおもしろい。王の墓を再現し、盗賊がたどった道をなぞって見て回るという趣向だ。

世界の動物をジオラマで見せるコーナーは、数も多く見応えがある。また、動物についてのQ&Aのコーナーもあって、単調になりがちな博物館の展示方法に工夫がされている。

2階の北側のDNAから恐竜へのコーナーでは、恐竜出現前、恐竜時代、恐竜絶滅後の大きく3つの時代に分けて、恐竜にとどまらず、地球上の生物の進化過程を見せている。なかでも目を引くのが巨大な恐竜の復元骨格。ミクロネシア、メラネシアの文化を紹介する太平洋の精神と旅も、町や火山、家屋などが復元されて興味深い。

とにかく、人類学、植物学、動物学、地質学と人類とそれを取り巻く物質、現象についての膨大な展示。収蔵品は1,600万点以上というから驚きだ。

シェッド水族館 ★ John G. Shedd Aquarium

ミシガン湖に面した世界最大の屋内水族館。魚類のほか、ラッコ、イルカ、アザラシなど700種、6,000以上の生物が見学できる。

オーシャナリウム Oceanariumはアメリカ北西部の太平洋岸の生態を屋内に再現した大がかりな展示。木々の間を歩き、自然の中にいるような感覚で海の生物たちに出会えるようになっている。ここでは賢い海の哺乳類たちのショーが評判だ。定員制で水族館の入館料とは別にチケットが必要。夏休みや週末などは午前中早々に売り切れてしまうので注意。

フィールド博物館の入口ロビー。ゾウやトーテムポールが歓迎してくれる

★ シカゴ

フィールド自然史博物館
Roosevelt Rd. at Lake Shore Dr.
☎ (312) 922-9410
毎日9:00〜17:00
クリスマス、元日
大人＄7、シニア・学生・子供＄4、水曜は無料
ループからバス＃146で
P.413 B-3

シェッド水族館
1200 S. Lake Shore Dr.
☎ (312) 939-2438
毎日9:00〜18:00
クリスマス、元日
水族館のみ大人＄4、子供・シニア＄3。木曜は無料。アクアリウム＆オーシャナリウムのコンビネーション・チケット大人＄10、子供・シニア＄8（オーディオツアーは大人＄13、子供・シニア＄11）。木曜は水族館のみ無料
ループからバス＃146で
P.413 B-3

夏は混雑するシェッド水族館

一般展示は6つのギャラリーに分かれていて、とくに淡水魚の展示は充実している。日本では淡水魚というととかく地味なイメージが強いが、色も形も実にさまざまなものがいるのに驚く。中央のコーラル・リーフの大水槽では、1日2〜3回ダイバーによる餌づけが行われ、人気を博している。ショータイム前に行って、見る場所を確保しておこう。

彫刻や美術に興味のある人は、メインロビーなどの壁面や天井に注目。カメやタツノオトシゴ、魚や貝をあしらったレリーフがみごとだ。また、館内のランプはアンモナイトの形をしているのでお見逃しなく。

アドラー・プラネタリウム
🏠1300 S. Lake Shore Dr.
☎(312) 922-7827
🕐毎日9:00〜17:00（金〜21:00、土〜18:00）
🚫サンクスギビング、クリスマス
💰大人＄5、子供・シニア＄4、火曜は入場無料
🚌ループからバス＃146で
🗺P.413 B-3

シカゴの夜空を楽しもう
アドラー・プラネタリウム ★ Adler Planetarium

アドラー・プラネタリウム

シェッド水族館からさらに東、ミシガン湖に突き出た岬の先にあるプラネタリウム兼小さな天文博物館だ。天文学の歴史、通信の歴史に関する展示のほか、アリゾナで発見された大きな隕石、月の石、火星の石も並んでいる。太陽系の各惑星についての詳しい説明も興味深い。

しかし、ここでのいちばんの見どころはやはりスカイショーというプラネタリウムだ。Main Levelからスタート。ここは普通の劇場で、15分ほどのフィルムを見る。終わるとスクリーンがするすると上がり、エスカレーターが現れる。輝く光のなかをエスカレーターで上がっていくとプラネタリウムに到着するというしかけ。約30分の、学術的で本格的なプラネタリウムだ。スカイショーの時間は電話で問い合わせよう。

科学産業博物館
🏠57th St. and Lake Shore Dr.
☎(773) 684-1414
🕐毎日9:30〜17:30（メモリアル・デー〜レイバー・デー）、月〜金9:30〜16:00、土日祝日9:30〜17:30（前記以外）
🚫クリスマス
💰大人＄7、子供＄3.50、シニア＄6　オムニマックスとのセットは大人＄12、子供＄7.50、シニア＄10
🚌バスN. Michigan Ave., State St.発＃10 "Museum of Science & Industry" 行き。＃6 Jeffery (Express) でも行ける。ただし、下車駅周辺の環境が非常に悪いので、高架鉄道では行かないこと。
なお、ジャクソン公園のすぐ南には、ノーベル賞受賞者を数多く生んだ有名なシカゴ大学University of Chicagoがある。
🗺地図外

人体の輪切りが秘かな人気
科学産業博物館 ★ Museum of Science and Industry

ダウンタウンの南、ジャクソン公園内にあるシカゴでいちばん人気の高い博物館。1893年に開催されたコロンブス博のメイン会場として建てられた。14エーカーの館内に、テーマごとに分かれた75の展示室、2,000以上の科学的、技術的な展示物が並んでおり、毎年その1割が時代遅れにならないよう入れ替えられる。見学者がそれらの展示品のスイッチボタンを押したり、ハンドルを引いたり、コンピュータのキーボードをたたくなど直接作動させることによって、農業、交通、コミュニケーション、健康、医学、エネルギー、写真など各分野の仕組みを知ってもらおうというのがこの博物館の特徴。夏休みなどは、子供たちがすごい勢いで群がっている。

大人も楽しめる科学産業博物館

博物館のハイライトは、かつて大空を飛んでいたB-727機、第2次世界大戦で拿捕されたドイツ潜水艦U-505、月の軌道に初めて乗ったアポロ8号の本物の指令船、黒人女性（囚人だった）を数センチごとに輪切りにしたもの、ヒヨコのふ化過程、精巧なつくりの"おとぎの城"（城内部の家具調度品も必見）、胎児の成長など。新しくできた海軍力のコーナーはF-14トムキャットのフライト・シミュレーションなどもあって、入場者の足が絶えることはない。オムニマックス劇場も人気。見学には少なくとも半日は費やしたいところだ。

建物も実に近代的な美術館
シカゴ現代美術館 ★ Museum of Contemporary Art

　1967年に創設された、1945年以降の作品のみを集めた現代美術専門の美術館。展示スペースはおもに2階と4階で、2階の展示ギャラリーでは、企画展や特別展が数カ月サイクルで入れ替わり、おもに現代美術界の最先端にいるアーティスト達の作品を紹介している。4階ではMuseum of Contemporary Art（MCA）の豊富なコレクションを常設展として鑑賞でき、アレクサンダー・カルダー、ソル・レウィット、ブルース・ナウマン、シンディ・シャーマン、アンディ・ウォーホル、ルネ・マグリットといった現代美術の巨匠たちから、注目の若手の作品まで展示されている。このほかにもビデオやコンピュータを使った作品にもスペースを設けていて、年代、ジャンルともに幅広く楽しめる内容。ガイドツアーも行われているのでより深く理解したい人は参加してみよう。日によってツアーの回数や開始時間が変わるので、参加したい人はあらかじめ確認をしておくこと。

　また、2階のMCAカフェでは、彫刻庭園とミシガン湖を望みながらランチを楽しむことができる。ミュージアムショップと書店も充実。

新しさが残る
現代美術館

リンカーン公園にある
シカゴ歴史協会

リンカーンをはじめとするイリノイ州のコレクションが2,000万点
シカゴ歴史協会 ★ Chicago Historical Society

　リンカーン公園の南端にある、おもにシカゴの歴史について語られている博物館。約2,000万点を所有するコレクションのなかで、見学できるのは、シカゴ初の機関車パイオニア号、独立宣言が印刷された最初の新聞、古いおもちゃ、1871年に起こったシカゴの大火や1893年のシカゴ万博に関する展示。そして、イリノイ州が生んだ偉大な人物、エイブラハム・リンカーン大統領の遺品や、南北戦争のジオラマを通してリンカーンの生涯を自叙的に語っている展示は興味深い。

シカゴ現代美術館
📍 220 E. Chicago Ave.
☎ (312) 280-5161
🕐 火木金11：00～18：00、水11：00～20：00、土日10：00～18：00
🚫 月、サンクスギビング、クリスマス
💰 大人＄6.50、学生、シニア＄4、オーディオツアーとのセット＄10（英語のみ）
🚌 バス＃10、＃66で美術館前で下車。または＃146などのMichigan Ave.を通るバスで、Chicago Ave.を東へ1ブロック
🗺 P.413　B-2

★
シ
カ
ゴ

シカゴ歴史協会
📍 Clark St. at North Ave.
☎ (312) 642-4600
🕐 月～土9：30～16：30、日10：00～17：00
🚫 サンクスギビング、クリスマス、元日
💰 大人＄5、子供＄1、学生・シニア＄3、6歳以下は無料　月曜は無料
🚌 ＃151のバスでリンカーン公園に入ったらNorth Ave.を過ぎたあたりで下車
🗺 P.413　A-1

エンターテインメント

シカゴのループ・エリアやその周辺には、数えきれないほどの劇場やコンサートホールが点在し、ブロードウェイの巡業公演、現在アメリカで人気、実力ともにNo.1のシカゴ交響楽団によるクラシック演奏、シカゴ・リリック・オペラによるオペラ公演、バレエ、超一流エンターテイナーや人気歌手のコンサート、地元の劇団による演劇やコメディなどが行われている。

まず、『シカゴ・トリビューン』や『シカゴ・サン・タイムズ』などの新聞の金曜版、シカゴの情報誌『Readers』(毎木曜発行、無料)などのエンターテインメント欄をチェックし、劇場へ電話するか、直接足を運ぼう。

シカゴのTkts、Hot Tix Booth

ホット・ティックス・ブースでは、劇場で売れ残った当日券を半額で売っている。ニューヨークのタイムズ・スクエアのTktsとまったく同じシステム。半額チケットはキャッシュのみ受け付け、手数料が必要。通常の前売りも取り扱っている。

シカゴ交響楽団
★ Chicago Symphony Orchestra (CSO)

全米No.1の実力を持つオーケストラは、このシカゴにあるシカゴ交響楽団だ。その実力はベルリン・フィル、ウィーン・フィルにも劣らず、シロウトが聴いてもその演奏のすばらしさには感嘆するはず。ダニエル・バレンボイムが音楽監督を務める。

ラビニア・フェスティバル ★ Ravinia Festival

シカゴの北約40kmのラビニアという町で夏期の間に行われる野外音楽祭。内容はCSOのクラシック演奏からジャズ、ポップスまでと幅広く、ピクニック気分で演奏を楽しめる。

シカゴ・リリック・オペラ ★ Lyric Opera of Chicago

アメリカ三大オペラのひとつで、チケットの大部分が定期会員の予約で売り切れてしまうほどのすごい人気だ。現在、10年がかりで現代オペラの上演にも取り組んでいる。

ホット・ティックス・ブース
108 N. State St. (bet. Madison & Monroe)
☎(312) 977-1755(テープによる案内)
700 N. Michigan Ave. (at Huron) 6階
月～土10:00～18:00、日12:00～17:00

シカゴ交響楽団
ホームホール──シンフォニー・ホール Symphony Hall, 220 Michigan Ave.
☎(312) 294-3000
Michigan Ave. とAdams St. の交差するところ。シカゴ美術館のはす向かい
P.413 B-3
シーズンは9月中旬から6月中旬まで

ラビニア・フェスティバル
1575 Oakwood, Ave., Highland Park, IL 60035
☎(312) 433-3709(チケット)
メトラのKenosha線(North Western駅発) Ravinia Park駅下車(約50分)。右手がすぐに公園
開催期間は6月～9月初旬まで

シカゴ・リリック・オペラ
ホームホール──オペラハウスOpera House, 20 N. Wacker Dr.
☎(312) 332-2244
ループ西、Wacker Dr. 沿いのWashington St. とMadison St. の間
シーズンは9月下旬から1月まで

ソーサ選手を応援しに行こう

Hot Tixでは当日売りの半額チケットを扱っている

観戦するスポーツ

ベースボール（MLB）

シカゴ・カブス ★ Chicago Cubs（ナショナル・リーグ中地区）

　'98年はカブスにとって悲喜こもごもという年だった。開幕直前、長いことチームの名物アナウンサーとして親しまれてきたハリー・ケリーが亡くなった。その弔い合戦かのように弱小カブスは奮起し、久しぶりのプレーオフ出場を果たすに至った。その立て役者は2人。カーディナルスのマーク・マグワイアと熾烈なホームラン争いを演じたサミー・ソーサと、連続奪三振記録をぬりかえ新人王に輝いたケリー・ウッドだ。ソーサはホームラン王こそ逃したものの、チームへの功績などが評価されMVPを獲得した。

シカゴ・ホワイトソックス ★ Chicago White Sox
（アメリカン・リーグ中地区）

　カブスに比べて元気がないのがホワイト・ソックスだ。同じ地区所属の強豪インディアンズの壁をやぶることができない状態が続いている。看板打者は、首位打者にも輝いたことのあるフランク・トーマス1塁手。そのパワーとは対照的に、実に温厚な人物だ。

アメリカン・フットボール（NFL）

シカゴ・ベアーズ ★ Chicago Bears（NFC中地区）

　今年こそは、と思うのだが万年Bクラスから長いこと脱しきれないベアーズ。弱いとはいえ、相対的に少ないゲーム数のNFLだけに、チケットの入手は簡単とはいえない。ちなみに、ベアーズの観戦は恐ろしいほどの寒さに見舞われることもしばしば。完全なる防寒対策で観戦に臨もう。

バスケットボール（NBA）

シカゴ・ブルズ ★ Chicago Bulls（東・中地区）

　'99年、ブルズほど変わってしまったチームはないだろう。ヘッドコーチのフィル・ジャクソンの辞任に続き、開幕前、世界中にショックを与えたジョーダンの引退、続いてピッペン、ロドマンの移籍……。3連覇経験者はクーコッチのみとなった。史上最強のチームは、シカゴだけでなくこの世から消え去った。しかしながら、ブルズの成績とはかかわりなくユナイテッド・センターの客の入りはいまも好調だ。

アイスホッケー（NHL）

シカゴ・ブラックホークス ★ Chicago Blackhawks
（西・中地区）

　元気のないシカゴのプロスポーツのなかで、カブスとともに好調なのがブラックホークスだ。ブラックホークスの力は安定しており、スタンレーカップ（野球のプレーオフのようなもの）に毎年のように出場している。チケットもとりやすいので、アイスホッケー観戦を強力にすすめる。

シカゴ・カブス
本拠地──リグレー・フィールド Wrigley Field, 1060 W. Addison St.
☎ (312) 831-2827、 (1-800) 347-2827（チケット）、(773) 404-2827
地下鉄レッドラインAddison駅下車。徒歩3分

シカゴ・ホワイトソックス
本拠地──コミスキー・パーク Comiskey Park, 333 W. 35th St.
☎ (312) 674-1000
地下鉄レッドラインSox-35th駅下車。駅の改札を出れば球場が見える
　球場までの交通手段であるレッドラインは犯罪発生率が高いため、試合がある日の行きの利用はとくに問題ないが、帰りはタクシーを使ったほうがベター。ダウンタウンまで＄12〜15程度

シカゴ・ベアーズ
本拠地──ソルジャー・フィールド Soldier Fields, 425 McFetridge Pl.
☎ (312) 559-1212（チケット）
＃146、または試合開始時ユニオン駅から出る＃128 Soldier Field Exp.（＄1）のバスで

シカゴ・ブルズ
本拠地──ユナイテッド・センター United Center, 1901 W. Madison St.
☎ (312) 559-1212（チケット）
ブルズとブラックホークスの試合が行われる2時間前から30分前まで、12分おきに運行されるStadium Expressという＃19のバスで。このバスはミシガン・アベニューとマディソン・ストリートを走る。スタジアムの周辺は治安のいい場所ではないが、試合の前後は大勢のファンが詰めかけるので大丈夫

シカゴ・ブラックホークス
本拠地──ユナイテッド・センター United Center, 1901 W. Madison St.
☎ (312) 455-4500
ブルズ参照

チケットマスター
　プロスポーツやコンサートのおもなチケットは、チケットマスターTicketmasterで入手することができる。クレジットカードが必要で、手数料がかかる。
☎ (312) 559-1212
営月〜金8：00〜21：00、土9：00〜21：00、日9：00〜18：00

シカゴはブルースの本場だ！

シカゴには、ブルース、カントリー＆ウエスタン、ジャズ、ロック、レゲエ、ニューウェーブなどのナイトスポットが数多くあるが、なかでもブルースはシカゴが他の町を凌駕し、ブルースを聴きにわざわざシカゴまでやってくる人もいるほどだ。また、ルイ・アームストロングやベニー・グッドマンなどジャズ界の偉人が輩出した町だけあって、すぐれたジャズのライブハウスも点在する。ダウンタウンのナイトスポットは、シカゴ川の北、リバーノースのエリアと、ラッシュ・ストリートの付近、オールドタウン、リンカーン・パーク地区に集中している。このあたりでは勤め帰りのビジネスマンが一杯やっている風景が見受けられる。ラッシュ・ストリート近辺は、夜ににぎやかになる地域で映画館も多い。ウェルズ・ストリートを北上し、ノース・ウェルズ・ストリートの1,200〜1,700番地あたりはオールドタウンとよばれている一角。バーやジャズスポット、夜のエンターテインメントのほかにギャラリーやシックなお店が集まっている。リンカーン公園地区ハルステッド・ストリートあたりもライブスポットが軒を並べている。交通手段はタクシーがベスト。

ブルース

迫力のライブを便利なロケーションで
Blue Chicago

🏠736 N. Clark St.　☎ (312) 642-6261
チャージ＄5〜8　　　　地P.413　A-2

　20：00頃に開店してライブは21：00ごろからスタート。店は小さいほうだと思うが活気に溢れていて人でいっぱい。オリジナルTシャツなども売っていた。ジョン・ハンコック・センターの近くで、仕事帰りのビジネスマン客も多い。　　　　（'98）

B.L.U.E.S.に出演中の菊田さん

2バンド楽しめるのが魅力
Kingstone Mines

🏠2548 N. Halsted　☎ (773) 477-4646
チャージ＄8〜、週末は＄11〜15
　　　　　　　　　　　　　　地図外

　シカゴ・ブルースの代表的な店。最大の特色は、2つに分かれた店内で1日に2つのバンドの演奏が楽しめること。通常第1回目の演奏が終わると休憩後に第2回目の演奏が始まるのだが、この店は1つのバンドの演奏が終わると、すぐにもう1つのバンドの演奏がもう1つのステージで始まるというわけ。閉店時間がおそいこともあって、他の店で演奏を終えたミュージシャンたちが流れてくるのも、ファンにとっては魅力。日本人ブルース・ギタリストShun Kikutaも演奏する。観光客も多く、周辺の治安もいい。タクシーが常時待っているのもうれしい　　　　　　　　　（'98）

オーソドックスなブルースなら
B. L. U. E. S.

🏠2519 N. Halsted St.　☎ (773) 528-1012
チャージ＄5、週末は＄8〜15　　地図外

　キングストン・マインのはす向かいにあり、ブルースのはしごをすることもできる。ニューヨークにも支店を出すほどの人気で、出演者も有名なミュージシャンが多い。なお、ダウンタウンにも支店〔536 N. Clark St. ☎ (312)661-0100〕がある。　　　　（'98）

食事をとりながら演奏を！
Buddy Guy's Legend

🏠754 S. Wabash Ave. on Balbo
☎ (312) 427-0333　　　　地P.413　A-3
週7日オープン18：00開店、21：30開演
チャージ＄5〜、週末は＄8〜15

　エリック・クラプトンがもっとも尊敬しているという世界的なブルース・マン、バディ・ガイが経営する店。シカゴのミュージシャンにこだわらず、全米から優れたミュージシャンを出演させる。300人は収容できる広い店内には4つのビリヤード台、踊るスペースも十分ある。バディはカウンターでよく酒を飲んでいるし、彼を慕う大物ミュージシャンがよく飛び入りでプレーするので、ほかでは見られないライブに出くわすかもしれない。　　　（'98）

B.L.U.E.S. の姉妹店
B.L.U.E.S. etcetera

🏠1124 W. Belmont　☎(312) 525-8989、
549-9416(20時以降)　　　　🏢地図外
チャージ＄3～、週末は＄8～。店のオープ
ンは20:00で、ライブは21:30スタート

　この店は、ほかの古めかしいクラブとは
ちがって、きれいでおしゃれな雰囲気。店
内は広くて、ダンス・スペースもある。毎
週金土曜にはブルース・ファンには涙もの
のミュージシャンが出演する。

　　　　　　　(次良丸　勲　名古屋市)('98)

ハウス・オブ・ブルースはマリーナ・シティにある

ジャズ

大物スターが出演する
Joe Segal's Jazz Showcase

🏠59 W. Grand Ave.＆Clark.St.
☎(312) 670-2473
チャージ＄10～

　1947年からジャズショーをプロデュース
しているシカゴ・ジャズ界の著名人ジョ
ー・シーゲル氏のクラブ。どちらかといえ
ば、シカゴのローカルジャズよりニューヨ
ークをはじめとするメインストリーム・ジ
ャズのビッグスターが出演するクラブとし
て名高い。満席になるケースがしばしばあ
るので、ショーの時間をよく調べて行くの
がキーポイント！　場内は禁煙(日曜日に
は昼間のマチネーショーが開かれ、子供連
れも歓迎)。　　　　　　　　　　('98)

シカゴらしいジャズなら
Andy's Lounge

🏠11 E. Hubbard St.　☎(312) 642-6805
チャージ＄3～　　　　　🏢P.413　A-2

　シカゴ・ジャズのベテランプレーヤーた
ちが常時出演しているクラブ。1978年に
『ジャズファイブ』と称して始められた午
後5時からのショーは、ビジネスマン、マ
スコミ関係者などが夕方からジャズを楽し
む社交の場として親しまれた。現在は『ジ
ャズ・アット・ヌーン』として正午から2
時までのショーが加わり、5時から8時、
そしてメインの9時からの1日3セット構
成で、シカゴ・ローカル・ジャズを楽しむ
ことができる。　　　　　　　　　('98)

★　　★　　★　　## ショッピング
　　　　　　　　　Shopping

ミシガン・アベニューはショッピングのメッカ

　交通の要所であり、アメリカを代表する
商業都市だけあって世界中の多くの商品が
流通している。ダウンタウンで最も人気の
あるショッピングゾーンは、魅惑の1マイ
ルとして知られるミシガン・アベニュー。
日本でも人気のあるブランド店や高級専門
店、デパートが林立し、ウインドー・ショ
ッピングをするだけでも楽しい。ステー
ト・ストリートにはマーシャル・フィール
ド、カーソン・ピリー・スコットなどのデ
パートや小売店が並んでいる。マーシャ
ル・フィールドは床面積世界一、カーソ
ン・ピリー・スコットはルイス・サリバン
の設計として知られている。

シカゴ＆イリノイみやげが見つかる
Illinois Market Place
🏠At Navy Pier　☎(312)832-0010

🗺P.413　B-2

　ネイビー・ピアに来たら寄ってみたい店。店の奥にはTVモニターが何台も並び、シカゴとイリノイ州の紹介を常時している。おみやげの定番であるTシャツ、トレーナーから、マグカップ、絵ハガキ、ポスター、ビデオテープなど、シカゴやイリノイの文字が入ったものならなんでもそろえてある。イリノイ州の鉄道博物館、リンカーン関係のグッズ、地元のアーティストによるアクセサリーや工芸品は見るだけでも楽しい。うれしいことに、州内の観光名所のパンフレットもそろえてあり、これからイリノイ州を回ろうという人にはありがたい存在だ。　　　　　　　　　　　　　　（'98）

ダウンタウンのショッピングセンター5軒
　シカゴは大都会ゆえショップの数が非常に多く、しかも分散している。時間のない人は、一つ屋根の下にいろいろな店舗の入ったショッピングセンター（モール）に行くといい。下記のセンターには有名ブランド店やデパートが入っていて、なにかと便利。
900 North Michigan Shops
🏠900 N. Michigan Ave.　☎(312)915-3917

🗺P.413　B-2

　グッチ、コーチ、ヘンリ・ベンデル、ブルーミングデールズなど70店舗。
Water Tower Place
🏠835 N. Michigan Ave.　☎(312)440-3166

　ゴディバ、バナナ・リパブリック、エディ・バウアー、ローラ・アシュレイ、ディズニー・ストア、ワーナー・ストア、マーシャルフィールド、ロード＆テイラーなど約125店舗。
Chicago Place
🏠700 N. Michigan Ave.　☎(312)642-4811

🗺P.413　B-2

　ルイ・ヴィトン、サックス・フィフス・アベニューなど50店舗。
The Shops at the Mart
🏠Merchandise Mart, Orleans at Chicago River　☎(312)527-4141　🗺P.413　A-2

　コーチ、スターバックス、カーソン・ピリー・スコットなど。日曜はクローズするがカーソン・ピリー・スコットは平日朝9：00から営業しているのがうれしい。

North Pier
🏠435 E. Illinois St.　☎(312)836-4300

🗺P.413　B-2

　ショップより、レストランやナイトスポットが充実している。

※ショッピングセンターの営業時間は基本的に、月～金10：00～19：00、土10：00～18：00、日12：00～18：00

シカゴといえばポップコーン！
Garrett Popcorn Shop
🏠670 N. Michigan Ave.　☎(312)944-2630

🗺P.413　B-2

　シカゴのポップコーンといえばこのお店。バター味、チーズ味、キャラメル味などの、できたて、ほっかほっかのポップコーンが売られている。サイズは小さな袋から、バケツのように大きなカン入りのものまで、大きさもいろいろ。とにかく、一度ほおばってみるといい。忘れられない味となることまちがいなし！　　　　　　　（'98）

シカゴの観光名所です
NikeTown
🏠669 N. Michigan Ave. at Erie St.

☎(312)642-6363

🕐月～金10：00～20：00、土9：00～19：00、日10：00～18：00　🗺P.413　B-2

　マイケル・ジョーダンでおなじみのスポーツ用品ナイキの専門店。ここはショップというより、近代的なスポーツ・ギャラリーといったほうが正しいよう。3階建ての店内には、いろいろなスポーツをフィーチャーしたコーナーがあり、そこにはユニフォームが絵画のようにディスプレイされ、ゆるやかなBGMが流れている。ここに入るとその品ぞろえの豊かさと、さり気ないディスプレイに購買意欲をどうしてもそそられてしまうはず。スポーツ愛好家はぜひ寄りたいショップだ。　　　　　　　　（'98）

人気のナイキタウン

おもしろい家庭用品がいっぱい！
Crate & Barrel

住 646 N. Michigan Ave. ☎ (312) 787-5900
営 月～金10：00～21：00、土10：00～
18：00、日12：00～17：00　地 P.413 B-2

　このお店は家庭用品のチェーン店。シカ
ゴ市内にも何軒かあるが、ミシガン・アベ
ニューのこの支店がいちばん品数が多い。
バターナイフから家具まで、まさにアメリ
カ人好みの家庭用品がいっぱい。世界各国
からの輸入品も多い。
（'98）

スポーツ用品のディスカウントストア
Sports Mart

● 住 620 N. LaSalle St.　☎ (312) 337-6151
地 P.413 A-2
● 住 440 N. Orleans St.　☎ (312) 527-3516
営 月～土10：00～21：00、日11：00～
18：00　A M V

　アウトドアからフィットネスまで、スポー
ツ用品ならなんでもござれの大型ディスカ
ウントストア。ナイキなどのブランドもの
もシカゴではいちばんの値引き率ではと言
われている。品揃えやサイズのストックも
多いうえ、広々とした店内で試着できるの
もうれしい。ダウンタウンに2店舗ある。

質・量ともにGoodなアウトドア・ショップ
Eddie Bauer

住 123 N. Wabash Ave. at E. Washington
☎ (312) 263-6005
営 月～金10：00～19：00、土10：00～
18：00、日12：00～17：00　地 P.413 A-2

　アウトドア用品のシカゴ店。特筆すべき
は店員のマナーの良さ。困っているお客を

見ると、しばらくしてから静かに「何かお
手伝いしましょうか？」と控え目に、やさ
しくサポートしてくれる。品数も豊富でと
ても選びやすく、品質もアメリカ流の質実
剛健なつくりだ。値段も手ごろで、まとめ
買いに最適、パンツ、ポロシャツ、Ｔシャツ、
シューズ、ベルトなど、週末用品はすべて
ここでそろう。（大澤寛行　板橋区）（'98）

音楽好きの人は寄ってみて
Symphony Store

住 220 S. Michigan Ave.　☎ (312) 435-6421
営 月～土10：00～18：00、日12：00～
17：00　地 P.413 B-3

　シカゴ交響楽団（CSO）を聴きにきた人
に、ぜひ寄ってほしいのがこのショップ。
コンサートホールのあるビル内にある。ト
レーナー＄28、Ｔシャツ＄18、鉛筆50¢な
ど、色々なCSOのグッズがそろっている。

　また、ここから歩いて2～3分のところに、
音楽専門店Chicago Music Mart［住 333
State St.　☎ (312) 362-6700］がある。楽器
やCDなどが豊富。日曜日を除くほとんど
毎日、店内の広場で、アマチュアの音楽家
たちの演奏が無料で聴ける。ファストフー
ドのテーブルも置いてあるので、ピザやド
リンクを片手に楽しむのもいい。

（平井　剛　土浦市）（'98）

オーケストラ・ホールの1階にショップがある

★ シカゴ

シカゴの大火　Great Fire of Chicago

　1871年10月8日、市の南西部にあったパ
トリック＆ケイト・オリリーズの所有する家畜
小屋の牛がカンテラをけとばした。カンテラの
火はシカゴ名物の風にあおられ、またたく間に
広がり、市の南西部、現在のループから北、オ
ールドタウン、ゴールドコーストまでをほとん
ど焼きつくした。炎は3日間にわたってくすぶ
り続け、鎮火した10月10日、シカゴの町には
焼け焦げたがれきの山と、男女の区別のつかな
い焼死体がゴロゴロところがっていた。

　この大火災によって町が受けた被害は、死者
300人以上、9万4,000人以上の人が焼け出

され、焼失した建物1万5,768棟、焼失面積は
2,200エーカーにも達した。被害金額は当時の
お金で1,750万～3,000万ドル、火災保険会
社までもが焼けてしまったため、損害額を補償
できなかったという。

　その炎は、ミシガン湖の向こう岸や遠くジェ
ノバ湖、ウィスコンシン州からも見ることがで
きた。現在、火災が起こった地点にはシカゴ・
ファイヤー・アカデミー（558 W. Dekoven
St.）が建っており、ウィーナーの彫刻『炎の柱
石 Pillar of Fire』を大火の記念碑として見る
ことができる。

夜もにぎやかなエリアにあっておすすめの
The Claridge Hotel

🏠 1244 N. Dearborn Pkwy., Chicago IL 60610
☎ (312) 787-4980、📞 (1-800) 245-1258、
FAX (312) 266-0978
HOME www.claridge.com

オンシーズン⑤ $140〜150、⓪ $170〜
250、①$180〜250、オフシーズン⑤
$129〜140、⓪$149〜170、①$149
〜180 ADJMV 地P.413 A-1

　シカゴでオシャレな人が住むというゴー
ルドコースト地区にあり、ホテルのある
通りは静かな住宅街。しかし、通りを1
本隔てると、そこは夜おそくまでにぎわ
っている繁華街だ。レストラン、パブな
どが並び、近くには24時間営業のスーパー
マーケットやドラッグストアがあって至極
便利。地下鉄レッドラインClark/Division
駅から1.5ブロック。ホテルはアットホー
ムな雰囲気で、客室は清潔で使いやすい。
コンチネンタルブレックファストと24時
間OKのコーヒー、朝はダウンタウンま
でのリムジン・シャトルなどのサービス
がある。163室。この料金は正直言ってシ
カゴではお得。予約は日本人マネージャ
ーのMr. Kaoru TAKAHASHIまで。（'99）

日本人マネージャーもいるクラリッジ・ホテル

ミシガン湖の眺めが美しい
Chicago Hilton & Towers

🏠 720 S. Michigan Ave., Chicago, IL 60605
☎ (312) 922-4400、FAX (312) 786-6202
⑤ $165〜325、⓪①$185〜345
ADJMV 地P.413 B-3

　グラント・パークに面し、大規模でゴ
ージャス。客室はヨーロッパ調。映画『逃
亡者』にも登場したホテル。1,543室。（'98）

シカゴ・ヒルトンの客室

世界のVIPが泊まる
The Drake Hotel

🏠 140 E. Walton Pl., Chicago, IL 60611
☎ (312) 787-2200、📞 (1-800) 553-7253、
FAX (312) 787-1431

オンシーズン⑤⓪① $315〜415、スイ
ート $450〜2,050、オフシーズン⑤⓪①
$275〜375、スイート $395〜2,050
ADJMV 地P.413 B-2

　ミシガン湖畔に面したドレイクは、シ
カゴ屈指のホテル。オープンは1920年と歴
史も古く、70年以上にわたる歴史のなか
で昭和天皇をはじめとして、エリザベス
女王、ヨルダン国王、ウィンストン・チ
ャーチル、アイゼンハワー、レーガン大
統領など、そうそうたる人物が宿泊して
いる。ロビーを彩る豪華なシャンデリア
や噴水、昔からのエレベーター・オペレ
ーターによるサービスなど、どれをとっ
ても一流とは何かを教えてくれる。日本
人にはスリッパ、日本語のパンフレット、
邦字新聞などのサービスあり。537室。（'99）

アメリカの一流ホテル
Westin River North, Chicago

🏠 320 N. Dearborn, Chicago, IL 60610
☎ (312) 744-1900、📞 (1-800) 937-8461、
FAX (312) 527-2650

オンシーズン⑤⓪① $360〜、オフシーズン
⑤⓪① $295〜 ADJMV

　エレガントな雰囲気の内装、大都会の
喧騒を忘れさせてくれる客室、温かい笑
顔で応対する従業員……。ホテル本来の
目的である"くつろぎ"を十二分に実感で
きるはず。キメ細かいサービスが自慢の
ホテルだ。424室。 　　　　　　（'99）

まさに快適でロケーションGood
Embassy Suites Chicago
🏠600 N. State St., Chicago, IL 60610
☎(312)943-3800、📞(1-800)362-2779、
FAX（312）943-7629、HOME www.
embassy-suites.com
Ⓢ＄189〜229、Ⓓ＄189〜289、Ⓣ
＄259　ADMV　　　　　地P.413　A-2

　ブルーラインのGrand駅の目の前という絶好のロケーション、空港からだとWashington/State駅でハワード行きに乗り換えひとつ目。マイケル・ジョーダンのレストラン、ハードロック・カフェ、ロックンロール・マクドナルドもすぐそばだ。大都会のど真ん中にあるとは思えないほどぜいたくな広さの部屋は、設備、アメニティともに充実。ビジネスには最適だ。家族で泊まればかなり安い。朝食とカクテルの無料サービスがあり、朝食はバフェ形式で好きなだけ食べられる。　　（'98）

夜景が楽しめる、エコノミーホテル
The Cass Hotel
🏠640 N. Wabash Ave., Chicago, IL 60611
☎(312)787-4030、📞(1-800)227-7850、
FAX（312）787-8544、E-mail Casshotel
@ix.netcom.com
バス・トイレ付きⓈ＄59〜、Ⓓ①＄65〜
ADJMV　　　　　　地P.413　A-2

　部屋によっては12階の窓から、ジョン・ハンコック・センターが見える。部屋は大きくきれい。１階にはコインランドリーがあり便利。料金は、大都会シカゴではピカ一安いといえる。170室。
　　　　　　（榎本 誠　川越市）（'99）

ロケーション抜群のエコノミーホテル
Tokyo Hotel
🏠19 E. Ohio St., Chicago, IL 60611
☎(312)787-4900
オンシーズンⓈ＄35〜45、Ⓓ①＄40〜
50、オフシーズンⓈ＄30〜35、Ⓓ①
＄35〜40　　　　　　　地P.413　A-2

　ブルーラインGrand駅から１ブロック。Michigan Ave.まで２ブロック、ジョン・ハンコック・センターへも歩いて行ける。建物は古く、ちょっと不安を感じるかもしれないが、エレベーターにはいつも人がいるし、フロントにいる日本人の奥さんも感じがいい。かなり古いので、一度部屋を見せてもらってから決めたい。　（'99）
　　　　　　　　※
　確かにロケーションは抜群。しかし、部屋は古く壁が落ちてきたりする。その上、掃除を忘れられたりと…。セーフティボックスもないし、カギのかかり具合も不安があるので、女性にはすすめない。
　　　　　　　　　　（Y.N＆R.S）

夏ならシカゴ大学のドミトリーが魅力的
International House of Chicago
🏠1414 E. 59th St., Chicago, IL 60637
☎(773)753-2270、FAX(773)753-1227、
E-mail i house-phograms@uchicago.edu
ドミトリー＄21　MV　　　　地地図外

　ドミトリーは1932年に建てられた古い建物。シャワー・トイレは共同。室内の手入れはよく、Ⓢルームで、タタミ６畳ぐらいの広さがある。カフェテリアは学生とビジターの料金があるが、学生とはシカゴ大学の学生のこと。ダウンタウンから♯６のバスで行ける。ベッド数30。（'98）

危ない場所はやっぱり危ない

　グレイハウンドのバスターミナルにあるインフォメーションで、南ループ地区（フィールド自然史博物館の西側）の安いホテルを見つけてタクシーで向かった。しかし運転手には「なんでそんなホテルに行くのか？」と言われ、車から降りた途端、警官が近付いてきて「この辺をうろつかない方がいい。夜は自分だって怖い」と言ってミシガン・アベニューまで連れていってくれた。やはり、バスターミナルから多少遠くても、ループより北側で泊まった方が安心だし、観光にも便利。　　（油井 恵　千葉県）

市内を巡回するシカゴの警察官

夏期のみ営業のダウンタウンのユース
Hostelling Int'l-Chicago Summer Hostel
🏠731 S. Plymouth Ct., Chicago, IL60605
☎（773）327-5350（夏期）、（773）327-
8114（オフシーズン）、**FAX**（773）327-4287
HOMEwww.hiayhchicago.org
E-mailhiayhchigo@aol.com
ドミトリー＄19〜20　**MV**　🗺P.413　A-3
　6月上旬から9月上旬の営業で、コロ
ンビア大学内のResident Hallにあるユー
ス。ループ地区のすぐ南に位置し、シア
ーズ・タワーやレイク・フロントにも近くて
なかなか便利なロケーション。ユースのオ
フィスは24時間オープン。なお、手紙によ
る申込等は2232 W. Roscoe St., Chicago,
IL 60618まで。営業しているかどうか事
前に確認すること。226ベッド。　（'99）

環境抜群。おすすめのユース
Chicago International Hostel
🏠6318 N. Winthrop, Chicago, IL 60660
☎（773）262-1011、**FAX**（773）262-3673
HOMEhttp://www.hostel.com/chicagohostel
ドミトリー＄15　　　　　　　　🗺地図外
　ミシガン湖畔にあるユース。5〜6名
のドミトリーは清潔で、台所やランドリ
ーも使える。120ベッド。ほかにデポジッ
ト＄5必要。エアコンがないので夏はち
ょっと暑い。ダウンタウンのState St. 駅
から地下鉄でレッドラインNorth bound行
きに乗って約30分。Loyola駅で降りて
Sheridan Road出口から数分のところにあ
る。また、ダウンタウンのState St.から＃151
Sheridan-North bound行きのバスに乗り、
Sheridan & Winthropで降りる行き方もあ
る。オープンは午後4時から。
　　　　　　　（橋　美知子　イリノイ）（'99）

★　　★　　★　　★ レストラン ★　　★　　★　　★
Restaurant

ご存じマイケル・ジョーダンのレストラン
Michael Jordan's Restaurant
🏠500 N. LaSalle St.　☎（312）644-3865
🕐月〜木11：30〜23：30、金土11：30
〜24：00、日11：30〜23：00、予約は
受け付けない　**AJMV**　🗺P.413　A-2
　シカゴのスーパースターといえばマイケ
ル・ジョーダン。いまは引退してしまった
ジョーダンが経営するレストランは有名人
も訪れる超人気のスポットだ。
　レストランは屋上の巨大なバスケットボ
ールと正面入口に掛けられた"Air Jordan"
の看板が目印。1階はスポーツバーとリテ
イルショップ、2階がレストランに分かれ、
ジョーダンの輝かしい足跡を証明する思い
出の品々や、世界中から集められたジョー
ダンに関するスクラップなどであふれてい
る。料理はイタリア料理を加味したアメリ
カンで、ランチのメインは＄7〜15、ディ
ナーが＄12〜25と値段も良心的。彼の人気
を証明するかのように、レストランで1〜
2時間待ちはザラ。ジョーダンはこのレス
トランにちょくちょく足を運んでいるか
ら、彼に会う可能性も大だ。　　　（'98）

映画版ハードロック・カフェ
Planet Hollywood
🏠633 N. Wells & Ontario Sts.
☎（312）266-7827
🕐月〜木11：30〜23：00、金土11：00〜
24：30、日11：00〜23：30 🗺P.413　A-2
　いまをときめく3人の映画スター、アー
ノルド・シュワルツェネッガー、ブルー
ス・ウィリス、シルベスター・スタローン
が共同経営する店。店内には映画で使われ
た思い出の品々がにぎやかにディスプレイ
されている。マリリン・モンローが『お熱
いのがお好き』のときに着用した衣装、ブ
ルース・ブラザーズの黒いスーツとハット
など、見るだけでも楽しい。レストランで
はシカゴ・スタイル・ルームに座りたい。
ここにはシカゴの知名度を新たに高めた映
画『アンタッチャブル』の雰囲気がいっぱ
い。ショーン・コネリーやケビン・コスナ
ーの衣装が飾られ、ファンにとってはうれ
しいところ。　　　　　　　　　（'98）

フィフティズのマクドナルド

1950年代のマクドナルド
Rock'n Roll McDonald

🏠600 N. Clark St.　☎ (312) 664-7940

　地P.413　A-2

　ミシガン通りからOhio St.を3ブロック西へ入ったところに、黄色いMのマークがそびえる大きなマクドナルドがある。店内はマクドナルドがシカゴで生まれたことにちなんで、開業当時の1950年代に流行ったもので装飾されており、小ビンのコーラの自販機やジュークボックス、プレスリー、ビートルズ、J・ディーン、モンローに関するもので埋まっている。　　　　　（'98）

通が賞賛するシカゴでNo.1のピッツァ
Lou Malnati's Pizzeria

🏠439 N. Wells St.　☎ (312) 828-9800
AMV　　　　　　　　　　地P.413　A-2

　シカゴに、名物スタッフド・ピザのレストランは数あれど、"やっぱりここがいちばん"とル・マルナーティを推せんするシカゴっ子はとても多い。その味の秘密は独自のピザの生地と、チーズがたっぷり入っている具にありそうだ。ル・マルナーティのピザ生地はどんなに具が入っていても、いつもカリカリ。うれしい歯ごたえ。スタッフド・ピザは $7～$15。お好みに合わせて具をトッピングするのもいい。名物のバタークラストの生地は+75¢でOK。お腹いっぱい食べてもひとり$15前後。
　場所はリバー・ノース地区Wells St.沿いのIllinoisとHubbardの間。　　　（'98）

とにかくうまい！ リブなら絶対にこの店
Carson's

🏠612 N. Wells St.　☎ (312) 280-9200
營月～金11：00～23：00、土12：00～
1：30、日12：00～23：00　　　AJMV
　　　　　　　　　　　　　地P.413　A-2

　何の飾り気もない地味な店内と、リーズナブルな料金からは想像もつかないほどおいしいリブが食べられるレストラン。地元のグルメ・ガイドなどでも何回も絶賛されている。肉のうまみ、ケチャップ・ベースのソースの風味、さらに付け合わせのポテトやコールスローまで、どれをとっても満足。（'98）

思いっきりクレイジーな50'sレストラン
Ed Debevic's

🏠640 N. Wells St.　☎ (312) 664-1707
營月～金11：00～24：00、土11：00～
23：30　AMV　　　　　　地P.413　A-2

　リバーノースのOntario & Wells Sts.の角に、ノスタルジックなイラストが目をひく倉庫のような建物がある。店内の装飾からウェイトレスの格好まで、完全な50'sスタイルのダイナー型レストラン。週末には広い店内がいっぱいになり、20分以上待たなければ入れない。もちろんメニューはハンバーガー、フレンチフライ、ミルクシェイクが中心で、チップ込みでひとり$15あれば十分。チリバーガーが名物。　　（'98）

★ シカゴ

読★者★投★稿
パンもおいしいパスタ店
Suparossa

🏠210 E. Ohio St.　☎ (312) 587-0030

　店内はカウンターとテーブル席。表には張り出しているテラス席があり、毎晩にぎわっている。一人前ずつパスタを注文したが、初めに出されたパンがとてもおいしく、食べ過ぎてしまった。そのせいか、パスタ（$11～）はかなりのボリュームでとても食べきれなかった。（出口芳恵 足立区 '98秋）

ホットドッグなら絶対にこの味！
Gold Coast Dogs

🏠418 N. State St.　☎ (312) 527-1222
營月～金7：00～23：00、土9：30～
20：00、日11：00～20：00　地P.413　A-2

　ダウンタウンでホットドッグを食べたくなったら、マリーナ・シティの1ブロック北にあるこの店へ。
　牛肉100％のピリリと辛いソーセージといい、挟んである野菜の新鮮さといい、$2～では安すぎるほど。オニオンは生か焼いたものかを選べる。また、アメリカ人に喜ばれているのがフライドポテトにかけるトロリととけたチーズ！ 太りそう……、なんて言ってないでなんでも一度は試してみるべし。　（'98）

ホットドッグはシカゴ名物のひとつ

人気のギリシャレストラン
Greek Papagus Taverna
🏠620 N. State St.（Embassy Suites内）
☎ (312) 642-8450
🕐月〜木11：30〜22：00、金11：30〜
24：00、土12：00〜24：00、日12：00
〜22：00 🗺P.413 A-2

　店内はゴチャゴチャしていて、気取らない雰囲気がとてもいい。シカゴらしく、かなりボリュームのある料理ばかりだが、味はそんなにしつこくない。どことなくイタリア料理に近い感じ。値段も手ごろで、前菜は＄6〜15ぐらい。大勢で行って盛り上がりたい店だ。 　　　　　　　　　　（'98）

シカゴ美術館そばのドイツ料理レストラン
Berghoff
🏠17 W. Adams St. ☎ (312) 427-3170
🕐月〜木11：00〜21：00、金11：00〜
21：30、土11：00〜22：00まで
🈺日、祝日 🅐🅜🅥 🗺P.413 A-3

　100年近く前から営業している老舗の店で、700人収容のダイニング・ルームは本場ミュンヘンのビアホールを思わせる。店のオリジナル・ビール、各国からの輸入ビールなどさすがに数が多く、蓋付きの陶製ジョッキで飲めるのもうれしい。典型的な

ドイツの味はソーセージ（多種ある中から選び、西洋わさびをつけて食べる）とザワアークラウト（酢漬けキャベツ）。叩いて薄くのばした仔牛肉のカツレツWiener Schnitzelもおすすめ。ビール込みでひとり＄15〜20でOKだ。 （'98）

ビールもおいしい
バーグホフ

ゴールドコーストで日本食を
Foreign Affairs
🏠1244 N. Dearborn Pkwy.（Claridge Hotel内）
☎ (312) 787-4980 🗺P.413 A-1
　いまシカゴでいちばん人気のエリア、リバーノースをそのまま歩いていくと、ゴールドコーストと呼ばれる住宅街になる。そのエリアのクラリッジ・ホテルの1階にあ

るレストラン。朝はアメリカン・ブレックファストがメインだが、ランチには焼き鳥、アスパラガスのビーフ巻き、焼き茄子といったおつまみ的なものから、天ぷらそばやうどんもある！　ディナーでは日本食のメニューの幅も広くなる。つまみは一皿＄3〜5、そば類が＄8前後と値段も日本食にしてはかなり手ごろめ。もちろん普通のアメリカ料理もOK。 （'98）

ブルースの演奏の合間に寿司でもつまみつつ
Itto Sushi（一統寿司）
🏠2616 N. Halsted St. ☎ (773) 871-1800
🕐ランチ月〜土12：00〜14：00、ディナー月〜土17：30〜24：00 🅐🅙🅜🅥 🗺地図外
　N. Halsted沿いにあり、近くにブルース演奏が聴ける店B.L.U.E.S.やKingstone Minesがある。日本人のマスターがおいしい寿司を食べさせてくれる。これら3軒の店は、歩いて2〜3分でまわれる距離。（'98）

安くておいしい日本食ならココ
Yanase　やなせ
🏠818 N. State St. ☎ (312) 664-1371
🕐月〜金12：00〜14：30＆17：00〜22：00、土17：00〜22：00 🈺日
🅐🅙🅜🅥 🗺P.413 A-2
　シカゴでも古株の日本料理店。入口が目立たず、外からは少しわかりにくいが1階がカウンター、2階がテーブル席となっている。家庭的な雰囲気で丼物、定食、冬の鍋物がおいしい。ディナーはチップ込みで1人＄16〜。 （'98）

読★者★投★稿

ずっと安い！
Thai Star Café
🏠660 N. State & Erie Sts.
☎ (312) 951-1196
🕐月〜木10：30〜21：30、金10：30〜22：30、土10：30〜22：30、日15：00〜21：00 🗺P.413 A-2
　ここのレストランは、Tokyo HotelやCass Hotelに近いうえ、値段も安く感じもよい。メニューは肉野菜炒めオンライスのようなものが多く、カレーライスやラーメンもある（味はタイ風ですが）。味は脂っぽくなく、さっぱりしていて、日本人の口に合うと思う。（矢野達男　新宿区）（'98）

ギリシャ料理にトライするのもいい

おもしろい食事処を発見。入口で人数を告げるとカードを渡され、席に案内される。あとはパスタ、メキシカン、バーベキュー、オリエンタルなど、さまざまな店から好きな物を買ってきて食事をする。料金はカードに記録され、出口で一括して支払う。いわばフードコートとレストランの中間のようなスタイルだ。私はオリエンタルの店で、肉や野菜、豆腐などを好きなだけ丼に盛って店員に焼いてもらい、それをご飯や中華そばの上にかけて食べた。値段も高くないし、夜おそくまでやっているのでジョン・ハンコック・センターの夜景見学の後にも便利。気軽に食事できる店があまりない界隈で貴重な存在だった。

（森 豊　ボストン在住）（'98)

読★者★投★稿
ギリシャタウンで食事のあと、一杯やりたいときに
Spectrum Bar＋Grill

住 233 S. Halsted St.　**☎** (312) 715-0770
開 月～金11：00～4：00、土17：00～5：00、日17：00～4：00　　**地** 地図外

　ギリシャ家庭料理で有名なロディティス・レストランの向かいにあるバーで、食後に一杯やりたい人には最適。基本的にはアメリカのどこにでもあるようなスポーツバーだが、ギリシャの地酒であるウゾやメタクサが常備されている。バーのホストはキプロス島出身の兄弟、アンディさんとアンジェロさん。客層はギリシャ系40％、アメリカ人60％といったところ。国産のビールが＄1.75、各種カクテルが＄3前後。キッチンもあり、軽食もできる。行き方はブルーラインでHalsted駅下車。Halsted St.を2ブロック北上。

（芦野裕一　平塚市）（'98)

読★者★投★稿
高級ショッピング街で安く食べるなら
Foodlife

住 835 N. Michigan Ave.　**☎** (312) 335-3663
　　　　　　　　　　　　　　　　地 P.413　B-2
　ウォーター・タワー・プレイスの2階に

読★者★投★稿
『シカゴ』ファン必見のホットドッグ屋
Demon Dogs

住 944 W. Fullerton Ave.　**☎** (773) 281-2001
開 毎日7：00～24：00　　　　　**地** 地図外

　ダウンタウンから"L"に乗ってアップタウン方向に約15分、Fullerton駅（ライブハウスのB.L.U.E.S.最寄駅）の高架下にあるホットドッグ屋。ケチャップの代わりに青とうがらしが1本丸ごと入ったRed Hotが名物で、大盛りフライドポテト付きで＄1.43。うまい！　店内にはロックバンド『Chicago』の曲が流れ、プラチナ・レコードやギターも飾られていて、『Chicago』に関してはハードロック・カフェ顔負けの店。　　　　（森坂嘉徳　目黒区）（'98)

★ シカゴ

ユースフル・インフォメーション ★ Useful Information

●日系旅行代理店　IACE Travel

　言葉の不慣れな旅先での旅行の手配は、いろいろな不安がつきまとうもの。IACEトラベルなら日本語で大丈夫。ヨーロッパ往復の格安航空券がほしい、ニューヨークのホテルを予約したいなど、顧客の多岐にわたるニーズに応えてくれる。

　業務内容＝①格安航空券の予約・発券（米国内線＆日本やヨーロッパを含む国際線全社）②鉄道（アムトラック、VIA鉄道）の予約、発券　③全米、カナダの各種ツアー　④ホテル（中級以上）の割引料金による手配（含シカゴ）⑤ガイド＆通訳サービス　⑥送迎サービスなど。場所はループ地区、Michigan Ave.沿いのWashingtonとMadisonの間にある6 N. Michigan Ave.ビルの15階。

　●シカゴの市内通話は35¢。

IACE Travel
住 6 N. Michigan Ave., Suite 1508 (15F), Chicago, IL 60602
☎ (312) 782-0555
T (1-800) 782-4223
FAX (312) 782-6668

Milwaukee

Seattle
Denver
San Francisco
Los Angeles
Chicago
New York
Atlanta
New Orleans
Miami

ミルウォーキー

ポトワトミ・アメリカ先住民の言葉で"いい土地"という意味の、"Milleoki"が町の名の由来といわれているミルウォーキーは、シカゴから車で2時間、ミシガン湖畔に広がる静かな町だ。ドイツ移民たちのコミュニティがこの町の基になっており、その面影はダウンタウンのN. Old World 3rd Streetなどで見ることができる。現在でもドイツ系移民の人々が造り上げた町らしく、清潔で整然とした町並みが印象的。

この町の名物は、ずばりビール。ドイツの伝統を引き継いだもので、日本にも輸入されている、ミラーMillerビールの大工場がある。工場では無料の工場見学ツアーを行っており、ビールを飲まない人でも、その製造過程はなかなか興味深い。

もちろん、ビール工場以外にも見どころは多い。博物館や美術館は意外(!?)と思えるほど充実しているし、町なかを歩き疲れたらミシガン湖畔でのんびりするもよし。長い寒い冬の間は、ちょっと観光には向かないが、緑のまぶしい夏の間はイベントも目白押し。訪れるならそのころがおすすめだ。

ダウンタウンへの行き方 ★ Access

空港

ジェネラル・ミッチェル国際空港
General Mitchell International Airport (MKE)

ダウンタウンの南約10kmにある近代的な空港。1階中央(バゲージクレーム2の前)の観光案内所で資料を入手しよう。

●空港シャトルバン　Wisconsin Limousine Services

バゲージクレームを出てすぐのところにシャトルの発着所がある。ダウンタウンのホテルまで約15〜30分。空港へ向かう場合はホテルのフロントに頼んでバンを呼んでもらう。

●路線バス　MCTS Bus

バゲージクレームを出て左側に屋根付きのバスストップがある。ここからMCTSバス #80 "6th St." に乗り約35分、6th St.とWisconsin Ave.の角で降りる。ここは町のほぼ中心で、観光案内所やグレイハウンドのバスターミナルにも近い。

●タクシー　ダウンタウンまで約15分。

ジェネラル・ミッチェル国際空港
5300 S. Howell Ave., Milwaukee
☎ (414) 747-5300

空港の観光案内所
月〜金7:30〜21:30、土9:00〜18:00、日13:00〜18:00

Wisconsin Limousine Services
☎ (414) 769-2444
運行:30分間隔で運行
片道 $8.50、往復 $17

MCTS Bus
☎ (414) 344-6711
毎日5:00〜1:00
市内から空港へは、6th & Wisconsin Ave.から同じく #80の "Airport" 行きのバスに乗ればよい
$1.35

タクシー
$17〜18

長距離バス

グレイハウンド・バスターミナル　Greyhound Bus Terminal

　ダウンタウンの西、Michigan St. 沿いの6th＆7th Sts.の間。シカゴからはグレイハウンドが便利。所要時間約2時間半。

鉄道

アムトラック駅　Amtrak Station

　ダウンタウンの南、郵便局本局の隣に位置する小さな駅。駅の前にはタクシーがいつも待っている。シカゴからの近距離の列車が多い。

グレイハウンド・バス
ターミナル
🏠606 N. James Lowell St.
☎ (414) 272-2259
📞 (1-800) 231-2222
🕐毎日6：30〜23：30、
2：30〜3：30
🗺P.443　A-2

アムトラック駅
🏠433 W. St. Paul Ave.
☎ (414) 271-0840
📞 (1-800) 872-7245
🕐毎日5：00〜24：30
🗺P.443　A、B-2

ミルウォーキーの歩き方　Walking ★

　ミルウォーキーのダウンタウンは意外に広い。見どころも散らばっているので、ダウンタウンの観光だけでも1日は必要だ。郊外のミラー・ビール工場や植物園も含めると、ミルウォーキー観光に2〜3日はほしいところ。

　ダウンタウンは中央を南北に流れるミルウォーキー川を境に、大きく東と西の2つに分かれる。東なら美術館、西ならパブリック博物館が基点だから、泊まっているホテルやいま立っている位置を考えながら自分はどちらから歩くかをはじめに決めよう。東から西へ、西から東へと観光ポイントをおさえながら歩くと効率的だ。見逃せない東のポイントは、現代美術の逸品がそろう美術館。西はパブリック博物館、そして、ブラブラ歩くだけでも楽しいグランドアベニュー・モールだ。ミラーの工場見学もミルウォーキーならではの見どころ。これらのメジャーなポイントだけなら2日あればいい。なお、ダウンタウンの中心は、**グランドアベニュー・モールGrand Avenue Mall**というレストラン＆ショッピング街。このモール前を走るウィスコンシン通りWisconsin Avenueが町の主要道路で、路線バスのほとんどがモール前から発着している。

グランドアベニュー・モール

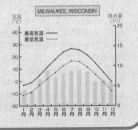

d a t a

人　口	約617,000人		5.6%
面　積	248km²		ホテル・タックス
標　高	176m		14.6%
市の誕生	1846年	属する州	ウィスコンシン州
情　報	Milwaukee		Wisconsin
	Journal Sentinel	州のニックネーム	あなぐま州
	(新聞) 50¢、日曜		Badger State
	版 $1.50	時間帯	セントラル・タイム
T A X	セールス・タックス		ゾーン

MILWAUKEE, WISCONSIN

気温(℃)　　降水量(インチ)
最高気温
最低気温

観光案内所 ★ Information

Greater Milwaukee Convention & Visitors Bureau

Greater Milwaukee
Convention & Visitors
Bureau
🏠 510 W. Kilbourn Ave.,
Milwaukee, WI 53203
☎ (414) 273-7222
FAX (414) 273-5596
☎ (1-800) 554-1448ではホ
テルの予約サービスを行っ
ている
🕐 月〜金8：00〜17：00、
メモリアル・デー〜レイバー・
デーの土9：00〜14：00
🗺 P.443　A-1

Kilbourn Ave.沿い4th & 6th Sts.の間に位置するWisconsin Centerの向かいにある観光案内所。観光ポイントからホテル、スポーツ、エンターテインメントまで資料は豊富。ミルウォーキー周辺のチケットを扱うチケットセンターも入っている。

市内の交通機関 ★ Public Transportation

MCTS
🏠 1942 N. 17th St.
☎ (414) 344-6711（毎日
6：00〜22：00）
💰 エクスプレスなどの特別
ルートを除き＄1.35均一。
トランスファーは無料で1
時間以内ならどの路線でも
乗ることができる

Milwaukee County Transit System（MCTS）

ミルウォーキー全域をカバーするバスを運行している。路線は全部で66。もし、MCTSバスに10回以上乗るならTicketの束がオトク。また、Weekly Passもある。観光局へ行ったときに"Milwaukee County Transit Guide"というパンフレットを入手しておこう。

Attractions
おもな見どころ ★

ダウンタウン 西地区

West Downtown

グランドアベニュー・
モール
🏠 275 W. Wisconsin Ave.
☎ (414) 224-0384
🕐 月〜金10：00〜19：00、
土10：00〜18：00、日
11：00〜17：00
🗺 P.443　B-2

町の真ん中にある楽しいショッピングモール

グランドアベニュー・モール　Grand Avenue Mall

ダウンタウンのど真ん中にある、カジュアルなレストラン＆ショッピングモール。入っている店舗は150店以上、いつもミルウォーキーっ子でにぎわっている。モール内は1、2階がショップ、3階がフードコートになっており、中央吹き抜けのまわりではエンターテインメントが行われ、生バンド演奏やゲームが楽しめる。2つのデパートにも隣接、周囲のビルや駐車場とはSkywalkと呼ばれる舗道でつながっていて便利。中にはバナナ・リパブリック、ネイチャー・カンパニーもあり、ミーハーな買いもの好きも満足するはず。場所はWisconsin Ave.沿いの、ミルウォーキー川と4th St.の間。

ドイツの雰囲気が漂うN. Old World Third St.

グランドアベニュー・モールの中央から延びた、N. Old World Third St.はドイツかアルプスの雰囲気が漂う、ミルウォーキーの名物通り。背の低いレンガ造りの家並みが続き、出窓には花が飾られ、道行く人ものんびりとしている。

アンティーク・ショップ、チーズ・マート、ソーセージ店、ミルウォーキーの特産物を扱うみやげもの屋など、かわいい店が軒を並べているのでちょっとのぞいてみるといい。ビッグな乳製品やカウベルなどからわかるように、ウィスコンシン州は酪農が盛んだ。歩き疲れたら、地元で有名なドイツ料理店Mader's〔🏠 1041 N.Old World Third St.　☎ (414)271-3377〕で食事することをおすすめする。味と

いい、雰囲気といい、ここはアメリカではないよう。ランチ＄8〜、ディナー＄15〜。Usinger's Sausageと並んで、この通りのランドマーク的存在。この歴史通り、いちばんドイツっぽいのはHighland Ave.とState St.の間になる。また、ミルウォーキー川近くにはミルウォーキー郡歴史協会 Milwaukee County Historical Society（🏠 910 N.Old World Third St.）のオフィスが位置し、中のギャラリーでは絵画などの展示を行っている（🕐 月〜金9：30〜17：00、土10：00〜17：00、日13：00〜17：00）。無料なので、ぜひ足を運んでみよう。

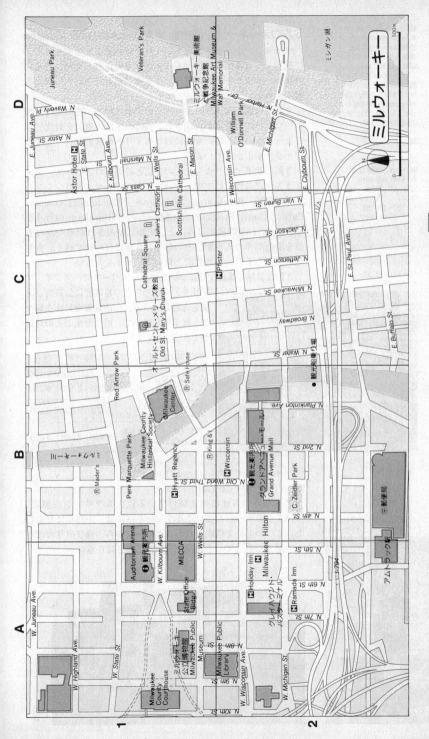

ミルウォーキー

★ミルウォーキー

443

ミルウォーキー公立博物館 ★ Milwaukee Public Museum

ミルウォーキー公立博物館
🏠800 W. Wells St.
☎ (414) 278-2700
HOME www.mpm.edu
📅毎日9：00～17：00
🚫独立記念日、サンクスギビング、クリスマス
🚌W. WellsとN. 7thの角。MCTSバスを使う場合はWisconsin St.を通る＃2、10、12、20、30、31でN. 7thとの角で下車、北へ1ブロック
📍P.443 A-1

IMAXドーム・シアター
🏠710 W. Wells St.
☎ (414) 319-4625
📅日～水11：30～16：30、木金11：30～20：30、土10：30～20：30

ウィスコンシンとミルウォーキーの自然史と文学史をメインに展示している博物館。とくにアメリカ先住民の文化、白人入植後のミルウォーキーの歴史、ミシガン湖周辺の自然に関する展示が多い。

1階の西側にはミルウォーキーの入植当時と、その同時代のヨーロッパの町並みが再現され、当時の生活の違いを対比できるようになっている。東側にはコスタリカの熱帯雨林や恐竜のジオラマが広がっている。

2階は北米アメリカ先住民の文化と特別展のスペース。アメリカ先住民の展示は充実していて、なかでもウィスコンシンの7つの部族、Brotherton、Chippewa、Menominee、Oneida、Potawatomi、Stockbridge-Munsee、Winnebagoの行う祭り、Pow Wowの展示はみごと。実際に使用された華やかな衣装を着た37体の人形が、その祭りの音楽に合わせて動く。衣装だけでなくドラム主体の曲と低いボーカルも美しい。

3階は世界の風俗文化についての展示スペースで、アジア、アフリカ、中南米などの地域別に伝統的な家屋を再現している。生活雑貨や民族衣装なども展示されていて、国や地域ごとの対比ができて、興味深い。

IMAXに隣接した
公立博物館

	大人	シニア	子供 （4～17歳）
ミルウォーキー 公立博物館	$5.50	$4.50	$3.50
IMAX ドームシアター	$6.50	$5.50	$4.50
ミルウォーキー公立博物 館＆IMAXドームシアター	$9.50	$8.00	$6.50

●Humphrey IMAX Dome Theater
(Civic Theater Corporation)

アメリカの各地に増え続けている巨大スクリーンの劇場、IMAXシアター。ここ、ミルウォーキーには、1996年に登場した。6つの部分で構成されるスクリーンから、飛び出さんばかりの迫力で迫ってくる映像と音声は、まさに圧巻。

クラシックな造りの
オールド・セント・メリーズ教会

ミルウォーキー美術館はとても充実している

おごそかな雰囲気の
オールド・セント・メリーズ教会 ★ Old St. Mary's Church

　BroadwayとKilbourn Ave.の角に建つ、黒いレンガのカトリック教会。建造は1846年と、ミルウォーキーのダウンタウンでは最古のもので町のシンボルになっている。屋内の装飾は美しく一見の価値あり。美術館への道すがら寄ってみよう。

規模のわりにはとても充実した美術館
ミルウォーキー美術館と戦争記念館
★ Milwaukee Art Museum & War Memorial Center

　ダウンタウンの東、ミシガン湖を見渡すように美しい建築物がある。この建物、ワシントンDCのダレス空港を設計したサーリネンのデザインで、上2階は戦争記念館、下4階はミルウォーキー美術館から構成されている。

　戦争記念館は、アメリカ史上起きた第1次、2次世界大戦、朝鮮戦争、ベトナム戦争などの戦争を記念して1957年に造られた。現在は退役軍人のセンターとしての役目も果たしている。展示室も兼ねていて、第2次大戦で調印された書類のコピーが張ってあったり、この大戦で亡くなった人たちの碑がある。

※

　美術館へは、戦争記念館の南側から下へ降りるか、建物の南側から入る。規模は大きくないが、中世から現代までの美術史を網羅したコレクションをそろえている美術館。とくに19世紀後半から現代までのコレクションは大作こそないものの、ルノアール、ゴーギャン、ピカソ、シャガール、ロートレック、レジェ、クレー、ジャコメッティ、ミロ、ムーア、ウォーホルといった、その時代を代表するアーティストたちの作品が揃い、それぞれの作品がわかりやすい解説といっしょに展示されている。また、絵画だけでなく現代彫刻や室内装飾も数多く展示され、ロイドのオフィスデスク、ティファニーのグラスやフロアスタンド、ガレの壺などがそろっている。気に入った作品を静かに鑑賞できるのも、大きな美術館ではできないこの美術館の美点。ゆったりとした時間を過ごそう。

Suburb Points ★
郊外の見どころ

ビール工場見学はタダの試飲付き
ミラー・ビール工場見学 ★ Miller Brewing Company

　ダウンタウンを西にバスで20分、住宅街の中を通り抜けると白い煙をモウモウとあげるビール工場群が見えてくる。この近代的な工場群がミラーのビール工場だ。ウィスコンシン州最大規模の工場を誇るミラーの創設は1855年、ドイツからの移民フレデリック・ミラーFrederick Millerがこのミルウォーキーの地に小さなビール工場を起こしたことに始まる。

オールド・セント・メリーズ
教会
🏠836 N. Broadway
☎ (414) 271-6180
🗺P.443　C-1

ミルウォーキー美術館
と戦争記念館
🏠750 N. Lincoln Memorial
Dr.
美術館 ☎ (414) 224-3200、
記念館 ☎ (414) 273-5533
🕐火水金土10：00～17：00、
木12：00～21：00、日
12：00～17：00
🚫月、サンクスギビング、クリスマス、元日
💰大人＄5、学生・シニア＄3、
12歳以下無料
🚌MCTSバスを使う場合は#
10、30でLincoln Memorial
Dr.とMason St.の交差する
ところで下車。ダウンタウン中心からなら徒歩圏内
🗺P.443　D-1

★
ミルウォーキー

ツアーに参加すれば
ビールが飲める

ミラー・ビール工場
📍4251 W. State St. (45th & State), Milwaukee
☎(414) 931-2467
🕐ツアーの時間：月～土
10：00～15：30（夏期は
20分～30分ごと、冬期は
1時間ごと）ギフトショッ
プは16：30まで
💲無料
🚌ダウンタウンのState St.を
走る#31 "Medical Center"
行きのMCTSバスで、西方
向に約20分、42nd St.で下
車すればツアー開始点の案
内所は目の前だ。#31の
バスは行き先が2種類あ
り、"Mayfair"行きには乗ら
ないように。
🗺地図外

これがオトク
おみやげとしてMillerの
プラスチック製のジョッキ
と絵ハガキ（2枚）がもらえ、
ハガキは世界中どこへでも
送ってもらえる。
ビールの試飲のあとチケッ
ト2枚が配られ、屋上の
ビアホールで2種類のビー
ルを選んで飲むことができ
る。ソフトドリンクは飲み
放題。おみやげとして、
Miller Beerのアルミ缶の貯
金箱がもらえる。

パブスト邸
📍2000 W. Wisconsin Ave.,
Milwaukee
☎(414) 931-0808
🕐月～土10：00～15：30、
日12：00～15：30
💲大人$7、子供$3、シニア
$6
🚌ダウンタウンのWisconsin
Ave.を走る#10、30、31の
MCTSバスで、西方向に約
10分、20th St.で下車
🗺地図外

この工場では約1時間の見学ツアーを催行している。ツアーのスタート地点は、豊富な品揃えのギフトショップ隣にある案内所から。ここには全米に広がるミラーの工場の位置や、1855年からのミラーの歴史がパネル展示されている。ツアーの最初に、小さな劇場でスクリーンを通してミラーの歴史を学ぶ。15分間のフィルムではビール醸造過程を説明してくれる。見終わると一度外へ出て、いよいよ工場見学の始まり。はじめに通されるのは、パッケージ・フロア。1分間に処理される日付の刻印は15,000個。ここでは6本ずつパックされ箱詰めされていく。次は出荷センターで、フットボール場が5つ入るほど広い。運搬車が次々とビールの大きなパッケージを移動させ、それらのパッケージは世界中へと運ばれていく。生ビールは温度に注意を払いながら出荷するそうだ。なお、ここまでのツアー中、写真撮影は禁止されている。そして、次はブリューハウス。ビール工場見学を最も実感できるのがこのフロアだ。ホップが発酵されるBrew Kettleがいくつも並んだ1室はものすごい熱気と湿気で、ビール作りの苦労が見学しているほうにも伝わってくる。お酒に弱い人はこの独特のにおいで酔っぱらってしまうかも……。

ツアーの最後はお待ちかねのビールの試飲。本物の酒場のようなMiller Innに案内され、グラスに注がれたできたての冷たいビールをまず1杯。もちろん、ソフトドリンクも用意されている。

ビール王の豪邸
パブスト邸 ★ Captain Frederick Pabst Mansion
ミルウォーキー西の住宅街に佇むフランダース・ルネッサンス調の大邸宅。1890年代、アメリカ・ビール界のリーダー的存在であった、ドイツ生まれのフレデリック・パブストFrederick Pabstが1893年に建てた家だ。邸宅には、ステンドグラスが光り輝くチャペル、ビクトリア調の装飾がほどこされた玄関、本がぎっしり並べられた書斎、大理石の美しいパブリック・バスルーム、夫人や女性ゲスト用の寝室、レディースとメンズのパーラー、フランス・ロココ調のダイニングルームなど、1時間のツアーでは回りきれないほどの部屋（全部で37）がある。また、邸宅には12のお手洗いと14の暖炉があるというから、パブストは当時の資産家のなかでも際立った存在であったようだ。ビール・パビリオンの役割も担っていたチャペルの荘厳さも見落とさないように。

ミッチェル・パーク植物園
★ Mitchell Park Horticultural Conservatory (The Domes)

ダウンタウンの南西にあるミッチェル公園に、ガラスでおおわれた巨大な3つのドームがどっしり構えている。この3つのドームが市民自慢の植物園だ。ドーム1つの直径はフットボール場の約半分、高さは7階建てのビルに相当する。

ドームは左からShow Dome、Arid Dome、Tropical Dome。まるでジャングルのような陽気のTropical Domeは蘭やバナナの木などの熱帯植物、Arid Domeにはサボテンのような砂漠の植物、Show Domeには季節に合わせた草花がアレンジされている。ひとつひとつのドームの中にまったく異なった地域の植物が生息しているので、それを見比べてみるのもおもしろい。ちなみに、Tropical Domeには1,200種類以上の植物が育っている。

また、このミッチェル・パークには、メインのドームのほかに、ヨーロッパ調の美しい庭園やバラ園もあり、池に浮かぶ睡蓮の花などが咲き乱れている。ドームと合わせて見学するといい。

Spectator sports
観戦するスポーツ

ベースボール（MLB）

ミルウォーキー・ブリューワーズ
★ Milwaukee Brewers（ナショナル・リーグ中地区）

'98年、新球団の加入に伴いアメリカン・リーグからナショナル・リーグに移動したブリューワーズ。開幕当初は好成績をおさめていたものの、終盤に力尽きた。'99年5月より野茂英雄投手もプレーすることになり、ブリューワーズの日本での注目度もがぜん高くなった。ほかにも、遊撃手ビーニャは小粒ながらも、攻走守のそろった名選手でオールスター出場も果たしている。

バスケットボール（NBA）

ミルウォーキー・バックス ★ Milwaukee Bucks
（東・中地区）

ブルズの弱小化とともに頭角をあらわしてきたのがバックスだ。イースタン・カンファレンス中地区で、好選手ミラーを有するインディアナ・ペイサーズに次ぐ好位置をキープしている。

ミッチェル・パーク植物園
🏠524 S. Layton Blvd., Milwaukee
☎ (414) 649-9830
📅毎日9：00～17：00
💰大人＄4、子供＄2、5歳以下無料
🚌ダウンタウンのN. 2nd St.とWisconsin Ave.の角から＃18のMCTSバスで、西方向に約15分、27thとNationalの交差点で降り、北へ1ブロック半歩く
📍地図外

ミルウォーキー・ブリューワーズ
本拠地——ミルウォーキー・カウンティ・スタジアム
Milwaukee County Stadium, 201 S. 46th St.
☎ (414) 345-3000（チケット）、933-4114
🚌スタジアムはダウンタウンの西3マイルに位置する。Wisconsin Ave.から試合開始の2時間前からCounty Stadium行きの特別バスが出る
📍地図外

ミルウォーキー・バックス
本拠地——ブラッドリー・センターBradley Center, 1001 N.4th St. ☎ (414) 227-0500
🚌ダウンタウンのN. 4th & W. Stateにあるブラッドリー・センターP.443 A、B-1
📍P.443 A、B-1

★
ミルウォーキー

ゆっくり歩きたいN. Old World 3rd St.（左）
カラフルな花が咲きほこる植物園（下）

447

　観光局の☎(1-800) 554-1448にかけると、無料でホテルの予約代行をしてもらえる。空港、ダウンタウン周辺のほとんどのホテルの空室状況と料金をその場で調べてくれるので、ホテル巡りをする手間が省ける。ぜひ利用しよう。

バスターミナルの前
Ramada Inn
🏠633 W. Michigan St., Milwaukee, WI 53203
☎(414) 272-8410、FAX(414) 272-4651、
HOMEwww.execpc.com/~ramadadt.
日本の予約・問い合わせ先：トップレップ
☎(03) 5403-2551
⑤$69～99、⑩⑦$77～109
ADJMV　地P.443 A-2

　ダウンタウンの中心よりやや西、グランドアベニュー・モール、パブリック博物館なども徒歩圏内にある。チェーンのラマダだけあって、部屋の設備は万全、ホテルにはアウトドアのプール、レストラン、ギフトショップ、レンタカーのオフィスもあって何かと便利だ。駐車場が無料というのもうれしい。JCBカードも使える。料金はシーズンによって幅がある。　('98)

すごく豪華にいきたいときは
Milwaukee Hilton
🏠509 W. Wisconsin Ave., Milwaukee, WI 53203　☎(414) 271-7250、☎(1-800) 445-8667、FAX(414) 271-1039
⑤⑩$130～　ADMV　地P.443 A-2

　いわずと知れた全国チェーンで高級ホテル網を展開しているヒルトン。このミルウォーキー・ヒルトンでも建物、室内、設備、サービスともに質が高く、グランドモール・アベニューなどからすぐとロケーションもいい。きっと満足のいく滞在になるはず。

また、ホテル内のBenson's Steak Houseは地元で有名なステーキレストラン、Cafe Espressoは落ち着いた雰囲気のカフェと、食の面も充実している。
　　　　　　　　　　　　('98)

ヒルトンの客室

長期滞在者の多いホテル・ウィスコンシン

ちょっと豪華にいきたいときは
Holiday Inn Milwaukee City Center
🏠611 W. Wisconsin Ave., Milwaukee, WI 53203　☎(414) 273-2950、FAX(414) 273-7662
オンシーズン⑤$79～139、⑩⑦$89～149、オフシーズン⑤$79～99、⑩⑦$89～109　ADJMV　地P.443 A-2

　ダークグリーンや落ち着いたピンクの内装は、最近改装を終えたばかりで清潔そのもの。ロビーも広く、スタッフの教育もいきとどいて、ホリデイ・インならではのサービスが受けられる。部屋によってはダウンタウンを見渡すことができ、ビジネス客にも人気がある。レストラン、ギフトショップ、アウトドアのプール、無料の駐車場もある。246室。　　　　　　　('98)

ダウンタウンでこの料金は魅力的
Hotel Wisconsin
🏠720 N. Old World 3rd St., Milwaukee, WI 53203
☎(414) 271-4900、FAX(414) 271-9998
⑩$69～89　ADJMV　地P.443 B-2

　グランドアベニュー・モールから徒歩1分、ダウンタウンの歴史地区にあるエコノミー・ホテル。1813年創業というホテルだけに、建物、設備ともに古いが、ダウンタウンの中心でこの値段は安い。この料金とロケーションを考えれば部屋の設備の古さも納得がいくだろう。1階に入っているダイナーは地元の人に人気がある。ぜひここで朝食を食べてみよう。299室。
　　　　　　　　　　　　('99)

安くて親切なユース
Hostelling International -Red Barn

🏠6750 W. Loomis Rd., Greendale, WI
53129　☎(414)529-3299

ドミトリー＄11　　　　　　地地図外

　ミルウォーキーの郊外Greendaleにある、とても親切なユースホステル。シーツは無料で貸してくれる。Wisconsin Ave.を走る#10のMCTSバスで西へ向かい35th St.で下車、そこから#35のバスに乗り換え南へ向かう。Fire Station（Loomis Rd.沿い）で下車し、そこから、さらにLoomis Rd.を20分弱歩く。車道の横にサイクリング用の道があるので、思いのほか歩きやすかったが、ダウンタウンから結構遠かった。10月〜5月中旬は休業。
　　　　（大谷友子　ミズーリ州在住）（'99）

イエローページでさがした安宿
Budget Inn

🏠5110 N. Port Washington Rd., Glendale,
WI 53217　☎(414)964-8484、FAX(414)
964-2110　　　　　　　　　地地図外
Ⓢ＄39〜71、Ⓓ＄46〜78　　ADMV

　部屋はTV、シャワー、エアコン付き、キーデポジット＄10（チェックアウト時に返却）。見ためは良くないが、フロントの人は感じがいい。行き方は、Wisconsin Ave.を通る#10か30のバスで、30th St.で降りる。看板が木に隠れていてわかりにくいが、ダウンタウンから来ると、左側にある。
　　　　（大谷友子　ミズーリ州在住）（'98）

★　★　★　レストラン
Restaurant

本場ドイツの味をミルウォーキーで
Mader's

🏠1041 N. Old World 3rd St.
☎(414)271-3377

🕐月〜木11：30〜22：00、金土11：30〜22：00、日10：30〜21：00　地P.443　B-1

　1902年にオープンした伝統的ドイツ料理を本場の雰囲気で味わえるレストラン。世界のビールが味わえるバーから、広々としたダイニングルームまで、とても趣がある。ディナーは＄15〜、ランチは＄8〜。一皿の量がとにかく多いので、注文するときはひかえめに。　　　　　　　（'98）

ステーキを食べるなら
Benson's Steak House

🏠Milwaukee Hilton, 509 W.Wisconsin
Ave.　☎(414)271-7684

🕐月〜金12：00〜14：00、17：00〜23：00、土日12：00〜23：00　地P.443　A-2

　ステーキは町で1、2を争うおいしさのレストラン。パスタやシーフードのメニューもそろえてある。値段も手ごろで＄10〜15もあればお腹いっぱいになる。　　（'98）

お米が食べたければここ
The King & I Restaurant

🏠823 N. 2nd St.　☎(414)276-4181
🕐月〜金11：30〜22：00、土17：00〜23：00、日16：00〜21：00、ランチバフェは平日のみ　　　　　　　地P.443　B-1

　日本人だけに食事にお米がないとなんとなく落ち着かない、だけど中華は旅行中に食べ続けている、という人にはタイ料理という選択をおすすめする。料理はもちろんタイの味だが、内装までしっかりとタイの雰囲気をつくり出しているのは立派。ランチバフェなら約＄7でカレーや、ヤキソバ、トムヤンクンなど本格的タイ料理が好きなだけ食べられる。　　　　　　　（'98）

ミルウォーキーの名物バー！？
Safe House

🏠779 N. Front St.　☎(414)271-2007
🕐ランチ月〜土11：30〜14：30、ディナー月〜木17：00〜21：00、金土17：00〜22：00、日16：00〜20：00　地P.443　B-1

　外観は貿易会社。扉を開けると狭い部屋があり、怪しげな店員が早口でまくしたてる。どうやら一芸しないと店内に入れないよう。ウサギの耳をつけて飛びはねたり、ラインダンスを踊ったりと人によりさまざま。儀式が終わるとバーへの入口が現れる。店内ではその芸がモニターで流されており、入店と同時に思わぬ拍手を受けることも。21：00からはショーもある。
　　　　　　（沢田大輔　足立区）（'98）

Seattle

Denver
Chicago
San Francisco
Los Angeles
New York
Atlanta
New Orleans
Miami

ミネアポリス／セントポール

アメリカの大動脈であるミシシッピ川は、中西部の北の州であるミネソタ州を源としている。そのミシシッピ川をはさんで位置する2つの都市がミネアポリスとセントポールだ。豊かな緑と無数の湖に囲まれた2つの都市は、姿形などがよく似ていることからツイン・シティズ Twin Cities、つまり双子の都市と呼ばれている。しかし、ツイン・シティズといっても両都市の個性はまったく異なり、開放的なカラーの強いミネアポリスからは黒人ロック・ミュージシャン、元プリンスが、保守性が残るセントポールからは文豪フィッツジェラルドが生まれている。

また、ツイン・シティズを含めたミネソタ州は、車のナンバープレート"10000 Lakes"にうたわれているように、湖が至るところに点在している。ミネアポリスという名前は、アメリカ先住民のコタ族の言葉で"水"を意味する"ミネ"と、ギリシャ語の"都"を意味する"ポリス"が合わさってできたもの。ミネアポリスではウォーターフロントの観光も十分楽しんでほしい。

ダウンタウンへの行き方 ★ Access

空港

ミネアポリス／セントポール国際空港
Minneapolis/St. Paul International Airport (MSP)

両都市の南約12kmにあるノースウエスト航空のハブのひとつ。毎日1,100便が発着する大空港。成田、関空からの直行便も飛んでいるのでアメリカへのゲートシティとして使われることも多い。大きな空港なので迷ってしまわないように案内板を確認しながら歩こう。乗り換えに使う場合には時間に余裕を持たせたほうがいいだろう。

●空港シャトルバン　Airport Express　ミネアポリス、セントポールのダウンタウン・エリアの希望の場所へ運行している。グランド・トランスポーテーションのサインに従って、バゲージクレームのある"Baggage Level"から一度"Ground Transportation Center"へ降り、フロア奥のYellow 1からエスカレーターを上がって右側の出口を出たところに乗り場があ

ミネアポリス/セントポール国際空港
■6040 28th Ave. S. Minneapolis
☎ (612) 726-5555
■毎日6:00〜20:00
　6番の出口近くには観光局のブースがあり、ビジターズガイドなどが手に入る。

Airport Express
☎ (612) 827-7777
T (1-800) 333-1532
■ミネアポリス・エリアまで片道$10、往復$16.50。セントポール・エリアまで片道$8、往復12.50。所要時間は約30分

る。チケットはバンのドライバーから直接買う。

●路線バス Metropolitan Council Transit Operation (MCTO)

　バゲージクレームから1階上がった、"Ticket Level"にある、6番出口を出たところに路線バスのバス停がある。ミネアポリスのダウンタウンまでは#7、セントポールのダウンタウンまでは#54が向かう。モール・オブ・アメリカへは#7、#54どちらでも行くことができる。

●タクシー　ミネアポリスまで所要時間約30分、セントポールまで約25分。

長距離バス

グレイハウンド・バスターミナル　Greyhound Bus Terminal

　ダウンタウンの西、Hawthorne Ave.と9th St. S.の角。ターミナルというよりはディーポといった感じだが、設備は整っている。セントポール側は、ダウンタウン中心の25 W. 7thとSt. Peterの角にある。子供博物館の向かいで、こちらもいかにもディーポといった感じ。

鉄　道

アムトラック・ミッドウェイ駅　Amtrak Midway Station

　セントポールから10分、ミネアポリスから20分のところに位置する。少し遠いのが難ではあるが、駅舎は新しい。

MCTO
☎ (612) 373-3333
圏大人＄1.50、シニア50￠、ラッシュアワー大人＄2、シニア50￠
所要時間約30分

タクシー
圏ミネアポリスまで約＄20～22、セントポールまで＄14～20

グレイハウンド・バスターミナル（ミネアポリス）
値1100 Hawthorne Ave. Minneapolis
☎ (612) 371-3325
圏 (1-800) 231-2222
圏毎日5：30～1：30
図P.454　A-2

アムトラック・ミッドウェイ駅
値730 Transfer Rd., St. Paul
☎ (612) 644-1127
圏 (1-800) 872-7245
圏00：30～22：30
圏MCTOバス#16で約15～20分

ノースウエスト航空のハブになっているミネアポリス／セントポール国際空港

ミネアポリスのグレイハウンド・ターミナル

d a t a

人　口	ミネアポリス——約355,000人 セントポール——約262,000人		料品、食料品、医薬品は非課税） ホテル・タックス　12%
面　積	153km²	**属する州**	ミネソタ州 Minnesota
標　高	最高228m 最低254m	**州のニックネーム**	北の星州 North Star State はりねずみの州 Gopher State
市の誕生	1867年		
情　報	City Pages（毎週水曜発行の週刊情報紙）無料	**時間帯**	セントラル・タイムゾーン
T A X	セールス・タックス 6.5%（ただし、衣		

MINNEAPOLIS-ST.PAUL,MINNESOTA
気温（℃）　　　降水量（ミリ）
最高気温
最低気温

ミネアポリス　Minneapolis

　ツイン・シティズの観光には、時間があればミネアポリスに1日半、セントポール、モール・オブ・アメリカにそれぞれ1日をかけたい。時間がなければ、それぞれ1日ずつで回ることもできる。

　ミネアポリス観光の魅力は、都市部と自然のみごとな調和を楽しめること。まずはダウンタウン南西のウォーカー・アート・センターへ行ってみよう。アート・センターの現代美術コレクションと、センター前に広がる彫刻庭園の、大小さまざまな現代彫刻が並ぶ不思議な空間はミネアポリスの自慢のひとつ。

　その後、ダウンタウンのニコレット・モール、そして北のミシシッピ川のセント・アンソニー滝周辺を回れば、ミネアポリスのポイントは押さえることができる。

　時間が許すのであればダウンタウンの南にあるミネアポリス美術館とアップタウン、東にあるミネソタ大学の美術館フレデリック・R・ウィーズマン美術館に足を運んでもいいだろう。

ミネアポリスの彫刻庭園

セントポール　St. Paul

　ツイン・シティズのもうひとつの町、セントポールはミネアポリスよりさらにこぢんまりとしていて、ダウンタウンの端から端まで歩いても25分ぐらい。州議事堂やセントポール大聖堂はセントポール必見のポイントでダウンタウンのはずれにあるが、セントポール観光はこの2つのポイントと町なかだけなら半日ぐらいで足りる。その他のポイントを入れても1日あれば十分だ。

観光案内所　★ Information

ミネアポリス側

Greater Minneapolis Convention & Visitors Association

　ダウンタウンのニコレット・モール Nicollet Mall、7th St.との角にあるショッピング・センター、City Centreの1階にある。各種ビジターズガイドのほかにMCTOバスのタイムテーブルも置いてある。資料請求はミネアポリスの観光局にしたほうがいい。

セントポール側

St. Paul Convention & Visitors Bureau

　パンフレットやビジターズガイドが手に入る。また、セントポールのダウンタウンにはミネソタ州の観光局もあるので、郊外に出かける人は利用しよう。

ミネアポリスからセントポールへ

🚌 ミネアポリスからセントポールへはMCTOのバスが2～3系統運行されている。なかでも高速経由の#94Bか94Dがいちばん便利。約25分でお互いの町へ行くことができる。ほかの系統だとローカル運行のため1時間以上かかることもある

Minneapolis Information Centre

🏠 7th St. & Nicollet Mall, Level 1
☎ (612) 335-5827
🗓 月～金9：30～20：00、土9：30～18：00、日12：00～17：00
🗺 P.454　A-1、2

Greater Minneapolis Convention & Visitors Association

🏠 4000 Multifoods Tower, 33 S. 6th St., Minneapolis, MN 55402
☎ (612) 348-7000
FAX (612) 335-5841
HOME www.exploreminnesota.com（英語版）、access-jp.com/minnesota/（日本語版）

St. Paul Convention & Visitors Bureau

🏠 175 W. Kellogg Blvd., Suite 502, St. Paul, MN 55102
☎ (651) 265-4900
📞 (1-800) 627-6101

シティセンター内の観光案内所

MCTOバス　Metropolitan Council Transit Operation

　ミネアポリスとセントポール両都市のダウンタウンとその周辺を結んでいる。料金は高速を使うエクスプレスと使わないローカルが、それぞれラッシュアワーとノン・ラッシュアワーに分かれている。また、ミネアポリスのダウンタウンは**ダウンタウン・ゾーン Downtown Zone**と呼ばれ、料金が25¢（ラッシュアワーは50¢）になる。

　ミネアポリス、セントポール間の移動は、このMCTOバス#94B、C、Dが便利。

　各路線のタイムテーブルはミネアポリス・ダウンタウンのMarquette Ave.沿い、7th St.と8th St.の間にあるサービスセンターで手に入る。このサービスセンターではパスも販売している。

リバーシティ・トロリー　River City Trolley

　ミネアポリスのダウンタウン周辺の見どころを結んで、1周約65分、20分ごとに運行しているトロリー・バス。ニコレット・モールからストーン・アーチ・ブリッジを通ってセント・アンソニー・メインへ行き、ニコレット・アイランド、ヘネピン・ブリッジ、ウェアハウス・ディストリクトを通ってウォーカー・アート・センターと彫刻庭園へ、そのあとコンベンション・センター前を通ってニコレット・モールへ戻ってくるルート。ミネアポリス・ダウンタウンの見どころをカバーしているので大変便利。

　パスには2時間と1日の2種類があり、時間内であれば何回でも乗り降り自由。ニコレット・モール、ウォーカー・アート・センターから利用するときに、ドライバーから直接買うことができる。

キャピタルシティ・トロリー　Capital City Trolley

　ミネアポリスのリバーシティ・トロリー同様に、セントポールのダウンタウンを周回している。ダウンタウンのおもなホテルと見どころはカバーしている。

ツアー案内 ★ Sight-seeing Tour

グレイライン　Gray Line of Minneapolis

出発場所：ミネアポリス、セントポールのホテルへのピックアップサービスあり

番号	ツアー名	料金	運行	所要時間	内容など
1	Tour of Two Cites	$19	5月と9月の土日1日5回、7〜8月の日水金1日5回の出発	4時間	ミネアポリスとセントポールのツイン・シティズの見どころを回る。ミネハハ・フォールズでひと休み。
2	Tour of Two Cites /River Cruise	$28	6/2〜8/31の木土日1日5回の出発	6時間	Tour 1に加え、ミシシッピ川のクルーズあり。

MCTOバス
🏠560 6th Ave. N.
☎ (612) 373-3333、(612) 349-7000（月〜金6：30〜21：00、土7：00〜16：30、日9：00〜21：30、祝日9：00〜17：30）
HOMEwww.metrotransit.org
💲$1、ラッシュアワーは$1.50、Expressは$1.50、ラッシュアワーは$2
※ラッシュアワーは月〜金6：00〜9：30と15：30〜18：30
サービスセンター
🏠719 Marquette Ave.
月〜金7：30〜17：30
P.454　A-2

リバーシティ・トロリー
☎ (612) 204-0000
月〜金10：00〜16：00、土日10：00〜17：00（5月中旬から11月）
💲2時間パス 大人$8、子供$5、1日パス$10

リバーシティ・トロリー

キャピタルシティ・トロリー
☎ (612) 223-5600
月〜土11：00〜23：00、日11：00〜17：00
💲25¢

グレイライン
☎ (612) 469-5020
📱(1-800) 530-9686

Attractions
おもな見どころ ★

ミネソタ歴史協会が周辺を説明しながら回るツアーを催行しているので、参加してみてもいいだろう。
ミネソタ歴史協会
125 Main St. S.E.
☎ (651) 296-6126
HOME www.mnhs.org
水〜日12：00〜17：00、ツアーは5月〜10月。出発時間は要問い合わせ
大人＄3、6〜15歳＄2

セント・アンソニー滝とセント・アンソニー・メイン
セント・アンソニー・メイン
☎ (612) 627-5433
リバーシティ・トロリーで、St. Anthony Mainで下車。
MCTOバス#1,4,6
P.454　B-1

大河ミシシッピで唯一の滝
セント・アンソニー滝とセント・アンソニー・メイン
★ St. Anthony Falls & St. Anthony Main

アメリカの大動脈であったミシシッピ川。ミネアポリスの北側を流れるこの川の周りが、ミネアポリスのかつての玄関口であった。ミシシッピ川にかかる二つの橋、ヘネピン橋Hennepin BridgeとストーンアーチStone Arch Bridge、そして、その間にあるセント・アンソニー滝はミネアポリスのランドマークのひとつ。セント・アンソニー滝は製材、製粉の動力源と時代によって役目を変え、現在は電力の供給に使われている。ちなみに、このセント・アンソニー滝は2,350マイルを流れるミシシッピ川の唯一の滝。ミネアポリスの都市と自然のみごとな調和を実感するには最適だ。

また、川の北側、Main St.沿いには**セント・アンソニー・メイン St. Anthony Main**と、**リバープレイス River Place**という2つのレストラン＆ショッピングモールがあるので、お昼をここでというのもいいだろう。

ウェアハウス・ディストリクト
☎ (612) 334-3131
P.454　A-1
ただし、帰りが遅くなったらタクシーを利用したほうがいい。

ナイトスポットが集中する
ウェアハウス・ディストリクト ★ Warehouse District

1st Ave. N.沿いの1st St.から6th St.までの地区はウェアハウス・ディストリクトと呼ばれ、ミシシッピ川の水運が盛んだったころには倉庫街だった地区。現在は倉庫の外観はそのままに、

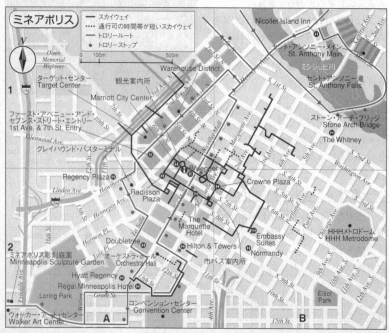

ミネアポリス

スカイウェイ
通行可の時間帯が短いスカイウェイ
トロリールート
トロリーストップ

内部を改装して、建物の上部はアパートやオフィスに、下はバーやレストラン、アンティーク・ショップやクラブが入っている。元プリンスがオーナーのライブハウス、"First Avenue/Seventh Street Entry" もこのエリアの南端にあり、少年ナイフやピチカート・ファイブも出演したことがある。週末になると大学生や若者を中心に大勢の人が集まり、夜遅くまでにぎやか。

元プリンスのライブハウス、First Ave.& Seventh St. Entry

彫刻庭園は奇抜なオブジェがいっぱい
ウォーカー・アート・センターとミネアポリス彫刻庭園
★ Walker Art Center & Minneapolis Sculpture Garden

この美術館は1879年、ミネアポリスの高級住宅地に創立者のバーロウ・ウォーカー氏が、彼のコレクションをもとに開いたのが始まり。1927年に現在地に移り、1983年に建物が完成した。

全米でも野心的な美術館として知られ、ミュージアムの枠におさまらないビッグ・スケールを誇る。美術館の役割以上にさまざまな分野、たとえばダンス、音楽など広い意味で芸術というものをとらえているのが特徴だ。

自慢のコレクションは、20世紀のヨーロッパ、アメリカ美術。ロスコ、ジャコメッティ、ボナール、カルダー、ホッパー、オキーフ、ステラ、スチュアート・デイビス、ウォーホルの作品が陳列され、見ごたえ十分。

美術館を出ると通りを隔てた向こうには、40点以上の彫刻・彫像が点在する庭園があり、全米でも最大規模を誇っている。庭園を代表する作品は、巨大なスプーンにさくらんぼがのった噴水のオブジェ『Spoonbridge and Cherry』Frank Gehry作。高さ6ｍ、幅は15ｍにも達し、さくらんぼの茎の先端から流れる水はとても涼しげだ。ほかにもカルダー、ムーアに加え、イサム・ノグチの『Shodo Shima』、ミネアポリス在住の日系アーティスト、Kinji Akagawa氏の作品もあるので散策も楽しみながら、じっくり見学してみよう。

北の町にありがたいドーム型スタジアム
ヒューバート・H・ハンフレー・メトロドーム
★ Hubert H. Humphrey Metrodome

フットボール時は62,000人、野球時は55,000人収容可能の、アメリカでも有数の多目的ドーム・スタジアム。野球はツインズ、フットボールはバイキングスの本拠地。

ゲームなどが開催されない日はドーム見学ツアーが行われる。

ミネアポリス自慢の彫刻庭園

First Avenue/Seventh Street Entry
🏠 701 1st Ave.
☎ (612) 338-8388、332-1775 (スケジュール)
🚇 徒歩圏内。MCTOバス#1、4、6、12、17、28
🗺 P.454　A-1

ウォーカー・アート・センター
🏠 Vineland Place
☎ (612) 375-7650、7600
HOME www.walkerart.org/
🕐 火水金土10：00〜20：00、木11：00〜17：00、日11：00〜17：00　彫刻庭園は毎日6：00〜深夜
🚫 月祝日
💰 大人 $4、学生・12〜18歳 $3　木曜、第1土曜は無料
🚇 ダウンタウンの南西、中心部から徒歩20分ぐらい。MCTOバス#1、4、6、12、28で約5分、Hennepin Ave.とVineland Pl.の角で下車
🗺 P.454　A-2

ヒューバート・H・ハンフレー・メトロドーム
🏠 900 S. 5th St.
☎ (612) 335-3309
ツアーは月〜土の11：00と13：00
💰 大人 $3、学生・シニア $2
🚇 ダウンタウンの東、Chicago Ave.沿いの4th〜6th Sts.の間。中心部からは徒歩15分ぐらい。MCTOバスでは #16、19などで
🗺 P.454　B-2

大学付属とは思えない外観を持つ
F・R・ウィーズマン美術館

フレデリック・R・ウィーズマン美術館
🏠333 East River Rd.
☎(612) 625-9494
🕐火水金10：00〜17：00、
木10：00〜20：00、土日
11：00〜17：00
休月祝日
料無料
🚌MCTOバス#2、16 Mpls./
St. Paulで両都市のダウン
タウンから約10分。ミネ
アポリスからはミシシッピ
川を渡る橋に入ったら、セ
ントポールからは橋が見え
たら下りる合図を

ミネアポリス美術館
🏠2400 3rd Ave. S.
☎(612) 870-3131
HOMEwww.artsMIA.org
🕐火〜土10：00〜17：00
（木〜21：00）、日11：00
〜17：00
休月、独立記念日、サンク
スギビング
料無料（ただし特別展は除く）
🚌MCTOバス#9で約10分、
3rd Ave.と24th St.の角で
下車。1ブロック東へ

アップタウン
🚌ミネアポリス・ダウンタ
ウンからMCTOバス#9で
約20分。セントポールか
らは#21

ポップアートの展示が多い
フレデリック・R・ウィーズマン美術館
★ The Frederick R. Weisman Art Museum

　ミネアポリス・ダウンタウン北東にある、ミネソタ大学付属
の美術館。
　館内にはアンディ・ウォーホル、キース・ヘリング、ロジャー・
ブラウンなどの作品が並び、大学の付属美術館としては豊富な
展示内容。しかし、いちばん付属美術館らしくないものといえ
ば美術館の建物そのもの。いびつなステンレスの積み木の集ま
りといった感じの建物で、まったく中がどうなっているかわか
らない。よく大学側がこのデザインを採用したものだ。建物を
見る位置によって印象が違い、建物表面に張られたステンレス
に空や夕陽、街の灯などが映り込むので、天気や時間によって
も違った表情を見せる、いつ見ても飽きない美しい建物。

収蔵品は8万点
ミネアポリス美術館 ★ The Minneapolis Institute of Arts

　教育水準の高い町だけあって、ミネアポリスにはウォーカー・
アート・センターのほかにもすばらしい美術館がある。ファイ
ン・アートと装飾美術の分野では世界的にも有名な、このミネ
アポリス美術館は、約4000年にわたる人類の遺産約8万点を収
蔵している。エル・グレコからマチスにわたるヨーロッパ絵画
のコレクションも
出色。中国をはじ
めとする東アジア
やエジプトの美術
も見逃せない。意
外に広いので、で
きたら半日ぐらい
時間をかけたい。

ミネアポリス美術館

ミネアポリスの若者の町
アップタウン ★ Uptown

　ミネアポリス・ダウンタウンの南のLake St.沿い、Hennepin
Ave.の交差点を中心に東西数ブロックがアップタウンと呼ばれ、
学生や若者が多く集まるエリアになっている。ちょっと変わ

レイク・レクリエーションのすすめ

　ミネソタ州は車のナンバープレートからもわ
かるように、湖の数がとくに多い。春や夏には
ウォーター・スポーツ、秋には紅葉狩り、冬は
スケートというように、ミネアポリスっ子は近
くの湖で四季折々のレジャーを楽しんでいる。
　ミネアポリスのダウンタウンから車でほんの
10分も走れば、Lake CalhounやLake Harriet
のミネソタらしい、美しい光景に遭遇すること
ができる。湖沿いにブレードコースターや自転
車を走らせる人、カヌーやボートを漕ぐ人、海
水浴ならぬ湖水浴に興じる人など楽しみ方はい

く通りもあるようだ。ミネアポリスでは見どこ
ろを単に観光するだけでなく、ぜひ、湖まで足
を運ぶことをおすすめする。湖沿いをブラブラ
歩くだけでも、そう快な気分になれるし、カヌー
やボートも低料金でレンタルすることができ
る。また、このあたりから眺めるダウンタウン
のシルエットもなかなか美しい。都心からこん
なに近くで大自然を満喫できるのは、ミネアポ
リス以外にはないだろう。
　これらの湖へはHennepin Ave.を南下する#
6、28のMCTOバスで行ける。

った雑貨やアンティークを扱うお店やカフェ、バーなどが軒を連ねる。Lake St.から1本北のLagoon Ave.にある**ラグーン・シネマ Lagoon Cinema**は、インディペンデント系の映画のオープニングに使われることが多く、この映画館での結果が、その後の全米展開に影響することもあるという。

ラグーン・シネマ
🏢1320 Lagoon Ave.
☎(612) 825-6006
💰$7、マチネ$4.25
🕐時間問い合わせること

セントポール
St. Poul

━━━━ **Attractions** ★
おもな見どころ

ミネソタ州の州議事堂
州議事堂 ★ State Capitol

セントポールの州議事堂

ダウンタウンの北端に建つ巨大なドームをいただく大理石の大建築はミネソタ州の州議事堂だ。

最初の州議事堂は1853年に完成したが、1881年に火災にあい、現在の姿は1905年からのもの。建物の長さ132m、奥ゆき70m、ドームのてっぺんまでの高さは68mになる。荘厳な造りの議事堂は、21種類の大理石と25種類の石材から成り、政治の場というよりは寺院のよう。支柱のない大理石のドームとしては世界最大。ロタンダ（円形大広間）、州知事レセプション・ルーム、上院会議室、下院会議室、州最高裁判所などがあり、議会がないときは一般の人も見学可能だ。

州議事堂
🏢75 Constitution Ave. at Aurora
☎(651) 296-2881
🕐月～金8：30～17：00、土10：00～16：00、日13：00～16：00
💰無料
🚌セントポールのダウンタウンからCedar St. を北上して、約15分
🗺P.457 B-1

★ ミネアポリス・セントポール

ミネソタ歴史センター
345 Kellogg Blvd.
☎ (651) 296-6985
火水金土10：00〜17：
00、木10：00〜21：00、
日12：00〜17：00
月、サンクスギビング、
クリスマス、元日
無料
トロリーが歴史センター前
に停まる。MCTOバス＃12、
21
P.457　A-1

ミシシッピとともに栄えたミネソタの歴史がわかる
ミネソタ歴史センター ★ Minnesota History Center

多くの森と湖を持ち、かつてのアメリカの大動脈ミシシッピ川が始まるミネソタ州。その恩恵を享受し、製材、製粉と発展し、現在のビジネスと観光へと進んできたミネソタ州の歴史についての展示を行っている。3階が展示場、2階はリサーチ・センターになっている。

1階にあるミュージアムストアは、地元の人がプレゼント用のものを買いに来るほど品揃えのセンスがいい。また、1階のCafe Minnesotaもおいしいランチを用意している。

セントポール大聖堂
239 Selby Ave.
☎ (651) 228-1766
毎日7：00〜18：00、ツアーは月〜金の13：00と13：30
Summit Ave.とSelby Ave.の角。ダウンタウンから徒歩20分ぐらい。MCTOバス＃12、21で5分ぐらい
P.457　A-1

荘厳な大聖堂
セントポール大聖堂 ★ St. Paul Cathedral

ダウンタウンの西、ヴァチカン市国のサンピエトロ寺院を模倣して造った大教会が、セントポール大聖堂だ。10年の歳月を要し、1915年に完成、ドームまでの高さは53mだが、実際に建物に近づいてみると、もっと大きく感じるだろう。中に入って礼拝堂に対面していると、まるでヨーロッパの教会にいるような気分になってくる。3,000人も着席できる広さ。これだけ巨大な寺院はアメリカでも数少ないから、ぜひ足を運んでみよう。

ジェイムス・J・ヒルの家
240 Summit Ave. Paul
☎ (651) 297-2555
水〜土10：00〜15：30の30分おきに出発。
日〜火と祝日
大人＄3、子供＄2
セントポール大聖堂の前を通るSummit Ave.を丘に向かって徒歩5〜6分
P.457　A-1

鉄道王の大邸宅
ジェイムス・J・ヒルの家 ★ The James J. Hill House

とにかく大きいJ・ヒルの家

ダウンタウンを見下ろすように建つこの家は、かつての鉄道王ジェイムス・J・ヒルとその家族が実際に生活していた家で、一般にも公開されている。1888年に建てられたヒルの邸宅は、中西部で最大規模。パイプオルガンや22の暖炉がある。邸宅内にはギャラリーもでき、ミネソタ出身のアーティストの作品や、ミネソタの歴史に関する展示物が陳列されている。

※

Summit Ave.沿いには19世紀後半に建てられた、**スコット・フィッツジェラルド邸**（599 Summit Ave.）、**知事邸**（1006 Summit Ave.）などの瀟洒な邸宅が並んでいる。一般には公開されていないものがほとんどだが、外観を見るだけでも価値がある。

グランド・アベニュー
セントポールのダウンタウンからMCTOバス＃3で。夜遅くなったときにはタクシーを利用すること

夜はダウンタウンよりもにぎわうグランド・アベニュー

セントポールの夜はここへ直行!
グランド・アベニュー ★ Grand Avenue

セントポールのダウンタウンはオフィスが多く、夜になるとひっそり

としてしまって、少し寂しい。セントポールに泊まっていて、「ちょっと出かけて一杯飲んできたい」なんてときには、ダウンタウンの南西のグランド・アベニュー沿いのショッピング＆ダイニング・エリアへ行ってみよう。レストラン、バーが集まっている。いちばんお店が集まっているのがMilton St.との角にあるMilton Mall周辺。

モール・オブ・アメリカの大きなフードコート

Suburb Points
近郊の見どころ ★

アメリカでいちばんでっかいショッピングモール
モール・オブ・アメリカ ★ Mall of America

　ミネアポリス空港の南にあるアメリカNo.1の超巨大複合ショッピングモール。どれだけ大きいかというと、総面積39万平方メートル、入っているデパート4店、店舗数520以上のうちレストラン約20、4つのアトラクション・エリア、映画館のスクリーン数14、トイレの数23と、想像を絶する巨大さ。これらすべてが1つの建物の中に入っている。ショッピングをして、食事をして、遊園地で遊んで、映画を見てと、一日中楽しめてしまうスポット。

モール・オブ・アメリカのアトラクション
●ナッツ・キャンプ・スヌーピー　Knott's Camp Snoopy

　"モール・オブ・アメリカ"中央の巨大な吹き抜けにある、全米いちのインドア・テーマ・パーク。西側入口付近で大きなスヌーピーが迎えてくれる。

　25種類以上ある中で人気の乗り物は、4人乗りのカヌーに乗って最後は急流を落ちるPaul Banyan's Log Chute Brawny。園内を一周するジェットコースターPepsi Ripsaw。そして、Mystery Mine Rideという、鉱山を走るトラックに乗っている気分の体感シミュレーション。

　4つあるショー劇場では、3Dのショーやスヌーピーショーなどが随時上演されているので、スケジュールをチェックしよう。ほかにもゲームやアトラクション5種、レストラン10店、ギフトショップが7店もある充実したスペース。

●レゴ・イマジネーション・センター　Lego Imagination Center

　レゴ・ブロックで作られた6mの恐竜やサーカス風景などが所狭しと飾られ、子供たちが自由に創作することができるスペースもある。

読★者★投★稿
●アンダー・ウォーター・ワールド　Under Water World

　モール・オブ・アメリカに新設された水族館。総量454万ℓの水槽は、The Lake、Gulf of Mexico、Caribbean Coral Reefなど5つのエリアに分けられ、それぞれの地域に棲息する魚たちを見ることができる。全長90mの順路はすべて水槽の下を通り、ドーム状の天井を通して海の中を見ることになる。入口で解説用のCDプレイヤーを貸してくれるので、順路に沿って解説を聞くことができる。
　　　　　　　　　（中島圭子　ミネソタ州在住）（'99）

モール・オブ・アメリカ
🏠60 E. Broadway, Bloomington
☎(612) 883-8800
☎(1-800) 879-3555
HOME mallofamerica.com
🕐月～金10：00～21：30、土9：30～21：30、日11：00～19：00
休サンクスギビング、クリスマス
行モール・オブ・アメリカ周辺のホテルの多くがシャトルバスを出している。MCTOバスを使うのなら、ミネアポリスから#7,80、セントポールから#54で
地図外

ナッツ・キャンプ・スヌーピー
🕐月～木10：00～21：30、金土10：30～22：00、日10：30～19：30
☎(612) 883-8600
料入園無料。乗り物の料金はポイント制

アンダー・ウォーター・ワールド
☎(1-888) 348-3846
HOME underwaterworld.com
🕐月～木10：00～20：00、金10：00～21：00、土9：00～21：00、日10：00～19：00（夏期は延長）
料大人$10、子供$6、シニア$8

レゴ・イマジネーション・センター

●ゴルフ・マウンテン　Golf Mountain

3階に入口があり、2階と合わせて18ホールのミニ・ゴルフ
が楽しめる。人工の木や滝、池などがレイアウトされている。

●ショッピング

ナッツ・キャンプ・スヌーピーを囲むように、3フロアに分
かれて500以上の店と4つのデパート、それにワゴンショップ
もあるので、すべての店を見ようとすればそれだけで丸一日か
かってしまう。洋服、アクセサリーからおもちゃ、ビデオなど
何でもそろっているし、アートギャラリーや航空会社まである。
地図を片手に、お目当てのショップをめざすのが懸命だろう。

●レストラン、エンターテインメント

各階、北と南のFood Courtにファストフード、ナッツ・キャ
ンプ・スヌーピー内や4階にレストランが集中している。
Mrs. Knott's Restaurantでは、有名なフライド・チキンが食べ
られるし、Tucci Benucchでは、ガーリック・チキンが味・量と
もにグッド。ファストフードでも日本食、中華、メキシカンと
種類豊富。4階には、シュワルツェネッガーやスタローンらが
共同経営するレストランPlanet Hollywood、カラオケのできる
バー、ディナーショー、14の映画館などもある。

Entertainment
エンターテインメント

ミネソタ管弦楽団 ★ Minnesota Orchestra

日本人音楽監督、大植英次 Eiji Oue氏率いるオーケストラ。
大植氏就任後、ここ数年で評価を高めている。シーズンは9月
〜5月。クラシックのほかに、週末にはポップスのコンサート
も行われる。

Spectator sports
観戦するスポーツ

ベースボール（MLB）

ミネソタ・ツインズ ★ Minnesota Twins

（アメリカン・リーグ中地区）

過去3回のワールドシリーズ制覇を成し遂げたというもの
の、'91年のワールド・チャンピオン以来、成績が芳しくない。
ツインズの応援の仕方は、白いハンカチを振ること。ちなみに、
映画『メジャーリーグ3』に登場していたブンブンズというチー
ムは、本当のツインズのマイナーチームだ。

アメリカン・フットボール（NFL）

ミネソタ・バイキングス ★ Minnesota Vikings

（NFC中地区）

'98〜'99のシーズン、ミネソタっ子を予想以上に狂喜させ続
けたのがバイキングスだ。開幕以来、連勝を続け、一時はリー
グ優勝も夢ではないと囁かれていたほど。

ミネソタ・ティンバーウルブス ★ Minnesota Timberwolves

（西・中西部地区）

比較的新しいチームだが、かつての努力がいま成果として表れつつある。'99のシーズンも好調で、ブルズが弱体化したいま、プレーオフ進出もほぼ確実と言えるチームにまで成長した。

ミネソタ・ティンバーウルブス
本拠地——ターゲット・センター、600 1st Ave. N., Minneapolis
☎ (612) 989-5151
1st Ave.沿いの6th & 7th Sts.の間
P.454　A-1

★　　★　　★　　ホテル　　★　　★　　★
Hotel

オーケストラ・ホールに近い
The Hilton Minneapolis and Towers

1001 Marquette Ave. S., Minneapolis, MN 55403　☎ (612) 376-1000、☏ (1-800) 774-1500、FAX (612) 397-4875、
HOME www.hilton.com
⑤⑩① $180〜、週末割引$69〜119
ADJMV　　P.454　A-2

ミネアポリス・ダウンタウンのスカイウェイを通って行くことができるホテル。そのため、屋外に出ることなく、ニコレット・モールなどにあるショップやレストランにアクセスすることができる。オーケストラ・ホールが目の前なので、クラシック鑑賞をする人にはベストスポットだ。また、コンベンションセンターも近いので、ビジネスにも最適。全米に展開するヒルトンだけに、室内のアメニティはもちろんのこと、レストランなどの施設も充実している。

（'98）

ダウンタウンのランドマーク
The Saint Paul Hotel

350 Market St., St. Paul, MN 55102
☎ (651) 292-9292、☏ (1-800) 292-9292、
FAX (651) 228-9506
HOME www.STPAULHOTEL.COM
⑤ $149〜、⑩ $164〜　　ADJMV
P.457　A-2

セントポール・ダウンタウンのランドマークのひとつにもなっている、ヨーロッパ調の歴史あるホテル。数々の賞を受けているが、特筆すべきは、AAAの四ダイヤモンドとモービルの四つ星両方を受けていることだろう。1910年築の建物の外観は、歴史のあるセントポールの町並みと調和している。室内も外観に合わせて落ち着いた雰囲気になっているので、日常の雑多な事柄を忘れてゆったりするには最適なホテル。

2つのレストラン、ヨーロピアン・スタイルのSt. Pual Grillとアメリカン・スタイルのThe Cafeも高い評価を受けている。全254室。空港までのシャトルは往復で$12.5。また、セントポール周辺まで無料シャトルのサービスもある。　　（'98）

★
ミ
ネ
ア
ポ
リ
ス
・
セ
ン
ト
ポ
ー
ル

★ モール・オブ・アメリカ周辺のシャトル・サービスがあるホテル

Budgetel Inn
7815 Nicollet Ave.
☎ (612) 881-7311、☏ (1-800) 428-3438、FAX (612) 881-0604

Embassy Suites Minneapolis Airport South
7901 34th Ave. S.
☎ (612) 854-1000、☏ (1-800) 362-2779、FAX (612) 854-6557

Fairfield Inn by Marriott
2401 E. 80th St.
☎ (612) 858-8475、☏ (1-800) 228-2800

Holiday Inn Select International Airport
3 Appletree Sq.
☎ (612) 854-9000、☏ (1-800) 465-4329、FAX (612) 854-9000

Minneapolis Airport Marriott Bloomington
2020 E. 79th St.
☎ (612) 854-7441、☏ (1-800) 228-9290、FAX (612) 854-8002

Super 8 Motel
7800 2nd Ave. S.
☎ (612) 888-8800、☏ (1-800) 800-8000、FAX (612) 888-3469

ニコレット島からダウンタウンを望む
Nicollet Island Inn

🏠95 Merrian St., Minneapolis, MN 55401
☎(612)331-1800、📞(1-800)331-6528、
FAX(612)331-6528
HOME Nicolletislandinn.com
⑤Ⓓ＄125～160 ＡＤＪＭＶ 🗺P.454 B-1

　ミネアポリス・ダウンタウンからヘネピン橋を渡ったニコレット島にあるカントリー・スタイルのイン。歴史地区の中にあり、木々に囲まれた静かな環境は、ダウンタウンからバスで5分とは思えないほど。ホテル内にレストランもあるし、川を渡ればRiverpalceとSt. Anthony Mainもすぐ。リバーシティ・トロリーも停まる。24室。
（'99）

ミシシッピ川に浮かぶイン
Covington Inn

🏠Pier One, Harriet Island, St. Paul, MN 55107　☎(651)292-1411
オンシーズン＄135～195、オフシーズン＄105～165 ＭＶ 🗺P.457 A-2

　セントポールのダウンタウンの南側を流れるミシシッピ川。そのミシシッピ川に浮かぶアンティークなラインボートが、このコビントン・イン。ダウンタウンの対岸にあるハリエット・パークに停泊している。ボートの内部は完全に改装され、全4室それぞれ特徴のある内装になっている。なかでもThe Pilot House Suiteは、もともと操舵室だった部屋がリビングになっていて、ここからのダウンタウンの夜景は雰囲気抜群。朝食はThe No Wake Cafeという併設のレストランで出され、ランチ、ディナータイムも営業している。
（'99）

美術館近くの小さな宿
City of Lakes International House

🏠2400 Stevens Ave., South Minneapolis, MN 55404
☎(612)871-3210、(612)649-4415（日本語専用線）、📞(1-800)864-0647
HOME www.hostels.com/cityoflakes
ドミトリー＄16、⑤＄34

　ミネアポリスのダウンタウンからニコレット・モールを南下するバス#7、10、17、18で約10分。ミネアポリス美術館の西側のStevens Ave.沿いの24th St.近くにある小さな宿。全10室。チェックインタイムは9：00～12：00と18：30～24：00だが、ドアはクローズしないので、宿泊客のアクセスは可能。行く前に電話を1本入れておいたほうがいい。
（'99）

★　★　★　レストラン　★　★　★
Restaurant

ミネソタが本拠地のコーヒー・チェーン
Caribou Coffee

🏠651 Nicollet Mall, Gaviidae Common内、スカイウェイ・レベル　☎(612)338-3814 🕐月～金8：00～19：00 ＭＶ

　ミネアポリスが本社のコーヒーショップ・チェーンのカリブー・コーヒーは、グルメ・コーヒーのほかに、マフィンやデニッシュ、サラダやフラットブレッドのサンドイッチなども置いてあるので、朝食や昼食にも気軽に立ち寄れる。（'99）

人気のイタリアン・デリで気軽に
D'Amico and Sons

🏠Gaviidae 2, 555 Nicollet Mall ☎(612)342-2700 🏠2210 Hennepin Ave. S.
☎(612)374-1858 ＡＭＶ

　ダウンタウン、アップタウンにあるイタリアン・デリは、気軽なパスタ・サラダからサンドイッチ、石焼きオーブンで作る本格的ピザやメインディッシュのパスタまでそろえたオシャレなローカル・スポット。
（'99）

アメリカン・ニューキュイジーヌならここ
Table of Contents

🏠1310 Hennepin Ave.　☎(612)339-1133 🕐ランチ：月～金11：30～14：00、ディナー：月～木17：00～22：00、金土17：00～23：00、日17：00～21：00、ブランチ：日10：00～14：00 ＡＭＶ

　オシャレでいて、なおかつ気取ったところのないダウンタウンのレストラン。アジアや日本などのテイストを取り入れた創作的なメニューが人気。メニューは2週間ごとに変わり、毎晩、シェフ・スペシャルやシーフード・スペシャルがあるので忘れずにチェック。
（'99）

Kansas City

Seattle
Denver
San Francisco
Los Angeles
Chicago
New York
Atlanta
New Orleans
Miami

カンザス・シティ

"Heart of America" というニックネームを持つ町カンザス・シティ。アメリカ本土の地図を4つに折るとちょうど真ん中の折り目の近くにくる町で、東海岸と西海岸にほぼ同じ時間で行くことができ、さらにアメリカの人口分布のほとんどセンターにある。まさに「アメリカの中心（Heart）」なのだ。

しかしカンザス・シティのニックネームには別の意味もある。大平原の真ん中にあり、かつては開拓者たちが大西部へと旅立って行ったいくつものトレイルの出発地であったこの土地には、いまでも古き良きアメリカの伝統が残っている。大らかで楽天的な人々は、その昔の開拓者たちのように素朴で温かい。周囲に山らしい山のない穏やかな地形は、人の心も穏やかにするのだろうか。この町で本当の「アメリカの心（Heart）」に触れてみたい。

ダウンタウンへの行き方　Access ★

空港

カンザス・シティ国際空港
Kansas City International Airport (MCI)

ダウンタウンの北西17マイル、約35分のところにある国際空港。ほかの空港と異なり、ここは出発階と到着階が分かれていないが、機能的に作られているのであまり混雑しない。A〜Cの3つの巨大なターミナルがあり、違う航空会社に乗り継ぐ場合は、各ターミナルを結ぶ無料の赤いシャトルバスを利用する。

ターミナルAはUS AirwaysとAA、ターミナルBはDLとTWA、ターミナルCはUAとNWがメインに発着している。

●空港シャトルバン　KCI Shuttle　ダウンタウンに行くにはいちばん便利。ターミナル内の案内板の白い電話で自分の近くのゲート番号を告げると、ターミナルを巡回しているチケット売りがやってくる。目的地のホテルを伝えチケットを購入。チケットにはシャトルの到着する時間が書いてあるので、ターミナルの外で赤茶色のバンの到着を待つ。約30分おきに運行。空港へ行くときはホテルのフロントに頼んで呼んでもらう。

カンザス・シティ国際空港
☎ (816) 243-3000

KCI Shuttle
☎ (816) 243-5000
圏ダウンタウンまで片道$12

463

METRO
運行：空港発6:48、7:15、
7:46、8:40、14:53、
15:54、16:30、17:00の
1日8本（月〜金のみ）
図90¢

タクシー
図会社によって違うが、ダウンタウンまでだいたい$35

グレイハウンド・トレイルウェイズ・バスターミナル
図1101 Troost & 12th Sts.
☎(816) 221-2835
図(1-800) 231-2222
図毎日5:30〜24:30
図P.467 B-1

アムトラック駅
図2200 Main St. (23rd & Main Sts.)
☎(816) 421-3622
図(1-800) 872-7245
図24時間営業
図P.467 A、B-2

ネルソン・アトキンズ
中庭のオブジェ

●路線バス　METRO　メトロは月〜金のみ空港と市内を結んで運行している。出発はターミナルAの隣から。ダウンタウンまで約1時間。

●タクシー　ターミナル外のタクシー乗り場から。ターミナル内にある専用電話で自分の居場所を伝えるとすぐ来てくれる。所要時間25〜30分。

長距離バス

グレイハウンド・トレイルウェイズ・バスターミナル
Greyhound Trailways Bus Terminal

　ダウンタウンの東の住宅街にあるバスターミナル。出てすぐにバスの停留所があるので、#25のバスに乗ればダウンタウンまではすぐだが、歩いても中心までは15分ぐらい。

鉄道

アムトラック駅　Amtrak Station

　クラウン・センターの近く。駅は陸橋の下にあり、入口が小さく目立たないので注意していないと見過ごしてしまう。

カンザス・シティの歩き方 ★ Walking

　この町はカンザス州とミズーリ州の州境に位置する。カンザス・シティと聞くとカンザス州にあると思っている人が多いが、実際は高層ビルが集まっているのも、おもな見どころがあるのもほとんどがミズーリ州側だ。したがって観光もほとんどミズーリ州側に限られる。

　カンザス・シティ市内の観光ポイントを大きく分けると、**ダウンタウン**と**クラウン・センター周辺**、そして**カントリー・クラブ・プラザ周辺の3カ所**。これら3カ所は離れているが、バスやトロリーなどの交通機関がたくさんあるので、それほど不便は感じない。そして各ポイント内では徒歩での移動が十分可能だ。1日ですべて見てしまうこともできるが、できるなら2、3日はほしいところだ。時間的に余裕のある人は郊外まで足を延ばしたり、スポーツ観戦に1日をかけてもいい。

d a t a

人　口	約435,100人	ホテル・タックス 11.975%
面　積	821km²	
標　高	最高308m	属する州　ミズーリ州 Missouri
	最低219m	
市の誕生	1850年	州のニックネーム　ショウ・ミー（私に証拠を見せなさい）州 Show Me State
情　報	Kansas City Star （日刊新聞）	
	日曜版 $1.50	時間帯　セントラル・タイムゾーン
T A X	セールス・タックス 5.73%	

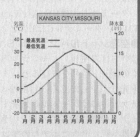

観光案内所 ★ Information

Convention & Visitors Bureau of Greater Kansas City

　ダウンタウンの真ん中、City Center Squareの25階にある。パンフレットや地図は豊富にそろっているが、スポーツイベントのスケジュールなどは直接尋ねてみよう。親切に教えてくれるはずだ。このほかにカントリー・クラブ・プラザ内とダウンタウンのリバー・マーケット内にもインフォメーション・ブースがある。

市内の交通機関 ★ Public Transportation

メトロ
The Metro (Kansas City Area Transportation Authority)

　カンザス・シティ（ミズーリ州）を中心に、カンザス・シティ（カンザス州）やインディペンデンス市などをカバーする。ルート数もバスの本数も多く、普通とエクスプレス、さらにスポーツのイベント時には臨時バスもあり、きめ細かなサービスが自慢。観光局でTHE METRO Visitors Guideをもらっておこう。すべてのバスルートが載っている便利な地図だ。

カンザス・シティ・トロリー　Kansas City Trolley

　観光で最も便利なのがこのトロリーバス。市内のおもな見どころはほとんど回るので、移動はこれだけでも十分間に合う。乗車券は1日券だけで3回の乗り降りが可能。観光目的のバスなので1、2月のオフシーズンは運休している。

ポイントを結んで走るトロリーバス

Attractions
おもな見どころ ★

ダウンタウン周辺

　楕円状にフリーウェイに囲まれている地区がビジネスの中心地、ダウンタウンエリア。シティホールやコンベンションセンターなどが集まる。リバー・マーケット以外は観光にはあまり関係ないところだが、町を歩いていると気が付くことがある。それはダウンタウンに限らず噴水が多いこと。カンザス・シティは"City of Fountains（噴水の町）"というニックネームを持っているほどだ。味気ないビルが建ち並ぶダウンタウンでも、噴水があるだけでずいぶん雰囲気が変わるものだ。

カンザス・シティは噴水の多い町

Convention & Visitors Bureau of Greater Kansas City
City Center Square, Suite 2550, 1100 Main St., Kansas City, MO 64105
☎ (816) 221-5242
☎ (1-800) 767-7700
月～金8：30～17：00
土日祝日
P.467　B-1

プラザ内案内所
1222 W. 47th St.
月～土10：00～18：00、日12：00～17：00
時計塔の中（FAO Schwarzの向かい側）

メトロ
1200 E. 18th St.
☎ (816) 221-0660
ゾーン制で基本料金は普通が90¢、エクスプレスが$1.10。異なったゾーンで乗り降りする場合は追加料金を支払う。トランスファーは無料。Chiefs Express往復は$5

カンザス・シティ・トロリー
運行：月～木10：00～18：00（6～8月は22：00まで）、金土10：00～22：00、日12：00～18：00
☎ (816) 221-3399
大人$5、シニア、子供（6～12）$4

★ カンザス・シティ

古い町並みだけど新しいアトラクションがいっぱい
リバー・マーケット ★ River Market

ミズーリ川の河畔にある古くからのマーケット。古い町並みを残しながら、現在再開発が進んでいる。レストランやアンティーク・ショップが現在の見どころだが、これから新しいアトラクションが増えていくエリアだ。

レストランは地元の人でにぎわう

アラビア・スチームボートは見逃せないカンザス・シティのポイント

●読●者●投●稿
アメリカ最大のクリスマスツリーをお見逃せなく！
クラウン・センター広場にあるツリーは、全米一大きな（背の高い）クリスマスツリー。この時期に訪れたら、ぜひお見逃しなく。
（楠理恵子　松戸市）（'97）

シティ・マーケット　City Market

リバー・マーケットの中心は、昔ながらの市場。新鮮な野菜やくだもの、花など季節感あふれる商品から生活雑貨などがかなり安く買える。とくに週末は新鮮な食材を買い求める人でにぎわう。

アラビア・スチームボート博物館　Arabia Steamboat Museum

カンザス・シティにアラビア？ 名前だけだと何の博物館かよくわからないが、これが実にユニークな博物館。『アラビア』とは19世紀後半にミズーリ川を航行していた大型の蒸気船の名前。1856年、この船が事故で200トンもの物資を積んだままミズーリ川に沈没してしまったのだ。この博物館は、失われた船に積まれた宝物を探すことに執念を燃やしたファミリーの姿と、彼らの夢が現実となった証拠を見せてくれる。多くの人々が探し求めていた船を発見したのはHawley一家。1988年、莫大な資金を投入し、この船の発掘に取りかかった彼らは、次々に積み荷を発掘。粘土質の川底に眠っていた品々の保存状態はすばらしく、イギリスの陶器や、中国のシルク、フランスの香水など、そのまま使えそうなものも含め、何千点もの貴重な品々を発掘した。それらの品々を売ってしまえばかなりの金額になると思われるが、Hawley家の人々はそれを博物館に寄付、彼らの努力の結果と貴重な発見を多くの人々に見てもらうことにしたのだ。発見された数々の品々、発掘の様子を記録したフィルムなどはどれもたいへん興味深い。そして実際に発掘にたずさわったファミリーのメンバーがガイドになって案内してくれる。場所はシティ・マーケットの一画。

クラウン・センター周辺

カードのホールマークがつくった
クラウン・センター ★ Crown Center

1968年にHallmark社の社長Joyce C. Hallとその息子Donald J. Hallがつくったセンターで、当時荒廃していたこの地区を再開発するための中心的な役割を果たした。

センターにはショッピングセンターをはじめ、レストラン、アイススケート場、映画館、劇場、Hyatt RegencyとWestinの2つのホテル、オフィス群、そしてHallmark社の本社がある。

ホールマークの本社があるクラウン・センター

ホールマーク・ビジターセンター
Hallmark Visitor Center

　世界最大のカード会社で100カ国以上の人々に愛されているHallmark社。王冠のトレードマークがついたカードを、誰もが一度は手にしたことがあるはずだ。クラウン・センターにあるHallmark社本社の一画がビジターセンターになっており、1910年の会社創立から今日までの社の歴史や、カード製作の工程を12のコーナーにわたって知ることができる。

　すべて手作業の原版づくりのデモンストレーションや、コンピュータを使ったカードづくり、印刷工程が見学できるほか、リボン製造機などもある。見逃せないのが、初代社長J.C.Hall氏のクリスマスツリー・コレクション。これは1966年から彼が亡くなる1982年まで、社員から毎年贈られたもの。小さなツリーを集めたツリー、カードで作ったツリー、サンタクロースのツリーなど、17のかわいらしいツリーが展示されている。

カントリー・クラブ・プラザ周辺
アメリカ最古のショッピングセンター
カントリー・クラブ・プラザ
★ The Country Club Plaza

　アメリカで最も古いショッピングセンターがカンザス・シティにあると聞くと意外に思う人が多いだろう。1922年に作られたカントリー・クラブ・プラザ（地元ではThe Plazaと呼ばれる）はカンザス・シティのみならず、アメリカでも美しいショッピング・エリアのひとつだ。

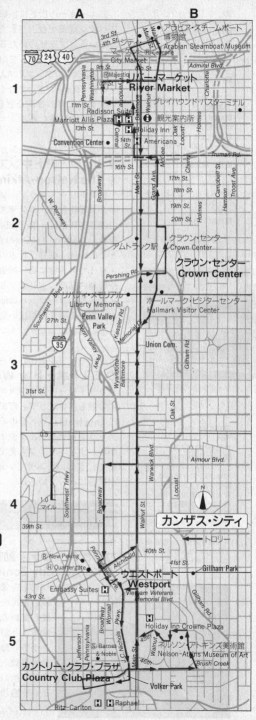

カントリー・クラブ・プラザ

📮450 Ward Parkway
☎(816) 753-0100
🕐月～土10：00～19：00
（木～21：00）、日12：00
～17：00
🗺P.467 A-5

ネルソン・アトキンズ美術館

📮4525 Oak St.
☎(816) 751-1278
🕐火～土10：00～16：00
（金～21：00,土～17：00）、
日13：00～17：00
🚫月、独立記念日、サンク
スギビング、クリスマスイブ、
クリスマス、元日
💲大人＄4、学生＄2、子供
（6～18歳）＄1 土曜は入
場無料
🗺P.467 B-5

ウエストポート歴史協会

☎(816) 561-1821
🗺P.467 A、B-4、5

ノスタルジックな雰囲気の
ウエストポート

カンザス・シティ動物園

📮6700 Zoo Drive, in Swope
Park
☎(816) 871-5700
🕐4～10月中旬の毎日9：00
～17：00、10月中旬～3月
の毎日9：00～16：00
🚫クリスマス、元日
💲大人（12歳以上）＄5、子
供＄2.50、火曜は＄1
🚌ダウンタウンやクラウン・
センターから＃25（エクス
プレスでも可）か＃53のバ
スで南に向かい、63rd St.
でSwope Park行きの＃63
のバスに乗り換える
🗺地図外

　55エーカーの広さに、姉妹都市であるセビリアの町のようなスペイン建築で統一された約180のショップやレストランが並んでいる。プラザのいたるところに、彫刻や噴水があり、道路を走る馬車とあいまって、絵のように美しい町並みに花を添えている。サックス・フィフス・アベニューなどの高級デパートやブランド・ショップだけでなく、人気のアウトドア用品の店やブティック、大型の書店などもあり、ウィンドー・ショッピングだけでも十分に楽しめる。

東アジアのコレクションが充実した
ネルソン・アトキンズ美術館
★ The Nelson-Atkins Museum of Art

　カントリー・クラブ・プラザから徒歩5分、ネルソン・アトキンズ博物館は、カンザス・シティの地方紙Kansas City Starの創設者William R. Nelsonと、博物館のために自らの土地を提供したMary Atkinsの力により1933年に完成した。アジア、とくに中国、朝鮮、日本の美術品のコレクション約2万点はアメリカでも非常に高い評価を受けている。もちろん、西洋絵画や彫刻の部門も選りすぐりの作品が集められており、モネやルノアールのヨーロッパの印象派の絵画からアンディ・ウォーホルの現代美術まで幅広い展示が楽しめる。とくにヘンリー・ムーアの彫刻のコレクションは必見だ。

ナイトライフを楽しむなら
ウエストポート ★ Westport

　カントリー・クラブ・プラザの北側にある、カンザス・シティで最も古いエリア。町で最古のビルが建つWestport Rd. & Pennsylvania Ave.を中心にノスタルジックな町並みの中にレストランやクラブ、ブティックなどが数ブロックにわたって広がる。ナイトライフも充実しておりウィークエンドは夜おそくまでにぎわいをみせている。映画『カンザス・シティ』もここが舞台になっている。

Suburb Points ★
近郊の見どころ

ユニークなアトラクションのある動物園
カンザス・シティ動物園
★ Kansas City Zoological Gardens

　都市近郊の公園としては、全米で第2位の規模の市民公園Swope Parkの中にある動物園。放し飼いのカンガルーが見られたり、ラクダに乗ることができたりとユニークなアトラクションが多い動物園だ。現在、動物の種類や数では全米有数。動物園では全米初のIMAXシアターなどが加わり動物園というよりもテーマパークという感じだ。

IMAXシアターがあるカンザス・シティ動物園

観戦するスポーツ

ベースボール（MLB）

カンザス・シティ・ロイヤルズ ★ Kansas City Royals

（アメリカン・リーグ中地区）

　1969年設立の比較的新しいチームで、ワールドシリーズ優勝
1回、リーグ優勝2回という戦績。しかし、ここ数年の活躍は
残念ながらパッとしない。『噴水の町』のニックネームを持つだ
けあって、球場内にも噴水があり、しゃれたデザインになって
いる。

アメリカン・フットボール（NFL）

カンザス・シティ・チーフス ★ Kansas City Chiefs

（AFC西地区）

　一時期、名QBモンタナが在籍していたことで知られるチー
フスは、AFC西地区の強豪チームの一つ。プレーオフの進出
も多く、シンボルは先住民が使っていた石斧、チームカラ
ーはレッドだ。

カンザス・シティ・ロイ
ヤルズ
本拠地——カウフマン・スタ
ジアム Kauffman Stadium,
1 Royal Way
☎ (816) 921-8000
🔁 野球とフットボールが同
じ球場を使うことはよくあ
るが、ロイヤルズとチーフ
スは、アメリカで唯一、球
場を2つ並べて建ててい
る。ゲームがあるときはダ
ウンタウンやクラウン・セン
ター、カントリー・クラブ・
プラザからMETROのバス
がある
🗺地図外

カンザス・シティ・チーフス
本拠地——アローヘッド・スタ
ジアム Arrowhead Stadium,
1 Arrowhead Dr.
☎ (816) 924-9300
🔁 ロイヤルズ参照

★

カンザス・シティ

★　★　★　ショッピング　★　★　★
Shopping

何時間でもいたくなる書店
Barnes & Noble
🏠 420 W. 47th St.　☎ (816) 753-1313
🕐 毎日9：00〜23：00　　　🗺 P.467　A-5
　カントリー・クラブ・プラザ内にある巨
大な書店。地上4階〜地下1階にはあらゆ
る種類の本がある。ところどころにソファ
が置いてあり、立ち読みならぬ、座り読み
が堂々とできる。1階ではセールをやって
おり、日本では手の届かないような高価な
写真集などが手ごろな値段になっている。
　　　　　　　　　　　　　　　　　　（'98）

★　★　★　ホテル　★　★　★
Hotel

コインランドリーもあります
Holiday Inn City Centre
🏠 1215 Wyandotte St., Kansas City, MO
64105
☎ (816) 471-1333、FAX (816) 283-0541
平日Ⓢ $89〜109、ⒹⓉ $99〜129、週末
Ⓢ $79〜99、ⒹⓉ $89〜109
　　　　　ADJMV　🗺 P.467　A-1
　ダウンタウンのコンベンションセンター
に面して建つ小さなホリデイ・イン。空港
のシャトルバスも停まる。ヨーロッパのプチ
ホテル風で部屋もレストランも落ち着いた
インテリアでコーディネートされている。
しかし、地下にコインランドリーがあるの
はやはりアメリカ。　　　　　　　　（'98）

ナイトライフを満喫したい人へ
The Quarterage Hotel
🏠 560 Westport Rd., Kansas City, MO 64111
☎ (816) 931-0001、☏ (1-800) 942-4233、
FAX (816) 931-8891
ⓈⒹ $99〜　　ウィークエンドは $10割引
　　　　　ADMV　🗺 P.467　A-4
　ウエストポート地区にある落ち着いた雰
囲気のホテル。カンザスでいちばんホット
なナイトスポットのこのエリアに、時間を
費やしたい人にはオススメ。ロビー、ホテ
ルの部屋ともにインテリアが温かい色に統
一されていて、ゆったりとくつろげる。バ
フェ式の朝食あり。トロリーの通る
Pennsylvania Ave.へは、1ブロック（徒
歩2分）。　　　　　　　　　　　　（'98）

荘厳なロビーは一見の価値あり!!

Radisson Suite Hotel-Kansas City

🏠12th at Baltimore, 106 W. 12th St., Kansas City, MO 64105　☎ (816) 221-7000、**FAX** (816) 221-3477

平日Ⓢ＄99、Ⓓ①＄99～109、週末Ⓢ＄89、Ⓓ①＄89～99　ＡＤＪＭＶ

🗺P.467　A-1

ダウンタウンの中心部に位置する。コンベンションセンターのあるシティセンター・スクエアからは1ブロック、観光に便利なトロリーの乗り場へ徒歩2、3分と、とても便利がいい。　('98)

重厚な雰囲気のラディソンのロビー

★　★　★　★　## レストラン
Restaurant
★　★　★　★

アメリカの真ん中でジャパニーズ

Kabuki

🏠Crown Center, 2450 Grand Ave. (Lower Level)　☎ (816) 472-1717　🗺P.467　B-2

クラウン・センター内にある日本食レストラン。座敷もあるかなり広い店内には駐在員と思われる日本人がたくさんいるが、それは日本食がおいしい証拠。＄12ぐらいからあるコンビネーション・メニューがおすすめ。寿司、刺身、天ぷら、チキン照り焼きなど組み合わせはいろいろあるが、どれも味、ボリュームとも言うことなし。日本とあんまり縁のなさそうな町で、ちゃんとした日本食が食べられるだけでうれしくなる。日曜のランチを除き毎日オープン。　('98)

KCの名物の朝食は

Cascone's Grill

🏠20 E. 5th St.　☎ (816) 471-1018

🕐火～土6：00～　🗺P.467　B-1

シティ・マーケットの中にある名物グリル。元気にオーダーを取るおばさん、黙々とキッチンで料理を作り続けるおじさん。決してきれいとはいえない店内だが、店内に飾られたチーフス（フットボール）の写真が、地元の人のなじみの店ということを物語る。パンケーキやフライドエッグなどの普通の朝食メニューはひととおり揃っているが、おすすめはイタリアン・ソーセージ。値段は＄4ぐらいから。　('98)

肉をほおばりながら…更けゆく夜

The Majestic Steakhouse

🏠931 Broadway　☎ (816) 471-8484

🕐月～木11：30～21：30、金11：30～22：30、土17：00～22：30　🗺P.467　A-1

地元の人に大好評のステーキハウス。カウンターとテーブルに分かれていて、先に、カウンターでお酒を楽しむもよし、直接テーブルに向かうもよし、ついつい長居してしまいそうなアットホームな雰囲気が店内にはあふれている。メインはやっぱり、ステーキ！そして、リブ!! 160グラムから680グラムまでと選択は幅広いので空腹の度合いで決めるといいだろう。料金は＄19.75～28.75。

また、メニューの中には、1キロサイズのステーキもあるので、肉好きの人はチャレンジしてみては!?　('98)

読★者★投★稿

アメリカの真ん中でチャイニーズ

New Peking Restaurant

🏠540 Westport Rd.　☎ (816) 531-6969

🕐ランチ　月～金11：00～14：30、土日12：00～15：00、ディナー　月～木14：30～22：00、金土14：30～22：30、日12：00～22：00　🗺P.467　A-4

ウエストポートでアメリカ料理に飽きて入ったチャイニーズ・レストラン。中はきれいで落ち着いている。肝心の料理は、意外においしく、そのうえ安い。アペタイザー、スープ、メイン、デザートのディナーセットが2人でなんと＄15。そのうえサービスもよく大満足だった。場所はWestport Rd.とPennsylvania Ave.のコーナーから坂を下って、最初の交差点の右奥にある駐車場の中。　（斎藤正博　桐生市）('98)

Saint Louis

Seattle
Denver
Chicago New York
San Francisco
Atlanta
Los Angeles New Orleans
Miami

セントルイス

　ミシシッピ川の河畔にそびえ建つ美しく巨大なアーチ。セントルイスのシンボルであるこのゲートウェイ・アーチは、開拓時代にこの川を越えて、未知の土地であった大西部に向かった人々を記念して作られたモニュメントだ。人々は夢、希望、冒険心をそれぞれの胸に抱き、この川を越えていった。アメリカ人がいまでも大事にしているフロンティア・スピリットは、この町から始まったのだ。

　1764年に毛皮交易所として作られたこの町は、いまでは中西部有数の工業都市。さまざまな製品を造り出しているが、なかでも販売量世界一のビール、『バドワイザー』を製造しているアンハイザー・ブッシュの本社があることは有名だ。1904年に万国博覧会が開かれて世界的にその名を知られるようになったが、実は、あるものが初めて世の中に出たのもこの町。それはホットドッグ、アイスクリームそしてアイスティー。さらに、アメリカで最初のオリンピックが開かれたのもここ。これも未知のものに挑戦するフロンティア・スピリットのひとつかもしれない。

ダウンタウンへの行き方　★ Access

空　港

ランバート・セントルイス国際空港
Lambert-St.Louis International Airport (STL)

　ダウンタウンの北西約20kmに位置する。トランスワールド航空（TWA）のハブでもあり、近代的な空港だ。

●**メトロリンク（鉄道）MetroLink**　ランバート・セントルイス国際空港と、イリノイ州側のイースト・セントルイスを結ぶライトレールがダウンタウンを走る。空港内の乗り場はメイン・ターミナル2階の東側。空港からダウンタウンの中心である8th & Pine駅、Convention Center駅までは約40分。

●**空港シャトルバン　Airport Express**　バンで目的地の入口まで連れていってくれるサービス。乗り場はExit 12を出たところ。空港へ行く際はホテルのフロントに頼んで呼んでもらう。

●**タクシー　Taxi**　ダウンタウンまで約30分。

メトロリンク
☎ (314) 426-8000
🕐 毎日5：00～1：00の間
7～30分間隔で運行している
💲 $3（2時間以内ならバスへのトランスファー無料）

Airport Express
☎ (314) 429-4950
🕐 毎日6：00～22：30
💲 ダウンタウンのホテルまで片道 $12、往復 $18

タクシー
💲 約 $25

**グレイハウンド・バス
ディーポ**
📮1450 N. 13th St.
☎(314) 231-4485
📞(1-800) 231-2222
🕐24時間営業
🚌中心部からは7thを走る
#30、または#74のバイ・ス
テートバスで約10分、13th
St. & Cass St.の角で下車。
タクシーで約$4～5
🗺地図外

アムトラック駅
📮550 S. 16th St.
☎(314) 331-3300
📞(1-800) 872-7245
🕐毎日4：00～4：30、6：00
～23：30
🚌ダウンタウンへは#4、
11のバイ・ステートバスで
10～12分。タクシーなら
約10分、$4
🗺P.475　A-2

セントルイスから…
　足を延ばして、マーク・
トウェインの小説の故郷で
あるハンニバルや、リンカ
ーンの故郷であるイリノイ
州のスプリングフィールド
（『地球の歩き方⑨アメリカ
の魅力的な町』編参照）を
訪ねてみるのもセントルイス
ならではの観光プランだ。

長距離バス

グレイハウンド・バスディーポ　Greyhound Bus Depot

　バスディーポはダウンタウンの北西のはずれ、Cass St.と
13th St.が交差するところにあり、中心部から離れているので
少々不便だ。なお、周囲の環境があまりよくないので、日が暮
れてからはタクシーを利用すること。

鉄 道

アムトラック駅　Amtrak Station

　メトロリンクUnion Station下車、中央郵便局南の16th St.
を南へ進み、高速をくぐった奥にある。小規模な駅で、シカゴ
行き、テキサス行きの便が発着する。

セントルイスの歩き方　★ Walking

　大西部への入口の象徴であり、ミシシッピ河畔に建つゲート
ウェイ・アーチはセントルイス最大の見どころだ。アーチの下
にはオムニマックスや、ゲートウェイ・アーチ完成までのドキ
ュメンタリー映画を流すシアターもある。次に足を運びたいの
が、アンハイザー・ブッシュのビール工場。見学ツアーは無料
だ。時間に余裕があるのなら歴史博物館、美術館、動物園、科
学センターのあるフォレスト・パークがおすすめ。公園内の施
設がすべて無料というのは、全米でもめずらしい。また、ミズ
ーリ植物園には北米最大の日本庭園がある。メトロリンクや路
線バスを利用して簡単に行くことができる。

観光案内所　★ Information

St. Louis Visitors Center at America's Center

　ダウンタウンの北にあるコンベンションセンター、America's
Center内にある観光案内所。セントルイスだけではなく、ハ
ンニバルなどミズーリ州内のほかの町の資料もそろっているの
で、行く予定のある人はここで手に入れておこう。ここ以外に
もゲートウェイ・アーチの地下とMemorial Dr.とWashington
Ave.の角（📮308 Washington Ave.）の2ヵ所にも案内所があ
る。ゲートウェイ・アーチの案内所はブース形式になっている
ので、リクエストをしてパンフレットを出してもらう。

**St. Louis Visitors
Center at America's
Center**
📮7th & Washington Ave.,
St. Louis, MO 63101
📞(1-800) 916-0092
🕐月～金9：00～17：00、
土日10：00～14：00
🗺P.475　B-1

---

data

人　口	約397,000人
面　積	159k㎡
標　高	最高187m, 最低126m
市の誕生	1822年
情　報	The St. Louis Post Dispatch（朝刊紙）50¢、日曜版$1.35 Riverfront Times（週刊情報新聞）無料
TAX	セールス・タックス

6.10%
ホテル・タックス
9.475%＋1室に
つき$2

属する州　ミズーリ州 Missouri
州のニックネーム　ショウ・ミー（私に証
拠を見せなさい）州
Show Me State

時間帯　セントラル・タイム
ゾーン

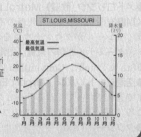
ST.LOUIS,MISSOURI
気温(℃)　最高気温　最低気温　降水量(インチ)

市内の交通機関 ★ Public Transportation

バイ-ステート・トランジット　Bi-State Transit

　ミシシッピ川をはさんでミズーリ、イリノイの2つの州にまたがって、鉄道（メトロリンク）とバスを運行させている。交通局の案内所は11th＆Washingtonのセントルイス・センター1階とラクリーズ・ランディング内Lucas & Morgan北西角のビル1階にあり、タイムテーブルが入手できる。

●メトロリンク　MetroLink

　ランバート・セントルイス国際空港とミシシッピ川対岸のイースト・セントルイスの計18マイルを結ぶ鉄道（ライトレール）で、中心部では地下を、郊外では地上を走る。チケットは入口の自動販売機で買い、ホームにある赤いValidatorで時刻を必ず刻印すること。改札はないが、セキュリティがチケットをチェックする。ユニオン・ステーション、フォレスト・パークへ行くのに便利。

●バイ-ステートバス　Bi-State Bus

　バスは路線によっては運行本数が少ない。事前にタイムテーブルを入手しておこう。トランスファーがほしいときは、初めに乗るバスのドライバーに告げること。

ツアー案内 ★ Sight-seeing Tour

グレイライン　Gray Line of St. Louis
出発場所：ダウンタウンのホテルへのピックアップサービスあり

番号	ツアー名	料金	運行	所要時間	内容など
1	Grand Tour	$22	4/15～10/15日火木金土 13：15発	3時間	ダウンタウン周辺の見どころ、フォレスト・パーク、ユニオン・ステーションなどを回る。

Attractions
おもな見どころ ★

セントルイスNo.1の観光スポット

ジェファソン・ナショナル・エクスパンション・メモリアル
★ Jefferson National Expansion Memorial (JNEM)

　1804年、大統領トーマス・ジェファソンは、フランス領だったミシシッピ川以西の地域を、時の皇帝ナポレオンから購入し、合衆国の領土は一気に2倍となった。合衆国の西端の町だったセントルイスは、このときから大西部の入口となった。現在の公園は当時、ダウンタウンだったところで、中には観光の目玉ゲートウェイ・アーチや西部開拓博物館、教会、隣接してレンガ造りの昔の町並みをそのまま残した、ラクリーズ・ランディングなどがある。1年間に約350万人もの人が訪れる。

セントルイスのゲートウェイ・アーチは大西部への入口

バイ-ステート・トランジット案内所
（セントルイス・センター）
☎ (314) 982-1495
圖 月～土10：00～18：00
圝 鉄道、バスとも1区間
$1.25、トランスファーは10¢で2時間有効、バスとメトロリンクの相互乗り換えも可。1日バス$4、3日バス$8（メトロリンク、バスとも乗り放題）

メトロリンク
運行：月～土5：00～24：00、日5：30～23：30
圝 $1.25、月～金曜の11：00～13：30、Union StationからLaclede's Landingの間は乗車無料

バイ-ステートバス
運行：毎日4：00～翌2：00

グレイライン
☎ (314) 241-1224
圓 (1-800) 542-4287

ジェファソン・ナショナル・エクスパンション・メモリアル
☎ (314) 655-1700
圖 P.475　B-1、2

★ セントルイス

473

ゲートウェイ・アーチ
☎(314) 982-1410
トラムは観覧車のようなものだが、1台1台はとても小さく、その上5人乗りのためかなり窮屈。閉所恐怖症気味の人にはおすすめできない。
開毎日8：00～22：00（冬期9：00～18：00）
休サンクスギビング、クリスマス、元日
料トラム、IMAX、映画『Monument of the Dream』の3種類から選ぶ。同ページの表参照

読★者★投★稿
ゲートウェイ・アーチは朝いちばんで
サンクスギビングの週末、正午ごろに行ったらすでにトラム乗り場は長蛇の列で17：40のチケットがいちばん早いといわれた。16：00ごろ再び行ったら、もうトラムのチケットは売り切れていた。このトラムは5人乗りの8両編成で、一度に乗れる人数が決まっている。セントルイス観光は、朝いちばんにゲートウェイ・アーチのトラムのチケットを入手するといいだろう。
(橋本剛・利枝 シカゴ在住)('98秋)

西部開拓博物館
開ゲートウェイ・アーチと同じ
料無料

旧教会
住209 Walnut St.
☎(314) 231-3250
開毎日9：30～16：30
料無料、付属の博物館は25¢

旧裁判所
住11 N. 4th & St. Market Sts.
☎(314) 425-4468
開毎日8：00～16：30
料無料
行Memorial Driveをはさんでゲートウェイ・アーチの反対側

●ゲートウェイ・アーチ　Gateway Arch

過去、数え切れない人たちがそれぞれの夢を描いて、この東部と西部の境目セントルイスから大陸の西部に向かい、この国を築いた。そんな彼らの功績をたたえるために、3年半の年月をかけて1965年に完成したのがこのゲートウェイ・アーチだ。630フィート（約200m）の高さは人工のモニュメントとしてはアメリカ国内一で、ビルの60階に相当する。その巨大さから想像するほど威圧感がなく、町の風景に溶け込んでいるのはシンプルなデザインのためだろう。ステンレス鋼とコンクリートによって自立しているアーチの最上部には展望室があり、小さなトラムの乗り物に乗って上ることができる。東西に向いている小さな窓からは、セントルイスの町並みとミシシッピ川の美しい景色が見える。

アーチの両方の足もとから地下に降りて行くと、チケット売場、観光案内所、ギフトショップなどがある。ここにはほかにも映画館が2つと西部開拓博物館がある。映画館ではゲートウェイ・アーチができるまでの記録映画『Monument of the Dream』を放映している。アーチに上る前にぜひ見ておこう。感慨が違うはずだ。もう一つの映画館はIMAXシアター。4階建てビルに相当する巨大なスクリーンでアメリカ西部に関係のあるフィルム2種を楽しむことができる。人気のスポットなので、シーズンにはかなり待たされることになる。いっそのこと全部のアトラクションを見てしまおう。チケット売場でそれぞれの待ち時間が最短になるようにチケットを作ってくれる。

	1種	2種	3種
大人	$6	$10	$14
子供	$2.50	$5	$7.50
学生	$4	$8	$12

●西部開拓博物館　Museum of Westward Expansion

ゲートウェイ・アーチの地下にある。内部はちょうど当時の人々が西部に広がっていったように、入口から扇状に広がっている。バッファローや狼、コヨーテといった動物、アメリカ先住民たちの風俗、開拓民たちが使っていた生活用具や測量機器など、西部開拓の歴史全般にわたっての展示がある。入場無料なので、ほかのアトラクションの待ち時間に見るのもいいだろう。

●旧教会　Old Cathedral

セントルイスで最も古い教会で、法王ヨハネ・パウロ1世により特別な教会としての地位を与えられ、ケネディ大統領によって国の史跡に指定された由緒ある教会。

アーチの上から見た旧裁判所

●旧裁判所　Old Courthouse

1864年に建てられたこの建物は、ゲートウェイ・アーチと並んでセントルイスのランドマーク的存在。現在は博物館になっており、セントルイスの町の変遷を、パネルやフィルムを通して知ることができる。レンジャーによるツアーもある。

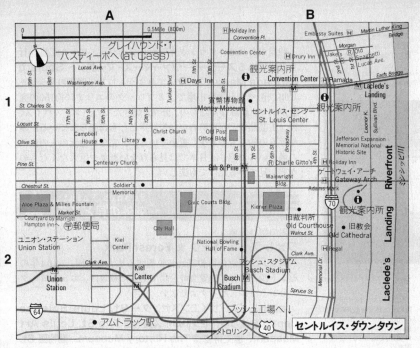

A　B

0　0.5Mile (800m)

グレイハウンド・↑
バスディーポへ (at Cass)

Holiday Inn
Convention Pl.

Embassy Suites　Martin Luther King
Bridge

Convention Center

Lucas Ave.

Morgan

Jakes

Old Spaghetti
Lucas Ave.

Drury Inn

観光案内所
Convention Center

Washington Ave.

Days Inn

Ramada

Eads Bridge

Laclede's
Landing

St. Charles St.

貨幣博物館
Money Museum

観光案内所

1

Locust St.

セントルイス・センター
St. Louis Center

Leonor K.

Sullivan Blvd.

Olive St.

Campbell
House

Library

Christ Church

Old Post
Office Bldg.

Broadway

Jefferson Expansion
Memorial National
Historic Site

Riverfront

Pine St.

Centenary Church

Charlie Gitto's

ゲートウェイ・アーチ
Gateway Arch

Holiday Inn

Chestnut St.

8th & Pine

Wainwright
Bldg.

Adams Mark

Aloe Plaza & Millie's Fountain

Soldier's
Memorial

Civic Courts Bldg.

Kiener Plaza

観光案内所

Market St.

Courtyard by Marriott
Hampton inn

郵便局

City Hall

旧裁判所
Old Courthouse

旧教会
Old Cathedral

ユニオン・ステーション
Union Station

Kiel
Center

Walnut St.

2

National Bowling
Hall of Fame

ブッシュ・スタジアム
Busch Stadium

Clark Ave.

Regal

Union
Station

Kiel
Center

Clark Ave.

Busch
Stadium

Busch

Spruce St.

Laclede's
Landing

64

ブッシュ工場へ↓

アムトラック駅

メトロリンク

40

セントルイス・ダウンタウン

★ セントルイス

セントルイス

駅ではなくエンターテインメントも行われるショッピングモール
ユニオン・ステーション ★ St. Louis Union Station

　かつてはアメリカで最も忙
しい鉄道駅だったユニオン・
ステーションを改造して造ら
れた、巨大なショッピングモ
ール。国の歴史的建造物にも
指定されている内部には、
100を超える店と10のレスト
ラン、15のファストフード、
さらにコンサート用のステー
ジなどがある。

ユニオン・ステーション
1820 Market St. (bet.
18th & 20th Sts.)
☎ (314) 421-6655
月〜木10：00〜21：00、
金土10：00〜22：00、日
11：00〜19：00 (冬期は短
縮)
メトロリンクUnion Station
下車
P.475　A-2

ユニオン・ステーション

生産量全米No.1のビール工場
アンハイザー・ブッシュ工場見学ツアー
★ Anheuser-Busch Brewery Industrial Tours

　バドワイザーを作る、世界最大のビール会社の工場を見学す
るツアー。無料で楽しめて、最後には、これまた無料でビール
が飲めてしまう。参加しない手はない。

　まず入口のカウンターでツアーに参加する人数を申し出る
と、何時のツアーに参加できるかを教えてくれる。会社の歴史
の説明から始まり、ホップの香り漂うタンクやビン詰めの工程
などの見学、バドワイザーの宣伝も兼ねた短い映画などを見る。
ツアーの最後がお待ちかねのビールの試飲。アンハイザー・ブ
ッシュ社の数種類のビールを試すことができる。試飲タイムは
15分ほど。

**アンハイザー・ブッシュ
工場**
12th & Lynch Sts.
☎ (314) 577-2626
月〜土9：00〜17：00
(9〜5月は16：00まで)
ツアーの所要時間は約1時
間15分
Broadwayを走る＃40の
バスで約15分。前方に大き
な『バドワイザー』の看板が
見えてくる。Lynch St.で
下車。そのまま西へ2.5ブ
ロックほど歩くと駐車場の
奥にツアーがスタートする
ビルが見えてくる
P.475　B-2地図外

475

スーラード・ファーマーズ・マーケット

730 Carroll St. bet. 7th & 9th Sts.
☎ (314) 622-4180
水〜金8：00〜17：30、土6：00〜17：30

フォレスト・パークの歴史博物館にあるジェファソンの像

フォレスト・パーク

Kings Highway Blvd. & Lindell Blvd. & Skin Ker Blvd. & US-40
☎ (314) 535-0100
無料
メトロリンクForest Park下車。公園内の各見どころとセントルイス大聖堂、メトロリンクのForest Park駅とCentral West End駅をつなぐシャトルバス、Shuttle Bugは公園内の移動に非常に便利。平日6：16〜18：36（週末は9：46〜）の間15分間隔で運行、1日乗り放題で＄1。てんとう虫の形をしている。
P.476

セントルイス大聖堂

4331 Lindell Blvd.
☎ (314) 533-0544
毎日7：00〜18：00
無料

地下博物館

毎日10：00〜15：00
＄1
P.476

ミズーリ州立植物園

4344 Shaw Blvd.
☎ (314) 577-9400
(1-800) 642-8842
毎日9：00〜17：00（メモリアル・デーからレイバー・デーまでは20：00）
クリスマス
大人＄5、シニア＄3、メンバーと12歳以下は無料
＃99のバスで約30分、Shaw & Tower Groveで下車。またはメトロリンク Central/West End駅より#13"Union-Missouri"のバスでBotanical Garden下車

時間があれば、ダウンタウンからブッシュ・ビール工場へ行く途中にある**スーラード・ファーマーズ・マーケット Soulard Farmer's Market**をのぞいてみよう。1779年開業のミシシッピ川以西で最も古い市場で、2ブロックのエリアに約150の売店があり、新鮮なくだもの、野菜、焼きたてのパン、スパイス、肉、工芸品などが威勢のいい掛け声とともに売られている。みやげもの的なものも少し置いているが、完全に地元の人の生活の場といった感じ。日本では見られない野菜や巨大なくだものなど、見ているだけでも楽しい。

Suburb Points ★
郊外の見どころ

市民の憩いの場

フォレスト・パーク ★ Forest Park

ダウンタウンの西約7kmに位置する広大な公園。1904年のセントルイス万国博覧会の会場であった敷地は、ニューヨークのセントラル・パークより広い。

セントルイス・サイエンスセンター St. Louis Science Centerをはじめ、**セントルイス美術館 The St. Louis Art Museum**、**歴史博物館 The History Museum**、**動物園 St. Louis Zoo**、野外劇場などの文化施設、ゴルフコース、テニスコート、スケートリンクなどのスポーツ施設が園内に点在しており、まさにセントルイス市民の憩いの場となっている。ゆっくり時間をかけて過ごしてみたいところだ。

公園東側の**セントラル・ウエスト・エンド地区 Central West End Area**に建つ**セントルイス大聖堂 St. Louis Cathedral**はモザイク壁画が世界的に有名。高さ約69m、外観がロマネスク様式、内観がビザンチン様式の堂内は、あしかけ80年をかけて完成したモザイク細工がみごとだ。地下に博物館がある。大聖堂へはShuttle Bug、または#93のバスで行ける。

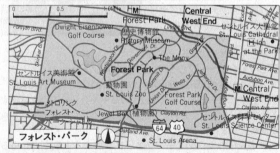

フォレスト・パーク

日本庭園もあるビッグな植物園

ミズーリ州立植物園 ★ Missouri Botanical Garden

1859年にオープンした全米でもっとも古い植物園で、国の史跡に指定されている。広大な園内はいくつかの見どころに分かれているが、円形の巨大な温室に熱帯雨林が再現されている**クライマトロン Climatron**は見逃せない。そのほか美しい花々

が咲き乱れる花壇や、バラの花だけで作られているローズガーデン、北米でいちばん大きいといわれる日本庭園などバラエティに富む植物園だ。

地図外

Entertainment
エンターテインメント

セントルイス交響楽団
★ St. Louis Symphony Orchestra

　1880年創設の、全米でも有数の歴史をもつオーケストラ。実力のほうも、CDのセールス数や日本公演を果たすなど、全米屈指だ。

セントルイス交響楽団
ホームホール——パウエル・シンフォニー・ホール
Powell Symphony Hall, 718 N. Grand
☎ (314) 534-1700
メトロリンクGrand駅より＃70のバスで
Box Office：月〜土9：00〜17：00

Spectator sports
観戦するスポーツ

ベースボール（MLB）

セントルイス・カージナルス ★ St. Louis Cardinals
（ナショナル・リーグ中地区）

　'98年のスポーツ界で、世界中の話題をさらった選手が、カージナルスのマグワイア1塁手だ。ヤンキースのマリス選手の持つ記録を37年ぶりに大きく更新し、年間本塁打数70本は大リーグ史上さん然と輝く金字塔となった。マグワイア見たさに、カージナルスのチケットを入手するのは現在至難のわざ。しかしながら、彼の活躍とは裏腹にカージナルスはあまり勝てないのが実情だ。

セントルイス・カージナルス
本拠地——ブッシュ・スタジアム　Busch Stadium, 250 Stadium Plaza
☎ (314) 421-3060、420-2400（チケット）
メトロリンクBusch Stadium駅下車、目の前にある
P.475　B-2

アメリカン・フットボール（NFL）

セントルイス・ラムズ ★ St. Louis Rams（NFC西地区）

　ラムズはロスアンゼルスからここセントルイスに本拠地を移したチームで、新天地での成績はあまり芳しくない。スタジアムはダウンタウンのトランスワールド・ドーム。アイスホッケーのブルース、MLBのカージナルスとともにダウンタウンにホームがこれだけ集中するのは、全米でセントルイスだけ。この恩恵を受けない手はない。

セントルイス・ラムズ
本拠地——トランスワールド・ドーム　Trans World Dome at America's Center, 701 Convention Plaza
☎ (314) 982-7267
球場はダウンタウンのトランスワールド・ドーム。メトロリンクConvention Center駅下車
P.475　B-1

アイスホッケー（NHL）

セントルイス・ブルース ★ St. Louis Blues（西・中地区）

　セントルイスの名にふさわしいのがアイスホッケーのブルースだ。ブルースのスターはアメリカ代表として長野オリンピックにもやってきた、ブレット・ハル。父親もホッケーの選手だったサラブレッドだが、まさに「つわもの」という面構えだ。

セントルイス・ブルース
本拠地——キール・センター
Kiel Center, 1401 Clark Ave.
☎ (314) 968-1800、989-8000
メトロリンクKiel Center駅下車
P.475　A-2

アンハイザー・ブッシュのビール工場

マグワイアを応援に行こう

ショッピング

Shopping

ダウンタウンのショッピングモール
St. Louis Centre

🏠Between 6th & 7th Sts., Washington & Locust ☎(314) 231-5913

🕐月～土10：00～18：00、日12：00～17：00　　　　🗺P.475　B-1

　名前のとおりセントルイス・ダウンタウンの中心に位置するモール。2つのデパートに隣接し、4階のフードコートも充実している。ドラッグストアも入っていて便利。高架歩道でつながっているMercantile Towerの2階に小さな貨幣博物館 Mercantile Money Museum（🕐毎日9：00～16：00）がある。アンティークな両替機、世界の1ドル札などが展示されている。無料。　　（'98）

ビッグでファンシーな郊外のモール
St. Louis Galleria

🏠1155 Saint Louis Galleria
☎(314) 863-5500

🕐月～土10：00～21：30、日11：00～18：00　　　　🗺地図外

　セントルイス・センターでは満足できない人に寄ってほしいモール。デパートが3軒、Banana Republic、Brooks Brothers、Eddie Bauerなど有名店が約165軒、レストランや映画館なども入って、フードコートもある。行き方は4th St.とLocust St.を走る#52のバスで約55分、Clayton Rd. & Francis Placeの角で下車。　　（'98）

ホテル

Hotel

ゲートウェイ・アーチが目の前
Holiday Inn Downtown-Riverfront

🏠200 N. 4th St., St. Louis, MO 63102
☎(314) 621-8200、FAX (314) 621-8073
オンシーズン⑤＄89～109、⑩①＄99～129、オフシーズン⑤＄79～99、⑩①＄89～109　ADMV　　🗺P.475　B-1

　空港からのシャトルバンのストップになっている。ゲートウェイ・アーチやブッシュ・スタジアムまで徒歩圏内。町なかのホテルにはめずらしく、6割の部屋にキッチンがついている。通常冬は安く夏は高くなる。454室。　　（'98）

魅力的な値段
Days Inn Convention Center

🏠1133 Washington Ave., St. Louis, MO 63101　☎(314) 231-4070、☏(1-800) 329-7466、FAX (314) 231-6468
⑤＄69、⑩＄79　AMV　🗺P.475　A-1

　建物は古くなってきているが、'96年に内部の改装をすませたのでそれほど気にならないはず。ひととおりの設備は整っていて、ダウンタウンでこの値段は魅力的。　（'98）

ユニオン・ステーションまで400m
Courtyard by Marriott

🏠2340 Market St. at Jefferson, St. Louis, MO

63103　☎(314) 241-8113、☏(1-800) 321-2211、FAX (314) 241-8113
オンシーズン⑤⑩①＄102、オフシーズン⑤⑩①＄59　ADMV　🗺P.475　地図外

　高級ホテルチェーン・マリオットのビジネスマン向けのクラス。設備、清潔度は合格点、部屋も広め。Hampton Innの斜め向かい。　　（'98）

ユニオン・ステーションのすぐ近く
Hampton Inn

🏠2211 Market St., St. Louis, MO 63103
☎(314) 241-3200、FAX (314) 241-9351
⑤＄96～106、⑩①＄106～116　ADMV　　🗺P.475　A-2　地図外

　セントルイスでいちばんにぎやかなショッピングセンター、ユニオン・ステーションから高速を越えて徒歩約5分。朝食付き。　　（'98）

高級ホテルの豪華なロビー

セントルイスのフレンドリーなユース
Hostelling International-The Huckleberry Finn Youth Hostel

🏠1904-08 S. 12th St., at Tucker Blvd., St. Louis, MO 63104　☎ (314) 241-0076　ドミトリー＄15　MV　🗺地図外

キッチン、コモンルームがある。オフィスは8：00～10：00、18：00～23：00オープン。ベッド数44。12/20～1/20は閉鎖。キーデポジットが＄5、シーツが＄1。行き方はダウンタウンから#21または#73のバスに乗り、15分ほど、12th & Russellで下車、北へ1ブロック。44ベッド。('99)

コンベンション・センターのとなり
Holiday Inn Select St. Louis

🏠811 N. 9th St., St. Louis, MO 63101　☎ (314) 421-4000、📞 (1-800) 289-8338、FAX (314) 436-8932　🗺P.475　B-1　オンシーズンⓈⓉ＄119～129、オフシーズンⓈⓉ＄99～109　ADJMV

コンベンションセンターが道を挟んで向かいにある。ビジネス客が多いが、観光にも便利な場所。プール、ラウンジ、フィットネス・ルーム、レストランと施設は十分整っている。('98)

観光案内所の向かい
Ramada Inn at the Arch

🏠333 Washington Ave., St. Louis, MO 63102　☎ (314) 621-7900、📞 (1-888) 329-7452、FAX (314) 421-6468

Ⓢ＄79、Ⓓ＄89　AMV　🗺P.475　B-1

観光案内所の向かいにあり、'96年にリニューアルした。建物自体は新しくないが、部屋はきれいで設備も整っている。182室。('98)

トランスワールド・ドームのとなり
Drury Inn-Convention Center

🏠711 N. Broadway St., St. Louis, MO 63102　☎ (314) 231-8100、📞 (1-800) 378-7946、FAX (314) 621-6568

Ⓢ＄90～100、ⒹⓉ＄100～＄110　ADMV　🗺P.475　B-1

中西部を中心にチェーン展開しているホテルで、TWドームのとなり、セントルイス・センターからも1ブロックという便利な場所にある。ゲートウェイ・アーチやブッシュ・スタジアムも徒歩圏内。場所柄、ビジネス、スポーツ観戦、観光と客層は広い。5階の中庭に屋内プールがあるという変わった作りで、部屋はきれい。朝食もついている。('98)

★★★ レストラン ★★★
Restaurant

読★者★投★稿

インテリアに注目！ スパゲティ専門店
The Old Spaghetti Factory

🏠727 N. 1st St.　☎ (314) 621-0276　🕐月～木17：00～22：00、金17：00～23：30、土16：00～23：30、日15：30～22：00　🗺P.475　B-1

全米にあるチェーン店で、古き良き時代のインテリアに統一したアンティークな造りがユニーク。店の中に1920年代に使われていた市電がデンと置かれている。ディナーのみの店で料金は非常に安い。10種以上あるスパゲティは＄4.50～8.25で、サラダ、パン、コーヒーor紅茶、アイスクリームが付いている。(熊谷伸子　青森市)('98)

読★者★投★稿

めずらしい水上マクドナルド

ミシシッピ川にはカジノなどの船が浮かんでいるが、マクドナルドの船もある。桟橋を渡って入り、船室で食べ物を買う。船室と甲板、2階で食べることができ、カモメが客の投げるポテトを目当てに旋回していた。なんの変哲もないマクドナルドだし、セットの値段が若干高めだが、アーチのすぐ後ろなので、レストランをさがすのがいやなときなどはいい。

(橋本剛・利枝　シカゴ在住 '98秋)

中西部はやっぱりバーベキュー！
Jake's Steaks

🏠704 N. 2nd St.　☎ (314) 621-8184　🕐月～金11：30～22：00、土日16：00～23：00　AMV　🗺P.475　B-1

ゲートウェイ・アーチに近いラクリーズ・ランディング内。カジュアルなレストランで、ステーキとバーベキューがおいしい。ジュージューと聞こえる音と香りだけでも、ヨダレが出てきそう。値段は＄8.95～21程度。Boomer's Night Clubの上。('98)

インディアナポリス

シカゴからインターステート65号線を南に車で4時間、インディアナポリスはこぢんまりとした近代都市だ。町はインディアナ州のほぼ中央に位置する州都。1820年代にインディアナ州の州都になる以前は、アメリカ先住民の集落と林業で成り立つ小さな町だった。その後、大規模な都市改造計画が行われ、1930年代には農業と工業のバランスのとれた新しい都市に変貌。現在は人口82万人を抱えるアーバン・シティになっている。郊外には日系企業の進出も多い。

また、アメリカいちのモータースポーツ・イベント、インディ500マイルの開催地としても名高いのがこの町。毎年5月に行われるスピードの祭典には、アメリカ中からたくさんのレースファンが町に押しよせてくる。この時期のホテル確保は不可能といわれるほどの人気だ。アメリカン・モータースポーツファンなら一度は訪れてみたいと思うのがこの町だろう。

ダウンタウンへの行き方 Access

空港

インディアナポリス国際空港
☎ (317) 487-7243

インディアナポリス国際空港
Indianapolis International Airport (IND)

ダウンタウンの南西11kmに位置する近代的な空港。4つのコンコースから構成され、US Airwaysが一つのコンコースを使っている。

data

人　口	約818,000人		5%
面　積	1,057km²		ホテル・タックス
標　高	最高255m、最低		10%
	213m	属する州	インディアナ州 Indiana
市の誕生	1832年	州のニックネーム	フージア(正直者など)
情　報	This is INDIANAPOLIS	州	Hoosier State
	(観光情報誌)無料	時間帯	セントラル・タイム
	Indianapolis Star		ゾーン
	平日50¢、日曜版		ただし、インディアナ
	$1.75		州の一部ではサマータ
TAX	セールス・タックス		イムは採用されない

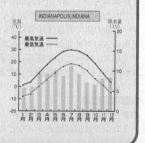

INDIANAPOLIS,INDIANA
気温(℃)　降水量(ミリ)
最高気温
最低気温
1 2 3 4 5 6 7 8 9 10 11 12月

●空港シャトルバン　Indy Connection Limousines, Inc.
　ダウンタウンのホテルまで20分おきに運行。所要時間約20分。空港へ向かう際はホテルのフロントに頼むとよい。
●路線バス　Metro Bus　#9 "West Washington" 行きで約30分。乗り場は空港を出た駐車場前の島状の部分。ダウンタウンはMaryland & Meridianで下車すれば観光案内所に近い。
●タクシー　ダウンタウンのホテルまで所要時間約15～20分。

空港シャトルバン
☎ (317) 487-5217
片道＄8

Metro Bus
75¢、ラッシュアワーは＄1。
20～60分の不定期な間隔で運行されている

タクシー
約＄17

長距離バス

グレイハウンド・トレイルウェイズ・バスターミナル
Greyhound/Trailways Bus Terminal

　以前はダウンタウンの中心にあったが、現在はIllinois St. 沿い、ユニオン駅の中に移った。シカゴ、シンシナティ、セントルイスへ向かうのなら、バスを利用するほうが飛行機より安くて速い。

グレイハウンド・トレイル
ウェイズ・バスターミナル
350 S. Illinois St.
☎ (317) 267-3076
(1-800) 231-2222
24時間営業
P.481　B-2

鉄 道

アムトラック・ユニオン駅　Amtrak Union Station

　ダウンタウンの南端、楽しいショッピングモールでもあるユニオン駅の中にある。シカゴ行きの便は利用客も多い。

グレイハウンドのバスディーポも
ユニオン駅にある

アムトラック・ユニオン駅
350 S. Illinois St.
☎ (317) 632-1905
(1-800) 872-7245
毎日6：30～22：00
P.481　B-2

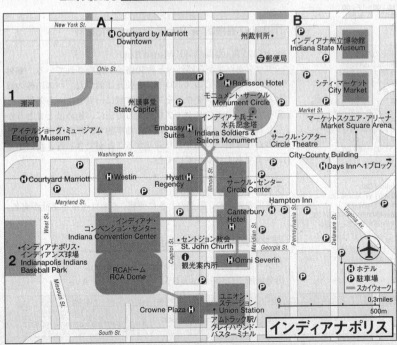

インディアナポリス

481

インディアナポリスの歩き方

どこから観光を始めるか
東西南北に少しずつ散らばっている。州立博物館、RCAドーム、アイテルジョーグ・ミュージアムのどこから見学してもいいが、RCAドームのツアーの出発時間だけは事前に確認しておきたい。

ダウンタウンの見どころは歩いて回れる範囲にあり、1日あれば十分。インディアナポリスには郊外にもいくつか観光ポイントがあり、それらの見どころへはダウンタウンからメトロバスが運行されている。1日はダウンタウン、もう1日は郊外と、2日あれば十分だろう。インディアナポリスで最も人気のポイント、インディ500のレース場と博物館は郊外にあり、バスの本数が少ないため、必ずタイムテーブルを入手しておくこと。ダウンタウンでは兵士・水兵記念塔、RCAドーム、アイテルジョーグ・ミュージアムなども必ず足を運びたいポイントだ。

観光の拠点はダウンタウンの中心でもある、兵士・水兵記念塔が建つモニュメント・サークル Monument Circle。記念塔を中心に町は東西南北に分かれ、通りは碁盤の目のように規則的に走っている。

案内所で地図を入手し、観光するポイントを決めたら、町の中心の兵士・水兵記念塔に登ってみよう。町の大きさがつかめる。

観光局はRCAドームの近く

観光案内所 ★ Information

Tourist Information, Indianapolis City Center

Tourist Information
201 S. Capitol Ave., Indianapolis, IN 46225
☎ (317) 237-5200
Ⓣ (1-800) 642-4639
HOME www.indy.org
開月～金10：00～17：30、土10：00～17：00、日12：00～17：00
地P.481　A-2

RCAドームのすぐ東、Capitol St. とGeorgia St.の角にある。広くてディスプレイも凝っており、みやげものも売っている。入口に置かれている立体の地図は、町を把握するのにGood。メトロバスのタイムテーブルもある。

市内の交通機関 ★ Public Transportation

メトロバス（路線バス）Metro Bus

メトロバス
139 E. Ohio St.
☎ (317) 635-3344
開月～金6：00～21：00、土日8：00～17：00
料ラッシュアワー$1、ラッシュアワー以外75¢、エクスプレスは$1.25、トランスファー25¢。ラッシュアワーは平日6：00～9：00と15：00～18：00

ダウンタウンから郊外へと約50路線が運行されている。郊外の見どころへもこのメトロバスを使えば簡単だ。バス路線のほとんどが、ダウンタウンをスクエア状に一周してから郊外へと走っていく。このスクエア状に走る方法に、初めはとまどうかもしれないが、この走り方は実に効率的で、乗客はダウンタウンのかなり広い範囲で乗り降りすることができ、行きたいポイントまであまり歩かずにすむ。

タクシー　Taxi

Yellow Cab
3801 W. Morris St.
☎ (317) 487-777
料最初の1/5マイルは$1.25、次の1/5マイルごとに35¢

夜間の外出や、急ぎのときに便利。イエローキャブ社が有名。

ツアー案内 ★ Sight-seeing Tour

グレイライン　Gray Line of Indianapolis

グレイライン
☎ (317) 573-0403
Ⓣ (1-800) 447-4526

出発場所：Downtown Hyatt, 1 S. Capitol Ave.

番号	ツアー名	料金	運行	所要時間	内容など
1	Indianapolis City Tour	$20	4/1～10/31の土9：00発	3時間	インディアナポリス・モーター・スピードウェイ、B・ハリソン邸、インディアナポリス美術館、子供博物館など市内のおもな見どころを見学する。

Attractions
おもな見どころ ★

インディアナポリスの鳥瞰が楽しめる
インディアナ兵士・水兵記念塔
★ Indiana Soldier's & Sailor's Monument

　ダウンタウンのど真ん中に建つ高さ87mの塔がインディアナ兵士・水兵記念塔だ。1902年に完成したこの塔は、南北戦争の犠牲となって亡くなった軍人の慰霊のために建てられたもの。南北戦争時、インディアナポリスは北軍と南軍が対峙する激戦区であった。この周辺で戦死した軍人はインディアナ州でも24,000人に達したという。塔は過去2回にわたって改築され、現在の姿は1990年5月にお目見えしたもの。

　この兵士・水兵記念塔は、頂上まで登って町を見学することができる。小さなエレベーターが頂上の展望台まで通じているが、足に自信があるなら330段の階段を登ってもいい。展望台からのインディアナポリスの眺望はすばらしい。展望台がガラスでおおわれているため、夏場はまるでサウナのような暑さになるが、一見の価値はある。

インディアナ州はどんな州？
インディアナ州立博物館 ★ Indiana State Museum

　インディアナ州の自然史と文化史の流れが紹介されている博物館。館内は地下から3階まで4つの階で構成され、常設展示と特別展示がそれぞれの階に入っている。常設展示としては、1920〜1950年のインディアナ州のラジオ放送の歴史、マンモスや氷河があった有史前のインディアナ州を復元した森、"インディ500"の町を象徴するカーレースをはじめとするスポーツの遺産、1900〜1920年ごろのインディアナポリスの通りの復元などを見学できる。スポーツコーナーのインディ500で活躍したレーシングカーやヘルメットなどの備品は、いかにもこの町らしくて好感がもてる。

アメフト以外にも催しものはいろいろ
RCAドーム ★ RCA Dome

　インディアナポリスっ子にとってはニューヨークのマジソン・スクエア・ガーデン的存在のドーム式球技場。インドアの球技場は60,500人収容可能で、アメフトAFC所属のインディアナポリス・コルツの本拠地にもなっている。スポーツ以外にもコンサートやコンベンション（隣接するコンベンションセンターに中でつながっている）なども頻繁に開催され、RCAドームの観客動員数は年間200万人にも達する。

　ゲームなどのない日は、**ツアー**でドームを見学することができる。プレスルームに座ったり、直接グラウンドに立ったりなど、観客としては体験できない、舞台裏ツアーはおすすめ。約1時間15分のツアー。

インディアナ兵士・水兵記念塔
🏛 Monument Circle
☎ (317) 232-7615
🕐 水〜日11：00〜19：00
（10/1〜4/15は9：00〜17：00）
🚫 月火
💲 入場無料
🗺 P.481　B-1

【 読★者★投★稿 】
　クリスマスのシーズンは、塔全体がライトアップされて巨大なクリスマスツリーに変身する。エントランスのデコレーションも一見の価値あり。
（Karin W. インディアナ州在住）

インディアナ州立博物館
🏛 202 N. Alabama St.
☎ (317) 232-1637
🕐 月〜土9：00〜16：45
日12：00〜16：45
🚫 サンクスギビング、クリスマスイブ、クリスマス、元日、イースター
💲 無料
🚗 Ohio St.とAlabama St.の角
🗺 P.481　B-1

RCAドーム
🏛 100 S. Capital Ave.
☎ (317) 237-5206
ツアーの時間：月〜土11：00、13：00、15：00　日13：00、15：00（ただし、イベントのある日は除く）
💲 大人＄5、学生・シニア＄4、子供（4歳以下）無料
🚗 ダウンタウンの南西、Maryland St.とCapitol St.の角。ツアーの入口はGeorgia St.に面したところ
🗺 P.481　A-2

ツアーで内部を見学できる

アイテルジョーグ・ミュージアム
★ Eiteljorg Museum of American Indians and Western Art

アメリカ先住民独自の文化が失われていくなかで、彼らの文化遺産、生活美術を保存展示するために設立されたミュージアム。各部族の文化遺産が北米大陸を9つの地域に分けて展示されていて、「アメリカ先住民文化」とひと口にくくることができない、多様で豊かな文化の片鱗に触れることができる。おもな展示物は、祭事用の衣装や道具、カゴやアクセサリーなどの工芸品、日用雑貨など。また、アメリカ西部の自然と、アメリカ先住民の文化、生活を題材とした西洋絵画も大きなスペースをとって展示され、開拓当時の西部の大自然やそこに生活する人々の姿が鮮やかに描かれている。

1階のミュージアムショップにはポスターやカタログに混じって、さまざまな工芸品が並べられ、なかでもアクセサリーは種類も多く、選ぶのに苦労するはず。少し高く感じるが、先住民のアーティストによって作られた本物のインディアン・ジュエリーだと思えば安い買い物だろう。

アイテルジョーグ・ミュージアム

📍500 W. Washington St.
☎ (317) 636-9378
🕐火～土10：00～17：00、
日12：00～17：00
🚫月、サンクスギビング、
クリスマス、元日（7、8月
は月曜もオープン）
💲大人＄3、シニア＄2.50、
学生・5～17歳＄1.50、
毎月第一木曜は無料
🚇ダウンタウンの西、Washington St. とWest St. の角
🗺P.481　A-1
ツアーは毎日14：00～

アイテルジョーグ・
ミュージアム

<blockquote>Suburb Points
郊外の見どころ ★</blockquote>

インディアナ州でいちばん有名なところ

インディアナポリス・モーター・スピードウェイ・ホール・オブ・フェイム博物館
★ Indianapolis Motor Speedway Hall of Fame Museum

毎年5月のメモリアル・デー・ウィークエンドに、アメリカ・モータースポーツ最大のイベントとして、インディ500が開催される。そのコースとして1911年の第1回大会から使われているのが、このインディアナポリス・モーター・スピードウェイだ。毎年約50万人もの人がこのレースを観戦にやってくる。1周2.5マイル、約4キロの楕円の陸上トラックのようなコースで、もともとは開発用のテストコースとして1909年に建設された。その当時、コースはすべてレンガ敷きで、現在もスタートフィニッシュラインの36インチは当時のレンガがそのまま使われている。レースのチケットは1年以上前から予約をしないと手に入らないが、レース開催日以外でも博物館は一般公開されている。また、バン・ツアーでは、実際に説明を聞きながらトラックを一周することができ、レースファンには感慨深い体験だろう。

インディアナポリス・モーター・スピードウェイ・ホール・オブ・フェイム博物館

📍4790 W.16th St., Speedway, IN 46222
☎(317)484-6747（博物館）、484-6700（チケット）
🕐毎日9：00～17：00
（5月のみ～18：00）
🚫クリスマス
💲博物館は大人＄3、6～15歳＄1、5歳以下無料。バン・ツアー＄3
🚇ダウンタウンからメトロバス＃25"West 16th St."で約30分。スピードウェイ前のバス停で下車。料金は＄1.25。帰りは道の向かいのBrickyard Mallの看板の下にバス停の看板がある。日祝日は運休
🗺地図外

博物館の外観

博物館に展示されているのは、インディ500の歴代ウィニング・カーとウィナーの肖像やヘルメット、名車といわれる車、優勝トロフィーなど。なかでも第1回大会の優勝車Brick Yard、4度の優勝を果たしたA. J. Foyt

トロフィーも展示されている

の4台の優勝車をはじめ、J. Clarkの'63 Lotus 29 Ford、P. Jonesの'67 Graatelli Turbine 4WD、J. Barnarデザインの'80 Chaprral Cosworthなど、75台のレーシングカーが並べられている館内はまさに圧巻。"Racing Capital of the World"のキャッチコピーはダテではない。

入場無料とは信じられない
インディアナポリス美術館 ★ Indianapolis Museum of Art

　ダウンタウンの北、152エーカーの広大な公園の中にある市立の美術館。総合美術館を謳っているだけあって、ヨーロッパとアメリカ美術だけではなく、アジア、アフリカ美術の豊富なコレクションが自慢だ。ジャンルだけでなく、地域、時代ともに広範囲にわたっており、なかでもロダンのコレクションは、小品ながらロダンらしい力強い作品が揃っている。また、ロートレック、ターナーの作品も多く、それぞれひとつのコーナーを占めているほど。ホッパーの『ホテル・ロビー』、オキーフの『ジンセンウッド』などのアメリカを代表する作者の作品に加え、リキテンシュタインなどの現代芸術の作品群も1フロアを使うほど充実。アジア、アフリカ美術では、安藤広重の『東海道五十三次』をはじめ、日本、中国の仏像、清時代の陶器、江戸時代の屏風、ギニアの装身具など意外な展示物に巡り会える。

　また、美術館の入っている公園は植物園や温室、劇場、レストランなどの施設が充実しているので、公園を散策しながら回ってみれば一日中楽しめるはずだ。

全米No.1といわれている子供博物館
インディアナポリス子供博物館
★ Children's Museum Indianapolis

　この手の子供博物館は全米各地にあるが、ここインディアナポリスのものは規模が大きく、展示も充実している。展示の特徴は、見るだけではなく、体験して学ぶことができること。恐竜の化石を発掘したり、ミイラを見つけだしたりと、さまざまな疑似体験をすることができる。このほか、プラネタリウムやCine Domeという劇場などがあり、子供だけでなく、大人も十分楽しむことができる展示内容になっている。

全米屈指の子供博物館
©The Children's Museum

インディアナポリス美術館
🏠 1200 W. 38th St.
☎ (317) 923-1331
🕐 火水金土10:00～17:00、木10:00～20:30、日12:00～17:00
🚫 月、祝日
💰 無料　ただし特別展は木曜を除いて有料
🚌 ダウンタウンから、メトロバス#38 "Lafayette Square"で約30分、38th St. 沿いの美術館入口前のバス停で下車。帰りは道の向かいにバス停の小さな看板が出ている
🗺 地図外

インディアナポリス子供博物館
🏠 3000 N. Meridian St.
☎ (317) 924-5431
🕐 火～日10:00～17:00
🚫 月、サンクスギビング、クリスマス
💰 大人$6、シニア$5、子供$3、木曜の17:00～20:00は無料
🚌 メトロバス#28
🗺 地図外

夏のインディアナポリスもおすすめ

　この町はインディ500で有名だが、ほかの季節にはカーレースの町とはまったく違う表情になる。農業フェスティバルが行われる8月ごろ、空港からフリーウェイI-465を走って広大なコーンや大豆の畑を見に行くのも楽しい。地平線に沈む夕陽も格別だ。人々は親切だし、英語のアクセントも聞き取りやすいし、治安もい

い。とくに夏に訪れるにはおすすめの町だ。
　ちなみに、レースのチケットは昔に比べると買いやすくなったが、決勝のころのホテル料金は相変わらず高い。最も安いモーテルでも3泊セットで$800もするし、キャンセルしても返金には応じてくれない。
　　　　　　　（太田英城　愛知県　'98）

観戦するスポーツ

アメリカン・フットボール（NFL）

インディアナポリス・
コルツ
本拠地──RCAドーム RCA
Dome, 100 S. Capitol Ave.
☎ (317) 297-7000、297-
2658
圓ダウンタウンの西、モニュ
メント・サークルから徒歩
10分
㊙P.481　A-2

インディアナポリス・コルツ ★ Indianapolis Colts
（AFC東地区）

　AFC東地区には強豪がひしめいているせいか、なかなかプレーオフに進めない。全盛期はボルチモア時代の'60年代後半から'70年代初めにかけて。'71年にチャンピオンに輝いたが、インディアナに移籍後のスーパーボウルの出場はない。

バスケットボール（NBA）

インディアナ・ペイサーズ
本拠地──マーケット・スクエ
ア・アリーナ Market Square
Arena, 300 E. Market St.
☎ (317) 239-5151（チケット）
㊙P.481　B-1

インディアナ・ペイサーズ ★ Indiana Pacers
（東・中部地区）

　ジョーダン引退後、イースタン・カンファレンス中地区をリードするのがペイサーズだ。監督は、バスケットの一時代を築きあげた元ボストン・セルティックスのラリー・バード。「名選手、名監督にならず」の言い伝えをみごと打破する指揮官ぶりだ。もちろん、ミラー選手の活躍も見逃せない。

★　　★　　★　ショッピング　★　　★　　★
Shopping

ダウンタウンの真ん中にある
Circle Centre
館49 W. Maryland St.　☎ (317) 681-8000
圓月～土10：00～21：00、日12：00～18：00（レストラン～24：00、ナイトクラブ、バー～2：00）㊙P.481　B-1、2

　ダウンタウンの2ブロックをスカイウェイでつないで造ってしまったショッピングセンター。ダウンタウンの真ん中にあるショッピングセンターで、ここまで大きいものは、なかなかない。モール内には、ノードストロームとパリジャンというデパートをキーテナントに、100のショップとレストラン、映画館が入っている。また、周囲の5つのホテ

ルともスカイウェイでつながっている。（'98）

楽しいショップがたくさんある
Union Station
館39 W. Jackson Pl.　☎ (317) 267-0701
圓月～木10：00～21：00、金土10：00～22：00、日11：00～18：00
㊙P.481　B-2

　旧コンチネンタル鉄道駅を改造してつくられたインディアナポリス・ダウンタウンのショッピングセンター。パフォーマンスしながらTシャツを売る店あり、カードショップあり、となかなかのにぎわいを見せている。

★　　★　　★　ホ テ ル　★　　★　　★
Hotel

　インディアナポリスのダウンタウンで安いホテルを見つけるのは難しい。安宿はやや離れたところにあると覚悟しておくこと。なおインディ500開催時には、どのホテルも満室になる。この時期に訪れるには1年前からの予約が常識。

駅舎がアンティーク調のホテルになった
Crowne Plaza at Union Station
館123 W. Louisiana St., Indianapolis, IN 46206
☎ (317) 631-2221、FAX (317) 236-7474
⑤①①＄155 ADJMV ㊙P.481　A-2
　ダウンタウンの南にあるユニオン・ステーション。この一画が改装され、ホテルに

なっている。駅舎の造りをそのまま生かした広いロビーが中央に位置し、ロビーに面して客室が並ぶ。おすすめなのは汽車の車両を生かした客室。Train Roomの客室は、一部屋ずつ、それぞれの時代に合わせた内装でとても凝っている。従業員の応対も非常によく、たまにはこんなホテルに泊まってみるのも悪くない。空港への無料送迎シャトルあり。 ('98)

ビジネス客に人気
Courtyard by Marriott - Downtown
🏠501 W. Washington St., Indianapolis, IN 46204
☎ (317) 635-4443、FAX (317) 687-0029
Ⓢ Ⓓ Ⓣ $99～119 ＡＤＭＶ 地P.481 A-1,2
コートヤード・バイ・マリオットは、名前の通りマリオット系で、ビジネスマンを対象とした安めのホテル。安めとはいっても部屋の設備、充実度は一流ホテル並み、仕事用の広い机やコーヒーメーカーがついているのもうれしいサービス。場所はダウンタウンの西、アイテルジョーグ・ミュージアムの目の前。空港までの無料シャトルあり。233室。 ('98)

ダウンタウンの真ん中
Embassy Suites Hotel - Downtown
🏠110 W. Washington St., Indianapolis, IN 46204

☎ (317) 236-1800、FAX (317) 236-1816、
E-mail ESHSALESI@aol.com.
Ⓢ Ⓓ $149～209、Ⓣ $159～229 ＡＤＪＭＶ
地P.481 A-1
RCAドーム、モニュメント・サークル、州議事堂など、ダウンタウンの主要建築物からわずか1ブロック。レストランやショップの集まったマーケット・スクエアへも4ブロックと便利なロケーション。客室は、ビジネス用のスペースもあるスイートタイプ。プール、サウナ、フィットネスセンターの施設もあり、心も体もくつろげる。360室。 ('98)

窓からは記念塔が
Radisson Hotel City Center Indianapolis
🏠31 W. Ohio St., Indianapolis, IN 46204
☎ (317) 635-2000、FAX (317) 638-0782
Ⓢ Ⓓ $119～179、Ⓣ $119～194 ＡＤＪＭＶ
地P.481 B-1
モニュメント・サークルの隣のブロックにある。全国にチェーン展開しているホテルなので安心。空きがあるならば南側の部屋にしてもらおう。窓からモニュメント・サークルと兵士・水兵記念塔が見え、とくに夜間はライトアップされ、すばらしい眺めだ。 ('98)

★
インディアナポリス

★ ★ ★ **レストラン** ★ ★ ★
Restaurant

読★者★投★稿
ダウンタウン見学のランチにおすすめ
City Market
🏠222 E. Market St. ☎ (317) 634-9266
開月～金6：00～18：00、土6：00～16：00
地P.481 B-1

City Marketの一角にある赤レンガ造りの2階建ての中には、新鮮な果物やパン、サンドイッチのテイクアウトのお店が20軒ほど入っている。2階にベンチが用意されているので、マーケットを見下ろしながら食べるのもいい。(Karin W. インディアナ州在住) ('98)

ジェームス・ディーンのふるさと

亡くなってから20年以上がたつのに、いまも人気の高い銀幕のスター、ジェームス・ディーン。彼は、インディアナ州のフェアモントFairmountという町で生まれ育った。フェアモントは人口3,100と、グレイハウンドも停まらない実に小さな町だ。州都のインディアナポリスの北東に位置し、車で約1時間の距離。
ディーンの生まれた家は、ギャラリーとして一般公開されている。ビクトリア調の邸内には彼が着用した衣類、写真、ポスターなどが飾られ、彼のスクリーンやテレビ出演のクリップをまとめたビデオも上映されている。この小さな町を訪れる人は意外に多く、伝説のスターを慕う人の足は絶えない。
★The James Dean Gallery
🏠425 N. Main St. ☎ (765) 948-3326
開毎日9：00～18：00（冬期は短縮）休サンクスギビング、クリスマス、元日 料$3.75

Cincinnati

Seattle
Denver Chicago New York
San Francisco Atlanta
Los Angeles New Orleans Miami

シンシナティ

シンシナティは2人の大統領を出した町としてアメリカでは有名だ。ひとりは、第9代ウィリアム・ハリソン、そしてもうひとりは、最高裁判所長官も務めた変わりダネ、第27代ウィリアム・タフト。彼らの名は町のそこここで目に、耳に入ってくる。また、シンシナティは石炭産業の町としても知られ、その量は年間60万貨車にも達する。洗剤メーカーのプロクター&ギャンブル社をはじめとする500以上の企業があり、石炭産業以外の繁栄も町の大きな活力となっている。

そんな活力あふれる産業都市シンシナティだが、町の南を流れるオハイオ川に沿って少し町を離れてみると、両岸には穏やかな緑がひろがる。この落ち着いた中西部の自然こそが"Queen City"と呼ばれるシンシナティのバックグラウンドであり、町の歴史を見守ってきた町の生命の源泉だ。悠々たるオハイオ川は、今日もゆったりと流れる。

ダウンタウンへの行き方 　Access ★

空 港

シンシナティ/北ケンタッキー国際空港
☎ (606) 767-3151

シンシナティ／北ケンタッキー国際空港
Cincinnati／Northern Kentucky International Airport (CVG)

ダウンタウンの南西約20kmのケンタッキー州にあり、年間750万人以上の利用がある。デルタ航空のハブのひとつで、映画『レインマン』にも登場した空港。

d a t a

人　口	約364,000人	6%(ケンタッキー州は6%)
面　積	202㎢	
標　高	最高291m	ホテル・タックス
	最低134m	10%(ケンタッキー州は10%)
市の誕生	1819年	
情　報	Cincinnati Enquiere (朝刊紙)、Cincinnati Post (夕刊紙)、$1	属する州　オハイオ州 Ohio
		州のニックネーム　トチノキ州 Buckeye State
TAX	セールス・タックス	時間帯　イースタン・タイムゾーン

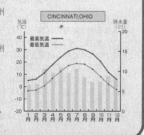

CINCINNATI,OHIO
最高気温 / 最低気温

488

●空港バス　Jet'port Express　3つの空港ターミナルと
ダウンタウンのおもなホテル（ウエスティン、テラス・ヒルト
ン、シンシナティアン、リーガル、ハイアット、オムニ）を約
30分で結ぶ大型バス。空港へ向かう際は、行きに時刻表を入手
し、前記のホテルの入口前で待つといい。
●タクシー　Airport Taxi Service　1台4人乗り。

長距離バス

グレイハウンド・バスディーポ　Greyhound Bus Depot
　ダウンタウンの北東の端にあり、ファウンテン・スクエアから
徒歩30分程度。人けのあまりないところなので、夜は要注意。

鉄道

アムトラック・ユニオン・ターミナル　Amtrak Union Terminal
　ダウンタウンの北西の端にある。ミュージアム・センターの
奥が駅になっている。ワシントンとシカゴを結ぶカーディナル
号が1日1本停車する。

シンシナティの歩き方　★ Walking

　オハイオ川 Ohio River沿いに広がるシンシナティの観光ポ
イントは、大きく3つの地区に分けることができる。歩いて見
学できる**リバーフロントからダウンタウン**、町の北東の小高い
丘にある**マウント・アダム**、そして、川向こうケンタッキー州
側の**北ケンタッキー地区**。
　まず、ダウンタウンの真ん中、**ファウンテン・スクエア**
Fountain Squareの観光案内所のブースへ行き、地図と資料
を入手しよう。ファウンテン・スクエアの1ブロック東のガバ
メント・スクエア前は、メトロバスMetro Busの発着所。メ
トロバスのほとんどがここを通過するか起点にしている。ダウ
ンタウンとリバーフロントの地区には、見どころが散らばって
いる。はじめにダウンタウンのおもなビルとホテル、デパート
間をつないでいる歩道**スカイウォーク Skywalk**を歩いてみる
と、町の輪郭がつかめてくるだろう。リバーフロント地区には
公園やコロシアム、シンシナティ・レッズの本拠地**シナジー・**
フィールド Cinergy Fieldなどがある。ダウンタウンで必見
の観光ポイントは、南西にあるタフト美術館ぐらい。あとは各
自の興味に従ってポイントを決めるとよい。ダウンタウンの見
どころのすべてを回るなら1日半は必要。そして、春・夏の夜
なら、レッズの試合、秋・冬なら全米屈指のオーケストラ、シ
ンシナティ交響楽団かシンシナティ・ポップスの演奏に興じる
のもよいだろう。
　マウント・アダムへはメトロバスの#49で。急カーブを上りつ
めたら、バス停Celestialで降りてみよう。ここは、町を一望す
るのに絶好の場所。できれば1日をかけてのんびりと歩きたい。
　北ケンタッキーの町、コビントンは、ドイツ風の小さな町並
みが続いている。時間に余裕があるときに足を運んでみよう。

Jet'port Express
☎ (606) 767-3702
🚌片道＄12
運行／毎日5：00〜23：00
の約30分間隔

Airport Taxi Service
☎ (606) 283-3260
🚕24時間営業
🚕ダウンタウンのホテルまで
なら＄22＋チップ

グレイハウンド・バス
ディーポ
🏠1005 Gilbert at Court Sts.
☎ (513) 352-6012
📞 (1-800) 231-2222
🕐24時間営業（11：30〜
12：00はカウンターが休み）
🚌ダウンタウンからメトロバ
ス #11、24、56、69で。タク
シー利用のときはダウンタ
ウンまで約＄5
🗺P.491　C-1

アムトラック・ユニオン・
ターミナル
🏠1301 Western Ave.
☎ (513) 651-3337
🕐月〜金9：30〜17：00と
23：00〜6：30、土日23：00
〜6：30、日9：30〜17：00
🚌メトロバス#1で20〜30分

★ シンシナティ

**このあたりはそぞろ歩きに
いい**
　メインMain〜ウォルナ
ットWalnut〜バインVineあ
たりは町の繁華街。5th St.
沿いは一流ホテルやデパー
ト、6th St.沿いはフードシ
ョップが軒を連ねている。

**町でいちばん高い
カリュー・タワーに昇ってみよう**

シンシナティの観光案内所

シンシナティ側
Greater Cincinnati
Convention & Visitors
Bureau
🏠300 W. 6th St., Cincinnati,
OH 45202
☎(513) 621-2142
📞(1-800) 344-3445
HOME www.cincyusa.com
🕐月〜金8:45〜17:00
📍P.491 A-1

コビントン側
Northern Kentucky
Convention & Visitors
Bureau
🏠605 Philadelphia St.,
Covington, KY 41011
📞(1-800) 782-9659
HOME nkycvb.com
🕐毎日9:00〜17:00
📍地図外

メトロ
☎(513) 621-4455(月〜金
6:30〜18:30、土8:00
〜17:00)
🎫時間帯やゾーンなどによっ
て異なるが、ラッシュアワー
(6:00〜9:00、15:00
〜18:00)は80¢、ラッシュ
アワー外は65¢、週末は
ゾーン、時間帯に関係なく
50¢、トランスファーは平日
10¢、週末は無料。紙幣
は使えない。ダウンタウン
内を周回するDowntowner
というサービスも、平日の
10:30〜14:30の間、10
分ごとに走っている

メトロバス・オフィス
🏠120 E. 4th St.
🕐月〜金7:30〜17:00
📍P.491 A-2

タンク
🏠3375 Madison Pike, Ft.
Wright, KY 41017(本社)
☎(606) 331-8265
🎫75¢均一

シティ・ツアーズ
☎(513) 531-1411

観光案内所 ★ Information

シンシナティ側
Greater Cincinnati Convention & Visitors Bureau

　W. 6th St.とPlum St.の角にあるビルのW. 6th St.側に入口がある。ダウンタウンのはずれになるので、ロケーションとしては便利な場所ではないがスタッフはとても親切なので、わからないことがあったらここで質問しよう。コンサートやプロスポーツの試合スケジュールなどのイベント情報や各見どころのパンフレット、マップ、バスの時刻表などが手に入る。ホテルの手配もしてくれる。このほか、**ファウンテン・スクエアにも、ブース形式の案内所がある**。こちらは土9:00〜17:00もオープン。

コビントン側
Northern Kentucky Convention & Visitors Bureau

　ケンタッキー側、コビントン Covingtonのメイン・シュトラッセ・ビレッジにある案内所。オハイオ側同様のパンフレットのほかに、北部ケンタッキーの資料も置いている。

市内の交通機関 ★ Public Transportation

メトロ　Metro（路線バス）

　Southwest Ohio Regional Transit Authority (SORTA) によって運営され、シンシナティのダウンタウンと、その周辺をカバーする。ダウンタウンの中心となる乗り場、ガバメント・スクエアは、5th St.沿いのファウンテン・スクエアの東、Walnut St.とMain St.の間にあるターミナル。各乗り場には、それぞれのバスの系統路線番号が書かれていてわかりやすい。角にはインフォメーション・ブースもあるので、わからなかったら係員に尋ねるとよい。また、リーガルホテルの東隣にはメトロのオフィスがあり、すべての路線のタイムテーブルがそろっている。

タンク　Tank

　シンシナティとケンタッキー州方面の郊外を結ぶ近郊バス。メインシュトラッセのあるCovingtonへ行く際に利用するといい。乗り場は3rdと4th Sts.、VineとWalnut Sts.に囲まれたビルの地下1階にあるDixie Terminal。4th St.側とWalnut St.側に入口があるが少々わかりにくい。

ツアー案内 ★ Sight-seeing Tour

シティ・ツアーズ　City Tours
●2時間ツアー 2-Hour City Tour

　シナジー・フィールド、ミュージアム・センター、マウント・アダム、オープン・エア・マーケット、ヒルサイドの家並みなどをバンに乗って回る。平日$18、週末と祝日$25。2人以上催行。ダウンタウン周辺ならピックアップサービスあり。

490

まずはこのタワーに昇ってみよう
カリュー・タワー ★ Carew Tower

　シンシナティでいちばん高いレンガ造りのタワー。1930年建造の摩天楼として歴史は古く、49階建ての高さは175mにも達する。建築に際し、用いられた30cm×12.5cm×10cm大のレンガの数がなんと300万個！鉄骨の重さだけでも15,000トンだ。

　エレベーターを乗り継いで49階の展望台へ行ってみよう。眺望は最高。シナジー・フィールド、マウント・アダム、ケンタッキー州の郊外までが一望できる。展望台へはVine St.側の入口から。

アーティスト本人もよく顔を出す
現代美術センター ★ Contemporary Arts Center

　ガバメント・センターのすぐ南Formica Buildingの２階にある現代美術のギャラリー。ギャラリーは期間ごとの特別展示がメイン。取り上げられる作品は絵画、彫刻、写真、建築、マルチメディアの装置、ビデオなど広範囲にわたっている。それらの作品は、新進アーティストのものが多く、館内で行われるツアーでは、アーティスト自身が自分の作品を解説することもある。

カリュー・タワー
🏠5th & Vine Sts.
☎(513)241-3888（展望台）
🕐月〜土9：30〜17：30
（金土〜21：00）、日11：00〜17：00
🎫大人＄2、子供＄1
🚇ファウンテン・スクエアの南西の１ブロック
🗺P.491　B-2

現代美術センター
🏠115 E. 5th St.
☎(513)345-8400
🕐月〜土10：00〜18：00、日12：00〜17：00
🎫大人＄3.50、学生・シニア＄2
🚇ガバメント・スクエアの前のビル
🗺P.491　B-2

★ シンシナティ

シンシナティ・ダウンタウン

タフト美術館
316 Pike St.
☎ (513) 241-0343
📅 月～土10：00～17：00、
日祝日13：00～17：00
🚫おもな祝日
💲大人＄4、子供・シニア
＄2、水曜は無料
🚇ファウンテン・スクエアを
東に5ブロック、Lytle Park
に面している
📍P.491 C-2

個人宅が美術館

ミュージアム・センター
1301 Western Ave.
☎ (513) 287-7000
📞 (1-800) 733-2077
📅毎日10：00～17：00
🚫サンクスギビング、クリ
スマス
💲3館有効、大人＄12、子
供＄8
2館有効、大人＄9、子供
＄6
1館のみ、大人＄6、子供
＄4
🚇ガバメント・スクエアから
メトロバス＃1で約15分、
Kenner & Dalton Sts.下車
📍地図外

広い空間の中にある
チケットオフィス

美術品を落ち着いて鑑賞できる
タフト美術館 ★ The Taft Museum

　4th St.の東、季節の花が咲き乱れる小さな公園を抜けたところにある美術館。シンシナティの有士タフト夫妻の遺言によって設立され、夫妻が住んでいた邸宅はフェデラル・スタイルの優れたものとして史跡にも指定されている。

　コレクションはレンブラント、ゲインズボロ、ホイッスラーら著名な画家の自画像、ターナー、コローらの風景画を含むアメリカとヨーロッパの油絵、17～19世紀清王朝の陶磁器、フランス・ルネサンス期の陶器などが中心。

　美術館からまっすぐ西にのびている4th St.はシンシナティの**歴史通り**。古く美しい建物やギャラリーが多く集まっている。この通りを解説する"A Walk on 4th Street"というパンフレットが観光局に置かれている。

オムニマックス、博物館が集まった
ミュージアム・センター
★ Museum Center at Cincinnati Union Terminal

　アムトラックのユニオン駅が改装され、ミュージアムの複合体としてスタートをきった。半ドーム形をしたアール・デコ調の巨大な建築物の中には、**オムニマックス・シアター Omnimax Theatre**、**自然史博物館 Museum of Natural History**、**シンシナティ歴史協会 Cincinnati Historical Society Museum**のほかに、ファストフード、レストラン、ショップ、そしてユニオン駅が入っている。面積15万㎡、フットボール場が14入る広さ、中のロタンダは人の気配を感じさせないほど、ぜいたくな空間がある。3つのアトラクションへの入場チケットは、ロタンダ中央のブースで。

●**オムニマックス**──巨大スクリーンを使って見せる大迫力の映画。フィルム上映前に、スクリーン裏のスピーカーなどの設備を見せてくれるのも楽しい。上映される映画はそのときによって変わるが、第1回目の上映は11時ごろから。

●**自然史博物館**──オハイオ・バレーを中心としたエリアの自然を地質学、生物学の分野にわたり、クイズなどを用いて考えながら展示を見学できるようになっており、子供にもわかりやすく解説している。圧巻は洞穴のコーナー。近くのケンタッキー州にはマンモスケイブという巨大な鍾乳洞があるが、ここにも洞穴を作ってしまった！もちろん本物の美しさ、大きさにはかなうべくもないが、作りものとバカにはできない規模と楽しさを持っており、内部ではコウモリの飼育まで行っている。

●**シンシナティ歴史協会**〔☎ (513) 287-7030〕──別名Queen Cityと呼ばれるシンシナティの町。18世紀終わりから発展してきた町の道程をたどることができる。第2次世界大戦にシンシナティの町がどのようにかかわりあったかの展示は興味深い。

ミュージアム・センターは
中心部から少し離れている

　ガバメント・スクエアから#49のバスで10分、バスは住宅街をぬうように走る。やがて、マウント・アダムへ。この山には、いくつかの美術館と人造湖、公園があり、それらの施設のある地区を称してエデン・パークという。

　バスは園内で何ヵ所か停まるが、広いこの公園を順序よく見るのなら、ミラーレイク（人造湖、とはいっても池みたいなものだけど…）前にあるバス停で降りることをすすめる。レイクのそばにある赤い屋根の小さな建物が見えたら下車しよう。

　園内には、ところどころに案内板があるので迷わずに見学できるだろう。しかし、山の中につくられた公園のため、起伏が多く、敷地も広い。見学ポイントも散在している。できれば1日かけてのんびりと過ごせるようなプランをたてたい。

熱帯の植物も生い茂る
クローン温室 ★ Krohn Conservatory

　ミラーレイク前のバス停で下車し、レイクに沿って上り坂を5分ほど行くと右手に白い温室が見えてくる。このクローン温室は一般公開されているものとしてはかなり大規模なものに属する。温室内には四季折々の花のほかにも、湿地帯や熱帯などさまざまな気候の中で生息する植物が集められている。ジャングルを連想させるコーナーがあったかと思うとサボテン・コーナー（サボテンの種類は充実している）もあったり、となかなか楽しめる温室になっている。

クローン温室
🏠Eden Park Dr.
☎ (513) 421-5707
🕐毎日10：00～17：00
💰任意の寄付（$2がめやす）
🚌Martin Dr.を北上。日曜はダウンタウン行きのバス（#49）が温室の前を通る
🗺地図外

巨匠の作品に出会える
シンシナティ美術館 ★ Cincinnati Art Museum

　エデン・パークの豊かな緑に囲まれた美術館で1881年に創設された。美術品の収集、保存、展示だけでなく、美術学校を設立しての教育活動も行っている。この規模の美術館としては驚くほど分野に幅がある。西洋美術以外にもアジア、とくに西アジアのコレクションが豊富で、1階の展示室で見ることができる。2階には中世から近代まで、幅広い時代の西洋美術の作品が展示されている。とくに印象派から後期印象派の絵画が充実していて、マネ、モネ、ゴッホ、ドガ、マティス、ピカソ、シャガールといった巨匠達の作品が並ぶ。なかでも目を引くのがミロの油絵。この作品は、もともとシンシナティ・テラス・プラザ・ホテルのために描かれたもので、壁の一面すべてを覆いつくす大作。部屋の中心に置かれたベンチに腰かけると視界はこの絵だけになるので、じっくり鑑賞しよう。変わったところでは、1階にコスチュームの展示があり、シャネルのスーツなどが陳列されている。このほかにも写真、彫刻、室内装飾のコレクションも豊富。

シンシナティ美術館
🏠953 Eden Park Dr., Eden Park, Cincinnati
☎ (513) 721-5204
🕐毎日10：00～17：00
🚫おもな祝日
💰大人＄5、学生・シニア＄4
🚌#49のバスで約30分。美術館前のバス停で下車。赤い大きなオブジェが見えてきたら降りる準備を
🗺地図外

ミロの大作もある
シンシナティ美術館

シンシナティ動物園
🏠 3400 Vine St.
☎ (513) 281-4700
📞 (1-800) 944-4776
🕐 毎日9：00〜17：00
💰 大人＄10、学生・シニア
＄8、子供＄5
🚌 ガバメント・スクエアよ
りメトロバス#49で約30分、
終点のZoo on Erkenbrecher
下車
🗺 地図外

植物園もある動物園
シンシナティ動物園 ★ Cincinnati Zoo

ガバメント・スクエアから#49
バスで約30分。エデン・パークを
越え、終点がシンシナティ動物園。

この動物園最大の人気者は、ホ
ワイト・タイガー。しかし、めっ
たに姿を現さないというのが難点
だ。このほかにもキリン、サイ、
シマウマなどのおなじみの動物か
らアルパカ、フラミンゴ、ゴリラ、
爬虫類や昆虫など幅広く、750種類
以上の動物が飼育されている。水
族館もあり、こちらはタツノオト
シゴ、アザラシ、海ガメなど。

日本庭園があるシンシナティ動物園

また、この園内は植物園Botanical Gardenとしての役割も果
たしており、2,500種もの植物が見られる。盆栽の手入れのデ
モンストレーションも行われている。

北ケンタッキー

★

Northern Kentucky

メインシュトラッセ・
ビレッジ
🏠 本部：616 Main St.,
Covington, KY 41011
☎ (606) 491-0458
📞 (1-800) 782-9659
🚌 Dixie TerminalからTankの
バス#3、4で約10分、Main
Stのあたりで下車
🗺 地図外

北ケンタッキー、コビントンCovingtonにある、ドイツの町
並みが続くかわいいビレッジ。これといった観光ポイントはな
いが、エリア全体が19世紀のドイツの村のように保存されてい
る。いちばんにぎやかなのは、Main St.。この通り沿いに約40
軒のアンティーク・ショップ、民芸店、ドイツ料理のレストラ
ン、パブなどが並んでいる。**ベルタワー Carroll Chimes Bell
Tower**の鐘の音を聞きながら歩いていると、まるでドイツを
訪れているよう。

なお、ベルタワーの10mほど南に、北ケンタッキーの**観光案
内所**（P.490参照）がある。

コビントン・ランディング
🏠 1 Madison Ave., Covington
☎ (606) 261-8500
🚌 シナジー・フィールドから
吊り橋を渡った右手。徒歩
約15分
🗺 地図外

シンシナティの夜はここで！
コビントン・ランディング
★ Covington Landing at River Center

シンシナティのダウンタウンとケンタッキー州コビントンを
結ぶ吊り橋（Suspension Bridge）は、1866年に建造されたレン
ガ造りの威風堂々たるもの。ニューヨークのブルックリン橋は
この橋を模倣して造られた。橋を渡ると右手の川沿い
に見えるにぎやかな船着場が、コビントン・ランディ
ング。中央のThe Wharfにはレストランやバー、左手
のThe Spirit of Americaは毎夜楽しいショーを披露す
る船のエンターテインメント・ステージ、右手のBB
Riverboatsはオハイオ川のクルーズ船だ。それぞれに
楽しい催しものを行っている。観光局でパンフレット
を入手して、とくに夜のぞいてみるといい。

ここから眺めるシンシナティのスカイラインはとて
も美しいのでお見逃しなく。

コビントン・ランディングから
出発するクルーズ船に乗ろう！

ノスタルジックな気分に浸れる
オハイオ川クルーズ ★ BB Riverboats

　古き良き日をほうふつとさせるメロディを耳に、ぽっかりと浮かんだ雲が夕陽に赤く染まってゆくのを見上げる。ワイングラスを片手に、川を行き来するはしけを眺める。なんとも平和で落ち着いた気分を与えてくれるリバークルーズを楽しもう。

　コビントン・ランディングから出ているBB Riverboatsは、さまざまなクルーズを催行している。要予約。電話でも、直接コビントン・ランディングの窓口へ行ってもかまわない。

BB Riverboats
☎ (606) 261-8500
☎ (1-800) 261-8587
圏昼間の1時間観光クルーズが大人＄9、シニア・子供＄8
各種ディナークルーズもあり
運行：4～12月の運行で、ディナークルーズはおおむね19：00発。予約時に問い合わせのこと
圏地図外

Entertainment
エンターテインメント

シンシナティ交響楽団とシンシナティ・ポップス
★ Cincinnati Symphony & Cincinnati Pops Orchestra

　シンシナティ交響楽団のクラシック音楽のシーズンは9～5月にかけて。一方、クラシックより気軽に聴けるポップス音楽（シンシナティ・ポップス）は非常に人気があり、シーズンは同じく9～5月。

　シンシナティには、バレエ・カンパニー Cincinnati Ballet Company〔🏠1555 Central Pkwy. ☎ (513) 621-5219〕、アメリカで2番目に古いオペラ協会 Cincinnati Opera Association〔🏠1241 Elm St. ☎ (513) 241-2742〕もあり、双方ともMusic Hallで公演を行っている。

シンシナティ交響楽団
ホームホール──ミュージック・ホール Music Hall, 1241 Elm St., Cincinnati
☎ (513)381-3300(チケット)
圏ガバメント・スクエアからメトロバス#1、6、16、17、20で7分。12th St.とCentral Pkwy.の角で下車

Spectator sports
観戦するスポーツ

ベースボール（MLB）

シンシナティ・レッズ ★ Cincinnati Reds
（ナショナル・リーグ中地区）

　シンシナティ・レッズは1876年創設のMLBでいちばん歴史のあるチームだ。ピート・ローズを中心に隆盛を極めたのが'70年代。'90年にワールドシリーズ制覇、数年前に地区優勝したものの、その後下位を低迷している。

シナジー・フィールド

シンシナティ・レッズ
本拠地──シナジー・フィールド Cinergy Field, 100 Cinergy Field
☎ (513) 421-4510
圏ファウンテン・スクエアを南に徒歩15分
圏P.491 B-2

シンシナティ（右欄縦書き）

★ コビントンは時の流れを止めたような町

　活気あふれるシンシナティのダウンタウンからオハイオ川を渡ると、急に時の流れがゆったりとしてくる。吊り橋の東側一帯は、とくに歴史のある家々が残っている地域。歩道にはめ込まれた青いタイルに沿って歩いてみるといい。

　穏やかに流れるオハイオ川だが、かつて南部の黒人にとってこの川は大変重要な意味を持っていた。川の北側のオハイオは自由州、南のケンタッキーは奴隷州だったからだ。この川を渡れば自由になれたわけだ。当時南部の黒人奴隷を北部に逃がすUnderground Railroadという地下組織が活動していたが、その〝終着駅〟ともいえる隠れ家があったのが、現在の405 E. 2nd St., Covingtonである。いまはCarneal House B & B〔☎ (606) 431-6130〕というB&Bとして営業しているが、かつてはここから川を渡って北へと黒人を逃がしていたのだ。

シンシナティ・ベンガルズ ★ Cincinnati Bengals

シンシナティ・ベンガルズ
本拠地──シナジー・フィ
ールド Cinergy Field, 100
Cinergy Field
☎ (513) 621-3550
🈹レッズ参照

（AFC中地区）

レッズとともに下位を低迷しているのがベンガルズ。プレーオフ出場が7回、そのうち'82年、'89年と2回スーパーボウルに進出しているが、2回ともフォーティナイナーズに惜敗している。

★ ★ ★ ★ ホテル ★ ★ ★ ★
Hotel

シンシナティは、ビジネス、コンベンション・シティなので、大きなコンベンションがあったりすると、ダウンタウンのホテルは軒並み満室になってしまう。そんなときはコビントン側をあたってみよう。また、平日は高く週末（金土日の宿泊）は安い。

ケンタッキー州側だけど清潔で手ごろな料金
Quality Hotel Riverview

🈹668 W. 5th St., Covington, KY 41011
☎ (606) 491-1200、FAX (606) 491-0326
ⓈⒹⓉ $79〜104　ＡＤＪＭＶ　🈺地図外

オハイオ川の南、Covingtonエリアにある円形の塔の形をしたクオリティ・ホテル。便利なロケーションではないが、朝は30分おきに、夕方から夜はお客のリクエストに合わせてダウンタウン行きのシャトルバスを走らせており、不便はまったく感じない。部屋は広くて清潔。川方面に部屋をとれば、シンシナティのダウンタウンが一望できるのも魅力。バス・トイレ、TV、電話、エアコン付き。レストラン、屋内プールもある。空港への送迎も行ってくれる。236室。
（'99）

ビジネス・エグゼクティブが満足する
Embassy Suites Hotel Cincinnati River Center

🈹10 E. River Center Blvd., Covington, KY
41011　☎ (606) 261-8400、▇ (1-800)
362-2779、FAX (606) 261-8486
Ⓢ$129〜189、Ⓓ$139〜199、Ⓣ$159〜209
ＡＤＪＭＶ　🈺地図外

住所はケンタッキー州だが、目の前の橋を渡ればそこはシンシナティのダウンタウン。シナジー・フィールドも徒歩圏内なのでスポーツファンにもうれしい。全226室。　（'99）

読★者★投★稿
手ごろな価格の空港ホテル
Signature Inn Turfway

🈹30 Cavalier Ct., Florence, KY 41042
☎ (606) 371-0081、▇ (1-800) 822-5252、
FAX (606) 371-0081
ⓈⒹⓉ $65〜72　ＡＤＪＭＶ　🈺地図外

空港付近のホテルはいくつかあるが、ここは価格が手ごろなうえ、部屋もゆったりしている。朝食付き。毎朝、新聞のサービスもある。競馬場が近くにある。空港から無料シャトルバスあり。

（匿名希望　兵庫県　'98）

シンシナティはチリの町

挽き肉を煮込んだもの、刻んだタマネギ、甘くない豆（チリビーン）、細く切ったチーズを、スパゲティまたはパンの上にドーンとのせただけの簡単な食べ物、チリ。アメリカ田舎料理の代表といえる料理だが、これを名物としているのが実はシンシナティ。Gold Star Chili、Skyline Chiliという2大チェーンレストランが展開している。

Gold Starは1965年の創業だが、現在すでに約100店舗。ダウンタウンではWalnut St. 沿い6th St.の少し北にある店が古くて雰囲気がある。近くの工事現場の作業員や常連らしき老人たちでにぎわっている。気どらない素顔の

アメリカが見える店。一方のSkylineは4th St. とSycamore St.の角に大きな店を出している。平日のランチ時は、ビジネスマン、ビジネスウーマン達で長蛇の列ができるほどの人気。

どちらも注文方法はさほど変わらず、上にのせるタマネギ、ビーンなどの種類や数によって、2way、5wayなどとオーダー。何も言わなければスパゲティ（日本の感覚からするとゆですぎでプチプチ切れちゃう）。Coneyと言えばパンの上にのって出てくる。必ずクラッカーが付いてくるのもチリの特徴。

日本ではなかなか味わえないチリ。シンシナティへ行ってチリを食さなければモグリだぞ！

ペンシルバニア州の西、オハイオ川、アルゲイニー川、マノンガヘイラ川の３つの河川"スリー・リバース"に囲まれた町がピッツバーグだ。ピッツバーグというと、かつての鉄鋼の町をイメージしがちだが、鉄鋼産業が栄えていたのはすでに過去のこと。小高い丘や豊かな水、深い緑など美しい自然に囲まれ、地形にも恵まれ、現在は「アメリカで最も住みやすい町 Most Livable City」として多くのアメリカ人の憧れの地といえる。

また、ピッツバーグはビジネスシティとしても知られ、平日のダウンタウンは、国内外より訪れるビジネスマンやビジネスウーマンで活気にあふれている。生活水準も高く、大都市にしては治安もいい。観光の町ではないが、美術館、クラシック音楽など、芸術性の高さは全米でも屈指だ。映画の舞台としても登場し、過去に『フラッシュダンス』、『スリー・リバース』がこの町で撮影されるなど、アメリカ人にとってのピッツバーグは意外に身近な町のようだ。見どころも多いが、まずはクルーズ観光から始めよう。

ダウンタウンへの行き方 ★ Access

空 港

ピッツバーグ国際空港
Pittsburgh International Airport (PIT)

ダウンタウンの南西約25kmに位置する全米でも有数の巨大で近代的な空港。US Airwaysのハブのひとつで、空港最大の特徴は**エアモール Airmall**と呼ばれるショッピングモールが入っていること。バゲージクレームとチェックイン・カウンターがあるレイクサイド・ターミナルと、４つのコンコースとエアモールがあるエアサイド・ターミナル間は、ピープルムーバーと呼ばれる地下鉄でつながっている。

ピッツバーグでは空港がショッピングモールだ

ピッツバーグ国際空港
☎ (412) 472-3500
空港内の観光案内所で、市内およびペンシルバニア州の地図が入手できる。

●空港シャトルバン　Airline Transportation Company

　空港とダウンタウンのホテルを結ぶバンサービス。バゲージクレーム階の中央にGround Transportationのカウンターが集まっているので、そこでどこのホテルまで行くかを言って申し込もう。向かいには観光案内所（圏毎日8：00～20：00）もある。平日は6：00～19：00の間30分おき、19：00～22：00の間1時間おきに出発。週末は6：00～22：00の間1時間おき。所要時間約40分。ダウンタウンから空港へ行くときは、事前に電話予約するかホテルのフロントに頼むこと。運行は平日が1時間おき、週末は1～2時間に1本の割合。

●路線バス　PAT Bus "28X Airport Flyer"
空港とダウンタウン、オークランド地区を結ぶ。所要45～60分。

●タクシー　ダウンタウンまで約30分。

長距離バス

グレイハウンド・バスターミナル　Greyhound Bus Terminal

　町の北東に位置し、観光案内所まで歩いても13分程度。Liberty Ave.を挟んだ向かいはアムトラック駅。ハンバーガーショップなども入って比較的大きい。

鉄道

アムトラック・ペンシルバニア駅　Amtrak Pennsylvania Station

　こぢんまりした駅で、ホーム、チケットカウンター、待合室は建物の2階にある。ペンシルバニアン号、スリー・リバース号、キャピトル・リミテッド号がそれぞれ1日1往復している。

Airline Transportation Company
☎ (412) 471-8900、471-2250
圏ダウンタウンまで、片道＄12、往復＄20
オークランド地区まで、片道＄12.50、往復＄21

PAT Bus
☎ (412) 442-2000
圏＄1.95
運行：5：30～24：30

タクシー
●Yellow Cab Co.
☎ (412) 665-8100
圏ダウンタウンまで約＄28
オークランド地区まで約＄33

グレイハウンド・バスターミナル
圏55 11th St. & Liberty Ave.
☎ (412) 392-6513
圏24時間営業
圏P.500　B-1

アムトラック駅
圏Liberty & Grant Sts.
☎ (1-800) 872-7245
圏毎日24：30～23：30
圏P.500　B-1

ピッツバーグにはライトレールが走っている（右）
グレイハウンドの隣がアムトラック駅（下）

---

data

人　口	約359,000人
面　積	88km²
標　高	平均217m
市の誕生	1861年
情　報	Pittsburgh Post Gazette　50¢　Tribune Review　50¢
ＴＡＸ	セールス・タックス7%（生鮮食料品と衣料品は0％）ホテル・タックス14%
属する州	ペンシルバニア州　Pennsylvania
州のニックネーム	キーストーン州　Keystone State
時 間 帯	イースタン・タイムゾーン

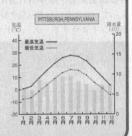

気温(℃)　降水量(inch)
PITTSBURGH,PENNSYLVANIA
最高気温　最低気温

ピッツバーグはビジネスシティだ。平日の日中のダウンタウンは、ピッツバーグの活力を感じさせてくれるだろう。3つの川に囲まれたダウンタウンの中心は**ゴールデン・トライアングル Golden Triangle**と呼ばれ、オフィスビル、デパート、高級ホテルなどが集中している。しかし、ピッツバーグの観光ポイントはダウンタウンよりも郊外に点在している。PATバスを使って上手に移動しよう。ピッツバーグで見逃せないポイントは、ノースサイドのウォーホル美術館、**オークランド地区**のザ・カーネギー、ナショナリティ・クラスルームなど。3つの川が交わるピッツバーグならではのリバー・クルーズにもチャレンジしてみたい。そして、マノンガヘイラ川の南側のマウント・ワシントン地区の丘へは、2本のインクラインが延びているから、どちらかに登り、町の鳥瞰図を楽しんでみよう。

マウント・ワシントンから望むダウンタウン

観光案内所 ★ Information

Visitor Information Center Downtown

ライトレール"T"Gateway Center駅下車。Liberty Ave.を真っすぐ西へ行ったところにある。ガラスにおおわれた小さな案内所で、PATマップなど資料も豊富。

市内の交通機関 ★ Public Transportation

パット　PAT（Port Authority of Allegheny County）

ピッツバーグを中心としたアルゲイニー郡のライトレール、バス、インクラインを運行させている機関。運行本数、運行頻度も高いのでたいへん便利だ。ダウンタウンのSmithfield St.沿いのOliver & Sixthの間（Mellon Squareの下）にPATのオフィスがある。また、ライトレール（ダウンタウンでは地下鉄）駅にも個別のバスの時刻表が置いてあるのでこれを利用するといい。ライトレール、バス、インクラインの相互の乗り換えも可能で、トランスファーは25¢。3時間以内ならどの方向にも乗ることができ、初めに乗った路線でもOKだ。

●ライトレール　Light Rail

ダウンタウンでは地下、郊外では地上を走るライトレールは、通称"T"。ダウンタウンと南郊外のSouth Hills Villageを結ぶ。

●バス　Bus

ピッツバーグのもうひとつの見どころオークランド地区へは、#71A、71B、71C、71Dが便利。ダウンタウンから乗った場合は、降車時に料金を払い、郊外から乗った場合は乗車時に払う。

●インクライン　Incline

ピッツバーグ観光名所のひとつが、インクラインで登った丘の頂上。ここから見るダウンタウンの鳥瞰はすばらしい。インクラインはマノンガヘイラ線Monongahela Inclineと、デュケン線Duquesne Inclineの2路線あるが、どちらかひとつには必ず乗ってほしい。できれば夜登って夜景を楽しみたい。インクラインは公共の乗り物だが、なかば観光化もしている。

Visitor Information Center Downtown
🏠Liberty Ave. bet. Commonwealth Pl. & Stanwinx St.
☎ (412) 281-7711
Ⓣ (1-800) 359-0758
🕐月～金9：00～17：00、土日9：00～15：00
🚫1～2月の日曜
🗺P.500　A-2

PAT
☎ (412) 442-2000
パットのオフィス
🕐月～金7：30～17：00
🚫土日
🗺P.500　B-2

ライトレール
🎫距離により＄1.25と＄1.60だが、ダウンタウン内（Gateway Center駅～Steel Plaza駅）の乗車は無料。わずか3駅ではあるが、どんどん利用しよう

バス
🎫距離により＄1.25と＄1.60。バスも"T"同様ダウンタウン内は無料で乗車できる。ただし、19：00以降は料金を払わなければならない

インクライン
🎫往復＄2、トランスファー25¢でバスやライトレールにも乗り換えができる

●マノンガヘイラ線
☎ (412) 442-2000
🕐月～土5：30～24：45、日祝8：45～24：00
🗺P.500　A-2

●デュケン線
☎ (412) 381-1665
🕐月～土5：30～24：45、日祝日7：00～24：45
🗺P.500　A-2

Just Ducky Tour
🏢40-1A Oakville Court,
Pittsburgh, PA 15220
☎ (412) 928-2489
💰大人＄12、シニア・学生
＄10、子供＄8
出発：Station Squareの
Commerce Court（駐車場
近く）から。
運行：9：00、12：00、
13：30、15：00、16：30
（4月～9月は18:00出発あり）
グレイライン
☎ (412) 741-2720
☎ (1-800) 342-2349

ツアー案内 ★ Sight-seeing Tour

ダック・ツアー　Just Ducky Tour

　4月から11月の間、水陸両用車"Duck号"に乗ってピッツバーグのダウンタウン、ストリップ地区、ノースサイドなどに陸上、水上から観光する。約1時間のツアー。

グレイライン　Gray Line of Pittsburgh

出発場所：Station Square, W. Carson St. & Smithfield St. Bridge
要予約。

番号	ツアー名	料金	運行	所要時間	内容など
1	Historic Pittsburgh	＄18	4/1～11/7の毎日9：45発	2時間	インクラインでマウント・ワシントンに登り、町を一望。そのあと、ポイント公園、ノースサイド、ミリオネアーズ・ロウ、カルバリー教会などを見学する。
2	Pittsburgh and Rivers	＄26	6/14～9/4の月～土9：45発	6時間	Tour 1に加え、リバークルーズがある。
3	Cultural Pittsburgh	＄18	4/1～11/7の毎日13:00発	2時間	ダウンタウンをざっと見学したあと、オークランドのカルチャー地区を回る。

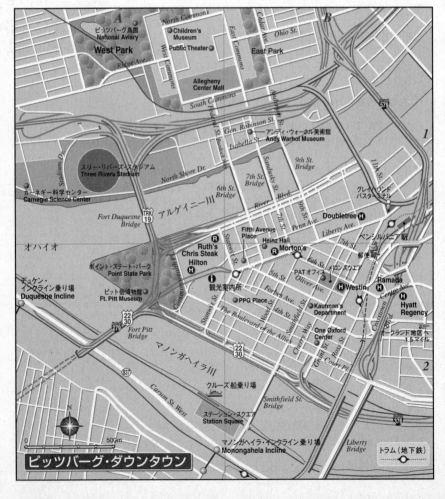

ピッツバーグ・ダウンタウン

噴水が美しい大都会の公園
ポイント・ステート・パーク ★ Point State Park

スリー・リバースが合流するゴールデン・トライアングルの西に位置する公園。もともと、ここはデュケン砦とピット砦があったところで、ピット砦はかつて北米大陸でイギリス軍最大の砦だったもの。公園は日曜ともなるとのんびりと休日を過ごす市民でにぎわう。園内にある小さな**ピット砦博物館 Fort Pitt Museum**では、ピッツバーグの始まりをジオラマで表現している。公園最西端にある噴水、ポイント・ステート・パーク・ファウンテンは最高45mまで水が上がり、この高さは世界でも有数。見どころとしては重要ではないが、のんびりするのにいい。

ショッピング＆レストラン・スポット
ステーション・スクエア ★ Station Square

マノンガヘイラ川の南、"T"でダウンタウンを出てひとつめの駅の目の前がステーション・スクエアだ。もともと駅舎だった建物の内部を改装したもので、現在はアンティークな建物のなかに65店のショップと11軒のレストランが入っている。夜も遅くまでにぎわっているので、ダウンタウンのショップが早く閉まってしまうこの町でありがたい存在だ。ショッピング、食事どころに困ったらぜひ行きたい。

ステーション・スクエアのCarson St.を挟んだ向かいにはマウント・ワシントン・インクラインも出ているので、これを利用してぜひピッツバーグの景観を堪能してほしい。

3つの川が楽しめる
リバー・クルーズ ★ Gateway Clipper Fleet

3つの川が合流するピッツバーグを川から見物するリバー・クルーズは、人気のアトラクション。最もポピュラーな2時間クルーズから始まり、ランチ、ディナー、ムーンライト・ダンスなど全部で7種類のクルーズが毎日のように出ている。クルーズでは3つの川を下りながら、新旧さまざまな橋をくぐり、川岸の大工場、緑のなかに見えるヨーロッパ調の住宅をたっぷり時間をかけて紹介していく。ボーッとしながら見渡す町並みもまた一興。ディナー・クルーズ、ランチ・クルーズは予約を！

ポイント・ステート・パークの噴水

クリスマス・シーズンになると、三角形の公園の先端近くの場所に巨大なクリスマスツリーが出現して、夜はきれいに輝いている。もっとも、その後方の摩天楼のイルミネーションもこの時期は負けてはいないが。ただし、世界有数の高さまで吹き上げる噴水は、この時期水が抜かれてしまっている。
（Kyomi Wada　ピッツバーグ在住 '98)

ピット砦博物館
☎ (412) 281-9284
圏火～土10：00～16：30、日12：00～16：30　圏月
圏$ 4
圏P.500　A-2

噴水の稼動はイースターから11月中旬まで。

ステーション・スクエア
圏W.Carson St. & Smithfield Street Bridge
☎ (412) 261-9911
圏月～土10：00～21：00、日12：00～17：00　レストランはさらに延長
圏ライトレールStation Square駅下車徒歩1分
圏P.500　A、B-2

Gateway Clipper Fleet
圏9 Station Square Dock（出発点）
☎ (412) 355-7980
運行：クルーズの種類によって出航時間は異なる。人気のあるサイトシーイング・クルーズ（2時間）は月～土12：00と13：00の出発
圏$ 8.50～52
圏ステーション・スクエア（ライトレールStation Square駅下車）の北西側より出発
圏P.500　A-2

★ ピッツバーグ

デュケン線はレトロな雰囲気

ご存じのとおり2本のインクラインがある。同じPATの経営だが、両ラインとも異なった個性を持っている。往路と復路で乗りわけるなどして違いを楽しむのもよいと思う。私のお気に入りはデュケン Duquesneのほう。駅舎が昔のままの建物で、乗り物のデザインもこちらのほうがかわいい。眺望もデュケンの勝ち。マノンガヘイラはダウンタウンの側面しか見えないのに対し、デュケンからはピッツバーグ最大の特徴である三角形をしたポイント・ステート・パークの地形と後方の摩天楼がよく見える。両インクラインの上の駅舎同士は歩道でつながっている。お天気のいい日なら景色を眺めながら散歩するのもいいだろう。ゆっくり歩くと30分くらいかかる。
（Kyomi Wada　ピッツバーグ在住 '98)

サイドバー情報

カーネギー科学センター
📍 One Allegheny Ave.
☎ (412) 237-3400
🕐 毎日10：00～17：00
（土～21：00）
🚫 サンクスギビング、クリスマス、元日
💲 展示、オムニマックス、プラネタリウムの3つのチケットの組み合わせによって大人＄6.50～12、子供＄4.50～8
🚌 16A、16U、96EのPATバスでダウンタウンから約10分、建物が見えてきたら下車
📖 P.500 A-1

ピッツバーグ鳥園
📍 Allegheny Commons West
☎ (412) 323-7235
🕐 毎日9：00～16：30
🚫 クリスマス
💲 大人＄4、子供＄2.50、シニア＄3
🚌 ＃16FのPATバスでダウンタウンから約15分、Arch St.へと曲がったら下車
📖 P.500 A-1

アンディ・ウォーホル美術館
📍 117 Sandusky St.
☎ (412) 237-8300
🕐 水日11：00～18：00、木～土11：00～20：00
🚫 月火
💲 大人＄6、学生・シニア＄5、子供＄4
🚌 ノースサイド、7th St. Bridgeを越えたSanduskyとGeneral Robinsonが交差するところ
📖 P.500 B-1

毎週金曜日には自由参加のレセプションパーティーが行われる。

アンディ・ウォーホルが好きならぜひとも訪れてみたい

実際に触れて試してみよう
カーネギー科学センター ★ The Carnegie Science Center

見る、触るなど体験することを通じて、科学への理解を深めてもらおうという子供のための博物館。実際に動かすことのできる250の展示があり、なかでも球速測定機、天気予報のスーパーインポーズなどの展示は列を作るほどの人気。大人もマニアも感心してしまう展示が、大型の鉄道模型。製鉄工場、スリー・リバースを航行する船、インクライン、遊園地、紅葉におおわれた山や住宅など、ピッツバーグの町がかわいらしく再現されている。季節ごとに変わるプラネタリウム、3-Dのレーザーショー、オムニマックス、第2次世界大戦中活躍した潜水艦レクイン号なども時間があったら見ておきたい。

タンチョウヅルもいる！
ピッツバーグ鳥園 ★ National Aviary in Pittsburgh

ウエスト・パークの中にある小さな鳥園。世界には約9,000種の鳥類がいるといわれているが、ここでは世界中から集めた250種以上の鳥類が飼育されている。園内は、約20の地域や鳥の棲息地に分かれ、中南米やアジアの熱帯のカラフルな鳥から、見たこともないような姿のもの、寒帯に住むタンチョウヅルまで、鳴き声も鳥それぞれ。Marsh Room（湿地帯の部屋）にはサギもいる。上から落ちてくるフンに要注意。

生まれ故郷にあるウォーホルの美術館
アンディ・ウォーホル美術館 ★ The Andy Warhol Museum

ピッツバーグが生んだ偉大なアーティストといえば、ポップアートの第一人者アンディ・ウォーホルだろう。ニューヨーク派のアーティストとして知られるウォーホルだが、出身地はここピッツバーグ。1928年、東欧からの移民である両親のもとに誕生し、オークランド地区で育った。17歳のときにカーネギー技術研究所（現在のカーネギー・メロン大学）に入学、卒業と同時にニューヨークに移り、その後の彼の活躍ぶりは周知のとおり。

美術館には、名声を得る前の作品から1987年に亡くなるまでの作品約3,000点が集められている。ひとりのアーティストの作品を集めた美術館としては全米最大。シルクスクリーン、素描、彫像、オブジェ、フィルムなどひとつの枠にとどまらない、ポップアートならではの作品が7つのフロアに展示されている。見学者が参加できる作品もある。初期の作品は、ニューヨークの美術館でもお目にかかれない新鮮なものばかりだ。ウォーホルの多彩性、行動範囲の広さに驚かされることだろう。『11人のエルビス』『リズ』『ジャッキー』『20人のマリリン』などウォーホルの代表作ともいえる複写のシルクスクリーン、死や災害を描いた『電気イス』『人種暴動』、7階の展示室いっぱいに並べられた55枚の連作『Shadows』（作品は全部で102枚）、家族のポートレート、彼の個人的なコレクション、彼宛てのレター、手掛けた雑誌の表紙など、十二分に見応えのある美術館だ。彼が制作したフィルムの上映もファンにはうれしいもの。

ダウンタウンからPATバスで約15分、オークランド地区は
ピッツバーグの文教地区だ。ピッツバーグ大学、カーネギー・
メロン大学などが集まる学生街でもある。キャンパスの緑も目
に鮮やかで、行き交う人もどことなくインテリジェントだ。大
学付属のミュージアムなどもあり、観光ポイントはダウンタウ
ンよりオークランド地区に多い。少なくとも1日は時間をかけ
て、オークランド散策を楽しもう。ランチにはピッツバーグ大
学の学食（スチューデント・ユニオン・ビル）が安い。

観光案内所 ★ Information

Oakland Visitor Information

カテドラル・オブ・ラーニングのすぐ南側に位置する、ログ
キャビンの建物。

オークランド地区 ★ Oakland Area

オークランド地区
🚌ダウンタウンからは #61
A/B/C、67A/E/F/J、
71A/B/C/Dなどのバスが
行く。約15分

Oakland Visitor
Information
🏠Forbes Ave., bet Bigelow
Blvd. & Bellefield Ave.
🕐月9：00〜16：00、火〜日
10：00〜16：00
🗺P.503

★ ピッツバーグ

オークランド地区 / University Dr. / 兵士水兵記念館 / Holiday Inn / Bigelow Blvd. / Henry St. / Appletree / Winthrop St. / Filmore St. / Heinz Memorial Chapel / S. Bellefield St. / 5th Ave. / S. Dithridge St. / S. Neville St. / Pitt Stadium / ピッツバーグ大学 University of Pittsburg / O'Hara St. / Forbes Ave. / 観光案内所 / ザ・カーネギー（自然史博物館、美術館）The Carnegie / Fitzgerald Field House / Hospital / Dr. Soto St. / 学生会館 Student Union Bldg. / Primanti's / Bouquet St. / Sennott St. / カテドラル・オブ・ラーニング（ナショナリティ・クラスルーム）Cathedral of Learning (Nationality Classroom) / カーネギー・メロン大学 Carnegie-Mellon University / Schenley Park Bridge / Dunseith St. / Terrace St. / Chesterfield Rd. / Robinson St. / DeRaugh St. / Lothrop St. / 5th Ave. / Oakland St. / Atwood St. / Joncaire St. / 郵便局 / フィップス植物園 Phipps Conservatory / Schenley Dr. / Carlow College / Forbes Ave. / Iroquois St. / Fresco Way / Louisa St. / York Way / Meyran Ave. / Semple St. / Bates St. / シェンレイ公園 Schenley Park / ダウンタウンへ 1.5マイル / Coltart Ave. / McKee Pt. / Halket Pl. / Halket St. / Hampton Inn / The Blvd. of The Allies / Best Western University Center / 885 / 0 200m

フランク・ロイド・ライトの名作、落水荘Fallingwaterを見にいこう

日本では旧帝国ホテルの設計者として知られ
るフランク・ロイド・ライト。彼の代表作のひ
とつが、ピッツバーグの郊外にある落水荘だ。
緑に囲まれたプレーリースタイルの邸宅で、周
囲の自然とみごとに調和している。ピッツバー
グから車で約2時間の距離に位置し、建物の中
はツアーで見学することができる。邸宅は、3
月中旬〜11月の月曜を除く毎日とクリスマス
から元日の間の平日と12〜3月中旬の週末
10：00〜16：00の間公開され、ツアーは予
約が必要。☎(724)329-8501。料金は平日

$8、週末$12。
ピッツバーグからはグレイライン社が4〜
10月の毎週水曜日9：15発のツアーを運行して
いる。人数が集まらないと出発しないこともあ
る。予約が必要だ。☎(412)741-2720。もち
ろん、要予約、ひとり$40。車ではピッツバー
グ・ダウンタウンからI-376を東へ、ペンシ
ルバニア・ターンパイクを南へ向かいExit 9
で下車。PA-381 or 711で南へ行き、Bear
Run Nature Reserveを過ぎたあたりに標識
が出ている。

ナショナリティ・ルームズ
🏛157 Cathedral of Learning,
University of Pittsburgh
☎(412) 624-6000
🕐月～金9：00～15：00、
土9：30～15：00、日祝日
11：00～15：00
🚫サンクスギビング、12/24、
25、31、元日
💲大人$2、シニア$1、8～
18歳50￠
🚌Fifth Ave.沿いBigelow
Blvd.とBellefield Ave.の間
🗺P.503

案内人によるツアーの所
要時間は1.5時間で、4～8
月と12月の土日に行われる。

世界各国の建築様式が一度に見られる

ナショナリティ・ルームズ ★ Nationality Rooms

ピッツバーグ大学キャンパスのなかでひときわ目を引く、ゴシック調の壮麗な高層建築が**カテドラル・オブ・ラーニング Cathedral of Learning**（＝学習の大聖堂）だ。42階建て（約162m）の大聖堂は、世界で最も高さのある教室として知られている。大聖堂の中にあるナショナリティ・ルームズは、世界各国の内装に彩られた23の教室からなる美しいもの。それぞれの教室は、バロック、ビザンチン、ロマネスクなどの年代風に装飾されていて、それらにも注目したい。いかにもフランスらしいブルーとゴールドの色が印象的なフレンチルーム、ガラスの陶器が美しいチェコルーム、円形のテーブルがあるチャイニーズルーム、入口にヘブライ語の文字が綴られているイスラエルルームなど、各国の特色があらわれていて、見学することによって世界の装飾様式を探索しているよう。

これらの部屋は案内人率いるツアーか、テープレコーダーと鍵を持って見学する方法の2種類に分かれる。英語のツアーが苦手なら、レコーダーを持ってマイペースで見学できるテープのほうがいいだろう。テープの場合は要ID。

ザ・カーネギー
🏛4400 Forbes Ave. at South
Craig St.
☎(412) 622-3131
🕐火～土10：00～17：00、
日13：00～17：00
🚫月（ただし、7～8月は
10：00～17：00のオープン）
💲大人$6、シニア$5、子供
$4
🚌オークランド地区の観光
案内所の向かい
🗺P.503

博物館と美術館の両方が楽しめる

ザ・カーネギー ★ The Carnegie

カーネギー・メロン大学とピッツバーグ大学の中間に位置するザ・カーネギーは、美術館と自然史博物館、図書館、音楽ホールから構成される複合体。西側のクラシックな建物には自然史博物館と図書館と音楽ホール、東側の近代的なビルには美術館が陣取っており、図書館を除き、中の行き来は自由で、美術と自然史が一度に見学できる。入場券売場でその日のイベントが書かれたスケジュールを入手し、それを見て計画を立てるといい。

●自然史博物館 Museum of Natural History

地質学では、ピッツバーグの地層、近辺に埋蔵されていた石炭、火山や地震のしくみなどが図解されている。

鉱石と宝石、古生代の化石、哺乳類の化石、鳥類、北アメリカの野生動物、両生類と爬虫類、考古学などのコーナーに分かれている。特筆すべきは古代エジプトのコーナーと恐竜。ピラミッドから出土した第七王朝期3800年前の葬儀用ボート（世界で6艘しかない）、装飾品の製造工程を伝えるジオラマ、中流階級の墓の復元などあり、小さいながらもエジプトの生活様式を伝えてくれる。いまから2億2500万年前から6500年前に生息していた恐竜のコーナーには、370種もの化石、骨格の復元などが並び、収蔵品数は世界で3番目に多いとのことだ。極地の世界では、過去80年間にわたり、博物館が研究してきた北極の哺乳類やイヌイットの人々の4500年間を、ジオラマやフィルムを使って子供も興味を引くように見やすく解説している。

ザ・カーネギーの美術館

●美術館　Museum of Art

　彫刻・彫像、建築、1800年までのエジプトとヨーロッパ美術、1800〜1950年の欧米美術、アジア、アフリカのコーナーに分かれているが、なかでも印象派と現代美術のコレクションは全米でも有数。ドガ、セザンヌ、モネ、ゴッホ、マネ、ピサロ、ミレー、ホーマー、サージャント、スチュアート・デイビス、デ・クーニング、カルダー、レジェ、ボナール、キリコなど有名画家の絵画が並び、西洋美術の流れをつかむような構成になっている。入口のデュビュッフェが訪問者を歓待してくれる。

かつての実業家の邸宅とコレクション

ザ・フリック ★The Frick Art & Historical Center

　19世紀後半ピッツバーグのイースト・エンドにヘンリー・クレイ・フリックという実業家が6エーカーの土地にヨーロッパ調の豪邸を建て、住んでいた。その敷地のなかの建築物が当時のまま保存され、総称してフリックと呼ばれている。いちばんの見どころは、**クレイトン Clayton**と呼ばれるフリック一家の邸宅。1902年セオドア・ルーズベルト大統領も訪れたという豪邸は、ビクトリア調でステンドグラスにガーネットを用いるなど、天井から家具の細部にいたるまで贅のかぎりを尽くしている。隣接する**美術館**では、イタリア、フランス、フランドルの絵画や彫刻・彫像のコレクションからブーシェ、フラゴナール、ルーベンス、ラ・トゥー、ルネッサンス期のジョバンニ・デ・パオロなどの作品が展示されている。また、**博物館**ではフリック家が所有していた馬車や車を見ることができ、1914年のロールス・ロイス・シルバー・ゴーストは希少価値のあるもの。中央にあるカフェの手作りの料理も人気。ほかに植物園もある。

ザ・フリック内の博物館の展示

Entertainment

エンターテインメント

ピッツバーグ交響楽団 ★ Pittsburgh Symphony Orchestra

　'98〜'99のシーズンで創立103周年を迎えたピッツバーグ交響楽団は、全米屈指のオーケストラ。音楽監督はMoriss Jansonで、文化的水準の高いピッツバーグらしく、人気は高い。客演者も超一流が顔を揃える。

ハインツ・ホール

ザ・フリック
🏠7227 Reynolds St.
☎(412) 371-0600
　見学のためにはツアーの
予約が必要
☎(412) 371-0606
🕐火〜土10：00〜17：30、
日12：00〜18：00
休月
料クレイトンのみ大人＄6、
シニア＄5、学生＄4
交PATバス＃67A/C/E/F/71Cでダウンタウンから30〜40分、Homewood Ave.下車。または、#74AでFrick前下車
🗺地図外

ピッツバーグ交響楽団
ホームホール──ハインツ・ホール Heinz Hall, 600 Penn. Ave., Pittsburgh, PA 15222-3259
☎(412) 392-4800
🗺P.500　B-2

★

ピッツバーグ

観戦するスポーツ

ベースボール（MLB）

ピッツバーグ・パイレーツ ★ Pittsburgh Pirates
（ナショナル・リーグ中地区）

通称"Bucs"のパイレーツは、過去5回のワールドチャンピオン制覇に輝く伝統あるチームだ。といってももう20年間、優勝からは遠ざかっている。7～8年前にも地区優勝はしたが、チームに財力がないことを嘆き、フロリダ・マーリンズに移籍したのは名将リーランド監督。彼の移籍以来成績は低迷中。

アメリカン・フットボール（NFL）

ピッツバーグ・スティーラーズ ★ Pittsburgh Steelers
（AFC中地区）

NFL名門チームのひとつで、いつの時代もまんべんなく強い。なかでも'70年代後半が全盛期で、6年の間に4度スーパーボウル・チャンピオンに輝いている。最近スーパーボウルに出場したのは'96年だが、カウボーイズに破れた。

アイスホッケー（NHL）

ピッツバーグ・ペンギンズ ★ Pittsburgh Penguins
（東・北東部地区）

いまピッツバーグでいちばんアブラののったチームが、アイスホッケーのペンギンズだ。'91、'92年と2年連続スタンレーカップに輝き、現在もプレーオフの常連となっている。ちなみにジャン・クロード・バンダム主演のアクション映画『サドン・デス』は、ペンギンズの本拠地シビック・アリーナが舞台だ。

ピッツバーグ・パイレーツ
本拠地──スリー・リバーズ・スタジアム　Three Rivers Stadium, 300 Stadium Cir.
☎ (412) 321-2827、📞 (1-800) 289-2827
🚌ダウンタウンのWood St.～Ft. Pitt Blvd.を走るPATの臨時バス＃96Cがスリー・リバース・スタジアムまで行く。バスは試合の開始90分前から頻繁に運行され、帰りはスタジアムのゲートCからダウンタウン行きのバスが出発する。帰りのバスは試合終了の前から人数が集まり次第出発する。
　＃96Xもダウンタウンのシビック・アリーナとスリー・リバース・スタジアムを結ぶ
🗺P.500　A-1

ピッツバーグ・スティーラーズ
本拠地──スリー・リバーズ・スタジアム　Three Rivers Stadium, 300 Stadium Cir.
☎ (412) 323-1200
🚌パイレーツ参照

ピッツバーグ・ペンギンズ
本拠地──シビック・アリーナ　Civic Arena, 66 Mario Lemieux Pl.
☎ (412) 323-1919、642-1800
🚌ダウンタウンの東、ラマダ・ホテルの裏。ライトレールSteel Plaza駅下車
🗺地図外

★　★　★　## ショッピング　★　★　★
Shopping

ピッツバーグを含めたペンシルバニア州は、衣類にかかるTaxが0%。衣類を買うチャンスだ。

ペンギンズの本拠地シビック・アリーナ

えっ、空港がショッピングモール!?
Airmal
ピッツバーグ国際空港内　☎ (412) 472-5180
🕐毎日6：30～22：30　🗺地図外

ピッツバーグ国際空港へはほかの空港より早く出かけよう。空港の中には、ショップやレストランが100店舗近くあるショッピングモール、Airmallがあるのだ。靴のバリーズ、ボディショップ、ネイチャーカンパニー、ジュエリーショップ、チョコレートショップ、オーボンパン、フローズン・ヨーグルトなど、空港というよりは郊外のモールにいるよう。出発前というのについつい目移りがする。営業時間も長いので、便利だ。　　　　　　　　　（'98）

オークランドにて

ピッツバーグ・ビジネスマン、ウーマンたちのお気にいり
Fifth Avenue Place

🏠Fifth＆Liberty Aves. ☎ (412) 456-7800
🕙月～金10：00～18：00（月木は19：30まで）、土10：00～17：30　休日
🗺P.500　B-2

キャスウェル・メッスィ、コーチ・ストア、リミテッド、ポール・ハリス、サムグッディなどのショップ、オーボンパン、スバーロなどが入ったフードコート、2軒のレストランが入ったダウンタウンのモール。一見、オフィスビルのよう。ダウンタウン観光の際に利用しよう。　　　（'98）

ウインドー・ショッピングには最適
Shady Side　（オークランド地区）

Walnut St. 沿いのショッピングエリア。S. Aiken Ave.からIvy St.の間の約4ブロックにわたってカフェ、レストラン、ギャラリー、雑貨屋、洋服屋など、さまざまなお店が建ち並ぶ。ウインドーショッピングをするのにも、とても良い。　　　（'99）

ビスコッティの好きな人へ
The Enrico Biscotti Co.

🏠2022 Penn Ave. ☎ (412) 281-2602
🗺地図外

ストリップ地区にあるビスコッティ専門のお店。20thと21st.の間、Penn. Ave. 沿いにある。カウンターに所狭しと並べられたビスコッティの瓶の多さ＝種類の多さにおもわず顔がニンマリとしてしまいそう。チョコやナッツといった定番モノから、アプリコットなどのフルーツテイストまである。ビスコッティは"固いビスケット"のイメージを持っている人もいるかもしれないが、ここのは別。サクッ感とムチッ感が一体となって食感を刺激してくれる。　（'98）

読★者★投★稿
家具からキッチン小物まで揃うビッグな専門店
IKEA U.S.

🏠496 W. Germantown Pike, Plymouth Meeting　🗺地図外

ピッツバーグ国際空港からダウンタウンに向かう途中の、かなり空港に近い所にあるショッピングセンターに、IKEA（イケア）という家具専門店がある。とても広くて迷ってしまいそうなくらいだが、既製品の家具はもちろん、自分で好みのスタイルにつくるキット式の家具やガーデニング雑貨、キッチン小物なども充実していて、見るだけでも楽しいお店だった。

（加織　宇都宮市　'98夏）

★ピッツバーグ

★　★　ホテル　★　★
Hotel

ビジネスシティの宿命というべきか、ピッツバーグには高級ホテルばかりで、お手ごろ値段のホテルがほとんどない。どうしても安い宿に泊まりたい人は、ダウンタウンから離れたオークランド地区やその他の地区に宿をとるといいだろう。

ダウンタウン

ダウンタウンのおすすめホテル
Ramada Plaza Suites

🏠One Bigelow Square, Pittsburgh, PA 15219 ☎ (412) 281-5800、📞 (1-800) 225-5858、FAX (412) 281-4208
HOME www.ibp.com/pit/rps
⑤⑩① $113～　ADMV　🗺P.500　B-2

高級ホテルがひしめくピッツバーグのダウンタウンで、唯一とも言える比較的リーズナブルなホテル。地下鉄のSteel Plaza駅の目の前に位置し、ビジネスにも観光にも便利。交通の便もよく、周囲の治安もいい。裏手にはシビック・アリーナもあり、ペンギンズの試合を観る人にはベスト・ロケーションだ。オール・スイート・タイプなので客室は十二分に広く、清潔で快適。広い机はビジネス客には好評だ。1階にはレストランに加え、コンビニも入っているのでとても便利。コインランドリー、プール、フィットネスセンターなどの施設の充実度などを考えると決して高くない料金だ。310室。　（'99）

アムトラック駅のすぐそば
Doubletree Hotel

住 1000 Penn. Ave., Pittsburgh, PA 15222
☎ (412) 281-3700、📞 (1-800) 222-8733、
FAX (412) 227-4500
HOME www.DOUBLETREE HOTELS.com.
平日Ⓢ$130～、週末Ⓢ$99～　ADMV
地 P.500　B-1

　カナダを本社として、現在北米に展開中の高級ホテルチェーン。フィットネス・センター、サウナ、プール、ジェットバス、レストランやカフェなど施設、サービスも秀でており、ビジネス客の支持を得ている。客室も広く、ミニバーやビジネス用の机はうれしい。　　　　　　　　　　　　　　（'98）

ビジネス客に好評のウエスティン・ウイリアム・ペン

ダウンタウンのヘソに位置するホテル
The Westin William Penn

住 530 William Penn Pl., Pittsburgh, PA 15219
☎ (412) 281-7100、FAX (412) 553-5252
ⓈⒹ$225～239　　　　　ADJMV
地 P.500　B-2

　ダウンタウンの中心、メロン・スクエア・パークの向かい側に位置する。優雅な外観を持ち、ダウンタウンのランドマークとしての顔も持つ。ここのパーム・コートと呼ばれるビクトリア調の広いロビーには、絶えず生のピアノ演奏が流れ、ティールームあり、テイクアウト式のコーヒーショップあり、とそれぞれのニーズに応えてくれる。室内はマホガニーの家具で統一され、シックな雰囲気にまとめられている。595室。　　　　　（'99）

リンゴがモチーフの素敵なお部屋
The Appletree B & B

住 703 S. Negley Ave., Pittsburgh., PA 15232
☎ (412) 661-0631、FAX (412) 661-7525
Ⓓ$120～155　ADMV　地 P.503 地図外

　ピッツバーグ留学中の友人の紹介で泊まった。リンゴを使ったマフィン、ブレッド、スコーンなど、手作りの朝食がとてもおいしい。冷蔵庫の中の飲み物は無料。同じインテリアの部屋はなく、アンティーク調の家具などの調度品がとてもいい雰囲気をだしている。　　（金本則子　福井県）（'99）

丘の上にできたばかりのホステル
Pittsburgh Hostel

住 830 E. Warrington Ave.　☎ (412) 431-1267

　設備がとても良くてきれいだし、オーナーも親切。バス停とコンビニが目の前にある。門限は10時だが、暗証番号を教えてくれるので出入り自由。会員$17、シーツ$1。平日なら28Xのバスでダウンタウンまで行き、TのWood Street駅でトラム#52に乗り換える。#52は月～金5：37～22：20まで約50分おきに運行。$1.25。もしくはTでSouth Hills Junction駅まで行き、そこから歩いて約10分。バス#51Aもあるが、遠回りなのでダウンタウンから40分かかる。（熊崎孝則　名古屋市 '98夏）

オークランド地区

カテドラル・オブ・ラーニングの近く
Holiday Inn Select University Center

住 100 Lytton Ave., Pittsburgh, PA 15213
☎ (412) 682-6200、FAX (412) 682-5745
地 P.503

　Bigelow Blvd.とFifth Ave.の間、Lytton Ave.沿いにある。オークランド地区は大学が集まっていることもあり、学生がとても多い場所。ピッツバーグ大学周辺を散策したい人、学生街の雰囲気を昼、夜と楽しみたい人におすすめのホテル。　　　（'98）

デュケン線の上にも展望台がある

大口を開けてかぶりつこう!!
Primanti's Brothers

📮46 18th St.☎(412) 263-2142 🗺地図外

　ストリップ地区にあるサンドイッチ屋さん。具を挟み終わったあとのこんもりとしたサンドイッチを、ギュウッとまとめてザクッと半分にカットする手さばきは圧巻。ここのサンドイッチは味もさることながら、具の充実度、ユニーク度、どれをとっても文句なし!! たとえば、ソーセージを具にオーダーする。すると、鉄板の上にソーセージ、その上にチーズ、チーズがとろりとした時点でサンドイッチブレッドが取り出され、準備OK。ここからがすごい。鉄板の上で待っていたソーセージとチーズ、歯ごたえ十分の山盛りのザワークラウト（キャベツの酢漬け）、男性の片手ひと掴み分のフレンチフライ!??? が次々と重ねられ、そして、それにおおいかぶさるように、締めのサンドイッチブレッドをのせる。ピッツバーグへ行ったらぜひぜひトライしてほしい。

　なお、このほかOakland（📮3803 Forbes Ave. 🗺P.503）、Market Square、Southside East Carsonにも店舗がある。　　　　　（'98）

メニューが豊富なステーキハウス
Morton's of Chicago, The Steakhouse

📮625 Liberty Ave., CNG Tower

☎(412) 261-7141　　　🗺P.500　B-2

🕐毎日17：30〜23：00（日17：00〜）

　アメリカ全土に広がるステーキハウスのビッグチェーン、Morton's。そのひとつがここ、ピッツバーグにある。行き届いたサービスと雰囲気の良さ、そしておいしい料理。アルコールの品揃えも豊富。とここまで言えば、足を向けたくなってしまう理由は揃ったも同じ。

　肉料理からシーフードまでなんでもござれ!! と言わんばかりのメニューに迷ってしまったときは、「おすすめの料理はなに？」と聞くといいだろう。　　　　（'98）

観光局の人がすすめる
Ruth's Chris Steak House

📮6 PPG Place　☎(412) 391-4800

🕐ランチ月〜金11：30〜15：00、ディナー

月〜木17：00〜22：30、金土17：00〜23：00、日17：00〜21：00　🗺P.500　A-1

　全米に展開されているステーキ・チェーン店のピッツバーグ店。ジューシーで味自慢のステーキは、8オンスから16オンスまで大きさもいろいろ。ビーフステーキのほかにもチキン、ラム、ポーク、ロブスターのメニューもある。ブルーベリーチーズケーキ、ピーカンパイ、パンプディングなどのデザート類も充実しておすすめ。　（'98）

日本のお弁当が恋しくなったら…
Tokyo Japanese Food Store

📮5855 Ellsworth Ave.　☎(412) 661-3777

　オークランド地区にある日本人経営のグロッサリーストア。ダウンタウンからは、#71Cのバスで行ける。日本の食料品が手に入るのはもちろんだが、ここでのおすすめは経営者のご夫婦が作る手作りのお弁当。日本の味が恋しくなったら、まずはここへ行くことをおすすめする。　　（'98）

ピッツバーグの夜景を見下ろすレストラン
Georgetowne Inn

📮1230 Grandview Ave.　☎(412) 481-4424

🕐月〜土11：00〜15：00、17：00〜1：00、日17：00〜1：00　　　　　🗺地図外

　インクラインのデュケン線頂上駅のすぐ隣にあるレストラン。ここから見る景色は最高!! シーフードもおいしかったが、ステーキ・サラダの量がとても多くて食べきれず、残りをテイクアウトにしてもらった。お店の人も親切で、おススメ。

　　　　　（加織　宇都宮市　'98夏）

夜景もメニューのひとつ
Grand View Saloon

📮1212 Grand View Ave.（Mt. Washington）

☎(412) 431-1400（できれば予約を）

　この店から眺めるダウンタウンの摩天楼の夜景は最高。とくに天気のいい日はおすすめだ。スープ、パスタ、サンドイッチ、ステーキ、バッファローチキンなどを食べることができる。

　　（Kyomi Wada　ピッツバーグ在住　'98）

ピッツバーグ

クリーブランド

エリー湖を渡るさわやかな風が高層ビルの間を吹き抜ける…。クリーブランドは、オハイオ州有数の大都会だ。数十年前までは製鉄、自動車などの工場が建ち並ぶ、アメリカ屈指の工業都市だった。現在でもアメリカの一流企業30社以上の本社がある重要なビジネス都市であることに変わりはない。しかし、その姿は確実に変わっている。かつて黒煙をあげていた煙突はどこにも見られないし、よどんでいたエリー湖は青く澄んでいる。

ここ10年ほどのクリーブランドの変化には目を見張るものがある。工場の跡地はレストランやクラブに、薄暗い倉庫街は明るいショッピングアーケードに、そして貨物船ばかりが行き来していたエリー湖には、ヨットやクルーザーの姿が数多く見られる。ダウンタウンにはショッピングモールと野球場ができ、改装された古い劇場が華々しくオープンした。"North Coast of America（アメリカの北海岸）"クリーブランドをアメリカ中が注目している。

ダウンタウンへの行き方 ★ Access

空港

クリーブランド・ホプキンス国際空港
Cleveland Hopkins International Airport（CLE）

ダウンタウンの南西約12マイルにある空港。規模はあまり大きくないが、1日の発着便数は600便となかなか忙しい。コンチネンタル航空のハブのひとつ。

●RTA（Greater Cleveland Regional Transit Authority）

クリーブランド中心と周辺地域をカバーする、バスと電車の公共交通システム。空港とダウンタウンは電車で結ばれている。到着ターミナルからエレベーターを降りればすぐ駅だ。早朝4：30から深夜24：50まで、ピーク時には15分間隔、その他の時間でも20分間隔で運転している。空港とダウンタウンの往復はこれで決まり。所要時間約25分。

●タクシー＆リムジン　24時間のタクシーサービスは1階のExit 2、リムジンはExit 6からそれぞれ出ている。リムジンについてのインフォメーションデスクはExit 3のそば。空港へ向かう際はホテルのフロントに頼むといい。

クリーブランド・ホプキンス国際空港
住5300 Riverside Dr., Cleveland
☎(216) 265-6030

RTA
☎(216) 621-9500
料$ 1.50

タクシー＆リムジン
料ダウンタウンまでタクシーなら約$ 20、リムジンで$11.50
タクシー会社
●Americab
☎(216) 429-1111
●Yellow Cab
☎(216) 623-1550
リムジン
Hopkins Limousine
☎(216) 267-8282
☏(1-800) 543-9912

空港シャトルバンは"リムジン"
と呼ばれている

長距離バス

グレイハウンド・バスターミナル Greyhound Bus Terminal

　州内のコロンバスやシンシナティのほか、シカゴ、デトロイト、バッファローなどからのバスが発着する。ダウンタウンの中心パブリック・スクエアへは徒歩約12分。ダウンタウンの見どころはどこでも十分歩いて行ける。

鉄　道

アムトラック駅　Amtrak Station

　ダウンタウンの中心部、シティホールのすぐ後ろにある。

**グレイハウンド・バス
ターミナル**
🏠 E. 15th St. & Chester Ave.
☎ (216) 781-0520
📞 (1-800) 231-2222
🕐 24時間営業
🗺 P.513　B-2

アムトラック駅
🏠 2000 Cleveland Memorial
Shoreway (at 9th St.)
☎ (216) 696-5115
📞 (1-800) 872-7245
🕐 月～土24：00～17：30、
日24：00～9：00
🗺 P.513　A-1

★

クリーブランドの歩き方　Walking

　かつては工業都市のイメージが強かったクリーブランドだが、現在は観光都市として十分通用するほど見どころは多い。観光スポットはダウンタウン周辺と、ダウンタウンから電車で15分のところにある、ユニバーシティ・サークル周辺に集まっているので、とても歩きやすい。ダウンタウンでのショッピング、ユニバーシティ・サークルでの博物館巡りもいいが、ここでは野球、バスケットの二大プロスポーツの会場が、すべてダウンタウンから歩ける距離にあることも大きな利点だ。また、全米屈指のクリーブランド管弦楽団のコンサートや、歴史のある劇場街、プレイハウス・スクエアで芝居やミュージカルを見るのもいい。中身の濃い観光ができることうけあいだ。

観光案内所 ★ Information

Convention & Visitors Bureau of Greater Cleveland Tower City Center

　ダウンタウンの中心に位置するTower City Centerの１階にある。パブリック・スクエアに面した入口をくぐると、正面にブースが見える。観光案内情報誌や地図、イベント、ツアーの資料の入手に便利。
　このほかに、空港のバゲージクレームのある階（9：00～21：00）や、フラット地区のパワーハウスの中にも案内所がある。

★
クリーブランド

**Convention & Visitors
Bureau of Greater
Cleveland**
🏠 50 Public Square, 3100
Terminal Tower, Cleveland,
OH 44113
☎ (216) 621-7981
🕐 月～金9：30～16：30、
土日11：00～16：00（夏期
は17：00まで）
🗺 P.513　A-2

電話での資料請求、情報の
問い合わせ番号：☎ (216)
621-5555
ホテル、チケットの予約
📞 (1-800) 321-1004

---

data

人　口	約493,000人	TAX	セールス・タックス 7%
面　積	205km²		ホテル・タックス 14.5%
標　高	最高319m、最低 174m	属する州	オハイオ州　Ohio
市の誕生	1836年	州のニックネーム	トチノキ州 Buckeye State
情　報	Cleveland Plain Daily（新聞） 日曜版 $1.25	時間帯	イースタン・タイム ゾーン

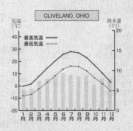
CLIVELAND, OHIO
気温（℃）　　降水量（ミリ）
最高気温
最低気温
1月 2月 3月 4月 5月 6月 7月 8月 9月 10月 11月 12月

市内の交通機関 ★ Public Transportation

RTA (Greater Cleveland Regional Transit Authority)

RTA
☎ (216) 621-9500
🕐 月〜金5：30〜20：00、土日8：00〜17：00
💴 バス＄1.50、ループバスは50￠。バス間のトランスファーは無料だが、バスから鉄道へは25￠

なお、トランスファーが欲しい場合は、運賃を払う際、その旨をドライバーへ伝えること。

　3本の路線の電車と100以上ものバスルートを持つ、ダウンタウンを中心に周辺のかなり広い地域をカバーしている交通システム。ダウンタウンのパブリック・スクエアがすべてのバスの、隣接するタワーシティが3本の電車の起点となっているのでとてもわかりやすい。タイムテーブルを入手したい人はRTAカスタマー・サービスセンター（🏠315 Euclid Ave.）へ行けば手に入る。ダウンタウン周辺だけを回るループバスもあるので利用したい。

●The Waterfront Line

The Waterfront Line
💴 ＄1.50
運行：毎日6：40〜24：05の12〜15分間隔、土日には本数が減る

　タワーシティを発着点とし、フラット地区、ノースコースト地区方面をカバーする新しいライン。フラット地区やロックンロール・ホール・オブ・フェイム、そのほかのノースコースト地区のアトラクションへのアクセスにはとても便利。また、このウォーターフロントラインに乗る際に受けとるパスは、他のRTAバスや電車のトランスファーの有効時間が2時間なのに対し、4時間の枠があるので利用価値あり！

　RTA LineにはBlue、Green、Redの3種類があるが、Red LineからWaterfront Lineに乗り換えたいときは、運賃を払う際、必ず"EXPRESSトランスファー"をもらうこと。

ライトレール・ウォーターフロントライン

ツアー案内 ★ Sight-seeing Tour

Trolley Tour of Cleveland

Trolley Tour of Cleveland
🏠P.O. Box 91658, Cleveland, OH 44101-3658
☎ (216) 771-4484
📠 (1-800) 848-0173
💴 大人＄8、子供＄5、シニア＄7
運行：5〜10月の月〜土12：30、日15：30、11〜4月の金土12：30
出発場所：フラット地区のElm St. & Winslow Ave.

　トロリーバスに乗って、クリーブランドのおもなアトラクションを車上から見学するツアー。フラット地区にあるパワー・ハウスの前が出発＆到着点。約1時間。ウェアハウス地区、フラット地区、ロックンロール・ホール・オブ・フェイムと博物館のあるノース・コースト地区などをドライバーの説明を聞きながら回る。要予約。

Attractions おもな見どころ ★

ダウンタウン
★
Downtown

ターミナル・タワー展望台
☎ (216) 621-7981
🕐土日11：00〜16：30（5月〜9月）、土日11：00〜15：30（10月〜4月）
💴大人＄2、子供＄1、5歳以下は無料
🗺P.513　A-2

クリーブランド・ダウンタウンの中心
タワーシティ・センター ★ Tower City Center

　ダウンタウンの中心パブリック・スクエア Public Square に面して建つ、クラシックな外観の52階建ての**ターミナル・タワー** Terminal Tower と大型のショッピングモールジ・アベニュー The Avenue、2つの高級ホテル、デパートがひとつになった巨大なビル。ターミナル・タワーの名前でわかるとおり、もともとは鉄道のターミナルだったところで、改装されて、現在は120ものショップが並ぶモールになっている。さらにモールに面して超高級ホテル、リッツ・カールトンがあり、外観からは想像もつかないような華やかな世界にびっくりさせられる。

　ターミナル・タワーの42階には展望台 Terminal Tower Observation Deck があり、クリーブランドが一望できる。

ギャレリア ★ The Galleria at Erieview

ダウンタウンにあるもうひとつの大きなショッピングモール。巨大な温室のような建物にハイセンスなブティックやショップが並ぶ。手軽な食事ならフードコートへ。

ギャレリア
1301 E. 9th St.
☎ (216) 861-4343
月～金10：00～19：30、土10：00～19：00、日12：00～17：00
P.513 B-1

パブリック・スクエアの西に広がる倉庫街がクリーブランドの再開発計画により、新しくオフィスやショップの集まるエリアに生まれ変わりつつある。外観は古ぼけているが最新のショップやクラブが進出中。ニューヨークのソーホーのように、ここのロフトに住むことは若者の憧れになりつつある。

ヒストリック・ウェアハウス
Historic Warehouse

★
クリーブランド

(左) ギャレリア
(下) 展望台のあるタワーシティ・センター

クリーブランド・ダウンタウン

513

ザ・フラット
🚃イーストバンク（ダウンタウン側）へWaterfront Line、Flats East Bank下車。片道$1.50

パワーハウスへの行き方
ウエストバンク（川の対岸）へWater Taxi、片道$3、もしくはタクシーでダウンタウンから$5
🗺P.513　A-2

"フラット"つまり平らな場所ということで、エリー湖にそそぐCuyahoga Riverの河口付近をこう呼ぶ。クリーブランドに最初に人が住み着いた場所で、現在の丘の上のダウンタウンとは違う場所。かつてクリーブランドが重工業で栄えていたころ、たくさんの工場が建ち並んでいた。ここには現在、地方の若者文化の発信地であるクラブやバーが密集しており、クリーブランドのナイトライフの中心地になっている。川を挟んで両側に店が連なっているが、数が多いのはダウンタウン側にあたるイーストバンク。ただし、いま最も人気があるクラブは川向こうウエストバンクにある、**パワー・ハウス**。発電所の建物を

そのまま利用したユニークな外観とクラブ、ゲームセンター、レストラン、ギャラリーなどなど、メチャクチャともいえるバラエティに富んだ内部が若者の絶大な支持を集めている。

フラット地区

ロックンロール・ホール・オブ・フェイムと博物館
📍1 Key Plaza
📞(1-800) 493-7655
🕐毎日10：00～17：30、水曜は21：00まで
🚫サンクスギビング、クリスマス
💰大人$14.95、子供・シニア$11.50
🗺P.513　B-1

ダウンタウンの北側、エリー湖畔のエリアはクリーブランドでいちばんホットなエリア。観光都市クリーブランドを象徴するように新しいアトラクションが次々と建設されており、近い将来クリーブランド観光の中心になるところだ。

ロックンロールのことならなんでもわかる
★ ロックンロール・ホール・オブ・フェイムと博物館
★ Rock'n Roll Hall of Fame & Museum

クリーブランドいちばん人気のアトラクション。若者文化というよりもアメリカ文化というべき「ロック」を、文化的には極めて真面目に、そして音楽的にはおおいにミーハーに取り上げた博物館。バディ・ホリー、ジミヘン、プレスリーからビリー・ジョエルまで、数えきれないスターたちの展示品にファンならため息が出ることだろう。ロックファンのみならず、アメリカに興味のある人にはぜひ訪れてもらいたいところだ。

ところで、クリーブランドとロックンロールが結びつかない人は多いと思うが、ちゃんと理由がある。実は "Rock'n Roll" という言葉を世に送り出したのが、クリーブランドの伝

説的なDJ、アラン・フリードという人物なのだ。1951年にクリーブランドの放送局から発せられた「ロックンロール」という言葉はまたたく間に全米に広まり、いつしか多くの若者の生活の一部になっていったのだ。

ロックファンならずともぜひ寄りたい
ロックンロール・ホール・オブ・フェイム

体験型博物館

グレイト・レイク科学センターとOMNIMAXシアター
★ Great Lake Science Center with OMNIMAX Theater

ノース・コースト地区に登場した新しいアトラクション、グレイト・レイク科学センター。300以上の体験型の展示品をもち、アメリカ国内では9番目の規模を誇る。

ここのメインの一つである五大湖に関する展示では、五大湖における環境問題や歴史を細部にわたって知ることができる。そのほか、2メートル以上の竜巻を、実際に自分の目の前で起こしてみたり、特設スペースでのバーチャルワールドを体験するなど、興味深く、施設全体の充実度はとても高い。

また、隣接するOMNIMAXセンターでは、期間ごとのフィルムを大迫力の映像とサウンドで楽しむことができる。

グレイト・レイク科学センターとOMNIMAXシアター

📍601 Erieside Ave, North Coast Harbor
☎(216) 694-2000
🕐毎日9：30～17：30（土日～18：45）
🚫サンクスギビング、クリスマス
🗺P.513　B-1

料金

	サイエンスセンター	OMNIMAXシアター	コンビネーション
大　人	$7.75	$7.75	$10.95
子　供	$5.25	$5.25	$7.75
シニア	$6.75	$6.75	$9.95

五大湖の展示が充実

ダウンタウンの東約5マイル、クリーブランド観光の大きな目玉のエリアがこのユニバーシティ・サークル。Case Western Universityの周辺に10の博物館や美術館と植物園、そして4つの劇場やコンサートホールが集まっている。まさにクリーブランドのカルチャー・センターとでも呼びたいところ。

ユニバーシティ・サークル
University Circle

東洋美術の秀作が多い

クリーブランド美術館 ★ Cleveland Museum of Art

ユニバーシティ・サークルのミュージアム群で、なんとしても見逃せないのがクリーブランド美術館。NYのメトロポリタン美術館やボストン美術館ほどの規模ではないが、そのコレクション（約3万点）の充実ぶりには目を見張るものがある。とくにアジア美術は、全米でも高い評価を受けており、'98年には東京のサントリー美術館と奈良の国立博物館で、この美術館所蔵の

東洋美術のすぐれたクリーブランド美術館

東洋美術の特別展が開かれていた。時代、地域ごとに分けられた展示室は、作品数や種類のバランスがよく、偏りがないので3つのフロアはどこも飽きさせない。絵画では、エル・グレコ、レンブラント、ゴヤ、ターナー、モネ、ゴッホ、ピカソなどの作品に注目したい。また、アジアの各地域の彫刻を集めたフロアも見応えがある。

クリーブランド美術館

📍11150 East Blvd.
☎(216) 421-7340
🕐火～日10：00～17：00（水金～21：00）
🚫月、独立記念日、サンクスギビング、クリスマス
💲無料
🚇RTA Red Line University Circle駅下車。University Circle駅と美術館の間はフリーシャトルが走っている
🗺P.516

📝読★者★投★稿
　美術館へは、Tower City Center前から、Euclid Ave.を東へ行く＃6のバスが便利。East Blvd.（Euclid Ave.が左にカーブした直後）で下車。
　（魚津明範　所沢市）（'97）

『ルーシー』もいる自然史博物館

教科書に出てくる『ルーシー』はここにいます
クリーブランド自然史博物館
★ Cleveland Museum of Natural History

オハイオ州で最も古い博物館。動物や植物、鉱物から天文学に至るまで、あらゆるジャンルの自然科学の不思議を楽しいディスプレイで見せてくれる。いちばんの見どころは『ルーシー』と名付けられた人類の祖先 Australopithecus afarensis の骨格の化石。これだけ完全な形で発掘された化石は他に類を見ないという。そのほか、恐竜の化石もなかなかの迫力。

クリーブランド自然史博物館
🏠 1 Wade Oval Dr., University Circle
☎ (216) 231-4600
🕐 月〜土10：00〜17：00（9〜5月の水は22：00まで）、日12：00〜17：00
💰 12歳以上 $6.50、シニア $4.50　プラネタリウム $1.50（火木15：00〜17：00は無料）
🗺 P.516

ウエスタン・リザーブ歴史協会／クロウフォード自動車、航空機博物館
🏠 10825 East Blvd.
☎ (216) 721-5722
🕐 月〜土10：00〜17：00、日12：00〜17：00
💰 大人 $6.50、シニア $5.50、子供（6〜12歳）$4.50
🗺 P.516

クリーブランド植物園
🏠 11030 East Blvd.
☎ (216) 721-1600
🕐 庭園は日の出から日没まで、建物は月〜金9：00〜17：00、土12：00〜17：00、日13：00〜17：00
💰 無料
🗺 P.516

ノスタルジックな展示がほのぼのとさせてくれる
ウエスタン・リザーブ歴史協会／クロウフォード自動車、航空機博物館 ★ Western Reserve Historical Society／Crawford Auto-Aviation Museum

2つの博物館がひとつになっている。入って左側がクラシックカーや昔の飛行機が展示された博物館。全部で120もの貴重なクラシックカーが所狭しと並べられている。地階に下りると馬車などもあり、1890年ごろのクリーブランドの通りの様子を再現しているコーナーは、タイムスリップをしたようにリアルだ。右側の歴史協会は、クリーブランドの発展の様子を展示した博物館。時代ごとの衣装を展示したホールや隣接する邸宅を回って、実際に使われていた古いインテリアを見学するツアーなどがある。

ユニバーシティ・サークル

目と心を落ち着かせてくれる
クリーブランド植物園 ★ Cleveland Botanical Garden

博物館巡りに疲れたら美しい花々に囲まれて一休み。1930年に作られた歴史のある植物園で、四季折々に美しい花が咲き乱れる。園内には、春になるとツツジが美しい日本庭園、300種類ものハーブが集められた庭園、ローズ・ガーデン、ワイルドフラワー・ガーデンなど、小さいながらも盛りだくさんの展示がある。

植物園のグリーン・ハウス

エンターテインメント

クリーブランド管弦楽団 ★ Cleveland Orchestra

'70年代、ジョージ・セルに率いられていたころには、世界でもトップクラスのオーケストラと言われ、現在の音楽監督はC・ドホナーニ。

クリーブランド管弦楽団
ホームホール──サベランス・ホール Severance Hall, 11001 Euclid Ave.
☎ (216) 231-1111
🅣 (1-800) 686-1141
🗺️地図外

プレイハウス・スクエア ★ Playhouse Square

ダウンタウンにある劇場街。1920年代に作られた3つの劇場が改装され新しく生まれ変わった。クリーブランドの夜は芝居、ミュージカル、オペラなどさまざまなパフォーミング・アートを楽しみたい。スケジュールは観光局などで確かめよう。

プレイハウス・スクエア
🏠1501 Euclid Ave. bet. 14th〜17th Sts.
☎ (216) 771-4444
🗺️P.513 B-2

Spectator sports

観戦するスポーツ

ベースボール（MLB）

クリーブランド・インディアンズ ★ Cleveland Indians
（アメリカン・リーグ中地区）

'99年のシーズン、ヤンキースと並んでリーグ優勝候補にあげられるのがインディアンズだ。ここ数年安定した実力を持ち、3年連続ア・リーグ中地区の優勝を果たしている。投手陣の厚さもさることながら、打撃陣も優れている。'99年オリオールズから移籍したロビー・アロマーはキャッチャーのアロマーの弟。兄弟の活躍が楽しみだ。

クリーブランド・インディアンズ
本拠地──ジェイコブズ・フィールド Jacob's Field, 2401 Ontario & E. 9th Sts.
☎ (216) 420-4200、🅣 (1-888) 708-7423 (チケット)
🚇ダウンタウンの真ん中でゲートウェイ・アリーナのすぐ隣。タワーシティ・センターから歩いていくことができる
🗺️P.513 B-2

バスケットボール（NBA）

クリーブランド・キャバリアーズ ★ Cleveland Cavaliers
（東・中地区）

"Cavalier"とは「騎士」という意味で、通称「キャブス」。特筆するほどの成績はいまのところあげておらず、中ほどの順位が多い。しかし、'90年代初めにはプレーオフに進出している。

クリーブランド・キャバリアーズ
本拠地──ガンド・アリーナ Gund Arena, One Center Ct., Huron & Ontario Sts.
☎ (216) 420-2287、🅣 (1-800) 332-2287 (チケット)
🚇タワーシティ・センターから歩いていくことができる
🗺️P.513 B-2

★ クリーブランド

★ ★ ★ ★ ホテル ★ ★ ★ ★
H o t e l

ゴージャス＋交通の便良し!!
Renaissance Cleveland Hotel
🏠24 Public Sq., Cleveland, OH 44113
☎ (216) 696-5600、ＦＡＸ (216) 696-3102
Ⓢ Ⓓ $179〜209 ＡＤＭＶ 🗺️P.513 A-2

ダウンタウンの中心、パブリック・スクエアに面して建つ歴史的な趣のあるホテル。タワーシティ・センターに隣接し、食事、ショッピングをするにも大変便利。部屋、ロビーともにオリエンタル調にコーディネートされ、落ち着きのあるゆったりした雰囲気。また、タワーシティは、空港とダウンタウンを結ぶレッドライン（Red Line）の停車駅でもある。（'98）

ルネサンス・ホテル

ゆっくりくつろぎたい

エリー湖周辺への散歩はどうだろう？
Holiday Inn Lakeside City Center
🏠1111 Lakeside Ave., Cleveland, OH 44114
☎(216) 241-5100、 FAX(216) 241-1831
オンシーズン ⑤ⒹⓉ＄159〜、オフシーズン
⑤ⒹⓉ＄99〜 ⒶⒹⒿⓂⓋ 🗺P.513 B-1
　ロックンロール・ホール・オブ・フェイム
と博物館に直行したい人にはおすすめ。徒
歩で3〜5分くらい。ダウンタウンの中心部
へ行く際は、ホテルの斜め前にバスストッ
プがあるので、バスを利用すると便利だ。
徒歩でも30分あれば行くことができる。ロ
ビー、部屋の造りは、とてもシンプルだが、
ホテルチェーンだけあって安心感を誘う。
370室。　　　　　　　　　　　　　　　（'99)

おすすめの空港ホテル
Cleveland Airport Marriott
🏠4277 W. 150th St., Cleveland OH 44135
☎(216) 252-5333、 FAX(216) 251-1508、
E-mail 102430. 2247 @ compuserve.vcom
⑤Ⓓ ＄139 　　　ⒶⒹⒿⓂⓋ 🗺地図外
　ホテル内にはレストラン、ジム、屋内プ
ール、売店があり、また、隣にはデニーズ
もある。空港からホテルまで無料の送迎シ
ャトルバスもあり、電話を入れるとすぐに
来てくれる。空港まで10分弱。
　　　　　　　　（笠木智世　安芸郡）（'98)

★ ★ ★ ★ レストラン ★ ★ ★ ★
Restaurant

小粋なイタリア料理店
Sfuzzi
🏠230 W Huron Rd. 　☎(216) 861-4141
🕐ランチ月〜土11：00〜16：00、ディ
ナー月〜土16：00〜 　　🗺P.513　A-2
　ターミナル・タワーと続きになって建っ
ているショッピングモール The Avenueの
スカイライト・レベルにある。味の良さを
証明するかのように、店内のテーブルはお
客で一杯、いつもにぎわっている。ピザ、
サラダ、パスタ、どれをとってもおいしく、
上品な味。値段は＄9〜16。ウエイトレス
が太鼓判を押すティラミスは、ぜひトライ
して欲しい一品。　　　　　　　　（'98)

夜景を楽しみながらのディナーはいかが
Watermark
🏠1250 Old River Rd. 　☎(216) 241-1600
🕐日〜木11：30〜22：00、金土11：30
〜23：00 ⒶⒹⓂⓋ 🗺P.513　A-2
　カヤホ川に面した、元倉庫だったレスト
ラン。店内のレンガの壁にはキルトがたく
さん掛かっていて、川に面した側は大きな
ガラス窓となっている。夏は外でも食事が
できる。グリルド・サーモンにピラフ、温
野菜のつけあわせ、白ワインとパウンドケ
ーキがついて＄20弱ほどだった。アメリ
カにしては日本的な味つけでおすすめ。で
きればあまりラフな服装は避けて。
　　　　　　　　（笠木智世　安芸郡）（'98)

★ 町の名前を変えた新聞

　クリーブランドという町の名前は、ここに初
めて住み着いた探検家Moses Cleavelandに由来する。ところでクリーブランドの綴りに注
目してほしい。Mosesの名前は "Cleaveland"、
町の名前 "Cleveland" には "a" が足りない。実
はこれには訳がある。
　19世紀の中ごろ、クリーブランドである新聞
が発行されることになった。「The Cleaveland and Gazette and Commercial Register」
というかなり長い名前の新聞。まあ長いだけな
らしいのだが、当時の新聞のサイズでは、その
まま印刷すると一字分だけ一行に入りきらない
長さなのだ。名前は変えたくない編集長が考え
付いたアイデアが "Cleaveland" の最初の "a"
をとってしまうこと。それ以来クリーブランド
は、現在のような綴りになってしまった。

Detroit
Seattle
Denver
Chicago
New York
San Francisco
Atlanta
Los Angeles
New Orleans
Miami

デトロイト

　『モータータウン、自動車の町』と呼ばれ、自動車製造業界の巨人、フォード、(ダイムラー)クライスラー、ジェネラル・モーターズというビッグ3が本社を構えるミシガン州デトロイト。自動車が単なる移動の手段ではなく、その文化の一部にまでなったアメリカで、このデトロイトという町は、特別の響きをもつ。しかし、1960年代後半の公民権運動の激化による暴動、1970年代からの自動車業界の不況などにより、町から人が離れ、過去の栄華の面影だけを残す、不気味でさびしい町になってしまった。現在でも就業時間後のダウンタウンに人影は少なく、テナントが1つも入っていない高層ビルの長い影が悲しげだ。

　しかし、近年のアメリカ全体の景気の良さから、デトロイトにも復興の兆しが見え始めた。再開発のシンボル的存在だったルネッサンス・センターをフォードが買収し、再々開発ともいえるプロジェクトを発表したほか、郊外のポンティアックを本拠地にする、ライオンズ(NFL)のホームスタジアムをダウンタウンに建設するプロジェクトが進んでいたりと、新しい命が吹き込まれようとしている。今後数年でどう生まれ変わるかが注目される町だ。

ダウンタウンへの行き方　★ Access

空港

デトロイト・メトロポリタン空港
Detroit Metropolitan Airport (DTW)

　デトロイト・ダウンタウンの南西約33kmにある空港。ノースウエスト航空のハブになっていて、成田、関空の両方から直行便が飛んでいる。

　3つのターミナルがありJ・M・ダベイ・ターミナルJ.M. Davey TerminalとL・C・スミス・ターミナルL.C. Smith Terminalが国内線と国際線の出発に使われ、M・バリー・ターミナルM.Burry Terminalが国際線の到着に使われている。ダベイ・ターミナルとバリー・ターミナル間はシャトルバスで移動することができる。デトロイトをアメリカのゲートとして使う人は、入国時と出国時で使うターミナルが違うので要注意。

デトロイト・メトロポリタン空港
🏠I-94 at Merriman Rd.
☎(734) 942-3563

国内線はノースウエスト航空がダベイ・ターミナルのC～Gのコンコースを使い、その他の航空会社がスミス・ターミナルのAとBのコンコースを使っている。

●SMARTバス　SMART　空港のSMARTバスのバス停はスミス・ターミナルのバゲージクレームを出て右側。カーブサイドを歩いていくと、芝生の始まるあたりにポツンとバス停の標識が立っている。ここから#285のバスに乗ってトランスファーをもらっておく。Middlebelt Rd.とMichigan Ave.の角で#200（Eastbound）に乗り換え。ただし#285のバスは月～土のみの運行。所要時間は#285で約15分、#200で約40分。

●空港シャトルバン　Commuter Transportation Co.　空港からダウンタウンやディアボーンなどの周辺の町にあるホテルの間を運行しているシャトル・サービス。J・M・ダベイ・ターミナルのバゲージクレームにカウンターがある。空港へ向かう際はホテルのフロントに頼むといい。

●タクシー　ダウンタウンまで約30分。

長距離バス

グレイハウンド・バスディーポ　Greyhound Bus Depot

ダウンタウンからLafayette St.を西に向かい、フリーウェイを越えてすぐ右側。入口はHoward St.側にある。規模は小さいが新しくてきれいなバスディーポ。

鉄道

アムトラック駅　Amtrak Station

デトロイトとディアボーンの両市に駅があるので、宿をどちらに取るかで、降りる駅を決めよう。

デトロイト駅はダウンタウンの北西、Woodward Ave.沿い。ダウンタウンへはDOTバス#53で。

ディアボーン駅は、ディアボーン・シビックセンターの近く。Michigan Ave.を通るSMARTバス#200を使ってデトロイト、ディアボーン両方へ向かうことができる。

デトロイト側のアムトラック駅

SMART
☎ (734) 962-5515
🚌 $1.50
運行：#285は月～金6：36～23：07、土7：32～22：50、#200は月～金4：20～24：11、土5：24～11：58、日6：21～24：14

Commuter Transportation Co.
🏢 Building 533, East Service Dr.
☎ (313) 941-0818
📞 (1-800) 488-7433
🚌 ダウンタウン片道$15、往復$28、ディアボーン片道$10、往復$18

タクシー
🚕 ダウンタウンまで$28、ディアボーンまで$17

グレイハウンド・バスディーポ
🏢 1001 Howard St.
☎ (313) 946-1000、
📞 (1-800) 231-2222
🕐 24時間営業だが、チケットカウンターは6：00～24：30のオープン
🗺 P.521

アムトラック駅
デトロイト
🏢 11 W. Baltimore Ave., Detroit
☎ (313) 873-3442
🕐 毎日6：30～23：30
🗺 地図外

ディアボーン
🏢 16121 Michigan Ave., Dearborn
📞 (1-800) 872-7245
🕐 毎日6：30～24：00
🗺 地図外

---

d a t a

人　口	約992,000人
面　積	218.5k㎡
標　高	最高208m、最低174m
市の誕生	1815年
情　報	Detroit News 35¢
T A X	セールス・タックス6%　ホテル・タックス

属する州	6～14%　ミシガン州 Michigan
州のニックネーム	グレート・レイクス州 Great Lakes State、クズリ（イタチの仲間）州 Wolverine State
時間帯	イースタン・タイムゾーン

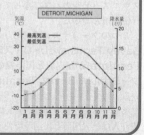

DETROIT,MICHIGAN
気温（℃）　降水量（ミリ）
最高気温　最低気温
1 2 3 4 5 6 7 8 9 10 11 12 月

デトロイトの歩き方　

　自動車産業が停滞していた時期に、デトロイトのダウンタウンはすっかり荒廃してしまった。しかし、現在は再開発の計画も徐々に進み、町の雰囲気は変わりつつある。フットボールの本拠地もダウンタウンに移転する予定だ。だが町なかを歩いていると、デトロイトがかつてのような輝きを取り戻すには、時間を必要とすることを実感するだろう。

　ダウンタウンの見どころはそれほど多くない。時間がなければダウンタウン観光はとばして、文化センター地区や郊外のディアボーンに足を延ばそう。どちらも見逃せない見どころがある。できればそれぞれ1日ずつ当てたい。時間のある人は対岸、カナダ側のウインザーに行ってみよう。川1本越えただけで町の雰囲気が一変する。町の規模は違うが、アメリカとカナダが違う国であることを感じさせてくれ、なかなかおもしろい体験ができる。

人気No.1の見どころ、
フォード博物館

観光案内所　★ Information

Metropolitan Detroit Convention & Visitors Bureau

　ルネサンス・センター、タワー100にあった観光案内所は移転した。場所はFort St.沿いのShelbyとWashingtonの間。ビルの10階にあるのでビルの番地を確認しよう。パンフレットや資料が豊富。

Metropolitan Detroit
Convention & Visitors
Bureau
個211 W. Fort St., #1000,
Detroit, MI 48226
☎(313) 202-1800
HOMEwww.visitdetroit.com
圃月〜金 9：00〜17：00、
土日12：00〜17：00
圏P.521

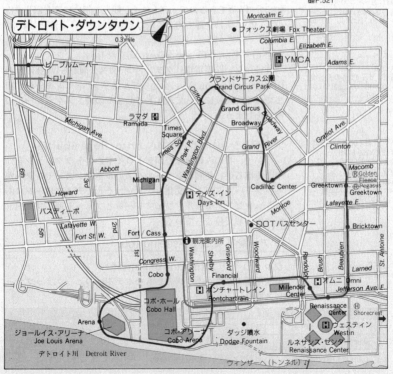

デトロイト・ダウンタウン

ピープル・ムーバー

市内の交通機関 ★ Public Transportation

DOTバス　Detroit Department of Transportation
　白地に黄色のラインが入ったバス。ダウンタウンを中心に、デトロイト市を走るバスシステム。

DOTバス
📍2 E. Jefferson Ave. at Ford Auditorium Dr.
☎ (313) 224-2160
💰 $ 1.25で、トランスファーは25￠。紙幣が使えないバスが多いのでコインかチケットを用意すること

SMART バス
Suburban Mobility Authority for Regional Transportation (SMART)
　デトロイトのダウンタウンを中心にディアーボーン市などの周辺地域をカバーするバスシステム。赤とオレンジのラインのバス。Cadillac Squareの隣、First National Bank 1 階にあるインフォメーション・ブースでルートマップやスケジュールがもらえる。

SMARTバス
☎ (734) 962-5515、(313) 962-5515
💰基本料金は $ 1.50。トランスファーは10￠。こちらは紙幣が使える
運行：月～金8：00～16：00

ピープル・ムーバー　Detroit People Mover (DPM)
　デトロイト・ダウンタウンを環状に走る無人高架鉄道。途中コンベンションセンターの中を走ったり、川沿いを走ったりする。約15分で1周できるので、デトロイト観光の初めにひと回りするのもいい。駅は全部で13。各駅ごとに違ったアートが楽しめる。

ピープル・ムーバー
☎ (313) 224-2166
💰1回50￠
運行：月～木7：00～23：00、金7：00～24：00、土9：00～24：00、日12：00～20：00

デトロイト・トロリー　Detroit Trolley
　昔懐かしい路面電車。グランドサーカス公園からWashington Blvd.～Jefferson Ave.を通ってルネサンス・センターの手前まで行く。天候によって運休してしまうので、スケジュールの確認をしよう。

デトロイト・トロリー
☎ (313) 933-1300
運行：5 ～11月の月～金7：00～18：00、土日10：00～18：00

アトラクション・シャトル　Attractions Shuttle
　金、土、日のみの運転だがデトロイトのアトラクションを効率よく回るのに便利なシャトルバス。ルネサンス・センターから、グリークタウン、文化センター、そしてディアボーンにあるショッピングモール、フェアレーンとフォード邸、フォード博物館の順で停まっていく。

アトラクション・シャトル
☎ (313) 259-8726
💰大人 $5（1日券）
運行：ルネサンス・センターを10：00、11：30、13：00、14：30、16：00に出発

ツアー案内 ★ Sight-seeing Tour

グレイライン　Gray Line of Detroit
出発場所：ダウンタウンのおもなホテルへのピックアップサービスあり。

グレイライン
☎ (313) 935-3808

番号	ツアー名	料金	運行	所要時間	内容など
1	Downtown and Museum	$ 30	5/1～10/31の日月火土 9：00発	4時間	ダウンタウンのハイライトと、いちばん人気のグリーンフィールド・ビレッジを回る。
2	Downtown/Greektown	$ 30	5/1～10/31の水木土 9：00発	4時間	ダウンタウンのハイライト、ギリシア人街、ベルアイル島、エレノア・フォード邸を回る。
3	Detroit Cultural Center	$ 30	5/1～10/31の日金 9：00発	4時間	歴史博物館、サイエンス・センター、モータウン博物館、アフリカン・アメリカン歴史博物館などを回る。

円筒型の摩天楼はデトロイトのシンボル
ルネサンス・センター ★ Renaissance Center

現在のデトロイトのシンボル、デトロイト川に望むいくつかのガラス張り円筒型のビルの集合。デトロイト再開発計画のシンボルとして1977年に完成。ヘンリー・フォードⅡ世を中心に51の企業が出資した共同プロジェクトだ。中央に73階建てのウエスティン・ホテル、まわりにはオフィスやショッピングセンター、レストラン、映画館などが入ったビルが取り囲む。日本の総領事館もここにある。

ルネサンス・センター

●展望台　The Summit Observation Deck

ホテルのフロントの前を通って正面のエスカレーターで3階に行き、右へ進むと展望台と展望レストランへのエレベーターがある。チケットはエレベーターの前で売っている。72階の展望台からは、対岸のウインザー、デトロイト川に浮かぶベル島、さらに地平線まで広がるデトロイトの町並みが楽しめる。レストランはアメリカで最も高い（高さが）回転レストランとして有名。

●ザ・ワールド・オブ・フォード　The World of Ford

タワーの200と300の間、2階部分にディアボーンに本社を置くフォードのショールームがある。フォード社の新車やレーシングカーのほか、エンジン、電気系統、その他アクセサリーなどの展示がある。フォード社のカタログがもらえる。入場無料。

ダウンタウンで唯一夜までにぎやか
グリークタウン ★ Greektown

その名の通りGreek、つまりギリシャ系の移民が昔から多く住んでいた地域。オフィスアワーが終わってしまうと、とたんに人影の少なくなってしまうダウンタウンで、唯一夜遅くまで人が集まるエリアでもある。Monroe、Randolph、Macomb、St. Antoineに囲まれたブロックには、ギリシャ料理のレストラン、バーなどが集まっている。デトロイト・ダウンタウンで食事をするならここに来るのが正解だろう。また、**トラッパーズ・アレイ Trapper's Alley**というショッピングモールと、**インターナショナル・センター・オブ・アパレル・デザイン International Center of Apparel Design**という小さなブティックの集まった建物も、グリークタウンの一角にある。

食事をするならグリークタウン

ルネサンス・センター
☎ (313) 568-5600
🗺 P.521

★
デトロイト

展望台
☎ (313) 568-8600
🕐 日～木11：00～24：00、
金土11：00～1：30
🎫 大人＄4、子供＄2

ザ・ワールド・オブ・フォード
🕐 月～金10：00～18：00、
土12：00～18：00

グリークタウン
☎ (313) 963-3357
🚋 ピープル・ムーバー Greektown駅下車
🗺 P.521

Trapper's Alley
🏠 508 Monroe St.
☎ (313) 963-5445
🕐 月～木10：00～21：00、
金土10：00～23：00、日12：00～19：00

International Center of Apparel Design
🏠 1045 Beaubien
☎ (313) 961-9334
🕐 月～木10：00～21：00、
金土10：00～23：00、日12：00～19：00

文化センター地区
★
Cultural Center

デトロイト美術館
🏛5200 Woodward Ave.
☎(313)833-7900
HOMEwww.dia.org
🕐水〜金11：00〜16：00、
土日10：00〜17：00
🚫月火、おもな休日
💰大人＄4、子供・学生＄1
🚃DOT＃53またはWoodward
Ave.を通るSMARTで
🗺P.525

デトロイト科学センター
🏛5020 John Rd. at Warren
Ave.
☎(313)577-8400
HOMEwww.sciencedetroit.
org
🕐月〜木9：30〜14：00、
金18：30〜20：30、土
11：30〜17：00、18：30
〜20：30、日12：30〜
17：00
🚫おもな祝日
💰大人＄3、子供＄2、オム
ニマックスはプラス＄4

アフリカン・アメリカン
歴史博物館
🏛315 E. Warren Ave.
☎(313)494-5800
🕐火〜日9：30〜17：00
🚫月
💰大人＄5、子供＄3
🚃デトロイト美術館の裏

全米有数の美術館
デトロイト美術館 ★ The Detroit Institute of Arts（DIA）

ニューヨーク、ボストン、ワシントン、シカゴ、フィラデルフィアに次ぎ、全米で6番目の規模を誇る美術館で、1885年開館と100年以上の歴史をもつ。100室を超える展示室には、エジプトや古代ローマなどの古代美術から、ウォーホル、リキテンシュタインなどの現代美術まで、紀元前から現在まで美術史を網羅したコレクションが展示されている。

なかでも、ゴッホ、モネ、ルノアールといった印象派の作品と、エジプト、古代ローマの古代美術は、とくに充実している。また、西洋美術だけでなく、アフリカ、中近東、日本や中国を含むアジアのセクションにも、かなり多くのスペースがとられている。

Riviera Courtの壁一面に描かれたDiego Riviera の"Detroit Industry"は自動車産業の中心、デトロイトを象徴した大作。この美術館の自慢だ。

オムニマックスは大迫力
デトロイト科学センター ★ Detroit Science Center

楽しみながら学べる博物館。いつも子供でにぎわっているが、大人だって十分に勉強になる。いちばん人気のアトラクションは高さ20mもある巨大画面で見る迫力の映像、オムニマックス・シアター。

アフリカ系アメリカ人の苦難の歴史がわかる
アフリカン・アメリカン歴史博物館
★ Museum of African American History

奴隷という理不尽な事由でアメリカにやってきた先祖を持つ、アフリカ系アメリカ人。彼らの歴史と、アメリカ社会に対しての影響と業績の記録の収集、保存、展示を行っている。科学、芸術、産業など、多くの分野において、いかに彼らの功績が大きいかがわかる。創立は公民権運動が全米で起きていた1965年。現在の建物は1997年にオープンした。

デトロイトの盛衰

ヘンリー・フォードが初の大衆自動車、T型を大量生産ラインに乗せたのが1901年。デトロイトの黄金時代の幕開けだ。自動車はアメリカ人の生活に欠かせないものとなり、都市は自動車のサイズとペースに合わせて成長するようになった。いわば自動車文化はアメリカ文化そのものとさえ言える。フォード、ジェネラル・モータース（GM）、クライスラーという自動車業界のビッグ・スリーを抱えたデトロイトは、その意味で当時のアメリカをリードする都市であった。人口も1900年の28万人から1920年には95万人へと急増した。

公民権運動が高まるなか、1967年デトロイトで起きた暴動は最悪の被害を記録してしまう。これを機に人口の郊外への流失が始まった。時を同じくして石油危機が起こり、デトロイトの自動車産業は衰退の一途をたどる。

現在のダウンタウンを歩くとルネサンス・センターなど一部を除き、昼でも閑散としている。うち捨てられたままのビルや「FOR SALE」の看板、そして駐車場や空き地ばかりが目につく。かつての栄華を物語る重厚なビルが多いだけに余計にうらぶれて見えてしまう。週末や夜間はゴーストタウンだ。しかし、1997年に、フォードが再開発の中心だったルネサンス・センターを買収。周辺も含めた再々開発にかかることを発表した。今後の進展が注目されている。

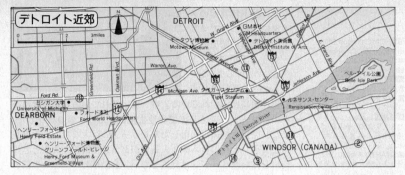

デトロイト近郊

DETROIT
GM本社
GM Headquarters
モータウン博物館
Motown Museum
デトロイト美術館
Detroit Institute of Arts
Warren Ave.
W. Grand Blvd.
E. Grand Blvd.
ベル・アイル公園
Belle Isle Park
Ford Rd.
ミシガン大学
University of Michigan
DEARBORN
Michigan Ave. タイガー・スタジアム
Tiger Stadium
フォード本社
Ford World Headquarters
ヘンリー・フォード邸
Henry Ford Estate
ヘンリー・フォード博物館、
グリーンフィールド・ビレッジ
Henry Ford Museum &
Greenfield Village
Jefferson Ave.
ルネサンス・センター
Renaissance Center
Detroit River
デトロイト川
WINDSOR (CANADA)

モータウンの歴史を知ろう
デトロイト歴史博物館 ★ Detroit Historical Museum

　世界で最初に舗装道路と高速道路をもった町デトロイトの歴史を紹介。3つの時代に分けて昔のデトロイトを再現した"Streets of Old Detroit"のコーナーが人気。ここに観光局のインフォメーションもある。

ブラック・ミュージック・ファンにはうれしい展示ばかり
モータウン博物館 ★ Motown Historical Museum

　スティービー・ワンダー、テンプテーションズ、シュープリームス、フォートップス、ライオネル・リッチー、マービン・ゲイ、スモーキー・ロビンソンそしてマイケル・ジャクソン。これらアメリカ音楽史を飾るミュージシャンたちが、スターダムを駆け上がっていくきっかけとなったのが、1959年に設立された、モータウン・レコードだ。創立者のバリー・ゴーディJr.が購入した家の地下室をレコーディング・スタジオに改造。このスタジオAから数多くのヒット曲が生まれていった。

　現在、モータウンの歴史、そしてアメリカ音楽史を語るこの家が博物館として公開されている。地下のコントロール・ルーム、スタジオAは当時の状態が再現され、2階のギャラリーには数々のゴールド、プラチナ・ディスクや、シュープリームスやテンプテーションズの衣装、そして見逃せない逸品、"King of Pop"マイケル・ジャクソンの帽子と白い手袋が展示されている。

　1階のギフトショップにはビデオ、CD、書籍、Tシャツなどモータウン・グッズが充実している。

デトロイト歴史博物館
住5401 Woodward Ave.
☎(313) 833-1805
開水～金9：30～17：00、
土日10：00～17：00
休月火、祝日
料大人＄3、子供＄1.50

モータウン博物館
住2648 W. Grand Blvd.
☎(313) 875-2264
開日月12：00～17：00、
火～土10：00～17：00
料大人＄6、13～18歳＄4、
13歳以下＄3
行DOTバス＃16で
地P.525

★ デトロイト

ぜひ寄りたいモータウン博物館

Suburb Points
近郊の見どころ ★

デトロイト人気No.1の観光スポット
ヘンリー・フォード博物館とグリーンフィールド・ビレッジ
★ Henry Ford Museum & Greenfield Village

　デトロイト観光では絶対に外せない見どころ。ダウンタウンの西約10マイルのディアボーン市に位置し、アメリカ自動車産業の歴史のみならず、アメリカの生活史全般にわたって網羅した巨大な博物館だ。

ディアボーン
★
Dearborn

ヘンリー・フォード博物館とグリーンフィールド・ビレッジ

📮20900 Oakwood Blvd., at Village Rd., Dearborn
☎(313)271-1620
📞(1-800)343-9929
🏠www.hfm.gv.org
🕐毎日9:00〜17:00
🚫サンクスギビング、クリスマス
🎫博物館、ビレッジそれぞれ大人$12.50、子供$7.50、連続2日の共通券が大人$22、子供$12.50 ＡＭＶ
🚌SMARTバス#200で約50分。$1.50。#200は頻繁に運行しているが、博物館の前に停まるものは少ないので、スケジュールをよく確認すること
🗺P.525

ノスタルジックな雰囲気の
グリーンフィールド・ビレッジ

自動車の殿堂

📮21400 Oakwood Blvd.
☎(313)240-4000
🕐毎日10:00〜17:00(メモリアル・デー〜10月)、火〜日10:00〜17:00(11月〜メモリアル・デー)
🚫おもな祝日
🎫大人$6、シニア$5.50、5〜12歳$3
🚌ヘンリー・フォード博物館と同じ

ヘンリー・フォード邸

📮The University of Michigan-Dearborn, 4901 Evergreen, Dearborn
☎(313)593-5590
🕐ツアー出発時間4〜12月 月〜土10:00、11:00、13:00、14:00、15:00、日13:00〜16:30の間30分ごと。1〜3月は月〜金13:30
🚫サンクスギビング、クリスマス、元日
🎫大人$7、5〜12歳とシニア$6
🚌Fairlane Center(ショッピングモール)に行くSMARTバス(#200や#250)に乗り、運転手に言って入口で降ろしてもらう。またはフォード博物館からトロリー($1)が1時間に1本の割合で運行している
🗺P.525

フォード博物館のメインになるのはアメリカの自動車の歴史のコーナー。T型フォードをはじめとするクラシック・カー、歴代の名車が年代順に展示されている。唯一展示されている日本車はホンダのアコード。アメリカで現地生産された日本車の第一号だ。また、歴代大統領が使用したリンカーンの巨大なリムジンも見物しよう。とくにケネディ大統領がダラスで暗殺されたときに使用していたリムジンは見逃せない。自動車のコーナーの隣には世界最大級の蒸気機関車があり、その大きさは大迫力。その他、ラジオ、テレビ、電話といった機械の変遷、キッチン用品や農機具などの展示も興味深い。

　隣接するグリーンフィールド・ビレッジは広大な敷地内にアメリカの開拓時代の村を再現した場所。エジソンの研究室やライト兄弟の自転車店などが移設されていて見学可能。園内には本物の蒸気機関車が走っており、列車に乗ってしばし、昔のアメリカにタイムトリップできる。

自動車産業にたずさわった人をたたえる

自動車の殿堂 ★ Automotive Hall of Fame

　アメリカを代表する産業である自動車。アメリカ人にとっては移動のための道具以上の意味を持ち、アメリカ文化の一部にまでなっている。それだけにその自動車産業に関わった人々に対する思いも特別なものがあるようだ。その人々の業績をたたえるために設立された自動車の殿堂が、自動車産業の中心、デトロイトに移ってきた。場所はヘンリー・フォード博物館とグリーンフィールド・ビレッジと同じFord Homes Historic District内の北西の端。

　館内にはガソリンエンジンの発明家、ニコラウス・オットーや、世界初の自動車を製作したカール・ベンツ、フォードの創始者ヘンリー・フォードなど、その後の車の発展を方向付けた偉大な発明家、起業家たちの名前が並ぶ。また、発明家や大企業の創始者だけではなく、労働組合や環境への配慮など、自動車産業全体の発展に貢献した人々が殿堂入りしている。

　戦後、世界有数の自動車生産国にまで成長した日本。その日本からは本田宗一郎、豊田英二、田口善一の3人が殿堂入りしている。

自動車王はこんな家に住んだ

ヘンリー・フォード邸 ★ Henry Ford Estate

　アメリカでもっとも成功した事業家の一人、ヘンリー・フォードが1914年に建て、その後暮らし続けた邸宅。この場所でフォードは、エジソンやリンドバーグ、フーバー大統領といった著名人と会見した。56の部屋がある豪邸だが、大理石とオーク材を多用した建築で、まわりの深い緑と川が流れる美しい庭園にとけこんでいる。

デトロイトのダウンタウンから、バスでトンネルを抜けて川の向こうへ渡ればそこはもうカナダ。たった15分、たった川1本だが、このオンタリオ州の小さな町にはビクトリア調の、デトロイトとは違った町並みが現れる。時間があれば、ぜひ足を運んで、アメリカとカナダとは、近くても違う国だということを実感してもらいたい。

国境を越えてカジノを楽しみに行こう！
カジノ・ウィンザー ★ Casino Windsor

　ウィンザーいちのポイントがこのカジノ。デトロイトからウィンザーに渡る人の多くが、カジノ・ウィンザーを目指しているといっても大げさではない。

　3つのフロアにはルーレット、ブラックジャック、バカラなどテーブルゲームに加え、1,700台のスロットマシーンがある。最低賭け金は、テーブルゲームでCA＄10〜15、ルーレットが25CA¢〜＄1といったところ（CA：カナダドル）。

地元アーティストの作品が鑑賞できる
アート・ギャラリー・オブ・ウィンザー
★ Art Gallery of Windsor

　ウィンザー市運営の小さな美術館だが、カナダ出身の芸術家の作品を中心に展示を行っている。その内容は美しい風景画から、奇抜な前衛美術まで多岐にわたっていて、かなり意欲的な内容になっている。

　ウィンザーのダウンタウンから、バスで30分ほどのところにあるショッピング・モール、Devonshire Mall内にある。川1本渡っただけとはいえ、カナダに入っているので、150店の中にはアメリカでは見かけないブランドも入っている。ついでにショッピングを楽しんでみてもいいだろう。

Spectator sports
観戦するスポーツ

ベースボール（MLB）
デトロイト・タイガース ★ Detroit Tigers
（アメリカン・リーグ中地区）

　海の向こうでも、こっちでもタイガースは「弱い」と囁かれて数年たつが、両チームとも今年は転換期ともいえる年だ。デトロイトには'99年、日本のジャイアンツ、オリックスで活躍した木田優夫投手が加入、日本での注目度もぜん高くなった。

ウィンザー
Windsor

カジノを楽しもう

タイガースを応援しよう

★
デトロイト

ウィンザー
🏛ルネサンス・センターの隣、Old Mariner's Churchの裏にある、Transit Windsorのトンネル・バスTunnel Busで。パスポートが必要。トンネル・プラザでパスポート・チェックを受ける。帰りはダウンタウンのChatham E.沿い、Ouelette Ave.とGoyeauの間にあるDowntown Bus Terminalから乗車
Transit Windsor
☎ (519) 944-4111
💰片道 ＄1.50
運行：月〜金5：45〜1：40（20〜40分）、土5：40〜1：40、日8：20〜12：20（40分ごと）

カジノ・ウィンザー
🏛445 Riverside Dr. W.
Northern Belle Casino
☎ (519) 258-7878
☎ (1-800) 991-7777
📅年中無休
🚃Riverside Dr.をカジノ・ウィンザーへは右、ノーザン・ベル・カジノへは左へ。徒歩約15分

アート・ギャラリー・オブ・ウィンザー
🏛3100 Howard Ave., Windsor
☎ (519) 969-4494
📅火〜金10：00〜19：00、土10：00〜17：00、日12：00〜17：00
💰無料
🚃ウィンザー・ダウンタウンのバスターミナルから＃1aで約30分

デトロイト・タイガース
本拠地——タイガー・スタジアム Tigers Stadium, 2121 Trumbull Ave., Detroit
☎ (313) 963-2850（チケット）、962-4000
🚃DOTバス＃35で約5分。Michigan Ave. & Trumbull Ave.で下車
📖P.525

アメリカン・フットボール（NFL）

デトロイト・ライオンズ ★ Detroit Lions （NFC中地区）

デトロイト・ライオンズ
本拠地——ポンティアック・
シルバードーム Pontiac Silver-
dome,1200 Featherstone Rd.,
Pontiac, MI 48342
☎ (248) 645-6666
🚃ダウンタウンの北約28マ
イル。車で45分くらいかかる

野球のタイガースに対して誕生したのがアメリカン・フットボールのライオンズだ。'52、'53年とカンファレンスのチャンピオンに輝いてはいるが、スーパーボウル出場の経験はまだなく、万年Bクラスを続けている。

バスケットボール（NBA）

デトロイト・ピストンズ ★ Detroit Pistons （東・中地区）

デトロイト・ピストンズ
本拠地——パレス・オブ・
オーバン・ヒルズ Palace of
Auburn Hills, 2 Champion-
ship Dr., Auburn Hills, MI
48326
☎ (248) 377-0100（チケッ
ト）

古豪というべきピストンズは、新人王に輝いたグラント・ヒルを中心としたチーム。'89、'90年にNBAチャンピオンに輝き、プレーオフの常連ともいえるが、あと一歩の壁を撃ち破れないでいる。

チケットは＄10くらいから。Silverdomeを使用することもある。

アイスホッケー（NHL）

デトロイト・レッドウイングス ★ Detroit Redwings
（西・中地区）

デトロイト・レッドウイングス
本拠地——ジョー・ルイス・
アリーナ Joe Louis Arena,
600 Civic Center Dr.
☎ (810) 645-6666
🚃DPMのArena駅を下車し
てすぐ
🗺P.521

NHL '90年代後半最強というべきチームが、レッドウイングスだろう。スタンレーカップを2年連続制覇し、'98〜'99のシーズンも優勝にいちばん近い位置にいる。チームのロゴは車の町を象徴するホイールに羽がついたもの。

★ ★ ★ ホテル ★ ★ ★
Hotel

割引プランで高級ムードを味わう
The Westin Hotel
🏠Renaissance Center, Detroit, MI 48243
☎ (313) 568-8000、📞 (1-800) 228-3000、
FAX (313) 568-8146
Ⓢ＄175〜195、ⒹⓉ＄190〜210
ⒶⒹⒿⓂⓋ 🗺P.521

73階建ての高級ホテル。しかも部屋のキーを提示すればホテル内のレストラン、バーがディスカウントされる。また、カップル向けにロマンス・パッケージというシステムもある。 ('98)

ダウンタウンにある！
Ramada Inn Downtown
🏠400 Bagley Ave., Detroit, MI 48226
☎ (313) 962-2300、📞 (1-800) 272-6232、
FAX (313) 962-1045
ⓈⒹ＄69〜129、Ⓣ＄69〜139
ⒶⒿⓂⓋ 🗺P.521

1927年にアパートとして建設され、部屋は広く、設備はしっかりしている。プール、レストランも完備。DPMのTimes Square駅の近くだ。120室。 ('99)

ウィンザー側からの夜景

ダウンタウンのモーテル
The Shorecrest Motor Inn

🏠1316 E. Jefferson Ave., Detroit, MI 48207
☎(313)568-3000、📞(1-800)992-9616、
FAX(313)568-3002
Ⓓ$52～66、Ⓣ$58～84　ＡＤＭＶ
🗺P.521　地図外

　ルネサンス・センターの東2ブロックという便利なロケーション。高級ホテルがほとんどのダウンタウンにあってありがたい存在。モーテルだけあって、駐車場代は無料。レストランがあるほか、部屋には冷蔵庫もある。　　　　　　　　　　　（'98）

グリーンフィールド・ビレッジのすぐ裏
Hampton Inn Dearborn

🏠20061 Michigan Ave.,Dearborn, MI 48124
☎(313)436-9600、📞(1-800)426-7866、
FAX(313)436-8345
Ⓢ$79、ⒹⓉ$89　ＡＤＪＭＶ　🗺地図外

　ディアボーンいちの見どころ、グリーンフィールド・ビレッジのすぐ裏にあるホテル。部屋からはグリーンフィールド・ビレッジの豊かな緑を望むことができる。また、フォードの本社も近いので、シングルルームから、スイート、ステューディオタイプの部屋まで、バラエティにも富んでいる。朝食付き。全119室。　　　　　　　（'98）

グリーンフィールド・ビレッジ

フォード博物館そばでカーマニアは注目！
Green Field Inn（Best Western）

🏠3000 Enterprise Dr., Allen Park, MI
48101　☎(313)271-1600、📞(1-800)
342-5802、FAX(313)271-1600、
HOMEwww.bestwestern.com/thisco/bw/2
3089/23089 b.htm1、E-mailbestwestern
@msn.com.　　　　　　　🗺地図外
Ⓢ$82～94、ⒹⓉ$92～96　ＡＤＪＭＶ

　場所は空港から車で15分。I-94の出口206の前。24時間車の送迎OKで、10分ほど離れたフォード博物館へも送迎してくれる。なんといっても廊下に飾られた古いアメ車の写真（200枚以上！）がすごい。カーマニアならこれを見るだけでこのホテルに泊まる価値ありというものだ。全209室。
　　　　　　　（小路雅司　名古屋市）（'98）

★　　★　　★　レストラン　★　　★　　★
Restaurant

グリークタウン

グリークタウンにある本場ギリシャ料理
The Golden Fleece

🏠525 Monroe St.　☎(313)962-7093
🕐毎日11：00～23：30　　　🗺P.521
　トラッパーズ・アレイの向かい側にあるギリシャ料理レストラン。小さくて薄暗いがそれがかえっていい雰囲気になっている。$10以上の料理はほとんどなく、カバブは串に刺した肉や野菜だがボリューム満点。あと、チーズが炎に包まれて出てくるFlaming Cheeseもおいしい。　（'98）

地元で有名なグリークタウンのレストラン
Pegasus

🏠558 Monroe St.　☎(313)964-6800
　　　　　　　　　　　　　🗺P.521

　店内は木目を基調とし、ギリシャ風のディスプレイがおもしろい。ディナーだと高くつくが、ランチなら飲みもの込みで$10程度で済む。ホウレンソウやミートなどのパイがおすすめ。Duoと言えば2種類のパイを半分ずつ楽しめる。また、Flaming Cheeseはぜひお試しを。テーブルのそばでウエイターがOPA！（ギリシャ語で「すごい」の意味）と叫びながら、鉄板のチーズに火をつけるパフォーマンスもさることながら、『こんなにおいしいものが、この世にあるのか』と感激するほどの絶品。
　　　　　　　（曽我部忠男　大阪府）（'98）

Seattle
Denver
Chicago
San Francisco
New York
Los Angeles
New Orleans
Atlanta
Miami

ナイアガラ・フォールズ

　どこからともなく聞こえてくる地鳴りのような低い音。見上げると上空高く霧が立ち上り、世界中から訪れた人々のため息と歓声が聞こえてくる。目の前にあるのは、世界で最も名の知られた大瀑布、ナイアガラ・フォールズだ。幅675m、落差52mのカナダ滝（ホースシューフォール）と幅320m、落差55mのアメリカ滝。

　五大湖のひとつ、エリー湖から下流に位置するオンタリオ湖に向けて流れだしたナイアガラ川は、ちょうど2つの湖の中間で一気に60mの落差で落ちてゆく。自然にとってちょっとした川の段差が、大スペクタクルになるのだから、人間とは実にちっぽけなものだ。

　ナイアガラ川という自然の国境線をはさんで、観光ポイントはアメリカ側、カナダ側に分かれている。2つの滝が正面に見られるカナダ側のほうが景色はよく、ほとんどの人がカナダ側にしか行かないようだが、少し時間を割いてアメリカ側にも行ってみよう。ナイアガラがさらに立体的に見えてくるはずだ。

ダウンタウンへの行き方　★Access

\$：米ドル
CA\$：カナダドル

アメリカ側ナイアガラ・フォールズへ

空　港

バッファロー国際空港
🏠Cheektowaga, Buffalo, NY
☎(716) 632-3115

バッファロー国際空港
Greater Buffalo International Airport (BUF)

　国際空港と名前は付いているが、規模は小さい。ターミナルは2つあり、イースト・ターミナル East Terminalはユナイテッド、コンチネンタル、ウエスト・ターミナル West Terminalはデルタ、ノースウエスト、USエアウェイズが使っている。

ITA Buffalo Airport Shuttle
☎(716) 633-8318
📞(1-800) 551-9369
空港からアメリカ側へ片道\$18、カナダ側へ片道\$22

●空港シャトルバン　ITA Buffalo Airport Shuttle

　バッファロー国際空港とナイアガラ・フォールズの主要ホテル間を結んでいる。所要時間約45分。

　空港発は夏期(5/1～9/30)9：00、11：00、14：00、17：00、冬期9：00、12：00、17：00の運行。

空港は広くないので、空港バスのチケット売場もすぐわかる。また、乗り場はバス停もなにもなく、グレイラインや団体ツアーバスが停まったりして多少不安になるが、時間になればITAと車体に書かれたバスがやって来る（12/25〜3/31運休だが、運行される日もある）。滝から空港へ行くときは1時間前までに予約を。ほとんどのホテルへ迎えにきてくれる。

●**メトロバス　Metro Bus**　徹底的に安く行きたい人は、バッファロー市のメトロバスを乗り継ぐ方法がある。空港からは#24のバスで、まずバッファロー・ダウンタウンのトランスポーテーション・センターまで行き、そこで#40の"Niagara Falls"行きに乗る。1時間に1本の割合で運行されているが、休日は運行本数が減る。グレイハウンドで旅行している人は、このトランスポーテーション・センターがグレイハウンドのバスディーポも兼ねているので、ここからナイアガラへは#40のメトロバスに乗ろう。ちなみにアメリカ側ナイアガラにはグレイハウンドのバスディーポはない。

●**タクシー**　アメリカ側へ約30分、カナダ側へは約45分。

メトロバス
🏢Niagara International Transportation Center
☎(716) 855-7211（バッファロー）
☎(716) 285-9319（トランスポーテーション・センター）
🚏$1.80＋25¢（トランスファー）

長距離バス

●**アメリカ側**

　アメリカ側のナイアガラ・フォールズにはグレイハウンドのバスディーポはない。バッファローまで行き、トランスポーテーション・センターからメトロバスでナイアガラ・フォールズへ向かう。詳しくは空港・メトロバス参照。

●**カナダ側**

　ナイアガラのバスターミナルは、滝から離れたダウンタウンにあり、滝までは路線バスかタクシーを利用するといい。

　カナダ側ナイアガラ・フォールズへはトロントからグレイハウンドと、トレントウェイTrentway社のバスがそれぞれ1日8便、12便走っている。所要時間は1時間40分。

　トロントまで片道CA$21.35。

タクシー
🚏アメリカ側まで$40均一、カナダ側へは$55均一

●アメリカ側バッファロー・バスターミナル
🏢181 Ellicott St.
☎(716) 855-7531
🕐24時間営業

●カナダ側グレイハウンド・バスターミナル
🏢Niagara Transit BusStation, 4555 Erie Ave.
☎(1-800) 661-8747
🕐毎日7：00〜22：00
🗺P.537　A-2

カナダ側のグレイハウンドのバスターミナルはダウンタウンにある

★ナイアガラ・フォールズ

d a t a

人　口	約221,000人（ナイアガラ・カウンティのデータ）		（カナダ側のビジター・ガイド）無料	
面　積	109k㎡（〃）	T A X	セールス・タックス	
標　高	最高214m、最低173m（〃）		アメリカ側　8.5%	
市の誕生	1856年		カナダ側　8.0%	
情　報	Niagara USA County Travel Guide（アメリカ側NY州で発行されているビジター・ガイド）無料 Adventure Guide		（＋GST 7％）ホテル・タックス アメリカ側　19.25% カナダ側　5％ （＋GST 7％）	
		時 間 帯	イースタン・タイムゾーン	

BUFFALO/NIAGARA FALLS/NEW YORK

気温（℃）　降水量（ミリ）
最高気温
最低気温

左カラム

アメリカ側アムトラック駅
🚉Hyde Park Blvd. & Lockport Rd.
☎(1-800) 872-7245
🕐毎日6：30～22：30

カナダ側VIA鉄道駅
🚉4264 Bridge St.
☎(1-800) 561-8630
🕐毎日6：00～9：30、10：00～19：30
🗺P.537 A-2

■読★者★投★稿■
鉄道駅はカナダ側利用が便利

ナイアガラの鉄道駅はアメリカ、カナダ双方にあるが、アメリカ側の駅の周囲には何もなくて一瞬途方にくれるほど。ダウンタウンまで3マイル以上離れていてタクシーで$8くらい。
一方カナダ側VIAの駅にはダウンタウンへの行き方が路線バス、タクシー、徒歩それぞれ表示してあり、とてもわかりやすい。
(T.K. 広島市)('99)

Niagara Falls, Canada Visitor & Convention Bureau
🚉5433 Victoria Ave., Niagara Falls, Ont., Canada L2G 3L1
☎(905) 356-6061
HOMEwww.tourismniagara.com/
🕐夏期の毎日8：00～20：00、冬期の毎日8：00～18：00
🗺P.537 A-1

Niagara Falls, Convention & Visitors Bureau
🚉305 4th St., Niagara Falls, NY 14303
☎(716) 286-4181
☎(1-800) 338-7890
HOMEwww.nfcvb.com
🕐毎日9：00～17：00、夏期は8：00～22：00
🗺P.534 B-1

Orin Lehman Visitor Center
☎(716) 278-1770
🗺P.534 A-2

フェスティバル・シアター
3-D映画の上映時間は約20分で、$2

右カラム

鉄 道

毎日発着のニューヨーク発トロント行きのアムトラック・メープルリーフ号が途中、アメリカ側とカナダ側のNiagara Falls駅に停車する。ニューヨークからは約7時間半、トロントからは約2時間の距離。ほかにもニューヨークからナイアガラまで1日2本が運行されている。

●アメリカ側

アメリカ側のアムトラック駅は町の中心から北東、約3マイルのところに位置する。ナイアガラへは#52のメトロバスで約20分。メトロバスの運行は1時間に1本、土曜は2～3時間に1本。日曜は運行されていない。駅からナイアガラへはタクシーのほうが便利。

●カナダ側

カナダ側の駅は、バスターミナル同様、滝から離れたダウンタウンにあるので、滝までは路線バス、またはタクシーの利用となる。滝まで歩いて45分ほど。

メープルリーフ号（毎日運行）　　（'99年6月現在）

7：10	発	New York	着	21：20
16：00	着	Niagara Falls, NY.	着	12：40
17：15	発	Niagara Falls, ON.	着	11：24
19：14	着	Toronto, ON.	発	9：30

観光案内所 ★ Information

Niagara Falls, Canada Visitor & Convention Bureau（カナダ側）

Clifton Hillの坂道を上り、Victoria Ave.を北に約10分歩いたところにある観光案内所だが、滝やほかの見どころから離れているので、あまり便利とは言えない。滝の近くのテーブル・ロック・ハウス、ザ・プラザThe Plazaにある案内所を利用したほうが便利だろう。

Niagara Falls, Convention & Visitors Bureau（アメリカ側）

Niagara St.と4th St.の角。滝から徒歩10分の距離にあり、バスセンター（時間8：30～20：30）と同じビルの中にある。観光資料、バスの時刻表が手に入るほか、観光ツアーの紹介や米ドルからカナダドルへの両替も行っている。

Orin Lehman Visitor Center（アメリカ側）

滝のすぐ近くのニューヨーク州立公園内にある。建物の中には資料コーナー、案内カウンター、小さな噴水などがあり、フェスティバル・シアターと呼ばれる劇場では、3-Dの映画を上映している。空撮を中心に、あらゆるアングルから微に入り細に入りとらえられた滝の映像は、イントロダクションにも適している。

アメリカ側州立公園内の観光案内所

ツアー案内 ★ Sight-seeing Tour

グレイライン　Gray Line of Niagara Falls（アメリカ側）
出発場所：ナイアガラ・フォールズ市のおもなホテルへのピックアップサービスあり

グレイライン
☎ (716) 695-1603
📞 (1-800) 695-1603
HOME www.grayline-niagarafalls.com

番号	ツアー名	料金	運行	所要時間	内容など
1	American Adventure	$54.95	毎日9：00、12：00、15：00発	4時間	アメリカ側のナイアガラのほとんどの見どころを回る。夏期は霧の乙女号に乗る。
2	Canadian Rainbow	$54.95	毎日9：00、12：00、18：00発	4時間	カナダ側のナイアガラのほとんどの見どころを回る。
3	Combo Americanadian	$99.90	毎日9：00発	7時間	アメリカ側とカナダ側のほとんどの見どころを回る。

アメリカ側の歩き方　★ Walking

　着いたらまず、滝を目指そう。見どころは何カ所かに分かれているが、最も行きやすいのはニューヨーク州立公園内のProspect Pointだ。すぐ近くに案内所があることもあって、みんなとりあえずここを目指す。人の流れについて行けば迷うことはない。滝に対面し、しばし感動したら次はゴート島のTerrapin Pointへ。ここは右手にアメリカ滝、左手にカナダ滝と、ナイアガラ・フォールズの全貌を見渡すことができる、アメリカ側でもっとも眺めのいい場所だ。

　霧雨のように降りかかってくる水しぶき、水のくだけ散る勇壮な響き。タワーに登ったり、船で滝つぼに接近したりと、ほかにもいろいろな観光方法があるが、正統的アプローチといえば、やはりこの2つのポイントから滝に接することだろう。アトラクションを含めても、徒歩でも1日あればほとんどの見どころを回ることができる。また、ビューモービルを利用すれば、半日で観光することも可能だ。

●ビューモービル　Viewmobile
　アメリカ側のおもな見どころを結んでいる便利なオープンコーチ。Prospect Point近くの停留所を出発し、ゴート島を一周して元の場所に戻ってくる。チケットは始発地点のブースで購入。風の洞窟、三姉妹島など全6カ所の地点で自由に乗降できる。

アメリカ側

★ American side

ビューモービル
　チケットには停留所名が書いてあり1区間ごとにハサミを入れられる。一度ハサミが入るとそこからは乗れず、1区間戻るか先へ進むかしなくてはならない。1区間は歩ける距離。
🎫大人 $4.50、子供（6～12歳）$3.50
運行：10：00～19：00（夏期は20：00まで）

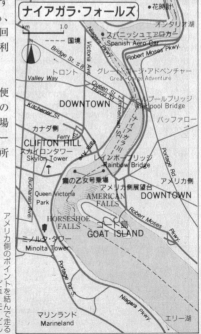

アメリカ側のポイントを結んで走るビューモービル

プロスペクト・ポイント展望タワー
霧の乙女号

⏰ 9：00～18：00（夏期は
イルミネーション終了まで）
💰 50¢（窓口でトークンを
買い、バーをくぐる）
🚇 観光案内所のそば。高く
そびえるタワーが目印
🗺 P.534　A-1

霧の乙女号
☎ (716) 284-8897
⏰ 5～10月の運行で基本的
に毎日9：00～19：30だが
季節によって変更あり
🚫 10月下旬～3月
💰 大人＄8、子供＄4.50
🚇 プロスペクト・ポイント
展望タワー内のエレベータ
ーを降りたところの横が乗
船地点
🗺 P.534　A-1

いまでこそディーゼルエ
ンジンの白い立派な船にな
っているが、1846年の就航
当時は木製の蒸気船だった
とか。

展望スペース見学の際、
乗船のときにもらったレイ
ンコートが役立つ。

アメリカ滝とカナダ滝を同時に眺めよう
プロスペクト・ポイント展望タワー
★ Prospect Point Observation Tower

眺めの悪いアメリカ側
から突き出るようにして
造られたタワー。おかげ
でアメリカ滝とカナダ滝
を同時に、斜め前方から
見ることができる。

2つの滝が見られるタワー

ナイアガラに来たら必ずトライしよう
霧の乙女号 ★ Maid of Mist

ナイアガラで最も人気の高いアトラクション。船に乗ってカ
ナダ滝の滝つぼギリギリまで接近する、迫力満点のツアーだ。
カナダ側から出発する船も同じコースで、乗船時間は約30分。
カナダorアメリカで必ず体験しておきたい。

落下してくる水の勢いで船がグラグラ揺れ、カナダ滝の手前
で停止するクライマックスでは、目をあけていられないくらい

すごい勢いで水しぶきが襲いかかってくる。レインコートを着ていてもかなり濡れてしまうほど。カメラなどを持っている人は注意が必要だ。滝シャワーの洗礼を受けて気が大きくなった人は、濡れついでに乗り場の左手にある展望スペースへも足を運ぼう。ここには岩場を登る小さな木の階段があり、真上からものすごい滝の水しぶきが落下してくる。

近くで見るとアメリカ側も大迫力

滝を体験する!?
風の洞窟ツアー ★ Cave of the Winds Trip

霧の乙女号と並んで絶対おすすめする究極のアトラクション。アメリカ滝の支流、ブライダル・ベール滝の真下を歩いて渡るツアーだ。

黄色いレインコートをはおり、足元は革製のスリッパのような靴に履きかえ、いざ出発。案内役の人についてエレベーターを降り、洞窟を抜けると岩場に出る。ここから歩いて木の橋が組まれている滝の真下（といっても支流）まで行くのだ。

ここまで来て上を見上げると、水が塊になって降ってくる。見物するなんて生やさしいものではない。まさに滝を"体験"するアトラクションだ。

風の洞窟ツアー
☎ (716) 278-1730
🕐 毎日9：30〜19：30、9月中旬〜10月の毎日10：00〜17：00
🚫 11月〜5月初旬
💰 大人＄5.50、子供＄5
🚌 ビューモービルで風の洞窟前下車
🗺 P.534 A-2

すぐそこに滝があるとは信じられないくらいのどかな
ゴート島 ★ Goat Island

アメリカ滝の南側にある小さな島。1時間もあれば一周でき、美しい木々に囲まれているので散歩にはうってつけだ。

この島の北東にある**テラピン・ポイント Terrapin Point**は、カナダ滝をもっとも近くで見られる、アメリカ側でいちばん眺めのよい場所だ。

ゴート島の南にある**三姉妹島 Three Sisters Island**は、小さな島が3つ並んでいることから、こう名付けられた。とくに何かがあるわけではないので人があまりいない。そのせいか、この島から望むナイアガラ川は、滝とは対照的にゆったりしていて心和む。

ゴート島
🗺 P.534 A-2

三姉妹島
人混みを嫌うカップルが、岩場に腰かけてのんびりランチしている姿が目につく。

レインボー・ブリッジ
橋の欄干の途中に、国境線を示すプレートが埋め込んであるので、注意して見てみよう。
地P.534 A-1
　P.537 B-2

レインボー・ブリッジの中央はアメリカとカナダの国境

二つの国を結ぶレインボー・ブリッジ

アメリカ側からカナダ側へ

　滝からいちばん近くのレインボー・ブリッジ Rainbow Bridgeを渡って自由に行き来することができる。ただし、国境を越えるわけだからパスポートは絶対必要。

　アメリカ出国はノーチェック。イミグレーション・オフィス脇の回転扉を通ってレインボー・ブリッジの歩道へ出る。テクテク歩いていけば数分で国境を越えてしまう。カナダ側のイミグレーション・オフィスには、駅の自動改札のようなゲートがあるので、アメリカ・ドルでもカナダ・ドルでもいいので25￠（クォーター）を入れて通り抜ける。係官にパスポートを見せ、スタンプを押してもらえば入国完了。

カナダ側からアメリカ側へ

　行程はアメリカからカナダへの逆。日本から直接カナダに入り、過去3カ月以内にアメリカに入国していない人は入国カード（I-94）の記入とアメリカ・ドルで＄6が必要になる。アメリカ側からカナダ側へ一時出国しただけの人は不要。ただし、帰国便のチケットを調べられることが多いので、用意しておくこと。

カナダ側
Canadian side

カナダ側の歩き方　　★ Walking

　ナイアガラ・フォールズに来て、カナダ側に渡らない人はほとんどいないだろう。ナイアガラ大瀑布を正面からとらえられるのも、高い場所から滝全体を見渡せるのも、そして数多くのアトラクションが集中するのもカナダ側だ。アングルや時間によって表情を変える滝を存分に観賞したり、バカバカしさに思わず笑ってしまうようなアトラクションまで、楽しみ方は人それぞれ。

アメリカ側・カナダ側のお得なパス

　アメリカ、カナダのそれぞれの側で、いろいろなアトラクションに挑戦してみたいと思っている人は、両地区で発行しているパスを購入しよう。**アメリカ側のマスター・パス Master Pass**はプロスペクト・ポイントの展望台、アメリカ側の霧の乙女号、風の洞窟、ビューモービル、フェスティバル・シアターでのフィルム上映、シュルッコ地学博物館の入場料込みで、大人＄20、子供＄10。カナダ側の**エクスプローラーズ・パスポート Explorer's Passport**は滝の裏側ツアー、グレート・ゴージ、スパニッシュ・エアロカー、ピープル・ムーバーの料金

が含まれ、大人CA＄17.75、子供CA＄9（4～10月中旬）。上記以外の時期は、ピープル・ムーバーを除くアトラクションに有効で大人CA＄13.95、子供CA＄7。マスター・パスはオリン・リーマン案内所、エクスプローラーズ・パスポートはテーブル・ロック・ハウスで販売されている。

　観光地だけあって、ナイアガラの観光バスは意外と高くつく。ホテルや観光案内所に置かれている、地図や小冊子についている割引クーポンをうまく活用したい。

ピープル・ムーバーの利用で、各ポイントのほとんどがカバーできるので、1日の行動可能範囲は意外と広い。

なお、ナイアガラ・フォールズ周辺の見どころやお店はかなりアメリカ・ドルが通用するが、必要な分カナダ・ドルに両替しておいたほうが買い物などのときスムーズだし、銀行のレートのほうが店のレートよりいいのが普通。

両替
　いちばん便利なのは、カナダ側のClifton HillとVictoria Ave.の交差点にあるRoyal Bankだろう。
☎ (905) 358-1600
圏毎日9：00〜18：00
圏P.537　B-1

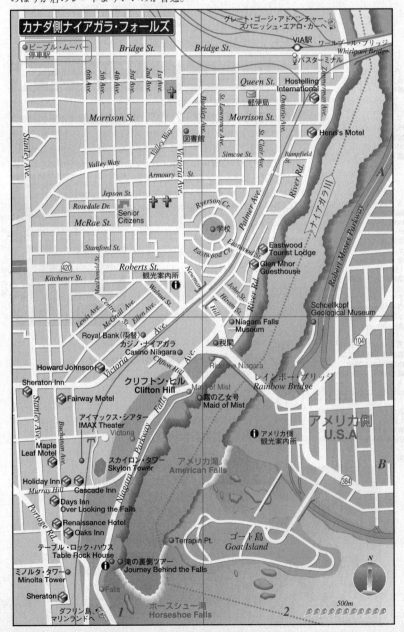

カナダ側ナイアガラ・フォールズ

ナイアガラ・フォールズ

537

左カラム（見どころ情報）

ピープル・ムーバー
☎ (905) 357-9340
圏 大人CA$4.25、子供（6〜
12歳）CA$2.25
運行：毎日9：00〜23：00
（5〜10月の間以外は10：00
〜18：00（週末は延長）、
冬期はクローズする日もある

テーブル・ロック・ハウス
☎ (905) 358-3268
圏 P.537 B-1

**ジャーニー・ビハインド・
ザ・フォールズ**
☎ (905) 341-1551
圏 毎日9：00〜22：30（冬
期〜17：30）
圏 大人CA$5.75、子供（6〜
12歳）CA$2.90

ミノルタ・タワー
圏 6732 Oakes Dr. at Portage
Rd.
☎ (905) 356-1501
圏 毎日9：00〜滝のイルミ
ネーション終了まで
圏 大人CA$6.95、子供CA$
4.95
圏 Niagara Park Wayからは
ピープル・ムーバーのFallsで
下車し、インクライン・レイル
ウェイIncline Railway（85CA
¢）でタワーのふもとへ
圏 P.537 B-1

スカイロン・タワー
圏 5200 Robinson St.
☎ (905) 356-2651
☎ (1-800) 322-4609（レスト
ランの予約）
圏 毎日8：30〜1：30（レス
トランは23：00まで）
圏 大人CA$9.50、子供CA$
4.95
圏 ピープル・ムーバーの
Victoria下車、Murray St.
の坂を上って右側
圏 P.537 B-1

眺めのいいスカイロン・タワー

右カラム（本文）

●ピープル・ムーバー People Mover

アメリカ側のビューモービルに対して、カナダ側で見どころ
を結んでいるのがピープル・ムーバー。こちらは、2両連結の
スマートな冷房車。各見どころの前が停留所になっていて、車
掌さんが次の停車場所と、その見どころについての簡単な解説
もしてくれる。滝の上流から下流のクィーンストン・ハイツま
での約30kmの間20カ所に停車。1日中乗り降り自由。徒歩で
は行きにくい花時計、グレイハウンドのバスディーポやVIA
駅近くまで走っているので便利。

Attractions
おもな見どころ ★

滝を裏側から眺める

テーブル・ロック・ハウス ★ Table Rock House

カナダ滝のすぐ横にある建物。中には❶、レストラン、みや
げもの屋などがある。ここで体験したいのが、**ジャーニー・ビ
ハインド・ザ・フォールズ Journey Behind the Falls（滝の裏
側ツアー）**だ。アメリカ側では滝の
下を歩くというツアーがあるが、
このツアーは地下に掘られたトン
ネルから滝の裏側をのぞいてみよ
うというもの。

滝の裏を見たら次は横から見てみよう

内側から眺める滝は水しぶきが
すごく、ただただ、真っ白。流れ
落ちる水の轟音が響くだけ。内側
を見学したらテラス部に出てみよ
う。横から見る滝も迫力がある。

滝にいちばん近いタワー

ミノルタ・タワー ★ Minolta Tower

カナダ側の3つのタワーのうち、滝にいちばん近いロケーショ
ン。アメリカ滝からは少し距離があるが、ホースシューを真
上から見下ろすアングルはベストポイントだ。27階は展望レス
トランTop of The Rainbow。28階が展望台。さらに階段で29
階の屋外展望台に出られる。

ナイアガラの全体を見てみよう

スカイロン・タワー ★ Skylon Tower

カナダのCPホテルが所有するいちばん高い展望台だ。
その高さは160m。タワーの側面を昇っていくエレベー
ターでは、次第に広がっていく視界に興奮も一層高まる。
アメリカ滝とカナダ滝の中間に位置するのでナイアガ
ラ全体の眺望を楽しめる。展望台の1階下はバフェ・ダ
イニング・ルーム、さらに下（2階下）は回転レストラン
Mist'yになっている。また、メインコンコースの両替所
は毎日9：00から21：00まで営業しており、レートも良
いので利用しやすい。

ナイアガラについてもっと知りたいのなら
ナイアガラ・フォールズ・アイマックス・シアター
★ Niagara Falls IMAX Theater

スカイロン・タワーに隣接するピラミッド型のアイマックス・シアターでは、1万2千年前にさかのぼり、ナイアガラの滝の伝記や歴史を見せる『Niagara：Miracles, Myths and Magic』という45分のフィルムが上映されている。巨大スクリーンで見るナイアガラの迫力もなかなか。隣接する**ディアデビル博物館 Daredevil Museum**では、映画のなかの冒険者たちが残した道具や乗り物が残されている。

ナイアガラ・フォールズ・アイマックス・シアター
🏠6170 Buchanan Ave.
☎ (905) 374-4629
🕐毎日11：00～21：00（1時間ごと）
💰大人CA$7.50、シニア・学生CA$6.75、子供CA$5.50+Tax（冬期は1$ほど安くなる）
🚗Niagara Park Wayからは、スカイロン・タワー方向へMurray St.の坂を上り切って右折。大きな無料駐車場の中にある
🗺P.537 B-1

アメリカ側にもあります
霧の乙女号 ★ Maid of Mist

アメリカ側とカナダ側では出発地点が違う以外、まったく同じ。ザ・プラザの中央にチケット売場がある。カナダ側のほうが混んでいる。

滝つぼ近くまで進む霧の乙女号。
アメリカ側のほうが空いている

霧の乙女号
🏠The Plaza
☎ (905) 358-5781
🕐毎日9：15～20：00（7、8月）、毎日10：00～17：00（5月中旬～10月第3週目）
🚫11～5月初旬
💰大人CA$10.10、子供CA$6.25（エレベーターのみの利用はCA$1.27）
🚗ピープル・ムーバーThe Plaza下車
🗺P.537 B-1

滝見物に飽きたら
カジノ・ナイアガラ ★ Casino Niagara

カナダ側のナイアガラでいちばん新しいポイントが、レインボー・ブリッジのたもとにできたカジノ・ナイアガラ。見どころを見終わって時間に余裕ができた観光客に大人気。天気の悪い日には、滝の観光をあきらめた観光客など、さらに多くの人でにぎわう。

建物の1階はハードロック・カフェになっていて、2階から4階までがカジノのスペースだ。テーブルゲームはブラックジャック、ルーレット、ポーカーなど。テーブルゲームの1回の最低掛け金は$10～20。各階にあるスロットマシンの総数は3,000台余り。気分を楽しみたいならば25CA¢からCA$1で楽しめるスロットマシンがいいだろう。

カジノ・ナイアガラ

カジノ・ナイアガラ
🏠5705 Falls Ave.
📞 (1-888) 946-3255
🕐年中無休。ただし19歳未満は入場不可
🗺P.537 B-1
　カメラと大きなカバンは持ち込むことができないので、カメラはカバンの中にしまうか、入口のコートチェックで預けること（CA$1）。

ハードロック・カフェ
🏠5705 Falls Ave.
☎ (905) 356-7625
🕐毎日11：00～2：00

ナイアガラの滝、イルミネーションの時間

1/1～13	17：00～22：00
1/14～2/28	18：30～21：00
3月	19：00～22：00
4月	20：30～23：00
5～8月	21：00～24：00
9月	20：00～23：00
10月	19：00～23：00
11月	18：30～21：00
11月下旬～1月上旬	17：00～22：00
クリスマス	17：00～ 1：30

夜のイルミネーションは見逃せない

まるで荒波のようなグレート・ゴージ

グレート・ゴージ・アドベンチャー
☎ (905) 374-1221
圏毎日9:00〜17:00(4月中旬〜10月中旬のみ)
圏大人CA$4.75、子供CA$2.40
圏ピープル・ムーバー Great Gorge下車
圏P.537　A-2地図外

激流は大迫力
グレート・ゴージ・アドベンチャー
★ Great Gorge Adventure

　滝を流れ落ちたものすごい量の水は、いったいどうなっているのだろう……。その水の激流を見せてくれるのがここ。おみやげもの屋の中のエレベーターで地下に降りていき、トンネルを進むと、激しく流れるナイアガラ川を目の前で見ることができる。しぶきを上げ、うず巻く急流を見ると、ナイアガラ・フォールズを作り上げた自然の力を実感してしまう。

ワールプールとスパニッシュ・エアロカー
☎ (905) 354-5711
圏毎日10:00〜16:30(5月中旬〜10月までの営業)
圏大人CA$5、子供CA$2.50
圏ピープル・ムーバー Aero Car下車
圏P.537　A-2地図外

上から渦を眺める
ワールプールとスパニッシュ・エアロカー
★ The Whirlpool & Spanish Aerocar

　オンタリオ湖に向かうナイアガラ川が急なカーブを描く入り江で、流れが大きな渦潮となっている。これをワールプールと呼び、この渦の上76mの高さを渡るスパニッシュ・エアロカーというロープウェイに乗って真上から見物できる。このロープウェイ、足元まで鉄柵だけなので、下がしっかり見え、峡谷横断のスリルはなかなかのもの。

クリフトン・ヒル
圏P.537　B-1

夜もにぎやかな繁華街
クリフトン・ヒル ★ Clifton Hill

　Niagara Park Wayに交差するクリフトン・ヒルはナイアガラ・フォールズの繁華街だ。ホテル、ショッピングセンター、遊園地の集まったメープル・リーフ・ビレッジ Maple Leaf Villageを中心に、実に観光地っぽいアトラクションやみやげもの屋、レストランが建ち並んでいる。

クリフトン・ヒル

植物園
圏2565 N. Niagara Park Way
☎ (905) 356-8554
圏日の出から日没まで
圏無料
圏ピープル・ムーバー Botanical Garden下車 (花時計は Floral Clock下車)
圏P.537　A-2地図外

植物園見学は気分転換にGood
植物園 ★ Botanical Gardens & School of Horticulture

　花時計と並んで、ピープル・ムーバーで観光している人に寄ってほしいところ。よく手入れの行き届いた植物園で、園芸学校も兼ねている。2,000本以上のバラがみごとなローズ・ガーデン、野菜ばかりのベジタブル・ガーデン、人気のハーブ・ガーデンなどがあり、入場無料とは思えないほど充実している。植え込みも非常に凝っており、時間を作って散策してみよう。

　植物園のさらに北には、ナイアガラ観光のひとつの見どころにもなっている花時計 Floral Clockがある。1949〜50年にかけて作られたもので、内部の構造をのぞくことができる。30分おきに鳴る鐘の音も聞いてみたい。

ピープル・ムーバーで行ける花時計

アメリカ側

アメリカ側のアウトレット2軒
Rainbow Centre

📍302 Rainbow Blvd. N.

☎ (716) 285-5525

🕐月～土10：00～21：00、日11：00～18：00　　地P.534　A、B-1、2

ナイアガラ・ダウンタウンの真ん中にあるアウトレット。エスプリ、ポロ・ラルフローレン、カジュアル・コーナー、バスの靴、ロンドンフォッグ（コート）やサングラス、ポプリ、台所用品、時計のアウトレットが入っている。小さいフードコートもあり。日本人観光客も多い。

Niagara Factory Outlets

📍1900 Military Rd.　　☎ (716) 297-2022

🕐月～土10：00～21：00、日11：00～17：00（5～12月は10：00～18：00）

🚌ダウンタウンのバスセンターからメトロバス＃54のMilitary行きに乗り約25分、ファクトリー・アウトレットの前で下車。帰りのバスも行きと同じ場所で待っていればいい。月～金は12本、土は8本が運行されている。また、アメリカ、カナダのほとんどのホテルからピックアップしてくれる無料シャトルも1日1～2本運行されている。

150店舗以上ある大型アウトレット。観光客より地元の人が目につく。敷地内にはレッド・ロブスターをはじめとするレストランも数軒入っているので、レストランの少ないアメリカ側ではありがたい。ブルックス・ブラザーズ、バーバリー、リーボック、バス、ベネトン、リーバイス、ゲス、エディ・バウアー、DKNYなど人気のブランド店のほかに、文房具やパーティ用品、リネン、フレグランス、ジュエリーのアウトレット店も入っていて、買いものフリークにはたまらないところ。値段も随分安い。

ホテル
Hotel

ナイアガラでホテルを見つける方法は—

世界中から観光客が押し寄せるナイアガラ。当然のことながらホテル代は高く、シーズンによって値段も大幅に違う。こういう条件のなかで、いかに安く、しかも滝に近く便利な宿を見つけるかが大きなポイントだ。

ナイアガラの場合、概して滝から遠くなるほど宿泊料金は安くなっている。最も安いのはユースだが、滝やバスディーポから遠く、滝まで出るのに時間がかかる。せっかくナイアガラまで来たのだから少しは居心地のいい宿を、と思う人もいるだろう。そんな人たちにおすすめできるのが、カナダ側に多いツーリスト・ホーム。1泊CA＄30～80が相場で、レインボー・ブリッジより北のRiver Rd.沿いに多い。比較的安いだけでなく、オーナーも親切な人が多いが、滝までは歩いて30分はかかる。

滝近くのモーテルやホテルなら、何をするにも便利で快適そのものだが、値段が高いのが難点。しかし小さなモーテルは、その日の客の入りによって料金を上げ下げすることもあるので、うまく交渉してディスカウントさせることもできる。

カナダ側

日本語サービスが行き届いている
Days Inn Overlooking The Falls

📍6361 Buchanan Ave., Niagara Falls, Ont., Canada L2G 3V9

☎ (905) 357-7377、🆓 (1-800) 263-7073、
FAX (905) 357-9300

オンシーズンは⑤⑪①CA＄99～499、オフシーズンCA＄49～399　　ADJMV

地P.537　B-1

日本からのツアーに利用されることの多いホテルで、日本人スタッフがいるので安心。日本語でのサービスも行き届いていて、日本人の宿泊客には、ホテルの設備とサービスの利用方法、周辺のレストランの日本語案内が用意されている。

滝へは徒歩5分と便利なロケーションで、スカイロン・タワーやアイマックス・シアターは目と鼻の先。室内は広々としていて、200室のほとんどがクイーン・サイズのツインで、部屋によってはジャクージ・バスが付いている。14階と15階の部屋からは滝を見渡すことができ、夜間のイルミネーションをホテルから望めるのがうれしい。('98)

夜もにぎやかなクリフトン・ヒルにある
Howard Johnson by the Falls
🏠5905 Victoria Ave., Niagara Falls, Ont., Canada L2G 3L8 ☎ (905) 357-4040、🆃 (1-800) 654-2000、**FAX** (905) 357-6202 オンシーズン⑤ⅮⓉUS$60～375、オフシーズンUS$60～350 夏期は予約を **ADJMV** 🗺P.537 B-1

隣には24時間営業のデニーズ、周囲には多くのみやげもの屋とレストランがあり、このあたりはナイアガラでも、最もにぎやかなところだろう。ホテルには屋外と屋内の2つのプールとサウナ、みやげもの屋、セーフティボックス、ランドリーもあって長期滞在者にも便利だ。客室は、ハワード・ジョンソンらしく広くて清潔、ジャクージもあるので冬の長いナイアガラではありがたい。従業員もフレンドリーで、観光相談にも乗ってくれる。('98)

フォールズ・ビューも楽しめる
Oaks Inn Fallsview
🏠6546 Buchanan Ave., Niagara Falls, Ont., Canada L2G 3W2

☎ (905) 356-4514、🆃 (1-800) 263-2577（アメリカ国内から）/7134 (オンタリオ州内)、**FAX** (905) 356-3652 **HOME**www.vxxine.com/oakesinn 11～4月CA$60～296、3～6月CA$80～346、7～9月CA$149～409 **ADJMV** 🗺P.537 B-1

OKショップの斜め向かいにあり、規模は中級のホテルだが、とても家庭的な雰囲気がある。客室は広くて清潔。モーテル形式とホテル形式の建物に分かれ、客室の約半分の部屋からは滝を見下ろすことができる。この滝の景観はおそらくナイアガラでNo1。冬期は滝側の部屋を確保してくれる。インドア＆アウトドアのプール、ギフトショップ、レストラン、スポーツバーなどの施設もあり、アメニティもそろっている。ミノルタ・タワーのインクラインからも近い。('99)

キャビン式のモーテル
Maple Leaf Motel
🏠6163 Buchanan Ave., Niagara Falls, Ont., Canada L2G 3V7 ☎ (905) 354-0841、**FAX** (905) 354-2074 オンシーズン⑤ⒹCA$68～118、ⓉCA$78～128、オフシーズン⑤ⒹCA$40～72、ⓉCA$52～82 **AJMV** 🗺P.537 B-1

目の前にIMAXシアターとスカイロン・タワーがあり、ミノルタ・タワーからも歩いて7、8分。滝まで2ブロックというところにあるモーテル。気のいい家族たちが経営している。モーテル前まで送迎サービス付

読*者*投*稿

冬ならではのナイアガラの楽しみ方

　冬のナイアガラは、ホテル料金が10～50%近くオフになり、しかもどこも空いている。ギフトショップでも、ほぼ半額でおみやげを買うことができてラッキー！　それにクリスマスのころならあちこちにイルミネーションが施されていてロマンティックな気分に浸れる。
　そして、なんといっても素晴らしいのは凍ったナイアガラ滝。アメリカ滝の下部が凍りつき、一部滝の氷の上を歩くことができる。ナイアガラの上に「立つ」というのは冬ならでは。また、上流から巨大な氷塊が流れてきて滝を滑り落ちるさまも迫力満点。夏とはまた違った感動を味わえる。

（木村美絵　北海道）

必ず凍るわけじゃない！

　凍ったナイアガラを見たいと思って1月に行ったのに、暖冬だったのか、滝は凍っていなかった。そのうえ中途半端に寒く（-4度くらい）、アトラクションも平日はオープンしていないし、レストランもファストフード店くらいしかやっていなかった。ただし週末なら、アトラクションも貸し切り状態でゆっくりと楽しむことができるし、冬期割引もある。

（増谷美紀　藤井寺市　'98冬）

きの市内観光バスを斡旋してくれる。道端の赤いメープルリーフの看板が目印。('99)

滝から1ブロックの好ロケーション
Cascade Inn

🏠5305 Murray St., Niagara Falls, Ont., Canada L2G 2J3　☎(905)354-2796、🆓(1-800)663-3301、FAX(905)354-2797
オンシーズン⑪CA$85〜168、①CA$85〜168、オフシーズン⑪CA$52〜78、①CA$54〜78　　　　　　　ADMV
　　　　　　　　　　　　　地P.537　B-1
　全67室。IMAXシアターやスカイロン・タワーから滝へ降りる坂(Murray St.)に面して建つ清潔な中級ホテル。1階のカフェテリアは朝6：00から営業している。滝からいちばん近い宿はココ。（'98)

世話好きな奥さんの手作りの朝食がすごい！
Eastwood Tourist Lodge

🏠5359 River Rd., Niagara Falls, Ont., Canada L2E 3G9
☎(905)354-8686、FAX(905)371-1292
HOMEwww.eastwood.com
⑤CA$45〜　　　　　　　　ADJMV
　　　　　　　　　　　　　地P.537　A-2
　滝まで歩いて5〜10分。バス・トイレ・TV・エアコン付き。部屋はまあまああきれいなほう。朝食には手作りマフィン、卵料理、ポテト、ヨーグルトなどビッグ・ブレックファスト。残ったマフィンを持たせてくれたりして、とても素敵な奥さんだった。　　　　　　　（T.K.　広島市）('99)

たっぷりの朝食が自慢のB&B
Glen Mhor Guesthouse

🏠5381 River Rd., Niagara Falls, Ont., Canada L2E 3H1　☎&FAX(905)354-2600
⑤CA$50〜、⑪CA$60〜。1〜4月にはCA$10〜15ほど割引になる　　　　MV
　　　　　　　　　　　　　地P.537　A-2
　River Rd.とEastwood Cr.の角。オーナーとともにサンディ、ムースという2匹の犬が迎えてくれる。部屋やダイニング・ルームはとてもかわいくて清潔。モンカー夫人のビッグ・ブレックファストは、早朝出発の際にお弁当にもしてもらえる。もちろん、電話を入れておけば駅やバスディーポまで迎えに来てくれる。全4室。予約はクレジットカードで。　　　　　　　　（'99)

ナイアガラユース情報
Hostelling International-Niagara Falls

🏠4549 Cataract Ave., Niagara Falls, Ont., Canada L2E 3M2　☎(905)357-0770、🆓(1-888)749-0058、FAX(905)357-7673
ドミトリーCA$16　　JMV　地P.537 A-2
　ベッド数69の規模で、チェックインは10：00〜24：00まで受け付けている。キッチン、ランドリー設備あり。自転車のレンタルもしているので見どころを回るのには便利。VIA駅やバスディーポにも近い。
　　　　　　　　　　　　　　　　　　（'99)

とても静かな格安モーテル
Fairway Motel

🏠5958 Buchanan Ave., Niagara Falls, Ont., Canada L2G1WG　☎(905)357-3005、FAX(905)357-3659
オンシーズン⑤⑪CA$42〜74、①CA$48〜78、オフシーズン⑤⑪CA$30〜42、①CA$32〜44　AMV　　　地P.537　B-1
　スカイロン・タワーの2ブロック先にあり、全室バス・トイレ・TV・冷蔵庫付き。クリフトン・ヒルまで歩いて7、8分で、オーナーもとても親切。真横に日本食レストランがある。（海野秀明　茅ヶ崎市）('99)

アメリカ側

ナイアガラまで歩いて15分
All Tucked Inn

🏠574 3rd St., Niagara Falls, NY 14301
☎(716)282-0919、🆓(1-800)797-0919（アメリカのみ）、FAX(716)282-0919、HOMEwww.virtualeities.com/ny/alltuckedinn.htm
オンシーズン⑤＄39〜59、⑪＄59〜99、①＄69〜129、オフシーズン⑤＄29〜39、⑪＄39〜59、①＄49〜69、トリプル＄69〜99　AMV　　　地P.534　B-1
　水族館のすぐそば、滝やレインボー・ブリッジまで徒歩15分。客室は全部で10室で、バス付きとシェアの部屋がある。しかし、洗面台はすべての部屋に付いている。部屋は狭いが、清潔。オーナーも親切。5〜9月までコーヒーのサービスあり。('99)

清潔で安心してステイできる
Olde Niagara House B & B

🏠610 4th St., Niagara Falls, NY 14301
☎ (716) 285-9408、 **FAX** (716) 282-0908
E-mail LTOUCHE@AOL.COM
夏期は⑤$35〜45、⑩$45〜55、①$45
〜65、冬期は⑤$25〜35、⑩$35〜45、
①$40〜45、現金またはT/Cのみ
🗺P.534　B-1

　郵便局の近くにあるビクトリア調の
B&B。アムトラックのアメリカ側駅やバス
ターミナルまでの送迎もOK。部屋によって
バスありとバスなしがある。5部屋。　（'99）

アメリカ側のユース
Hostelling International-Niagara Falls

🏠1101 Ferry Ave. Niagara Falls, NY 14301
☎ (716) 282-3700

ドミトリー$13〜15　　　🗺P.534　B-1
　駅からユースへは相乗りタクシーで7〜
8分。コーヒー、パン無料。12/20〜1/20
はクローズする。ナイアガラの滝までは徒
歩15〜20分。オフィスは7：30〜9：30、
16：00〜23：00オープン。ベッド数46。
（天野利正　川崎市）（'99）

★　　　★　　　★　　**レストラン**　　★　　　★　　　★
Restaurant

カナダ側

手作りメニューが自慢です
The Oakes Inn

🏠6546 Buchanan Ave.　☎ (905) 356-4514
　ミノルタ・タワーに近いオークス・イン
の中。サンドイッチ、ハンバーガー、スパ
ゲティ、ラザーニャ、ラビオリなど、メニ
ューはまったく普通なのだが、ここの料理
はすべて手作り。比較的あっさりとした味
付けで、日本人の口にもよくあう。レスト
ランも明るい雰囲気で、世界各国からの家
族連れでにぎわう。値段もCA$6〜10とお
手ごろ。　　　　　　　　　　　　　（'98）

雰囲気よし、味よし
Prime Rib Steak & Seafood

🏠5657 Victoria Ave.　☎ (905) 356-2461
🕐毎日11：00〜1：00
　クリフトン・ヒルの坂を上りきったビク
トリア・アベニューの北側にあるレストラ
ン。シックな雰囲気だが、観光地だけあっ
てカジュアルな格好をしていても入れる。
フランス料理を少しアレンジしたアメリカ
料理で、味もボリュームもちょうどいい。
夜もCA$25もあればお腹いっぱいになる。
（'98）

カメラ盗難事件!

　アメリカに来るのももう6回目ということも
あって、気が緩んでいたらしい。生まれて初め
て盗難の被害者になってしまった。
　場所はナイアガラのカナダ側、グレート・ゴ
ージ・アドベンチャー。ベンチに座ってピープ
ル・ムーバーを待っていたときの事。自分の横
にデイバッグ、その向こうに買って間もないカ
メラを置いて、「さあ、次はどこへ…」などとノ
ンキに『歩き方』を読むこと約10分。ムーバー
が来たのでバッグを背負い、カメラを取ろうと
すると、そこにあったはずの愛機の姿がない!
本に夢中になっている間にやられてしまったら
しい。あたりを見回してもそれらしい人はなく、
目の前の売店の人も心当たりはないと言う。
　あきらめて親切なお店の人にナイアガラ・パ
ーク・ポリスの場所を教えてもらい、盗難届を

出しに行く。警察署では身分証明のためにパス
ポートをチェックして、簡単に状況を聞かれた
だけ。ポリス・レポートのコピーを渡され、「見
つかったら、日本の住所まで送ってあげるけど、
まあ、無理だろうね」との一言。悲しい…。
　帰国後、加入していた海外旅行傷害保険の保
険会社に連絡すると、「所定の用紙に記入して、
ポリス・レポート、カメラ購入時の領収書と取り
扱い説明書のコピーを一緒に郵送してくださ
い」とのこと。数日後、保険会社から連絡があ
り、1件の限度額10万円から自己負担分3,000
円を引いた9万7,000円が支払われることにな
った。
　ちょっとした気の緩みでたいへんな労力を使
い、いろんな人に迷惑をかけてしまった。
（K.S.　東久留米市）

フロリダと南部

Florida & South

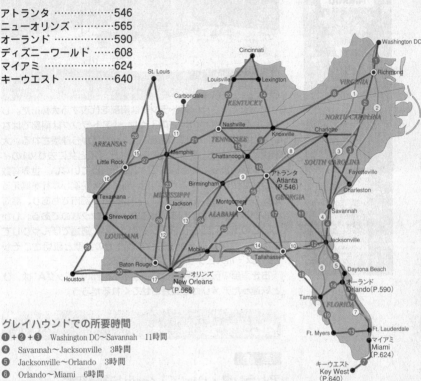

グレイハウンドでの所要時間

- ❶＋❷＋❸　Washington DC～Savannah　11時間
- ❹　Savannah～Jacksonville　3時間
- ❺　Jacksonville～Orlando　3時間
- ❻　Orlando～Miami　6時間
- ❼　Miami～Key West　4時間
- ❶＋❽＋❾＋❿　Washington DC～Atlanta　19時間
- ⓫　Atlanta～Jacksonville　9時間
- ⓮　Orlando～Tampa　3時間
- ❻＋⓮　Ft. Lauderdale～Tampa　7時間
- ❿＋⓯＋⓴　Cincinnati～Atlanta　14時間
- ⓯　Nashville～Atlanta　8時間
- ㉑＋㉓　Nashville～New Orleans　14時間
- ㉕　Atlanta～New Orleans　12時間
- ⓱＋⓲　Atlanta～Tampa　14時間
- ⓴　Cincinnati～Nashville　6時間
- ㉑　Nashville～Memphis　4時間
- ㉒　St. Louis～Memphis　8時間
- ㉓　Memphis～New Orleans　10時間
- ㉔　Birmingham～New Orleans　9時間
- ㉖＋㉙　St. Louis～Houston　21時間
- ㉗＋㉙　Memphis～Houston　15時間
- ㉘　Memphis～Baton Rouge　10時間
- ㉚　New Orleans～Houston　9時間

アムトラックでの所要時間

- ①　Washington DC～Charlotte　8.5時間
- ②　Richmond～Charleston　7時間
- ③　Richmond～Savannah　9時間
- ④　Savannah～Jacksonville　2.5時間
- ⑤　Jacksonville～Orlando　3.5時間
- ⑥　Jacksonville～Tampa　3.5時間
- ⑦　Orlando～Miami　5.5時間
- ⑧　Charlotte～Atlanta　5.5時間
- ⑨　Atlanta～Birmingham　3時間
- ⑩　Jacksonville～Tallahassee　4時間
- ⑪　Carbondale～Memphis　5時間
- ⑫　New Orleans～Memphis　9時間
- ⑬　Birmingham～New Orleans　7時間
- ⑭　Tallahassee～New Orleans　11.5時間
- ⑮　St. Louis～Little Rock　7.5時間
- ⑯　Little Rock～Texarkana　2.5時間
- ⑰　New Orleans～Houston　9時間

所要時間はおおよその時間です。停車する町や運行する時間によって変動があります。
また、乗り換えに要する時間は含まれていません。

　いうまでもなく、アトランタは南部を代表する大都市だ。しかし、南部のほかの地方の人々は、「アトランタは南部ではない」という。たしかに、〝南部〟という言葉から連想される、大農園、黒人奴隷、豪邸での舞踏会など、『風と共に去りぬ』のイメージは、まったくといっていいほど残っていない。世界有数の巨大な空港をもつ交通の要衝、多くの大企業が本社を構える産業の中心、そして、一大コンベンション都市でもあり、高層ビルが林立する近代都市が現在のアトランタなのである。しかし、この町は南部の心を失ってはいない。道端でぼんやりしていると、気軽に声をかけてくれる。その笑顔と親切さこそが〝サザン・ホスピタリティ〟なのである。

　古き南部の伝統を残しつつ躍進する南部の〝ビッグA〟は、ひと味違ったアメリカを実感させてくれるだろう。

ダウンタウンへの行き方　Access ★

空港

アトランタ・ハーツフィールド国際空港
Atlanta Hartsfield International Airport (ATL)

　ダウンタウンの南約16kmに位置する世界最大級の空港だ。コンコースT、A〜E（色分けされている）とバゲージクレームに分かれており、それぞれを無人の地下鉄が結んでいる（2分ごとの運行）。バゲージクレームは航空会社によって北と南に分かれており、その間にレンタカー会社のカウンターやギフトショップなどが並ぶ。トラベラーズエイドもここにあり、地図の入手、ホテル情報も教えてくれる。バゲージクレームの西の端からすべての交通機関が出ている。

●地下鉄　MARTA Train　バゲージクレームの西の端に地下鉄MARTAのAirport駅（地上駅）がある。ダウンタウンの中心Five Points駅や、ホテルの多いPeachtree Center駅まで1本で行ける。駅にはエスカレーターやエレベーターがあり、車内も広いスペースがあるので、荷物が大きくても大丈夫。ダウンタウンまでわずか15分で着いてしまう。こんなに便利な空港はめずらしい。

ハーツフィールド・アトランタ国際空港
☎(404) 530-6600

MARTA Train
☎(404) 848-4711（インフォメーション、スケジュール）
運行：毎日5：00〜1：00まで8分間隔で運行
圏 $1.50

●空港シャトル　Atlanta Airport Shuttle　ダウンタウンのおもなホテルと空港を結んで運行している。空港へ向かうときはホテルのフロントに頼んで呼んでもらう。

●タクシー　均一料金制でダウンタウンまで約20分。

Atlanta Airport Shuttle
☎(404) 524-3400
園ダウンタウンまで片道
$8、往復$14

タクシー
園ダウンタウンまで1人
$18、2人$20、3人$24。
バックヘッド地区まで1人
$28、2人$30、3人$30

長距離バス

グレイハウンド・バスターミナル
Greyhound Bus Terminal

　MARTA南北線S1 Garnett駅を西側に出てすぐのところにあり、駅のホームから大きな看板が見える。コインロッカーや自動販売機といったひととおりの設備は整っている。入口前にはタクシーが待っている。

グレイハウンド・バス
ターミナル
囲232 Forsyth St.
☎(404) 584-1731
囲(1-800) 231-2222
園24時間営業
図P.550　A-3

鉄　道

アムトラック・ブルックウッド駅
Amtrak Brookwood Station

　中心部の北4.5kmに位置する。地下鉄南北線Arts Center駅よりマルタバス#23で。ワシントンDC、シカゴ〜ニューオリンズ間を走るクレセント号が1日1往復ずつストップする。

アムトラック・ブルックウッド駅
囲1688 Peachtree St.
NW
囲(1-800) 872-7245
園毎日6:30〜21:30
図地図外

アトランタの歩き方　★ Walking

　アトランタは広い町で、見どころも分散している。しかし、思いのほか歩きやすいのは、交通機関が整備されているため。利用しやすい地下鉄と路線バスを使えばほとんどの見どころへ行くことができる。

　アトランタで人気の観光ポイントは、ワールド・オブ・コカ・コーラとマーチン・ルーサー・キング・ジュニア国立歴史地区。'96年夏季オリンピックの記念公園もある。また、『風と共に去りぬ』の面影を訪ねるなら、アトランタ歴史センターがおすすめ。あとは各自の興味に従ってポイントを絞るといいだろう。なお、アトランタには32本の"ピーチツリー"の名のつく、St.、Ave.などの道路があるので注意。

ダウンタウンのいちばん人気、ワールド・オブ・コカ・コーラ

data

人　口	約396,000人		ＴＡＸ	セールス・タックス 7%
面　積	352.2km²			ホテル・タックス 14%
標　高	最高320m、最低286m		属する州	ジョージア州 Georgia
市の誕生	1847年		州のニックネーム	南部の帝国州 Empire State of South、ももの州 Peach State
情　報	Atlanta Now(アトランタ観光協会が発行しているオフィシャルガイド)無料 Atlanta Journal (新聞)50¢		時間帯	イースタン・タイムゾーン

ATLANTA, GEORGIA
気温(℃)　降水量(ミリ)
最高気温
最低気温

Atlanta Convention and Visitors Bureau

Peachtree Center Mall に関する記述

ピーチツリー・センターにはビルが集まっているが、観光案内所のあるビルはPeachtree St.側から入って左奥にあるHarris Building。その20階に案内所がある。

Underground Atlanta

アンダーグラウンドの地上にある。ここのスタッフも親切に応対してくれるので、どんどん質問しよう。MARTA Five Points 駅に隣接していて、アンダーグラウンドから歩き始める人にはここがいちばん便利。

Lenox Square

バックヘッド地区のショッピングモール、レノックス・スクエア内のブース形式の案内所。アトランタ全体のことより、このモールの中のお店について聞く場所といった感じ。

Hartsfield Atlanta Airport

※

観光案内所ではないが、TraveLinkというコンピュータの端末で天気、マルタバスのルートや時刻表、近日中のイベント、おもなアトラクションへのアクセスなどの情報を引き出せる。MARTAの駅やダウンタウンのオフィスビルディングなどに設置されているので、目についたら利用してみよう。設置されている場所は観光案内所に置いてあるパンフレットで確認できる。

市内の交通機関 ★ Public Transportation

MARTA（アトランタ首都圏交通局）
Metropolitan Atlanta Rapid Transit Authority

東西、南北の地下鉄2路線とバス150路線余りを運行している。アトランタ周辺の観光スポットは、これでほとんどカバーできる。バス類はFive Points駅、Peachtree St.側出口左側にある"Ride Store"のほか、Airport、Lenox、Lindbergh Centerの各駅で購入できる。

地下鉄　MARTA Train

東西線（W3駅から分岐）、南北線（N6駅から北東線にも分岐）の2路線がFive Points駅で交差している。各駅とも駅名の横に、例えば「Airport S7」という表示があるが、これはFive Points駅を基点に南（South）へ7駅目という意味。ラッシュ時は少々混み合うが、それ以外は快適そのものだ。

左カラム

Peachtree Center Mall
233 Peachtreee St., NE
Suite 2000, Atlanta, GA
30303
☎ (404) 521-6600
月～金10：00～17：00
P.550　C-1

Underground Atlanta
65 Upper Alabama St.
☎ (404) 222-6688
月～土10：00～21：00、
日12：00～18：00
P.550　B-2

Lenox Square
3393 Peachtree Rd.
火～土11：00～17：00、
日12：00～18：00
月
P.555

Hartsfield Atlanta Airport
月～金9：00～21：00、
土9：00～18：00、日
12：00～18：00

南部10州のホームページ
HOMEwww.tabifan.com/travelsouth

MARTA
2424 Piedmont Rd. NE
☎ (404) 848-4711
月～金6：00～22：00、
土日祝日8：00～16：00
Five Points駅のRide Store
のオープン：月～金7：00～
19：00、土8：30～17：00
$1.50、郊外では$2.25。
トランスファーは無料（地下鉄↔バス相互の乗り換えも含む）。アトランタに1週間滞在するのならウィークリー・トランスカード
（月～日のみ）$12も便利

MARTA Train
運行：月～土5：00～1：00
（6～12分間隔）日5：30
～24：30（15分間隔）

空港から走っているアトランタの地下鉄

アトランタはバスも発達している

駅は自動改札になっている。パスは日本の自動改札と同じ要領で通し、コインなら直接投入する（ペニーは使えない）。紙幣しかないときは自動販売機でトークンを買ってから通ることになる。バスへのトランスファーがほしいときは、自動改札の"Push for Transfer"というボタンを押せば出てくる。

●マルタバス　MARTA Bus

新しい車両が多く快適。白地に青、オレンジ、赤のラインが目印。地下鉄の駅を起点に走る路線が多いので乗り換えがとても便利。

乗車時に紙幣、硬貨、トークンで運賃を支払う。パスはステップの右側の機械に矢印に従って通す。トランスファーは運転手に言えばもらえる。

MARTA 路線

ツアー案内 ★ Sight-seeing Tour

グレイライン　Gray Line of Atlanta

出発場所：Underground Atlanta, Bet. Peachtree St. & Central Ave. at Alabama St.

グレイライン
☎ (404) 767-0594
T (1-800) 965-6665
HOME www.amebus.com

番号	ツアー名	料金	運行	所要時間	内容など
1	Atlanta's Past & Present	$35	毎日発　時間については問い合わせのこと	4時間	マーガレット・ミッチェル邸、フォックス劇場、オリンピック記念公園、CNNセンター、サイクロラマなど南北戦争ゆかりの地にも寄る。すべての入場料込み。
2	All Around Atlanta	$40	毎日発　時間については問い合わせのこと	4時間	カーター・ライブラリー、M.L.キング牧師歴史地区、ワールド・オブ・コカ・コーラ、オリンピック記念公園などのほかに、バックヘッド地区のスワンハウスなどを見る。

Attractions
おもな見どころ ★

エンターテインメント＆ショッピングスポット
アンダーグラウンド ★ Underground Atlanta

アトランタの真ん中、Five Points駅の隣にある大きなショッピングモール。週末に限らずにぎわっている。

アトランタがまだ小さな町だった1840年代、町に1本の鉄道が敷かれた。"ターミナス"という名のこの小さな町は鉄道網の拡大とともに発達し、アトランタと呼ばれるようになった。やがて、その鉄道は地下に追いやられ、そして"アンダーグラウンド"と改めて呼ばれるようになった。鉄道網は車の発達につれ、衰退していったため、1989年6月、1億4,200万ドルの工費をかけて、アンダーグラウンドは新しくモールとしてオープンした。レストラン、ファストフード、ショップなど、100にもおよぶ店舗の大部分が、その名のとおり地下に連なっている。

アンダーグラウンド
爾Between Peachtree St. and Central Ave. at Alabama St.
☎ (404) 523-2311
圖月〜土10：00〜21：30、日12：00〜18：00（レストランやクラブは遅くまでオープン）
圙MARTA、Five Points駅下車
圖P.550　B-2、3

549

アトランタ・ヘリテイジ・
ロウ
☎(404)584-7879
開火～土10：00～17：00、
日13：00～17：00
休月
料大人・シニア・学生＄3

アトランタのど真ん中にあるアンダーグラウンド

モールは鉄道全盛期の面影を残し、ただぶらぶら歩くだけでも楽しい。毎日エキサイティングな生バンドによる演奏が行われ、皆いっしょに盛り上がっている。

1階にあるアトランタ・ヘリテイジ・ロウ Atlanta Heritage Rowでは、アトランタの町がいかに世界的に有名な人物、できごと、産業を生み出してきたかを知ることができる。

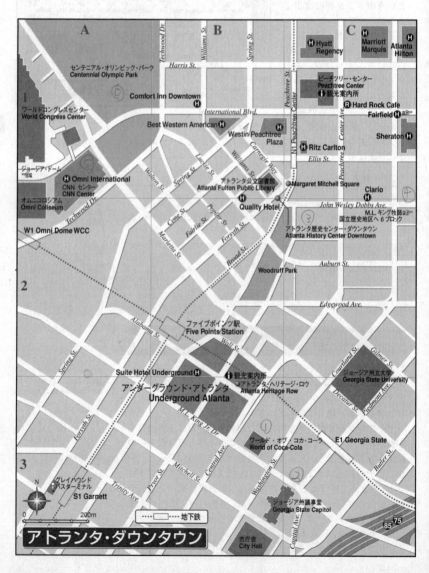

センテニアル・オリンピック・パーク
Centennial Olympic Park

ワールドコングレスセンター
World Congress Center

Comfort Inn Downtown

International Blvd.

Best Western American

Westin Peachtree Plaza

ジョージアドーム

Omni International
CNN センター
CNN Center

オムニコロシアム
Omni Coliseum

W1 Omni Dome WCC

Techwood Dr.

Walton St.

Spring St.

Luckie St.

Williams Way

Cone St.

Fairlie St.

Marietta St.

Forsyth St.

Broad St.

Alabama St.

Spring St.

Wall St.

Forsyth St.

M.L. King Jr. Dr.

Trinity Ave.

Pryor St.

Mitchell St.

Central Ave.

アトランタ公立図書館
Atlanta Fulton Public Library

Quality Hotel

Woodruff Park

ファイブポインツ駅
Five Points Station

Suite Hotel Underground

アンダーグラウンド・アトランタ
Underground Atlanta

観光案内所
アトランタ・ヘリテイジ・ロウ
Atlanta Heritage Row

グレイハウンド
バスターミナル
S1 Garnett

0 200m

地下鉄

Hyatt Regency

Marriott Marquis

Atlanta Hilton

ピーチツリー・センター
Peachtree Center
観光案内所

Hard Rock Cafe
Fairfield

Ritz Carlton

Sheraton

Carnegie Way

Ellis St.

Peachtree St.

Peachtree Center Ave.

N1 Peachtree Center

Margaret Mitchell Square

Clario

John Wesley Dobbs Ave.

M.L. キング牧師広場
国立歴史地区へ 6 ブロック

アトランタ歴史センター・ダウンタウン
Atlanta History Center Downtown

Auburn St.

Edgewood Ave.

Courtland St.

Gilmer St.

ジョージア州立大学
Georgia State University

Decatur St.

Piedmont Ave.

Butler St.

E1 Georgia State

ワールド・オブ・コカ・コーラ
World of Coca-Cola

ジョージア州議事堂
Georgia State Capitol

Washington St.

Capitol Ave.

市庁舎
City Hall

アトランタ・ダウンタウン

85 75

コカ・コーラのことならなんでもわかる

ワールド・オブ・コカ・コーラ ★ The World of Coca-Cola

世界中で愛飲されているソフトドリンク"コカ・コーラ"。その発祥の地は、ここアトランタだ。コカ・コーラのことならなんでもわかるパビリオンは、アトランタNo.1の人気ポイントとなっている。1886年アンダーグラウンドにほど近い薬局でコカ・コーラが売り出されてから、現在世界160カ国以上で飲まれているという、その歴史を順を追って紹介している。登録商標のデザイン、ビンの形、ポスター、ラジオやTVコマーシャルの変遷や、世界各国のパッケージ、ロゴ、ボトルなど豊富なコレクションが楽しく陳列されている。シアターでは、コカ・コーラ社らしい世界のイメージ広告を集めたビデオも上映し、時計の秒針よりはるかに速く進むコカ・コーラの生産本数なども標示され、コカ・コーラ社の成功を改めて実感できるだろう。

ハイライトは最後のコカ・コーラ・ファウンテンと、世界のコカ・コーラ社のオリジナル・ドリンクの試飲コーナー。装置も凝っていて、すごい人気。もちろん、ここでのドリンク類は飲み放題だ！ギフトショップも充実している。

カーター元大統領も働いた！

ジョージア州議事堂 ★ Georgia State Capitol

ダウンタウンに輝く金色のドームがジョージア州議事堂だ。1889年の完成で、ドームの高さは238フィート（約73m）。頂上には右手にトーチ、左手に聖書を持つ女神像が建つ。ドームの金箔は北ジョージアから採掘されたもの。マーガレット・ミッチェル、キング牧師などジョージア州出身の著名人の肖像も並んでいる。また、4階は科学産業博物館になっている。

州議事堂

24時間ニュース専門局の舞台裏がわかる

CNNセンター ★ CNN Center

日本でも放映されるようになり、アメリカ国内でもCBS、NBC、ABC、FOXと並んでメジャーTV局のひとつとなったCNN（Cable News Network）の本部ビルだ。1976年に完成、2,000人以上の人々が働いているこのビルには、オムニホテル、CNN本社のほか、CNNグッズを売るターナーストア、野球のブレーブスのショップ、フードコートなどが入っている。

しかし、ここの目玉はなんといってもCNNスタジオツアーだ。24時間世界中のニュースだけを報道し続ける有線テレビ放送局。その内部をツアーでのぞいてみよう。生放送中のスタジオをガラス越しに見学したり、天気予報でおなじみのスーパーインポーズのトリックのしくみ（体験モデルに選ばれるために青い服を着て行こう！）も説明してくれる。約40分のツアーだ。

ワールド・オブ・コカ・コーラは、コカ・コーラの博物館

ワールド・オブ・コカ・コーラ
🏛55 Martin Luther King Jr. Dr. at Central Ave.
☎(404) 676-5151
🕐月〜土10：00〜20：30、日12：00〜18：00
🚫1月第2月曜、イースター、サンクスギビング、クリスマスイブ、クリスマス、元日。12/31は17：00まで
💲大人＄6、子供＄3、学生・55歳以上＄4
🚇アンダーグラウンド東端のCentral Ave.を越えたところ
🗺P.550 B-3

ジョージア州議事堂
🏛Capitol Hill at Washington St.
☎(404) 656-2844
🕐月〜金7：30〜17：00、土10：00〜16：00、日12：00〜16：00
💲無料
🚇MARTA東西線E1 Georgia State駅をPiedmont Ave.側に降りて左に出ると前方にドームが見える。Undergroundから歩いても5分ほど
🗺P.550 B、C-3
館内をガイドについて回るツアーもあり、月〜金の10：00、11：00、13：00、14：00、ロビーWashington St.側のツアーデスクから出発

CNNセンター
🏛One CNN Center, Marietta St. & Techwood Dr.
☎(404) 827-2300
金属探知機、手荷物検査あり。
🕐毎日9：00〜18：00の15分間隔発、チケットは8：30から売り出すので早めに行こう。1回のツアーは35人まで
🚫祝日
💲大人＄7、シニア＄5、12歳以下＄4.50
🚇MARTA東西線のW1 Omni駅下車。出口のエスカレーターを上がったらまっすぐOMNI沿いに進む
🗺P.550 A-1

★
アトランタ

551

センテニアル・オリンピック・パーク
🏛International Blvd. &
Techwood Dr.
☎(404) 222-7275
🕐毎日7:00～23:00
🚃MARTAの W1 World
Congress Center駅下車
🗺P.550 A-1
噴水のショー：毎日12：30、
15：30、18：00、21：00

マーチン・ルーサー・
キング・ジュニア牧師
国立歴史地区
🏛526 Auburn Ave. bet.
Jackson & Randolph Sts.
NE
🚃MARTAのFive Points駅
から#30のバスで約10分
🕐毎日9：00～17：30（夏
期は20：00まで延長）
🚫クリスマス、元日
💰無料（生家ツアーは人気。
早めに行ってチケットを入
手しよう）
🗺地図外

キング牧師の生家
🏛501 Auburn Ave.
☎(404) 331-3919
ツアーは10：00～15：30ま
でおよそ30分ごとに出発

キング牧師歴史地区の中に
ある牧師の生家

オークランド墓地
🏛248 Oakland Ave. SE
☎(404) 658-6019
🕐毎日 日の出～日没、ビ
ジターセンターは月～金
9：00～17：00
🚃MARTA東西線E2 King
Memorial駅下車、トンネ
ルをくぐってすぐ
🗺地図外

オリンピック100周年を記念した公園
✓センテニアル・オリンピック・パーク
★ Centennial Olympic Park

　1996年、近代オリンピック100周年記念大会が、このアトラ
ンタの地で開催されたことをご記憶の方は多いと思う。その開
催を記念して、Marietta St.、Baker St.、Luckie St.に囲まれ
た21エーカーの広大な敷地が公園になった。オリンピックのハ
イライトを思い出しながら、散策してみよう。ぜひ見学しておき
たいのが、五輪の輪をイメージした噴水のショーだ。噴水とし
ては世界最大の大きさを誇り、このショーは1日4回行われる。

　単にオリンピックを記念した公園というよりも、イベントな
どが頻繁に行われるから、要チェックだ。また、4～10月の毎
週火・木曜の正午からミニコンサートやアンフィーシアターで
はさまざまなアーティストによるコンサートも行われる。

公民権運動の偉大なリーダーはアトランタ出身
マーチン・ルーサー・キング・ジュニア牧師国立歴史地区
★ Martin Luther King Jr. National Historic Site

　公民権運動最大の指導者マーチン・ルーサー・キング・ジュ
ニア（以下キング牧師とする）は、ここアトランタで生まれ育
った。その生家や周囲の町並みを保存してあるのがこの地区だ。
キング牧師の生きた激動の時代と、それとはおおよそ似つかわ
しくない彼の温和な人柄をしのび、公民権運動の意味を考え直
してみよう。アメリカの新しい一面が見えてくるかもしれない。

　まず、ビジターセンターで地図を入手し、これを片手に歩こう。
ここではノーベル平和賞のメダルをはじめとして、キング牧師
の遺品や写真パネル、ビデオで生前の活動ぶりを紹介している。
建物前の人工池の中央に横たわる棺がキング牧師の墓だ。西隣
のエベニザー・バプテスト教会は彼が牧師として歩み始めたと
ころ。**キング牧師の生家へはツアーでしか入れない**。ビジター
センターで無料のチケット（15人限定）を入手し、レンジャー
に引率されて出発。キング牧師が生まれ、12歳になるまで暮ら
した家は、当時のままの内装に復元されている。のちにノーベ
ル平和賞を受賞し、暗殺されてこの世を去る人物が、2階の窓
から飛び下りては遊んでいたとか、キッチンで隠れてものを食
べるのが好きだったとか、ピアノレッスンが大嫌いだったとか
いう話を聞いていると、人生の不思議をつくづく感じる。

有名無名のアトランタ市民が眠る
オークランド墓地 ★ Oakland Cemetery

　MARTA東西線のKing Memorial駅のすぐ南にひっそりとた
たずむ歴史のある墓地。開園は1850年。『風と共に去りぬ』の
作家として有名なマーガレット・ミッチェルと両親、南北戦争
で戦死した南軍の兵士、6人のジョージア州知事、23人の歴代
のアトランタ市長など、18,000人の兵士や一般人が眠っている。
黒人と白人の敷地が分かれているのは、昔の南部の名残。

　墓地は人けがないので、明るいうちに数人で歩きたい。

カーター元大統領の温かい人柄が伝わってくる

ジミー・カーター・ライブラリー
★ Museum of the Jimmy Carter Library

　ピーナッツ畑の農園主から合衆国大統領へ——このサクセス・ストーリーを極めた人物がジョージア州の生んだジミー・カーターだ。カーターは第39代大統領として、とくに平和外交に努め、彼の功績は近年になって改めて評価されてきている。そのカーターの偉業を記念して設立されたのが、このジミー・カーター・ライブラリーだ。270万点の収蔵品を有し、カーター元大統領の生いたちを語る写真パネル、ジョージア州知事時代の執務や大統領キャンペーンの様子、復元された大統領執務室、大統領の任期中に手がけた中東和平、軍縮、米中外交など、彼の半生が映像、写真、文書、新聞などで語られている。ワークシャツにジーンズ、笑顔のカーターの写真を見ていると、彼の温かい人柄が伝わってくるようだ。また、趣味である釣りのことも詳しく紹介され、プライベートな部分も垣間見られる。

　ライブラリーには展示のはじめにシアターがあり、"President"と題する歴代合衆国大統領の足跡と、それに対するカーターのコメントを収めたフィルムを上映している。アメリカという多民族国家で、大統領という地位がいかに重要であるかが理解できるだろう。また、センター横にある庭園からのダウンタウンの眺望はとてもいい。

ランチやお茶に便利なスポット

モール・アット・ピーチツリー・センター
★ The Mall at Peachtree Center

　地下鉄N1 Peachtree Center駅にあるおしゃれなモール。地下の2ブロックを占め、60以上の店舗やレストラン、ファストフードが入っている。周囲のマーチャンダイズマート、Hyatt Regency、Marriott Marquisや6つのオフィスビルと歩道でつながり、とても便利。フードコートは店舗数が多く、朝食・昼食時はたくさんのビジネスマン・ウーマンでにぎわっている。3時のお茶にもGood！天窓から太陽の光が差し込み、とても明るくいい雰囲気だ。

巨大ドームをツアーで見学しよう

ジョージア・ドーム ★ Georgia Dome

　NFCアトランタ・ファルコンズの本拠地であり、2000年のスーパーボウル開催予定スタジアムにもなっているジョージア・ドーム。2億1,400万ドルの工費をかけ'92年2月に完成。高さ83m、天井の大きさは187m×228m（最も長いところ）、テフロンでコートされた天井の重量は68トンにも達する。客席はコンサート時が81,000、フットボール時が71,500と、一部は可動式。

アトランタ・ファルコンズの本拠地、ジョージア・ドーム

ジミー・カーター・ライブラリー
🏛441 Freedom Pkwy.
☎(404)331-3942
🕐月〜土9：00〜16：45、日12：00〜16：45
🚫サンクスギビング、クリスマス、元日
💲大人＄5、シニア＄4
🚇MARTA Five Points駅より＃16"Noble"のバスで約15分、Freedom Pkwy.センター前で下車。帰りはセンターの反対側のバス停から
🗺地図外

モール・アット・ピーチツリー・センター
🏛225Peachtree St. at International Blvd.
☎(404)654-1296
🕐店によって異なるが、月〜土10：00〜18：00、日12：00〜17：00、ファストフードは早朝より、レストランは夜遅くまで営業している
🚇MARTA南北線、N1 Peachtree Center駅下車
🗺P.550　C-1

ジョージア・ドーム
🏛Northside Dr. & Georgia Dome Dr.
☎(404)223-8687
　この巨大な建造物の舞台裏まで見せてくれるツアーが催行されている。所要時間45分間
🕐火〜土10：00〜16：00、日12：00〜16：00　ツアーは1時間ごとに行われる
🚫月
💲大人＄4、子供・シニア＄2.50
🚇MARTA東西線、W1 Omni駅下車。西側の出口を出てドームに向かって右側の階段を降り、ゲートEからツアーは出発する
🗺P.550　A-1地図外

落ち着いて見学できる美術館

ハイ美術館 ★ High Museum of Art

ウッドラフ芸術センターWoodruff Arts Center内にある白亜の美術館。リチャード・マイヤーによる設計で、太陽の明るさを十分に利用した吹き抜けのある館内、各階を結ぶゆるやかなスロープなど、とてもリラックスして見学できるよう配慮されている。

鑑賞できる作品の幅も広い

見学は4階までエレベーターで昇り、上から下へ見学していくといい。4階は特別展と前衛美術のコーナー。広いスペースを有効的に使った大規模なオブジェや絵画が並んでいる。3階のヨーロッパ美術は中世イタリア美術のテンペラ画、宗教画、肖像画、風景画、彫刻などが陳列されているが、なかでも素描のコーナーは充実している。スーラ、ルノアール、ドガ、マネ、ゴーギャンなど大家の作品が並ぶ。2階は装飾美術とアフリカ美術。アンティークに興味のある人はじっくり鑑賞したい。

ひと味ちがった自然史博物館

フェーンバンク自然史博物館 ★ Fernbank Museum of Natural History

どこの町にも『自然史博物館』はあって、内容も似たりよったりなものだが、ここはさまざまな工夫が凝らされている。IMAXシアターもあるが、目玉はジョージアの時間旅行 A Walk Through Time in Georgiaという展示だ。ビッグバンに始まる宇宙と地球の長い歴史、そしてジョージア州内各地の美しい自然を、最新のコンピュータ・グラフィックスによるシミュレーションビデオと、一般展示をおりまぜながら楽しく見せてくれる。世界の貝類 The World of Shellsでは世界各国より集められた希少な貝にも遭遇できる。影や色の付いた嵐を人工的に創り出す、ソニーの技術を応用した実験も好評だ。

また、博物館の1マイル東にあるフェーンバンク 科学センター Fernbank Science Centerではプラネタリウムを上映したり、自然環境、アポロ宇宙船に関する展示が公開されている。

半日いても飽きない巨大ショッピングモール

レノックス・スクエア ★ Lenox Square

アトランタ郊外、地下鉄N7のLenox駅から徒歩3分のところに位置する巨大なショッピングセンター。3階建てのセンターの中には200以上の店舗と25のレストラン、Rich's、Macy's、Neiman-Marcusの3つのデパート、6つの映画館が入っており、ここに来れば見つからないものはないほど、バラエティに富んでいる。観光案内所のブースもあり、観光の相談にものってもらえる。バックヘッド地区を見たあとに寄ってみよう。

ハイ美術館
🏠1280 Peachtree St. NE
☎(404)733-4400
🕐火～土10：00～17：00、日12：00～17：00
💴大人$6、シニア・学生$4、子供$2
🚇MARTA南北線、N5 Arts Center駅下車。屋根付きの歩道橋で接続している。Peachtree St.を走るバス#10でも行ける
🗺地図外

フェーンバンク自然史博物館
🏠767 Clifton Rd. NE
☎(404)370-0960
🕐月～木10：00～17：00（金～19：00）、日12：00～17：00
💴大人$9.50、学生・シニア$8、子供$7、IMAXとの共通券大人$14.50、学生・シニア$12、子供$10
🚇MARTA南北線 N3 North Avenue駅から#2のバスに乗り、Ponce de Leon Ave.とClifton Rd.の角で下車。Clifton Rd.を少し北へ歩いた右側
🗺P.556

フェーンバンク科学センター
🏠156 Heaton Park Dr.
☎(404)378-4311
💴大人$2、学生$1

レノックス・スクエア
🏠3393 Peachtree Rd. NE
☎(404)233-6767
🕐月～土10：00～21：30、日12：00～17：30
🚇MARTA南北線、NE7 Lenox Square駅、JW Marriott Hotelとつながっている
🗺P.555

半日楽しめるレノックス・スクエア

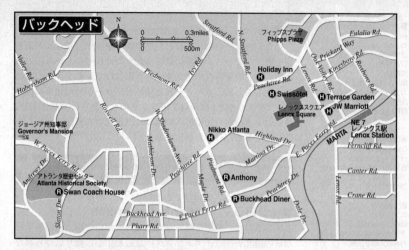

バックヘッド

N

0　0.3miles
0　500m

Stratford Rd.　フィップスプラザ **Phipps Plaza**　Eulalia Rd.

Valley Rd.　Habersham Rd.　Piedmont Rd.　Ivy Rd.　W.Stratford Rd.　Oak Valley Rd.　Prickard Way　Kingsboro Rd.　Roxboro Rd.

Holiday Inn H
Peachtree Rd.
H **Swissôtel**　H **Terrace Garden**　H **JW Marriott**
レックススクエア
Lenox Square　NE 7　レノックス駅
Lenox Station
MARTA
Ferncliff Rd.

Roswell Rd.　W.Shadowlawn Ave.

ジョージア州知事邸
Governor's Mansion

W. Paces Ferry Rd.
Andrews Dr.

Nikko Atlanta　Highland Dr.
Martina Dr.　E. Paces Ferry Rd.

Canter Rd.

アトランタ歴史センター
Atlanta Historical Society
H **Swan Coach House**

Slaton Dr.　Mathieson Dr.　Peachtree Rd.

Maple Rd.　Piedmont Rd.　R **Anthony**
Peachtree Dr.

Crane Rd.
Lenox Rd.

Buckhead Ave.　E. Paces Ferry Rd.　R **Buckhead Diner**
Pharr Rd.　Dale Dr.

『風と共に去りぬ』の思い出の品も陳列されている

アトランタ歴史センター ★ Atlanta History Center

　アトランタは南北戦争の町として有名だが、そのアトランタの貴重な遺産の数々を保存管理している協会が、アトランタ郊外のバックヘッド地区にある。そのアトランタ歴史協会の運営するアトランタ歴史センターには、13万㎡の敷地内に、緑あふれる庭園から、野生の花が咲きみだれる散歩道、アトランタの昔をしのばせる家が点在しているほか、アトランタの遺産を紹介する展示室などがある。『風と共に去りぬ』に代表される南北戦争など、アトランタの歴史に興味がある人は足を延ばしてみるといい。

●マッケレス・ホール　McElreath Hall

　ホールの中には博物館、ショップ、インフォメーション、図書室などがあり、ここでチケットを買って入場する。博物館では、アトランタの歴史をつづる写真パネル、南北戦争時のアトランタの戦い（1861〜1865）で使われた武器や軍服、戦況を述べるパネル、映画『風と共に去りぬ』からの思い出の品々、アトランタの産業、人種問題の経緯などが展示されている。

●スワン・ハウス　Swan House

　1928年に建てられた、アトランタの裕福な家族の大邸宅。パラディアン復古調の2階建ての建築で、名前は正面玄関上部の白鳥の装飾やシャンデリアが白鳥の形をしていたことに由来している。大理石の床とバスルーム、ヨーロッパの貴族宅を思わせる家具調度品、華麗な庭園は必見。

●チューリー・スミス・ファーム　Tullie Smith Farm

　南北戦争前、1840年代の農業を営む典型的な中流家庭の家。書斎や机は典型的なプランテーション・スタイルで、テーブル、食器棚、ベッドなど部屋の装飾はスワン・ハウスに比べるとかなり簡素だ。キッチンは別棟となっており、当時のままに再現されている。

南部らしいエレガントさを伝えるスワン・ハウス

アトランタ歴史センター
🏠130 W.Paces Ferry Rd. NW
☎(404)814-4000
🕐月〜土10：00〜17：30、日12：00〜17：30
🚫サンクスギビング、クリスマスイブ、クリスマス、元日。その他の休日と12/31は午後のみオープン
🎫大人＄7、6〜17歳・シニア＄4、ハウス1軒入場ごとにプラス＄1
🚃MARTA南北線、NE7 Lenox駅より#23"Lindbergh Center"のマルタバスで約10分、Peachtree Rd.とWest Paces Ferry Rd.の角で下車。West Paces Ferry Rd.を西へ徒歩約8分。または、N6 Lindbergh Center駅から#40"West Pace Ferry/Garden Hills"のドライバーに言えばセンター前で降ろしてくれる
🗺P.555

スワン・ハウス
　ツアーによる見学は所要時間45分。

チューリー・スミス・ファーム
　ツアーによる見学は所要時間30分。

　センター内には南部料理のおいしいレストラン、ショップなどもある。

★
アトランタ

知事邸
391 West Paces Ferry
Rd.
☎ (404) 261-1776
火～木10：00～11：30
金～月
無料
アトランタ歴史センター
の西、West Paces Ferry
Rd.を西に徒歩15分ほど
P.555地図外

サイクロラマ
Grant Park, Georgia and
Cherokee Aves.
☎ (404) 658-7625
毎日9：30～16：30　30分
間隔（夏期は17：30まで）
1月第3月曜、サンクスギ
ビング、クリスマス、元日
大人＄5、子供＄3、シ
ニア＄4
Five Points駅より#31の
マルタバスで約15分、Grant
Parkの入口で下車
P.556

州知事の家が一般公開されている

知事邸 ★ Governor's Mansion

19世紀前半に南部に流行した典型的な家屋で、ギリシャ復古調を模倣している。実際に建てられたのは1967年とそう古くはない。南北戦争時代のアンティーク家具はコレクションの必見の品。もちろん、カーター元大統領もジョージア州知事時代に住んでいた。また、周囲はアトランタでも指おりの高級住宅地。歴史センターから知事邸への道には、現代の高級住宅が建ち並び、見て歩くだけでも価値がある。

Suburb Points
郊外の見どころ ★

アトランタの戦いを紹介する変わったアトラクション

サイクロラマ ★ Atlanta Cyclorama

アトランタの歴史を語るうえで欠かせないのが、1864年7月22日の南北戦争時、アトランタの鉄道を中心に繰り広げられた壮絶なアトランタの戦い The Atlanta Campaign。円形劇場の360度立体パノラマ画を用い、劇場中央の座席の自転によってパノラマ画のアトランタの戦いが展開されていくという、変わったアトラクションがこのサイクロラマだ。バックの絵とジオラマの家や戦場、人間や馬たちが、照明や音響、ナレーションの効果によってまるで演技しているかのように、真実味を帯びてくるから不思議。パノラマ画の高さは13m、円周108m、ここで展開されたアトランタの戦いを約15分かけて詳しく解説していく。パナソニック提供による日本語解説のイヤホン（無料）もあり、英語のニガ手な人はこれを利用すれば大丈夫。

南北戦争の変わったアトラクション

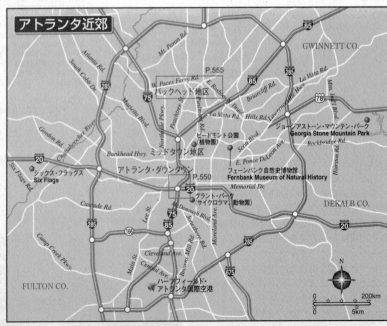

アトランタ近郊

GWINNETT CO.

Atlanta Rd.
Mt. Paran Rd.
South Cobb Dr.
Marietta Blvd.
Chattahoochee River
Gordon Rd.
Bankhead Hwy.
Northside Pkwy.
Peachtree Rd.
W. Paces Ferry Rd.
E. Roxboro
La Vista Rd.
Briarcliff Rd.
Lawrenceville Hwy.
Mtn. Industrial Blvd.
La Vista Rd.
Rockbridge Rd.
Harmony Ct.

P.555
バックヘッド地区
ピードモント公園
（植物園）
ミッドタウン地区
Scott Blvd.
ジョージアストーン・マウンテン・パーク
Georgia Stone Mountain Park

アトランタ・ダウンタウン
P.550
E. Ponce DeLeon
フェーンバンク自然史博物館
Fernbank Museum of Natural History

Six Flags Rd.
シックス・フラッグス
Six Flags
Cascade Rd.
Lee St.
McDonough Blvd.
グラント・パーク
（サイクロラマ）
（動物園）
Jonesboro Rd.
Moreland Ave.
Memorial Dr.
DEKALB CO.

Camp Creek Pkwy.
Main St.
Central Ave.
Cleveland Ave.
Browns Mill Rd.

FULTON CO.
ハーツフィールド・
アトランタ国際空港

N

200km
5km

公共の交通機関で行ける絶叫ライドのパーク
シックス・フラッグス ★ Six Flags Over Georgia

　アトランタの西20kmにある巨大な遊園地。LAのマジック・マウンテンなどと同系列で、絶叫マシーン、ズブぬれマシーンが数々ある。Georgia CycloneやSplashwater Falls（水着が必要なほどぬれる）はとくに人気。スリリングなスタントショーをはじめ園内各所で行われるショーや、景品にぬいぐるみなどがもらえるゲームコーナーも見逃せない。地下鉄とバスで行けるのがうれしい。

3人の南軍英雄のレリーフがある
ジョージア・ストーン・マウンテン・パーク
★ Georgia's Stone Mountain Park

　アトランタ周辺は南部の豊かな緑でおおわれているが、ダウンタウンの東25kmのところに、まるで緑のじゅうたんからコブのように突然とび出た灰色の山がある。世界最大級の花こう岩から成るこの山がストーン・マウンテンだ。この山は側面に彫られた巨大な3人の騎馬像のレリーフで知られるが、その南軍英雄は、左からデービス将軍、リー将軍、ジャクスン将軍。レリーフの大きさは横58m、縦27mにも達する。

　レリーフを眺める絶好のポイントは、バス停裏のメモリアル・プラザ。ベンチに腰かけて眺めているとナレーションが流れてきて、レリーフの説明をしてくれる（リクエストすれば日本語のテープあり）。プラザの2階は南北戦争ミニ資料室になっている。正面からレリーフを見たら、次は岩肌まで近づいてみよう。山頂行きのケーブルカーに乗れば、3将軍の横顔がド迫力で迫ってくる。また、晴れていれば、山頂から眼下に広がる360度の大パノラマは文句なしの絶景だ。

　ストーン・マウンテンを中心に、周囲はストーン・マウンテン・メモリアル協会が管理運営する**広大な公園**になっている。開拓時代の汽車、ハイキング・トレイル、自動車博物館、ボート・クルーズ、南北戦争以前の南部生活をしのばせるアンテベラム・ハウスなどアトラクションが目白押し。スポーツなどのレクリエーションも楽しめ、できれば一日かけて家族連れで訪れたい。5月からレイバー・デーまでの夜は、レーザー光線によるショーも行われ、とてもエキサイティングだ。夏、車で訪れる人にはおすすめ。

Entertainment
エンターテインメント

アトランタ交響楽団 ★ Atlanta Symphony Orchestra

　ヨエル・レビ率いるアトランタ交響楽団が9月から翌5月にかけて、ウッドラフ芸術センター内の**シンフォニーホール**を舞台に活躍している。客演のソリストも一流。また、夏期にはポップス歌手を招いてのジョイントコンサートも開き、人気を博している。

花こう岩に彫られた南軍の英雄たち

シックス・フラッグス
🏠7561 Six Flags Pkwy., Austell, GA 30168
☎(770) 739-3420
📅5月下旬～8月以外は週末のみ開園。時間は10：00～18：00から10：00～24：00までとまちまちなので確認してから出かけよう
💰大人＄32.99、3～9歳＄16.50、駐車場＄6
AMV
🚃MARTA東西線終点のW5 Hightower駅からバス＃201で約12分。バスの料金はトランスファーのほかに75¢要
🗺P.556

ジョージア・ストーン・マウンテン・パーク
🏠US-78, P.O. Box 778, Stone Mountain, GA 30086
☎(770) 498-5700
📅ゲート―毎日6：00～深夜
アトラクション―毎日10：00～21：00（夏期）、毎日10：00～17：30（夏期以外）
💰車1台＄6（マルタバスで行く場合は無料）
🚃MARTA東西線 E7 Avondale駅より＃120"Stone Mountain"行きのバスで約40分。公園までのバスの本数は多い。途中までしか行かないバスの場合、降りてから30分くらい歩く
🗺P.556

アトランタ交響楽団
ホームホール――シンフォニーホール Symphony Hall, 1280 Peachtree St. NE, Atlanta
☎(404) 733-5000
🚃MARTA南北線、N5 Arts Center駅下車

★
アトランタ

ベースボール（MLB）

アトランタ・ブレーブス ★ Atlanta Braves
（ナショナル・リーグ中地区）

サイ・ヤング賞（最優秀投手賞）受賞投手を何人も有するアトランタ・ブレーブスは、'90年代最強のチームといわれている。とはいうものの、実際にワールド・シリーズを制したのは'90年代に入ってからわずか1回だけ。運がないといえば運がないのかも。アトランタ独自の応援方法は、うなりながらのトマホーク・チョップ。これをすればあなたももうブレーブス・ファンだ。

アメリカン・フットボール（NFL）

アトランタ・ファルコンズ ★ Atlanta Falcons
（NFC西地区）

アトランタっ子にとって、新たなスポーツ観戦の楽しみが広がった。アメリカン・フットボールのファルコンズが、'98〜'99のシーズンにチーム最多の14勝をあげ地区優勝、そして念願のスーパーボウル出場を果たしたのだ。デンバー・ブロンコスにチャンピオンの座は譲ったものの、万年Bクラスだっただけに市民の熱狂ぶりには相当なものがあった。チームの軸はRBのアンダーソン。彼のパワフルな走りに注目だ。

バスケットボール（NBA）

アトランタ・ホークス ★ Atlanta Hawks
（東・中地区）

創設以来長いこと勝率が5割を上回ることが少なかった弱小チームだったが、'80年代後半から着実に力をつけ、ここ数年はプレーオフに進んでいる。スター選手は'97〜'98のシーズンに守備のベストプレーヤーにも選ばれたムトンボ。

ホークスの本拠地

アトランタ・ブレーブス
本拠地——ターナー・フィールド Turner Field, 755 Hank Aaron Dr. (bet. Capitol Ave. & Washington St.)
☎ (404) 522-7630、577-9100（チケット）
🚃試合のある日にはFive Points駅やWest End駅からMARTAがスタジアムシャトル（バス）を走らせている。歩く場合にはGeorgia State駅からCapitol Ave.沿いに約20分

アトランタ・ファルコンズ
本拠地——ジョージア・ドーム Georgia Dome, 1 Georgia Dome Dr.
☎ (404) 223-8444（インフォメーション）
🚃MARTA東西線のW1 Omni駅下車
🗺P.550　A-1地図外

アトランタ・ホークス
本拠地——CNNセンター CNN Center, One CNN Center
☎ (404) 827-3865
🚃MARTA東西線W1 Omni駅を出て目の前
🗺P.550　A-1

★ 読★者★投★稿

野球観戦はSkyline Seatが絶対おススメ

アトランタ・ブレーブスの本拠地、ターナー・フィールドで、エクスポス対ブレーブス戦を観戦した。試合開始の3時間前に売り出されるSkyline Seatがお得だ。それは球場のいちばん端のシートだが、たった$1で大リーグの試合が見られる。しかし、チケット購入後はすぐに入場しなければならない。

アトランタはコカ・コーラの本拠地でもあるから、もちろん球場内ではコカ・コーラしか売っていない。ところが、ある女性4人組が球場内にペプシを持ち込み、飲み始めたのだ。すると、係員が飛んで来て、すぐさま没収してしまった。あっという間の出来事だった。ちなみにビールやソーダ類は持ち込みOK。

（レイ＆ケン　北海道　'98夏）
※編集室より——ビールやソーダといった缶やビン類を持ち込む際、球場によっては荷物検査があり、持ち込むことができないことがあります。球場によりますが、ペットボトルなら大丈夫というところもあります。

一日楽しめる
Lenox Square

🏠3393 Peachtree Rd. ☎(404) 233-6767
🕐月～土10：00～21：00、日12：00～18：00
🚇MARTA NE7 Lenox駅前　🗺P.555

　バックヘッドの中心となる大型ショッピング・モールで、その規模はダウンタウンのモールの比ではない。下からマーケット・コート・レベルMarket Court Level、モール・レベルMall Level、プラザ・レベルPlaza Levelの3層になっており、おもな出入口は最上階のモール・レベルにある。JW Marriott-Lenox Hotelとも接続している。

　マクドナルドからカルティエまで240店以上がそろっているのが特徴だ。デパートもニーマン・マーカスNeiman Marcus、リッチズRich's、メイシーズMacy'sとさまざまな客層に応えられるようになっている。（'98）

高級ショッピングモール出現
Phipps Plaza

🏠3500 Peachtree Rd. ☎(404) 261-7910
🕐月～土10：00～21：00、日12：00～17：30
🗺P.555

　Peachtree Rd.を挟んだレノックス・スクエア・モールの向かいに位置する。やや大衆的なレノックス・スクエアに対し、エレガントでゆったりとした雰囲気に包まれている。サックス・フィフス、ロード&テイラーなどデパートが3軒、ナイキタウン、グッチ、ベルサーチ、ティファニー、など高級店が90軒、加えて映画館なども入っている。（'98）

★ アトランタ

ダウンタウン周辺

ガラス張りの円筒形タワーがひときわ目立つ
Westin Peachtree Plaza

🏠210 Peachtree St. at International Blvd., Atlanta, GA 30303
☎(404) 659-1400、FAX(404) 589-7424
Ⓢ＄99～199、ⒹⓉ＄99～209 ＡⒹⒿⓂⓋ
🗺P.550　B-1

　高級チェーンホテルでおなじみのウエスティン。場所はPeachtree Center駅から徒歩30秒。1階にショッピング・アーケードが入っていて、とても便利。この円筒形のタワーは、アメリカのホテルとしては最高の高さを誇っている。1,068室。（'99）

アンダーグラウンドの目の前
The Suite Hotel at Underground

🏠54 Peachtree St. at Upper Alabama, Atlanta, GA 30303
☎(404) 223-5555、FAX(404) 223-5049
ⓈⒹ＄79～135　　　　ＡⒹⒿⓂⓋ
🗺P.550　B-2

　アンダーグラウンド1階の観光局の向かい、Five Points駅からも歩いて2分。どこに出かけるにも困ることはないし、買い物、食事もアンダーグラウンドが目の前と、観光には最高の条件。スイートホテルはアトランタ・ダウンタウンではここだけ。ロビーや食堂、ゆったりとした室内にはシックな配色がなされていて落ち着く。各部屋に冷蔵庫、ミニバーがあり、部屋によってはジャクージまであるなど、設備も申し分ない。（'99）

オリンピック・パークにもぜひ行こう

便利なロケーションの清潔なホテル
Comfort Inn Downtown Atlanta

🏠101 International Blvd., Atlanta, GA 30303
☎(404) 524-5555、FAX(404) 524-0218
Ⓢ＄79～159、ⒹⓉ＄89～179 ＡⒹⒿⓂⓋ
🗺P.550　B-1

　センテニアル・パークすぐ近くのホテル。シンプルながら明るく広い清潔な部屋は気持ちいい。プールもある。すいているときは安くなる可能性あり。ピーチツリー・センターやCNNセンター、オムニにも近い。260室。（'98）

快適なホテル
Sheraton Atlanta Hotel
🏠165 Courtland St., Atlanta, GA 30303
☎(404)659-6500、📞(1-800)833-8624、
FAX(404)523-1259
Ⓢ$189、ⒹⓉ$224～289　ＡＤＪＭＶ
🗺P.550　C-1

　MARTAのN1 Peachtree Center駅を
"Harris St. East"の方に出て左へ。Inter-
national Blvd.を東(左)へ2ブロック進んだ
Courtland St.との角にある。ロビーのある
北館と南館に分かれており、フィットネス
ルームやディスコなども付属している。
754室。　　　　　　　　　　　　　　　('99)

実用的でおトクなホテル
Atlanta Downtown Travelodge
🏠311 Courtland St. NE, Atlanta, GA 30303
☎(404)659-4545、📞(1-800)578-7878、
FAX(404)659-5934
HOMEwww.travelodge.com　🗺地図外
Ⓢ$69～84、ⒹⓉ$79～116　ＡＤＪＭＶ

　Peachtree Center駅から3ブロック。な
んの飾り気もないが、コーヒーメーカーも
あり、設備はしっかりしている。無料の新
聞、そしてロビーでは無料の朝食も取れる。
プールもある。71室。　　　　　　　　　　('99)

車で移動する人に最適
Fairfield Inn Downtown Atlanta
🏠175 Piedmont Ave. NE, Atlanta, GA 30303
☎(404)659-7777、📞(404)659-6518
Ⓢ$56～94、ⒹⓉ$66～104　　ＡＤＭＶ

　I-75/85の入口がすぐそこにあるので、
空港まで14分、ターナーフィールドまでわ
ずか2分という、車を利用する人には絶好
のロケーションにあるホテル。宿泊客には
家族連れが多い。MARTAのPeachtree
Center駅からEllis St.を東へ10分と徒歩で
の観光にも困ることはない。部屋はきれい
で、設備も充実。マリオット系列のホテル
なので、サービスに関しても安心して泊ま
ることができる。241室。　　　　　　　('98)

読★者★投★稿
設備も充実したヨーロッパのプチホテル風
Highland Inn
🏠644 North Highland Ave., Atlanta, GA
30306
☎(404)874-5756、FAX(404)875-7335

HOMEwww.travelbase.com/destinations/
atlanta/highland/　　　　　🗺地図外
Ⓢ$39、Ⓑ$49、スイート$59

　このホテルはインターネットで検索し、
Eメールで問い合わせたのだが、とにかく
対応が早く親切！　場所はジミー・カータ
ー・ライブラリーの近く。#16のバススト
ップが10mくらいのところにあり、そこか
らFive Points駅まで5分ほど。観光するの
にまったく不自由はなかった。建物はヨー
ロッパのプチホテルといった感じ。私の泊
まった部屋は、外観と同じく落ち着いたピ
ンクベージュで、壁には絵も飾ってあった。
設備やアメニティもそろっているし、シー
ツ類もきれいだった。無料の朝食がロビー
に用意されている。チェックイン時にデポ
ジット($25)と宿泊費を払う。主要クレジ
ットカードやT/CもOK。電話代などを差
し引いたデポジットの残金は、カードや
T/Cで支払っても現金で返金される。私が
予約したときには、International Discount
ということで、10%おまけしてもらった。
　　　　　　　　　（崎山順子　神奈川県　'98春）

ミッドタウン
愛らしいB&Bで古き良き日を
Shellmont Bed & Breakfast
🏠821 Piedmont Ave. NE, Atlanta, GA 30308
☎(404)872-9290、FAX(404)872-5379
HOMEwww.shellmont.com　🗺地図外
Ⓢ$95～115、ⒹⓉ$120～150、スイー
ト$120～200　　　　　　　　　ＡＤＪＭＶ

　静かなミッドタウンに建つビクトリア朝
様式の家で、市の史跡に指定されている古
い建物だ。内部に入るとまるで100年のタ
イムスリップを起こしたような錯覚にとら
われる。オーナー夫妻はとても温かい人柄。
全6室。　　　　　　　　　　　　　　　　('99)

シェルモントB&B

全部で18室のかわいいホテル
Beverly Hills Inn
🏠65 Sheridan Dr. NE, Atlanta, GA 30305
☎ (404) 233-8520、FAX (404) 233-8659
HOME www.beverlyhillsinn.com
Ⓢ＄90〜110、Ⓓ＄90〜140、スイート
＄120　　　　ADJMV　地地図外

　アトランタの町並みにぴったりとマッチ
するすてきな外観。ダウンタウンから北へ
15分ほどで、とても静かなところ。空港か
らタクシーで約35分（＄25）。18室。（'98）

ミッドタウンの安いゲストハウス
Midtown Manor
🏠811 Piedmont Ave. NE, Atlanta, GA 30308
☎ (404) 872-5846 (8：00〜21：00)、
☎ (1-800) 724-4381、FAX (404) 875-3018
HOME www.trdital.com/Midtown/manor.
ⓈⒹ＄45〜85　　　　AMV　地地図外

　深い緑に囲まれた静かな環境にあるゲス
トハウス。TV、エアコン、電話は完備。
コインランドリーもある。2人のオーナー
が住み込みで、サザン・ホスピタリティを
発揮してくれる。N3 MARTAのNorth
Avenue駅かN4 Midtown駅から歩いて15分
ほど。バスなら#31が便利。57室。（'98）

環境の良い場所にあるB&B兼ユース
Woodruff B&B Inn
🏠223 Ponce de Leon Ave., Atlanta, GA
30308　☎ (404) 875-9449、2882
FAX (404) 870-0042
ドミトリー＄15〜18　AMV　地地図外

　MARTAのN3 North Avenue駅から徒歩
10〜15分。North Ave.を東へ4ブロック歩
いてMyrtle St.を左折した次の角。
　朝はドーナツとコーヒーが出る。キッチ
ンあり。ユースホステルも兼ねており、詳
しくはユースのホームページ（HOME
www.hiayh.org/ushostel/sereg/atlant.htm）
で見られる。ベッド数は80。12室。（'99）

バックヘッド

バックヘッドのエレガント・プレイス
JW Marriott Hotel at Lenox
🏠3300 Lenox Rd. NE, Atlanta, GA 30326
☎ (404) 262-3344、☎ (1-800) 228-7014、
FAX (404) 262-8689
HOME www.marriotthotels.com/marriott/
ATLJW/　ⓈⒹⓉ＄149〜198　ADJMV

地P.555
　高級ショッピングセンターや巨大なショ
ッピングモールがあるバックヘッド地区に
は風格のある高級ホテルが林立している。
地下鉄のN7 Lenox駅にもっとも近いのが
このJWマリオット。371室。
　ロビーは意図的に小さくつくられ、派手
すぎない豪華さを演出している。ホテル内
はクラシックで重厚なイメージを大切に作
られていて、宿泊客は贅沢な安心感に包ま
れる。
　建物づたいに隣のレノックス・スクエア
へ行けば、朝から晩までショッピング三昧
だ。（'99）

エレガントにショッピングあとを
Terrace Garden Hotel Buckhead
🏠3405 Lenox Rd. NE, Atlanta, GA 30326
☎ (404) 261-9250、FAX (404) 848-7391
Ⓢ＄135〜190、ⒹⓉ＄145〜190
　　　　　　　ADJMV　地P.555

　MARTAのNE7 Lenox駅前にあるLenox
Innの姉妹ホテルで、こちらはもっとエレ
ガントなホテルになっているが、ショッピ
ングに絶好のロケーションは変わらず。こ
こなら、大きなショッピングバッグをいく
つ抱えても確実に部屋までたどり着けるは
ず。フィットネス設備、ラケットボールの
コート、サウナ、プールが整っている。部
屋にはバスローブ、ロビーにはカクテルと
オードブル、と至れり尽くせりで、朝食も
付いてくる。ショッピングに疲れた体をゆ
っくり休めることができる。（'99）

高級住宅街にあるエンバシー・スイート
Embassy Suites Atlanta-Buckhead
🏠3285 Peachtree Rd. NE, Atlanta, GA 30305
☎ (404) 261-7733、FAX (404) 262-0522
ⓈⒹ＄139〜149、Ⓣ＄159〜169 ADMV

　客室が広くて朝食付きのうれしいホテ
ル。場所は、MARTA南北線Lenox駅から
800mの高級住宅街。レノックス・スクエ
アも近く、ダウンタウンの中心までは地下
鉄を使えば簡単に行ける。（'98）

週末料金でリッチな気分に浸れるホテル
The Westin Atlanta North at Perineter

住7 Concourse Pkwy., Atlanta, GA 30328
☎(770) 395-3900、℡(1-800) 937-8461、
FAX (770) 395-3935　地地図外
平日⑤①＄129～179、週末⑤①＄79～109

　空港またはアトランタ市内よりMARTA
でDunwoody行きに乗りN18 Medical
Center駅で下車。そこから歩いて10～15分
くらい。近くにはモールがありショッピン
グには便利。屋外プール、大きなフィット
ネスセンターが完備されている。平日のレ
ートに比べ週末がグンと安くなる。設備は
新しく充実しており、とても気持ちがよい。
朝食付き。
　　（Mac Nitta　ペンシルバニア在住　'98冬）

空港周辺

空港近くの便利なホテル
Howard Johnson Atlanta Airport Hotel

住1377 Virginia Ave., Atlanta, GA 30344
☎(404) 762-5111、FAX (404) 762-1277
HOME hojo.com　　　地地図外

⑤＄89～159、①①＄99～179　ADJMV

　アトランタのダウンタウンには安いホテ
ルが少ない。「この値段ではちょっと」と思
うようなときには空港周辺のホテルをあた
ってみよう。アトランタ空港はダウンタウ
ンから地下鉄でわずか15分なので不便では
ない。

　そんな空港周辺のホテルのなかでオスス
メがこのホテル。空港からは無料シャトル
バスで約5分。バスは24時間運行していて
バゲージクレーム横のホテルバン用のター
ミナルから出発している。遅いフライトで
空港に到着したり、どんなに遅く観光から
帰ってきても安心してホテルまでの移動が
できる。ホテル内にはレストラン（毎日6：
30～24：30）が入っているし、ファストフ
ード店も数店がすぐ近くにあるので夜食に
も困らずにすむ。夏には屋外プールで泳ぐ
こともできる。コーヒーメーカー、セーフ
ティボックス、ランドリールームなどの設
備が整っているのでぜひ活用しよう。日本
からトップレップ社〔☎(03) 5403-2551〕を
通して予約することもできる。189室。
　　　　　　　　　　　　　　　　（'99）

★ ★ ★ ★ **レストラン** ★ ★ ★ ★
Restaurant

南部料理に挑戦するならここへ
Pittypat's Porch

住25 International Blvd. NW
☎(404) 525-8228
開日～木16：30～21：00、金土16：30
～22：00　　　　AMV

　円筒型のウエスティン・ホテルとInter-
national Blvd.を挟んだ場所にあり、入口で
はサザンベルを着た南部美人が歓迎する。
　こってりとした味つけの伝統的な南部料
理が温かそうな湯気をたて、香ばしさを振
りまいて目の前に運ばれてくるときの充実
感たるや…。店名のピティ・パッツは『風
と共に去りぬ』に登場するピティ・パッツ
おばさんのこと。前菜＄5～6。メイン＄20
弱。デザート＄4.50。
　　　　　　　　※
　B&Bのご主人にすすめられて行ったが、
店の雰囲気もよく、料理はボリューム満点。
ピアノの生演奏もあり。圧巻はメインディ
ッシュに付く、南部料理の入ったサラダバ
ー。10種類以上もめずらしい料理が並び、

つい取りすぎてメインが食べられなくなっ
てしまうほど。仕上げは南部名物のピーカ
ンパイをどうぞ！　翌朝まで満足感がある
はずだ。　　　（伊藤恵子　川越市）（'98）

CNNセンター

アンソニーズの南部料理

最高にオシャレなレストラン
Anthony's Plantation Restaurant
🏠3109 Piedmont Rd. NE
☎(404) 262-7379
🕐月～土18：00～23：00　ＡＭＶ　🗺地図外

　アトランタの著名人にこよなく愛されているアンソニーズ。この趣あるプランテーション・ハウスは、アトランタの町もまだできていなかった1797年にできたものだ。

　現在も当時そのままの12のダイニング・ルーム、優しく光の射し込むサンルームなどで食事がサービスされる。

　この店のもうひとつの自慢は、地下のワイン倉庫。ワインセラー入門講習会が行われているが、これまた大盛況。食事に合わせてワインを選んでもらってはどうだろう。

　食事内容はフランス料理に南部料理のボリュームをプラスしたゴージャスメニュー。前菜＄7～9、メイン＄20前後。　　　　（'98）

南部の家庭料理が味わえる気取らない店
Mary Mac's Tea Room
🏠224 Ponce de Leon Ave.
☎(404) 876-1800
🕐朝食月～金7：00～11：00、土日9：00～12：00、ランチ月～土11：00～16：00、日11：00～15：00、ディナー月～土16：00～21：00
🚇MARTA N3 North Ave.下車　🗺地図外

　1930年代から営業している店でカーター元大統領もファンだったとか。といってもカジュアルな店なのでドレスアップの必要はない。フライドチキン、ニジマスのフライ、コーンブレッド、ブラック・アイド・ピー（目玉模様の豆の煮物）、ターニップ・グリーン（かぶの葉の煮物）などメニューは南部のおふくろの味ばかり。Georgia Peach Cobblerというピーチ・パイもおいしい。ランチ＄6～9、ディナー＄10前後。　　　　（'98）

読★者★投★稿
ユースの斜め向かいにあるピタの店
Marco's Pita

　『Mary Mac's Tea Room』の隣にある。おなじみのピタにはさんだサンドイッチが＄3～5と手ごろ。MARTA N3駅下車。
　　　　（廣津久子　コロラド在住　'98冬）

読★者★投★稿
朝食用のパンを買うなら
Atlanta Bread Company
🕐月～金7：00～21：00、土7：00～18：00、日9：00～18：00　　🗺地図外

　MARTA N3駅で降り、North Ave.沿いのRio Mallの中にあるベーカリー。朝はベーグルも＄1からある。ピーチツリー通り沿いにも支店があった。
　　　　（廣津久子　コロラド在住　'98冬）

アトランタのもうひとつの名物料理、チリドッグ

世界最大のドライブインでチリドッグを！
Varsity
🏠61 North Ave.　☎(404) 881-1706
🕐日～木9：00～23：30、金土9：00～1：30
🚇N3 North Ave.駅からNorth Ave.を西へ徒歩5分　　🗺地図外

　1928年から続いているファストフード店で、いまやアトランタで最も有名な店。North Ave.から見るとどうってこともない店だが、裏手に2階建ての巨大な駐車場がある。'50年代、ここにイカツイ顔をしたオープンカーがずらりと並び、中ではフレアスカートの彼女を連れた若者がチリドッグやハンバーガーにかぶりついていたという。いまでは学生やビジネスマンが中心になったが、ランチタイムの繁栄ぶりは変わらない。客は1日平均16,000人、従業員約200人、カウンターの長さは約46m、消費するチリドッグは1日1万4千個、ポテトは1トン!!…とすごい数字が並ぶ。　（'98）

★
アトランタ

歴史センターの一角で優雅なランチを
Swan Coach House
⌖3130 Slaton Dr.　☎(404) 261-0636
🕐月～土11：30～14：30　🚫日
🗺P.555

　アトランタ歴史センターの一角にあるおしゃれなレストラン。女性向けの上品な店だが値段はカジュアルで、シーフードやチキンを中心としたヘルシーなメニューが$6.25～7.95（マフィンとサラダ付き）。サンドイッチの種類も多い。ケーキ$2.50～2.95も好評で、French Silk Swan、Heavenly Lime Delightなど名前も素敵。営業時間が短いので気をつけて。　　　（'98）

大人気のダイナー
Buckhead Diner
⌖3073 Piedmont Rd. & E. Paces Ferry Rd.
☎(404) 262-3336
🕐月～土11：00～24：00、日16：00～22：00　🚫おもな祝日　AMV　🗺P.555

　タクシーがないと不便な場所だが、連日大勢の人が詰めかけている。モナコのステファニー王女が行列に並んで待っていたという逸話まであるほどだ。ネオンを使った外装やインテリアが超モダンなら、料理も挑戦的。ワイン片手につまむオードブルがどれも安くておいしい。ランチなら$10～15、ディナーでも$20くらい。デザートはアメリカ人でも驚くサイズなので2人でひとつで十分。　　　（'98）

ダウンタウンのど真ん中にデンとある
Hard Rock Café
⌖215 Peachtree St. NE
☎(404) 688-7625
🕐毎日11：00～24：00　🗺P.550　C-1

　Peachtree Center駅のそばで、ホテル街からも近い。町のメインストリートにあるのだから、歩いていれば嫌でも目に入る。
　　　（山野智章　大阪府）（'98）

ハードロック・カフェの向かい
Planet Hollywood
⌖Peachtree & International, 218 Peachtree St. NW　☎(404) 523-7300
🕐毎日11：00～1：00　🗺P.550　C-1

　ダウンタウンの店は6時ごろに閉まってしまう店が多く、夜はあまり人通りがない。そんななかで外まで人があふれているのがプラネット・ハリウッド。入口で名前を言って、呼ばれるまで20～30分待たなければならないが、ギフトショップをのぞいたり、展示してあるものをのぞいたりと飽きない。『フォレスト・ガンプ』のトム・ハンクスの衣装や『天使にラブ・ソングを…』のウーピー・ゴールドバーグの衣装、『スカーレット』の衣装、そして、シュワルツェネッガーの実物大のロウ人形もある。従業員も皆明るくて楽しい。ピーチツリーセンターの駅からすぐ近くで、夜でも安全な場所にある。　（松本直子　浦和市）（'98）

いま、超人気のレストラン
Hooters
⌖Underground, 50 Upper Alabama St.
☎(404) 688-0062　🗺P.550　B-2, 3

　いちばんのおすすめは"チキン・ウィング"（鳥の手羽のフライドチキン）。10個で$5.25と非常に安い。その他"カーリー・フレンチ・フライ"というフライドポテト$1.75もおいしい。オイスター、シュリンプも大きい。
　そして何よりもここの特徴は店員のコスチューム。タンクトップにショートパンツという非常に健康的な女の子たちが店員。それでいていやらしさはまったくなく、女の子同士の客もたくさんいた。ぜひ立ち寄ってもらいたい店。（後藤宏　小金井市）（'98）

いま手ごろな値段で、陽気なレストラン
Mick's
⌖Underground　☎(404) 525-2825
Lenox Square Mall　☎(404) 262-6425

　市内に8店舗あるが、観光客が利用しやすいのは上記の2軒。南部料理を含んだアメリカ料理の店で、メインディッシュが$10前後とボリュームのわりには手ごろな値段。そのせいかアトランタっ子に人気で、アンダーグラウンド店にはいつも列ができている。おすすめはスパイシーなフライドチキン。ディップがはちみつ味とケチャップ味の2種類付く。店員もお客も(!?)南部らしくフレンドリーだ。
　　　（武内雅代　仙台市）（'98）

New Orleans

ニューオリンズ

　ニューオリンズという町の名前から何を連想するだろう。ジャズ、ディープ・サウス、黒人奴隷、植民地、フレンチ・クォーター、カキ、クレオール料理……etc.。フランス、スペインの支配による100年余りの植民地時代やいくつかの変遷を経て、ニューオリンズはどこかヨーロッパの雰囲気を漂わせる町だ。エキゾチックな空気は、風土や建築物だけではない。クレオールと呼ばれる、代々続くニューオリンズっ子と彼らのスピリット。町の歴史がそれらすべてを訪れる人に証明してくれる。

　ルイジアナ州の南東部、ミシシッピ川のデルタ地帯に発達したニューオリンズは、別名クレセント・シティ（三日月市）とも呼ばれ、北緯30度、日本の屋久島とほぼ同緯度に位置する、南の匂いのする町だ。

ダウンタウンへの行き方　★ Access

空港

ニューオリンズ・モイサン国際空港
New Orleans Moisant International Airport（MSY）

　ダウンタウンの西約20kmに位置している。ターミナルは2層構造で、東西2つに分かれている。

●空港シャトルバン　Airport Shuttle　バゲージクレームを出たところでチケットを買ってからブルーゾーンで乗る。ホテルまで15分ごとの出発で所要時間約30～50分。

Airport Shuttle
☎ (504) 465-9780
圏片道 $10

d a t a

人　口	約484,000人		9%
面　積	516km²		ホテル・タックス
標　高	最高8.4m、最低1.2m		11%＋$2
市の誕生	1805年	属する州	ルイジアナ州
情　報	Times-Pacayune		Louisiana
	(新聞) 35¢、日曜	州のニックネーム	ペリカン州
	版$1、エンターテ		Pelican State
	インメントは木曜版	時間帯	セントラル・タイム
T A X	セールス・タックス		ゾーン

NEW ORLEANS,LOUISIANA
気温(℃) / 降水量(ミリ)
最高気温 最低気温

Jefferson Transit

☎ (504) 737-9611

🎫 $1.50。お釣りはもらえないので小銭を用意しておくこと

🚌運行：平日は空港発5：30〜17：40、CBD発6：09〜18：30で10〜30分ごと、休日は空港発6：00〜17：30、CBD発6：40〜18：10で1時間に1〜2本の運行。所要時間1時間

タクシー

🚕1〜2人のとき$21、3人以上のときは1人あたり$8。所要時間は約25〜30分

ユニオン・パッセンジャー・ターミナル

🏠1001 Loyola Ave. & Howard Ave.

☎ (504) 525-6075

グレイハウンド：☎ (504) 524-7571、📞 (1-800) 231-2222

アムトラック：📞 (1-800) 872-7245

🕐24時間営業、アムトラックのカウンターは毎日6：00〜22：00

🚕タクシーの基本料金は$2.20。フレンチ・クォーターまでならチップ込みで$4弱、5分で行ける。徒歩なら、Loyola Ave.を左に進むとダウンタウンの中心。Poydras St.までは4ブロック、Canal St.まで9ブロック。RTAバスが走っている

🗺P.568　A-1

Greater New Orleans Tourist & Convention Commission, Inc.

🏠529 St. Ann St., New Orleans

☎ (504) 242-2600

🕐9〜2月の毎日9：00〜17：00、3〜8月の毎日10：00〜18：00

🗺P.569　D-2

●路線バス　**Jefferson Transit**　バスは2階の外に向かっていちばん右の"5"のドアを出たところにある島状の場所（オレンジゾーン）から乗る。RTAバスと異なるので注意。CBD（Central Business District）のエルク・プレイス（Tulane Ave.とLoyola Ave.の角）まで。

●タクシー　到着階（下階）のグリーンゾーンから乗る。空港からCBD、フレンチ・クォーターまでは、メーター制ではなく規定の料金がある。

長距離バス・鉄道

ユニオン・パッセンジャー・ターミナル
Union Passenger Terminal

　スーパードーム近くにある、グレイハウンドバスとアムトラックの合同ターミナル。Loyola Ave.側から入ると正面にアムトラックのチケットカウンター、左にグレイハウンドのチケットカウンターがあって、それぞれの奥が乗り場になっている。コインロッカー、レストラン、郵便局も入っており、清潔で広いターミナルだ。Loyola Ave.側に出るとタクシーが待っている。

ニューオリンズの歩き方　★ Walking

　観光ポイントのほとんどは旧市街、**フレンチ・クォーター**に集中している。フレンチ・クォーターとは、Esplanade Ave.、Canal St.、N. Rampart St.、ミシシッピ川に囲まれたエリア。ここでは特定の見どころに向かって歩くのではなく、ブラブラと歩き回るのがニューオリンズ流。この町のもつ独特の雰囲気がゆっくりと伝わってくる。ジャクソン広場で大道芸を眺め、街角のテラスでベニエとカフェオレを楽しみ、遊歩道でミシシッピを感じ、バーボン通りでジャズに浸る…。

　フレンチ・クォーター以外では、St. Charles St.を走る市電にも乗ってみたい。少し走ればガーデン・ディストリクトの美しい家並みに出会うことができる。

　時間があったら南部の栄華を伝える郊外の**大邸宅ツアー**や、湿原をボートで走る**スワンプツアー**、ミシシッピ川クルーズなどにもぜひ参加して、南部の空気を満喫しよう。

　なお、ニューオリンズで道を表すときには、他のアメリカの都市のように「東へ何ブロック」「南西の角」などという言い方はしないので注意。ミシシッピ川の流れと、ポンチャトレイン湖を基準にして、ダウンリバー（下流へ）、アップリバー（上流へ）、リバーサイド（川側へ）、レイクサイド（湖側へ）と言う。

観光案内所　★ Information

Greater New Orleans Tourist & Convention Commission, Inc.

　フレンチ・クォーター内、ジャクソン広場に面したところにある観光案内所。地図やパンフ類がひととおりそろうほか、安いホテルの紹介も行っている。

また、空港内の東西両ターミナルそれぞれの出発ロビーにもデスクがある。こちらでも同様の地図やパンフが入手できる。

市内の交通機関 ★ Public Transportation

Regional Transit Authority (RTA)

市電や市バスを運行している組織。普通の市バスのほかに、以下のようなバス、電車も運行している。観光に便利なものばかりだ。

●**ビュ・カレ　Vieu Carré**

おもにフレンチ・クォーター内を走るトロリーのような形をしたバス。

●**セントチャールズ・ストリートカー（市電）**
St. Charles Streetcar

St. Charles St.をアップリバー方面へ。ガーデン・ディストリクトを通り抜け、オーデュボン公園、アップタウンまで走る。

●**リバーフロント・ストリートカー　Riverfront Streetcar**

ミシシッピ川沿いにEsplanade Ave.からJulia St.まで走る赤い電車。

●**マガジン・ライン　Magazine Line**

RTAバスの#11。Magazine St.をCanal St.からオーデュボン動物園前まで走っている。

※

以上の交通機関を1日または3日間乗り放題のバスがある。**Visitor Pass**というもので、**1日用が$4、3日用が$8**。バスは観光案内所、ホテルなどで購入することができる。

13カ所で乗り降り自由なループ・ツアー
グレイライン・トロリー・ツアー　Gray Line Trolley Tour

トロリーバスで市内の観光ポイントを2時間弱で回るループ・ツアーが便利だ。10カ所で自由に乗り降りできる。ツアーパス（シール）を見せればほとんどの博物館の入場料が割引にもなる。バスは1時間ごとに来るので1カ所を1時間で見学すれば効率が良い。出発はジャクソン・ブリュワリー裏（河畔）のチケットオフィスから。始発は9：00、最終は16：00発。

ループ・ツアーのおもなストップ

リバーウォーク・マーケットプレイス（最終16：20）、マガジン通りのアンティーク街（16：40）、ユニオン・パッセンジャー・ターミナル（16：50）、スーパードーム（16：55）、ニューオリンズ美術館（17：20）、旧合衆国造幣局（17：35）

RTA
🏢101 Dauphine
☎(504) 569-2700
🚌バスは$1（トランスファーは追加10¢）、急行バス$1.25

ビュ・カレ
運行：月〜金のみ
🕐月〜金5：00〜19：00、土日8：00〜18：00
🎫$1。トランスファー10¢

セントチャールズ・ストリートカー
運行：毎日24時間（深夜は1時間に1本）走っている
🎫$1、トランスファーは10¢

リバーフロント・ストリートカー
運行：月〜金6：00〜24：00、土日8：00〜24：00
🎫$1.25。トランスファーは10¢。本数は多い

マガジン・ライン
運行：毎日5：00〜26：30
🎫$1、トランスファーは10¢

グレイライン・トロリー・ツアー
☎(504) 587-0861
🎫大人$19、子供9.50

★
ニューオリンズ

観光の町だけあって馬車もよく往来している
ジャクソン広場のストリート・ミュージシャン

567

ツアー案内 ★ Sight-seeing Tour

グレイライン
☎ (504) 587-0861、569-
1401、🆃 (1-800) 535-7786、
🅷🅾🅼🅴 www.grayline.com/n
eworleans

グレイライン　Gray Line of New Orleans
出発場所：グレイライン・チケットオフィスより。Toulouse St.
at Mississippi River

観光バスのなかではスワン
プ・ツアーが人気がある。ニ
ューオリンズまでの送迎をし
てくれる

番号	ツアー名	料金	運行	所要時間	内容など
SC	Super City Tour	$19	2/1～11/30の毎日9：00、11：00、12：00、14：30発（上記以外の季節は14：30発なし）	2時間	市内の歴史的建築物などを見て回るバスツアー。一部、歩いて回る。ポンチャートレイン湖の湖畔も走る。
MC	Multi-Lingual Tour	$25	毎日10：00発	2時間	Tour SCツアーのカセットによる日本語解説付き。
RR	River Road Plantations	$40	2/1～11/30の毎日9：00発	7.5時間	ニューオーリンズ郊外の2つのアンテベラム・ハウスを見学する。ケイジャン・ランチ付き。
SB	Swamp and Bayou	$38	2/1～11/30の毎日9：00、11：00、13：00発	3.5時間	南ルイジアナのバイユー（湿地帯）を回る人気のツアー。途中、ワニなどの野生の動物に遭遇することもよくある。
CC	Crescent City Nights-A Walking Tour	$63	火～日18：00発	4.25時間	南部料理に舌鼓を打ったあと、ライブハウスでジャズを楽しむ。そのあと、バーボン・ストリートを練り歩き、カフェ・ドゥ・モンドで名物のベニエとカフェオレを飲む。21歳未満は参加不可。

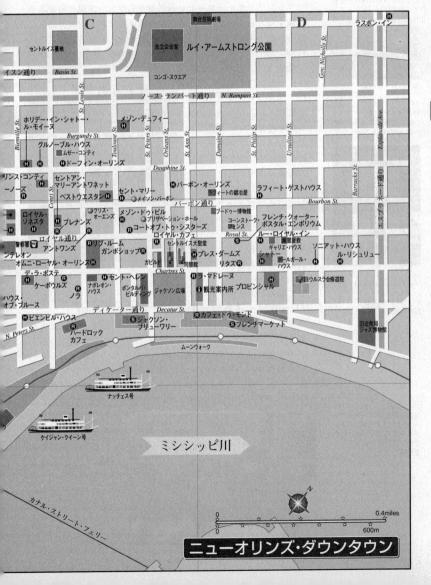

**フレンチ
クォーター**

★

**French
Quarter**

ここに気をつけて
　夜のフレンチ・クォーターは、通りを1本入っただけでガラリと雰囲気が変わる。とくにバーボン・ストリートよりレイクサイドは歩かないほうがいい。

フレンチ・クォーターでの昼と夜の過ごし方
　昼間はジャクソン広場周辺の由緒ある建物をのぞいたり、ロイヤル通りのアンティーク・ショップをひやかしたりして過ごし、あたりが暗くなってからバーボンへ。これがノーマルかつベストなパターンだ。

フレンチ・クォーターには、大道芸人も多い

バーボン・ストリート
📖P.568、569　B、C、D-2

注意：夜のフレンチ・クォーターは、バーボン・ストリート以外では人通りも少ない。短距離でもタクシーを利用しよう。

ニューオリンズの旧市街地
フレンチ・クォーター ★ French Quarter

　ニューオリンズの観光拠点であるフレンチ・クォーターは、町の旧市街。ビュ・カレVieux Carréとも呼ばれ、ミシシッピ川、ランパート・ストリートRampart St.、カナル・ストリートCanal St.、エスプラネード・アベニューEsplanade Ave.に囲まれた6×12ブロック。ほとんどの観光ポイントはミシシッピ川寄りの約半分のエリアに集まっており、歩いて回れる。

　フレンチ・クォーターという名前からフランス風の町並みを想像する人も多いだろうが、実際の家々はスペイン人によって作られたもの。1718年に入植したフランス人が築いた建物は1788、1794年の大火によって焼失した。このときにニューオリンズを統治していたスペイン人によって、通りに張り出した2階のバルコニーと鉄レース細工を施したフェンス、パティオと呼ばれる中庭が特徴の現在の町並みが築かれた。

鉄レースがニューオリンズらしい

　アメリカにしてはめずらしくゴチャゴチャとした町の、それもごく狭い一角が、世界中から観光客やジャズマン、絵描き、作家、大道芸人を吸いよせている。

夜になると活気づく名物ストリート
バーボン・ストリート ★ Bourbon Street

　フレンチ・クォーターの中央をミシシッピ川と並行に貫く通りで、ジャズ・ファンならずともニューオリンズに来たら、いの一番に訪れたいところ。ライブハウス、クレオール料理やオイスター・バーのレストラン、かなり目をひくアダルト・ショップ、街角に立つジャズマンのタマゴや大道芸人……。ライブハウスは24時間営業の店が多く、昼間でもあちこちからジャズのリズムが聞こえてくる。

　しかし、やはりこの通りは夜にならないと活気づかない。夜9時以降にもう一度足を運ぼう。

夜のバーボン・ストリート

アンティークショップが多い
ロイヤル・ストリート ★ Royal Street

　バーボン・ストリートよりも1本川寄りの通り。アンティーク・ショップとギャラリーが多くてフランスのムードがいっぱい。とくにギフトショップがたくさんある。ただし、ロイヤル・ストリートのギフトショップはセンスは良いけれど高い。

　なお、この通りの915番地には**コーンストーク・フェンスCornstalk Fence**という有名なフェンスがある。1834年に作られたもので、トウモロコシや朝顔をモチーフにした鉄鋼細工がみごとなのでお見逃しなく。

ロイヤル・ストリートのコーンストーク・フェンス

コーンストーク・フェンス
🏠915 Royal St. Dumaine St.とSt. Philip St.の間
🗺P.569　D-2

ジャズファンはここをめざす
プリザベーション・ホール ★ Preservation Hall

　ニューオリンズで最も有名なジャズクラブで、その古びたたたずまいや鉄鋼細工の看板と扉は、さながらセピア色の写真から抜け出してきたよう。ぜひ明るいうちに見ておきたい。詳しくはナイトスポットの項（P.579）参照。

昼間はまるでボロ小屋にしか見えないプリザベーション・ホール

プリザベーション・ホール
🏠726 St. Peter St.
☎ (504) 522-2841、523-8939
🏠St. Peter St.の、BourbonとRoyalの間
🗺P.569　C-2

★
ニューオリンズ

かつてのニューオリンズらしい家
ギャリエ・ハウス ★ Gallier House

　1857年に建てられたギャリエ・ハウスは、フレンチ・クォーターのなかでも最も古い家のひとつ。家は19世紀半ばニューオリンズで流行した典型的なスタイル。間口は狭いが奥行があり、建物はL字型をしている。当時台所は火事を避けることから棟が分かれており、召使いの部屋がすぐ横に位置する。

ギャリエ・ハウス
🏠1118-32 Royal St.
☎ (504) 525-5661
🕐ツアーによる見学で月～土10：00～15：30、日12：00～16：30（最後のツアーは15：00発）
💵大人＄5、シニア・学生＄4、子供（5～11歳）＄2.50
🗺P.569　D-2

実はワックス・ミュージアムです
コンティ博物館 ★ Conti Musée

　ルイジアナの歴史にテーマを絞ったユニークなろう人形館。精巧に作られた人形たちが3世紀にわたる町の歴史を32の場面で再現してみせる。ジャクソン将軍からマルディ・グラのパレード、モダン・ジャズまで出てきて、英文の資料などを展示した博物館よりもよっぽどわかりやすい。日本語パンフあり。

コンティ博物館
🏠917 Conti St.
☎ (504) 525-2605
🕐月～土10：00～17：30、日12：00～17：30
🚫クリスマスとマルディ・グラ
💵大人＄6、4～17歳＄4.50、62歳以上＄5.50
🏠Conti St.の、DauphineとBurgundyの間
🗺P.569　C-1

ジャクソン広場にはストリート・ミュージシャンが多い

サイドバー情報

ジャクソン広場
P.569 C-2

カビルド
709 Chartres St.
☎ (504)568-6968
火～日10:00～17:00
休日、祝日
大人$5、シニア$4(司祭館、1850ハウス、州博物館との共通券は$10)
ジャクソン広場に面したChartresとSt.Peterの角
P.569 C-2

子供のパフォーマーたち

セントルイス大聖堂
☎ (504)525-9585
毎日7:15～19:15
無料
ジャクソン広場とChartres St.に面している。カビルドの隣
P.569 C-2

司祭館
751 Chartres St.
☎ (504)568-6968
火～日10:00～17:00
休日、祝日
大人$5、シニア$4(カビルド、1850ハウス、州博物館との共通券は$10)
ジャクソン広場の向かい、ChartresとSt.Annの角
P.569 C-2

海賊横丁
P.569 C-2

セントルイス大聖堂で結婚式を挙げるカップルもいる

本文

フレンチ・クォーターのヘソ
ジャクソン広場 ★ Jackson Square

プリザベーション・ホールから川へ向かって2ブロックのところにある公園。1721年に設立した当時は陸軍の閲兵場であったとか。その後1856年に、ニューオリンズの激戦で一躍英雄となったアンドリュー・ジャクソンを記念してジャクソン広場と呼ばれるようになった。現在、公園の中心に建つのは、のちに第7代大統領になった彼の像だ。公園では年間を通じてさまざまなイベントが行われ、4～8月と10～11月の毎週土曜12:00～18:00に開かれるジャズ・コンサートが人気。

ルイジアナはここでアメリカになった
カビルド ★ The Cabildo

Chartres St.を隔てたジャクソン広場の向かい。1795～99年にわたって建設された、元スペイン政庁。建物はコロニアル風、つまり米国初期のレンガ、木材を用いた簡単な建築様式となっている。この2階では、1803年フランスとアメリカのルイジアナ買収の締結がなされた。現在はルイジアナ州立博物館の一棟として、ニューオリンズ、ミシシッピ川の歴史、ルイジアナの工芸品などが展示されている。ナポレオン・ボナパルトのデスマスクは必見。

絵になる大聖堂
セントルイス大聖堂 ★ St. Louis Cathedral

ジャクソン広場の正面にそびえるスペイン風の大聖堂。1722年のハリケーン、1788年の大火で壊れ、1794年に再建。現存する大聖堂としてはアメリカ最古のものといわれる。内部の壁画やステンドグラスも見事。無料のガイドツアーもある。

神父たちが寝泊まりした
司祭館 ★ The Presbytere

18世紀の末から、隣のセントルイス大聖堂の神父の宿舎として、また19世紀には裁判所として使われた。現在はルイジアナ州立博物館の一棟となっており、陶磁器、歴史的な衣装、玩具、家具などを見学できる。

海賊が盗品を売りさばいた!!
海賊横丁 ★ Pirates Alley

セントルイス大聖堂とカビルドの間にある細い路地で、骨董

品屋、宝飾品店、古本屋などが軒を連ねている。その昔、海賊ジーン・ラフィットとジャクソン将軍が会合したとか、海賊が盗品をここで売りさばいていたなどの逸話があるが、真相のほどは定かではない。

アメリカ最古のアパート
ポンタルバ・ビルディング ★ Pontalba Buildings

　ジャクソン広場を隔てて両側に建つ2つの建築物を指す。フランスのポンタルバ男爵夫人のために建てられた、アメリカ最古といわれる赤レンガ造りのアパートで、現在も人が住んでいる。
　このうちSt. Peter St.側のビルの一室は人形館 Puppetoriumとして開放されており、50体のあやつり人形などを見学できる。また、反対側St.Ann St.にある1850 Houseでは、19世紀に作られたビクトリア調の家具などを展示したコーナーがある。

そぞろ歩きに最適
ムーン・ウォーク ★ Moon Walk

　ジャクソン広場の前の、ミシシッピ川沿いに続く遊歩道。川を往来する蒸気船、アップタウンの高層ビル、工場、港に停泊する大型船——フレンチ・クォーター以外のニューオリンズを見渡せる場所だ。観光の後の夕涼みにはもってこいだが、暗くなってからは歩かないこと。

ニューオリンズ市民の生活がいま見られる
フレンチ・マーケット ★ French Market

　200年近い歴史をもつ青果市場。野菜やフルーツ、その日に陸揚げされたカキなどが店頭に所狭しと並べられている。観光客目当てのギフトショップもあり値段も安いので、ロイヤル・ストリートあたりで買い物をする前に一度のぞいておくといい。また、「日本へ帰ってからもジャンバラヤやガンボを作ってみたい！」という人には、クレオールやケイジャン料理用のミックススパイスもおすすめ。
　そして、ここへ来たら決して素通りできないカフェがCafé du Monde。軽い口あたりのドーナツ、ベニエとカフェオレは、辛党の人でも一度は食べなければならないニューオリンズの味だ（詳しくはレストランの項P.589参照）。

ポンタルバ・ビルディング
Puppetorium, 514 St. Peter St.
1850 House, 523 St. Ann St.
☎ (504) 568-6968
火～日9：00～17：00
月、祝日
大人＄5、学生＄4（カビルド、司祭館、州博物館との共通券は＄10）
ジャクソン広場を隔ててSt. Peter、St.Annの両方の通りに面している
P.569 C-2

ムーンウォーク
P.569 C、D-2

フレンチ・マーケット
800～1000 Decatur St.
ジャクソン広場の斜め前に見えているのがCafé du Mondeで、マーケットはここから川沿いに続いている
P.569 D-2

生鮮食料品もおみやげ物も売っているフレンチ・マーケット

★ ニューオリンズ

テネシー・ウィリアムズと『欲望という名の電車』

　ニューオリンズのスラムに、身なりのよい輝くばかりの美しさをもつ女が市電の中から現れる。女の名はブランチ。ミシシッピの大農園主の娘だった彼女は、はるばるニューオリンズまで妹のステラを訪ねてやってきたのだが……。過去の夢と現実とのギャップにおびえながら、破滅への道をたどる。時代にほんろうされる主人公ブランチの運命は切なく悲しい。
　作者のウィリアムズはミシシッピ州生まれの

セントルイス育ち。彼の作品の多くは、南部の上流階級として育ち、その斜陽に順応できなかった人間の悲劇を描いている。この戯曲は、1948年にニューヨーク劇評家賞とピュリッツァー戯曲賞を受け、その後アメリカにとどまらず各国で上演され続けている。日本でもしばしば上演されるので、興味をもった人は芝居小屋、または映画館に足を運んでみてはいかが？

ルイジアナ州立博物館

400 Esplanade Ave.
☎ (504) 568-6968
🕐 火～日10：00～17：00
🚫 月、祝日
💰 大人＄5、学生＄4（カビルド、司祭館、1850ハウスとの共通券は＄10）
🚃 フレンチ・マーケットに面しており、入口はBarracks、Esplanade両方の通りにある
🗺 地図外

アメリカ水族館

Mississippi River at Canal St.
☎ (504) 581-4629、**HOME** www.auduboninstitute.org
🕐 日～木9：30～18：00、金土9：30～19：00季節によって短縮あり
🚫 クリスマス＆マルディ・グラ
💰 大人＄11.25、シニア＄8.75、子供（12歳未満）＄5
🚃 ムーン・ウォークから川沿いに南下するとCanal St.の手前にある。リバーフロント・ストリートカーの＃6 Canalで下車すると目の前
🗺 P.569 C-3

ミシシッピ川の生態系がわかるアメリカ水族館

ナッチェス号

☎ (504) 586-8777
🕐 2時間ツアーで大人＄14.75、子供（6～12歳）＄7.25、＄42.50（ディナー付）
🗺 P.569 C-2、3

ニューオリンズについてさらに知ることができる

ルイジアナ州立博物館
★ Louisiana State Museum（旧合衆国造幣局 Old U.S. Mint）

　ニューオリンズの数ある見どころのなかでも見逃せないのがここ。建物は1838～1862年と1879～1920年の間、造幣局として使われていた。ピーク時には1ヵ月に500万ドルのコインを製造、マニアの間ではコインに"O"のマークが入っていることで知られている。

　現在、内部はルイジアナ州立博物館の一棟になっていて2種類の興味深い展示を見ることができる。ひとつはジャズの誕生と変遷を数々の写真や資料でたどる**ジャズの歴史コレクション**。ルイ・アームストロングのトランペットなどがあり、映写室では懐かしの名演奏を見ることもできる。一方**カーニバルのコレクション**では、マルディ・グラをはじめとする祭りで使われる山車や衣装、仮面などが展示されている。

まるで海底を歩いているような

アメリカ水族館 ★ Aquarium of the Americas

　南北アメリカ大陸にテーマを絞った水族館で、2層構造の館内には500種、約6,000匹の海洋生物が生息している。なかでもカリブ海の海底を歩くコーナーが圧巻。サンゴ礁とそこに棲む熱帯魚やエイを見上げながらじっくり観察できる。アマゾンの熱帯雨林を再現したコーナーでは極彩色の鳥や巨大なヘビ、ピラニアなどを、ミシシッピ川のエリアでは世界でもめずらしい白いワニを見ることができる。また、巨大なサメが悠然と泳ぐ40万ガロンの水槽も迫力たっぷり！

アメリカの大動脈をクルーズしよう

ミシシッピ川クルーズ

　アメリカの大動脈ミシシッピ川や、川からのニューオリンズの景色を眺めたい人は、遊覧船に乗ってみるといい。トム・ソーヤ気分いっぱいの外輪船などいろいろなツアーが出ている。

●ナッチェス号　Natchez

　ジャクソン広場の近くから出航している最もポピュラーなクルーズ。船内にはクレオール料理のバフェとカクテル・バーがある。プランテーションまでのんびりと下る。ムーン・ウォークの隣、Jackson Breweryというショッピング・センター前のドックから毎日11：30＆14：30出発。出発の30分前までに乗船のこと。週末にはジャズのライブを楽しむディナー・クルーズ（19：00発、2時間）も運行される。

ミシシッピ川クルーズも人気があり、とくに食事付きはおトク感がある

574

●クレオール・クイーン号　Creole Queen

　カナル・ストリートの突きあたり、アメリカ水族館前のドックから出航。景色に飽きたら船内でランチ（別料金）もとれるし、日本語の解説テープも借りられる。10：30＆14：00出発。
　また、毎日20：00出発のディナー・クルーズも評判だ。ジャズを楽しみながらクレオール料理のバフェで舌つづみを打とう。

●ケイジャン・クイーン号　Cajun Queen

　カナル通りの突きあたりから出航。川からプランテーションを眺める90分のツアー。13：15の便はランチも用意され、ケイジャン料理（別料金）が味わえる。11：00、13：15、15：30発。

ニューオリンズ・セインツの本拠地

ルイジアナ・スーパードーム ★ Louisiana Superdome

★ ニューオリンズ

　建設費1億6,300万ドルを費やし、1975年8月3日に完成した世界最大のドーム型スタジアム。NFLのニューオリンズ・セインツの本拠地で、スーパーボウルも過去4回開催。正月のカレッジ・フットボールのイベント、シュガー・ボウルもここで行われる。収容人員はフットボールで76,000人、コンサートで最大10万人まで入る。内部をガイド付きで見て歩くツアーもあるので参加してみよう。Poydras St.から階段を上がって2階にチケットブースがある（1階の窓口はイベント用）。ツアーはプレス席、ラウンジ、テラス席などを含めて歩き回るというもの。所要時間45分ほど。

NFLセインツの本拠地ルイジアナ・スーパードーム

子供向け博物館

ルイジアナ子供博物館
★ Louisiana Children's Museum

　子供が大喜びの、さわって学ぶ博物館。市電の運転手やボートの船長になったり、スーパーのレジを打ったり…。シャボン玉遊びやブロック遊びに加え、科学の原理を用いた遊びもある。
　また、このあたりにはギャラリーがいくつかあり、**アート地区 Art District**とよばれている。通りは赤のレンガの壁で統一されており美しい。

この丘なあに？

　オーデュボン動物園内、African Savannaのコーナーに小さな丘がある。何ということのないただの盛り土だ。高さは27.5フィート（約8.4m）。実はこれ、丘というものを知らないこの町の子供たちに丘を経験させるために1933年に造られたニューオリンズ市内唯一の丘なのだ。そしてニューオリンズ市の最高地点でもある。この地がいかに低く平らな土地であるかを物語っているではないか。

世界貿易センター

世界貿易センター
📍2 Canal St.
☎ (504)581-4888
⏰トップ・オブ・ザ・マートは月～金10：00～24：00、土11：00～2：00、日14：00～24：00、展望台は毎日9：00～17：00（おもな祝日休み）
💰最低ワンドリンク（約＄4）注文する。展望室だけなら大人＄2、子供＄1
🗺️P.568 B-3

カナル・ストリート・フェリー
☎ (504)364-8100
運行：5：45～21：30（最終便はニューオリンズ側には戻らない）30分おきに出航
💰無料、車だと＄1
🗺️P.569 C-3

マルディ・グラ・ワールド
📍233 Newton St.
☎ (504)361-7821、フェリー乗り場に無料シャトルが待っている
💰大人＄8.50、子供＄4

オーデュボン動物園
📍6500 Magazine St.
☎ (504)581-4629、HOME www.auduboninstitute.org
⏰毎日9：30～17：00（土日～18：00）
🚫マルディ・グラ、おもな祝日
💰大人＄8、子供（2～12歳）・シニア＄4
🚌バス＃11（マガジン・ライン）で終点
🗺️地図外

MOMBASA
15分ごとの運行
💰＄1.75

ニューオリンズの鳥瞰を楽しむならココ

世界貿易センター ★ World Trade Center

　Canal St.がミシシッピ川に突き当たるところに建つ33階建てのビル。最上階にある回転ラウンジ、「Top of the Mart」からの眺望は抜群。ヨーロッパの町のようなフレンチ・クォーター、ミシシッピ川を行きかう船、遠くポンチャトレイン湖まで見渡せる。1時間半で1回転する。なお、32階には展望室がある。

タダでクルーズ気分が味わえる

カナル・ストリート・フェリー ★ Canal Street Ferry

　Canal St.の突き当たりにフェリー乗り場がある。ミシシッピ川を横切り、対岸のアルジェ Algiersとを結ぶフェリーだ。無料なので、ぜひ一度乗ってみよう。ちょっとしたリバークルーズの気分が味わえる。アルジェは不思議な懐かしさを感じさせる古く静かな町。マルディ・グラ・ワールド Mardi Gras Worldというマルディ・グラの博物館もある。

開放感のある動物園

オーデュボン動物園 ★ Audubon Zoological Gardens

　オーデュボン公園内にある広大な動物園。園内は広々としており、動物がオリに入れられているという感じがまったくしない。目玉は、やはりLouisiana Swampのセクション。静かな池を覆う水草、うっそうとしたスパニッシュ・モス…、ルイジアナの湿地帯の雰囲気が十分味わえる。ワニの餌づけタイムもある。普段はのっそりしているワニが、エサの鶏肉に飛びつくときだけは迫力がある。また、ここにはめずらしい全身真っ白のワニもいる。ホルマリン漬けのようだがちゃんと生きている。この動物園のアイドルだ。

　鳥を愛したオーデュボンの名を冠した動物園にふさわしく、熱帯の鳥を集めたコーナーは充実している。また、放し飼いの鳥もよく目につく。園内にはMOMBASAというシャトルも走っている。

【読★者★投★稿】

チンチン電車に乗って、人々の暮らしや学生の様子をのぞきに行こう

　セントチャールズ通りを走る市電に乗って、ぜひ、美しい邸宅街やアップタウンでの人々の暮らし、そして学生街をのぞいてみてほしい。フレンチ・クォーターでは味わうことのできない、ニューオリンズの普段着の姿を感じとれるだろう。終点まで行って戻って来ても損はないと思う。

　おなかペコペコの人のために、沿線でおすすめの店を3軒紹介しよう。

　まずはチューレーン大学の学食。ダウンタウンから約30分で正門入口に着く（地元の乗客かドライバーに教えてもらおう）。敷地内をひたすらまっすぐ歩き、バス通りを渡ってしばらくすると左側にある。安くておいしい。とくにタコスとデザート類がグー。

　チューレーン大学のすぐ手前にあるロヨラ大学（教会が目印）のカフェテリアもおすすめ。ガンボやジャンバラヤなどもあり、オイシー！

　さらに市電に乗ってアップタウンへ向かうと、10分ほどでWinn Dixieというスーパーがあるので下車し、50歩くらい戻るとスーパーの並びにCamellia Grillというパンケーキ屋がある。ワッフルやチーズケーキがほっぺたが落ちるほどおいしい！　しかもチープ。この辺りで知らない人はいないという大評判の店なので、ぜひ途中下車して寄ってみて。

　おなかが空いていなくても市電に乗るのは楽しい。ぜひ半日を割いてフレンチ・クォーターを飛び出そう。

（ヒノアヤコ　横浜市）（'98）

動物園へはボートに乗って

オーデュボン動物園はミシシッピ川沿いにあり、フレンチ・クォーターから船で訪れることもできる。各種クルーズのほとんどが、フレンチ・クォーターから下流へ行くのに対して、動物園は上流へ遡ることになるので、片道だけでもボートを使ってみるとおもしろいだろう。

観光客はほとんどいない市民の憩いの場
シティ・パーク ★ City Park

ミッドタウンにある1,200エーカー（約6㎢）という広大な公園。さまざまな姿のカシの木々が堂々と並び、スパニッシュ・モスが生い茂っている。全長13kmという池では釣りやボートが楽しめ、入園料50¢という小さな遊園地では、1890年代から動いているアンティークの回転木馬が、今も子供たちを乗せている。広大な園内には4つのゴルフコース、39のテニスコート、植物園、美術館などがあり、バーベキューやジョギングを楽しむ市民の憩いの場となっている。

ドガの作品は必見
ニューオリンズ美術館
★ New Orleans Museum of Art

約4万点を収蔵する、ジャマイカ生まれの写真家Isaac Delgadoによって1911年に創立された南部を代表する美術館だ。シティ・パーク内にあり、ピカソ、デュフィ、ミロなどの作品とともに、注目すべきはフランス印象派の画家ドガの『エステル・マソン・ドガの肖像』だ。ドガは、ニューオリンズにいた母方の親戚を訪ねて1871年にこの町に来て、この絵を描いた。古代エジプト美術から現代アメリカ絵画まで見るべきものは多い。

Suburb Points
郊外の見どころ ★

湿地帯は動植物の宝庫
スワンプ・ツアー ★ Swamp Tour

ミシシッピ川の河口にあたる南ルイジアナは、広大な湿地帯をもつ。湿地帯には網の目のように水路が通じており、それはかつて先住民の交通路として、また海賊たちの隠れ場所として使われていた。今日、この湿地帯は生態学上貴重な場所として、植物学者や動物学者、それにバードウォッチャーたちの関心の的となっている。ワニは50万匹いるといわれ、優美なツルをはじめとする、さまざまな鳥類の宝庫でもある。ちなみに湿地帯のうち木が生えているところを"スワンプ Swamp"、生えていないところを"マーシュ Marsh"、水路を"バイユー Bayou"という。

この湿地帯をボートで回るツアーは何社もが行っている。ボート乗り場は辺びな場所にあるが、市内のホテルからの送迎サービスがあるので気軽に参加できる。要予約。

ワニにもしばしばお目にかかれる
スワンプ・ツアー

動物園行きボート
☎ (504) 586-8777
アメリカ水族館前から出航しており、10：00、12：00、14：00、16：00発。動物園発は11：00、13：00、15：00、17：00
圏片道大人＄10.50、子供＄5.25、往復大人＄13.50、子供＄6.75

シティ・パーク
圃RTAバス＃46 City Park、＃48 Esplanadeで
圏地図外

ただし暗くなってからは行かないこと。

ニューオリンズ美術館
圃1 Collins Diboll Cir.
☎ (504) 488-2631
圏火～日10：00～17：00
圏月、祝日
圏大人＄6、シニア＄5、子供（18歳未満）＄3
圃Canal St.を走るRTAバス＃48のEsplanadeで約20分
圏地図外

Dr. Wagner's Honey
Island Swamp Tour
🏠106 Holly Ridge Dr.,
Slidell, LA 70461
☎ (504) 641-1769
🎫大人 $40、子供 $20
各ホテルへ迎えにきてくれ
る。ホテル送迎なしは大人
$20、子供 $10

Gray Line Tour
出発地点：Toulouse St. &
Mississippi River
☎ (504) 587-0861
🎫大人 $38、子供 $22

郊外の大邸宅見学も南部らしい

ニューオリンズ・セインツ
本拠地──ルイジアナ
スーパードーム Louisiana
Superdome, 1500 Poydras
St., New Orleans
☎ (504) 522-2600
🚌Canal St.からRTAバス♯
16正面まで行く
🗺P.568　A-1

●**Dr. Wagner's Honey Island Swamp Tour**

　学術的解説も交えた本格的なツアーだ。ディズニーランドの360度映画『アメリカン・ジャーニー』の撮影も行った。1日2本の運行で8：00、13：30出発。

　ツアー自体の所要時間は約2時間。

●**Gray Line Tour　"Swamp＆Bayou"**

　前者が10人乗り程度の小さな船なのに対し、こちらは30人は乗れる船。スワンプの奥深くには入らない。9：00、11：00、13：00の出発。送迎時間も含めて3時間半かかる。

南部の面影を残す家を見学してみませんか

プランテーション・ツアー ★ Plantation Tour

　ニューオリンズから北西の州都バトン・ルージュ Baton Rougeにかけて、ミシシッピ川に沿ってひろがる地域を「リバーロード」とよぶ。ここには砂糖で財を成したプランテーション領主たちの豪邸が並んでいた。そのうちのいくつかは現在も残り、往年の南部の栄華を今に伝えている。Houmas House、Nottoway、Oak Alley、San Franciscoなどの12家屋を見て回るツアーをグレイラインなど数社が運行している。ゲストハウスとして宿泊できるプランテーションもあるので、一晩だけでも富豪の夢をみたい人、泊まってみては？ 1泊 $100〜250程度。

Spectator sports
観戦するスポーツ

アメリカン・フットボール（NFL）

ニューオリンズ・セインツ ★ New Orleans Saints
（NFC西地区）

　ニューオリンズ市の象徴である剣のマークをロゴとするセインツは、唯一のプロスポーツチームであるせいか、市民の大変な人気を得ている。選手が入場する際の曲は『聖者の行進』と実にかっこいい。しかし、同地区にフォーティナイナーズなどの強豪がいるせいか、Bクラスからなかなか脱することができないでいる。

★　　　★　　　★　　★ ナイトスポット ★　　★　　　★　　　★
Night Spot

　ニューオリンズ名物のジャズは、やはり夜のバーボン・ストリートでないとその神髄に触れることはできない。有名なジャズのライブハウスはこのBourbon St.とSt. Peter St.に集中しているので、新参者にとってありがたい場所だ。また、ジャズ・ファンでなくとも心配無用。カントリー、ソウル、ロック……etc.と各ジャンルのライブハウスが軒を連ねているのだ。年季の入ったミュージシャンの演奏がドアの開け放たれた店内から流れてくる。少し聴くのだったら路上で十分。9時を過ぎた頃から通りはいっそう活気づく。ブラブラと歩きながら気に入ったバーをのぞくというのがこの町の流儀だが、有名な店をいくつか紹介しよう。

ここは見逃せない聴き逃せない
Preservation Hall

🏠726 St. Peter St. ☎(504)523-8939
🕐毎日20：30〜24：00（開門は20：00）

📍P.569　C-2

　伝統的ディキシーランドジャズの保存を
目的に開業したディキシーランドジャズの
殿堂。外から見るとボロボロの小屋といっ
た風情だが、19：00頃から長蛇の列ができ
る。ニューオリンズ随一の観光スポットだ。
内部はテーブル、イスなし、エアコンなし
で何の飾り気もない。しかし年季の入った
ジャズメンたちの演奏が始まると、床に座
っていようが、ぎゅうぎゅうの立見席であ
ろうがぐんぐんひき込まれていく。ムンム
ンした熱気と、そのなかで聴くディキシー
は、この町の空気そのものといえる。CD
やレコード、テープの販売あり。入場料は
＄4。飲み物なし。　　　　　　　　（'98）

本格的なディキシーランド・ジャズなら
Maison Bourbon

🏠641 Bourbon St. ☎(504)522-8818
🕐毎日15：00〜24：00ごろ　📍P.569　C-2

　ニューオリンズを訪れた観光客で、こ
の店の演奏を聴かない人はいないはず。バ
ーボン通りの中心ともいうべきSt. Peter
St.の角で、夕方の早い時間から深夜まで
アフタービートを刻み続けており、大きく
開け放たれた窓には、常に数人の"観客"が
へばりついている。タダ聞きでも結構楽し
めるが、席についてじっくり耳を傾けるの
もいい。ワン・ドリンク・ミニマム約＄5
〜。カード不可。　　　　　　　　　（'98）

夜はバーボン・ストリート
へくり出そう！

食えや飲めや歌えや踊れやのマルディ・グラ　MARDI GRAS

（原田正明　横浜市）

　カトリック教徒はイースターの前は四旬節と
いう断食の期間で、イースターに備えて身を清
めるそうだ。というわけで当然四旬節期間前
に食えや飲めや歌えや踊れやのドンチャン騒ぎ
をして身を汚すとか。その期間がMARDI
GRASとよばれる。2月の半ば（日は年によっ
て違う）にその日はやってくる。そして、その
日に向けて2週間ほど前からパレードなどのド
ンチャン騒ぎは、だんだん熱をおびていく。映
画『イージーライダー』、あれもNew Orleans
はMARDI GRASが舞台だった。見た人なら
MARDI GRASがどんなに狂気の世界かよくわ
かるだろう。僕も1月の終わりの週末に、本当
にさわりだけだけれどパレードを見た。みな大
騒ぎ。パレードの連中は見物人にビーズのネッ
クレスとかコルクのバッジとかコンドームとか
をばらまいて行進していく。見物人はみなビー
ルだのハリケーンだのを片手に叫びまくる。踊
りまくる。うーん狂気。これでまだ序の口。
MARDI GRASは毎年2月から3月上旬。いっ
たい、どんなことが起こるだろうか。さてこの
時期、ニューオリンズは観光客でごったがえす。
僕の泊まっていたユースホステルも2月中旬は
すでに数カ月前から予約で埋まっていた。とも
かくこの時期アメリカへ行くのなら、ニューオ
リンズを訪れるべし。エキサイティングな体験
ができること間違いなし。

　　　　　　　　　　　　　　　　　※
　マルディ・グラのパレードは10日ほど前か
ら始まり、そのほとんどはフレンチ・クォータ
ーの中へは来ない。いくつかのパレードが
Canal St.まで来る程度で、大半はアップタウ
ンやミッドシティ中心に行われる。
　10日くらい前のパレードは、山車は派手だ
が思ったほど熱狂的ではなかった。パレードは
やはりマルディ・グラ・デー（必ず火曜日）当
日が最高の盛り上がりとなる。そのかわり混雑
もひどく名所も有名レストランも人で埋まって
しまうので、観光するには当日は避けたほうが
無難。
　なおパレード中は周辺の道路は通行止めとな
り、場合によっては市電もストップするので、
フレンチ・クォーター外を観光するときには注
意。レンタカーで回るときも、車がパレードの
妨げになると＄100の罰金を科せられるので十
分に気をつけよう。
　　　　　　　　　（米久仁正宣　バージニア在住）
※編集室より─マルディ・グラの間は観光ポイ
ント、レストランなどは休業するところが多い。
要注意。
※マルディ・グラとは、キリスト教の謝肉祭の
最終日のこと。

★
ニューオリンズ

魂の叫びブルースの殿堂
House of Blues

🏠225 Decatur St. ☎(504)529-2624
🕐日～木11：00～2：00、金土11：00～
4：00　　　　　　　　　　🗺P.569　C-2

　全米チェーンの第1号店だ。レストラン
とクラブに分かれていて、入口でも別々の
列に並ぶ。クラブの内装はやけに宗教がか
っており、キリスト像、仏像、ガネーシャ、
ダビデの星などが雑然と並んでいる。暗く
怪しいムードのなか、ステージは21：00
か22：00から始まる。カバーチャージ$8
～。入場開始は18：00から。レストランの
ほうは、バーガー類、シーフード、ピザな
ど。日曜にはゴスペル・ブランチがあって
11：00～14：00。

土曜なら午後のショータイムもある
544 Club

🏠544 Bourbon St. ☎(504)566-0529

🕐日～金20：00～3：00、土15：00～
3：00。ショータイムは21：00(土15：
00)から　　　　　　　　　　　　ⒶⓂⓋ

　ディキシーランド・ジャズとR&Bのク
ラブ。平日のショーは21：00から始まるが
土曜は15：00からのショーもある。

バーボン通りのアイドルが毎夜歌う店
Chris Owen's Club

🏠502 Bourbon St. ☎(504)523-6400
🕐月～土21：00～(翌日が祝日の場合は
日曜も営業)。ショータイムは22：00と
24：00　　　　　ⒶⓂⓋ　🗺P.569　C-2

　セクシーな女性ボーカリストのパワフル
なステージを、男性客の歓声と口笛が盛り
上げる。ジャズやスタンダード・ナンバー、
カントリーも歌う。ダンスフロアあり。1
時間のショーとワンドリンクで$8から始
まり、4つの値段がある。

★　　★　　★　**ショッピング**　★　　★　　★

　ニューオリンズ、とくにフレンチ・クォ
ーターには興味深い店が多い。Bourbon
St.には、マルディ・グラの仮面や衣装の
店、Tシャツなどのギフトショップ。Royal
St.にはアンティーク店が多い。フレン
チ・マーケットに行けばケイジャン、クレ
オール料理の材料や料理の本がある。ブラ
ンド品ならCanal PlaceやRiverwalkとい
ったショッピングモールを歩いてみよう。

ショッピングモール3軒
Riverwalk MarketPlace

🏠Poydras St. ☎(504)522-1555
🕐月～木10：00～21：00、金土10：00
～22：00、日10：00～19：00　レスト
ラン、カフェはさらに長く営業
　　　　　　　　　　　　　🗺P.568　B-3

　ミシシッピ川沿い、コンベンションセン
ターの隣にできたショッピングモールで、
140以上の専門店とレストラン、バーが入
っている。清潔で華やかな雰囲気に満ちた
楽しいショッピングゾーンだ。

Canal Place

🏠333 Canal St. ☎(504)581-5400
🕐月～土10：00～18：00(金土は19：00ま
で)、日12：00～18：00　🗺P.568　B-2,3

Canal St.がミシシッピ川に突きあたると
ころにあるモダンなショッピングモール。
Saks Fifth Avenueを中心に、Brooks
Brothers、Gucciなどファッション関係を
中心に60以上の高級専門店が入っている。
3階にはフードコートもある。

Jackson Brewery

🏠600-620 Decatur St. ☎(504)585-8015
🕐日～木10：00～21：00、金土10：00
～22：00　　　　　　　🗺P.569　C-2

　ビール工場を改造してできた5階建ての
ショッピングモール。フレンチ・クォータ
ーの中心であるジャクソン広場とミシシッ
ピ川に面しており、いつも大勢の観光客で
にぎわう。人気ブティック、宝飾店、Tシ
ャツ屋、ギャラリー、食料品店、レストラ
ンなど、さまざまな店が5フロアに入って
いる。1階に公衆トイレがあるので覚えて
おこう。

メキシコ風の安いみやげ物屋
Little Mex

🏠1019 Decatur St.　☎(504)529-3397

　メキシカンの小物などがおいてある。ほかのみやげ物屋に比べて値段が安い。店の中はあまりきれいではないけれど、おみやげを安くすませたい人にはおススメ。

　　　　（若木由佳　アメリカ在住　'98夏）

伝統の味を現代的なセンスのなかに生かす店
Red Fish Grill

🏠115 Bourbon St.　☎(504)598-1200

🕐ランチ月〜土11：00〜15：00、ディナー毎日17：00〜23：00、ブランチ日10：00〜15：00、バー毎日11：00〜23：00

　ニューオリンズのシーフードを心ゆくまで堪能できるカジュアル・シーフードレストラン。Canal St.からBourbon St.に入ってすぐ左側にある。ジャズのはしごをする前にお腹のほうもどっぷりとニューオリンズに浸らせよう。生ガキ半ダース$3.75、1ダース$6.95、メインも$14〜15を中心に豊富。どれもほっぺたが落ちるほど「おいしい」。ランチタイムのサンドイッチもニューオリンズの味覚たっぷり。$7〜10。

　　　　（山田そのみ　ワシントン在住　'97冬）

料理教室もある
New Orleans School of Cooking and Louisiana General Store

🏠Jackson Brewery, 620 Decatur St.

☎(504)525-2665

🕐日〜木10：00〜21：00、金土は22：00まで　🅐🅜🅥　🗺P.569　C-2

　クレオール料理の食材とスパイスが豊富

にそろう。併設の料理教室では、シェフのトークに笑い転げながらジャンバラヤやガンボの作り方を実演、試食する。スクールは月〜土の10：00〜13：00。要予約。

素敵なおみやげを日本まで送るなら
French Quarter Postal Emporium

🏠940 Royal St.　☎(504)525-6651

🕐月〜金 9：30〜18：00、土10：00〜15：00　🈺日　🗺P.569　D-2

　包装紙、ダンボール箱、郵送用バッグ、テープ各種、スタンプなど郵送用品がそろう店。Royal&St.Philip Sts.の角にある。ここからRoyal通りを1.5ブロック歩けば、St. Ann St.の手前左側に郵便局（🕐月〜金 9：30〜17：00、土12：00〜17：00）もある。

カナル通りのカメラ屋に要注意

　Canal St.に数軒あるカメラ屋のなかにはニューヨークの42nd St.のような悪質な店もあるようだ。2本$12くらいで買えるビデオのテープを1本$21.95で買わされてしまった。先にきちんと値段を聞かず、うかつにも$20札を渡してしまったのが失敗だった。「あと$1.95よこさなければ品物は渡せない」と言われ仕方なく払うハメになった。　　　（匿名希望　在アメリカ）
　　　　　　　　　　　※

編集室注：カメラや電化製品に限らず買い物をするときには、まずハッキリと値段を確かめ（聞きとれないふりをして紙に書かせるとベター）、なるべくおつりのないように支払い、必ずレシートをもらっておくこと。悪質な店は常にカモになりそうな客を探している。毅然とした態度で接するだけでも、ボラれる率はぐんと減るはずだ。

★　ニューオリンズ

売上税の払い戻し制度についてLouisiana Tax Free Shopping

　ルイジアナ州は全米で唯一、外国人旅行者のための売上税（日本の消費税のようなもの）払い戻し制度を実施している。対象はパスポートと90日以内に帰国するチケットを持っている外国人旅行者。この制度に加盟している店は州内に1,000軒以上あり、これらの店で買い物をしたら支払いの際にパスポートを呈示すれば、税金の領収書（バウチャー）がもらえる。これをニューオリンズ国際空港の払い戻しセン

ターTax Refund Center（🕐毎日7：00〜18：00）へ持って行けば、払った税金分を返してくれるという仕組み。領収書を郵送してもOK。手続きが面倒な面もあるが、ルイジアナ州はもともと売上税が高いので、高額の買い物をする人にはうれしい制度だ。金額に応じた手数料がかかる。

🏠301 Camp St., New Orleans, LA 70130　☎(504)527-6958

フレンチ・クォーター内

フレンチ・クォーター内の小さなホテルは目立たないが雰囲気が良い。ニューオリンズらしさを味わいたいなら、やはりフレンチ・クォーターに泊まりたい。夏ならオフシーズンとなり、値段もそれほど高くないところも多く、かなりオススメだ。

バーボン・ストリートの中心にあるホテル
Best Western Inn on Bourbon

🏠541 Bourbon St., New Orleans, LA 70130
☎(504)524-7611、🆃(1-800)535-7891、
FAX(504)568-9427
Ⓢ①Ⓣ$175〜255 ADMV 地P.569 C-1

バーボン通り沿いのSt. LouisとToulouseの間にある。今世紀初めに建てられた古いホテルで、各部屋は南部らしいムードに満ちている。バーボン・ストリート沿いの部屋はバルコニーから通りを見下ろせてゴージャスな気分。バー、レストランあり。('98)

ぜいたくに住人気分を味わいたい
Soniat House

🏠1133 Chartres St., New Orleans, LA 70116
☎(504)522-0570、🆃(1-800)544-8808、
FAX(504)522-7208
HOMEwww.sonia-thouse.com
Ⓢ①Ⓣ$195〜250、スイート$625。週末は最低3泊が求められる 地P.569 D-2

目立たない小さな玄関を入ると奥行きがあり、亜熱帯の植物と泉をあしらったパティオがある。京都の家の構造に似ている。1829年建造の家で、1983年にホテルとして出発した。ロスアンゼルス・タイムズ紙が「世界でもっともロマンチックな12の場所」を特集したときにその1つに選ばれるなど、マスコミから高い評価を受けている。落ち着いた内装と行き届いた設備はさすが。ただ、部屋は少し狭い。('99)

ムードのあるアンティーク・ホテル
Hotel Provincial

🏠1024 Chartres St., New Orleans, LA 70116
☎(504)581-4995、🆃(1-800)535-7922、
FAX(504)581-1018
HOMEwww.hotelprovincial.com
Ⓢ①Ⓣ$120〜160 ADJMV

地P.569 D-2

ジャクソン広場から3ブロック、フレンチ・マーケットから1ブロックの静かな一画にある中級ホテル。高い天井と重厚なフランスのアンティーク家具が、独特の雰囲気を醸し出している。プールのあるパティオ沿いの部屋が明るくていい。全室バス・トイレ・エアコン・ケーブルTV付き。レストラン、バー、製氷機あり。94室。
('98)

これ以上のロケーションは望めない！
Hotel St. Marie

🏠827 Toulouse St., New Orleans, LA 70112
☎FAX(504)561-8951、🆃(1-800)366-2743
Ⓢ①Ⓣ$105〜140 ADMV
地P.569 C-1、2

バーボン・ストリートから半ブロック、プリザベーション・ホールへも2ブロックと便利なことこの上なし！ 夜遅くまで遊んでも帰るのが怖くないホテルだ。それだけにぎやかな場所にあるのだから、部屋はできればプールのあるパティオ側にしてもらおう。オフシーズンは、観光局などに置いてあるパンフレットを持って行くと割引になる。('98)

トロピカル・ムードのパティオが素敵
St. Ann/Marie Antoinette Hotel

🏠717 Conti St., New Orleans, LA 70130
☎(504)581-1881、🆃(1-800)535-9111、
FAX(504)524-8925、HOMEstannmarie
antoinette.com
オンシーズンⓈ$155〜245、①Ⓣ$165〜255、オフシーズンⓈ$85〜175、①Ⓣ$95〜185 ADJMV 地P.569 C-2

アンティーク・ショップが多いロイヤル・ストリートのすぐそばで、噴水のあるトロピカル風パティオやプール、レストランなどの施設が整っている。観光局などにクーポン券が置いてあるからこれを利用しよう。('99)

オフシーズンはとくに安い！
Rue Royal Inn

🏠1006 Royal St., New Orleans, LA 70116
☎(504)524-3900、州外🆃(1-800)776-

3901、FAX (504) 558-0566
HOME www.rueroyalinn.com 地P.569 D-2
⑤Ⓓ $75～145、Ⓣ $100～145　ＡＤＪＭＶ

　1830年代に建てられたという古いホテ
ルで全室冷蔵庫付き。1人追加$15。また
ジャクージ、バルコニー付きのスイートルー
ム$145もある。駐車場1日$5。ジャク
ソン広場から3ブロック。　　　　　　('98)

バーボン・ストリートへ半ブロック
Prince Conti Hotel
住830 Conti St., New Orleans, LA 70112
☎ (504) 529-4172、Ⓣ (1-800) 366-2743、
FAX (504) 581-3802
⑤ⒹⓉ $100～155　ＡＤＭＶ　地P.569 C-1

　バーボン・ストリートで夜遅くまで遊び
歩いていても、まったく帰りの心配がいら
ない。半ブロック先のにぎわいが嘘のよう
な落ち着いたホテル。部屋は狭いが美しい。
朝食付き。　　　　　　　　　　　　('98)

ジャクソン広場近くの中庭が自慢のホテル
Placed' Armes Hotel
住625 St. Ann St., New Orleans, LA 70116
☎ FAX (504)524-4531、Ⓣ (1-800)366-2743
⑤Ⓓ $90～130、Ⓣ $95～145　ＡＤＭＶ
　　　　　　　　　　　　地P.569 C-2

　ジャクソン広場の斜め前にあり、よく手
入れされた美しいパティオと大きなプール
が自慢。家庭的で落ち着けるホテルだが、
なかには窓のない部屋があるので予約、チ
ェックインのときに、ぜひ窓のある部屋に
してもらおう。朝食付き。　　　　　　('98)

サマー・スペシャルが狙いめ！
Dauphine Orleans Hotel
住415 Dauphine St., New Orleans, LA 70112
☎ (504) 586-1800、Ⓣ (1-800) 521-7111、
FAX (504) 586-1409、
HOME www.daup-hine orleans.com
⑤ $129～169、ⒹⓉ $149～189、スイー
ト $179～359　ＡＤＪＭＶ　地P.569 C-1

　バーボン・ストリートの中心まで1ブロ
ック、Conti St.との角に建つ白いモダンな
ホテル。全室にHBO付きTVとミニバーが
ある。毎朝、部屋に朝刊が届けられる。朝
食付き。スポーツジム、プール、$12。駐
車場あり。111室。　　　　　　　　　('98)

便利なロケーションの快適ホテル
LaSalle Hotel
住1113 Canal St., New Orleans, LA 70112
☎ (504) 523-5831、Ⓣ (1-800) 733-4188、
FAX (504) 525-2531
HOME www.neworleans.com/hotels/lasalle
⑤ $59～90、ⒹⓉ $72～150　ＡＤＪＭＶ
　　　　　　　　　　　　地P.568 B-1

　Canal St. 沿い、N. Rampart St.とBasin
St.の間にある。新市街とフレンチ・クォ
ーターの境界にあたり、バスターミナルへ
10分、キャナル・プレイスへ7分、ジャク
ソン広場へ10分と、どこに行くにも便利な
ロケーションだ。ホテルの前は夜もにぎや
か。

　外観はやや古めかしいが、ロビーに入る
ときれいに維持されているのに感心する。
部屋も清潔。壁紙は張り替えられ、とても
明るくなっている。しかも明かりが蛍光灯
なのが日本人にとっては大変うれしい。バ
スタブも深めで、日本人びいきのマネージ
ャーの配慮が感じられる。コインランドリ
ーもあって、便利。49室。　　　　　　('99)

静かに滞在できる上品なホテル
Bienville House
住320 Decatur St., New Orleans, LA 70130
☎ (504) 529-2345、Ⓣ (1-800) 535-7836、
FAX (504) 525-6079
⑤ⒹⓉ $125～175　ＡＤＭＶ　地P.568 C-2

　フレンチ・クォーターの雑踏を一歩離れ
たところにあるこのホテルは、こぢんまり
とした外観にもかかわらず83もの客室を持
っている。飾りたてた豪華さはないが、落
ち着いた上品さがある。鉄レースのバルコ
ニーと柔らかな照明が、ノスタルジーの世
界へと誘う。こんなホテルに滞在し、どっ
ぷりとニューオリンズにひたってしまうの
もいい。観光局でもらえるホテルリストの
表紙も飾ったことのあるラグジュアリー・
ホテルだ。　　　　　　　　　　　　('98)

ビエンビル・ハウスの
アメニティ

紳士淑女の多い上品なホテルです
Saint Louis Hotel

🏠730 Bienville St., New Orleans, LA 70130
☎ (504) 581-7300、📞 (1-800) 535-9111、
FAX (504) 524-8925
HOME stlouishotel.com
オンシーズン⑤＄165〜255、①①＄175〜
265、オフシーズン⑤＄95〜185、①①
＄105〜195 ADJMV 地P.569 C-2
　ロイヤル・ストリートとバーボン・ストリートの間。夜はレストランに正装した人が大勢いた。『New Orleans Street Map』という観光局で無料で配布している地図にこのホテルの広告が載っているので、これを持っていくと割引料金で泊まれる。部屋はとてもきれいでバス・トイレ・TV付きで洗面台は２カ所あった。クーラーもある。女の子におすすめ。79室。
（松田佳代　三重県）（'99）

ショッピングセンターの真上です
The Westin Canal Place

🏠100 Iberville St., New Orleans, LA 70130
☎ (504) 566-7006、FAX (504) 553-5120
⑤＄189〜319、①①＄209〜339
ADJMV 地P.568 B-2
　フレンチ・クォーターの入口にあるCanal Placeというショッピングセンターの上に位置しているので、エレベーターで下りれば買い物ができてしまう。デパートやGucciなども入っている。部屋もきれいで、ミシシッピ川が一望できる。ホテルの入口はCanal St.からフレンチ・クォーター寄りに１ブロック入ったところ。プールあり。
（鈴木富美子　神奈川県）（'98）

フレンチ・クォーター外

フレンチ・クォーターへ1ブロック
Rathbone Inn

🏠1227 Esplanade Ave., New Orleans, LA
70116　☎ (504) 947-2100、📞 (1-800)
947-2101、FAX (504) 947-7454
HOME www.rathboneinn.com
オンシーズン⑤①＄90〜110、①＄110
〜130、オフシーズン⑤①＄60〜75、①
＄90〜100 ADJMV 地地図外
　1850年に建てられたタウンハウス。すべての部屋にバス、キチネットが付いてい

るという設備にもかかわらず、フレンチ・クォーターからわずかに外れるだけで値段はぐっと安くなっている。15室。　　（'99）

チャーミングなホテルで快適な滞在を
Queen & Crescent Hotel

🏠344 Camp St., New Orleans, LA 70130
☎ (504) 587-9700、📞 (1-800) 975-6652、
FAX (504) 587-9701　　地P.568 B-2
HOME www.queenandcrescent.com
オンシーズン⑤①①＄59〜195、オフシーズン⑤①①＄59〜159 ADMV
　セントラル・ビジネス・ディストリクトに位置し、フレンチ・クォーターへもウォーターフロントへも徒歩圏でとても便利だ。フレンチ・クォーターの喧騒から逃れて、ゆっくりと優雅に滞在できるホテル。部屋はアンティークの家具で統一されており、ヨーロッパの雰囲気がするチャーミングな内装になっている。ケーブルテレビではHBOが楽しめるほか、バスローブ、ドライヤー、アイロン、コーヒーメーカーが各部屋に用意されている。アメニティキットの種類は豊富で、綿棒、マウスウォッシュ、ソーイングセットなどまでついているから驚き！　　（'98）

スーパードームそばの近代的なホテル
Holiday Inn Downtown-Superdome

🏠330 Loyola Ave., New Orleans, LA 70112
☎ (504) 581-1600、📞 (1-800) 535-7830、
FAX (504) 522-0073、HOME www.holiday-inn.com/hotels/msYDT
⑤＄89〜159、①①＄99〜169 ADJMV
地P.568 B-1
　スーパードームとフレンチ・クォーターの間にある17階建てのホテル。モダンなインテリアの客室で、コーヒーとドーナツ、アイスクリームのサービスあり（平日のみ）。プール、ジャクージ、レストラン、カクテル・ラウンジあり。297室。
　なお、ニューオリンズにはホリデイ・インが数軒あるので、予約の際には気をつけよう！　　（'98）

郊外のホリデイ・イン

日本から予約できるホテル
Maison St. Charles Quality Inn Hotel

🏠1319 St. Charles Ave., New Orleans, LA 70130 ☎(504)522-0187、📞(1-800)831-1783、🆂🅰🆇(504)529-4379 HOMEwww.maisonstcharles.com. オンシーズン⑤⑩＄99～189、①＄109～199、オフシーズン⑤⑩＄69～129、①＄79～139 🄰🄳🄹🄼🄫 日本での予約はクォリティ・インターナショナル🆂🅾0031-616337

St. Charlesを走る市電で約5分。ハイウェイをくぐって2ブロックのところにあるエレガントなホテル。周辺はガーデン地区と呼ばれる美しい邸宅街だ。プール、ジャクージ、レストランあり。129室。('99)

ガーデン地区にあるエコノミーな宿
Prytania Inn, I

🏠1415 Prytania St., New Orleans, LA 70130 ☎(504)566-1515、🆂🅰🆇(504)566-1518 HOMEwww.thebestofusa.com/prytania ⑤⑩①＄29～59 🄰🄳🄹🄼🄫
Prytania Inn, II (受付は上記Iで)
🏠2041 Prytania St. ☎(504)586-0858
Prytania Inn, III (受付は上記Iで)
🏠2127 Prytania St.

建物はすべて歴史的建造物で、美しい家並みに囲まれている。57室。

場所は、フレンチ・クォーターからSt. Charlesの市電に乗ってM. L. King Blvd. 下車。南へ1ブロック歩いたPrytania St. のThalia St.とMelpomene Ave.の間。予約やチェックインはすべてここで。 ('99)

※

朝食込みのはずがあとで請求されたり、部屋が汚い、従業員の態度が悪いなどの投稿も多い。部屋を見せてもらったり、予約時によく確認して、納得したうえで泊まること。

ニューオリンズの便利なB&B
St. Charles Guest House B & B

🏠1748 Prytania St., New Orleans, LA 70130 ☎(504)523-6556、🆂🅰🆇(504)522-6340、HOMEstcharlesguesthouse.com ⑤⑩①＄125～150 🄰🄼🄫

市電の乗り場も近く、きれいな部屋。プールもあり、朝食付き。バスorシャワー付き。バスなしの部屋もある。 ('99)

読★者★投★稿
外は古いが中はピカピカできれいなB&B
Whitney Inn

🏠1509 St. Charles Ave., New Orleans, LA 70130 ☎(504)521-8000、📞(1-800)379-5322、🆂🅰🆇(504)521-8016、HOMEwww.neworleans.com/hotels/whitney オンシーズン⑤⑩①＄105、オフシーズン⑤⑩①＄60 🄰🄼🄫

建物自体は100年ほど経っているが、改装してB&Bとして営業している。バス・トイレ・TV・エアコン付き、朝食込み。とてもきれいでおすすめ。22室。

(吉永真二　長崎県)('99)

★
ニューオリンズ

⭐ ケイジャンとクレオール　Cajuns & Creoles

ニューオリンズでは、この2つの言葉に出くわすことが多い。料理にとどまらず、民族、文化を指す南部周辺の言葉のようだ。

●ケイジャン　17世紀にフランスからカナダの南東部（アケイディア）に入植した人々はアケイディアンと呼ばれた。彼らはカトリック信者だが、イギリス人がこの地域の植民地化を企て、彼らにプロテスタントへの改宗を強制した。これを拒んだ人々はこの地を追われ、一部がスペイン支配下のルイジアナ州南部に移り、残りがフランスへと戻った。その後スペイン政府は、祖国へ帰ったフランス人たちを7隻の船で再び渡米させた。これらのアケイディアンをケイジャンと呼ぶようになった。

●クレオール　もともとは、フランスの貴族やスペインの上流階級の子孫、または、植民地で生まれたヨーロッパ系の人々を意味する言葉だったが、ヨーロッパ系に限らず初期のニューオリンズへの入植者たちはクレオールと呼ばれた。大文字で始まるCreoleは人を指し、小文字で始まる場合は、彼らの文化や料理を指す。彼らの作りだしたクレオール料理はあまりにも有名。正確には「クリーオウル」と発音する。

郊外にある落ち着いたユース
Hostelling International-New Orleans Marquette House

📧2253 Carondelet St., New Orleans, LA 70130　☎(504)523-3014、FAX(504)529-5933

ドミトリーはオンシーズン＄20〜28、オフシーズン＄13.97〜16.97、個室はオンシーズン＄39.95〜145.95、オフシーズン＄34.95〜65.95（オンシーズンはマルディ・グラなど）

MV

　St. Charlesを走る市電に乗りJackson Ave.で降りて1と1/2ブロック。バス・トイレ・キッチン付きの部屋もある。ドミトリーは17時チェックイン。キッチン・ラウンジは昼間でも使える。ベッド数170、14室。

('99)

とても快適なユース。入口と自分の部屋の鍵が渡される（デポジット＄5、チェックアウト時に返却）ので、門限なし。St. Charlesの市電でCanal St.まで10分弱。市電は＄1。わりと本数も多い。真夜中になると、1時間に1本になるが、ユースに帰る市電は1:00、2:00、3:00ときっかりにCanal St.の停留所を出るので便利。ニューオリンズには、もうひとつユースがあるようだが、こちらは危なくてすすめられない。

（平井眞弓　池田市）

アルジェ側から見るニューオリンズ

★　★　★　★　★　★
レストラン
Restaurant
★　★　★

　アメリカの町はどこへ行っても似たような飲食店が並び、毎度おなじみの味に出くわすことが多いが、ニューオリンズは例外中の例外。歴史的にみれば、フランス、スペインの植民地時代、黒人の強制移住はスパイスをもたらし、地理的にみても、メキシコ湾、ミシシッピ川で捕獲される魚介類、そして野菜や果物調達の容易さ。ニューオリンズの味は、町の変遷や民族の調和、肥沃な土壌と海産物の豊かさに象徴される独特なものだ。

ケイジャン料理とクレオール料理

　ニューオリンズの二大料理だが、クレオールのほうがこの町を代表する味として有名。
●ケイジャン料理　香辛料のきいた田舎風の濃い味付け。ルーがキメ手となっている。代表的なものとして、クローフィッシュ・ビスクCrawfish Bisqué（ザリガニの濃厚なスープ）、クローフィッシュ・エトゥフェCrawfish Étouffé（ザリガニの蒸し煮）、アンドゥイユAndouille（豚肉の腸詰め）など。
●クレオール料理　ソースを主とした都会派の料理。スパイスのほかにハーブも多く使われ、ソースといっしょに魚介類が多く出てくる。代表的なものは、オイスタ

ー・ロックフェラーOyster Rockefeller（カキのコキーユ）、レッド・ビーンズ・アンド・ライスRed Beans and Rice（インゲン豆やハムをよく煮こんだスープをご飯にかけたもの）などがある。

マルディ・グラ衣装博物館を併設！
Arnaud's

📧813 Bienville St.　☎(504)523-5433
圖月〜木11:30〜14:30と18:00〜22:00、金土18:00〜22:30、日10:00〜14:30　　AMV　地P.569　C-1

　このレストランの特筆すべき点は、まずはマルディ・グラの衣装をずらりと展示したコーナーを無料公開していることだ。これらの衣装は、創業者アーノルドの妻ジャーメインが1937〜1968年にかけてマルディ・グラの女王として豪華に着飾っていたものだ。

　レストラン内は、1918年の創業当時を感じさせる装飾がそこここに残っている。床材が部屋の真ん中で変わり、「ここから先が創業当時のままで、手前は後日、隣の家を買って増築したもの」といった具合だ。クラシックかつ趣を異にした各部屋でのディナーは、時として自分が時をさかのぼってしまったかのような錯覚に陥ってしまう。

繊細なフランス料理と伝統のクレオールのミックスはシカゴ・トリビューン紙、ほかの新聞雑誌で絶賛されている。メイン＄16～25。　　　　　　　　　　（'98）

名物ジャンバラヤを食べてみて
Gumbo Shop
🏠630 St. Peter St.　☎(504)525-1486
🕐日～木11：00～23：00、金土11：00～24：00　　AJMV　🗺P.569　C-2

ジャクソン広場のすぐそばにある、クレオール料理の代表的なレストラン。ジャンバラヤ＄8～、2種類のガンボ＄6～、ボーボーイなどが売り物。外観は高そうだが中はカジュアルで、ディナーのメインディッシュでも＄9～20。かわいらしいパティオで食事をとることもできるが、室内もとても雰囲気が良い。　　　　　（'98）

ヤング・エグゼクティブにも人気の店
Nola
🏠534 St. Louis St.　☎(504)522-6652
🕐月～土11：30～14：00、ディナーは毎日18：00～22：00　🗺P.569　C-2

「ヌーベル・クレオール」の店。モダンな内装の店内で実に洗練された味の料理を出す。スパイシーな、それでいてフレンチ風のソースをうまく使っている。Sauteed Shrimpは絶品。ランチでメイン＄8～16、ディナーで＄12～20程度。パスタ、ピザも売り物のひとつで＄6～10。シャレていてビジネスマンの客も多いが、気どらず、ランチならカジュアル（短パンもOK、ただしタンクトップのみ不可）で十分だ。（'98）

食べ逃したら後悔する！　ニューオリンズならではの名物料理

ジャンバラヤ Jambalaya カントリーの名曲『ジャンバラヤ』。このジャンバラヤとはニューオリンズを代表する名物料理の名前だ。米を肉汁で煮てチキンやシーフード、時にはナマズなどを混ぜ、香辛料を利かせたニューオリンズ風おじやといったところ。＄10前後でメインディッシュとして食べられる。

ガンボ・スープ Gumbo Soup ニンニクと赤唐辛子、トマトをベースにしたスパイシーでホットなスープ。エビやカキ、チキンなどの種類があるが、必ずオクラが入っているのが特徴。ボウル＄4～8で頼めばランチになるし、オードブルならカップ＄2～5で十分。

生ガキ Raw Oyster ミシシッピ河口でとれるカキは新鮮でデッカクてウマイ！　その上1ダース食べても＄3～6と安いのがうれしい！　おすすめはオイスター・バーの看板が出ている店のカウンター席。目の前で次々と殻を開けてくれるカキに、レモンやケチャップ、ホースラディッシュ（西洋わさび）をつけて食べる。カキは1年中食べられるが、やはり月の名前にRが付くころ（9～4月）、とくに冬がいちばんおいしい。

オイスター・ロックフェラー Oyster Rockefeller フレンチ・クォーターの中にある最高級レストラン「アントワンズ」（1840年創業）で、最初につくられたメニュー。
　オイスターの上にほうれん草のソースをの

せ、オーブン焼きにしたもの。

オイスター・ビエンビル Oyster Bienville カキの上にチーズをのせてオーブンで焼いたもの。「ブレナンズ」が元祖だが、一気にニューオリンズ中に広がった人気メニューだ。

ボーボーイ Po-Boy's フランスパンの中にエビ、カキ、ナマズ、ソーセージなど好みの具と野菜を挟み、タバスコをかけて食べるサンドイッチ。＄3～6でレストランやマーケット、デリなどで食べられる。

ナマズ CatfishとザリガニCrawfish ナマズは切り身をフライにしてビールのおつまみやサンドイッチに。ザリガニはスープ、フライ、パスタソース、ジャンバラヤなど使い道いろいろで、どこのレストランのメニューにも必ず登場する。

ハリケーン・カクテル Hurricane Cocktail レモンとラムを利かせたカクテルだが、バーボン・ストリートあたりのバーの入口で紙コップで売られているものは、甘くてアルコールも少なめ。

ベニエ Beignet フランス語で揚げ物の意味だが、ここでは粉砂糖をかけたドーナツのこと。軽い口あたりなので男性にもファンが多い。あちこちのカフェにあるが、やはり元祖Café du Mondeで試してみたい。

パティオでのブランチがおすすめ
Court of Two Sisters

🏠613 Royal St. ☎(504)522-7261

ⒶⓂⓋ 🗺P.569 C-2

　ロイヤル・ストリートからバーボン・ストリートまでを貫いていて、双方の通りに入口がある。ここを訪れるのは、ぜひ天気の良い日にしよう。大きなパティオで食事したほうが断然素敵だ。ブランチ（9：00～15：00）はジャズのライブも聴ける。ディナーのアントレ＄15～30。ディナーはなるべく予約を。　　　　　　　　（'98）

ニューオリンズでは老舗中の老舗
Antoine's

🏠713 St. Louis St. ☎(504)581-4422

🕐月～土11：30～14：00、17：30～21：30　🈡日祝日　🗺P.569 C-2

　1840年に創業した『アントワンズ』は、ニューオリンズの歴史とともに歩んできたレストランだ。それぞれの時代を物語るような、いくつもの部屋が奥のほうに続いている。

　ニューオリンズの変遷のなかで、社交の中心であり続けた『アントワンズ』の料理は、フランス色の強いクレオール。いまやニューオリンズ名物となったオイスター・ロックフェラーを生んだ伝統の味だ。目一杯のオシャレをして出かけたい。

　メイン＄17～50程度と少々お高い。ランチは＄13から。要予約。　　　　　（'98）

『ブレナンズで朝食を』がオシャレ！
Brennan's

🏠417 Royal St. ☎(504)525-9711

🕐毎日8：00～14：30、18：00～22：00　　　　　　　　　　🗺P.569 C-2

　"Breakfast at Brennan's" はこの町では有名。ブランチのコースが＄15.75～18。だからといって軽い気持ちで行ってはいけない。でも、静かなパティオの落ち着きと洗練されたウエイターの完璧なサービスは、さすがに高級店だ。話のタネに行ってみるとよい。

　お店の前には朝からきちんとした格好のお客様たちが、開店を「今や遅し」と待っている。要予約。　　　　　　（'98）

ロイヤル・ストリートのランドマーク
Royal Cafe

🏠700 Royal St. ☎(504)528-9086

🕐月～金11：30～22：00、土日10：00～22：00 ⒶⓂⓋ 🗺P.569 C-2

　St. Peter St. 角に建つ有名なカフェ＆レストラン。気軽に入れるカジュアルな店で、特等席は鉄レース細工の手摺り越しに町行く人を見下ろせるバルコニー。観光客向けのTaste of New Orleansはガンボ、レッド・ビーンズ、シュリンプ・クレオールが少しずつセットになっている。ディナーでも＄5～20と安い。　　　　　　（'98）

地元の人がすすめるアットホームな店
Rita's

🏠945 Chartres St. ☎(504)525-7543

🕐毎日11：00～22：00ⒶⓂⓋ🗺P.569 D-2

　静かな住宅街にある目立たない店だが、地元客でいつも混雑している。料理も雰囲気も家庭的。とくにシュリンプ・クレオールはニューオリンズでいちばんとのウワサ。ランチ＄6～10、ディナー＄10～20。シャンペンやワイン、ハリケーン（ニューオリンズ名物のカクテル）などアルコールの種類も多い。目の前で作ってくれるバナナ・フォスターは2人分で＄12～。St. Philip St.角にある。　　　　　　　　（'98）

アメリカ人観光客に圧倒的な人気
K-Paul's Louisiana Kitchen

🏠416 Chartres St. ☎(504)524-7394

🕐月～金11：30～14：30、17：30～22：00　　　　　　　🗺P.569 C-2

　この店のシェフはケイジャン料理を全米に広めたといわれる有名人で、ランチタイムになるといつも長い行列ができる。オードブルにはザリガニの尻尾を揚げたケイジャン・ポップコーンがめずらしい。料理は比較的辛いものが多い。ランチ＄15～20、ディナーは＄20～30。テーブルクロスもないカジュアルなレストランのわりに料金は高め。　　　　　　　　（'98）

いつもにぎやかなバー＆レストラン
Acme Oyster House

🏠724 Iberville St. ☎(504)522-5973

🕐月～土11：00～22：00、日12：00～19：00 ⒶⒿⓂⓋ 🗺P.568 B-2

　『Felix』の斜め前。1910年から営業している。オイスター・バーで生ガキ＆ビールだけの客も多いし、奥のバーでゆっくり飲むこともできる。皿やフォーク、ナイフは

プラスチックというごくカジュアルな店
だ。生ガキ、Red Beans and Rice、中を
くりぬいたフランスパンにガンボを詰めた
Gumbo Poopa、Jambalaya、Po-Boy各種
などが手ごろな料金でそろっている。テイ
クアウトもOK。 （'98）

スワンプムードのケイジャンの店
Michaul's

🏠840 St. Charles Ave. ☎(504)522-5517
🕐ランチ月～金11：00～14：00、ディ
ナー月～木17：00～23：00、金17：00～
24：00、土18：00～24：00、日18：00～
22：00 🗺P.568 A-2
　リー・サークルに近い。場所がら仕事帰
りの人が多いが、店内は実にカジュアル。
バイユー沿いの村をイメージしたという店
内には、ライブのケイジャン音楽が流れ、
ケイジャン・ダンスのレッスンも！ メイ
ンは＄14～22。おすすめはBlackened
Catfish。スパイスを効かせたヨーグルト
風味のソースをかけ、わざとこがして黒く
焼いてある。柔らかい身はウナギを思わせ
る舌触り。生臭さなどみじんもない。（'98）

ニューオリンズでケイジャンならここ
Mulate's

🏠201 Julia St. ☎(504)522-1492
🕐毎日11：00～23：00 🈺サンクスギビ
ング、クリスマス 🆎🅜🆅 🗺P.568 B-3
　ケイジャン料理とケイジャン音楽の店。
まったく飾らない温かい店だ。店員の応対
もいい。音楽はとくにニューオリンズNo.1
とのこと。ライブのケイジャン音楽に合わ
せて踊るおじさん、おばさんは笑顔また笑
顔。メニューは典型的ケイジャン。2種の
ガンボ、クローフィッシュ・エトフェなど
がおすすめ。メインで＄14～20。 （'98）

目覚めのカフェオレとパンはここで
La Madeleine Bakery

🏠547 St. Ann St. ☎(504)568-0073
🕐毎日7：00～21：00 🈺クリスマス
　🗺P.569 C-2
　ジャクソン広場に面したベーカリー＆カ
フェ。自家製クロワッサンがいい。店内に
はクラシックが静かに流れ、ジャクソン広
場付近を行く人々を眺めながら朝のひと時
を過ごすには格好。地元の人もいるが、
場所柄、観光客が多い。 （'98）

名物〝ベニエ〟がおいしいカフェはここ！
Café du Monde

🏠800 Decatur St. ☎(504)525-4544
🕐24時間 🗺P.569 C、D-2
　1860年から続いている有名な店で、こ
このカフェオレとベニエを食べなければニ
ューオリンズに来たことにならないと言っ
てもいいほど。ベニエとは粉砂糖をかけた
四角いドーナッツで、甘さ控えめでとても
軽い口あたり。デリケートな味なのでアメ
リカ人には物足りないらしく、テーブルに
置いてあるシェイカーから粉砂糖をたっぷ
りかけている人も多い。ベニエ3個＄1.30、
とカフェオレ＄1.30（こちらもパリの味そ
のままの本格派！）。ベニエは持ち帰りも
できるが、揚げたてのほうが断然おいしい。
ベニエの材料セットも売っているのでお菓
子作りの好きな人はおみやげにいかが？
　場所はジャクソン広場のそば、フレン
チ・マーケット入口にある。年中無休、24
時間営業でいつも観光客でごったがえして
いるのですぐにわかる。また、川沿いに上
ったところにあるRiverwalkというショッ
ピングモール内にも支店がある。クリスマ
スは休み。 （'98）

抜群においしいオイスター料理ならココ！
Felix's Oyster Bar

🏠739 Iberville St. ☎(504)522-4440
🕐月～木10：00～24：00、金土10：00
～1：30、日10：00～22：00🗺P.569 C-2
　ここへ来たら生ガキなんかやめて、ぜひ
オイスター・ロックフェラーを食べてみよ
う！ とにかく抜群にうまい。これはニン
ニクベースのバターソースをかけてオーブ
ンで焼いたもの。仕上げの薬味がきいて、
前菜として申し分ない。バーボン＆ロイヤ
ル・ストリートの間にある。
（木村卓司　埼玉県）（'98）

ニューオリンズへ行ったらカフェ・
デュ・モンドへは必ず寄ること！

★

Seattle
Denver
San Francisco
Chicago
New York
Los Angeles
Atlanta
New Orleans
Miami

Orlando

オーランド

　現在、世界に名だたる"テーマパーク王国"として知られるオーランドも、ウォルト・ディズニー・ワールド（WDW）が出現する前は、単なる地方の町であった。もともと遊園地や公園が多く、リゾートとしての要素はあったものの、今日のような変貌を遂げるとは、かのディズニー氏ですら想像できなかったのではないだろうか。

　この町にはウォルト・ディズニー・ワールド、ユニバーサル・スタジオ・フロリダ、シーワールドなど、大きなテーマパークを中心に、数えきれないほどのアトラクションやリゾートホテルが並び、全米のみならず世界中より驚くほど多くの人が訪れる。アメリカ人の平均滞在日数5日間。それでも足りない、また来たいと誰もが望む。時間に余裕のない日本人旅行者は、スケジューリングに頭を痛めるに違いない。少しでも、後悔の少ない計画を立てることが、オーランドのいちばんの攻略法だ。

アミューズメント・スポットを効率よく回るために

～どこに泊まり、どう動くか～

　オーランドはほかのアメリカの町に比べて、観光ポイントが広範囲に散らばっている。しかも、路線バスなどの公共交通機関があまり発達していないので、どこに宿をとるかによって、動ける範囲が決まってくる。そのオーランドのホテルエリアは5つ。車での移動を基本にアトラクションが作られているので、レンタカーもしくはシャトルバンを使っての移動となる。

data

人　口	約177,000人
情　報	Official Visitors Guide（観光情報誌）無料クーポン付
TAX	セールス・タックス 6%　ホテル・タックス 地域により9〜11%
属する州	フロリダ州　Florida
州のニックネーム	サンシャイン州　Sunshine State
時間帯	イースタン・タイムゾーン

ORLANDO,FLORIDA

気温（℃）　降水量（ミリ）

最高気温
最低気温

1月 2月 3月 4月 5月 6月 7月 8月 9月 10月 11月 12月

①オーランド市内に泊まる

グレイハウンドで移動している人にはいちばん便利な場所。エコノミーから中級ホテルまでそろっている。しかし、ダウンタウンは環境の良くない場所も多く、とくに夜間は人けのなくなる場所も多いので、アトラクションで夜遅くまで遊びたい人にはあまりおすすめではない。WDWまでは約20〜25分、ユニバーサル・スタジオまで10〜15分。レンタカーかミアーズなどの送迎シャトルバン（有料）を利用する。

②インターナショナル・ドライブに泊まる

インターナショナル・ドライブはオーランド・ダウンタウンとWDWのほぼ中間に位置するオーランドでいちばんにぎやかな場所。ホテルやモーテルも多い。空港やショッピングセンターにも近く、レストランも周辺にたくさんあるので、なにかと便利だ。アトラクションには、送迎シャトルバン（有料）を利用する。WDW、シーワールド、ユニバーサルで遊びたい人はここがいいだろう。WDWまでは車で約10〜15分、ユニバーサル・スタジオまでも約10〜15分。

グレイハウンドを利用しているのならダウンタウンに泊まるのもいい

③ディズニー・ワールド内に泊まる

オーランドに来たからには、WDWだけ楽しもう！という人は、ディズニー・ワールド内に泊まるのがいい。ディズニーのキャラクターたちが現れるワールド内のホテルには、閉園1時間後までモノレールやシャトルバス（無料）が運行されているので、便利なうえ、1人でも安全。他のエリアに比べて料金は高いが、昼間、ホテルにもどってひと休み、午後から再びディズニーへ、なんてことはディズニー・ワールド内に泊まっていなければできない。

④レイク・ブエナ・ビスタに泊まる

WDWのちょっと外側にあるホテル・エリア。中級から高級ホテルが多く、ホテルとしては充実したものが多い。ただし、WDWへは近いが歩いては行けないので他のエリア同様送迎シャトルバン（有料）を利用することになる。

⑤キシミー（US-192沿い）に泊まる

お金を節約したいレンタカー旅行者にいちばん人気のエリアがココ。WDWに近いUS-192沿いには安いモーテルが100軒あまりズラリと並ぶ。車がない人は、やはり送迎シャトルバン（有料）を利用しよう。

©Disney

WDWで遊ぶなら園内のホテルに泊まるのもいい

空港

オーランド国際空港　Orlando International Airport (MCO)

オーランド国際空港
☎ (407) 825-2001
　中層階のコンコースはバ
ゲージクレーム、外側両サ
イド（A・B）にトランスポー
テーション・エリアがある。
🗺 P.593　C-2

　市の南東13kmに位置する、バケーション王国の玄関口にふ
さわしい近代的な空港。ターミナルはA（Gates1〜29）とB
（Gates30〜59）に分かれており、両ターミナルと空港ビルと
の間にシャトル・トレインが走っている。シャトルを降りたと
ころは空港ビル3階のコンコースで、まず歓迎してくれるのは
ディズニー・ワールドとシーワールドのインフォメーション・
ブース。ここで行き方やイベント情報を教えてもらい、園内マ
ップを入手して予習して
おこう。その隣には空港
案内所もある。

　コンコースの奥にはディ
ズニー・ワールド、シ
ーワールド、ケネディ宇
宙センターのギフトショ
ップがズラリと並んでい
る。

テーマパーク王国の入口、
オーランド国際空港

●ホテル・エリア行きシャトルバン　Mears Motor Shuttle

Mears Motor Shuttle
🏠 324 W. Gore St., Orlando,
FL 32806
☎ (407) 423-5566

　オーランド地区の5つのホテル・エリアなどへは、トランス
ポーテーション・エリアAから出発するミアーズのシャトルバ
ンが便利。チケットブースでチケットを購入すると、自分の行
きたいホテル・エリア行きのバンへ連れて行ってくれる。チケ
ットを買わずに勝手に車の前などに行ってもダメ。また、帰り
の予約は24時間前までに、電話で。または、ホテルのフロン
トに頼んで呼んでもらおう。

●タクシー　トランスポーテーション・エリアAから出発。2
〜3人ならシャトルバンよりもメリットがある。

タクシー&シャトルバン料金表

行き先	タクシー	シャトル（往復）
		大人
インターナショナル・ドライブ	$26	$12（$21）
ダウンタウン	$27	$12（$21）
レイク・ブエナ・ビスタ	$32	$14（$25）
WDW	$40	$14（$25）

リンクス
🎫 $1
　1時間ごとの運行。終点
はPine St.にあるバスター
ミナルだが、ホテルはその
先のColonial Dr.に多いの
でトランスファー（10¢）を
もらっておこう。

●路線バス　Lynx　オーランドの路線バスリンクスLynxは
空港ビルの2階、Aサイド、Bサイドの両方から発着してい
る。ダウンタウンへは#51で約1時間。インターナショナル・
ドライブへは#42で約40分（1時間おき）、#50のバスがダウ
ンタウンとWDWのマジックキングダムを結んでいる（本数は
少ない）。空港へ向かうときはリンクスのバスターミナルで時
刻表をもらうか、電話で問い合わせて時刻を確認しておこう。

長距離バス

グレイハウンド・バスディーポ　Greyhound Bus Depot

　ダウンタウンの西のはずれにあるディーポで、建物はきれいで軽食レストランなど、ひととおりの設備が整っている。タクシーは常に数台待機しているので、急いでいるときも困らないだろう。

　インターナショナル・ドライブやWDW周辺にはリンクスを使って行くこともできるが、一度ダウンタウンのリンクスターミナルまで戻らなければいけなかったり、本数が少なかったりするので、タクシーかシャトルバンを利用するのがいちばんだろう。

観光案内所 ★ Information

Orlando/Orange County Convention & Visitors Bureau

　オーランド周辺のアトラクション、ホテルなどの情報を仕入れるならまずここへ。資料が豊富で係員も親切。また、ここに置いてある "Orlando Magicard" というカードは、ユニバーサル・スタジオ、シーワールドなどアトラクションの入場料、ホテル代などの割引が得られる便利なカードだ。無料なのでぜひもらっておこう。

グレイハウンド・バスディーポ
🏠555 N. John Young Pkwy., Orlando
☎ (407) 292-3440
📞 (1-800) 231-2222
🕐24時間営業
🚌Lynxは、ダウンタウンへ向かう＃25と、東へ向かう＃30の2本がディーポの前に停まる
📍P.593　B-1

Orlando/Orange County Convention & Visitors Bureau
🏠8723 International Dr., Orlando, FL 32819
☎ (407) 363-5800、
FAX (407) 363-5899
🕐毎日8:00～20:00、チケットの販売は19:00まで
🚫クリスマス
📍P.593　B-2

私設の観光案内所に注意
　インターナショナル・ドライブ沿いには、私設の案内所がたくさんあり、ディスカウント・チケットを売っているが、条件の怪しげなチケットもあるので、要注意。

★ オーランド

日本での情報収集

　旅行前に最新情報を日本語で手に入れたいなら、オーランド観光局のVOICE＆FAXインフォメーションサービスを利用しよう。プッシュ回線の電話から☎03-3249-7210にダイヤル。アクセスコード4770＃を押し、その後は音声ガイダンスに従って欲しい情報の番号を選んでいく。

★

オーランドの歩き方　　　　　Walking

　市内とその周辺には**リンクス Lynx**という路線バスの路線が広がっているので、ダウンタウン周辺を動くときに利用しよう。路線によっては、夜間や週末の運行をしていなかったりするので、ダウンタウンのリンクスターミナルでスケジュール（路線別は無料、全路線載っているものは＄3）を手に入れておこう。

　WDW、ユニバーサル・スタジオ、シーワールド、空港などへもリンクスを使って行くことができるが、時間がかかったり本数が少なかったりと、便利とはいえない。WDWやインターナショナル・ドライブ周辺、キシミー方面へ行くにはタクシーやシャトルバン（ミアーズなど）を利用したほうがよいだろう。また、Lynxの**I-Ride**という、インターナショナル・ドライブをウェッテン・ワイルドから、シーワールドまで往復しているシャトルバスサービスもある。毎日7：00～24：00の間、12分ごとの運行。インターナショナル・ドライブ周辺に泊っている人は食事やショッピングの足として利用できる。

　市内や、インターナショナル・ドライブ周辺のホテルからWDWやユニバーサル・スタジオなどのアトラクションへ行く方法は次のとおり。

オーランドを動く交通機関

●送迎シャトルバン　Mears Motor Shuttleなど

　空港からのシャトルと同じく、バンを使った送迎サービス。エリアや時間帯にもよるが、おもなテーマパークには30分～1時間に1本くらいの割合で開園・閉園時間前後1時間くらいの間、運行している。最大手はMearsだが、会社は多数ある。ほとんどのホテル、モーテルがどこかの会社と契約しているので、フロントやゲストサービスに尋ねるとよい。内容、料金に大差はない。万一、どことも契約していないようなら、ミアーズに電話で90分前までに申し込むとよい。

Lynx
☎ (407) 841-2279
🚌 $1、トランスファーは10¢

I-Ride
☎ (407) 354-5656

Mears Motor Shuttle
🏠324 W. Gore St., Orlando,
FL 32806
☎ (407) 423-5566 (オーランド)

乗り放題のミアーズ・スーパーパスが便利！
　空港到着時に購入できて3泊分 $45、子供 $35

WDW内を走るモノレール（右）リンクスのターミナル（左）

©Disney

●グレイハウンドバス　Greyhound Bus

　オーランドとキシミーを結ぶグレイハウンドバスが、1日5本運行されている。もちろんアメリパスも使える。ここからWDWまで有料のシャトル☎(407)847-3911が出ている。タンパからオーランドへの途中、キシミーで下車して宿をとりたい場合に好都合。

キシミーのグレイハウンド・バスディーポ
🏠103 E. Dakin, Kissimmee
☎(407) 847-3911
🕐月～金10：00～17：30

●レンタカー

　何人か集まればレンタカーを借りるという手もある。大手のレンタカー会社は空港のほかにもオーランド市内やキシミーにオフィスを持っている。自分の行きたい場所に合わせて安いモーテルを移動すれば意外と経済的だし、混雑する日中はモーテルへ帰って昼寝をして、夜は遅くまで遊ぶということもできる。

　オーランドからWDWまでは約25マイル。I-4を西へ走れば標識がそれぞれの目的地まで案内してくれる。インターナショナル・ドライブへはExit 30、シーワールドはExit 28、マジック・キングダム＆エプコット＆MGMスタジオはExit 25B、キシミーはExit 25Aを利用するとよい。

レンタカー
💰小型車ならば1日＄50（保険＆Tax込み、ガソリン代別）、1週間＄150～。
　レンタカーについては旅の準備と技術編のレンタカーの項参照。

ツアー案内 ★ Sight-seeing Tour

グレイライン　Gray Line of Orlando
出発場所：オーランド、キシミー、レイク・ブエナ・ビスタ地区のほとんどのホテルへのピックアップサービスあり

グレイライン
☎(407) 826-9999
📞(1-800) 781-8999
HOME www.gray-line-mco.com

番号	ツアー名	料金	運行	所要時間	内容など
1	Busch Gardens Tampa Bay	＄65	月水8：00発	8時間	絶叫マシンとめずらしい動物たちのいるブッシュ・ガーデンへの1日ツアー。
2	Kennedy Space Center	＄50	日火8：00発	7時間	宇宙へのステーション、ケネディ宇宙センターへの1日ツアー。

Attractions ★ おもな見どころ

昔の西部を体験しよう
チャーチ・ストリート・ステーション ★ Church Street Station

　"古き良き時代の西部"のイメージで統一されたショッピング＆エンターテインメント・ゾーン。古い鉄道駅からChurch St.の両側にダンスホールやレストランが並ぶ。昼間もオープンしているが、ぜひ夜行ってみたい。通りには人があふれ、6つのショーステージでは楽しく、そして懐かしい歌と踊りが繰り広げられる。客席とステージが一体となって大変な盛り上がりだ。レストランも4軒。こちらもレトロなムードで素晴らしいディナーが楽しめる。西部劇の登場人物になったような気分だ。

　また、The Exchangeは約50店舗の入ったショッピングモール。3階は大きなゲームセンターになっているが、全体が木目調なので、ケバケバしさを感じさせない。

チャーチ・ストリート・ステーション
🏠129 W. Church St., Orlando
☎(407) 422-2434
📞(1-800) 711-0080
🕐毎日11：00～2：00（The Exchangeは11：00～23：00）
💰17：00以降全店共通で大人＄17.95、子供＄11.95。The Exchangeは無料
🚗オーランドのダウンタウン、リンクスのターミナルのすぐ隣
🗺P.593　C-1

カンカンダンスもあってとてもにぎやか

ブルース・ブラザースもいる
ユニバーサル・スタジ
オ・フロリダ

🏠1000 Universal Studio
Plaza, Orlando
☎(407) 363-8000
🕐毎日9:00〜19:00(夏
期は延長で、季節によって
変動あり)
💰1日券　大人＄44.52、
子供（3〜9歳）＄36.04、駐
車場＄6
🚗オーランド市の中心から南
西に約16km。I-4のExit 30B
を出て、North Kirkman Rd.
を約800m進んだところ
📖P.593　B-1,2

ユニバーサル・スタジオ
以外も回るなら
　ユニバーサル・スタジオ、
シーワールド、ウェッテン・
ワイルドへの共通券「マル
チデー・マルチパーク・バ
リューパス」は、7日券大人
＄107.95、子供（3〜9歳）
＄89.95

ターミネーター2：3D
バトル・アクロス・タイム
　映像と効果音だけでな
く、ロボットや役者たちに
よる会場全体を使ったアト
ラクションは迫力満点だ。
順番待ちの間にも退屈しな
いよう本編の伏線があちこ
ちに潜んでいるのでご注意。

ご存じ、映画のテーマパーク
ユニバーサル・スタジオ・フロリダ ★ Universal Studios Florida

　最大かつ最新の設備を持つ、ホンモノの映画・テレビ制作スタジ
オを兼ねたアトラクションがユニバーサル・スタジオ・フロリダだ。
　ユニバーサル・スタジオといえば、普通の遊園地とはひと味
違う、ロスアンゼルスではもうすっかりおなじみのテーマパーク。
しかし、フロリダのユニバーサルは、アトラクションのスケールが
LAをはるかに上まわる大迫力であるうえ、内容も作りも違う
ので、ロスアンゼルスを体験ずみの人も、まったく別のものとし
て楽しめる。おなじみのキャラクターに、ユニバーサルの遊び心と
ハイテク技術をミックス。一度体験するとまた遊びたくなる、
自信作ぞろいだ。どのアトラクションもおもしろく、まるまる
1日費やしても足りないほど。
　いまいちばん人気があるのは"ターミネーター2"。まず、ここ
からスタートしてみてはいかが？

おもなアトラクション

●ツイスター　Twister ── Ride It Out
　'98年5月オープンの最新アトラクション。映画『ツイスター』
をもとにしたもので、人工の巨大な竜巻を体験することのでき
る、興奮のアトラクション。

●ターミネーター2：3Dバトル・アクロス・タイム
Terminator 2：3D Battle Across Time
　シュワルツェネッガー主演で大ヒットした映画が3D映像と
ライブアクションの融合したアトラクションになった。
　ストーリーは映画のターミネーター2の続編といったところ。
未来で世界を管理するコンピュータ、Sky Netの人類滅亡計画
を阻止するため、主人公ジョンとシュワルツェネッガー扮する
T-100が最後の戦いを挑み、タイムマシンを使って2人で未来に
向かう。

読★者★投★稿　ユニバーサル・スタジオ🌏読者体験アドバイス

●BTTFのライドは前列がいちばん怖い
　バック・トゥ・ザ・フューチャー…ザ・ライ
ドでは、乗る前にまず別室に誘導されてドクタ
ー・ブラウンの説明をうける。その際、
さり気なく奥の扉のそばへ行こう。そうすれば、
扉が開くとデロリアンは目の前。迫力あるいち
ばん前の席に座って、タイムトラベルを楽しめ
る。
　　　　　　　　　　（村上亜紀子　板橋区）
　　　　　　　　　※
　大人気のBTTFは、朝いちばんなら待たずに
乗れる。座席は、前列のほうが画面がはっきり
見えるし、デロリアンに付いている小さなTV
も見ることができる。後列だと、前の人の頭が
邪魔になって画面が見にくく、TVはまったく
見えない。

　　　　　　　　　　（佐賀智諭　神戸市）

●夜のショーも忘れずチェック
　ピーク・シーズンだけだが、ユニバーサル・
スタジオでも夜になるとラグーンで迫力あるショ
ーが行われる。入園時に必ずスケジュールを
チェックしておこう。ショーを観るための特等
席はラグーン中央（E.T.側）の岩の上。1時間
くらい前から行って場所を確保しておけばバッ
チリ。
　　　　　　　　　　（佐賀智諭　神戸市）

●スコール対策にポンチョをおすすめ
　夏のオーランドで絶対に欠かせないのがスコ
ール対策。ほとんど毎日のように、夕方になる
とすごいシャワーが降る。でも大抵は短時間な
ので、傘よりもおすすめなのがポンチョ。活動
しやすいし、雨が止んだら小さくたためるので
便利。テーマパークで現地調達すればいい記念
になるし、あとでスキーのときなんかにも使える。
　　　　　　　　　　（村上亜紀子　板橋区）

ラグーンでのスタントも見逃せない(右)。どこからかジョーズが…(左)

●バック・トゥ・ザ・フューチャー・ザ・ライド
Back To The Future The Ride（BTTF）

マイケル・J・フォックス主演でおなじみの映画、『バック・トゥ・ザ・フューチャー』が、最新テクノロジーを駆使した驚くべきアトラクションとなっている。

そのストーリーを少し紹介すると、ドクのラボからデロリアンを盗みだし、クレイジーな時空の旅に出たビフを、我々が追跡するというもの。万一 "BTTF" を見たことがないという人は、出発前に必ず見ることをすすめる。

●ジョーズ　Jaws

世界でもまれな水中テクノロジーを駆使して完成したボートライド・アトラクション。体長32フィートのジョーズがくり返しボートを襲い、その度ふきあがる水しぶきでズブぬれになる。クライマックスは水上が炎の渦に……。

●E.T.アドベンチャー　E.T. Adventure

前半は映画の再現だ。わたしたちは、人々に追われ森に逃げ込み、故郷に帰りたい、と願うE.T.に出会う。そして後半、E.T.といっしょに自転車に乗り、大空へ飛びたち、彼らのプラネットへ危機を救いに行く。

●大地震　Earthquake

前半は、合成とシミュレーションのテクニックを、観客参加の実演を行いながら、披露してくれる。ホストはもちろんチャールトン・ヘストン。次に、サンフランシスコのバート(地下鉄)に乗り込む。電車が次の駅に入ったとき、電車が揺れ、警報が鳴り、壁は崩れ落ち……。そして、ハイライトである後半は、マグニチュード8.3の大地震を全員で体験する。

●コング・フロンテーション　Kong Frontation

おなじみキングコングをテーマにしたアトラクション。舞台はニューヨーク。わたしたちはNYの町を歩き、ルーズベルト島行きのトラム(ロープウェイ)に乗りこむ。そこへ、"キングコングが逃げた！"という知らせが入る。キングコングによって町が破壊され、警官や兵士が戦うなかトラムは進む。突然キングコングはトラムに襲いかかる。トラムは傾き、ついに宙吊りに！

●アルフレッド・ヒッチコック映画制作の芸術

立体映像で、『サイコ』のシャワーにうたれ、『鳥』の狂った攻撃を受けるのは、かなりの迫力だ。『めまい』『裏窓』では、高所からの落下シーンなどの特撮テクニックを観客実演で見せてくれる。どうやって作るのかは、あなたが解かなければならないミステリー？

キングコングの息に注意！

バック・トゥ・ザ・フューチャー・ザ・ライド
オープン以来、連日長蛇の列で大盛況のこのアトラクションは、視覚、聴覚に訴える擬似体験モノ。種類としては"スターツアーズ"の類だが、半円型24mの巨大スクリーン、70mmのオムニマックス・フィルム、最新の油圧式動力装置などのハイテクの結集した"BTTF"をなにがなんでも体験しよう！

ジョーズ
左右どちらに座っても必ずジョーズに会える、大サービスのアトラクション。

E.T.アドベンチャー
いつも混んでいるので、とにかく開園したら早めにライドしよう。最後にE.T.は感謝と友情のしるしに、私たちひとりひとりの名前を呼んでくれるのがうれしい。

大地震
とにかく予想以上の恐怖に圧倒され、映画の偉大さがあらためて感じられる。

アルフレッド・ヒッチコック映画制作の芸術
最近では当たり前になった特撮技術も、原点は巨匠ヒッチコックの映画にある。

シーワールド
📍7007 Sea World Dr., Orlando
☎(407) 351-3600
🕐毎日9：00～19：00（夏は延長 ☎351-0021に問い合わせ）
💰大人＄47、子供＄34＋Tax。ユニバーサル・スタジオ、シーワールド、ウェッテン・ワイルド共通7日券大人＄107.95、子供（3～9歳）＄89.95
🗺P.593 B-2
🚌オーランドからはグレイライン・ツアーなどで来ることができる。またリンクスバスの#8もシーワールドを通っている。行く前にタイムテーブルを入手しておきたい。

ダイナミックなシャチのショー

海の生物のショーがみごと
シーワールド ★ SeaWorld

シャチやイルカ、水上スキーなど15種類以上のショーが楽しめる世界最大規模のマリン・パーク。とくにシャムー（シャチ）と白いクジラのショーは質が高くて感動モノ！ほかにも200羽以上のペンギンに会えたり、アザラシにエサをやったり、サメのプールの中を歩いたり（！）、エイにさわったり……。まる1日十分に楽しむことができる。動物好きな人にとくにオススメ！

場所はオーランドとディズニー・ワールドの間のインターナショナル・ドライブにある。入場券を買うときについてくる"Recommended Show Schedule"に沿って回れば、ショーを見逃すことなく歩ける。

ウェッテン・ワイルド
📍6200 International Dr., Orlando
☎(407) 351-9453
📞(1-800) 992-9453
🕐9～4月上旬までの10：00～17：00オープン（夏は延長）
💰大人＄26.95、子供＄21.95＋Tax
🗺P.593 B-2

フロリダの夏を涼しく過ごそう
ウェッテン・ワイルド ★ Wet'n Wild

究極の"水遊びマシン"が揃った世界最大のウォーターパーク。高さ61メートルのすべり台、カラフルな泡の出るプール、恐怖のコークスクリューすべり台、膝で乗る水上スキーなどエキサイティングなアトラクションがいっぱいだ。水着持参のこと。

場所はオーランドとシーワールドの間。

暑いときはプールにかぎる！

★ サイプレス・ガーデンの不思議な木

●ボールド・サイプレス　Bald Cypress

サイプレス・ガーデンの湖の中に林を作っている怪しげな木がこれ。サイプレスとは糸杉（ヒノキ科の針葉樹）の一種で、アメリカ東部と南部のどこにでも見られる樹木だが、このように湖水に根を下ろしているのはめずらしい。幹を支えるために垂直に根を広げ、海綿状の穴からは酸素をとり入れている。湖岸の水が茶色くなっているのは、サイプレスが分泌するタンニン酸のためだ。

このサイプレスの林をいっそうミステリアスにしているのが、枝から垂れ下がった藻のような植物スパニッシュ・モス Spanish Moss。アメリカ南部独特の寄生植物で、風にのって木から木へと広がっていく浮き草稼業。水の上に踏んばって動かないサイプレスとはまったく別の植物なのだ。ちなみに、サイプレス・ガーデンでもっとも長生きのサイプレスは樹齢約1600年だそうだ。

●バンヤン・ツリー　Banyan Tree

インドとパキスタン原産の巨大な木で別名ベンガル菩提樹。枝が横へ横へと伸びていくのが特徴で、枝の両端の幅が、な、なんと60ｍ以上！さらに驚いたことには、枝の重さを支えるために枝から地面に向かって何十本もの根（というか幹）が下りている。この根を刈り取らなければもっともっと大きくなるそうで、インドではひとつの集落が1本のバンヤン・ツリーの下に入ってしまうとか。強い日射しや嵐からも守ってくれるたくましい屋根となる木なのだ。

中国がフロリダにミニチュアで出現
スプレンディッド・チャイナ ★ Splendid China

　フロリダの太陽の下で中国5千年の歴史に触れようというユニークなテーマパークだ。ここスプレンディッド・チャイナには中国の有名な建物や史跡の精巧なミニチュアが76エーカー（30万㎡）の敷地の中に60以上も集められている。すべて中国からやって来た職人が2年以上かけて作り上げたものばかり。

　中国舞踊に始まり、アクロバットや中国武術のデモンストレーション、中国式ジャグリングなどチャイニーズ・ライブ・エンターテインメントも毎日楽しめる。さらにユニークな中国製品のショッピングも楽しめ、レストランは広東や四川、北京とバラエティに富んだ本格的な中国料理、簡単に食事を済ませたい人はチャイニーズのテイクアウトまであり、まさに中国ずくめ。オーランド・テーマパーク三昧のプランに中華風の味つけをすれば、中身が濃くなること間違いなし。

植物園とショーが一度に楽しめる
サイプレス・ガーデン ★ Cypress Gardens

　ディズニー・ワールドから南へ約40分、Winter Havenという小さな町に、世界的に有名な熱帯植物園、サイプレス・ガーデンがある。熱帯植物園といっても、そこらへんにあるようなちゃちな温室とはワケが違う。もともと美しい湖とその湖水に根を下ろした不気味なサイプレス（糸杉の一種）の迷路を保護するために作られた。園内では800種を超える植物が栽培され、めずらしい花々で彩られた庭園や水上スキーなどのショーを見てまわると、たっぷり1日かかってしまうだろう。

　園内へ入ったらまずは30分間のボート・クルーズに乗りこもう。自然の迷路の中をゆっくりと進み、一年中色鮮やかな花の咲き乱れる庭園と、実に不思議なサイプレスの林を巡る。

　船を降りたらもう一度じっくりと植物園を見て歩き、8,000種にも及ぶ植物と花の香りを楽しむとよい。

　園内ではまた水上スキーやアイス・スケート、空中サーカスなどのショーも行われているし、Island in the Skyという回転タワーに乗れば広い園内と湖が一望できる。

スプレンディッド・チャイナ
🏠3000 Splendid China Blvd., Kissimmee
☎(407) 396-7111
📞(1-800) 244-6226
💰大人＄28.88、子供（5〜12歳）＄18.18
🚗ディズニー・ワールドのメイン・エントランス・ロードの西2マイルのUS-192沿い。オーランドからだと南西に12マイルのところにある
🗺地図外

　なかでも注目したいのが、600万個以上の小さなレンガを1つずつ積んで作られた長さ800mの万里の長城だ。

ここは古代中国!?

サイプレス・ガーデン
🏠2641 S. Lake Summit Dr., White Haven, FL 33884
☎(813) 324-2111
🕐毎日9：30〜17：30（夏期は延長）
💰大人＄31.95、子供＄14.95+Tax
🚗グレイライン・ツアーを利用。車で行く場合はI-4からUS-27 Southに乗り、Haines Cityを過ぎたところに案内標識が出ている
🗺P.600

★ 飛べない飛行機!?

　スペース・シャトルの最大の特徴は、その翼を使ってグライダーのように帰還できることだ。滑走路に車輪を降ろしスムーズにタッチダウンすることによって、機体の損傷は最小限ですむ。考えてみれば無限の闇が広がる宇宙から、大気圏に焼かれ、雲を突きぬけて、けし粒より小さな滑走路へ着陸するなんて奇跡みたいなワザだ！

　ところがこのヒーロー、情けないことに地上へ戻るともう飛べないのだ。スペース・シャトルの着陸場所はおもにケネディ宇宙センターとカリフォルニアにあるエドワーズ空軍基地の2カ所。でも発射場はケネディ宇宙センターだけ（'98現在）なので、カリフォルニアに着陸したシャトルはフロリダまで運ばなければならない。さあ、どうやって運ぶのでしょう？ 答えは、な、なんと飛行機の背中におんぶして飛んで行くのだ！ シャトルは巨大なクレーンで吊り上げてNASA専用のジャンボ機の背中に取り付けられ、まるで亀の親子みたいな格好でアメリカ大陸を横断して帰るのだ。

ケネディ宇宙センター
圏Spaceport USA, Visitor
Center, TWRS Kennedy
Space Center
☎(407) 452-2121
圏P.600

　なお、スペースポート
USA、バスツアーともに
身体チェックもないし、写
真撮影も自由だ。

ケネディ宇宙センター
へのツアーも人気

スペース・シャトルの発射基地は宇宙のテーマパーク
ケネディ宇宙センター ★ Kennedy Space Center

　オーランドから東へ車で約1時間。フロリダの湿原が大西洋に出会う広大な土地に、"宇宙の窓口"、ケネディ宇宙センターはある。スペース・シャトルの発射基地として知られているとおり、現役のNASAの施設なのだが、その一部が『Spaceport USA』として観光客向けの施設となっている。宇宙と宇宙開発に関係したさまざまな展示が集まる楽しいスポットだ。また、スペース・シャトルの格納庫や発射台などを見に行くバスツアーもあって、こちらも見逃せない。

　国内にはすでにフロンティアを失ったアメリカのフロンティア・スピリットは、進む先を宇宙に向けた。その精神の集うところがここだ。アメリカ人に人気のなかろうはずはない。バスツアーやIMAXシアターのチケットは午前中に売り切れてしまうこともある。早めに行って、まずチケットを入手しよう。

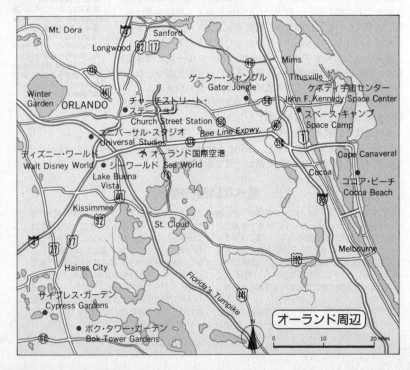

オーランド周辺

●バスツアー　Bus Tours

　２階建てバスでスペース・シャトル発射台などを見学する約３時間のツアー。

　まず訪れるのがアポロ計画の中心となっていた建物。アポロ月面着陸船が展示され、アポロ打ち上げと月面着陸のフィルムを見る。

　再びバスに乗り込むと、やがて外壁に星条旗をあしらった巨大な箱形のビルが見えてくる。シャトル組立てビルだ。世界で２番目の容積を持ち、この中でスペース・シャトルが組み立てられる。中には入れないが、シャトル運搬用の巨大なトレーラーを見ることができる。シャトルは格納庫から出ると、このトレーラーに載せられ、発射台まで時速1.6kmというノロさで移動する。

バスツアー
🎫大人＄14、子供＄10
🕐毎日9：30～日没3時間前までバスツアーは次々と出発する。チケットは9：00から売り出される。早い出発のバスから次々にチケットが売り切れてしまう

　発射台があるのは海岸線沿い。現在使われている39Aと39Bのどちらかを間近に見ることができる。

　バスを降りるとき、入ってはいけないエリアの注意があるので軽率な行動は慎もう。

●アイマックス・シアター　IMAX Theater

　臨場感たっぷりの大画面で、現在、"L5：First City in Space"、"Mission to Mir"、"The Dream Is Alive"の３本を上映している。ともにスペース・シャトルからの映像を中心に展開。

アイマックス・シアター
🕐1日12回上映
🎫大人＄7.50、子供＄5

●ギャラクシー・シアター　The Galaxy Theater

　火星で生まれた少年が地球を訪れる物語、"The Boy From Mars"（22分）を上映中。

　ギフトショップは、NASAのジャケットをはじめ、Tシャツ、キーホルダー、ビデオなど、品揃えが豊富で、おみやげ探しにいいだろう。

●サテライツ・アンド・ユー　Satellites And You

　宇宙ステーション内部を模した部屋を巡り、人工衛星について学ぶツアー。

サテライツ・アンド・ユー
🕐毎日10：00～18：30の間9分ごとの出発で所要時間45分

★ スペース・シャトルを見る方法（車の場合）

①日程を確認する。打ち上げ計画はあくまでも予定なので変更になる可能性は非常に高い。場合によっては、ご存じのように発射の1時間ぐらい前になって、突如発射時間の延期が発表されることもしばしばある。シャトルを見るにあたって、まずスケジュールが変更になる可能性があることを覚悟しておく必要がある。最新のスケジュールを知りたいときは、☎（407）452-2121内線"6"にかけるとよい。

　車の場合、前もってNASAに手紙で依頼すれば、車の通行許可証がおりることもある。ただし、日にちに余裕を持って手紙を書くこと。
②車の通行許可証が発行されれば、打ち上げの当日NASA敷地内への入場が許可され、発射台から5マイルほど離れたインディアン川沿いに駐車して発射の見物ができる。
③許可されなかった場合、スペース・センター敷地外に数ヵ所の見物に適した場所があるのでそこから眺めるといい。

おすすめの場所は、
● ティツスビルTitusvilleのU.S.のハイウェイ1号線
● 発射コンプレックス39の北、ステイトハイウェイ402号線
● ビーライン高速道路がベネット・コーズウェイに変わる近辺
● コーズウェイが終わるケープ・カナベラル市近くのジェティー・パーク
● ポンセ・デ・レオン湾の北の海岸
● ボートに乗ってインディアン川の北、バナナ川の水上から、またはスペース・センター、ケープ・カナベラルと空軍基地の間の大西洋上から
● オーランドから見る
　実はオーランドからも、米つぶくらいの大きさになってしまうが、発射するスペース・シャトルを見ることができる。東側に向かって障害物がなければだいたい見える。高い建物の上がベスト。

★
オーランド

●その他

スペース・シャトルの実物大模型"Ambassador"は、シャトルの操縦席などを見学できる。スペースポート・シアターでは、宇宙や宇宙開発関係のトピックスを15～25分で紹介している。また、見逃せないのが、'96年12月にオープンした「アポロ・サターンⅤセンター」。ここでは、実物のサターン・ロケット（363フィート）、銀河系ギャラリーなどが展示されている。

動物を眺めたあとは絶叫マシンにトライ
ブッシュ・ガーデン ★ Busch Gardens

オーランドから車で西へ約2時間。タンパの町の郊外にある、アフリカをテーマにした遊園地＆動物園。モロッコ、ケニアなどアフリカ情緒満点の園内には、さまざまなアトラクションが並ぶ。なかでも最新鋭の絶叫マシンがやはり人気だ。どんなに混んでいてもぜひ試してみたいのが**タイダル・ウェーブ Tidal Wave**。その濡れ方は半端じゃないが、日本にまだないうちに乗っておこう！ ジェットコースターが好きな人には**クンバ KUMBA**、**パイタン Python**、**スコーピオン Scorpion**がおすすめ。動物園エリアでは白い虎をお見逃しなく。

フラミンゴはやはり
フロリダらしい

Spectator sports
観戦するスポーツ

バスケットボール（NBA）

オーランド・マジック ★ Orlando Magic（東・大西洋地区）

オニールが在籍していたころは、常に優勝候補のひとつとして注目されていた。しばらく中くらいの順位が多かったが、'99のシーズンは奮起し、プレーオフ出場を果たした。

左段欄外：

毎日9：00～日没
車の場合はFL-50を東へ、US-1を少し南に走り、NASA Pkwy.に入る。あとは"Spaceport USA"の標識どおり。ディズニー・ワールド方面からはBee Line Expressway（有料）を使うと便利

ブッシュ・ガーデン
300 Busch Blvd., Tampa
(813) 987-5082
大人＄40.95、子供＄34.95＋Tax
毎日9：30～18：00（夏は延長あり）
オーランド、ディズニー・ワールド地区、タンパ、セント・ピータースバーグからそれぞれグレイラインなどのバスツアーが出ている
P.600 地図外

オーランド・マジック
本拠地——オーランド・アリーナ Orlando Arena, One Magic Place, 600 West Ameilia
(407) 896-2442
ホームはダウンタウンはずれにあるOrlando Arena。モーテル街からも近いが、試合開始は遅いので必ずタクシーを使うこと。車で行くなら、I-4のExitで降りてAmelia St.を左折すればすぐ

★ 「オービター Orbiter」って何のこと？

地球周回軌道を回る宇宙船、とくにスペース・シャトルの船体を指していう。現在、コロンビア、ディスカバリー、アトランティス、エンデバーの4機のオービターがある。

ちなみに"打ち上げ"を表す英語はいろいろあるが、NASAでは大抵、ランチ launchと言っている。発音はローンチに近い。発射台はランチ・パッド launch padだ。

発射前のスペースシャトル

各テーマパーク・グッズが１カ所で買える！
Bargain World

🏠6464 International Dr. ☎ (407) 351-0900
🏠8520 International Dr. ☎ (407) 352-9600

　オーランド周辺に山ほどあるテーマパークのおみやげが、１カ所でまとめて買えてしまうギフトショップ。広い店内には特価品がズラリとあって、Ｔシャツやスニーカーなどが驚くほど安い。おみやげ選びの時間も短縮でき、おまけに予算の半分で済んだ。とくに車のある人には便利な場所に２店ある。　　（永井裕之、知子　岐阜市）('98)

めまいがしそうな巨大アウトレット・モール
Belz Factory Outlet World

🏠4949 International Dr. ☎ (407) 352-7110
🕐月〜土10：00〜21：00、日10：00〜18：00
🗺P.593　B-2

　160以上の工場直営店が入ったモールで、服飾品から家庭雑貨用品まで幅広く扱っている。ダウンタウンからLynx＃8で行ける。
　館内中央にある案内カウンターでは、テーマ・パークやディナーショーなどのエンターテインメントの割引チケットを売っている。
　ブランド物のショッピングなら、隣の敷地のインターナショナル・デザイナーズ・アウトレットがいい。コーチやダナ・キャラン、サックス・フィフスなどアメリカを代表するブランドやヨーロッパの一流店が並んでいる。　　　　　　　　　　('98)

オーランドでいちばん楽しめるモール
The Florida Mall

🏠South Orange Blossom Trail ＆Sand Lake Rd.
☎ (407) 851-6255
🕐月〜土10：00〜21：30、日11：00〜18：00

　6つのデパートをつなぐように200以上の店が並んでいる。レストランやフードコートはもちろんのこと、いろいろな店があり、見るだけでも十分楽しめる。遅くまで開いているのでテーマパークで遊んだ帰りにも立ち寄ることができる。両替所あり。
　　　　　　　　（花之内くにえ　品川区）('98)

WDW内ならディズニー・グッズが豊富　©Disney

★
オーランド

★ ★ ★ ホテル ★ ★ ★
Hotel

ダウンタウン地区

ダウンタウンからバスで10分
Howard Johnson Colonial

🏠929 W. Colonial Dr. Orlando, FL 32804
☎ (407) 843-1360、📞 (1-800) 382-6261、
FAX (407) 839-3333
オンシーズンⓈⒹⓉ＄49〜95、オフシーズンⓈⒹⓉ＄39〜45　　ADJMV
　インターナショナル・ドライブ周辺のホテルが高いという人におすすめのホテル。このハワード・ジョンソンはオーランドのダウンタウン・リンクスターミナルから＃17か＃30で約10分。Colonial Dr.を８分くらい走ると右側に看板が見えてくる。バス停を降りて道を渡ればそこがオフィスの入口。グレイハウンドのディーポからも徒歩で７分ほど。中庭にはプールがあり自由に利用できる。部屋は清潔でセーフティボックスもあり、１日中外を遊び回って部屋にいるのは寝るときだけという人に必要な設備はそろっている。簡単な朝食付きなのもうれしい。日本からトップレップ社〔☎ (03) 5403-2551〕を通して予約することもできる。　　　　　　　('99)

オーナーは日本語OKの温かい宿
Howard Vernon Motel

🏠600 W. Colonial Dr., Orlando, FL 32804
☎ (407) 422-7162、**FAX** (407) 423-8401
Ⓢ $28〜36、Ⓓ $30〜40、Ⓣ $34〜44
　　　　　　　　　　　　　　　　ＡＤＪＭＶ

　オーナーの何栄作 (Ronald Ho) さんは台湾出身で日本語もペラペラ。なによりも気さくな笑顔と面倒見の良さがうれしい。モーテルの部屋は、全室エアコン、TV (HBO)、バス、トイレ、電話付きで清潔。キッチンも使わせてくれるので長期滞在のときなど大変便利だ。オーランド周辺ではかなり安く、交通機関もMearsと提携しているので心配ない。空港から行く場合、リンクスバス＃11に乗り、ダウンタウンのターミナルで＃16か17に乗り換える。オーランド・アリーナまで徒歩5分。駐車場もあり、I-4のExit 41にも近い。52室。　　　（'99）

インターナショナル・ドライブ地区

オーランドを十分満喫したい人のために
Embassy Suites Orlando International Drive

🏠8978 International Dr., Orlando, FL 32819
☎ (407) 352-1400、📞 (1-800) 433-7275、
FAX (407) 363-1120
オンシーズン⒮⒟Ⓣ $159〜189、オフシーズン⒮⒟Ⓣ $129〜169　　ＡＤＭＶ

　空港とディズニー・ワールドから8マイル、シーワールドから2マイルと便利なロケーション。部屋はもちろん広くてゆったり。244室。　　　　　　　　　　　（'98）

朝食付きのホテル
Hampton Inn-South of Universal

🏠7110 S. Kirkman Rd., Orlando, FL 32819
☎ (407) 345-1112、**FAX** (407) 352-6591
Ⓢ $54〜69、Ⓓ Ⓣ $59〜88　　ＡＤＭＶ

　ユニバーサル・スタジオにも近く、ホテルのまわりには各種レストランがあって食事の面でも便利。　　　　　　　　　（'98）

クーポンを使えば激安に
Country Hearth Inn

🏠9861 International Dr., Orlando, FL 32819
☎ (407) 352-0008、**FAX** (407) 352-5449
オンシーズン⒮⒟Ⓣ $69〜109、オフシーズン⒮⒟Ⓣ $59〜89　　ＡＤＭＶ

　コロニアル・スタイルにデザインされていて、ロビーの大きなファンも、部屋の内装もロマンティック。ゆったりとぜいたくな気分でくつろげる。各部屋はエアコン、TV、冷蔵庫、電話付き。すぐそばにあるオレンジ郡シビックセンター内の案内所でクーポンをもらって行くと、大幅な割引がある。コインランドリー、ディナーショーあり。場所はBeeline Expwy.のすぐ北側。
　　　　　　　（松本尋　浦安市）（'98）

I-4の出口に近くレンタカー派におすすめ
Quality Inn International

🏠7600 International Drive, Orlando, FL 32819
☎ (407) 351-1600、📞 (1-800) 825-7600、
FAX (407) 352-5328
Ⓢ⒟Ⓣ $34〜69　　　　　　ＡＤＪＭＶ

　6階建てのタワーと2階建てのユニットから成り、2階建ての方が芝生の庭やプールに面していてきれい。I-4のExit 29からすぐなので空港へ行くにもWDWへ行くにも便利。温水プール、コインランドリーあり。　　（折本佳代子　杉並区）（'98）

21階建て円形ビルのホテル
Universal Tower & Inn

🏠5905 International Dr., Orlando, FL 32819
☎ (407) 351-2100、📞 (1-800) 327-1366、
HOME grandthemehotels.com
オンシーズン⒮⒟Ⓣ $139〜、オフシーズン⒮⒟Ⓣ $79〜　　　　ＡＤＭＶ

　部屋は広く、プールやランドリー、サウナなどもある。リゾート・タイプのホテルで、ギフトショップ、プール、ゲームルーム、ラウンジでは毎夜ライブあり。302室。（'99）

レインフォレスト・カフェのイス

リゾートに徹するなら
Renaissance Orlando Resort
🏠6677 Sea Harbor Dr., Orland, FL 32837
☎(407) 351-5555、📞(1-800) 468-3571、
🆕(407) 351-9991
ⓈⒹⓉ $229〜299　　　　　　ＡＤＪＭＶ

　715室のデラックス・ルームには２つの
ダブルベッド、また１つのキングサイズベ
ッド、籐をあしらった家具、２つの洗面台、
２つの電話などの設備が整っている。62室
の豪華なスイートにはさらにバーなども備
わっている。128室は吹き抜けに面したバ
ルコニー付き、それ以外の部屋からはシー
ワールド、エプコットなどオーランドの主
要テーマパークが見渡せる。
　チェックインの際シャンペンのサービス
があり、朝には新聞の無料サービスもある。
また、モーニング・コールを頼むと電話の
ベルの代わりにコーヒーが運ばれ、ほかと
は一味違ったぜいたくが味わえる。
　場所はインターナショナル・ドライブの
南の端、シーワールドのすぐそば。　（'98）

キシミー（US-192沿い）地区

チェーンモーテルの一つ
Travelodge Hotel
🏠201 Simpson Rd., Kissimmee, FL 34744
☎(407) 846-1530、📞(1-800) 816-1530、
🆕(407) 846-2162
🏠www.travelodgekissimmee.com
オンシーズンⓈⒹⓉ $49〜59、オフシー
ズンⓈⒹⓉ $39〜42　　　　　　ＡＭＶ

　フロリダ・ターンパイクのExit 244から
西へ１ブロック行ったSimpson Rd.にでき
たトラベロッジ。客室にはコーヒーメーカ
ー、時計など最低限のものがそろっている。
200室。　　　　　　　　　　　　　（'99）

ディズニー・ワールド正面
Ramada Resort Maingate
🏠2950 Resdy Creek Blvd., Kissimmee,
FL 34747　☎(407)396-4466、📞(1-800)
365-6935、🆕(407) 396-6418
オンシーズンⓈⓉ $99、オフシーズンⓈⓉ
$59　　　　　　　　　　　　　ＡＤＪＭＶ

　こちらもディズニー・ワールド正面ゲー
トのすぐ隣にあるホテル。そばにラマダ・
リゾート・メインゲート・イーストもある
のでまちがえないように。温水プールや
ゲームルーム、コインランドリーあり。　（'98）

サービスの優れたラディソン
Radisson Resort Parkway
🏠2900 Parkway Blvd., Kissimmee, FL
34747　☎(407) 396-7000、📞(1-800)
634-4774、🆕(407) 396-0097、
🏠radisson.com/kissimmeefl
オンシーズンⓈⒹⓉ $129〜149、オフ
シーズンⓈⒹⓉ $99〜119　　ＡＤＪＭＶ

　リゾート気分を満喫できるホテル。I-
4＆US-192の近くにあり、このパークウ
ェイ・ブルーバード全体がモールのよう
になっていて便利。プール２、スパ２、
サウナもあり、プールサイドのバーでビ
ールを飲める。テニスコート、コインラン
ドリー、レストランあり。718室。　（'99）

読★者★投★稿
好評です
Record Motel
🏠4651 W. Irlo Bronson Hwy., Kissimmee,
FL 34746　☎(407)396-8400、📞(1-800)
874-4555、🆕(407) 396-8415
🏠www.orland.com/record
オンシーズンⓈⒹ $49〜59、Ⓣ $55〜
65、オフシーズンⓈ $26〜35、Ⓓ $29
〜35、Ⓣ $32〜38　　　　　　ＡＤＪＭＶ

　すべての部屋にダブルベッドが２つあ
り、４人まで泊まれる。清潔さは一流ホテ
ル以上、プール、コインランドリーあり。
バス・トイレ・カラーTV付き。オーナー
は年配のご夫妻でとても親切。エプコット
まで車で10分と便利。57室。
　　　　　　　　（嶋田礼子　江戸川区）（'99）

キシミーにあるユースホステル
Hostelling International-Orlando/
Kissimmee
🏠4840 W. Irlo Bronson Hwy., Kissimmee,
FL 34746
☎(407) 396-8282、🆕(407) 396-9311
ドミトリー$16〜17　　　　　　　ＭＶ

　WDWから5マイルに位置するユースは
プールやバーベキューの設備があるなど、
"Resort"の冠がつく、全米でもめずらしい
ユース。公共の交通機関が走っていないの
で、空港やバスディーポから向かうときは、
送迎シャトルを利用することになる。（'99）

ディズニーまですぐ、とても便利
Sheraton Inn Lakeside
🏠7769 W. Irlo Bronson Mem. Hwy.,
Kissimmee, FL 34747
☎(407)396-2222、📞(1-800)848-0801、
📠(407)239-2650
ⓉＳ$99〜149　　　　　　　ＡＤＭＶ

　ディズニー・ワールドの入口からUS-192
を西へ3kmほど走った右側。ご存じのシェ
ラトンだが、"Inn" なのでお手ごろ料金と
なっている。それでも、シェラトンの名に
恥じないサービスが売り。モーテル形式な
ので、室内はとても清潔で、調度品も明る
い色調で品が良い。プールやテニスコート、
ミニゴルフなどのレクリエーション設備も
整っていて、コインランドリーやレンタカ
ーのオフィス、レストランなどもあって便
利。651室。　　　　　　　　　　('98)

WDWから1.5kmのエンバシー・スイート
Embassy Suites Resort Lake Buena Vista
🏠8100 Lake Ave., Orlando, FL 32836
☎(407)239-1144、📞(1-800)257-8483、
📠(407)239-0230
E-mail ESLBV@aol.com
オンシーズンＳＤⓉ$179〜209、オフ
シーズンＳＤⓉ$149〜169　　ＡＤＭＶ

　寝室だけでなく、ビジネス用のスペース
もある、広くて美しいホテル。エンバシ
ー・スイートのなかでも人気が高く、いつ
も家族連れでにぎわっている。4人で泊ま
ればかなり安い。無料のおいしい朝食付き。
280室。　　　　　　　　　　　　('99)

ディズニー・ワールドに近い
Howard Johnson Hotel
🏠6051 W. Irlo Bronson Memorial Hwy.,
Orlando, FL 34747
☎(407)396-1748、📞(1-800)288-4678、
📠(407)649-8642
オンシーズンＳⓉ$90、オフシーズン
ＳⓉ$75　　　　　　　　　　ＡＤＭＶ

　US-192沿いにあるホテル、モーテルの中
でもかなりディズニー・ワールドに近く、約2
マイルの距離。全367室で、3階建て。('98)

エプコットセンターまで車で10分
Ambassador Motel
🏠4107 W. Vine St., Kissimmee, FL 34741

☎(407)847-7171、📠(407)847-7677
E-mail fumeisong@celebration.fl.us.
オンシーズンＳ$28〜32、Ｄ$32〜36、
Ⓣ$34〜44、オフシーズンＳ$23〜26、
Ｄ$28〜32、Ⓣ$30〜34　　　ＡＤＭＶ

　キシミーのUS-192沿いにあるモーテル。
すぐそばにガスステーション、セブン-イレ
ブン、ショッピングモールなどがあって非常
に便利。オーナー夫婦は日本語OKで、部屋
はものすごくきれい！バス・トイレ・TV・
エアコン・電話付き。プール、ランドリー
あり。48室。　　（鈴野篤志　埼玉県）('99)

国際色豊かな
Sun Motel
🏠5020 W. Irlo Bronson Hwy.(US-192),
Kissimmee, FL 34746
☎(407)396-2673、📞(1-800)541-2674、
📠(407)396-0878
E-mail SunMotel@MSN.com
オンシーズンＳ$40、Ｄ$48、オフシーズ
ンＳ$25、Ｄ$32　　　　　ＡＤＪＭＶ

　とにかく安い！そして安いわりに素敵な
部屋だ。バンビがいたり、きれいな噴水が
あったり、プールも夜遅くまで使える。全
室バス・トイレ・エアコン・カラーTV付き。
オーナーは日本びいき、ゲストは国際色豊
か。もう一度行きたくなるようなモーテル
だ。106室。（寺田睦　ボストン在住）('99)

その他
長期滞在向け
Royal Mansions
🏠8600 Ridgewood Ave., Cape Canaveral,
FL 32920　☎(407)784-8484、📞(1-800)
346-7222、📠(407)799-2907
HOME www.lfoA.com/rmr
ウィークリーＳＤⓉ$665〜1260　ＡＤＭＶ

　車でフロリダを回っている人におすすめ
のリゾートホテル。ケネディ宇宙センター
とココア・ビーチの間にあり、フレンチ・
カリビアン・スタイルのマンションが大西
洋を見下ろして建っている。部屋はフル装
備のキッチン付きスイートタイプで、広さ
や部屋の向きによって料金が異なる。温水
プールやジャクージもある。冬は予約をし
たほうがよい。場所はビーラインの終点か
らCentral Blvd.へ左折し、海に突きあたっ
たところ。106室。　　　　　　　（'98)

明るい雰囲気で新鮮なシーフードを！
The Crab House
🏠8946 Palm Pkwy.
☎ (407) 239-1888 　　　　ADMV

　ロブスター、カニのおいしいシーフード・レストラン。おいしいものにはアメリカ人も目がないのか、夕食時はいつも満席、店内は非常に活気づいている。

　テーブルの上にセットされたものはテーブルクロスならぬ新聞紙。名物のガーリック・スパイス味のカニをトンカチで割り、食べるのだが、そのカニが飛び散ってもいいように配慮されているため。

　料理はどれもおいしいが、貝がたっぷりのNew England Clam Chowder、スパイシーなLouisiana Seafood Gumboのスープはおすすめ。日本人に人気があるのはSteamed Crab、こってりしたアメリカ料理に飽きてしまったときには、さっぱりおいしくいただける。最後にホームメイドのキーライム・パイも忘れずに！ できたら予約をしたほうがいい。　　　　　　　　　　　（'98）

日本の家庭の味に出会える
Taste of Japan
🏠7637 Turkey Lake Rd. ☎(407) 363-0360
🕐ランチ　月〜金11：30〜14：30、ディナー月〜金17：00〜22：30、土日17：00〜23：30

　I-4をExit 29で降り、Sandlake Rd.をインターナショナル・ドライブと反対に走り、Bay Hill Plazaの中にある。寿司、天ぷらなど、どちらかというとアメリカ人好みの日本食だけでなく、焼き魚、釜めし、肉じゃがなど家庭の味も楽しめるうれしい日本食レストランだ。味は折り紙つき。（'98）

車マニアなら必ず来たい
Race Rock Orlando
🏠8986 International Dr. ☎(407) 248-9876
🕐毎日11：30〜24：00（ギフトショップは11：00〜）　　　　ADMV

　世界中から集められたレーシングカーやレーシング・グッズが所狭しと並べられ、TVには名勝負といわれるシーンが流れ続ける。この一瞬博物館かと疑うような内装のレストランが'96年2月にオープンしたRace Rockの1号店。壁には写真やレーシングスーツだけでなくレーシングカー（！）までが掛けられ、天井からはスピードボートが吊り下げられている。レース好きにはじっと座って食べていられないほどの充実ぶり。＄15〜20もあれば十分なボリュームの食事ができる。今後、ラスベガス、ニューヨーク、モナコ、東京と支店を増やしていく予定なのでTシャツや、トレーナーなどをコレクションするのもいいだろう。
　　　　　　　　　　　　　　　　（'98）

本格的な日本の味を
Rangetsu
🏠8400 International Dr. ☎ (407) 345-0044
🕐毎日17：00〜23：30

　銀座に本店をもつ、本格日本食レストラン。ガラス張りの窓からは日本庭園を望める。寿司、すき焼き、天ぷらなどに加え、ワニの唐揚げと串焼きも食べられるのがいかにもフロリダらしい。また、木金土には日本太鼓のショーを行ったり、忍者が突然現れたりと、食事以外にも楽しめる。
　　　　　　　　　　　　　　　　（'98）

海賊たちのスペクタクル・ショー
Pirates Dinner Adventure
🏠6400 Carrier Dr. ☎ (407) 248-0590、
📞 (1-800) 866-2469
🕐要予約、月〜金 9：00〜17：00
💰大人＄33.95、子供＄19.95　　　AMV

　オーランドでいちばん新しいディナー・エンターテインメントがこのパイレーツ・ディナー・アドベンチャー。屋内に作られた帆船のセットは大きなプールの中心にあり、そこで海賊たちのミュージカルとスタントショーが所狭しと繰り広げられる。ライブアクションだけでなく映像も組み合わせた凝った作りが見どころ。観客には子供のいる家族が多いが、子供だけでなく大人も楽しめるエンターテインメントになっている。場所はインターナショナル・ドライブから少し東に入ったところ。車の通りは多くないので、タクシーを利用する人は行きのときのドライバーに帰りの予約をしておいたほうが無難。　　　　　　（'98）

★
オーランド

Seattle
Denver
Chicago
New York
San Francisco
Atlanta
Los Angeles
New Orleans
Miami

Disney World

ディズニーワールド

　世界に数あるテーマパークのなかで、ダントツの人気を誇るのが、オーランドのディズニーワールド(Walt Disney World、通称"WDW")だ。このエリアの総面積は約110平方キロメートル。数字だけ聞いてもピンとこないだろうが、その広さは東京の山手線内以上だ。しかも、敷地には4つの大きなテーマパークをはじめとして、大人も子供も楽しめる施設が数多く詰まっている。

　その4つのテーマパークは、東京ディズニーランドに似たマジック・キングダム Magic Kingdom、未来社会と世界の国々をテーマとしたエプコット EPCOT、映画好きのためのディズニーMGMスタジオ Disney MGM Studio、そして、'98年新たに加わった動物たちの王国アニマル・キングダム Animal Kingdom。そのほかにも、宿泊からディズニー気分を盛り上げてくれるワールド内のホテル、オリジナル・グッズがうれしいショッピングエリア、水や雪をテーマとしたパーク、夜のプレイスポットなどがあり、これらの施設間をモノレール、バス、トラム、フェリーなどが、くまなく走っている。ワールドのすべてを制覇するには1週間以上が必要だ。しかも常に新しいものが誕生し、それは完成ということを知らない。遊ぶことが大好きな人のための、ここは夢の王国なのだ。

ディズニーワールドへの行き方　★ Access

空港

オーランド国際空港　Orlando International Airport (MCO)

　オーランド国際空港の項(P.592)参照。

●空港シャトルバン　Mearsなど

Mearsなど
圏 $ 11～13

　ディズニーワールドやその周辺のホテル、キシミー地区のモーテルなど、どこへでも連れて行ってくれる。くわしくはオーランドの項参照。

©Disney

オーランド国際空港

608

ディズニーワールドの楽しみ方 ★ Walking

　1週間あっても回りきれないディズニーワールド（以下WDW）では、滞在日数がいちばんの問題になってくる。4大テーマパーク（前述）はそれぞれ1日はかけたい（半日で回ることも可能だが）から、それだけでも4日かかる。さらに的を絞らなければならない人も多いだろう。そんな人は後の記述を読んで、どのテーマパークに足を運ぶか考えよう。滞在期間が短い、または朝から晩までディズニー三昧したい人には、距離や特典からいってもWDW内のホテルに滞在することをすすめる。

　コツとしては、前日までに"Disney Time & Information"というパンフレットを入手して、各パークの開閉園時間やパレードの時間をチェックして、当日は計画的に動くこと。とくに混雑する時期は早めの行動が望ましい。

ディズニーワールドの入園料

1-Day/1-Park-Only Pass
大人$42、3〜9歳$34、1日間有効
　マジック・キングダム、エプコット、MGMスタジオ、アニマル・キングダムの4つのテーマパークの、どれかひとつに入園できる。

Park Hopper Pass
4日間有効—大人$163、3〜9歳$130、5日間有効—大人$189、3〜9歳$151
　マジック・キングダム、エプコット、MGMスタジオ、アニマル・キングダムの4つのテーマパークに、何回でも入園可能。

All-In-One Hopper Pass
5日間有効—大人$223、3〜9歳$178、6日間有効—大人$249、3〜9歳$199、7日間有効—大人$274、3〜9歳$219
　マジック・キングダム、エプコット、MGMスタジオ、アニマル・キングダムの4つのテーマパークのほかに、タイフーン・ラグーン、ブリザード・ビーチ、リバー・カントリーに、何回でも入園可能。

★ ディズニーワールド

できれば空いている時期に訪れたい

WDW内のホテルに滞在しよう

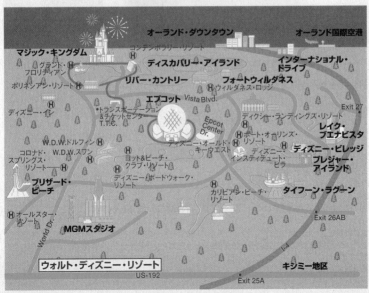

マジック・キングダム　オーランド・ダウンタウン　オーランド国際空港
グランド・フロリディアン　コンテンポラリー・リゾート　ディスカバリー・アイランド　インターナショナル・ドライブ
ポリネシアン・リゾート　リバー・カントリー　フォートウィルダネス
ウィルダネス・ロッジ
ディズニー・　エプコット　Vista Blvd.
トランスポーテーション&チケットセンター　ディクシー・ランディングズ・リゾート　レイク・ブエナビスタ
T.T.C.　Epcot Center Dr.
W.D.W.ドルフィン　ポート・オーリンズ・リゾート　Exit 27
コロナド・スプリングス・リゾート　W.D.W.スワン　ディズニー・オールド・キーウエスト　ディズニー・ビレッジ
ヨット&ビーチ・クラブ・リゾート　ディズニー・インスティテュート・ビラ　プレジャー・アイランド
ブリザード・ビーチ　ディズニー・ボードウォーク・リゾート
カリビアン・ビーチ・リゾート　タイフーン・ラグーン
オールスター・リゾート　Exit 26AB
MGMスタジオ　World Dr.
ウォルト・ディズニー・リゾート　キシミー地区
US-192　Exit 25A

©Disney

609

ワールド内の移動（WDWトランスポーテーション）

東京の山手線内より広いエリアだけに、パーク間はとても歩ける距離でないことは容易に想像できると思う。各施設間をつないで、モノレール、バス、小型ボート、フェリーなどが開園1時間～30分前から、閉園30分～1時間後まで15～30分間隔で運行されている。これらは、前ページ脚注のいずれかのパス類を提示すれば、ほとんどを無料で乗車できるが、パスによっては制限がある（パスの注意書きをよく読むこと）。ない人用には、1日交通利用券（＄2.50）がある。パーク間はトランスポーテーション＆チケットセンター（TTC）で乗り換えることが多い。

いつ訪れるのがベスト？

世界中から老若男女を問わず観光客が訪れるWDWは、はっきり言って、いつ行っても混雑している。とくにクリスマス前後、イースター（3月下旬～4月上旬）、サンクスギビング（11月下旬）の混雑ぶりはひどく、どのアトラクションも30分から1時間以上待たされる。反対に、1年のうちで案外空いているのは1月下旬～2月中旬で、1週間の中では金曜と日曜が比較的人が少ないそうだ。また夏休み中は、夜10時以降（レーザーショーなどのあと）にグンと人が減るのでねらい目だ。

WDWは冬でも暖かいが、夜になると冷えこむので上着を持って行こう。夏に訪れる場合、日中の蒸し暑さには覚悟を。また、帽子を忘れないようにしよう。夕立も多いのでカッパ、傘などがあると便利だ。

いつでも混雑しているWDW

左段欄外

トランスポーテーションを自由に利用できるパス類
ディズニー・リゾート・ホテルのリゾートIDカード、アンリミテッド・マジック・パス、7デー・オールインワン・ホッパーパス、6デー・オールインワン・ホッパーパス、5デー・オールインワン・ホッパーパス、4デー・パーク・ホッパーパス、4デー・バリュー・パス、1デー・パーク・パス、TTC（トランスポーテーション＆チケットセンター）で購入できるトランスファーチケット（1日交通利用券＄2.50）

ディズニーワールドの開園時間
テーマパーク、季節によって異なるので ☎ (407) 824-4321で確認しよう。

日本でWDWの情報をゲットしよう！
アメリカのディズニーの最新情報を音声とファックスで知ることができる。
東京 ☎03-3814-6493
名古屋 ☎052-932-5469
札幌 ☎011-210-9887
大阪 ☎06-6266-2529
福岡 ☎092-471-9926

WDW知っておくとトクする情報

ミッキーやミニーに会える場所
●マジック・キングダム──ミッキーのカントリー・ハウスとテント
●エプコット──ワールドショーケース・プラザ。また、ミッキーが帰っていくのは、ノルウェー館と中国館の間
●ディズニーMGMスタジオ──正面ゲートを入って左側の柵側で、映画監督のミッキーが出迎えてくれることがある
ただし、必ずしもいつもこれらの場所にいるわけではないことをお忘れなく

おすすめのパレード
●マジック・キングダム──スペクトロマジック（カラフルなイルミネーション・パレード、夜、週末とホリデーシーズン）、ディズニー・マジカルモーメント・パレード（ディズニー・キャラクターのパレード、昼、毎日）、ファンタジー・イン・ザ・スカイ（花火、夜、週末とホリデーシーズン）
●エプコット──イルミネーションズ（花火とレーザー、夜、毎日）
●ディズニーMGMスタジオ──ソーサリー・イン・ザ・スカイ（花火、夜、週末とホリデーシーズン）

WDW内のホテルとその特典
WDW内のホテルについてはP.622参照。
●ワールド内のどこのパークへも自由に入場できるアンリミテッド・パスが購入できる
●ワールド内の交通網に乗り放題
●各パーク、ホテルの駐車場料金が無料

マジック・
キングダム

★

Magic
Kingdom

　1971年、オーランドの湿地に白亜のシンデレラ城が忽然と姿を現した。世界に名だたるWDWはマジック・キングダムから始まったのである。

　メインストリートUSA、アドベンチャーランド、フロンティアランド、リバティ・スクエア、ファンタジーランド、トゥモローランド、ミッキーのトゥーンタウン・フェアといったテーマごとにエリア分けされている。ロスアンゼルスや東京のディズニーランドとほぼ同じ内容だが、違ったものもあるので、まずはそれから挑戦しよう。

フロンティアランドの外輪船

★

ディズニーワールド

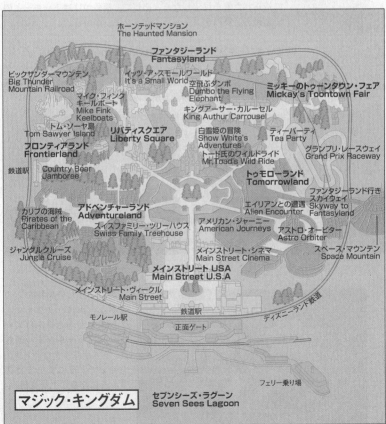

ホーンテッドマンション
The Haunted Mansion

ファンタジーランド
Fantasyland

ビックサンダーマウンテン
Big Thunder
Mountain Railroad

イッツ・ア・スモールワールド
It's a Small World

マイク・フィンク
キールボート
Mike Fink
Keelboats

空飛ぶダンボ
Dumbo the Flying
Elephant

キングアーサー・カルーセル
King Authur Carrousel

ミッキーのトゥーンタウン・フェア
Mickay's Toontown Fair

トム・ソーヤ島
Tom Sawyer Island

リバティスクエア
Liberty Square

白雪姫の冒険
Show White's
Adventures

ティーパーティ
Tea Party

フロンティアランド
Frontierland

トード氏のワイルドライド
Mr. Toad's Wild Ride

グランプリ・レースウェイ
Grand Prix Raceway

鉄道駅

Country Bear
Jamboree

トゥモローランド
Tomorrowland

ファンタジーランド行き
スカイウェイ
Skyway to
Fantasyland

カリブの海賊
Pirates of the
Caribbean

アドベンチャーランド
Adventureland

スイスファミリー・ツリーハウス
Swiss Family Treehouse

エイリアンとの遭遇
Alien Encounter

アメリカン・ジャーニー
American Journeys

アストロ・オービター
Astro Orbiter

ジャングルクルーズ
Jungle Cruise

メインストリート・シネマ
Main Street Cinema

スペース・マウンテン
Space Mountain

メインストリート USA
Main Street U.S.A

メインストリート・ヴィークル
Main Street

モノレール駅

鉄道駅

ディズニーランド鉄道

正面ゲート

フェリー乗り場

マジック・キングダム

セブンシーズ・ラグーン
Seven Sees Lagoon

©Disney

エイリアンとの遭遇　Alien Encounter

エイリアンとの遭遇
エリア：トゥモローランド
狙い目時間：10：00前と
18：00以降、またはパレードの間

　ゲストは『惑星間テレポーション』の実験室を見学する。しかし、実験失敗でエイリアンが真っ暗な実験室に逃げ出した！　あなたの後ろに、私の足もとにエイリアンが逃げ回る。そして、爆風とともに何が起きるのか。いま、WDW屈指の人気。

エイリアンとの遭遇

ミッキーのカントリー・ハウス & ジャッジス・テント
Mickey's Country House & Judge's Tent

ミッキーのカントリー・ハウス＆ジャッジス・テント
エリア：ミッキーのトゥーンタウン・フェア
狙い目時間：11：30前と16：30以降

　ミッキーづくしのテーマランド。ローラーコースターでミッキーのカントリー・ハウスを抜けたり、ミッキーサイズで精巧に造られた家を見学したり、そして、極めつけはミッキーとの記念撮影。奥のテントへ行くとミッキーがいる。

ライオン・キングの伝説　Legend of the Lion King

ライオン・キングの伝説
エリア：ファンタジーランド
狙い目時間：11：00前とパレードの間

スプラッシュ・マウンテン
エリア：フロンティアランド
狙い目時間：開園直後と開園直前、パレードの間

　アニメと操り人形で繰り広げられる合成ムービーショー。ディズニー独自の特殊効果とエルトン・ジョンの音楽で、映画『ライオン・キング』の世界がよみがえる。

マジック・キングダムの正面ゲート

シンボルは、やはりお城

スプラッシュ・マウンテン　Splash Mountain

かわいらしい動物たちの遊ぶ森を抜け、クライマックスは水しぶきをあげてのフリーフォールをまっ逆さま。ダイナミックなアトラクションで、席によってはズブぬれになることを覚悟！

スプラッシュ・マウンテン

"Experimental Prototype Community of Tomorrow—未来社会の実験的なモデル"の頭文字から名付けられたEPCOT。フューチャー・ワールド（未来の世界）とワールド・ショーケースの2つのエリアから構成され、ディズニーだけでなく、アメリカのトップ企業の最先端技術が結集されていることがテーマパークらしからぬ特徴。

ディズニーが示してくれた新しいテーマパークのあり方は、その後の世界のアミューズメントパークへ大きな影響を与えている。

宇宙船地球号

©Disney

エプコット

EPCOT

※99年春現在エプコットは大規模な改装工事が行われている。

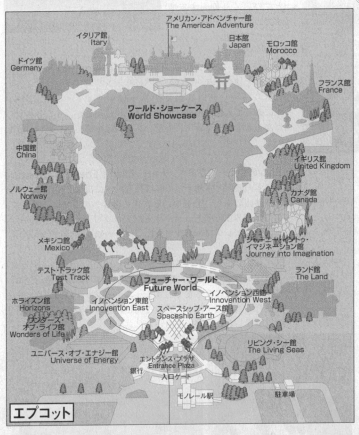

アメリカン・アドベンチャー館
The American Adventure

イタリア館
Itary

日本館
Japan

モロッコ館
Morocco

ドイツ館
Germany

フランス館
France

ワールド・ショーケース
World Showcase

中国館
China

イギリス館
United Kingdom

ノルウェー館
Norway

カナダ館
Canada

メキシコ館
Mexico

ジャーニー・イントゥ・イマジネーション館
Journey into Imagination

テスト・トラック館
Test Track

ランド館
The Land

フューチャー・ワールド
Future World

ホライズン館
Horizons

イノベンション東館
Innovention East

イノベンション西館
Innovention West

ワンダーズ・オブ・ライフ館
Wonders of Life

スペースシップ・アース館
Spaceship Earth

リビング・シー館
The Living Seas

ユニバース・オブ・エナジー館
Universe of Energy

エントランス・プラザ
Entrance Plaza

銀行

入口ゲート

モノレール駅

駐車場

エプコット

613

テストトラック　Test Track

テストトラック
狙い目時間：10：00前と
18：00以降

　ゼネラル・モータース社の提供で、新車開発のためのテストトラックをイメージしたアトラクション。ディズニーの中では、最速、最長のアトラクションとして人気だ。6人乗りのテスト車で、寒さ、暑さ、霧の中を突っ走る。

ジャーニー・イントゥ・イマジネーション館
Journey into Imagination

ジャーニー・イントゥ・
イマジネーション館
狙い目時間：10：00前と
フューチャー・ワールドの
閉園寸前

　ここでのいちばんの呼び物は、"I Shrunk the Audience"だ。パワーアップしたバーチャル・リアリティ・シアターでは、巨大なベビーが観客を踏みつぶしそうになったり、無数のネズミがスクリーンを飛び出して客席を走り回る。予想外のできごとにびっくり仰天するはずだ。開園と同時にここに向かって走り出す人も多い。

ジャーニー・イントゥ・イマジネーション館

ワンダーズ・オブ・ライフ館　Wonders of Life

ワンダーズ・オブ・ライフ館
狙い目時間：10：00前と
18：00以降

ワンダーズ・オブ・ライフ館

　人体と健康をテーマにしたパビリオン。エプコットで屈指の人気の"Body Wars"が入っている。フライト・シミュレーターに乗って人体内部のスリリングな旅に出るが、かなりの衝撃があるので、首や背中に心配のある人はやめておいたほうがいい。

エレンのエナジー・アドベンチャー　Ellen's Energy Adventure

エレンのエナジー・アドベンチャー
狙い目時間：10：30前と
16：30以降
※将来変わる予定

　3本の映像と本物そっくりの恐竜たちに出会うアトラクション。映画のあと、恐竜のいる古代の世界へのタイムトリップ。さらに視界200度をカバーする巨大スクリーンのシアターで、案内役のエレンにエネルギーについての知識を楽しく学ぶ。

スペースシップ・アース館　Spaceship Earth

スペースシップ・アース館
狙い目時間：10：30前と
16：30以降

　"タイムマシン列車"に乗って、地球の黎明期から超新鋭コンピュータ時代に至るまでのコミュニケーションに関する歴史の大旅行。暗黒の宇宙から眺めた美しい地球の姿を、宇宙飛行士の目で楽しむことができる。

リビング・シー館

ランド館

リビング・シー館　The Living Seas

　パビリオン全体が巨大な水族館となっている。トラムに乗って神秘の海底大旅行に出発、21世紀の海底基地に到着する。カリブ海から生物と海水をそっくり注入し、生きている海を研究する。

リビング・シー館
狙い目時間：10：00前と15：00以降

ランド館　The Land

　〝大地に聞こう〟では運河をボートに乗って大森林、大砂漠、大草原における農業のあり方、歴史について学ぶ。レタスの無重力栽培、天井に実るトマト、壁に栽培されたメロンなど、未来の農業の姿の一端に触れることができる。

ランド館
狙い目時間：11：00前と19：30以降

ホライズン館　Horizons

　科学者の意見に基づいて作られた、21世紀のライフスタイルの動くショーケース。砂漠の農園、ボタンひとつで家事をこなすロボット、海底の住居などが登場する。最後に各自の乗り物についているボタンを押して海底、砂漠、宇宙いずれかの旅に出る。

ホライズン館
狙い目時間：11：00前と15：30以降
※将来変わる予定

ホライズン館

ワールド・ショーケースのおもな世界のパビリオン

- ●メキシコ館 Mexico　民芸品のバザールと、ミニクルーズ。
- ●ノルウェー館 Norway　バイキング船でフィヨルドや森をクルーズ。
- ●中国館 China　360度サークルビジョン『ワンダーズ・オブ・チャイナ』と、北京にある天壇の祈年殿のレプリカ。
- ●ドイツ館 Germany　ローテンブルクの町並みを再現。すてきなおもちゃの店やビアホールが楽しい。
- ●イタリア館 Italy　ベニスのサンマルコ広場で陽気なパフォーマンスが繰り広げられる。
- ●アメリカ・アドベンチャー館 American Adventure　マーク・トゥエインの案内でたどる合衆国200年の歴史。
- ●日本館 Japan　日本美術の展示と太鼓や日舞のライブが人気。
- ●フランス館 France　シアターで田園地帯の映像を楽しむ。

ディズニーワールド

ドイツ館

メキシコ館

ディズニーを訪れる大人のゲストにいちばん人気なのが、このディズニーMGMスタジオだ。おなじみのディズニー・キャラクターたちばかりでなく、このパークでは懐かしのメリー・ポピンズやインディ・ジョーンズなど映画のヒーロー、ヒロインに会えてしまう。

ここは実際の映画撮影のスタジオで、映画の製作過程をアトラクションとして見せてくれる。しかし、ゲストが見られるのは、スタジオのわずか1/3に過ぎない。まずは、ハリウッド・ブルバードから歩き始めよう。

'99年よりファンタズミックが始まった。水とレーザーのショーだ。

MGMスタジオのゲート

©Disney

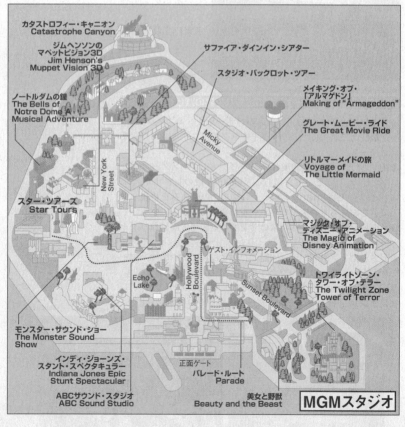

カタストロフィー・キャニオン
Catastrophe Canyon

ジムヘンソンの
マペットビジョン3D
Jim Henson's
Muppet Vision 3D

サファイア・ダインイン・シアター

スタジオ・バックロット・ツアー

メイキング・オブ・
「アルマゲドン」
Making of "Armageddon"

ノートルダムの鐘
The Bells of
Notre Dome A
Musical Adventure

グレート・ムービー・ライド
The Great Movie Ride

リトルマーメイドの旅
Voyage of
The Little Mermaid

Micky
Avenue

New York
Street

スター・ツアーズ
Star Tours

マジック・オブ・
ディズニー・アニメーション
The Magic of
Disney Animation

ゲスト・インフォメーション

Hollywood
Boulevard

Sunset Boulevard

トワイライトゾーン・
タワー・オブ・テラー
The Twilight Zone
Tower of Terror

Echo
Lake

モンスター・サウンド・ショー
The Monster Sound
Show

インディ・ジョーンズ・
スタント・スペクタキュラー
Indiana Jones Epic
Stunt Spectacular

正面ゲート

ABCサウンド・スタジオ
ABC Sound Studio

パレード・ルート
Parade

美女と野獣
Beauty and the Beast

MGMスタジオ

トワイライトゾーン・タワー・オブ・テラー
The Twilight Zone Tower of Terror

　廃墟となったハリウッド・ホテルでエレベーターに招き入れられると、あるはずのない13階へとエレベーターが上がっていく。夢か誠か、不思議な光景が目の前に広がったあと、一気に落下！　恐怖の体験をお試しあれ。

グレート・ムービーライド　Great Movie Ride

　チャイニーズ・シアターの中を乗り物に乗って、『カサブランカ』『オズの魔法使い』『エイリアン』など、昔なつかしい名画の旅に出る。各セットでは、本物そっくりのジョン・ウェインやハリソン・フォードが、それぞれの映画の有名なシーンで活躍する。

スタジオ・バックロットツアー　Studio Backlot Tour

　MGMスタジオの2/3近くは本物の撮影所。ここをトラムに乗って見学する。ニューヨーク郊外の高級住宅街を抜け、衣装や小道具の工場の中を通ると、地震、洪水、火災があなたの身にふりかかる！

スタジオ・バックロットツアー

インディ・ジョーンズ・エピック・スタント・スペクタキュラー
Indiana Jones Epic Stunt Spectacular!

　アドベンチャー・アクション映画『インディ・ジョーンズ』をテーマにしたスタントショー。ドクター・ジョーンズが数々の災難に見舞われながらも大活躍、ど迫力のスタントの連続だ。MGMスタジオの中でも人気が高いので1時間くらい前に並びたい。

インディ・ジョーンズのスタントショー

スター・ツアーズ　Star Tours

　東京ディズニーランドでもおなじみの宇宙疑似体験ライド。東京より並ばなくてすむのがありがたい。

怖さではいちばんのタワー・オブ・テラー

ディズニーワールド

トワイライトゾーン・タワー・オブ・テラー
エリア：サンセット・ブルバード
狙い目時間：開園直後と17：00以降

グレート・ムービーライド
エリア：ハリウッド・ブルバード
狙い目時間：10：00前と17：00以降

スタジオ・バックロットツアー
エリア：ミッキー・アベニュー
狙い目時間：いつも混雑している

インディ・ジョーンズ・エピック・スタント・スペクタキュラー
エリア：エコレイク
狙い目時間：開園直後から3回までと最終回

スター・ツアーズ
エリア：ニューヨーク・ストリート
狙い目時間：開園直後30分

スター・ツアーズ
©Disney

617

マジック・オブ・ディズ
ニー・アニメーション
エリア：アニメーション・
コートヤード
狙い目時間：11：00前と
17：00以降

©Disney

マジック・オブ・ディズニー・アニメーション
The Magic of Disney Animation

　ディズニーのキャ
ラクターをこよなく
愛する人たちの長年
の夢がかなったアニ
メーションツアー。
本物の製作者たちが
仕事をしている姿が
見学できる。

映画の都ハリウッドも再現さ
れている

ディズニー・
アニマルキングダム

**Disney's Animal
Kingdom**

　'98年春に誕生した、WDW4つめのテーマパーク。実在の動
物だけでなく、空想上やあるいは絶滅してしまった動物たちと
遭遇できるのが大きな特徴。オアシス、サファリ、キャンプ・
ミニー・ミッキー、ディノランドUSAなど7つのエリアに分
かれたパーク内には、熱帯雨林、サバンナなどが再現され、
1,000匹以上の動物たちが暮らしている。

キリマンジャロ・サファリ

おもなアトラクションとエリア

キリマンジャロ・サファリ
エリア：アフリカ
狙い目時間：10：30前か
閉園1時間前

©Disney

キリマンジャロ・サファリ　Kilimanjaro Safaris

　何百もの動物たちが自由に暮らす40平方メートルを超えるエ
リアを、オープンタイプのサファリ・トラックに乗って見学す
る。どう猛な動物たちはフェンスの中にいるが、フェンスがゲ
ストたちの目にとまらないような工夫がされている。

※

　入園したらまずここへ直行しよう。ここはアフリカそのもの。
アフリカへ行ったことがなくても、しばらくは実際にアフリカ
旅行をしたような気分になる。動物たちものびのび生活してい
るようで、いままで動物園で見てきた動物たちとはまったく違
う目をしていた。動物たちも毛並みや色つやがあり、絵に描い
たような鮮やかさだった。

（伴　雪香　デトロイト在住　'98冬）

618

イッツ・タフ・トゥ・ビー・ア・バグ
It's Tough to be a Bug !

ディスカバリー・リバーに浮かぶツリー・オブ・ライフの中で、3Dムービーを観ることができる。映画の主人公は昆虫たちだ。

ツリー・オブ・ライフ　　　　カウントダウン・トゥ・エクスティンクション

カウントダウン・トゥ・エクスティンクション
Countdown to Extinction

恐竜の採掘現場を再現したディノランドUSA。その中にあるMGMスタジオの『インディ・ジョーンズ』のようなライド。6,500年前にタイムスリップして、巨大隕石から恐竜を助け出すのが私たちの使命。

　　　　　　　　　　　　　※

声がかれるほど絶叫し、次々と出くわす恐竜にスリルと恐怖のライド。恐竜ファンは見逃せない。あまりのライドの揺れと恐怖で気持ちが悪くなった。食後は控えたほうがいい。

　　　　　　　　（伴 雪香 デトロイト在住 '98冬）

©Disney

ブリザード・ビーチ ★ Blizzard Beach

常夏のフロリダに突如、雪山が出現した！ 雪解け水がプールやウォータースライドをいつの間にか作ってしまったというストーリーのもとにできたパークが、ブリザード・ビーチだ。暑いフロリダを涼しく過ごしたいという人におすすめ。

いちばん人気はサミット・プラメットという、マウント・ガッシュモアの頂上27.5mから一気に落ちる（フリーフォールする）スライダー。水が背中を打って痛いほど。世界最高のフリーフォール絶叫ライドともいわれている。スチームボート・スプリングスは、世界最長の360mのコースを滑るスライダー。スラッシュ・ガッシャーは、マウント・ガッシュモアの中腹から積雪の間をすべりおりるスライダーなどがある。

ブリザード・ビーチ

タイフーン・ラグーン ★ Typhoon Lagoon

タイフーン・ラグーン
大人$26.45、子供$20.67
P.609

水着で楽しむ遊園地タイフーン・ラグーンは、台風に襲われた直後の南太平洋の小島をモチーフにしている。火山の上には打ち上げられた船、台風によってなぎ倒された木、倒れかかった家……。こんな中にウォータースライダーなどのアトラクションがある。

横に振ったり、カーブでスリルを味わうタイプのストームライドが3種類、ビルの3階の高さから急勾配を落ちるヒュマンガ・カワバンガなどのスライダーが人気。熱帯魚の泳ぐ海水の

中をスキューバダイビングできるシャーク・リーフ(簡単なインストラクションがあるので初心者も安心)、波の出るプール、サーフ・プールもにぎわっている。

タイフーン・ラグーン

ディスカバリー・アイランド ★ Discovery Island

ディスカバリー・アイランド
10：00〜17：00、夏期
は20：00まで
大人$12.67、子供$6.89
P.609

天然湖ベイ・レイクと人造湖セブンシーズ・ラグーンが運河で結ばれ、大型フェリー、ランチ、モーターボートなどが行き来している。ベイ・レイクに浮かぶ"ディスカバリー・アイランド(発見の島)"には、世界中から90種類の動物と250種類の植物が集められ、自然のままに保護されている。絶滅の危機に瀕しているブラウン・ペリカン、ゴールデン・ライオン・タマリン、アリゲーターなどを観察することができる自然動物園だ。

ディスカバリー・アイランド

フォート・ウィルダネス・キャンプ場とリバー・カントリー ★ Fort Wilderness Camp Ground & River Country

フォート・ウィルダネス・キャンプ場とリバー・カントリー
10：00〜17：00、夏期
は20：00までオープン
リバー・カントリー大人
$15.95、子供$12.50(ディズニー直営施設の宿泊者は1割引)
P.609

アウトドア愛好者におすすめ

大キャンプ場では、陸上、水上レクリエーションが存分に楽しめる。アウトドア・ライフ愛好者には絶対におすすめ。隣接するリバー・カントリーには、大・小の滑り台やタイヤ・チューブ下りといった遊び道具がいっぱい。ビールを飲みながら砂浜のデッキチェアでのんびりするのもよいアイデア。

パイオニアホールでは名物ディナーショー"フープ・ディー・ドゥーHoop-Dee-Doo"

リバー・カントリー

©Disney

が一見の価値あり。ワイルド・ウエスタンのこのショーはぜひ
予約を。☎ (407) 934-7639。ペッティング・ファームでは、山
羊、羊、牛、子馬が放し飼いにされている。ホース・バック・
ライド（乗馬）はここで予約を受け付けている。

ダウンタウン・ディズニー ★ Downtown Disney

ダウンタウン・ディズニーはWDW東端の玄関口に位置し、
テーマパークとは違ったいろいろなエリアから構成されてい
る。おみやげを探しに、食事を楽しみに、エンターテインメン
トに親しみたいなら、ぜひ寄ってみよう。

ダウンタウン・ディズニー
⏰11：00〜2：00
💰19時以降 $17.95（クラ
ブのショーがないかわり昼
間は無料）、映画のみ $5

●マーケットプレイス

コテージ風の建物が湖畔に連なり、
約30軒のショップとレストランが集
う。もちろん、ショップではありと
あらゆるディズニー・グッズがそろ
っている。レストランでは世界中の
料理が楽しめ、外輪船の形をした〝エ
ンプレス・リリー″のラウンジでは、
毎夜ライブでジャズ、ウエスタン・
ミュージックが楽しめる。〝キャプテ
ン・ジャック・オイスターバー″〝ビ
レッジ・レストラン″もおすすめ。

マーケットプレイス

●プレジャー・アイランド

ビレッジ・レイクに浮かぶエンターテインメントの島。ディ
スコ、ジャズハウス、ロックのライブハウス、コメディ劇場、
ローラースケート場、映画館などが並び、深夜までにぎわう。
話題のプラネット・ハリウッドもオープン。19：00以降は18歳
未満の人は保護者の同伴が必要。アルコールは21歳以上なので
写真付きの身分証明書が必要。

●ウエストサイド

現在、ダウンタウン・ディズニーの中でいちばん新しい、シ
ョッピング＆エンターテインメント・エリア。全米でも有名な
カリフォルニア料理のシェフ、ウルフガング・パックのレスト
ラン、ウルフガング・パック・カフェや、ライブも楽しめるレ
ストラン＆ライブハウス、ハウス・オブ・ブルース、24のスク
リーンを持つ、AMC24シアター・コンプレックスなど、約20軒
が集まっていて夜まで楽しめるエリア。

プレジャー・アイランドの夜

プレジャー・アイランド

★ ディズニーワールド

©Disney

621

WDW内のホテルがおすすめ

オーランド滞在の目的がWDWだけなら、WDW内のホテルに滞在することをすすめる。WDWに近いという以外にも、これらのホテル滞在者にはいろいろな特典がつく（P.610参照）。

もちろん、これは予算に余裕がある人の場合で、安くあげたい、または、レンタカーが利用できるなら、オーランドの周辺のホテル（P.603参照）に泊まるといいだろう。

【読★者★投★稿】
カリブも楽しめる
Disney's Caribbean Beach Resort
☎（407）934-3400

カリビアン・ビーチ・リゾート

WDWにいながらカリブ体験ができる。ホットアップルサイダーでお出迎え、シャトルバス付きなのでWDWへの移動もとても便利（10〜15分間隔で運行）。宿泊した際、ゴルフにも行った。ゴルフ場へはシャトルバスは走っていないが、タクシー券をくれて、無料で連れていってくれる。その際、運転手には＄3程度のチップを忘れずに。
　　　　（伴　雪香　デトロイト在住　'98冬）

直営ホテルの予約先
Walt Disney World Co., Central Reservations Office
🏠P.O. Box 10100, Lake Buena Vista, FL 32830-0100　☎（407）934-7639
FAX（407）354-1866

ドルフィン・ホテル

ディズニーワールド・オフィシャルホテル　市外局番は（407）🗺️P.609

Disney's Caribbean Beach Resort	☎934-3400、　Fax 934-3288	①＄119〜184
Disney's Contemporary Resort	☎824-1000、　Fax 824-3539	①＄214〜460
DISNEY'S All-Star Resort	☎939-6000、　Fax 939-7222	①＄74〜104
DISNEY'S Old Key West Resort	☎827-7700、　Fax 827-7710	①＄239〜254
Disney's Dixie Landings Resort	☎934-6000、　Fax 934-5777	①＄119〜184
Disney's Fort Wilderness Resort & Camp	☎824-2900、　Fax 824-3508	①＄179〜275
Disney's Grand Floridian Resort & Spa	☎824-3000、　Fax 824-3186	①＄299〜645
Disney's Polynesian Resort	☎824-2000、　Fax 824-3174	①＄274〜530
Disney's Port Orleans Resort	☎934-5000、　Fax 934-5353	①＄119〜184
Villas at Disney Institute	☎827-1100、　Fax 827-4100	①＄204〜510
Disney Wilderness Lodge	☎824-3200、　Fax 824-3232	①＄180〜390
Disney's Yacht & Beach Club Resort	ヨットクラブ☎934-7000、　Fax 934-3450 ビーチクラブ☎934-8000、　Fax 934-3850	①＄264〜540
Disney's Cororado Springs Resort	☎939-1000、　Fax 939-1001	①＄119〜184
Disney's Boardwalk Villa	☎939-5100、　Fax 939-5150	①＄249〜295

日本人に人気のホテル2軒
Walt Disney World Swan & Dolphin

📍1200 Epcot Resort Blvd.,(Swan), 1500
Epcot Resort Blvd.(Dolphin) Lake Buena
Vista, FL 32830　Swan ☎(407)934-3000、
FAX (407)934-4499、Dolphin ☎ (407)
934-4290、FAX (407)934-4880
オンシーズン①＄310～380、オフシーズン
①＄260～330　ＡＪＭＶ

　エプコットのフランス館のすぐ外側にあ
る、いかにもディズニーらしいホテル。三
日月形の池に面して建ち、外壁には波が描
かれ、屋上には大きな白鳥のモニュメント

と夢がいっぱい！　すべての部屋からエプ
コットが見渡せる。

(’98)

屋上には白鳥のモニュメントの
あるスワン・ホテル

★　　★　　★　　★　　★　　★
レストラン
Restaurant

WDW私のおすすめレストラン
その1　House of Blues（Downtown Disney West Side）

　アメリカ南部料理が味わえ、その上ライ
ブが聴ける。値段も手ごろで、小エビのフ
ライがたくさん入ったマヨネーズ味のサン
ドイッチ Poboy Shrimp が＄8.95、Corn
Bread ＄2.95は初めてコーンブレッドのお
いしさを味わった感じ。Jamabalaya ＄13.95
は本格的ケイジャン料理を試してみたい方
におすすめ。7時ごろから長蛇の列となっ
たので、少し早めがカシコイ。

その2　Captain Jack's

　ビレッジ・レイクに浮かぶ六角形のオイ
スターバーがあるレストラン。どのテーブ
ルからもレイクが見渡せ、夜はマーケット
プレイスのイルミネーションが食事をしな
がら楽しめる。Prim Rib ＄18.95がいちば
ん人気で、Oyster Garlicはニンニクが効
いてGood。

その3　Liberty Tree Tavern
（Magic Kingdom）

　西部開拓時代の店内、ミッキー・キャラ
クターがニューイングランド風の衣装で迎
えてくれる。メニューはお好みだが、私た
ちが行った12/26はひとつに決まってい
た。サラダ、マッシュポテト、ボイルドキャ
ロット、ローストビーフ、ターキーハム、
ロースハム、チーズマカロニ、飲み物、パ
ンで＄16.95。典型的なアメリカ料理だっ
たが、なかなかおいしい。全テーブルにた
くさんのキャラクターが来てくれるので、
並ばなくてもサインをもらえるし、写真も
いっしょに撮れる。

その4　China Jade Buffet（International Dr. 沿い西側、Sand Lake Rd.越え北上1マイル）

　WDW内ではないが、チャイニーズ・バ
フェとモンゴリアン・バーベキューが味わ
える。アメリカ料理に飽きたら、日本人の
口に合うここへ。15種類ぐらいの中華料理
とスープ2種、サラダもお好みのドレッシ
ング。バーベキューはお好みの肉、野菜な
どと味付けを自分で選び、コックに大きな
鉄板で焼いてもらう。そして、食後はフル
ーツ、アイスクリーム（6種）と、もう大
満腹。これで＄12.99。

（伴　雪香　デトロイト在住　’98冬）

ダウンタウン・ディズニー
にもレストランが多い

©Disney

マイアミ

温暖な気候と美しいビーチ。パームツリーにアール・デコ調の建物。マイアミは全米随一の避寒地だ。多くのお年寄りが余生を過ごす地でもある。一方で中南米への玄関口でもあり、市内にはスペイン語があふれている。中南米経済にとってマイアミは、表裏両面で重要なことから、『マイアミは中南米の首都だ』とする学者もいるほどだ。

リゾートとしてのマイアミを楽しみたいなら、マイアミ・ビーチやココナッツ・グローブを歩いてみよう。亜熱帯のまぶしい日射しを全身に浴び、エメラルドブルーの水平線を見つめ、コーラルピンクの町でウインドー・ショッピング……。

中南米の首都としてのマイアミを感じるなら、ダウンタウンやキューバ人街に足を向けよう。耳に心地良いスペイン語のリズム、エキゾチックな色彩、キューバン・コーヒーの苦み……。

いずれにしても、日常から離れるにはもってこいの町、マイアミ。観光シーズンは冬で、夏はビーチ沿いの高級ホテルにもかなり安く泊まれる。

ダウンタウンへの行き方 ★ Access

空 港

マイアミ国際空港
☎ (305) 876-7000

空港のインフォメーション
🕐 毎日11:00〜19:00
📖 P.626

マイアミ国際空港　Miami International Airport (MIA)

ダウンタウンの西約11kmにある、中南米への玄関となる空港。ターミナルはB〜Hの7つのコンコースに分かれ、うち北端のBと中央のEには税関がある。このコンコースには中南米の、聞いたこともない航空会社のカウンターが並んで、いかにもマイアミらしい。また、コンコースEにはインフォメーションもあり、空港案内のほか、交通機関、ホテルの案内も行っている。上階が出発階、下階がバゲージクレームで、市内へのすべての交通機関が下階から出ている。

SuperShuttle
☎ (305) 871-2000
🚐 ダウンタウンまで＄9。所要15〜20分。ビーチまで＄14前後。所要30〜40分。24時間運行

●空港シャトルバン　SuperShuttle　Door-to-doorサービスのバンを運行。青い車体に黄色の文字が目印だ。ホテルから空港へ行く場合は、ホテルのフロントに頼むか電話での予約を忘れずに。

●**タクシー** ゾーン制になっていて、行き先によって料金が異なる。ダウンタウンまで約15〜20分、ビーチまで20〜30分ほど。

●**メトロバス Metrobus** アメリカン航空のあるターミナルEのバゲージクレーム（下階）出口から、横断歩道を渡った左の建物の外側がバス停。＃7を利用すると30〜40分でダウンタウンのバスターミナルに着く。ビーチへはそこから＃C、Sに乗り換える。ビーチの41st St.以北なら空港から＃Jで直接行ける。空港へは逆のルートをたどればよい。

長距離バス

グレイハウンド・バスディーポ Greyhound Bus Depot

　マイアミ周辺には3つのディーポがある。ホテルをどの地区にするかによって降りるディーポを決めよう。また、ほかの町から乗車してマイアミに向かう場合、きちんとディーポ名を伝えること。どのディーポにも「Miami」と付くため間違いやすく、ロストバゲージ（荷物の紛失）になる可能性があるので念のため。

① Miami（Miami West）

　現在、ほとんどのバスがここを終点、起点としており、乗り換えもここで行う。空港の近く、Le Jeune Rd.から27th St.を東に入ってすぐ左側にある。ダウンタウン、ビーチまで連絡バスが走っている（團$3.50）。

② Miami Bayside（Miami Downtown）

　ダウンタウンのディーポはBiscayne Blvd.沿い7th St.と8th St.の間。キーウエスト行きは1日3〜4本の運行。Government Centerへは徒歩10分。ビーチへはBiscayne Blvd.を渡ったところからメトロバス＃C、M、Sを利用。

③ Miami Beach（North）

　マイアミ・ビーチ市のかなり北。観光客が使うことはほとんどない。

ベイサイドのバスディーポ

タクシー
☎ (305) 888-8888
團ダウンタウンまで$18、ビーチまで$29〜38のゾーン制（4ゾーンあり）というところ。乗り場に料金表がある

メトロバス
團$1.25でトランスファーは25¢。深夜や週末の夜間は運行していないので、シャトルかタクシーを利用しよう

グレイハウンド・バスディーポ
Miami（Miami West）
團4111 N.W. 27th St., Miami
☎ (305) 871-1810
團24時間営業
團P.626

Maimi Bayside（Miami Downtown）
團700 Biscayne Blvd., Miami
☎ (305) 374-6160
團毎日5：30〜24：00のオープンなので要注意
團P.626、629

読★者★投★稿
　ユースに向かう人は＃Cが便利だが、時間にはずれると30分以上来ないため、バス停からユースまで多少歩くが、＃Cが来たら迷わず乗車しよう。
（周佐英徳　大阪府）

Miami Beach（North）
團16560 N.E. 6th Ave., North Miami
☎ (305) 945-0801
團毎日6：00〜23：00
團P.626

アムトラック駅
團8303 N.W. 37th Ave.
☎ (305) 835-1222
Ⅱ (1-800) 872-7245
團毎日7：30〜19：00
團P.626

★
マイアミ

アムトラック駅　Amtrak Station

ダウンタウンの北に位置する。ビーチへは＃Lのメトロバスで約1時間半。ダウンタウンへはメトロレイル＋トライレイルで行けるが、トライレイルは数時間に1本なので利用しにくい。タクシーで移動するのがベスト。また、アムトラック駅周辺の治安は良いとはいえない。車で移動する人は注意したい。

アムトラックの駅から
ダウンタウンまではとても遠い

マイアミの歩き方 ★ Walking

　マイアミは、ダウンタウンのある本土側のマイアミ市と、ビスケーン湾を挟んで南北に細長く延びた島マイアミ・ビーチ市に分かれる。両市はいくつもの橋や堤道で結ばれている。この両市と周辺の地域を合わせて、グレーター・マイアミと呼ぶ。いわゆる"マイアミの見どころ"は、グレーター・マイアミに広く散らばり、ここもあそこもと欲張るのはかなりきつい。ポイントを絞り、メトロバスとメトロレイルを駆使して回ろう。広いマイアミではレンタカーがいちばん威力を発揮するが、レンタカー利用者をターゲットにした犯罪もあるので、夜間はなるべくフリーウェイ（フロリダではエクスプレスウェイ）以外の一般道を通らないように。夜間、空港近くのレンタカー会社から車をチェックアウトしたら、いちばん近い入口からフリーウェイに乗ってしまうこと（必ずトールのための25¢を用意しておく）。

レンタカー利用者へ
　フリーウェイまでの道順はレンタカーの係員に十分に確認するように。

　ホテルについては、ダウンタウンでは治安の問題もあるので、少し外に出たベイサイド沿い、または、マイアミ・ビーチで探すことをすすめる。安ホテルから高級ホテルまで、質、数ともに豊富。

　なお、マイアミ市の住所表示は**Flagler St.とMiami Ave.の角**を基点として、北東（NE）、北西（NW）、南東（SE）、南西（SW）の4エリアに分けている。東西の通りはストリート、南北の通りはアベニューだ。マイアミ・ビーチ市では南から1st St.、2nd St.…と数が増えてゆく。

観光案内所 ★ Information

Miami Beach Chamber of Commerce

　マイアミ・ビーチのMeridian Ave.とDade Blvd.の角、ホロコースト・メモリアルの向かい。マイアミ周辺の各種資料や地図、ホテルガイド、割引クーポンなどがあり、スタッフも親切。ホテル予約も行っており、ホテルによっては割引になる。

Greater Miami Convention & Visitors Bureau

　こちらは、マイアミ市側にある観光局。マイアミのダウンタウンや近郊の見どころについての情報をそろえている。

市内の交通機関 ★ Public Transportation

メトロバス　Metrobus

　Metro-Dade County Transitが運行するバス。白地に緑と青のラインがさわやかだ。ルート数、運行本数ともに多くて便利。ダウンタウンのFlagler St.とS.W. 1st St.の間、S.W. 1st Ave.にターミナルがあり、マイアミ・ビーチ方面など多くのバスがここから出ている。メトロレイルのGovernment Center駅で路線図や時刻表が入手できるので、ぜひ利用しよう。なお、ルート番号でアルファベットのものはマイアミ・ビーチへ行くので覚えておこう。

メトロレイル　Metrorail

ダウンタウンを1周するメトロムーバー

　通勤用の電車だが、観光にも利用価値がある。ダウンタウンの駅は、Government Center。料金は、自動改札口にコインを投入するしくみ。コインがないときは改札口横の両替機で両替（＄1札→＄1コイン、＄1コイン→25¢コイン4枚）してから通る。

メトロムーバー　Metromover

　ダウンタウン内を環状に走る、コンピュータ制御の新交通システム。Government Center駅でメトロレイルと接続しているほか、全部で9つの駅をもつ。一周約15分。ダウンタウン全体をつかむ意味で一周してみるといい。

エレクトリック・ウエイブ　Electric Wave

　マイアミ・ビーチを走る無料のシャトルバスがある。サウス・ビーチの付近からリンカーン・モールやアール・デコ地区のホテルやクラブをめぐる便利なシャトルバスだ。

ツアー案内 ★ Sight-seeing Tour

グレイライン　Gray Line of Miami

出発場所：各ホテルからのピックアップあり。

番号	ツアー名	料金	運行	所要時間	内容など
10	Key West	＄59	水	14時間	マイアミからキーウエストへのツアー。ヘミングウェイ邸、トルーマン邸なども見学。

Miami Beach Chamber of Commerce
🏠1920 Meridian Ave., Miami Beach, FL 33139
☎(305) 672-1270
🕐月〜金9：00〜17：00、土10：00〜16：00
📖P.632

Greater Miami Convention & Visitors Bureau
🏠701 Brickel Ave., Suite 2700
☎(305) 539-3000
🕐月〜金9：00〜17：00

メトロバス
🏠5400 N.W. 22nd Ave., Miami
☎(305) 638-6700
運行：月〜金4：30〜2：00
💰＄1.25で1ドル札も使える（ただし、お釣りは出ない）。トランスファーは25¢。何度か乗り継ぐときは、その都度25¢必要。メトロレイルへの乗り換えは、"Rail Transfer"と言って25¢払うと専用のコインをくれる

メトロレイル
運行：毎日6：00〜24：00
💰＄1.25　バスへのトランスファーは25¢。メトロムーバーへのトランスファーは無料

メトロムーバー
運行：毎日6：00〜24：00
90秒ごとの運行
💰25¢。メトロレイルへのトランスファーは＄1。その逆は無料

エレクトリック・ウエイブ
☎(305) 535-9160

グレイライン
☎(305) 325-1000
📞(1-800) 826-6754

キーウエストへのツアー会社

①Flamingo Tours
☎(305) 948-3822
FAX(305) 948-3824

②Meier Tours Inc.
☎(305) 591-1566
FAX(305) 592-8130

③Florida Best Travel Services
☎(305) 673-8811
FAX(305) 940-6006

④Miami Nice Exc. Inc.
☎(305) 949-9180
FAX(305) 944-7414

キーウエストに行ってみたい。でも時間がないという人に

キーウエストへの日帰りツアーは、マイアミ・ビーチにある旅行会社ならどこでも取り扱っており、料金は＄55〜59。会社によっては、1泊ツアーも行っている。申し込み方法は、直接ツアー会社に出向くか、旅行代理店を介して、1日前までに料金を支払うことになっている。

私が参加した①のツアーは、朝7：00〜8：00、各ホテルへ参加者をピックアップしながらビーチを出発、中間地点にあるマクドナルドで30分ほど休憩する。その後はキーウエストまで一直線だが、セブンマイル・ブリッジにさしかかったところで、写真撮影のため5分停車。キーウエスト着は正午頃。いったん、サザンモスト・ポイントで停車し、最終的に水族館の横で解散となる。帰りは同じ場所に15：30〜16：00頃集合。途中キーラーゴあたりで充分休憩をして、ビーチのホテル着は20：00頃だった。なお、キーウエストへの1日ツアーは毎日運行しているようだった。

※いずれの会社も、キーウエストのほかに、ディズニーワールドやユニバーサルスタジオ、マイアミなどへのツアーを催行しており、料金や内容もほぼ同じ。日本からの予約、問い合わせにも親切に対応してくれた。　　（阿部寿美子　福岡市）('99春）

Attractions ★
おもな見どころ

ダウンタウン
★
Downtown

ベイサイド・マーケットプレイス

📍401 Biscayne Blvd., Miami
☎(305) 577-3344
🕐月〜木10：00〜22：00、金土は23：00までオープン、日11：00〜20：00（レストランはさらに遅くまで営業）
🚇メトロムーバーのCollege/Bayside駅から1ブロック。メトロバスの#3、16、48、95、C、M、Sが目の前のBiscayne Blvd.を通る
🗺P.629

南国らしいショッピングモール
ベイサイド・マーケットプレイス ★ Bayside Marketplace

ビスケーン湾のヨットハーバーに面した、明るいショッピングモール。屋根があってアーケード状になってはいるが、オープンモールに近い構造で、南国の日射しにあふれている。店も明るい原色を用いたレイアウトで、いかにもマイアミらしい。

中央のハーバーに面した広場では、夜になると無料コンサートが開かれる。ダイキリでも飲みながら、ポップなリズムに耳を傾けるのもいい。ハードロック・カフェもあり、にぎやかな雰囲気だ。

南側の2階にあるフードコートも楽しい。店の数が多く、しかも国際色豊か。タイ、中華、アラブ、日本、メキシコ、イタリア……、なんとフランス料理のファストフードまであるのだ。

開放感のあるショッピングモールだ

まずは手近なクルーズで気分を盛り上げよう

湾内クルーズ ★ Island Queen Cruises

　ベイサイド・マーケットプレイスから出航している1時間半のクルーズは、マイアミに到着したら真っ先に乗っておきたいアトラクション。

　海沿いに建ち並ぶのは、グロリア・エステファン、オプラ・ウィンフリー、フリオ・イグレシアス…たちの豪邸！　アル・カポネの元お屋敷なんていうのもある。それぞれ「なるほど！」と思わせる個性的な邸宅だ。時々、どこかのお屋敷で、映画の撮影が行われていたりする。

　フロリダの太陽をいっぱい浴びて、あっちの家、こっちの家と目を移すうちに、あっという間の1時間半だ。30分ごとに出航しているので、自分のスケジュールとの折合いもつけやすい。マイアミ観光の第一歩としてどうだろう。

南フロリダの歴史がわかる

南フロリダ歴史博物館
★ Historical Museum of Southern Florida

　ダウンタウンの中心、Government Center駅の目の前にあるコーラルピンクの建物。隣にあるファイン・アート・センターと図書館を含めて、カルチャーセンターと呼ばれている。

　中には、先史時代のアメリカ先住民文化、スペイン人などの侵入、リゾート開発といったフロリダの歴史から、沈没船の宝物捜しや海洋生物まで、幅広い展示がある。入口横のギフトショップには、フロリダの歴史と自然に関する本がそろっており、絵ハガキやアクセサリーも多くて、小さいながらも充実している。

湾内クルーズ
Island Queen Cruises
☎ (305) 379-5119
$12
　ベイサイド・マーケットプレイスから観光船が数社発着している。各社の内容料金を比べて希望に合うものを見つけよう。
P.629

南フロリダ歴史博物館
101 W. Flagler St. Cultural Center Plaza
☎ (305) 375-1492
月〜土10：00〜17：00（木〜21：00）、日12：00〜17：00
大人$5、子供$2（ファイン・アート・センターは大人$5、子供$2）
メトロレイルGovernment Center駅前
P.629

★ マイアミ

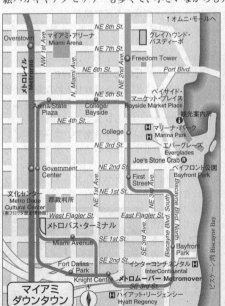

マイアミダウンタウン

ベイサイドから出ているクルーズは人気が高い

南フロリダ歴史博物館はカルチャーセンターにある

629

これが個人宅？
ビスカヤ・ミュージアム＆ガーデン
★ Vizcaya Museum & Garden

　個人の邸宅としてはアメリカ最大といわれるのが、ここビスカヤ。"ビスカヤ"はバスク地方の言葉で"高潔な場所"の意味。この家はかつての億万長者、インターナショナル・ハーベスター社の副社長ジェームス・ディアリングが、マイアミで冬を過ごすために造ったもので、3人の設計者と1,000人の職人、労働者を使い、2年の月日をかけて造った豪邸として知られている。ちなみに、当時のマイアミ市の人口は1万人だから、その1割を動員したことになる。完成は1916年。彼は完成後から死ぬまで、毎冬をここで過ごしていた。

　庭園に建つイタリア・ルネッサンス・スタイルの豪邸は、3階建てで70部屋。ヨーロッパのアンティークを収納できるように設計されているだけあって、どの部屋にも絵画や置き物、タペストリーなど、15～19世紀初めの美術品や骨董品が美しく飾られている。1階のルネッサンス・ホールにはパイプ・オルガンまでしつらえてあるほどだ。

庭園もみごとなビスカヤ

体験できる博物館
マイアミ科学博物館＆プラネタリウム
★ Miami Museum of Science & Space Transit Planetarium

　大人も子供も楽しめる体験型博物館。人工的に作った虹や、光と水を使った幻想的なシーンなどをはじめ、自分のカラダを使うThe Body in Actionのコーナーなどもある。見て、触って、聞いて遊べるバラエティに富んだ博物館だ。

　プラネタリウムでは、その日のマイアミの空を上映している。

日射しがまぶしいショッピングゾーン
ココナッツ・グローブ ★ Coconut Grove

　ダウンタウンの南西8kmほどにある、おしゃれなショッピングゾーンだ。パステル調の店に南国の明るい日射しがまぶしく映える。ブティックやテラスのあるレストランが多い。

　『Coco Walk』というオープンモールもあり、コーラルピンクのサンゴ石でできた階段や手すりがココナッツ・グローブらしい。Banana Republic、The Gap、Victoria's Secretなど、おなじみの店のほかに、サンタフェ・アートの店、ホワイトレースなど白い衣類ばかりを扱うWhite House、コカ・コーラグッズを集めたCoca Cola Connectionなど個性的な店が並ぶ。また、プラネットハリウッドのマイアミ店はここにある。

　一日中いても飽きないくらい楽しいエリアだ。

ショッピングが楽しいココナッツ・グローブ

マイアミの高級住宅街
コーラル・ゲーブルス ★ Coral Gables

ロスアンゼルスにビバリーヒルズがあるように、マイアミにはコーラル・ゲーブルスがある。広い道路、緑濃い街路樹、地中海スタイルの大邸宅……。南国の高級住宅地は一風変わった雰囲気をかもし出している。

サンゴ石の石切場跡を利用して造った**ベネチアン・プールVenetian Pool**は公共のプール。その美しさは一見の価値がある。もうひとつの見どころは、スペイン風タワーの美しい**ビルトモア・ホテル Biltmore Hotel**。外観もさることながら内装も豪華だ。

人魚のモデルとご対面
マイアミ水族館 ★ Miami Seaquarium

ビスケーン湾に浮かぶバージニア・キーにあり、展示ではLost Islandのコーナーがいい。熱帯の木々が茂り、その回りを水路が走っている。ウミガメ、エイ、サメや、その他さまざまな魚が泳ぎ回る。『水族館』のイメージとはまったく違うユニークな展示だ。ここはまた、ショーが充実している。シャチ、イルカ、アザラシ、サメなど多くのショーが園内のあちこちで行われる。何も芸はしないが、人魚のモデルと言われるマナティの不思議な姿を見ることもできる。

事件を解決してみよう
警察博物館
★ American Police Hall of Fame & Police Museum

元FBIマイアミ支部の建物を改造してできた、大変ユニークな博物館。1階は殉職警官のメモリアルになっており、大理石の壁は、殉職した警官たちの名前でびっしり埋めつくされている。2階が博物館。電気椅子、ギロチンなどの死刑の道具、おびただしい数のバッジ、警棒、ピストルなどの展示が目立つ。拡大して展示されているニセ札、世界最小のモニターカメラもおもしろい。楽しいのは探偵コーナー。殺人現場がそのままの状態で公開され、被害者や容疑者についてのレポートがあげられている。見学者が探偵となって真犯人をつきとめるのだ。解決できたら記念品がもらえる。

サンゴでできた美術館
バス美術館 ★ Bass Museum of Art

Collins Ave.と21st St.の角から1ブロック入ると、サンゴでできたバス美術館の建物が見えてくる。ここにはルーベンスやレンブラントらの絵画から近代アメリカの彫刻、工芸品まで多彩なコレクションが展示されている。また、各種コンサートやレクチャー、パフォーマンスなどのイベントも頻繁に行われていて興味深い。

コーラル・ゲーブルズ
🏠 P.626

ベネチアン・プール
🏠 2701 De Soto Blvd.
☎ (305) 460-5356
🕐 火～金11：00～17：30、土日10：00～16：30
休 月
料 大人＄5、学生＄4、子供＄2

ビルトモア・ホテル
🏠 1200 Anastasia Ave.
☎ (305) 445-1926
🚃 メトロレイルのDouglas Road駅からメトロバス#40、42、56など

マイアミ水族館
🏠 4400 Rickenbacker Cswy., Miami
☎ (305) 361-5705
🕐 毎日9：30～18：00（チケットブースは16：30に閉まる）
休 おもな祝日
料 大人＄19.95、子供＄14.95
🚃 ダウンタウンからメトロバス＃B
🏠 P.626

★ マイアミ

警察博物館
🏠 3801 Biscayne Blvd., Miami
☎ (305) 573-0070
🕐 毎日10：00～17：30
休 5/15、クリスマス
料 大人＄6、子供＄3、警官は（もちろん日本の警官でも）＄1
🚃 メトロバス#3、16。ビーチからは＃J、Tも利用できる
🏠 P.626

マイアミ・ビーチ
Miami Beach

バス美術館
🏠 2121 Park Ave., Miami Beach
☎ (305) 673-7530

■火～土10：00～17：00、
日13：00～17：00、第2、
4水のみ13：00～21：00
■月
■大人＄7、子供＄4、学
生・シニア＄5 特別展示
の場合、入場料の変更あり
■メトロバス#C、G、H、L、
M、S利用
■P.632

ホロコースト・メモリアル
■1933-45 Meridian Ave.,
Miami Beach
☎(305)538-1663
■毎日9：00～21：00
■無料
■観光案内所の目の前

マイアミビーチのいちばんの見どころ
アール・デコ地区 ★ Art Deco District

　ビーチの南の端、5th～17th St.のもっともにぎやかなあたり
は、もともとアール・デコ調の凝った建物が多かったエリア。
近年これらの建物を修繕して町の美観を整えようと、おもな建
物やホテルの外壁がパステルカラーに統一された。コーラルピ
ンクやペパーミントグリーンがかわいい町並みは、ヤシの木や
エメラルドの海によく似合う。とくに10th St.のつきあたり付
近のビーチからの眺めは絵ハガキのようだ。また、ユースのあ
るEspagnola Wayも非常にきれいだ。

ホロコーストで犠牲になった人のための慰霊碑
ホロコースト・メモリアル ★ Holocaust Memorial

　フロリダの抜けるような青空に向かって、救いを求めるよう
に差し上げられた大きな手。第2次世界大戦中、ナチによって
大虐殺された600万人のユダヤ人のための慰霊碑だ。1990年2
月に完成した約13mの高さを持つ迫力のブロンズ像。周囲の
大理石には、犠牲者の名前がびっしりと書き連ねられており、
パネル写真はホロコーストの残酷さを強烈に伝えている。

マイアミ・ビーチのアール・デコ地区

ホロコースト・メモリアル

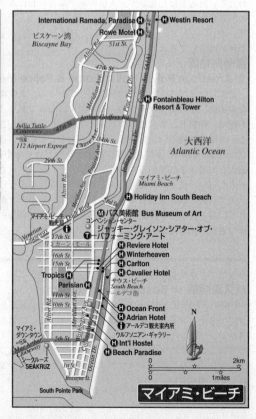

International Ramada, Paradise ⊞　　● ⊞ Westin Resort
ビスケーン湾　　　　Rowe Motel ⊞
Biscayne Bay　　　51st St.
47th St.
⊞ Fontainbleau Hilton
Resort & Tower
Jullia Tuttle
Causeway　41st St.
112 Airport Express
29th St.
大西洋
Atlantic Ocean
マイアミ・ビーチ
Miami Beach
⊞ Holiday Inn South Beach
マイアミ・ビーチ観光局　Ⓜ バス美術館 Bus Museum of Art
コンベンション・センター
Ⓣ ジャッキー・グレイソン・シアター・オブ・
パフォーミング・アート
17th St.　⊞ Reviere Hotel
リンカーン・モール　⊞ Winterheaven
16th St.　⊞ Carlton
15th St.　⊞ Cavalier Hotel
Tropics ⊞　サウス・ビーチ
Parisian ⊞　South Beach
11th St.　アールデコ街
10th St.　⊞ Ocean Front
⊞ Adrian Hotel
マイアミ・　　アールデコ観光案内所
ダウンタウン　ウルフソニアン・ギャラリー
5th St.　⊞ Int'l Hostel
⊞ Beach Paradise
SEAKRUZ
N
2km
1miles
South Pointe Park
マイアミ・ビーチ

カラフルなオウムが芸をする！
パロット・ジャングル ★ Parrot Jungle

　1,000羽以上ものカラフルなインコやフラミンゴ、オウムが12エーカーの熱帯園の中にいる。ここでの見ものは、なんといってもオウムの芸。1日6回のショータイムがあり、オウムが自転車に乗ったり、ローラースケートをしたり、ポーカーをしたりする。

珍種のサルがいる
モンキー・ジャングル ★ Monkey Jungle

　人間が檻に入って猿を見るというユニークなところで、世界中の、とてもめずらしい猿を見ることができる。ゴリラやオランウータンもいる。なかには、プールの底のエサを潜ってとるダイビング・モンキーなんていうのもいて、一日中いろいろなショーが行われていて楽しめる。

こんなものをひとりの人間が作ったとは！
コーラル・キャッスル ★ Coral Castle

　人間の恋心というのは、時にとんでもないことをしでかす。結婚を数時間後にひかえてふられた、33歳のEdward Leedskalninという男は、ここにあるサンゴ石の奇妙な造形物を、28年間かけて、1人黙々と作ったという。

　ロッキングチェア、日時計、ハート型のテーブル、土星や月を形どったモニュメント、リクライニングシートなど、すべてサンゴ石。指1本で開くという9トンの巨石の回転ドアは、現在の技術をもってしても、作るのは難しいとか（ただし、現在は固定されている）。居間や寝室は、彼をふった女性（16歳だったそうだ）との甘い生活を夢想して作ったという。エドが64歳で孤独のうちに死んだのは1951年。恋心と狂気が生んだ現代のミステリーだ。

パロット・ジャングル
🏠 11000 S.W. 57th Ave.
☎ (305) 666-7834
🕐 毎日9：30〜18：00
休 おもな祝日
料 大人＄13.95、子供
＄8.95 +Tax
交 メトロレイルMiami
South駅からメトロバス#57。
ただし本数が少ないので、
ツアーを利用したほうが時
間のロスもずっと少ない
地 P.626

モンキー・ジャングル
🏠 14805 S.W. 216th St.
☎ (305) 235-1611
🕐 毎日9：30〜17：00
料 大人＄11.50、子供＄6、
シニア＄9.50
交 公共の交通機関はない。
US-1を下り、Hain lin Mill
Dr.（S. W. 216th St.）を右
折する。約40分
地 地図外

コーラル・キャッスル
🏠 28655 S. Dixie Highway,
Homestead
☎ (305) 248-6344
🕐 毎日9：00〜18：00
休 おもな祝日
料 大人＄7.75、子供＄5
交 公共の交通機関はない。車
ならUS-1を南下し、S.W.
288th St.との角左側
地 地図外

★
マイアミ

レンタカーでエバーグレーズ国立公園へ

　マイアミでレンタカーを借りたら、ぜひエバーグレーズへ行ってみよう。キーウエストへ行く途中に立ち寄ってみてもいい。マイアミからUS-1を南下、Homesteadから標識に従って走る。マイアミからゲートまで約1時間の行程だ。

　メインエントランス近くにあるビジターセンターは、8：00〜17：00のオープン。ここで園内の地図を手に入れよう。美しい写真集やビデオもここで買える。

　ここからフロリダ湾に面したFlamingoまで約60km（38マイル）。途中いくつかのポイントがあり、複雑で豊かな生態系を育む湿原の、

雄大な姿を目にすることができる。短いトレイルもあるのでぜひ歩いてみよう。ただし、想像を絶するほど蚊が多いので（とくに夏季）、服装や虫よけスプレーなど、十分な準備を忘れずに。Flamingoではクルーズ（大人＄12、子供＄6）などを楽しみたい。

　低い雲が移動し、太陽光線をさえぎる。遠くに雨のかたまりが落ちているのが見える。またたく間に黒い雲が空を覆い、強烈な雨が地面をたたく。湿原の植物たちは、身じろぎもせず淡々と雨に打たれている。そんな大自然のドラマを特大の劇場で眺めてみよう！

観戦するスポーツ

ベースボール（MLB）

フロリダ・マーリンズ ★ Florida Marlins

（ナショナル・リーグ東地区）

　球団創設5年目にして、ワールド・チャンピオンの快挙を成し遂げたフロリダ・マーリンズ。この優勝は、お金を積んだ結果と誹謗の対象となった。その結果、年棒の高い主力選手を放出せざるをえず、翌シーズンの成績は芳しくなかった。

アメリカン・フットボール（NFL）

マイアミ・ドルフィンズ ★ Miami Dolphins（AFC東地区）

　'70年代最強チームといわれたドルフィンズ。とくに'72シーズンのスーパーボウル制覇までの軌跡は完璧とまでいわれた。かつてほどの強さはないが、'98〜'99のシーズンもプレーオフに進出するなど、その実力はあなどれない。

バスケットボール（NBA）

マイアミ・ヒート ★ Miami Heat（東・大西洋地区）

　'88年に産声をあげたヒートは、誕生から6〜7年は常に下位に甘んじていた。しかし、'95〜'96のシーズンに名将ライリー・ヘッドコーチを獲得、と同時に強豪の仲間入りを果たした。チャンピオンに輝く日も、そう遠くはないだろう。

フロリダ・マーリンズ
本拠地——プロプレイヤー・スタジアム ProPlayer Stadium, 2267 NW 199th St.
☎ (305) 350-5050（チケット）、626-7400
🚃 不便なところにあるので、タクシーで行くのがベスト。ビーチの南から約45分、$45＋Tip。
🗺 P.626地図外

マイアミ・ドルフィンズ
本拠地——プロプレイヤー・スタジアム ProPlayer Stadium, 2269 NW 199th St.
☎ (305) 620-2578
📞 (1-800) 255-3094
🚃 マーリンズ参照

マイアミ・ヒート
本拠地——マイアミ・アリーナ Miami Arena, 721 NW 1st Ave., Miami
☎ (305) 577-4328
🚃 メトロレイルのOvertown Arena駅の目の前
🗺 P.629

読★者★投★稿

レンタカーで襲われた実体験

　レンタカーでマイアミ観光をと決め込み、ビスカヤ邸宅に向かう途中のこと。ろくに下調べをしなかったせいもあり、私と彼はダウンタウンのほうに迷い込んでしまった。

　やたらとクラクションを鳴らしたり、何か道行く人が叫んだりしているのだが、とくに気にせず車を停めて地図を見ていた。すると、すれ違いざまに私たちの車の後ろを指しながら、「Fire、Fire！」と叫んでいる人がいた。マフラーから煙でもでているのかと思い、彼が降りて確認したけれど何の問題もない。と、後ろから2人組の男が近づいてきて、また「Fire」と言ってきた。

　彼がもう一度車を降りると、ひとりが運転席に乗ってきた。助手席にいた私はとりあえずバッグをもって車を降り、ちゃんと直してくれるのかな、と思っていると、急に彼が「危ない！」と言いながら私を後ろにひきよせた。その瞬間もうひとりの男が私に襲いかかってきた。私たちは地面に倒れこんだのだが、相手は要領が悪く、凶暴でもなかったので、私のバッグを奪っただけで、レンタカーで逃走していった。

　現在は住宅が並ぶダウンタウンの50th St. で、私たちがもみあっていた50mくらい先には地元の人がいたが、誰も助けてはくれなかったし、「Police！」と言っても笑って適当にあしらわれただけだった。

　あとでポリスに聞いたところ、この地区は治安の悪さではワースト3に入る場所とのこと。最近、レンタカーを狙った犯罪が増えているそうで、後ろからわざと車をぶつけたり、急に前に飛び出したりして停車させ、レンガでガラスを割って物を盗む手口だそうだ。レンタカーで観光する場合は、十分に注意。

　　　　　　　　　　　　　(S.H.　練馬区)

編集室より：近年マイアミでは、レンタカーがらみの犯罪が増えています。まず、レンタカーのオフィスで危険な地域を確認し、安全な道を教えてもらうようにしましょう。それから、むやみに夜間の走行も避けるように。

　もっとも、ほとんどの観光地はフリーウェイ（エクスプレスウェイ）で間近まで行けるのです。必要以上に下の道を走って、路地やダウンタウンに迷い込まない限り、そうそう危険な目に遭うものではないのです。最大限に注意したいのは、夜間、空港近くのレンタカー会社からチェックアウトしてフリーウェイ（25¢が必要）に乗ってしまうまでの暗い道です。

ダウンタウンのベイサイド・マーケットプレイスや、ココナッツ・グローブなど、本文で紹介したショッピングゾーンがおしゃれで一般的だが、ほかにもショッピングモールがあるのでいくつか紹介しよう。

1日楽しめるソーグラス・ミルズ

ダウンタウン随一のショッピングモール
OMNI Mall

🏠Biscayne Blvd. & 16th St., Miami
☎ (305) 374-6664
📅月～土10：00～21：00、日12：00～17：30　🗺P.629地図外

ベイサイド地区の北の端にある、3階建て（1階は駐車場）のショッピングモール。

有名デパートJCペニー、映画館6軒、フードコートもあってにぎわっている。リミテッド、フットロッカーなど、庶民の味方的な店が多いのも人気の要素だろう。モールの前の15丁目はバスストップとなっていて、ビーチ側、ノース・マイアミとダウンタウンを結ぶ要所となっている。メトロムーバー駅が、モールの2階に直接つながっているので、ダウンタウンからのアクセスも簡単だ。

リッチなお買い物は、バルハーバーショップスへ
Bal Harbour Shops

🏠9700 Collins Ave., Miami Beach
☎ (305) 866-0311
📅月木金10：00～21：00、火水土10：00～18：00、日12：00～17：00

マイアミ・ビーチの北に位置するバルハーバーショップスは、とってもファッショナブルなショッピングビル。高級ブランド品を扱う店と、それにふさわしい人たち……。マヌカンたちの美しさにも驚かされる。カフェテリアもあるので、疲れたらここで休憩を。マイアミ・ビーチから北行きのバスに乗り、シェラトン・バルハーバーの大きなホテルが見えたら下車。

世界一大きなアウトレット・モール
Sawgrass Mills Mall

🏠12801 W. Sunrise Blvd., Sunrise, FL 33323　☎ (305) 846-2350
📅月～土10：00～21：30、日11：00～18：00　🗺地図外

一日ショッピングに費やせる日があれば、ぜひ足を延ばしてほしいのがここ。240を超える店舗に、果てしなく広い駐車場、大通りかと思えば、まだ、モールの敷地内だった…、こんなところなので「短時間で全部を見てやろう」なんて、頭痛に襲われるのがおち！

マイアミのダウンタウン、インターコンチネンタル・ホテルからシャトルバスの送迎がある。これは、モールに電話して予約する必要がある。到着したら観光案内所でマップをもらうのを忘れずに！

★

マイアミ

読*者*投*稿

ソーグラスミルズへのシャトルバス

ソーグラスミルズ・モールへはマイアミ・ビーチからシャトルバスが出ており、1人＄10。前日までに予約をすれば各ホテルでピックアップしてくれる。時間はホテルによって異なるが、9～12時ごろに3便ある。私は10時半に乗ったのだが、なんと1時間もビーチのホテルを回り、12時にやっと着いたと思ったら、モールのはずれにあるスポーツショップに30分間も停車。興味のない私たちにはまったく無駄な時間だ。買い物をスタートできたのは12：45だった。帰りのバスは15：00と18：30の2便で、これまたホテルへ着くまでに2時間もかかった。朝から丸一日かけて、買物できたのは2時間ちょっと。本当に残念だった。

（Mie Goto　京都市 '98春）

マイアミ・ビーチ

　マイアミ・ビーチのホテルは、12〜4月の間がオンシーズンで料金が高い。この季節は、寒い北部から太陽を求めてやって来た人々でいっぱいだ。逆にオフシーズンの夏はホテル料金がぐっと下がり、冬のシーズン料金の30〜50%も安くなる。だから、ホテル料金をチェックするときは、シーズン料金かオフ料金かをよく確かめる必要がある。

　マイアミ・ビーチのホテルは、ほとんどが大西洋に面しており、北へ行くほど高級ホテルが多い。安いホテルは10th〜20th St.と70th〜85th St.付近の、海より1本内側の通りに多いようだ。

　また、海沿いのホテルでは、オーシャンサイド（海に面した）の部屋は高く、オーシャンビュー（海が少しだけ見える）、スタンダード（海は見えない）の順に安くなる。

ビーチまで1分、安くて安全なホテル
Carlton Hotel

🏠1433 Collins Ave., Miami Beach, FL 33139
☎(305)538-5741、📞(1-800)722-7586、
FAX(305)534-6855、HOME www.
CARLTON Miami Beach.com
オンシーズン⑤$70、①$80、オフシーズン⑤$40〜70、①$50〜80
地P.632　　　　　　　　　ＡＤＪＭＶ

　バス・トイレ・エアコン付き。ビーチまで徒歩1分以内だから、水着でも行ける。67室。　　　　　　　　　　　　（'98）

リンカーン・モールのそばのおすすめホテル
Shelborne Beach Resort

🏠1801 Collins Ave., Miami Beach, FL 33139
☎(305)531-1271、📞(1-800)327-8757、
FAX(305)531-2206、HOME www.
shelborne.com
⑤①①$185〜1,500　　　　　ＡＤＭＶ

　よく手入れされた部屋は、バス・トイレ・冷蔵庫・TV付き。どうせなら少々高めでも、海に面した部屋がおすすめ。プライベート・バルコニーも付いているので、昼寝も気持ちイイ！　18th St.との角でリンカーン・モールから2ブロックと便利だ。プールあり。　　　　　　　（'99）

ローカル気分で滞在できる
Riviere Apart-Hotel

🏠1424 Collins Ave., Miami Beach, FL 33139
☎(305)531-3488、FAX(305)531-4440、
HOME www.hotelriviere.com
オンシーズン⑤①①$80、オフシーズン⑤①①$50　　　　ＡＤＭＶ　　地P.632

　ビーチから1ブロック、レストランやスーパーも近い、便利な一角にあるアパートメント・ホテル。全室エアコン、フルキッチン、コーヒーメーカー付きで自炊も可能。部屋の種類は3タイプあり、決して豪華ではないが、清潔にされている。週、月貸しの料金設定もあるので、長期滞在には安上がり。　　　　　　　　（'99）

夏のシーズンならプール付きのホテルも安く泊まれる

ビスケーン湾で釣った魚を自室で調理！
International Inn on The Bay

🏠2301 Normanday Dr., Miami Beach, FL 33141　☎(305)866-7661、📞(1-800)848-0924、FAX(305)868-6053
⑤①①$39〜69でコンチネンタル・ブレックファスト付き　地P.632地図外　ＡＭＶ

　J.F.Kennedy Cswy.のビーチ側、#Lが通るビスケーン湾に面したエコノミーホテルだ。予約のときに言っておけば、空港まで迎えに来てくれる。プールがあるほか、なんとカラオケまである。全室エアコン付きで、最近改装を終えたこともあって、部屋はとてもきれい。キッチン付きの部屋もあり、近くに日本食のスーパーもあるので、部屋で調理もできる。1人増すごとに$5アップ、海側の部屋は$10アップ。シーズンはそれぞれ$10上がる。キーデポジット$3。評判よし！70室。　　　（'98）

読★者★投★稿
新しくてきれいなホステル
Banana Bungalow—Miami Beach Hostel
🏠2360 Collins Ave., Miami Beach, FL 33139
☎(305)538-1951、FAX(305)531-3217、
E-mail MIAMIres@bananabungalow.com
ドミトリー＄10〜15、D＄29〜、キーデ
ポジット＄5

'96年オープンで、まだ新しいし清潔。
スタッフもとても親切で居心地が良い。バ
ス・トイレ・TV・エアコン・キッチン・冷
蔵庫付き。ドミトリーは朝9〜11時にはコー
ヒー、紅茶、トーストのサービスもある。
（廣津久子 コロラド在住 '98冬）

読★者★投★稿
お金持ちの気分を味わいに行こう！
Fontainebleau Hilton Hotel
🏠4441 Collins Ave., Miami Beach, FL 33140
☎(305)538-2000、T(1-800)916-2221、
FAX(305)531-9274、HOME www.hiltom.
com
オンシーズンS＄220〜315、DT＄250〜
345、オフシーズンS＄185〜265、DT
＄215〜295 地P.632 ADJMV

マイアミ・ビーチはアメリカのお金持ち
が集まるところ。雰囲気を味わうのにお
すすめなのがここ。ロビーが素晴らしく、
観光客用のデスクでもジェントルマンが応
対してくれ、礼儀正しく親切だった（私
はスニーカーで行き、恥ずかしい思いを
した）。このホテルのプライベート・ビ
ーチには、専用の日よけ付きベッドが置
かれていて、リッチな気分で日光浴がで
きる。 （吉田浩也・智子 京都府）
※
外壁に描かれた巨大な"だまし絵"が有
名。コリンズ通りを北上して行けば正面に
見える。 （'98）

プライベート・ビーチで優雅に過ごす
The Westin Resort Miami Beach
🏠4833 Collins Ave., Miami Beach, FL
33140-2799 ☎(305)532-3600、FAX
(305)534-7409 地P.632
オンシーズンSDT＄260〜350、オフシー
ズンSDT＄150〜275 ADJMV

フォンテーヌブロー・ヒルトンの数軒北
にあったDoral Ocean Beach Resortが、'97年
6月に名前を変えて新装オープンした。プ
ライベート・ビーチ、プール、ラウンジな
ど、好評だった豪華施設はそのまま受け継
がれているので、以前と変わらぬゴージャ
スな滞在ができそうだ。 （'98）

激安な宿
Rowe Motel
🏠6600 Collins Ave., Miami Beach, FL 33141
☎(305)866-1616、T(1-800)448-4314、
FAX(305)865-1623
S＄45、D＄65 AJMV
地P.632地図外

旧ディーポからビーチへ向かって歩き、
コリンズ通りを右折する。近くにスーパー
やレストランもある。バス・トイレ・エア
コン・TV・電話付き。95室。 （'98）

読★者★投★稿
バス付き4人部屋が＄16。個室もあります
Miami Beach International Travellers Hostel
🏠236 9th St., Miami Beach, FL 33139
☎(305)534-0268、T(1-800)978-6787、
FAX(305)534-5862、HOME www.
travelbase.@mbhostel.com
ドミトリー＄14〜16、オンシーズンS＄55〜
65、DT＄55〜70、オフシーズンS＄35〜
45、DT＄35〜50 MV 地P.632

ビーチまで2ブロック、歩いて2分のホ
ステル。全室バス・トイレ・エアコン付き。
キーデポジット＄5、シーツは＄1で借り
られる。1週間滞在すると、7日目はタダ
になる。スタッフはとても親切で、どこも
掃除が行き届いていてきれいだ。自由に使
えるキッチンと冷蔵庫があり、コーヒーと
紅茶はいつでも飲める。近くにスーパーマ
ーケットがあるので自炊するといい。貴重
品は有料でフロントで預かってくれる。コ
インランドリーもある。
場所はCollins Ave.とWashington Ave.の
間の9th St.沿い。ダウンタウンからは＃C
かKのバスに乗り、9th St. & Washington
Ave.の角で降りて徒歩1分。28室。
（新沼進、坂本弘ほか推薦多数）（'99）
※ゴキブリがたくさん出るとの投稿あり。

マイアミは釣り人も多い

テニスコートやプールも楽しみたい
Ramada Resort Deauville

🏠6701 Collins Ave., Miami Beach, FL 33141
☎(305)865-8511、FAX (305)865-8154
日本の予約・問い合わせ先：トップレップ
☎(03)5403-2551　地P.632地図外
オンシーズン⑤①①＄125〜154、オフ
シーズン⑤①①＄79〜99　ADJMV

　オーシャンサイドの大きなホテルで、ラ
ウンジやジャクージなどの設備がいろいろ
整っている。67th St.との角にある。部屋
はバス・トイレ・TV・エアコン付き。4
人まで泊まれて、追加は1人＄15。　　('98)

気分はパラダイス!? ビーチに近いグッド なホテル
Paradise Inn

🏠8520 Harding Ave., Miami Beach, FL
33141　☎(305)865-6216、FAX (305)
865-9028　地P.632地図外
オンシーズン⑤＄49〜53、①＄56〜60、
オフシーズン⑤＄37、①＄41　ADMV

　パブリック・ビーチまで1ブロックしか
離れていないところにあるモーテル。全室カ
ラーテレビ付きで、プールもある。フィリ
ピン系アメリカ人のオーナーが、大変親切
な、いいモーテルだ。
　　　　　　（佐藤正巳　世田谷区）('99)

アール・デコ調のYHなら1泊＄14！
Hostelling International Miami Beach (Clay Hotel)

🏠1438 Washington Ave., Miami Beach, FL
33139　☎(305)534-2988、☎(1-800)

379-2529、FAX (305) 673-0346
HOME www.clayhotel.com
ドミトリー＄14、⑤＄38〜、①＄50〜60、①
＄64〜84

　リンカーン・モールから2ブロック南、
Washington Ave. とEspagnola Wayの角
にある。アール・デコ地区の中にあり、外
観も内装もパステルカラーに統一されてい
て、とても明るい。ユースも兼ねているた
め、いつも世界中のバックパッカーが滞在
している。1部屋にトイレ、シャワー、流
し台が付いていて、2段ベッドが5〜6台
ある。全室エアコン付きで、そこそこ快適。
　　　　　　（周佐英徳　大阪府）('99)

マイアミ市

割安に泊まれた
Hotel Riande Continental Miami

🏠146 Biscayne Blvd., Miami, FL 33132
☎(305)358-4555、FAX(305)371-5253 ①＄85

　ダウンタウンのベイフロント公園に面し、
メトロムーバーのFirst St.駅やBayside
Market Placeまで徒歩5分の距離にある。
旅行代理店を通して予約したら安く泊まる
ことができた。なお、同系列にHotel
Riande Miami Beachがあるので混同しない
ように。　　　　（高橋厚　世田谷区　'98春）

空港へ24時間送迎あり
Best Western Miami Airport Inn

🏠1550 N.W. Le Jeune Rd., Miami, FL 33166
☎(305)871-2345、FAX (305)871-2811
⑤＄69〜99、①①＄84〜104　ADMV

　空港のすぐ北側にあり、新聞、シャトル
バスはフリーサービス。208室。　　　　('99)

★　　★　　★　★　レストラン　★　　★　　★
Restaurant

サービス料込みが一般的

　マイアミとキーウエストでは、レストラ
ンの請求書には最初からサービス料15%が
含まれていて、ちゃんとその旨をひとこと
言ってくれる。そのせいか（?）、どのレ
ストランでもサービスは良く、フレンドリ
ーだった。　　（Mie Goto　京都市　'98春）

マイアミならでは
Victor's Cafe

🏠2340 SW 8th St., Miami
☎(305)541-5416　地P.626

　キューバ料理の人気店。ニューヨークで
人気だった、伝統的なキューバ料理が、フ
ロリダでさらにおいしくなった。オーク材
を使って焼くプライム・ミートや新鮮な魚
は、地元の人もおすすめだ。併設されたキ
ャバレー・バブルは、ハバナで人気ナンバ
ー1のキャバレー・ショーが楽しめる場所だ。

ダウンタウンの日本食レストラン
Mi-kan

🏠80 SW 8th St. ☎(305)373-5484
🕐ランチ月〜金11：30〜14：30、ディナー月〜土17：00〜23：00 休日

　日本総領事館のあるBrickell Bay View Center（地元の人には旧World Trade Centerのほうが通じる）の地階にある。とくにボリュームのあるランチ弁当は人気。値段も手頃だ。Bayside Market Placeからタクシーで＄5前後。（高橋厚　世田谷区　'98春）

マイアミ・ビーチで日本の味を
Sushi Rock Cafe

🏠1351 Collins Ave. ☎(305)532-2133

　はっぴ姿の板さんがにぎるお寿司は天下一品。オーナーはタイ人だが板さんは日本で修業をしたという本格派。にぎり寿司＄2〜、手巻き＄3〜、日本ビール＄4〜。ほかにアラカルトとして、鍋焼きうどん、ざるそば、揚げ出し豆腐などもあり、日本料理が恋しくなった人にはたまらない店だ。注文にかぎり日本語OK。コリンズ通りを北へ歩き、14th st.交差点にあるAmocoガススタンドの手前。夕方から深夜まで営業。
（田村千尋　大阪府）（'98）

コリンズ通りにある激安キューバ料理店
Las Vegas VI

🏠6970 Collins Ave. ☎(305)864-1509

　マイアミでおいしいキューバ料理が食べられ、気軽に入れる店。地元の人たちにはテイクアウトも人気。ランチのセットは＄2.90からあるという超激安！食べ方は周りのお客を見て食べよう。（仲道誠治　港区）（'98）

行列してでも絶対食べたいストーンクラブ
Joe's Stone Crab Restaurant

🏠227 Biscayne St., Miami Beach
☎(305)673-4611
🕐10月中旬〜5月中旬のみ
火〜木11：30〜14：00と17：00〜22：00、
金土11：30〜14：00と17：00〜23：00、
日月17：00〜22：00 地P.629

　ここのストーンクラブというカニは、本当に絶品！並んでも食べたい、タクシー代を使ってでも食べたい味だ。ストーンクラブはサイズによって値段が違うが、前菜の欄に載っているからといって、量が少ないと思ったら大間違い。私たちは2人で、ストーンクラブの特大2人前とキーライム・パイを注文したが、おなかが破裂しそうだった。非常に有名で混んでいるので、行列を覚悟して。

　場所はマイアミ・ビーチの南の端。昼間ならメトロバス＃D、H、Wなどを利用。夜はタクシーで。（佐賀智論　神戸市）（'98）

スモールポーションがうれしい
Cafe Tu Tu Tango（無国籍料理）

🏠Cocowalk, 3015 Grand Ave., Coconut Grove ☎(305)529-2222
🕐月〜木11：30〜24：00、金〜日11：30〜1：00 地P.626

　マイアミでいちばんオシャレで、ユニークなお店。場所はココナッツ・グローブの中心地Cocowalkの中の2階。料理は無国籍風だが日本の居酒屋のように、小さめの料理ばかりで、値段も＄4〜8ぐらいでどれもおいしいものばかり。また、このお店の最大の特徴は、みんながガヤガヤと食事をしているところで、1人のアーティストがもくもくと絵を描いていること。このアーティストは日替わりでやって来るそうで、壁にはさまざまなアーティストの作品が所狭しと飾られている。これらは商品として販売されているが、壁時計などの凝ったものは、おみやげにはちょっと高め。オリジナルのTシャツならお手ごろだ。（'98）

30数種類のチーズケーキがおいしい店
Cheesecake Factory

🏠3015 Grand Ave., Coconut Grove
☎(305)447-9898 地P.626

　甘いアメリカのケーキと違い、日本人好みのレア・チーズケーキで、カプチーノやカフェオレと一緒に食べると最高！オリジナルのほかパンプキン、レモン・ムース、ジャーマン・チョコレートなど30数種のチーズケーキがあって＄4.50〜5.25。生クリームのホイップがかかっていて、おなかいっぱいになる。テイクアウトもできる。場所はココナッツ・グローブのココ・ウォークの2階。年中無休で夜遅くまでやっている。
（高橋淳一　千葉県）（'98）

キーウエスト

Key West

アメリカ合衆国本土の最南端キーウエストは、東西約5.5km、南北約2.5kmという小さな島だ。マイアミよりも、キューバの首都ハバナに近いという地理的条件のため、かつて軍事戦略上の重要な基地だったが、現在はリゾート地としてにぎわっている。ぬけるような青空、スコールに洗われた輝く緑、赤や黄色の鮮やかな花々。南国の強烈な色彩にいろどられたこの島に住む人々は、『コンク』と呼ばれる。性格は物事にこだわらず大らか。彼らと南の自然が作り出す自由な空気にひかれて、この島を愛するアメリカ人は多い。『老人と海』などで有名な作家アーネスト・ヘミングウェイが住んでいたことはよく知られている。

ダイビングやシュノーケリングを楽しみ、自由な空気を胸いっぱいに吸い込もう。

ダウンタウンへの行き方　　　Access ★

空港

キーウエスト国際空港
地図P.643　D-2

キーウエスト国際空港
Key West International Airport（EYW）

キーウエストのダウンタウンは島の西側にあるが、空港は島の南東側。マイアミ、オーランドなどから直行便が飛んでいる。小型機ばかりの小さな空港だ。

タクシー
料ダウンタウンまで＄10前後

●**タクシー**　ダウンタウンまで約15分。

---

d a t a

人　口	約24,800人		11.5%
面　積	608km²	属する州	フロリダ州 Florida
標　高	平均6.7m	州のニックネーム	サンシャイン・
市の誕生	1856年		ステート
Ｔ Ａ Ｘ	セールス・タックス		Sunshine State
	7.5%	時 間 帯	イースタン・タイム
	ホテル・タックス		ゾーン

KEY WEST, FLORIDA

気温（℃）　　降水量（インチ）

最高気温
最低気温

1月 2月 3月 4月 5月 6月 7月 8月 9月 10月 11月 12月

長距離バス

グレイハウンド・バスディーポ　Greyhound Bus Depot

　キーウエストのバスディーポはキーウエスト国際空港の隣に移転した。マイアミ〜キーウエスト間は季節に応じて1日3〜4往復している。マイアミからキーウエストへは、便によってはキーウエストのダウンタウンに寄ってくれるが、逆にキーウエストからの便はダウンタウンを通らないので、キーウエスト国際空港隣のバスディーポに行かなくてはならない。

　タクシーであればダウンタウンまで片道約$15。

読★者★投★稿

バスディーポが空港隣へ移転

　ダウンタウンにあったバスディーポが空港隣へ移転してしまった。マイアミから来たときにはホテル名を言えば近くで降ろしてくれるが、戻るときには路線バス（75¢）かタクシーで空港まで行かなくてはならない。また、グレイハウンドバスの車両も新しくなり、最前列の右側の席に座らない限り、外の景色はまったくと言っていいほど見えない。

　　　　（Mie Goto　京都市）（谷口悦子　モンタナ在住　'98夏）

グレイハウンド・バス
ディーポ
**Key West International
Airport, 3531 S. Roosevelt
Blvd.
☎ (305) 296-9072
**月〜土5：45〜6：30と
9：00〜19：00、日5：45
〜6：30と9：00〜18：00
**P.643　D-2

小型機が発着するキーウエスト国際空港

マイアミからキーウエストへ

　フロリダ半島の地図を開いてみると、その先端からさらに先、海の上を1本の道が走っているのに気付く。『オーバーシーズ・ハイウェイ（海を越える道）』と呼ばれるUS-1がそれだ。約50の小さな島々が点在するフロリダ・キーズを、長短42もの橋で結びキーウエストに至る『世界一美しいハイウェイ』である。刻々と色を変えてゆくサンゴ礁の海を両側に見ながら走り抜ける。ここでしか味わえない快感だ。キーウエストを訪れるなら、往路と復路の少なくともどちらかは、飛行機を使わずにUS-1を走ってほしい。運転できる人ならぜひレンタカーで走ってみたいし、グレイハウンドバスもマイアミ〜キーウエスト間を1日3〜4往復（往復$60）している。時間がなくとも1泊はしたい。

　マイアミ〜キーウエスト間は約160マイル（約250km）。車なら片道約3時間半の道のりだ。マイアミからUS-1を南下し約1時間。どこまでが沼地でどこからが海なのかわからない大湿原を越えると、フロリダ・キーズの内でもっとも大きいKey Largoに入る。時間のある人ならこの島でダイビングなどのマリンスポーツを楽しむといい。この島を抜けると42の橋の始まりだ。やがてMarathonという小さな町を

通り過ぎると、このルートの白眉とも言うべきセブンマイル・ブリッジ（Seven Mile Bridge）にかかる。全長6.79マイル（10.86km）の橋は、海を突き抜けてはるかに延びる。右手はメキシコ湾、左手は大西洋、広大な海と空に抱かれて、走るというより滑っていく爽快感。TVや映画で観た人も多いだろうが、この感覚は走ってみなけりゃわからない。

　マイアミを出て3時間半、天国を走り抜けた道は、西の果てキーウエストに至る。

　グレイハウンドバスを利用する場合、席はぜひ右側最前列を確保したい。大きなフロント・ガラスを通しての眺望と、横の窓から片側だけを見るのとでは大きな違いがあるからだ。また、キーウエストを朝出発する便を利用すると、気持ちはいいが朝日が正面から差し、完全な逆光になってしまう。海の青さを味わうには昼の便がいいだろう。

　　　　　　　　　　※

マイアミ〜キーウエスト往復のチケットを購入する場合、帰路の日付け、時間の指定をしないと、適当に入れられてしまうとの投稿あり。

　また時刻表は季節、曜日によって異なるので必ず現地で確認すること。

グレイハウンド・バス時刻表（'99. 4月）

7:00	12:01	18:15	発 Miami (Bayside) ▲	着15:45	17:25	22:40
11:59	17:00	23:30	▼ 着 Key West	発10:00	12:30	17:45

観光案内所

Greater Key West
Chamber of Commence
住402 Wall St., Key West, FL
33040
☎(305) 294-2587
T(1-800) 527-8539
営毎日8：30～17：00
図P.642　A-1

キーウエストの歩き方　Walking ★

　キーウエストのポイントは、Duval St.と1本西側のWhitehead
St.を中心に、ほとんど歩いて回れる範囲内にある。時間を効
率的に使いたければレンタサイクルを利用しよう。南国の風を
切って走る気分は最高だ。

　また、島内を回るだけではなく、海にも出てみたい。各種ク
ルーズやグラスボトム・ボート、ダイビングにパラセイリング
など、思い思いに楽しむとよい。見どころを回るだけなら1日
で十分。しかし、ここは自分で何かをして楽しむところだ。せ
めて2～3日は滞在したい。

　フロリダ半島の先端から連なる島々と、42の橋を堪能するな
ら、ぜひ自分でハンドルを握って走ってみよう。

観光案内所 ★ Information

Greater Key West Chamber of Commerce

　マロリー・スクエア内にあり、各種資料やクーポン券がもら
える。また、ホテルの紹介もしてくれるので利用しよう。

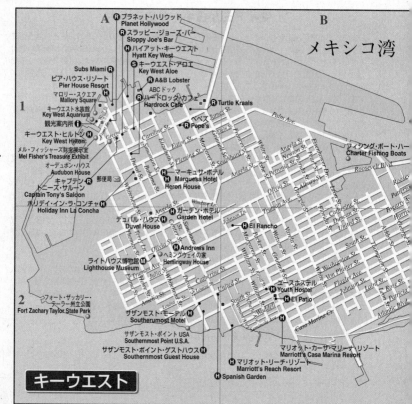

コンクツアー・トレイン　Conch Tour Train

　島内のおもな見どころを約1時間半かけて回るガイドツアー。蒸気機関車の形をした可愛らしい列車はキーウエストではすっかりおなじみ。陽気な運転手が楽しいおしゃべりで車内を盛り上げてくれる。マロリー・スクエアまたはRoosevelt Blvd.から出発。約90分。

コンクツアー・トレイン
☎ (305) 294-5161
📞 (1-800) 868-7482
🕐 毎日9：00～16：30の間30分ごとに運行
💰 大人＄18、子供＄9

オールド・タウン・トロリー　Old Town Trolley

　こちらも島内を約1時間半で回るガイドツアー。ただし、こちらの特徴は、途中14の乗車ポイントでの乗り降りが自由ということ。下車してゆっくり見学し、後続のトロリーに再乗車するなど、自分のペースで観光できるので便利。交通機関としても使える。チケットはマロリー・スクエアのブースで。

オールド・タウン・トロリー
☎ (305) 296-6688
🕐 毎日9：00～16：30、30分ごとに運行
💰 大人＄18、子供＄9

路線バス・コンクループ　Conch Loop

　キーウエストと隣のStock Islandを回る路線バスで、6：05～22：35の間70分ごとに運行している。島の東側、N. Roosevelt Blvd.沿いに宿をとった人には利用価値があるだろう。

コンクループ
☎ (305) 292-8165
💰 75¢

★ キーウエスト

大西洋

🅗	ホテル
🆁	レストラン
🅜	美術館・博物館
🆂	ショップ
■	コンク・ツアー・トレイン乗り場
■	オールド・タウン・トロリー乗り場

643

レンタサイクル、レンタルバイク

　キーウエストは自転車やスクーターで走るのに適当な大きさの島。南の潮風を切って走る爽快感は忘れられない思い出になるだろう。

　Truman Ave.とDuval St.の角を中心に、何軒かのレンタサイクル店がある。貸出条件などは店によってかなり違うので十分検討して借りよう。以下は'98年のデータ。

●Moped Hospital

　Truman Ave.とSimonton St.の角。少々高めだが、デポジットはカード番号をキープするだけ。パンクなどは無料で修理してくれるし、トラブルのときは電話するとその場に来てくれる。大きなバスケットが付いているので荷物があるときはとくに便利だ。

●Paradice Scooter & Bicycle Rentals

　Duval St.沿いのLa Concha Holiday Innの駐車場に貸し出しブースがある。ビーチ・クルーザ形式のシンプルな自転車ばかりだが、前にカゴが付いているので、荷物の持ち運びに問題はない。ただし、ブレーキはペダルを使って止める方式（逆に回転させる）なので、最初のうちは注意が必要。

●Keys Moped & Scooter, Inc

　Truman Ave.沿いでDuval St.とSimonton St.の間にある。安さなら断然ここ。トラブルは自分の責任で解決すること、と少し冷たい。

Attractions
おもな見どころ ★

サメにさわることができる
キーウエスト水族館 ★ Key West Aquarium

キーウエスト水族館

　マロリー・スクエアの奥にある素朴な水族館。とくにサメの数と種類が多く、ツアーの最後にはサメを触らせてくれる。ほかにも各種の熱帯魚が見られるので、ダイビングに挑戦しようという人はここで予習しておくとよい。

鳥類を愛した学者の家
オーデュボン・ハウス ★ Audubon House & Garden

　19世紀の中ごろ、水先案内人のジョン・H・ガイガーという男が建てた木造の白い家。有名な博物学者のジョン・J・オーデュボンが滞在していたことから、現在は彼を記念した博物館として公開されている。オーデュボンは自然、とくに鳥類を愛し、実に緻密な鳥のスケッチを多数残した人。邸内にはそのうち数点が展示されている。繊細な線を用いた絵で、しかも表情や動きがあり、その細かな観察力には驚かされる。

　また、深い緑に包まれた庭も一見の価値がある。

Moped Hospital
🏠601 Truman Ave.
☎ (305) 296-3344
🕐毎日9：00～17：00
💰1時間$1、1日$6～8、1週間$30。スクーターは2時間まで$15、1日$29～35

Paradice Scooter & Bicycle Rentals
🏠430 Duval St.
☎ (305) 293-1112
🕐毎日9：00～16：00
💰営業時間内1日＄8、24時間$12

Keys Moped & Scooter, Inc
🏠523 Truman Ave.
☎ (305) 294-0399
🕐毎日9：00～18：00
💰1日$8、1週間$28。スクーターは3時間まで$12、1日$23、1週間$110。ただし、デポジットが高く、自転車$75、スクーター$150

キーウエスト水族館
🏠1 Whitehead St.
☎ (305) 296-2051
🕐毎日10：00～18：00
💰大人$8、子供$4
🗺P.642　A-1

オーデュボン・ハウス
🏠205 Whitehead St.
☎ (305) 294-2116
🕐毎日9：30～16：45
💰大人$8、子供$4
🚶マロリー・スクエアからWhitehead St.を南に進み、Green St.を過ぎた左側
🗺P.642　A-1

ノーベル賞作家ヘミングウェイの家

ヘミングウェイの家 ★ Hemingway Home & Museum

『老人と海』などで有名な文豪ヘミングウェイが、1931年からの8年間を過ごした家。1851年建造のスパニッシュ・コロニアル風の家の内外には、猫好きだった彼が飼っていた猫の子孫がいまでもたくさんうろついている。この家には、破天荒な生涯を送った彼らしい逸話が残っている。当時、2万ドルの巨額を投じてキーウエスト初の真水プールを造った彼は、プールが完成した際に「最後の1セントまで使い果たしてしまった」とジョークを飛ばし、1セントコインをまだ乾ききっていないセメントに押しつけたという。この家から生み出された『武器よさらば』『キリマンジャロの雪』といった名作は、彼の作家としての名声を不動のものとした。

キーウエストの灯台

ライトハウス（灯台）博物館 ★ Lighthouse Museum

1848年に建造され、100年以上船乗りの道しるべとなった灯台だが、1969年にその役目を終え、現在は博物館として保存されている。高さ23mの塔の部分は1988年に修復を受け、まばゆいくらいに白く輝いている。内部にはライト部分に使われた直径3m以上のレンズや、第2次世界大戦中の日本の小型潜水艦に関する資料など、興味深い展示物がある。メキシコ湾が望める灯台のバルコニーにはぜひ上ってみよう。

アメリカ最南端の地

サザンモスト・ポイント ★ Southernmost Point

Whitehead St.が海に突き当たるところに、アメリカ合衆国最南端地点の碑が建っている。記念写真を撮る観光客でいつもにぎわい、周辺にはコンク貝などを売る露店が出ている。

ただし、本当の最南端地点は隣接する海軍基地内にある。

第33代トルーマン大統領の別荘

リトル・ホワイトハウス博物館
★ Little White House Museum

マロリー・スクエアの近くにある瀟洒な邸宅で、1890年に建設されたもの。1946〜1952年にかけてトルーマン合衆国第33代大統領が家族やスタッフを連れてたびたびここに滞在したため "リトル・ホワイトハウス" と呼ばれるようになった。そう、ポツダム会談、広島と長崎への原爆投下、トルーマン・ドクトリンなどで知られる、あのH.S.トルーマンだ。ソビエトとの冷戦

時代に突入していったころ、この穏やかな島で彼がどんな日々を過ごしたのか想像しながらのぞいてみよう。博物館は彼が使用した当時そのままにリフォームされ、休暇中の大統領の素顔をとらえた秘蔵フィルムも上映されている。

トルーマンが住んだ別荘

ヘミングウェイの家
📍907 Whitehead St.
☎ (305) 294-1575
🕐 毎日9：00〜17：00
💰 大人 $7.50、子供 $5.50
🚶 マロリー・スクエアから Whitehead St.を約10分。Olivia St.を過ぎたら左側
🗺 P.642　A-2

いまでもネコが多いヘミングウェイの家

ライトハウス博物館
📍938 Whitehead St.
☎ (305) 294-0012
🕐 毎日9：30〜16：30
💰 大人 $6、子供 $2
🚶 ヘミングウェイの家の向かい側
🗺 P.642　A-2

★ キーウエスト

みんなここだけは必ず来る、サザンモスト・ポイント

サザンモスト・ポイント
🚶 マロリー・スクエアから Whitehead St.を歩いて約20分
🗺 P.642　A-2

リトル・ホワイトハウス博物館
📍111 Front St. in the Truman Annex
☎ (305) 294-9911
🕐 毎日9：00〜17：00
💰 大人 $8、子供 $4

ビーチでも遊びたい

フォート・ザッカリー・テイラー州立公園
☎ (305) 292-6713
圏毎日8：00〜日没まで
圏1人＄1.50、車で入ると＄3.25
圏マロリー・スクエアからだとWhitehead St.を進み、Southard St.を右折。検問所のようなものがあるがそのまま通れる。2つ目のゲートが料金所（South St.あたりのモーテル街から行くときもSouthard St.まで行かなくては入れないので注意）、徒歩だと約25分。自転車で行くのにちょうどいい距離だ
圏P.642 A-2

海水浴に最適

フォート・ザッカリー・テイラー州立公園
★ Fort Zachary Taylor State Park

　キーウエストでいちばん美しいと言われるビーチ。サンゴが砕けてできた砂は、日が当たると目がくらむほど白く輝く。有料なだけあって、シャワー、トイレ、売店などの施設は充実しているので、丸一日遊んでいく人も少なくない。

やはり海はクルーズで楽しもう

クルーズ ★ Cruise

　キーウエストのいちばんの魅力はやはり海。美しい海と海面下の魚たち、そして海に沈む雄大な夕陽……。これらを十分に堪能する一つの方法がクルーズ船だ。＄10前後のサンセット・クルーズから＄25前後のディナー・クルーズまで、数社がさまざまなクルーズを行っているので観光案内所などで情報を集めよう。クルーズ船は、マロリー・ドックから出る。

　ちなみに、美しいサンセットがよく見えるのは1〜2月の冬期とのこと。

ドルフィン・リサーチ・センター
圏P.O.Box 522875, Marathon Shores, FL 33052-2875
☎ (305) 289-1121
Dolphin Encounter 予約
☎ (305) 289-0002
圏毎日9：00〜16：00
圏ガイド・ツアー＄9.50、Dolphin Encounter＄90（要予約）
圏公共の交通機関はないので、レンタカーで行くことになる。US-1のマイル・マーカー59、大きなイルカの像が目印
圏地図外

海生哺乳類の研究所

ドルフィン・リサーチ・センター ★ Dolphin Research Center

　イルカやアザラシなど、海生哺乳類の生態を調査する目的で設立された非営利機関だが、ガイドツアー（有料）によって一般の人々にも一部施設を開放している。ここのイルカは、マリン・ワールドなどの水槽とは違った、自然の環礁に低い網を張っただけの環境で飼育されている。そのせいか、ボランティアの研究者たちとの交流がとても自然で、まるで友達同士がふざけて遊んでいるような、とても楽しそうな顔をしている。この機関では、一般の人々にイルカの生態をより理解してもらうために、何種類かのプログラムを用意している。その代表的なものがDolphin Encounter（イルカとの出会い）。何人かのグループでイルカと一緒に泳ぎながら交流し、最後にその体験を話し合うというこのプログラムは、心に病を持つ人の治療にも用いられ、高い効果を上げているそうだ。ただし、このプログラムに参加するには、正確に英語を理解する能力が要求されるので、英語に自信のある人にだけおすすめ。

ドルフィン・リサーチ・センター

646

Playing sports
プレイするスポーツ
ダイビング、シュノーケリング

　コバルトブルーの海に囲まれ、アメリカ本土で唯一のサンゴ礁を持つキーウエストは、冬でも水温27℃を保つダイビング天国。各ショップやホテルがさまざまなツアーを行っている。ライセンスは「日本で取るより海外で」という人も多い今日このごろだが、なかには悪質なスクールもある。せっかく時間とお金をかけていくのだから、楽しんで帰って来たいものだ。日本での下調べはもちろん、さらに現地での評判や自分の目で確かめるくらいの用心が必要だ。

ダイビング教室も行われている

●Fury Catamarans

　3時間のシュノーケリングが＄40。器材のほか、ビール、ワイン、サラダが無料。パラセイリング＄40も行っている。

アクティビティを楽しもう

Fury Catamarans
☎ (305) 294-8899

キーウエストにリキシャ（？）

フィッシング

　ヘミングウェイが愛したキーウエストの海で、フィッシングを楽しんでみよう。

●Can't Miss

　1日1便、昼の12：00発で17：00帰着（6～9月初旬）。1人＄30で参加できるフィッシング・ヨットだ。道具のレンタルも行っている。

Can't Miss
☎ (305) 296-3751

★　★　★　ナイトスポット　★　★　★
Night Spot

ヘミングウェイが入りびたった店
Sloppy Joe's Bar

🏠201 Duval St.　☎ (305) 294-5717
🗺P.642　A-1

　毎晩のようにヘミングウェイが通ったということで有名なバー。店名のSloppyは「酔っぱらった」という意味で、当時の店主Joe Russellのニックネームからきている。Joeはヘミングウェイの小説『持つと持たぬと（To Have and Have Not）』の登場人物Harry Morganのモデルとなった人物。ライブ演奏が始まる日暮れ時から客のボルテージは上がり始め、夜明けまで盛り上がるDuval St.でいちばん人気の店だ。場所はGreene St.との角で、朝9時から翌朝4時までオープン。21歳以下は入店禁止なので

IDを忘れずに。　　　　　　　　　　　（'98）
　　　　　　　　　　※
　ヘミングウェイが通っていたころの店はGreene St.にあり、現在「キャプテン・トニーズ・サルーン」というバーになっている。

スロッピー・ジョーズ・バー

おみやげにも人気
Key West Aloe

🏠524 Front St.　☎ (305) 294-5592
🕐毎日9：30〜20：00　🗺P.642　A-1

　日本でも〝医者いらず〟として知られるアロエを使ったスキンケア製品と香水の専門店。商品はすべて島内の工場で生産されたオリジナル。場所はマロリー・スクエアからFront St. を歩き、Duval St. を越えたらすぐ右側。値段はアロエ・シャンプー＄6〜、アロエ・ソープ＄3〜と手ごろ。男性用のスキンケア製品も数多く扱っている。また300種類もある香水は気軽に試してみることができて、安いものはオーデコロン＄8.25からある。またSimonton St.とGreene St.の角にある工場では実際にアロエを使って製品が作られていくのを見学することもできる。　　　　　　　　　　　　　　　（'98）

読★者★投★稿
みやげ物屋でボラれないように気をつけて！

　Duval St.にたくさんのみやげ物屋があり、Tシャツ屋では無地のTシャツやトレーナーに好みの柄を選んでプリントしてもらう形式が人気。でも値段は店によってまちまち。とても良心的な店もあるが、日本人をカモにしているところもある。とくにSeafreeze (515 Duval St.) はひどい。店員は粘りが強く、ほとんど押し売りという感じ。友達はハガキを買ったら無理矢理切手も売りつけられた。その上、おつりもごまかそうとするので（絶対わざと！）要注意。ちなみに目安としてTシャツ＄12くらい、3枚買ったら1枚＄8にすると言う店もあった。　　　　　　　　　　（M.T.　大阪市）

※

　Wipe Out (126 Duval St.) という店もひどい。25%オフなどと調子の良いことを言うが、あとでよく計算してみたらタックスが30%も付いていた！
（江利川恵一　ウエストバージニア在住）

キーウエスト・アロエの店

大変便利な白いゲストハウス
Duval House

🏠815 Duval St., Key West, FL 33040
☎ (305) 294-1666、📞 (1-800) 223-8825、
FAX (305) 292-1701　🗺P.642　A-2
オンシーズンⓈⒹⓉ ＄145〜240、オフシーズンⓈⒹⓉ ＄75〜165　ADJMV

　南国の木々に囲まれたプールに白い木造の家。ハウス内で1日のんびりしていても飽きない快適さを持っている。部屋も広くとても清潔。アンティークで飾られているが、決してゴテゴテしておらず、開放的で気持ちがいい。朝食は料金に込みで、プールサイドで取れる。28室。
（'98）

アメリカ最南端のモーテル
Southernmost Motel

🏠1319 Duval St., Key West, FL 33040
☎ (305) 294-6577、📞 (1-800) 354-4455
FAX (305) 294-8272、HOME www.
oldtownresorts.com　🗺P.642　A-2
オンシーズンⓈⒹⓉ ＄149〜210、オフシーズンⓈⒹⓉ ＄95〜140　AMV

　Duval St. とSouth St. の角にある。「アメリカ最南端のモーテル」と名乗りつつもその設備は充実していて、中庭にあるプールなどはちょっとしたビーチ・リゾートも顔負けの快適度。プールサイドには椰子の葉で屋根を葺いた正当派南国風のバーがあり、最南端気分を盛り上げてくれる。近くにあるSouth Beach Oceanfront MotelとLa Mer Hotel は同系列。　　　　　（'99）

女の子向けのコテージ
Andrews Inn, Guest House and Garden Cottages

🏠0 Whalton Lane, Key West, FL 33040
☎(305)294-7730、FAX(305)294-0021
⒮ⒹⓉ $108〜168 ADMV 地P.642 A-2

　Duval St.の900番台のブロックに小さな看板が出ている。路地を少し入ったところにある静かなロケーション。6室しかない小さなものだが、部屋はとても可愛らしい。ベッドやバスルームには、いつもハイビスカスの花が飾られている。全室エアコン・TV付き。豪華な朝食込み。9室。　　　('98)

優雅なゲストハウス
Heron House

🏠512 Simonton St., Key West, FL 33040
☎(305)294-9227、☏(1-800)294-5692
オンシーズン⒮Ⓓ $149〜249、オフシーズン⒮Ⓓ $99〜199 ADMV 地P.642 A-1

　Simonton St. はDuval St. と1ブロックしか離れていないにもかかわらず、大変静か。プールのデッキは木造で、部屋も落ち着いたたたずまい。朝食付き。少し高めだが十分価値がある。　　　　　　　　　　　('98)

安めのモーテルを探している人に
El Rancho Motel

🏠830 Truman Ave., Key West, FL 33040
☎(305)294-8700、☏(1-800)294-8783、
FAX(305)294-0069、HOME www.
elranchokeywest.com　　地P.642 B-2
オンシーズン⒮Ⓓ $89〜、Ⓣ $99〜、オフシーズン⒮Ⓓ $69〜、Ⓣ $75〜 ADMV

　安めのモーテルが並ぶTruman Ave.沿いにある。建物自体は古く部屋は狭いが、値段は安い。しかし、かなり頻繁に改装を繰り返しているので、室内の調度品のほとんどは新品。全室エアコン、バス、TV付き。清潔感にあふれ、気持ち良く眠れそう。Duval St.まで歩いて5分とロケーションも悪くないし、最近造られたきれいなプールもあるので、部屋の広さにこだわらない人には、かなりおすすめできるモーテルだ。50室。　　　　　　　　　　　　('99)

日本から予約できるリゾートタイプのホテル
Quality Inn Resort

🏠3850 N. Roosevelt Blvd., Key West, FL 33040　☎(305)294-6681、☏(1-800)
533-5024、FAX(305)294-5618、
HOME www.quality keywest.com
日本の問合せ先：チョイスホテルズ予約センター 料金無料0031-616337 地P.643 D-1
オンシーズン⒮ⒹⓉ $100〜257、オフシーズン⒮ⒹⓉ $74〜126　　ADJMV

　道路の向こうはすぐ海という抜群のロケーション。日本からの予約も可能。　('98)

バックパッカーのたまり場
Hostelling International-Key West

🏠718 South St., Key West, FL 33040
☎(305)296-5719、FAX(305)296-0672、
E-mail Keyshostel@aol.com
ドミトリー$17〜20、オンシーズンⓉ$75〜、オフシーズンⓉ$50〜 MV 地P.642 B-2

　いかにもキーウエストらしい自由な雰囲気のユースで、世界中から若者が集まってくる。きれいとはいえないが、みんなあっけらかんとしていてすぐに友達になってしまうので、少々のことは気にならない。ベッド数は92、14室。Simonton St. を右へ歩き、South St.を左折するとやがて右側にある。約15〜20分。オフィスは24時間オープン。　　　　　　　　　　　　　　　　('99)

盛り場まで5分
Spanish Garden Motel

🏠1325 Simonton St., Key West, FL 33040
☎(305)294-1051、FAX(305)294-2505
オンシーズン⒮ⒹⓉ $69〜169、オフシーズン⒮ⒹⓉ $40〜120 ADMV 地P.642 A-2

　TV、エアコン、シャワー、トイレ付き。大西洋まで1ブロック、サザンモスト・ポイントまで2ブロック。レンタサイクル屋も近くにある。とても清潔。26室。

　　　　　　　（前野光昭　長岡京市）('99)

キーウエストのユースホステル

★
キーウエスト

みやげもの屋が多い

手ごろな値段のシーフード・バーガー
Pepe's Cafe

🏠806 Caroline St.（near William St.）
☎(305)294-7192　　　地P.642　A-1

　創業1909年のキーウエストでいちばん古いレストラン。ホームメイドのメニューは土地の料理を楽しみたい人にはおすすめだ。カジキ、太刀魚のバーガー（＄6～8程度）は、普通のハンバーガーより軽いので朝食にもいける。会計伝票には、テーブルの番号の代わりに「ハニーちゃん」「かっこいいお兄さん」など楽しい言葉が書かれてくる。　　　　　　　　　　　　　　　　　（'98）

【読★者★投★稿】
カジュアルなシーフードレストラン
Half Shell Raw Bar

　タートル・クラールズのすぐ近く、ハーバー沿い。お皿やフォークは使い捨てというカジュアルな店で、コンク貝のコンビネーション、生ガキ6個、エビのビール煮、ハマグリのワイン蒸し、ワイン1/2本、ビール1本、キーライムパイ（おいしい！）を3人で食べて、チップ込みで＄75.50と大満足だった。（Mie Goto　京都市　'98春）

キーウエストでは貴重なファストフード
Subs Miami Grill

🏠12 Duval St.　☎(305)294-7733
地P.642　A-1

　マイアミ近郊に100以上の支店をもつファストフード店。メニューのほとんどはサブマリン・サンドなどの軽食だが、値段も安く（サンドイッチで＄5前後）、気軽に入れるので、ファストフードの少ないキーウエストでは重宝する店。場所はマロリー・スクエアに面し、なにかと便利。（'98）

【読★者★投★稿】
海に面したロブスター・ハウス
A&B Lobster House

🏠700 Front St.　☎(305)294-5880
地P.642　A-1

　マロリー・スクエアからFront St.をハイアット・ホテルのほうへ歩いて行った突きあたり。大きなファンがゆったりと天井にまわり、クルージングに出かける船を見ながら食事ができる店。シュリンプや名物のコンク貝などを＄5～15くらいで食べられる。味も良いし量もたっぷり。建物の隣の駐車場はレストランを利用すれば無料。秋に長期休業あり。

　（ヤナセノリコ・マコト　在バーモント）（'98）

【読★者★投★稿】
地元の人が推薦する人気のシーフードの店
Turtle Kraals

🏠231 Margaret St.　☎(305)294-2640
圓毎日12：00～1：00　　地P.642　A-1

　地元の人にも観光客にも人気のあるレストラン。Caroline St.を東へ歩き、Margaret St.を左折した突きあたり。数軒の店が集まったLand's End Villageの中にある。店の奥に海に面した屋外のテーブルがあって、夕陽も眺められる。このすぐ横にミニ動物園が作られ、ウミガメやヤドカリ、フクロウなどがいた。

　おすすめの料理は、コンク貝のフライにスパイスソースとレモンをかけたものと、ロブスターのサフランライス添え。コンク貝は薩摩揚げの荒挽きのような感じで美味。ロブスターは歯ごたえがあってジューシーで、ハサミまで肉がぱんぱんに詰まっている。頭の部分にはカニ肉のミンチを挟んで焼いてある。さらにもう一品とサラダ、ビールで2人で約＄50

　（今泉直行・志保　浜松市）（'98）

南の海を感じさせてくれるレストラン

ニューヨークと東部

New York & East Coast

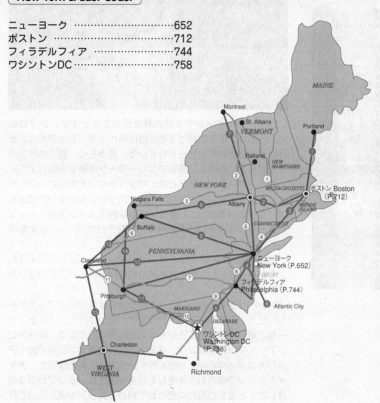

グレイハウンドでの所要時間

❶ Boston〜Portland　2時間
❷ Boston〜Albany　3.5時間
❸ Boston〜New York　5時間
❹ New York〜Philadelphia　2時間
❺ Philadelphia〜Atlantic City　2時間
❻ Philadelphia〜Washington DC　3時間
❼ Albany〜Montreal　5時間
❽ Albany〜Buffalo　6時間
❾ New York〜Buffalo　8時間
❿ New York〜Cleveland　9.5時間
⓫ Washington DC〜Cleveland　8時間
⓬ Charleston〜Richmond　6時間
⓭ Buffalo〜Cleveland　4時間
⓮ Buffalo〜Pittsburgh　4.5時間
⓯ Cleveland〜Charleston　9時間

アムトラックでの所要時間

① New York〜St. Alban　10時間
② Albany〜Montreal　6.5時間
③ Albany〜Niagara Falls　6時間
④ New York〜Boston　5.5時間
⑤ Albany〜New York　2.5時間
⑥ Buffalo〜Cleveland　3時間
⑦ Philadelphia〜Pittsburgh　7.5時間
⑧ New York〜Philadelphia　1.5時間
⑨ Philadelphia〜Wahington DC　2時間
⑩ Washington DC〜Pittsburgh　8時間
⑪ Pittsburgh〜Cleveland　3時間

所要時間はおおよその時間です。停車する町や運行する時間によって変動があります。
また、乗り換えに要する時間は含まれていません。

New York

Seattle
Denver　Chicago
San Francisco
Los Angeles　New Orleans
Atlanta
Miami

ニューヨーク

　ニューヨーク・シティは世界で最もエキサイティングな町だ。一年中、昼夜を問わず動き続けるビッグ・アップルは、あらゆる分野で世界をリードしている。見るもの、聞くものすべてをどん欲に吸収し、感動のニューヨーク体験を実現しよう。

　ニューヨーク・シティとは、マンハッタンを中心に、ブルックリン、クイーンズ、ブロンクス、スタテン島の5つの区から成り立っている市だ。しかし、おもな観光ポイントやショップ、レストランは東京の山手線内ほどの広さのマンハッタンに集中している。

　地図を見るとわかるが、マンハッタンは、道路が碁盤の目のようになっており、歩くにも乗り物に乗るにも非常にわかりやすい。

　マンハッタンの中心、ミッドタウンにはエンパイア・ステート・ビル、5番街、ブロードウェイ、ロックフェラー・センターなど華やかな見どころが多く活気にあふれている。南側のロウアー・マンハッタンは、ほんの数秒間で莫大なお金が動くアメリカ経済の中心地。『昼はアップタウンで美術館巡り、チャイナタウンで腹ごしらえをしてから、夜はビレッジでクラブのはしご』と自分の目的に合わせて訪れるエリアを選んでいこう。宝石箱をひっくり返したようなマンハッタンで、きっとあなたもお気に入りの宝石をたくさん見つけられるはずだ。

マンハッタンへの行き方 ★ Access

　空港からマンハッタンまでは、さまざまなアクセス方法がある。自分の旅のスタイルや荷物などを考慮して選択しよう。

空港

ジョン・F・ケネディ国際空港
John F. Kennedy International Airport（JFK）

　ニューヨークの玄関口となる空港。国際線と国内線が離発着し、50以上の航空会社が乗り入れている。マンハッタンから南東24kmに位置する。ターミナルは1〜9まであり、航空会社によってターミナルが異なる。

●空港バス　Carey Bus　空港とマンハッタンを結ぶ定期運行バス。グランド・セントラル・ターミナルGrand Central Terminal、ポートオーソリティ・バスターミナルPort Authority Bus Terminalへ向かう。約45〜60分。

　空港から、ペンシルバニア駅Pennsylvania Station、ホテル（ミッドタウン内の54軒）への直通バスは出ていないので、それらに行きたい場合、ポートオーソリティ・バスターミナルでフリーシャトルに乗り換えて行くことになる。乗り換えの際の料金は不要。

　料金はバスの中でドライバーに現金またはT/Cで支払う。

Gray Line Express Bus　キャリーバス同様、グレイライン・エクスプレスバスが、ケネディ国際空港のすべてのターミナルからマンハッタンのグランド・セントラル・ターミナル（Vanderbilt & 42nd St.）とポートオーソリティ・バスターミナル（8th Ave. & 42nd St.）まで走っている。グランド・セントラル・バスターミナルからは無料のシャトルバンが各方面別に出ており、これが希望のホテルまで運んでくれる。申し込みは交通案内カウンターで。約55分。

●空港シャトルバン　**Gray Line Air Shuttle**　15人乗りのバンが、ミッドタウン（23rd St.から63rd St.の間）のリクエストしたすべてのホテルまで行く。人数が多いとそれだけ時間がかかるので要注意。45〜60分。

SuperShuttle　マンハッタンの23rd St.から96th St.のすべてのホテルやモーテル、または個人宅までDoor-to-doorのサービスで連れていってくれる。約55〜90分。空港へ向かう際はホテルのフロントに頼んで呼んでもらおう。

●シャトルバス（無料）と地下鉄　空港とマンハッタンを結ぶ最も安上がりな交通機関は地下鉄。ターミナルを出ると車体に"Howard Beach"と書かれたシャトルバス（無料）がターミナル間を走っているので、これに乗り込む。わからなければ『地下鉄に乗りたい』と係員に言って聞くとよい。このバスでHoward Beach J.F.K. Airport駅へ行き地下鉄に乗り換える。始発駅に置いてある地下鉄とバスの地図をもらっておこう。地下鉄Aラインに乗るとマンハッタンへ行ける。しかし、地下鉄で市内へ行く方法は時間もかかり（約2時間）、荷物の多い旅行者にはあまり現実的な方法ではない。

Carey Bus
☎ (1-800) 284-0909
💰 $ 13（片道）
運行：毎日6：00〜24：00
15〜30分ごとに出発
　各ターミナルを出たところにCarey Bus専用のバス停があるので、バスが来たらそこから直接乗り込むといい。

Gray Line Express Bus
☎ (212) 757-7712
💰 $ 12
運行：毎日6：00〜24：00の20分おき
乗るときは交通案内のカウンターに申し込む

Gray Line Air Shuttle
☎ (212) 315-3006
☎ (1-800) 451-0455
💰 $ 12
乗るときは交通案内のカウンターに申し込む

SuperShuttle
☎ (1-800) 258-3826
💰 $ 15
運行：24時間

地下鉄
💰 $ 1.50
　Aは各駅停車なので、ミッドタウンまでは1時間半〜2時間ほど。平日の朝ならば、急行が走っている。月〜金の6：29〜8：50までの間に9便。マンハッタンまで約1時間。マンハッタンからJFK空港方面へは夕方のみ急行がある。

★
ニューヨーク

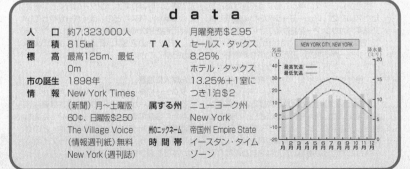

d a t a

人　口	約7,323,000人		月曜発売$2.95
面　積	815㎢	**T A X**	セールス・タックス 8.25%
標　高	最高125m、最低0m		ホテル・タックス 13.25%＋1室につき1泊$2
市の誕生	1898年	属する州	ニューヨーク州 New York
情　報	New York Times（新聞）月〜土曜版60¢、日曜版$250	州のニックネーム	帝国州 Empire State
	The Village Voice（情報週刊紙）無料	時間帯	イースタン・タイムゾーン
	New York（週刊誌）		

NEW YORK CITY, NEW YORK

気温(℃)　降水量(ミリ)

最高気温　最低気温

1月2月3月4月5月6月7月8月9月10月11月12月

653

●タクシー　空港を出るとまず目につくのがタクシーだ。2〜3人で旅をしている人や、荷物が多い人は、タクシーを利用するほうが便利。

　タクシーは、**必ずユニフォームを着たNYCタクシー&リムジン・コミッションの係員のいるタクシー乗り場から、黄色の車体のイエローキャブに乗ること。**それ以外のタクシーは白タクとよばれ、法外な料金を要求してくることが多々ある。白タクに誘導されても、断固として拒否すること。均一料金ということを覚えておけば主張できる。マンハッタンまで約30分。

ラ・ガーディア空港　La Guardia Airport（LGA）

　マンハッタンから約15kmのところにあり、中距離の国内線を中心に約15の航空会社が乗り入れている。

●空港バス　Carey Bus　空港からグランド・セントラル・ターミナル、ポートオーソリティ・バスターミナルを結ぶ。空港からホテルへの直通バスではないので、ホテルまで行きたい場合、グランド・セントラル・ターミナルで、フリーシャトルに乗り換えてホテルへ向かう（ペン・ステーションの場合も同様）。乗り換えの際の料金は不要。約30〜45分。

●タクシー　マンハッタンまで約20〜30分。

●空港シャトルバン　Gray Line Air Shuttle

タクシー
📍$16〜26＋高速道路料金

Gray Line Air Shuttle
📍$13
☎ (212) 315-3006
☎ (1-800) 451-0455

バスと地下鉄
📍$1.50（バス）＋$1.50
（地下鉄）
運行：Q33は24時間運行で
10〜20分ごと。
　M60（$1.50）は5：00〜
1：00で30分ごと。

バゲージクレーム前の交通案内カウンターで申し込む。ミッドタウンまで約45分。

●バスと地下鉄　キャリーバスのバス停から道一本越えたところにバス停がある。そこから#Q33のバスに乗り、クイーンズの"74th&B'way"駅まで行く。そこでE、F、G、R、#7の地下鉄に乗り換える。#M60のバスはマンハッタンのBroadway & W.108th St.（アッパーウエストサイド）まで走っている。最低60分。

クィーンズ・ボロー橋

市内へ出るときは、交通案内カウンターを利用しよう

　空港から白タクに乗ってしまう被害があとをたたないため、ニューヨークの3つの空港では交通案内カウンターを設けることにした。英語で"Ground Transportation"と表示されたカウンターがそれだ。飛行機を降り荷物をピックアップしたら、まずこのカウンターをめざそう。自分がマンハッタンのどのホテルへ行きたいか、どの交通手段（空港バスや空港シャトルバンなど）を利用したいかを告げると、係員が名前を聞いて、利用者番号、行き先、交通手段、料金、交通手段のピックアップ時間が記入されたカードをくれる。利用者はこれを持って近くの待合所で自分の番号、または名前が呼ばれる

まで待つ。呼ばれてカウンターに行くと、そこにはシャトルバスなどのドライバーが待っていて利用客を自分の車に連れていくというシステム。タクシーの場合は、係員のいる指定の乗り場から乗ること。

こんな人に注意

　タクシーに乗らないか、と気軽に声をかけてくるドライバーがいるが、こんな人には要注意。あなたの名前の書かれたプレートを持った人も要注意だ。会社が手配している場合は、どの会社に頼まれたか、どこまで連れていってくれるのかなどを必ず確認すること。

ラ・ガーディア空港内の各ターミナルを走るシャトルバス

シャトルバスはルートAとルートBがある。すべてのターミナルを結ぶのはルートA、マリン・エアターミナル以外のターミナル間を走るのはルートB。デルタ航空のシャトル便の発着はマリン・エアターミナルからだが、それ以外の航空会社の場合、どちらのシャトルバスでも問題はない。

読★者★投★稿

ラ・ガーディア空港のターミナルに注意

デルタ航空の周遊券でボストンへ向かったときのこと。ニューヨークとボストンやワシントンを結ぶ短距離のフライトはシャトルという小型機が使われ、このシャトル便が発着しているのは、一般便の発着するデルタ航空のターミナルとはまったく反対側にあるマリン・エアターミナル。少し離れたところにある。空港内を走る無料のシャトルバスで行くのだが、それほど頻繁に運行しているわけではない。私は飛行機に乗り遅れてしまった。気をつけよう。　　　　（中村佳典　船橋市）（'99）

ニューアーク空港　Newark Airport（EWR）

ニュージャージー州にあり、おもに中距離と大陸横断の国内線用に使われている。ユナイテッド航空、コンチネンタル航空の日本からの直行便も運航されている。

●**空港バス　Olympia Trails**　ニューアーク空港とマンハッタンを結ぶ空港バス。マンハッタンのペンシルバニア駅、グランド・セントラル・ターミナルへ向かう。ホテル（ミッドタウン内）への直通はないが、グランド・セントラル・ターミナルでシャトルに乗り換えて行くことは可能。その際、別料金が必要だ。なお、空港に向かう際はミッドタウン（30th～65th Sts.）のホテルであればピックアップしてもらうこともできる。

●**タクシー**　ニューアーク空港はニュージャージー州にあるため、通常料金とは別に州外料金を払わなければならない。約40分。

●**空港シャトルバン　Gray Line Air Shuttle**

J.F.K.の項参照のこと。

●**NJトランジットバスとPATHトレイン**

ニュージャージー・トランジットの#302のバスで、ニュージャージーのペンシルバニア駅まで行き、そこでバスPATHという列車に乗り換え、ワールド・トレード・センターで下車する。最低約60分。

ルートA
運行：6：00～23：30
約20分ごとに走っている。
ルートB
運行：5：00～2：00
約15分ごとに走っている。

Olympia Trails
☎ (212) 964-6233
📧 $10
グランド・セントラル・ターミナル、ペンシルバニア駅行き
運行：6：15～24：00で、20～30分ごとに出発
所要時間：グランド・セントラルターミナル　35～45分
ペンシルバニア駅　25～35分

グランド・セントラル・ターミナルからホテル（ミッドタウン30th St.から65th St.の間）へ行く場合（逆の場合も同様）。
📧 $5
運行：8：00～20：00で20分ごとに運行

タクシー
空港からダウンタウン、ミッドタウン（ウエストサイド、Battery Park と72nd St.の間）方面
📧 $34～51
マンハッタンから空港へ向かう場合
📧 $（19～22）＋$10（州外料金）＋高速道路料金（約$3）

Grey Line Air Shuttle
☎ (212) 315-3006
📧 (1-800) 451-0455
📧 $18

NJトランジットとPATHトレイン
📧 $4（NJ）＋$1（PATH）

読★者★投★稿

ロッカーがなくても大丈夫

ポートオーソリティ・バスターミナルでは荷物を預ってもらえる。グレイハウンドのチケットカウンターに向かって左奥に預り所及び配達みたいな窓口があり、そこで24時間$2で預ってくれる。1個の手荷物につき$2だったと思う。ただし、旅行バッグのようなものはOKだが、口のあいたプラスチックの袋などはダメ。I.D. Tagを付けて、レシートがClaim Tagとして使われる。

（本多　ピッツバーグ在住）（'98）

長距離バス

ポートオーソリティ・バスターミナル
Port Authority Bus Terminal

短・長距離バスが約40ラインも発着している巨大バスターミナル。❶で案内を受けて利用したほうがいい。グレイハウンドのチケットカウンターは地下1階、バスゲートは地下2～3階を占める。マンハッタンの中心部に位置していることもあり、空港までの足の確保や近郊地域へのアクセスには便利。ただし、夜になると周囲の環境はあまりよくないので、用もなくうろつくのはやめること。

鉄道

ペンシルバニア・ステーション　**Pennsylvania Station**

ミッドタウンのマジソン・スクエア・ガーデン地下がペンシルバニア・ステーション（ペン・ステーションと呼ばれる）になっている。42丁目にあるグランド・セントラル・ターミナルと並んでマンハッタンの2大鉄道駅であるこの駅には1日600本もの列車が発着していて、アムトラック、ニュージャージー・トランジット、ロングアイランド鉄道が乗り入れており、地下1階にチケットカウンター、案内所、待合室などがある。

アムトラックのチケットを買ったらフロア中央の"Train Departures"と書かれた電光掲示板に自分の列車のゲート番号が表示されるのを待つ。出発2～15分前には掲示が出てホームへの（下りのエスカレーター）ゲートが開く。ここはスリの多い場所なので、手荷物には気をつけよう。

ポートオーソリティ・
バスターミナル
🏠41st St. & 8th Ave.
🗺P.656　B-1

グレイハウンド
☎(212)971-6306
📞(1-800)231-2222

ペンシルバニア・ステーション
🏠W. 31st St. & 7th Ave.
☎(202)582-6875
📞(1-800)872-7245
🗺P.656　B-1

ペン・ステーションの入口

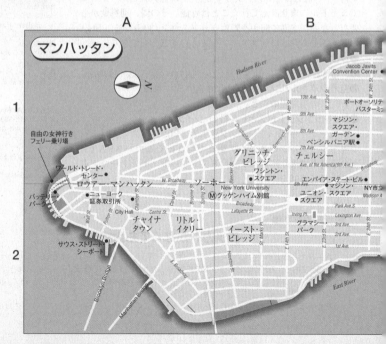

マンハッタンの歩き方　　★ Walking

　マンハッタンは、ちょうど東京の山手線内ほどの広さの縦長の島で、14丁目以南は複雑であるが、それ以北の地区は碁盤の目のようにきちんと区画整備されているので、わかりやすい。

　通りは、大ざっぱにいって南北を走るのが**アベニュー（〜街）、東西を走るのがストリート（〜丁目）**となっている。アベニューは東から西へと数字が大きくなり、ストリートは南から北へと数字が大きくなっている。

　この決まりさえしっかり頭に入れておけば、マンハッタンで迷子になることはない。

　住所は、数字と通りの名前で表されている。通りを見つけるのは簡単だが、問題は数字のほう。アベニューは道の東側が奇数、西側が偶数で、ストリートは北側が奇数、南側が偶数と決まっているが、数字の何番がどの通り、というようには決まっていないので、最近は**〜Avenue & 〜Street（〜街と〜通りの角）**や、**between〜St.&〜St.（〜丁目と〜丁目の間）**といった表示をすることが多くなっており、わかりやすくなっている。

5番街にて

マンハッタンのエリアガイド

　マンハッタンには、行政で決められた区分や名称はない。大きく分けると、34丁目以南がダウンタウン、34丁目から59丁目がミッドタウン、59丁目以北はアップタウンと呼ばれる。一般的に使われている"グリニッチ・ビレッジ"、"チャイナタウン"にも、正確な場所の定義はなく、慣用として使われているだけ。

●ミッドタウン Midtown　ショップ、レストランが軒を連ね、観光客とビジネスマンが行き交い、にぎやかなニューヨーク観光の中心。ホテルもミッドタウンに集中している。

●ダウンタウン Downtown　34丁目以南のダウンタウンはさらに小さなエリアに分けられ、ニューヨークを語るうえでよく耳にする地名が出てくる。

●チェルシー―かつては映画とファッションで栄えたが、近年はギャラリーがふえ、アートシーンの中心となりつつある。

●グラマシー―グラマシー・パーク周辺の閑静な住宅街。

●グリニッチ・ビレッジ―ワシントン・スクエアWashington Squareを中心にHouston St.と14th St.の南北、Greenwich St.からBroadwayにまたがる地域。19世紀前半の面影を残す文化の町で、"ビレッジ"と総称される。1920年前後から芸術家が住み始め、その後自由主義者が集まるようになった。最近は家賃の高騰から観光地化し、現在はレストランやブティックが多い。

●イースト・ビレッジ―グリニッチ・ビレッジの東側、Houston St.から14th st.とBroadway、1番街に囲まれたあたり。アンダーグラウンド的な雰囲気で、ライブハウスや古着屋が多い。いちばんにぎやかなのがセント・マークス・プレイス St. Marks Placeあたり。

●ソーホー―<u>SO</u>uth of <u>HO</u>ustonを略してSOHO。高級ブティック、カフェ、ギャラリーが点在する、おしゃれで洗練された町。目抜き通りはウエスト・ブロードウェイWest Broadway。

●トライベッカ―観光名所はないが、倉庫街の一角には有名シェフの経営するレストランなどがある。

●チャイナタウン―サンフランシスコを抜いて全米一のチャイナタウン。Canal St.とMulberry St.が交差するあたりから南が中国系の活気を最も感じるところ。

タイムズスクエア

グリニッチ・ビレッジ

セントラルパーク

●リトルイタリー──南北が Canal St.とHouston St.、東西が Bowery St.とLafayette St.に 囲まれたあたり。近年はイタリア系住民は少なく、隣にあるチャイナタウンに押されぎみ。とはいえ、Mulberry St. を中心にイタリアン・レストランやデリが並ぶ。

●ロウアー・マンハッタン──ニューヨーク経済の中心地。ワールド・トレード・センターや自由の女神などがある観光スポットでもある。

●**アップタウン Uptown** マンハッタン島の北半分以上を占めるエリアで、観光ポイントは広さのわりに少ない。どちらかというとニューヨーカーの住居エリア。

●アッパー・ウエストサイド──リンカーン・センターをはじめ文化施設が多く、アカデミックな雰囲気の町。

●セントラル・パーク──マンハッタンの中心にある広大な公園で、ニューヨーカーたちの憩いの場。週末にのぞくのが楽しい。

●アッパー・イーストサイド──映画スターや在米駐在員が多く住む高級住宅地。5番街沿いにはメトロポリタン美術館を中心にしたミュージアム・マイルがある。

●モーニングサイド・ハイツ──コロンビア大学を代表とする教育機関の多い閑静な住宅地。

●ハーレム──ジャズ、ソウルミュージックが生まれた町。

NY到着第1日目の心得

　マンハッタンを知るには、何よりも自分の足で歩いてみることだ。アベニューとストリートの決まりを覚え、1ブロックの距離感をつかめば、マンハッタンの大きさがわかるだろう。

　それぞれの目的地へスタートする前に、観光案内所へ行こう。各種資料が豊富にそろっているが、必ずもらっておく必要があるのは、①**地下鉄路線図**、②**バスマップ**（この2種の地図は地下鉄駅でも入手可能）。この2つがあれば、自由に町を歩けるはずだ。ミュージカルやプロスポーツ観戦をしようという人はさらに**スリーマンス・スケジュール**があると便利。興味のあるポイントを絞り込んで効率のいいルートを考えよう。

観光案内所 ★ Information

Visitor & Transit Information Center

　地下鉄やバス路線図、各種観光パンフレット、ホテル、レストラン、観劇、スポーツ情報などが入手できる。また、インターネットによる検索ができるブースや、エンターテインメントやスポーツのチケットを販売しているチケットマスター Ticketmasterのカウンター、アメックスのカウンターもある。

★
ニューヨーク

Visitor & Transit Information Center
住810 7th Ave.（52nd〜53rd Sts.）
開毎日10：00〜18：00

地下鉄とバスの料金について

マンハッタンの地下鉄とバスの料金は、$1.50の均一料金で、地下鉄内の乗り換えは自由。バスの乗り換えは1回まで可能。ただし、メトロカードを利用すれば、2時間以内は地下鉄とバスの乗り換えも無料だ。マンハッタンから郊外に出る急行バスは片道$4かかる。現状ではそれぞれの支払い方法は、以下の通り。

● 地下鉄——メトロカード、トークン
● バス——メトロカード、トークン、現金

旅行者に便利なメトロカードと乗り放題券

メトロカードは$3〜80の間の金額で購入できるフェアカードだ。地下鉄のブースで販売している。そのまま改札を通すと自動的に料金が引き落とされる。日本のJRのイオカードと同じシステムだ。$5、10、15のカードは駅周辺の商店で売っていることもある。残金が少なくなったらそのカードを窓口に持っていき、希望の額面まで加算してもらえる。メトロカードの残金と現金を併用して支払うことはできない。

ほかに、7日間乗り放題券$17、30日間乗り放題券$63、回数券11回分$15、22回分$30もある。自分の滞在期間に応じて、必要なものを買おう。

● 地下鉄　Subway

① "Subway" のサインが地下鉄の入口だ。路線は数字またはアルファベットで表されていて、その下にアップタウン "Uptown" かダウンタウン "Downtown" などと書かれている。"Uptown" とは北行きのことで、"Downtown" とは南行きのこと。日本のように、「東京行き」などと駅名で表示されていないので、自分の行き先がどっちの方面なのか確かめてから下に降りよう。

② 地下にはブースがあるので、ここでメトロカードかトークンと呼ばれる地下鉄とバス専用のコイン（1枚$1.50）を欲しい数や金額分買う。

③ メトロカードかトークンを手に入れたら改札口にトークンを入れるか、カードを通すかしてターンスティールを押してホームに入る。行き先は車体の横で確認するのだが、マンハッタン内であればアップタウン、ダウンタウンとExpress（急行）かそうでないかを間違えない限り目的の駅に着くことができるだろう。

④ 降りるときは簡単。車内アナウンスとホームの駅名表示をチェックすればよい。"EXIT" のサインのある専用扉か、入場時に通ったターンスティールを逆に押して出る。

地下鉄の入口

地下鉄路線図を手に入れよう

路線はたくさんあるので、すべてを覚えるのはムリ。そこでニューヨークを移動するには地下鉄路線図が絶対に必要だ。路線図が手に入るのは観光案内所か、各駅のトークンのブース。地図は無料。

支払い方法は2種類

現在の支払いはトークンとフェアカード式のメトロカードの2通りあるが、今後、メトロカードの一本化に向けてトークンも廃止となっていく予定だ。

メトロカードは多めに買っておこう

いつでもどこからでも使用できるので、多めに買っておくとよい。

地下鉄利用の注意点

治安―深夜、早朝と、乗車する人が少ない時間帯は避けるべき。日本と同じ感覚で、ブランド店の紙袋をむき出しで持って、ボーッとするのはひかえたい。

暑い―夏の駅構内はまるでサウナのように暑くなる。ただし、車内は冷房が効いている。

時刻表通りでない―24時間運行で一応時刻表はあるらしいが、2〜3本連なって来たり、長く待たされたりする。平均で昼間は5〜10分間隔と思えばよいが、深夜になると1時間に1〜2本になってしまう。

バスのデメリットは

時間がかかる―マンハッタンは車が多いので、道は混雑しているうえ、乗降が頻繁なのでとても時間がかかる。急ぐ人には短い距離なら歩く、長い距離なら地下鉄、というのがおすすめ。

バス路線図を手に入れよう

バス路線図は観光案内所でもらえるので、地下鉄路線図といっしょに必ずもらっておこう。

ニューヨークの地下鉄はキレイ

かつてはニューヨークの地下鉄といえば、内も外もびっしりと落書きされたボロイ車両と思われがちだったが、最近はそんな地下鉄はまったくない。

ニューヨーク市の財政の好転、落書き反対運動など好ましい情況に加えて、日本から"ペンキが消せる"という特徴を買われた、冷房付き車両が採用されたためだ。

●バス Bus

① BUS STOP／NO STANDINGのサインがバスの停留所。道路の進行方向の右側にあり、バスのマークと路線番号とサインの書かれた標識がある。マンハッタンのバスは、北上するアップタウン、南下するダウンタウン、東西に走るクロスタウンの3種類に分けられる。路線については、バスマップを見ること。マップで、自分の乗るバスのナンバーを探す。バス停は南北なら2～3ブロック、東西はほぼ1ブロックごとにある。自分で左右を見て探そう。道はほとんどが一方通行だから、メインの通りと車の流れを頭に入れておくといい。左右どちらに歩いたとしても200～300m以内に停留所があるはずだ。

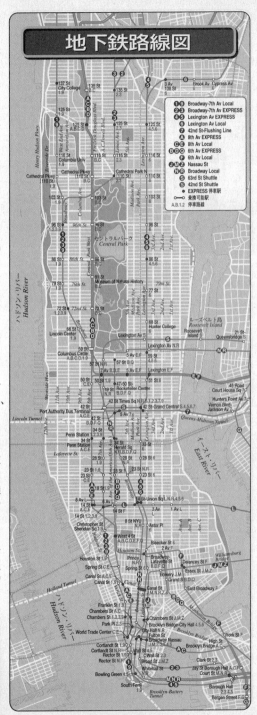

地下鉄路線図

❶❾	Broadway-7th Av Local
❷❸	Broadway-7th Av EXPRESS
❹	Lexington Av EXPRESS
❻	Lexington Av Local
❼	42nd St-Flushing Line
❽	8th Av EXPRESS
❹	8th Av Local
❻❹❹❹	6th Av EXPRESS
❹	6th Av Local
❶❹❷	Nassau St
❷❷	Broadway Local
❸	63rd St Shuttle
❸	42nd St Shuttle
◆	EXPRESS 停車駅
●	乗換可能駅
A.B.1.2	停車路線

バス停のサイン

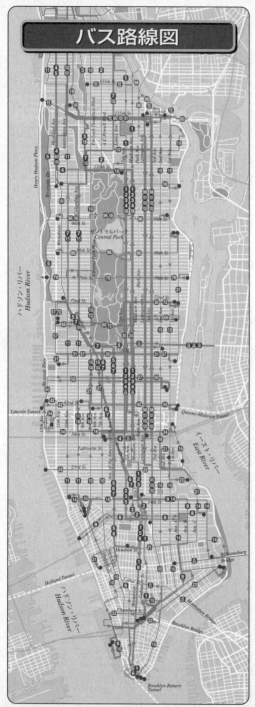

バス路線図

②乗車は前のドアからで、メトロカードを通すか、トークンか現金$1.50を料金箱に入れる。現金なら、料金は1¢硬貨以外の硬貨で正確に$1.50分支払わなければならない。**紙幣は受け取らないバスがほとんどなので注意すること。**バスに乗る予定があれば、あらかじめ地下鉄のブースでトークンやメトロカードを買っておくか、硬貨をたくさん用意しておくこと。トークン、現金で乗り換えをする予定があれば、料金を払う際に「トランスファー、プリーズ」と言ってトランスファー・チケット Transfer Ticketをもらう。トランスファーは1回に限り、2時間以内なら無料で乗り換えができる。ただし、最初に乗った路線や逆方向に乗ることはできない。チケットの裏面に乗り換えのできる路線番号などが書かれている。

③降りるときは、窓ワク横の黒いゴムテープを押す。降りるのは前でも後ろでもOKだが、後ろのドアは半手動式なので、自分で押し開けなければならない。手を離すと閉まってしまうので、後ろに人がいたら手で押さえておくのがマナー。

網の目のような路線

662

●タクシー Taxi

黄色の車体をしているので通称"**イエローキャブ**"と呼ばれているのがニューヨークの公認営業タクシーだ。料金はすべてメーター式。タクシーの拾い方は日本と同じで、手を上げるのが一般的。大声で「タクシー」とどなったり口笛を吹いてつかまえる人もいる。タクシーは流しているのでどこでも乗れるが、大きな駅前やホテルの前にはタクシー乗り場がある。22時すぎのブロードウェイ劇場街と深夜のビレッジは、客が集中してなかなかつかまえられないので注意。乗降の際、ドアは手動なので自分で開閉する。行き先は必ず「45th St. & 6th Ave., please」などとアベニューとストリートで指示すること。店やホテルの名前や住所などを告げただけでは、まずわからない。

"白タク"にご用心

白タクに注意していても被害にあってしまう人が多い。被害者の注意不足もあるが、犯罪者の悪知恵がすぐれて（？）いて、ついついダマされてしまう。

とにかく、黄色い、メーターの付いたタクシー以外は絶対に乗らないこと。そしてレシートを必ずもらうこと。これは正規のタクシーの場合、少額のチョロマカシ防止になる。

ツアー案内 ★ Sight-seeing Tour

バスツアー Bus Tours
●アップル・ツアーズ Apple Tours

毎日9：00〜18：00までの間、マンハッタンを走り回っている2階建てオープン・トップバスがアップル・ツアーズ。アップタウンへ向かうコースとロウアー・マンハッタンへ向かうコースとがある。フル・シティ・ツアー大人＄30、子供＄18で2日間乗り放題、乗り降り自由。ステート・リバティ・エクスプレスは大人＄39、子供＄23で自由の女神行きフェリーの料金と2日間乗り放題券を含んでいる。ダウンタウンを回遊するツアー（ダウンタウン・サンプラー）は大人＄21、子供＄12。

クルーズ・ツアー Cruise Tours
●サークルライン Circle Line

ハドソン川のピア83より出発する、約3時間でマンハッタン島を1周するクルーズ。午前中の出発が多いので時間を確認すること。大人＄18、子供＄9。

●シーポート・リバティ・クルーズ Seaport Liberty Cruise

イースト川のピア16より出発の観光船。約1時間でマンハッタンを水上から見せてくれる。通常12：00、13：30、15：00、16：30の出航。季節により18：00が増発される。大人＄12、子供＄6。

アップル・ツアーズのバス

タクシー
🚖最初の1/5マイルが＄2で、1/5マイルごとに25¢追加されていく。ただし、道路がとても混んでいるときは90秒ごとに25¢ずつの加算となる。日曜日終日と他の曜日の20：00〜6：00は乗車ごとに50¢の追加料金が必要となる。

チップは料金の15〜20％が目安だが、最低でも50¢。荷物や人数が多いときはチップも少し多めに払おう。

イエローキャブでトラブルにあったら
タクシーには、写真つきの運転手登録番号がメーターの上あたりに掲示されている。何か問題があったら、この番号を書き取り、NYCタクシー・リムジン・コミッション ☎(212)382-9301（🏠221 W. 41st St., NY 10036）へ苦情を申し立てるとよい。また、忘れ物をした場合は、☎(212)221-8294へ。

アップル・ツアーズ
☎(1-800) 876-9868
出発地点：8th Ave. bet. 49th & 50th Sts.

サークルライン
出発地点：Pire 83
☎(212) 563-3200

シーポート・リバティ・クルーズ
出発地点：Pire 16, South Street Seaport
☎(212) 630-8888

アイランド・ヘリコプ
ター
出発地点：E.34th St. on
the East River
☎ (212) 683-4575
Flight #1 $44 11km
Flight #2 $59 22km
Flight #3 $74 35km
Flight #4 $129 54km

グレイライン
☎ (212) 397-2620
📞 (1-800) 669-0051

ヘリコプター・ツアー　Helicopter Tours
●アイランド・ヘリコプター　Island Helicopter
　摩天楼や自由の女神を上から見下ろし、ドラマティック・シティが自分の足元に広がっていく。こんな快感を体験してみたい人は、ぜひ、ヘリコプター・ツアーにトライしてみよう。

　34丁目イースト川沿い。徹底した観光用ヘリで台数、離発着回数も多い。グループ用に12人乗りの大型ヘリもある。

観光バス
●グレイライン　Gray Line of New York
出発場所：Sightseeing Terminal, 42nd St. & 8th Ave.（Port Authority Bldg., Street Level）

番号	ツアー名	料金	運行	所要時間	内容など
3	Grand Tour Loop of Upper and Lower Manhattan	$33	毎日9:00、11:00、12:00、14:00発	最低5時間	ダブルデッカー・バスに乗り、自分の好きなところで降りて観光する。リンカーン・センター、自然史博物館、セント・ジョン大聖堂、ロックフェラー・センター、タイムズスクエア、エンパイア・ステート・ビル、グリニッチ・ビレッジ、バッテリー・パーク、自由の女神行きフェリー乗り場、サウス・ストリート・シーポート、ワールド・トレード・センター、国連などがバスストップ。チケットは2日間有効。
6L	Manhattan Comprehensive	$55	毎日9:00発	8.5時間	アッパー&ロウアー・マンハッタンのおもな見どころと、自由の女神を訪ね、ワールド・トレード・センターの展望台から町の鳥瞰図を楽しむ。ランチ付き。
8	Night on the Town	$55	6/25〜11/27の毎日18:00発	6時間	夜のタイムズスクエア、グリニッチ・ビレッジ、チャイナタウン（食事付き）などをガイド付きで歩いて回る。ワールド・トレード・センターからの夜景を楽しむ。ホテルまで送ってくれる。

　※上記以外にも、ヘリコプター、近郊の町へなどいろいろなツアーがある。

Attractions
おもな見どころ ★

　ブロードウェイをはじめ多くの見どころ、ホテルの集中するニューヨーク観光の中心地。

エンパイア・ステート・
ビル
🏢 350 5th Ave. at 34th St.
☎ (212) 736-3100
HOME www.esbnyc.com
🕐 毎日9:30〜24:00（チ
ケット販売は23:25まで）
💰 大人 $6、子供・シニア
$3
🗺 P.656　B-1

ニューヨークのシンボル
✓ エンパイア・ステート・ビル ★ The Empire State Building
　自由の女神と並びニューヨークの顔となっている超高層オフィスビル。地上381m（塔の上までは443m）のこのビルは、いまでこそワールド・トレード・センターやシカゴのシアーズ・タワーに追い越されてしまったが、1931年以来長い間世界一の高さを誇っていた。大不況のさなかに着工されて、わずか2年たらずで完成したこのビルは、当時の金で4,000万ドルが費やされたという。

　展望台は86階と102階の2カ所。まず、地階のチケット売場からエスカレーターで1階に戻り、そこからエレベーターで80階まで上がる。80階で一度乗り換えて、86階（320m）の展望台に到着する。86階展望台は吹きさらしでなかなかの迫力。晴れた日には100km先まで見渡せる。102階へは、さらに別の

エレベーターに乗り換えて上る。

　昼間の眺めはもちろん、夕暮れどきに行って、イルミネーションに輝き出す町を楽しむのもおすすめだ。

金色のプロメテウスで知られる
✓ ロックフェラー・センター ★ Rockefeller Center

　ミッドタウンの中心、5番街と7番街、47丁目と52丁目に囲まれたエリアがロックフェラー・センターだ。70階建ての優雅な外観のG.E.ビルを中心に21のビルが林立し、主としてビジネスを目的としたビルのマンモス・コンプレックス（大複合体）を構成している。

　センター内の各ビルの階数を合計するとその数は557階にもおよび、約65,000人のビジネスマンやビジネスウーマンが日々仕事に励んでいる。さらにセンター内には約35店のレストランをはじめ、ドラッグストア、理髪店、銀行、映画館、学校にいたるまで、都市のあらゆる機能を兼ね備えている。

　建物の正面は5番街側。**センターの中心であるG.E.ビル**に向かって右側がイギリス館、左側がフランス館。その間にあるベンチが並ぶ遊歩道が**チャネルガーデン The Channel Gardens**だ。この名前は英仏海峡（ザ・チャネル）に由来している。チャネルガーデンとG.E.ビルの間のロウアープラザは、豪華なクリスマスツリーとアイススケートリンクで有名。万国旗が並んでいることから、ガーデン・オブ・ネーションズとよばれている。夏にはオープンカフェテリアとなり、黄金の彫刻プロメテウスは色とりどりの噴水に彩られる。

　センターの東側はほとんどが地下でつながっており、全長3km。大ショッピング街になっている。

まずは中心のG.E.ビルから

　ロックフェラー・センターの中心G.E.ビルは70階建て、地上255m。ロビーのインフォメーション・デスクにセルフ・ガイドツアーのパンフレットが置いてあるので、ぐるりと散策してみよう。65階には夜景を楽しめるレインボー・ルーム〔☎(212)632-5000〕というレストランもある。

ラジオシティ・ミュージックホール Radio City Music Hall のバックステージ・ツアー

ラジオシティの外観

　ロックフェラー・センターの一角にあるラジオシティ・ミュージックホールは、アール・デコ様式の伝統ある劇場。数々のショーがくりひろげられたステージの表も裏も見せてくれる見学ツアーがある。なお、ショーのチケットやプログラムの問い合わせは ☎(212)247-4777。

スカイ・ライド

　2階に『スカイ・ライド』というフライト・シミュレート体感アトラクションがある。マンハッタンを縦横無尽に飛び回り、数分間で迫力の観光ツアーを体験できる。
🎫展望台とのコンビ・チケット大人＄14、子供＄9
🕐毎日9：00～23：00

ロックフェラー・センター
🏠5th Ave. to Ave. of America & 47th to 52nd Sts.
☎(212)664-7174
HOMEwww.hia.com/rockctr/
📖P.666　A-2

ラジオシティ・ミュージックホール、バックステージ・ツアー
☎(212)632-3975
HOMEwww.radiocity.com/index.html
🕐月～土10：00～17：00、日11：00～17：00、30～45分間隔で正面ロビーの階段の下から出発する
🎫大人＄12、子供＄6

NBCスタジオ・ツアー
　NBCはアメリカ3大TVネットワークのひとつ。その一部が一般に公開されている。ロックフェラー・センターの中心G.E.ビルの49、50丁目の入口から入り、ツアーデスクでチケットを買う。チケットには自分の参加するツアーの時間が記入されるが、1グループ15名程度なので、混み合っているとかなり後のグループになってしまったりする。
☎(212)664-7174
所要時間：約1時間
🕐毎日9：30～16：30。夏のシーズンは15分ごとに出発
🚫サンクスギビング、クリスマス、元日、レイバー・デー。混雑時は18：00ごろまで延長
🎫6歳以上＄8.25。6歳未満は入場不可

★
ニューヨーク

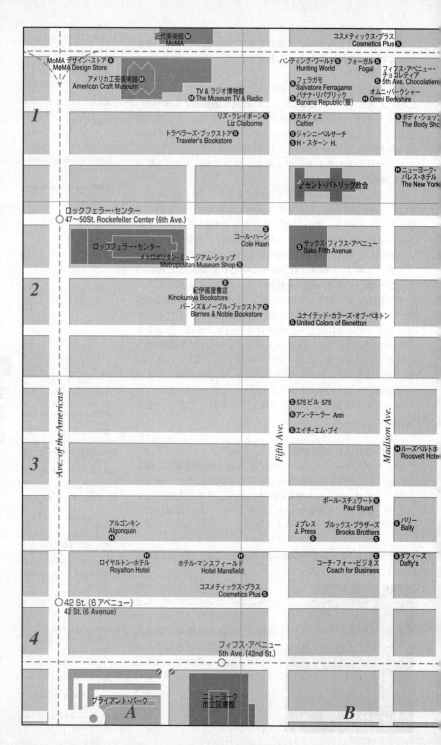

近代美術館 Ⓜ
MoMA

コスメティックス・プラス Ⓢ
Cosmetics Plus

MoMA デザイン・ストア Ⓢ
MoMA Design Store

ハンティング・ワールド Ⓢ　フォーガル
Hunting World　　Fogal

フィフス・アベニュー・
チョコレティア
Ⓢ 5th Ave. Chocolatiere

アメリカ工芸美術館 Ⓜ
American Craft Museum

Ⓢ フェラガモ
Salvatore Ferragamo

オムニ・バークシャー
Ⓗ Omni Berkshire

TV & ラジオ博物館
Ⓜ The Museum TV & Radio

Ⓢ バナナ・リパブリック(服)
Banana Republic(服)

1

リズ・クレイボーン
Liz Claiborne

Ⓢ カルティエ
Caltier

ボディ・ショップ Ⓢ
The Body Shop

トラベラーズ・ブックストア Ⓢ
Traveler's Bookstore

Ⓢ ジャンニ・ベルサーチ
Gianni Versach

ⒽH・スターン H.

ニューヨーク・
パレス・ホテル
Ⓗ The New York

✝ セント・パトリック教会

ロックフェラー・センター
47〜50St. Rockefeller Center (6th Ave.)

コール・ハーン
Cole Haan

サックス・フィフス・アベニュー
Ⓢ Saks Fifth Avenue

ロックフェラー・センター
メトロポリタン・ミュージアム・ショップ
Metropolitan Museum Shop Ⓢ

2

紀伊國屋書店 Ⓢ
Kinokuniya Bookstore

バーンズ&ノーブル・ブックストア Ⓢ
Barnes & Noble Bookstore

ユナイテッド・カラーズ・オブ・ベネトン
Ⓢ United Colors of Benetton

Ⓢ 575 ビル 575

Ⓢ アン・テーラー Ann

Ⓢ エイチ・エム・ブイ

3

Fifth Ave.

Madison Ave.

Ⓗ ルーズベルトホ
Roosevelt Hote

ポール・スチュワート Ⓢ
Paul Stuart

Ⓘ Ave. of the Americas

アルゴンキン
Algonquin
Ⓗ

J プレス
J. Press
Ⓢ

ブルックス・ブラザーズ
Brooks Brothers
Ⓢ

バリー
Bally

ロイヤルトン・ホテル
Royalton Hotel
Ⓗ

ホテル・マンスフィールド
Hotel Mansfield
Ⓗ

コーチ・フォー・ビジネス
Coach for Business

ダフィーズ Ⓢ
Daffy's

コスメティックス・プラス Ⓢ
Cosmetics Plus

42 St. (6 アベニュー)
42 St. (6 Avenue)

4

フィフス・アベニュー
5th Ave. (42nd St.)

ブライアント・パーク

ニューヨーク
市立図書館

A

B

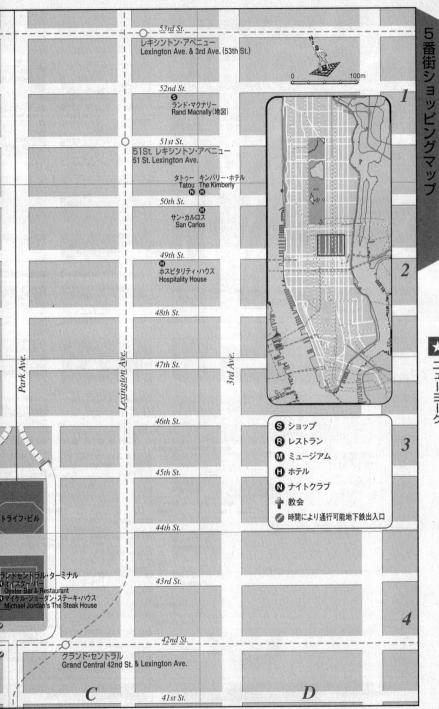

53rd St.
レキシントン・アベニュー
Lexington Ave. & 3rd Ave. (53th St.)

0   100m

1

52nd St.
S ランド・マクナリー
Rand Macnally（地図）

51st St.
51St. レキシントン・アベニュー
51 St. Lexington Ave.

タトゥー　キンバリー・ホテル
Tatou　The Kimberly
N

50th St.
H
サン・カルロス
San Carlos

49th St.
H
ホスピタリティ・ハウス
Hospitality House

48th St.

2

47th St.

Park Ave.

Lexington Ave.

3rd Ave.

46th St.

S ショップ
R レストラン
M ミュージアム
H ホテル
N ナイトクラブ
✚ 教会
⏩ 時間により通行可能地下鉄出入口

3

45th St.

44th St.
トライフ・ビル

ランドセントラル・ターミナル
R オイスター・バー
Oyster Bar & Restaurant
R マイケル・ジョーダン・ステーキ・ハウス
Michael Jordan's The Steak House

43rd St.

4

42nd St.
H グランド・セントラル
Grand Central 42nd St. & Lexington Ave.

C   41st St.   *D*

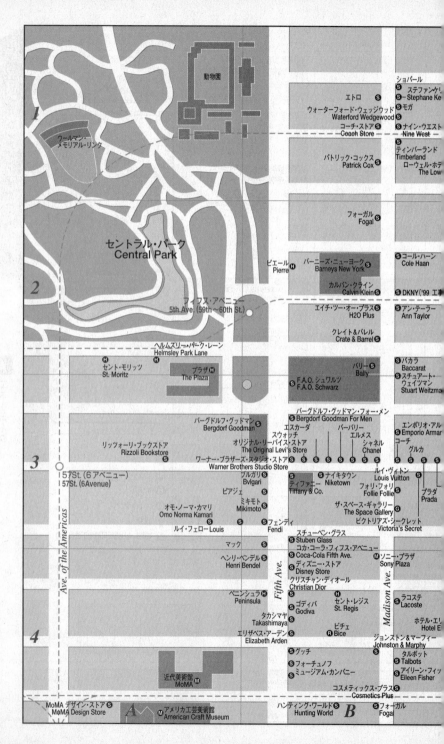

動物園

ショパール
ステファンケ!
Stephane Ke
タモガ
エトロ
ウォーターフォード・ウェッジウッド
Waterford Wedgewood Ⓢ ナイン・ウエスト
コーチ・ストア Nine West
Coach Store

パトリック・コックス
Patrick Cox
ティンバーランド
Timberland
ローウェル・ホテ
The Low

ウールマン・
メモリアル・リンク

セントラル・パーク
Central Park

フォーガル Ⓢ
Fogal

ピエール Ⓗ
Pierre
バーニーズ・ニューヨーク
Barneys New York Ⓢ
Ⓢ コール・ハーン
Cole Haan

カルバン・クライン Ⓢ
Calvin Klein
Ⓢ DKNY('99 工事

フィフス・アベニュー
5th Ave (59th～60th St.)
エイチ・ツー・オー・プラス Ⓢ
H2O Plus
Ⓢ アン・テーラー
Ann Taylor

クレイト&バレル
Crate & Barrel Ⓢ

ヘルムズリー・パーク・レーン
Helmsley Park Lane
Ⓢ バカラ
Baccarat

セント・モリッツ
St. Moritz
プラザ Ⓗ
The Plaza
バリー Ⓢ
Bally
Ⓢ スチュアート・
ウェイツマン
Stuart Weitzma

F.A.O. シュワルツ
F.A.O. Schwarz

バーグドルフ・グッドマン・フォー・メン
Ⓢ Bergdorf Goodman For Men
バーグドルフ・グッドマン Ⓢ
Bergdorf Goodman
エスカーダ バーバリー
スウォッチ エルメス
オリジナル・リーバイス・ストア シャネル
The Original Levi's Store Chanel
エンポリオ・アル
Ⓢ Emporio Armar
コーチ
グルカ

リッツォーリ・ブックストア
Rizzoli Bookstore Ⓢ
ワーナー・ブラザーズ・スタジオ・ストア
Warner Brothers Studio Store Ⓢ Ⓢ Ⓢ Ⓢ Ⓢ Ⓢ Ⓢ Ⓢ

57St. (6アベニュー)
57St. (6Avenue)
ブルガリ Ⓢ
Bvlgari
ナイキタウン Ⓢ
Niketown
ルイ・ヴィトン
Louis Vuitton Ⓢ
ピアジェ
ティファニー
Tiffany & Co.
フォリ・フォリ
Follie Follie
プラダ
Prada

オモ・ノーマ・カマリ
Omo Norma Kamari
ミキモト Ⓢ
Mikimoto
ザ・スペース・ギャラリー Ⓖ
The Space Gallery

ルイ・フェローLouis
フェンディ Ⓢ
Fendi
ビクトリアズ・シークレット
Victoria's Secret

マック Ⓢ
スチューベン・グラス Ⓢ
Stuben Glass
コカ・コーラ・フィフス・アベニュー Ⓢ
Coca-Cola Fifth Ave.
ソニー・プラザ Ⓜ
Sony Plaza

ヘンリー・ベンデル
Henri Bendel
ディズニー・ストア Ⓢ
Disney Store
クリスチャン・ディオール
Christian Dior

ペニンシュラ Ⓗ
Peninsula
ゴディバ Ⓢ
Godiva
セント・レジス
St. Regis
ラコステ
Lacoste

タカシマヤ
Takashimaya
ビチェ Ⓡ
Bice
ホテル・エリ
Hotel E

エリザベス・アーデン Ⓢ
Elizabeth Arden
ジョンストン&マーフィ
Johnston & Marphy

グッチ Ⓢ
フォーチュノフ Ⓢ
ミュージアム・カンパニー Ⓢ
Ⓢ
タルボット
Talbots
アイリーン・フィッ
Eileen Fisher

近代美術館
MoMA Ⓜ
コスメティックス・プラス
Cosmetics Plus

MoMA デザイン・ストア Ⓢ
MoMA Design Store
アメリカ工芸美術館
American Craft Museum Ⓜ
ハンティング・ワールド Ⓢ
Hunting World
Ⓢ フォーガル
Fogal

Fifth Ave.
Madison Ave.
Ave. of the Americas

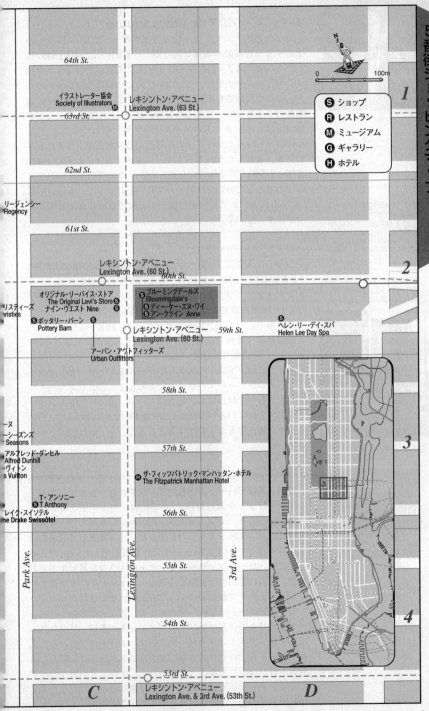

64th St.

イラストレーター協会
Society of Illustrators

レキシントン・アベニュー
Lexington Ave. (63 St.)

63rd St.

62nd St.

リージェンシー
Regency

61st St.

レキシントン・アベニュー
Lexington Ave. (60 St.)

60th St.

オリジナル・リーバイス・ストア
The Original Levi's Store
ナイン・ウエスト Nine

ブルーミングデールズ
Bloomingdale's
ディー・ケー・エヌ・ワイ
アン・クライン Anne

リスティーズ
hristies

ポッタリー・バーン
Pottery Barn

レキシントン・アベニュー
Lexington Ave. (60 St.)

59th St.

ヘレン・リー・デイ・スパ
Helen Lee Day Spa

アーバン・アウトフィッターズ
Urban Outfitters

58th St.

ーヌ
ーシーズンズ
Seasons

57th St.

アルフレッド・ダンヒル
Alfred Dunhill
・ヴィトン
s Vuitton

ザ・フィッツパトリック・マンハッタン・ホテル
The Fitzpatrick Manhattan Hotel

T・アンソニー
T Anthony

レイク・スイソテル
he Drake Swissôtel

56th St.

55th St.

Park Ave.

Lexington Ave.

3rd Ave.

54th St.

53rd St.

レキシントン・アベニュー
Lexington Ave. & 3rd Ave. (53th St.)

C

D

ショップ
レストラン
ミュージアム
ギャラリー
ホテル

0   100m

ミッドタウンの中心部

タイムズスクエア
P.657 C-1

マジソン・スクエア・
ガーデン
W. 31st ～33rd Sts. &
8th Ave.
☎ (212) 465-6080（ツアー）、
465-6741（チケット）
33丁目に面した入口の
右手には、マジソン・スク
エア・ガーデンで近々行わ
れるコンサートなどの予定
が電光掲示板に映し出され
ている。
見学ツアー
大人 $8.50、子供 $7.50
P.656 B-1

ニックスの本拠地でもある

劇場街の中心
✓タイムズスクエア ★ Times Square

　タイムズスクエアとは、42丁目とブロードウェイと7番街が
交差する三角地帯の名称であるが、一般的には、**42丁目から**
TKTSのある47丁目のダッフィースクエアまでの間全体を指
す。ニューヨークでは、"スクエア"というのは公園が多いのだ
が、ここは公園でも四角でもない三角地帯。ブロードウェイ劇
場街の中心として、数多くの劇場、ホテル、レストランなどが
集中している。タイムズスクエアと名付けられたのは、1904
年、ニューヨークタイムズの本社屋がこの地に移ってきたとき
である。現在、ニューヨークタイムズのオフィスは43丁目の8
番街と7番街の間に移ってしまったが、その名前とこのエリア
の中心地としての地位は変わらずに現在に至っている。近年は、
「タイムズスクエア再開発計画」の進行で以前にも増してにぎ
やかになっている。

スポーツアリーナや劇場の入った
✓マジソン・スクエア・ガーデン ★ Madison Square Garden

　8番街と33丁目の角に建つ大きな円柱型の建物がスポーツと
エンターテインメントの殿堂マジソン・スクエア・ガーデン
だ。1879年に最初に建てられたときは実際のマジソン・スク
エアにあり、その後2回も移り変わって1968年に完成したい
まの建物は3代目。場所は移りながらも名前だけは最初の"マ
ジソン～"を名乗り続けている。

　現在ここは、プロ・バスケットボールのニックスとアイスホ
ッケーのレンジャースのホームであるとともに、コンサートや
プロレスなどの興行にも利用されている。地下にはアムトラッ
クも乗り入れている**ペンシルバニア駅** Pennsylvania Station
もあり、観光客もよく利用するところだ。

| 5番街 ★ Fifth Ave. | 一流店や高級デパートが建ち並ぶ、華やかなショッピング街 |

　マンハッタンを東西に分ける5番街は、ワシントンスクエア
の北から始まり、マンハッタン北端のハーレム川まで一直線に
延びている。高級ショッピング街やビジネス街として有名なの
は、そのうちの42丁目から59丁目。全長わずか1.5kmのこの
通りには、ロックフェラー・センターのような高層ビルが建ち
並び、ビルの谷間には優雅で荘厳なセント・パトリック教会や、
セント・トーマス教会のゴシック様式の建物が現れたりする。

　ティファニーをはじめ、カルティエ、グッチなどのヨーロッ
パやアメリカの一流ブランドのブティックが並び、サックス・
フィフス・アベニューやバーグドーフ・グッドマンといった高
級デパートもこの通りにある。ショッピング好きには魅力に満
ちあふれた場所であることはもちろん、実際に買い物などせず
にウインドー・ショッピングでも十分楽しめる。ただし、スリ
の被害も多い通りだから、気をつけて歩こう。

ニューヨーカーの知識の宝庫
ニューヨーク市立図書館 ★ New York Public Library

ニューヨーク市立図書館
🏠5th Ave. & 42nd St.
☎ (212) 221-7676、930-0501 (ツアーの問い合わせ)
HOMEnypl.org
🕐火水11：00～19：30(一部18：00閉室)、木月～土10：00～18：00
🗺P.666　A、B-4

入口のライオンが目印

　ワシントンの議会図書館に次ぐ、全米第2の規模の、リサーチを目的とした図書館。5番街、正面入口左右にいる2頭の大理石のライオンがシンボルだ。1911年に完成したネオクラシシズムを感じさせるこの建物は、建築芸術としての評価も高い。内部の美しさやその風格も見逃せないポイントだ。

　重要なコレクションにはコロンブスの手紙、トーマス・ジェファソン『独立宣言』の自筆原稿、グーテンベルクの『聖書』、ガリレオのノートなどがある。

　無料の館内ツアーは、平日2回ロビーより出発している。正面入口を入って右側のカウンターで名前を書いて申し込む。そのときにより、見学できるコレクションは多少違うが、作家の原稿や写真、FBIの所有していた世界各都市の地図など、ツアーの人たちだけにそっと見せてくれたりするので、どうせ見学に行くのならツアーに参加しよう。

ぼう大なコレクション数
　ニューヨーク内の82の分館と本館の蔵書は1,050万項目460万冊を超え、3,200名以上のスタッフが働いている。書籍以外にも、地図、記録写真、テープ、印刷物などそのコレクションは多岐にわたり、総数は20億点にものぼる。

見学ツアー
　月～土の11：00と14：00 所要時間は約1時間半。
🎫無料

ゴシック様式が印象的
✓ セント・パトリック教会 ★ St. Patrick's Cathedral

　50丁目から51丁目に建つ、ゴシック様式の壮麗な姿の教会。座席数2,400、ニューヨーク最大のカトリックの教会で、設計はワシントンDCのスミソニアン協会ビルであるキャッスルやレンウィック・ギャラリーの設計も手掛けたジェームズ・レンウィックによるもの。1858年に建設は始まったが、途中南北戦争が勃発したため完成は約20年後の1879年のことだった。尖塔までの高さはなんと約100m。教会内にはご自慢の7,380本のパイプで組まれたパイプオルガンがあり、日曜の午前にはパイプオルガンの荘厳な演奏を聴くことができる。

ニューヨーク最大のカトリック教会

鉄道のもうひとつの玄関口
✓ グランド・セントラル・ターミナル ★ Grand Central Terminal

★
ニューヨーク

グランド・セントラル・ターミナル
🏠42nd & 45th Sts., Vanderbilt Ave. & Depew Pl.
ツアーに参加しよう
　2種類のツアーが出ている。
　ムニシバル・アート・ソサエティでは毎週金曜12：30からグランド・セントラル駅のみを回る。出発は42nd St. & Park Ave.南西角から。
　グランド・セントラル・バートナーシップは毎週水曜12：30からで、駅のほかに周囲のクライスラー・ビル、フィリップ・モリスのビルなども見学する。無料。出発はメインコンコース・インフォメーションから。
　なお、ツアーは天候などの理由によりキャンセルになることもあるため事前の問い合わせが必要。
問い合わせ先：
Municipal Art Society
☎ (212) 818-1777
Grand Central Partnership
☎ (212) 935-3960
🗺P.667　C-4

　ミッドタウンのど真ん中にある、ニューヨークの2大駅のひとつで、近・中距離列車中心のターミナルである。メットライフ・ビルの陰になっており、外見だけではその大きさはわからないが、地下が2層になっており、日に500本以上の列車が発着し、50万人を超える利用者を運んでいる。

'98年11月にリニューアル
したばかり

もとは1871年に建てられたニューヨーク・セントラル・ターミナルであったが、1902年より環境保全のため蒸気機関車の運転が禁止された。電化するか、ニューヨークから離れるかの決断を迫られた鉄道会社は、前者を選んだ。そして線路を地下に引き込み、2層にした新しいターミナルを建設することになった。1903年から建築に取りかかり、1913年にようやく完成、名前をグランド・セントラルとした。

42丁目に面した正面には、羽根のついた帽子をかぶったマーキュリーを中心に、右には知の女神ミネルバ、左にヘラクレスの彫刻と時計がある。その下にはコモドア・バンダービルト（1862年に鉄道を創設した人）の像がある。

1998年10月に改装工事を終え、リニューアルオープンし、マンハッタンの玄関口にふさわしい活気あるターミナルとなった。

メットライフ・ビル
**200 Park Ave. (at 45th
St.)**
P.667 C-3

グランド・セントラル駅と
メットライフ・ビル

外観だけでなく内装にも注目

メットライフ・ビル ★ MetLife Building

1963年に摩天楼を代表する高層建築のひとつとして建てられた、メットライフ・ビル。かつてはアメリカの航空会社のパンナムPANAMが所有するものだった。

1978年、カーター大統領による「航空業界規制緩和政策」のスタートで航空運賃が自由化され、アメリカの各航空会社は運賃の引き下げを余儀なくされた。パンナムがその火の粉をかぶったのは、1980年代のこと。1981年にはすでに、メトロポリタン保険会社（メットライフ Met Life）によってビルは買収されていた。当時は59階建ての同ビルの15フロアを占有していたパンナムも、不況の波を越えることができず、業務縮小の末に、1991年にオフィスを閉鎖した。

1993年1月13日、メットライフのビル・サインの点灯式が行われ、「パンナム」のサインが消えることを惜しむニューヨーカーの声も多く聞かれた。

このビルは1960年代の代表的建築物なので、インテリアを見学に来る建築デザイナーも多い。そのため現在も内装には一切手を加えていない。

クライスラー・ビル
**405 Lexington Ave. at
42nd St.**
月〜土9：00〜17：30
P.657 C-2

ニューヨークを代表する摩天楼

クライスラー・ビル ★ Chrysler Building

ニューヨークの摩天楼を代表するビルで、うろこ状の尖塔が特徴。このアール・デコ・スタイルのビルは、1930年インフレの真っ最中に完成した。当時は尖塔を持つビルとして世界一を誇っていたという。ビルの象徴ともいえる尖塔は、クライスラー社らしくボルトを含めすべてステンレススチール製。いつも輝いているのはこの材質のおかげだ。なお、1階の重厚な雰囲気のロビー以外は一般客入場不可。

うろこ状のステンレスが美しい

ソニー・プラザ ★ Sony Plaza

　米国最大の電話会社AT&Tの本社ビル内の情報と娯楽とショッピングの空間だ。

　まず最初に向かいたいのが**ソニー・ワンダー Sony Wonder**という"未来のエレクトロニクス"をテーマにした体験型ミュージアム。8分ごとにスタートする全行程45分のツアーに参加するか、日本語のガイド・カセットを借りて4階から出発しよう。まず、ロビーのディスペンサーでカードを発券して、4階のログ・イン・ステーションで自分の声紋、名前、顔写真を登録すると、ソニー・ワンダー・カードが完成する。このカードにミュージアムでの体験が記録されていくのだ。最後のスタジオでは、あらびっくり!!　顔写真入りの終了証が発行される。

国際連合本部 ★ United Nations Headquarters

　第2次世界大戦が終結した1945年秋、世界平和を目指して設けられた国際的な組織が国際連合、略して国連だ。この国連の本部がニューヨークにあり、本部オフィスは42丁目から48丁目、イースト・リバーと1番街にはさまれた6ブロックを占めている。敷地内には総会場、会議場、事務局、ハマーショルド図書館の4つのビルが集まっている。創設時の加盟国は51カ国、現在加盟国は170以上にも及ぶ。

　この国連本部を見学する約45分間の**ツアー**が毎日（1～2月の土日曜を除く）出ている。ツアーでは建物内や会議室を回るほか、核の脅威、飢餓救済、植民地独立への援助など平和維持のため助力を惜しまない国連の活動ぶりが紹介される。また、世界各国より国連に寄贈されたものは、すばらしいものばかりで注目したいところ。

世界の国旗がひるがえる

入口前のオブジェ

ソニー・プラザ
📮550 Madison Ave. bet. 55th & 56th Sts.
☎(212) 702-2811
HOMEwondertechlab.sony.com/
🗺P.668　B-4

ソニー・ワンダー
☎(212) 833-8100
料無料
時火金10：00～21：00、水木土10：00～18：00、日12：00～18：00
休月

ソニー・シグニチャーズ
　ソニーの映画や音楽に関する商品が並んでいる。所属アーティストのイラストやロゴマークの入ったグッズがそろっている。

国際連合本部
📮1st Ave.bet. 42nd & 48th Sts.
☎(212) 963-7713
🗺P.657　C-2

ツアー
時毎日9：00～16：45（1～2月の土日なし）15分間隔で出発。所要時間約45分
料大人 $6.50・学生 $4.50、シニア $5.50・子供 $3.50（5～14歳）
　日本語のツアーも頻繁に行われているが、時間についてはあらかじめ電話で確認していくといい。なお、タンクトップやショートパンツは避けること。

国連ビルから絵ハガキを出そう
　ツアーの解散地点である国連本部の地下には郵便局とギフトショップがある。ここで絵ハガキを買い、国連独自の切手を貼って手紙を出せる。この切手は国連でしか出せない独自のもの。切手やハガキ以外にも、国連発行の本、各国の旗、人形、切手セットなど、おみやげになるものがそろっている。

NYがもっと好きになる『地球の歩き方㊳ニューヨーク』編

　『地球の歩き方㊳ニューヨーク』編はアーティストのためのNY案内。なかでも美術館の館内案内はガイドブック離れした詳しさだ。代表的な絵画の写真と解説もわかりやすく、とくに興味がなかった人も、つい立ち止まって見入ってしまうはず。もちろん、美術館以外の観光ポイントだって120%の充実度。アメリカ編＋ニューヨーク編でNYがもっと楽しく、好きになる。

サウス・ストリート・
シーポート
MM15のバスでFulton St.
とPearl St.の交差点手前で
下車。バス停からそのまま
Pearl St.の角を曲がれば、
サウス・ストリート・シー
ポートの中心となっている
Fulton St.に出る。ミッド
タウンからバスの所要時間
は約45分。
　地下鉄は、ラインJ、M、
Z、2、3、4、5のいずれかで
Fulton St.駅下車。あるいは
A、CでBroadway Nassau
St.駅下車。地下鉄を出た
ら、フルトン通りを東へまっ
すぐ約5、6分。ミッドタウ
ンから約15分
MAPP.656　A-2

サウス・ストリート・シ
ーポート・ミュージアム
☎(212) 748-8600
時毎日10：00～17：00
料大人＄5、シニア＄4、学
生＄3、子供(4～12歳)＄2

ニューヨーク証券取引所
住20 Broad St.
☎(212) 656-5167
ツアーは月～金9：00～
15：00のスタート。整理
券は14：00ごろまでにな
くなってしまうので早め
に。
交地下鉄のラインN、Rの
Rector駅、または4、5の
Wall St.駅下車
MAPP.656　A-2

ワールド・トレード・
センター
住Between Church, Vesey,
West & Liberty Sts.
☎(212) 435-4170、435-
7377(インフォメーション)
時毎日9：30～23：30(10
～6月～21：30)
料107階展望室＆屋上への
入場料大人＄6、子供＄3、
シニア＄3.50
交地下鉄のラインE、Kの
World Trade Center駅、ま
たはI、N、RのCortlandt St.
駅下車。いずれもワール
ド・トレード・センターの
地下が改札となっている。
展望室行きエレベーターは
中2階から。金属探知、手
荷物検査あり
MAPP.656　A-1

マンハッタン南端、金融機関のヘッド・オフィスのあるビル
が林立し、ビジネスマンが闊歩する姿が目につく地域だ。イー
ストサイドにはショッピングセンターのサウス・ストリート・
シーポートがある。

漁港ニューヨークのおもかげを残す
サウス・ストリート・シーポート ★ South Street Seaport

19世紀の風情あふれるレンガの道とレンガ造りの古い建物。
そんな昔ながらのたたずまいを残しながら、現代的なショッピ
ングセンターを中心に個性的な店が集まったサウス・ストリー
ト・シーポートはニューヨークののどかな名所だ。
　サウス・ストリート・シーポートには、シーフードが気軽に味
わえる**フルトン・マーケット Fulton Market**、個性派ショッ
プが集まった**スケルマーホーン・ロウ Schermerhorn Row**、
イースト川沿いに建つ3階建てのショッピングセンターの**ピア
17 Pier 17**、そして11のブロックからなる**サウス・ストリー
ト・シーポート・ミュージアム South Street Seaport
Museum**が建ち並び、ニューヨーカーの格好の遊び場として
にぎわっている。

ばく大なお金が動く
✓ウォール・ストリート ★ Wall Street

ウォール・ストリートといえば、世界金融の中心として知ら
れているが、**ニューヨーク証券取引所 New York Stock
Exchange**や**連邦準備銀行 Federal Reserve Bank**、それ
をとりまくように建ち並ぶ大手銀行の本店などを見ていると実
感がわいてくる。もともとウォール・ストリートという名称は、
オランダ人が先住民やイギリス人の攻撃を防ぐために、ハドソ
ン川からイースト川まで築いた丸太の防壁を"ウォール"と呼ん
でいたことから付けられた。
　このウォール・ストリートを中心としたロウアー・マンハッタ
ンの一角を、とくに**ファイナンシャル・ディストリクト
Financial District**とよび、オフィスアワーにはスーツ姿の
ビジネスマンがあわただしく往来している。世界金融の動きに
直接関与しているせいか、張りつめた空気がただよっており、
独特の雰囲気がある。

スレンダーな双子ビルに昇ってみよう
ワールド・トレード・センター ★ World Trade Center

ハドソン川を見下ろす110階建て高層ビル、ツイン・タワー
Twin Towersをはじめ、4つの低層ビル(2つのプラザ・ビル
Plaza Building、アメリカ合衆国税関 U.S. Custom House、
マリオット Marriott World Trade Center)で構成されている。
センターのおもな業務は、輸出入などすべての国際ビジネス・
サービスのコントロール・タワーとしての役割であり、アメリ
カの国際貿易の発展を担っている。

展望台からマンハッタンを見下ろすばかりでなく、ときにはビルの足元から見上げた高層ビルの顔を見るのもおもしろい。

●ツイン・タワー　Twin Towers

マンハッタンのランドマークとして1973年に誕生したツイン・タワー。高さ420m、110階建てのこのビルは、日系のアメリカ人建築家ミノル・ヤマザキ氏によってデザインされた。アルミニウムでおおわれたビル表面の壁は陽を受けるとキラキラと輝き、その姿は対岸のニュージャージー州やスタテン島からも望める。

彼女に会いにいこう
自由の女神 ★ The Statue of Liberty

自由の女神はマンハッタン島南端から約3km離れたリバティ島にあり、バッテリー・パークからフェリーが出ている。観光客がいつも長蛇の列をつくっているので、早めに行かないと希望の時間のフェリーに乗ることができないので注意。女神の像の中は展望台になっていて、途中までエレベーターで行けるが、女神の冠のところにある、最上階の展望台までは狭いらせん階段を昇っていくため、途中で引き返すことが困難だ。段差が大きいので、降りるときは気をつけよう。階下は自由の女神の歴史についての博物館となっている。

ニューヨークのシンボル

自由の女神
☎ (212) 269-5755
📅 毎日9：00～17：00（夏期延長あり）
📅 クリスマス
💲 大人＄7、シニア＄5、子供＄3（フェリー代込み）
🚇 ミッドタウンから行くには、地下鉄ライン1か9でSouth Ferry駅へ。South Ferry駅は前5車輌しかドアが開かない。
　バスではM1、M6、M15のバッテリーパークで下車する。バッテリーパークからリバティ島行きのフェリーが出ている。
　フェリーは9：15～16：30の間、1時間ごと（7、8月は30分ごと）に出ており、所要時間は片道約15分。

★
ニューヨーク

バッテリーパークから30分ごとに出ており、往復で約50分。フェリー乗り場は📖P.656 A-2

リバティ島へ行かずに自由の女神を近くで見る方法

①フェリーツアー（サークルラインかシーポートライン）に乗る、②ヘリコプターツアーに参加する、③スタテン島行きフェリーに乗る、の3つの方法がある。①②はその他の見どころを含めた周遊観光ツアーであるが、③は通常の公共交通機関のフェリーで、女神が小さく見えるだけで、ガイドも何もなくただスタテン島へ往復するもの。しかし、往復しても無料のうえ、自由の女神の正面を通るので、ツアーに参加しなくても雰囲気を味わいたい人には評判だ。

アップタウン ★ Uptown

59丁目から北の地域。市民の憩いの場セントラル・パークがあり、また、コロンバス街とアムステルダム街には、ブティックやカフェが連なって、ミッドタウンともビレッジとも違う住宅地の雰囲気が漂っている。パークの東側はミュージアム・マイルと呼ばれ、世界的にも有名な美術館が連なっている。

セントラル・パーク
HOME www.centralpark.org
📖P.657 C,D-1,2

ニューヨーカーの憩いの場
セントラル・パーク ★ Central Park

美しい貯水池

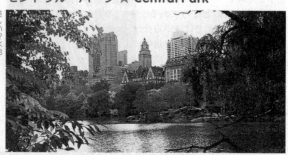

東西は5番街からセントラル・パーク・ウエストまでの800m、南北は59丁目から110丁目までの4kmにわたり、面積は843エーカー（約3.4km²）におよぶ、マンハッタンの中央に位置する公園。摩天楼のそびえるニューヨークの真ん中に緑豊かなスペースが広がり、ニューヨーカーや観光客のオアシスになっている。池、湖、動物園、噴水、散歩道、グラウンド、劇場、美術館……、あらゆる設備が整っているセントラル・パークには、いろいろな人が集まってくる。広～い芝生のグラウンドでソフトボールやフリスビーに興じるグループ、ジョギングをする人たち……。夏は公園で無料のコンサートが開催される。催し物は新聞でチェックするか、デアリーで確認しよう。人々を眺めながら目的なくブラブラするのもいいが、広い公園なので貸し自転車（湖の東側のボート乗り場）でサイクリングするのも楽しい。ただし、夜のセントラル・パークは危険なので立ち入らないこと。

●デアリー Dairy
セントラル・パークは広いうえに各種イベントが園内のあち

デアリー
☎ (212) 794-6564
📖 火～木土日11：00～17：00（10/15～2/25は～16：00）、金13：00～17：00
📖 月
📖 場所は公園南側の65丁目の近く、子供動物園と回転木馬Carouselの間。ただし、65丁目は自動車専用道なので、ここから入ることはできない。グランド・アーミー・プラザGrand Army Plaza（5th Ave. & 60th St.）からの入口をイースト・ドライブに沿って行くか、アメリカ街からセンタードライブに沿って行くとよい

セントラル・パーク・トロリー・ツアー
☎ (212) 397-3807
📖 月～金の10：30、13：00、15：00出発
📖 大人 $15、学生・シニア $13、子供 $7.50

セントラル・パーク動物園
📖 5th Ave. & 64th St., Central Park
☎ (212) 861-6030
📖 月～金10：00～16：30、土日祝日10：30～17：30（11～3月は毎日10：00～16：30）
📖 大人 $3.50、シニア $1.25、子供50¢

こちで不定期に行われる。園内の地図（$2）やイベント情報を入手できるのがビジターインフォメーションのデアリーだ。

●セントラル・パーク・トロリー・ツアー
The Central Park Trolley Tour
広い広いセントラル・パークを90分で一周してくれるトロリー・ツアーがある。5th Ave. & 60th St.のグランド・アーミー・プラザから。

●セントラル・パーク動物園
The Wildlife Conservation Center (Central Park Zoo)
摩天楼をのぞむ小さな動物園。小さいながらユニークな構成になっている。色とりどりの鳥が飛び回るTropic Zoneでは、葉切りアリの巣にモニターカメラを入れた展示がおもしろい。Polar Circleではシロクマの背泳ぎが人気を呼んでいる。せかせかした大都会の真ん中でのんびりと草を食べるカメも示唆的だ。

アリスの銅像

リンカーン・センター
🏢62nd to 66th Sts. bet.
Columbus & Broadway
☎ (212) 875-5350
🚇地下鉄ライン1か9で66th
St./Lincoln Center下車。バ
スならM5、7、11が近くを
通る
🗺P.657 C-1

クラシック芸術の殿堂
リンカーン・センター ★ Lincoln Center
セントラル・パークの西側、ブロードウェイとコロンバス街の交差する角の62〜66丁目までの広大な敷地の中に6つのビルが建っている。演劇、音楽、舞踊などニューヨークの芸術の中心といえる総合センターだ。1955〜1969年まで総工費1億8,500万ドルをかけて完成された。費用のほとんどが一般からの寄付だというから、ニューヨーカーの舞台芸術への理解は大したものだ。建物だけの見学に訪れるのもよいが、できれば何か公演を見ることをおすすめする。

ニューヨーク州立劇場

ニューヨーク

★ さらにニューヨーク探訪をしたい人におすすめの
モーニングサイド・ハイツ Morningside Heights

110th St.の北側、Morningside Dr.西のコロンビア大学を中心としたエリアは、モーニングサイド・ハイツと呼ばれる高級住宅街。ハーレムに近いことが感じられないほど、のどかな雰囲気だ。観光客はほとんど訪れることはないが、それだけに素顔のニューヨークに接することのできる場所でもある。

ハドソン川を望む公園にあるのが、**グラント将軍の墓 General Grant National Memorial** (Riverside Dr. & W. 122nd St.)だ。南北戦争時、北軍の指揮官であり、のちに第18代大統領となった人物で、棺は重厚な円形ドーム状の吹き抜けの建物の中に、婦人とともに安置されている。

墓のすぐ近くに、巨大なゴシック様式の建物が見えるだろう。これは、宗派、国籍、人種を問わず、しかもカルチャークラブや劇場まであるという進歩的な**リバーサイド教会Riverside Church** (Riverside Dr.沿い120th & 122nd Sts.)だ。塔の高さは約120mで、この塔に昇ることもできる。昇れるのは火〜土祝日11：00〜16：00、日12：30〜16：00、$2。

アメリカでも有数の名門校**コロンビア大学 Columbia University**もこのエリアにある。1754年創立で、T・ルーズベルト大統領、F・D・ルーズベルト大統領など卒業生には著名人が多い。Broadwayと116th St.の角のダッジホールの2階にはインフォメーションがあり、ここから5月下旬〜8月の10：00と14：00の2回、それ以外の時期は15：00の1回ツアーが出ている。

ニューヨーク・シティ・バレエ

●エイブリー・フィッシャー・ホール Avery Fisher Hall

ニューヨーク・フィルハーモニー・オーケストラの定期演奏会場。収容人員は2,800名。

●ニューヨーク州立劇場 New York State Theatre

ニューヨーク・シティ・オペラとバレエ団の本拠地。収容人員2,700名。

●メトロポリタン・オペラ・ハウス Metropolitan Opera House

通称MET（メト）。10階建ての世界的に有名なオペラハウス。3,800名収容の大ホール。広い舞台、7つのリハーサルスタジオがある。

リンカーン・センター・ツアー

公演の行われていないときに、劇場の内部を見学して回るガイド付きのウォーキング・ツアーが行われている。見学するのは、エイブリー・フィッシャー・ホール、ニューヨーク州立劇場、メトロポリタン・オペラ・ハウスだが、日によってコースが違う。公演を観るチャンスがない人にとっては、劇場内に入って内装の豪華さを味わい、シートに座ってみるいい機会だ。運が良ければリハーサル風景に出くわすことも…。州立劇場とメトの間、コンコース・レベル（地下）にチケット売り場があり、ツアーのスタート地点もここ。

リンカーン・センター・ツアー

☎ (212) 875-5351
毎日10：00～16：30、おおむね30分ごとの出発だが、日によって異なるので事前に確認しておこう。約1時間。
大人＄8.25、シニア・学生＄7.25、子供＄5

Museum & Gallery ミュージアム＆ギャラリー ★

ニューヨークには、世界的な規模のものからユニークなテーマを持つものまで、さまざまなミュージアムがある。数が多いため自分の目的、興味に合ったミュージアムに足を運ぼう。セントラル・パークに沿った5番街は "Museum Mile" と呼ばれる、ミュージアムの集中する通り。美術鑑賞初心者は、まずはこの通りを目指すとよい。

現代美術の逸品が目白押し

✓近代美術館 ★ The Museum of Modern Art (MoMA)

通称 "モマ MoMA" と呼ばれる近代美術館は、最もニューヨークらしいアート・スポットであり、現代アーティストの憧れの美術館である。

近代美術館

11 W. 53rd St.
☎ (212) 708-9400
木～火10：30～17：45、金10：30～20：15
水、サンクスギビング、クリスマス
大人＄9.50、学生・シニア＄6.50
　金曜16：30以降の金額は決まっておらず、本人の意志による寄付金（＄9.50以上の人もいる）を払う。特別展は別料金。
地下鉄 E、F の5th Ave.（53th St.）駅下車。バスM5、6、7（6番街）、M1、3、4、5（5番街）53rd St.下車
P.666　A-1

安心して楽しめるハーレムツアー

明るく安全になりつつあるハーレムだが、まだひとり歩きをおすすめするには、少々不安がある。

安心して見どころを回り、日本人ガイドの豊富な知識がハーレムへの理解を深くしてくれる日本語ツアーに参加することをおすすめする。

現地の日本語ハーレムツアー
●セレクト・ツアー　☎＆FAX (212)944-8973、日本 ☎ (042)395-7622、FAX (042)390-8031
●ハーレム・ツアーズ社
　☎ (212)582-5104
●JTB　☎ (212)698-4931、FAX (212)246-4065

1929年、たった9点から始まったコレクションは、現在10万点を超え、20世紀アートのあらゆる分野から作品を集めている。

　常設展示場は、2階から4階で、来訪者のほとんどが目指すモネの『睡蓮』や、ピカソやマティスの作品はすべて2階に集まっている。その他、2階には後期印象派からキュビズム、表現主義、フォービズム、構成主義、シュールレアリスムの作品が年代を追って展示されている。シャガールの『私と村』、ルソーの『眠れるジプシー』などは美術館の代表作だから、しっかり見ておこう。3階は、戦前のアメリカ、戦後のアメリカとヨーロッパ、抽象表現主義、そして現代作家へと、2階から続いて近代美術史の概略がわかる構成。ワイエスの名作『クリスチーナの世界』はここにある。4階には、建築と産業デザインの展示がある。地階には、2つの映画館と特別展示場。1階には必ず立ち寄りたい彫刻庭園とカフェテリア、特別展示場がある。

　その他、エントランスに向かって右手には直営のデザイン・ストアがあり、モマにより特別編集された画集やポストカードなど、おみやげに良さそうなものがたくさんある。

現代アートの宝庫

3日あっても回りきれない大美術館
✓メトロポリタン美術館 ★ Metropolitan Museum of Art

　イギリスの大英博物館、フランスのルーブル美術館と並んで、世界3大ミュージアムの一つと言われているメトロポリタン美術館。赤レンガと灰色の石灰岩から成る建物の中には、5,000年にもおよぶ人類の文化遺産が収蔵され、約200万点のうち4分の1が常設展示されている。3つのフロアの総面積は129km²に達する。

　館内は17の部門に分かれ、とくに傑出しているのがヨーロッパ美術の部門。14〜20世紀から後期印象派までの約3,000点にも及ぶヨーロッパ絵画は、美術館自慢のコレクションでもある。また、1階のエジプト美術のコレクションも世界有数を誇り、このコーナーに復元されたデンドゥール神殿 Temple of Dendurも見逃せないもののひとつだ。

　巨大なメトロポリタン美術館、まとを絞って見学しないことには3日あっても見れない。5番街の82丁目の入口にあるインフォメーションで、館内地図や日本語を含めた各国語のパンフレットを用意している。これらを入手してから見学を始めるとよい。なお、展示は次のようなセクションに分かれている。

ニューヨーク

メトロポリタン美術館のエントランス・ホール

ウォーキング・ツアー
毎日10：30から。事前に
予約をすれば日本語ガイド
もつく。☎570-3711
所要時間：約1時間

クロイスターズ美術館
🏛Fort Tryon Park
☎ (212) 923-3700
📅火～日9：30～17：30
（11～2月は～16：45）
🚫月、サンクスギビング、
クリスマス、元日
🚃地下鉄Aラインの190th
St.駅下車。バスM4でクロ
イスターズ美術館前下車

アメリカ自然史博物館
🏛725 Central Park West
at 79th St.
☎ (212) 769-5100
HOMEwww.amnh.org
📅毎日10：00～17：45
（金土は20：45まで）
🚫サンクスギビング、クリ
スマス
🎟大人＄8（IMAXかプラネ
タリウムを含むチケット
＄13、すべてを含むもの
＄16）、子供＄4.50（IMAX
かプラネタリウムを含むチ
ケット＄7、すべてを含む
もの＄9）、学生・シニア
＄4。特別展は別料金
🚃バスM10が博物館の正面
に停まる。地下鉄はライン
B、C、Kの81st St./ Museum
of Natural History駅下車
📖P.657 C-1

1階　エジプト美術、アフリカ美術　など
2階　古代近東美術、アジア美術、素描・版画・写真、ヨーロ
ッパ絵画、イスラム美術、アメリカ美術、ギリシャ・ローマ美
術。20世紀美術は1、2階に、ヨーロッパ彫刻、装飾美術は1、
地階に分けて展示されている。

　どこから見ていいかわからない人はウォーキング・ツアーに
参加するといい。美術館のハイライト展示を回りながら解説を
してくれる。自分のペースで回りたいのなら解説テープという
方法もある。テープは7つのジャンルごとに分かれている。

　マンハッタンの最北フォート・トライオン・パークの**クロイ
スターズ美術館 The Cloisters**はメトロポリタンの分館。メ
トロポリタンと同日のみ共通のバッジで入場無料。中世宗教美術が圧巻。

恐竜のコーナーが人気！
アメリカ自然史博物館
★ American Museum of Natural History

　"自然と人間との対話"をテーマに設立されたアメリカ自然史
博物館は、セントラル・パークの西、77th St. から81st St.
にかけての広い敷地内に建っている。4階建ての館内は、40
の展示室と数多くの特別展示室に分かれており、3,400万点以
上の標本や模型が収蔵され、そのうちわずか2％が展示されて
いる。巨大な博物館だけにポイントを絞ってから見学しよう。

　博物館1階への入口は、77th St.沿いにある。ほとんどの人
がCentral Park West前の階段を上がり直接2階へ行ってしま
うが、本当に博物館の印象を強く得るには1階から見学したほ
うがよい。アメリカ先住民や海の生物、鉱石と宝石のコーナー
などに分かれている。

　2階はアフリカの動物や民俗に関するもの、また、アメリカ
人の目から見たアジア人のコーナーは興味深い。

　3階の見どころは霊長類 Primatesと、太平洋の人々
Pacific Peopleのセクションだ。霊長類は人間と同じ祖先を
もつ生物で、その種類は驚くほど多い。また、それぞれの霊長
類の骨組みの違いや進化の過程の展示がおもしろい。このセク
ションは子供に人気があるらしく、チンパンジーやテナガザル
の前では、いつでも小さな子が見入っている。

　アメリカ自然史博物館の**最大の呼び物である恐竜**の展示は4
階にある。恐竜に興味のある人は改めて訪れてみたいところだ。
今から約2億～7,000万年前、この地球を闊歩していた恐竜た
ち。この階では、はるかなる彼らの時代へ思いをはせてみよう。

4階の恐竜の展示

カタツムリの中で現代美術を鑑賞

グッゲンハイム美術館 ★ Guggenheim Museum

　セントラル・パークに面して建つグッゲンハイム美術館は、白いカタツムリの姿をした建造物。世界でも有数の現代美術の宝庫として知られ、ニューヨークの美術館のなかでも評判が高い。

　真っ白い、太いスパイラルが印象的な建築物の設計者は、フランク・ロイド・ライト。美術館の名前にもなったソロモン・R・グッゲンハイムの依頼を受けて設計し、ライトの死から6カ月後の1959年に建物は完成した。10階建てのタワーはシーゲルによって設計され、ライトのデザイン部分は尊重されたまま、展示スペースはぐ〜んと広くなった。天井までの吹き抜けのなか、曇りガラスを通して館内いっぱいに太陽の光が差し込み、自然の光のもとで来訪者は作品を鑑賞できる。

　所蔵品は6,000点に及ぶといわれているが、そのなかでもロシア出身の、抽象画の父ともいわれるカンディンスキーのコレクションは210点を超え世界最大。そのほか、ブランクーシ、カルダー、シャガール、クレー、ミロ、ピカソなど著名な芸術家をはじめとする19世紀末から1980年代のコンテンポラリー・アートにいたるまでの絵画、彫刻影像、写真など幅広いコレクションを所蔵している。

　まずは、正面玄関を入ってクロークに荷物を預けたら、左側奥のエレベーターでいちばん上まで昇ろう。あとは、らせんのスロープにそって作品を鑑賞していくといいだろう。

※

　ソーホーにある別館は、19世紀の建築の外観をそのまま活かし、内装は磯崎新によって設計されている。別館は特別展がメインとなっているが、本館のコレクションも、時おりこちらに展示される。特別展を除いた、コンテンポラリー・アートは2〜3カ月ごとに取り替えられ、行くたびに違う作品と遭遇できるのも特徴。

ニューヨーク派アーティストの作品が充実した

ホイットニー美術館 ★ Whitney Museum of American Art

　1910年代に起こったアメリカ美術の近代化運動のパトロンであり、自分自身も彫刻家であったガートルード・バンダビルト・ホイットニー女史の所有するコレクション6,000点が核となって設立された美術館。この美術館に展示、所蔵されている作品は、すべてアメリカ人アーティストの手によるもの。アメリカ美術がヨーロッパの模倣から独立し、独自の美術を築き上げた、20世紀になってからの作品がほとんどで、アメリカを代表するアーティストの逸品を数多く収蔵している。クーニング、ジャスパー・ジョーンズ、アンディ・ウォーホル、リキテンシュタインなど、とくにニューヨーク派アーティストの展示品が目立つのも特徴。現在の収蔵品は12,000点にものぼる。

グッゲンハイム美術館
本館
🏠1071 5th Ave. at 88th St.
☎ (212) 423-3500
HOME www.guggenheim.org
📅日〜水10：00〜18：00、
金土10：00〜20：00
休木、クリスマス、元日
🗺P.657　C-2
💰大人＄12、学生・シニア
＄7、12歳以下無料
共通入場券は2日間有効
で、大人＄16、学生・シニア＄10

ソーホー別館
🏠575 Broadway at Prince
St.
📅水〜土10：30〜19：00、
日10：00〜18：00
休月火、クリスマス、元日
🚇本館：地下鉄のライン4、
5、6で86th St.駅で下車し、
2ブロック北へ歩き、5番街
方向へ曲がるとある。バス
はM1、2で86丁目で下車
ソーホー別館：地下鉄ライン6でSpring St.駅で下車。
バスはM1、5でBroadway
& Prince St. 下車
🗺P.656　B-2

ホイットニー美術館
🏠945 Madison Ave. at
75th St.
☎ (212) 570-3676
📅火水金〜日11：00〜18：
00、木13：00〜20：00
休月、サンクスギビング、
クリスマス、元日
💰大人＄9、学生・シニア・子供＄7（木18：00〜
20：00は無料）
🚇地下鉄はライン6で77th
St. /Lexington Ave.駅下車、
バス＃M1、M2、M3、M4、
M30、M79で
🗺P.657　C-2

マジソン通りにある

★
ニューヨーク

中庭には噴水もある

フリック・コレクション
📧1 E. 70th St.
☎ (212) 288-0700
HOME www.Frick.org
🕐火～土10：00～18：00、
日13：00～18：00
🚫月、独立記念日、サンク
スギビング、クリスマス・
イブ、クリスマス、元日
💰大人＄7、学生・シニア
＄5　10歳未満入場禁止
🚌バスは＃M1、M2、M3、
M4のいずれかでEast 70th
St.下車。地下鉄はライン6
で68th St. /Hunter College
駅下車。5番街まで歩き、
2ブロック北に行く
🗺P.657　C-2

クーパー・ヒューイット
美術館
📧2 E. 91st St.
☎ (212) 849-8400
🕐火10：00～21：00、水
～土10：00～17：00、日
12：00～17：00
🚫月、祝日
💰大人＄5、学生＄3、12
歳以下無料（火17：00以
降は無料）
🚌地下鉄のライン4、5、6
の86th St. 駅あるいはバス
＃M1、M2、M3、M4の91
丁目付近で下車。グッゲン
ハイム美術館を北に2ブロ
ック
🗺P.657　D-2

家具調度品にも注目したい

フリック・コレクション ★ Frick Collection

　5番街の70丁目と71丁目の間、高級住宅街の中にあるこぢん
まりとした美術館。美術館といっても、もともとは名前の由来
にもなったヘンリー・クレイ・フリック氏の邸宅で、フリック
夫妻が収集した美術品が、夫妻の住んだ優雅な大邸宅の中に展
示されている。

　コレクションはおもにルネサンス期からロココ期を中心に
した絵画で、アメリカ人の画家による肖像画なども含まれてい
る。収蔵品は約130点。

　中庭には噴水と緑があり、とても落ち着いた雰囲気に包まれ
ている。フリック・コレクションでは収蔵品だけでなく、大邸
宅の家具、装飾、陶磁器、じゅうたんや、そのエレガントさな
ど、邸宅全体もぜひ堪能してほしい。

奇抜なデザインの作品がおもしろい

クーパー・ヒューイット美術館 ★ Cooper-Hewitt Museum

　ワシントンDCのスミソニアン協会のミュージアムの一つで、
もとは鉄鋼王アンドリュー・カーネギーの邸宅だったところ。
美術館のコレクションは人類3,000年分の歴史を包括する約30
万点の絵画、織物、家具、陶磁器、ガラス製品、木細工など。
この膨大なコレクションは、ある程度の期間にわたって少しず
つ公開されていく。モノのデザインを勉強している人には興味
をそそられる展示が多い。

Entertainment
エンターテインメント

　ニューヨークはエンターテインメントの宝庫だ。連日連夜、
昼夜を問わず数限りないエンターテインメントが至るところで
繰り広げられている。趣味、予算、時間、場所などがお好み次
第で選べるのも魅力。その量においても質においても、世界一
の娯楽芸術都市であるニューヨークでは、たっぷりエンターテ
インメントに浸りたい。また、ニューヨーク滞在を機会に、い
ままでで自分が知らなかったジャンルに挑戦してみるのもよいだ
ろう。いずれにしても、日本で体験するのとはだいぶ違った感
動が得られることは間違いない。

情報の集め方

　『ビレッジ・ヴォイスVillage Voice』『ニューヨーク・プ
レス New York Press』『ニューヨークNew York』『ニュー
ヨーカーNew Yorker』『ニューヨーク・タイムズNew York
Times日曜版』などのタウン誌、情報誌は、エンターテイン
メントの総合情報誌（紙）として非常に充実しており、便利だ。
これらは書店、駅前の売店、タワーレコードなどで手に入る。
ミュージカル、各種コンサート、ライブハウス、映画情報のほ
かに、人気のレストランの紹介なども掲載されている。

そのほか、『ウェアWhere』『シティガイドCity Guide』
は、観光客向けのものとして観光案内所、ホテルなどに置いて
ある。エンターテインメントに関しては、ショーの演目、劇場、
公演日、入場料金、上演時間などが掲載されている。

チケット入手方法
1.各劇場のボックス・オフィス
　いちばん確実な購入方法。取れる席、空いている日をていね
いにチェックしながら決められる。人気のショーでも、1週間
ぐらい先のチケットなら手に入ることが多い。手数料もかから
ないし、観光案内所などに置いてある割引券を使うこともできる
ので、お金の節約もできる。

2.半額チケット
①タイムズスクエア・シアターセンター（チケッツ TKTS）
　ブロードウェイ劇場街の中心、タイムズスクエアの**ダッフィ
ースクエア Duffy Square**にあり、大きな看板で有名。ブロー
ドウェイとオフ・ブロードウェイの残った当日券を半額で売っ
ているチケットオフィス。前日まで売れ残ったチケットなので、
当然ながら大ヒット中のものは買えない場合が多い。売り場前
のボードに当日売り出されるショーの名前が掲示される。いつ
も非常に混んでおり、2〜3時間並ぶこともある。時間があっ
てお金のない人向き。クレジットカード不可。
②ロウアー・マンハッタン・チケットセンター
　TKTSの支店。システム、内容はまったく同じ。ダッフィ
ースクエアよりも空いていて、あまり待たずにすむ。

3.チケットロン　Ticketron
　日本の「プレイガイド」「ぴあ」のチケットカウンターのよ
うなもので、ブロードウェイのショーのほか、スポーツ、イベ
ントやコンサートなど幅広く取り扱っている。
●タワーレコード内　**住**Broadway & E. 4th St.
●J&R ミュージック内　**住**33 Park Row, City Hallの向かい

4.電話による予約
　テレチャージ Telechargeや
チケットマスターTicketmaster
は「チケットぴあ」「チケットセ
ゾン」の電話予約システムのよう
なものだが、チケットは引き取り
にいったりせず、当日劇場のブー
スで開演30分前までに受け取る。
支払いは、予約時にクレジットカー
ドの番号を知らせることにより
済ませられる。クレジットカード
による購入のみなので、カードを
持っていない人は利用できない。
手数料がかかる。

チケッツTKTS

TKTS
住W. 47th St. & Broadway
手数料＄2.50要
発売時間：夜の部 月〜土
15：00〜20：00、日12：
00〜20：00
昼の部 水土10：00〜14：
00

**ロウアー・マンハッタ
ン・チケットセンター**
住Two World Trade Center,
Mezzanine（中2階）
発売時間：月〜金 11：00
〜17：30、土11：00〜
15：00

チケットロン
☎(212) 399-4444
　1枚につき＄1.50ほど手
数料がかかる。

電話による予約
●テレチャージ
☎(212) 239-6200
●チケットマスター
☎(212) 307-4100

ロングラン中のミュージカル（'99年冬現在）

作品名	劇場	上演日	料金	上演時間	電話
美女と野獣 Beauty & The Beast	Palace Theatre, 1564 Broadway at 47th St.	水〜土20：00、 水土14：00、 日13：00＆18：30	$22.50〜70	2時間40分	307-4100
キャッツ Cats	Winter Garden Theater, 1634 Broadway, at 50th St.	月〜水金土20：00、 水土14：00、 日15：00	$42.50〜70	2時間40分	239-6200
シカゴ Chicago	Shubert Theatre, 225 W. 44th St.	火〜土20：00、 水土14：00、 日14：00	$25〜75	2時間15分	239-6200
レ・ミゼラブル Les Miserables	Imperial Theater, 249 W. 45th St.	火〜土20：00、 水土14：00、 日15：00	$15〜70	3時間10分	239-6200
ミス・サイゴン Miss Saigon	Broadway Theater, 1681 Broadway at 53rd St.	月〜土20：00、 水土14：00	$15〜75	2時間45分	239-6200
オペラ座の怪人 The Phantom of the Opera	Majestic Theater, 247 W. 44th St.	月〜土20：00、 水土14：00	$15〜70	2時間30分	239-6200
レント Rent	Nederlander Theater, 208 W. 41st St.	火〜土20：00、 土14：00、 日14：00＆19：00	$30〜67.50	2時間45分	307-4100
タイタニック Titanic	Lunt-Fontanne Theatre, 205 W. 46th St.	火〜土20：00、 水土14：00、 日15：00	$45〜75	2時間35分	307-4100
ライオン・キング The Lion King	New Amsterdam Theatre, W. 42nd St.	水〜土20：00、 水土14：00、 日13：00＆18：30	$25〜80	2時間40分	307-4747
ブルーマン・グループ・チューブ Blue Man Group "TUBES" （オフ・ブロードウェイ）	Astor Place Theater, 434 Lafayette St. (bet. Astor Pl. and 4th St.)	火〜日　夜 日　　　昼	$35〜49	1時間40分	254-4370

※市外局番はすべて（212）

ワールドプレイガイド
☎ (03) 3284-2559
圏月〜土10：00〜18：30、
日祝日10：00〜17：30
予約・問い合わせ
☎ (03) 3573-6715（10：00
〜17：00）

日本でチケットを購入できる窓口
★ワールドプレイガイド

　有楽町にある日本航空のワールドプレイガイドでは、クラシック、ミュージカル、スポーツなどのチケットを予約、購入できる。手数料は1枚につき3,000〜5,000円がかかる。また、ここには〝ボイス〟などの情報誌も置いてあるので、情報を収集することも可能だ。

オフ・ブロードウェイ
のチケット
　入場料金はまちまちだが
$15〜30ぐらい。週末は
若干高くなる。
　チケットはブロードウェ
イ同様、TKTSやボック
ス・オフィスで購入する。
ほとんどのボックス・オフ
ィスは午後から開き、休演
日は閉まる。水曜マチネを
やる劇場は少ないが、その
代わりに日曜の夜の公演が
あったり、土曜の夜の公演
が2回あったりする。

オフ・ブロードウェイのすすめ

　オフ・ブロードウェイとは、ブロードウェイ劇場街にある大劇場に対し、立地条件が劣るグリニッチ・ビレッジなどにある中小劇場の舞台のことをいう。お金のかかった豪華な装置や人材をつぎこむブロードウェイと違って、低予算で無名の人たちによってつくられることが多い。また、ブロードウェイの型から抜け出す、新しい試みが多く取り入れられる。オフを足がかりにしてオン（ブロードウェイ）を目ざすのは、新人スターだけではなく、作品自体の場合もある。しかし、最近ではオフ・

ブロードウェイに対する評価は変わってきており、ブロードウェイ予備軍ではなく、一流の有名スターが好んでオフの舞台に立つこともしばしばある。いずれにしても、大劇場で遠くの舞台を見るのとは違って、観客と出演者が一体化する感さえあるオフ・ブロードウェイは迫力満点。好きな格好で気軽に行けるのも魅力だ。

オフ・ブロードウェイはビレッジ付近と42丁目の9番街から10番街の間に多い。

ニューヨークのクラシック芸術界は内外の優れた芸術家の参加、迎える立派な劇場とそれにふさわしい舞台がある。さらに自由な発想や独自の要素を加え、モダンとの融合にも成功している。

クラシック
Classic

情報の集め方

前記の情報誌のほかに、リンカーン・センターでの公演は、2カ月ごとにすべての劇場の公演予定を掲載したカレンダーが発行されており、観光案内所にも置いてある。

カーネギー・ホールでも、2カ月ごとのカレンダーが発行されている。チケットの買い方は前記参照。

メトロポリタン・オペラ ★ Metropolitan Opera

ニューヨークには、ミラノのスカラ座やウィーンの国立歌劇場と肩を並べるオペラの殿堂、メトロポリタン・オペラ・ハウスがある。通称メト（MET）とよばれるこのオペラ・ハウスでは、毎年世界の超一流歌手をそろえて公演を行っている。世界中のオペラファン憧れの的でもある。

ニューヨーク・シティ・オペラ ★ New York City Opera

ニューヨーク州立劇場を本拠地とするシティ・オペラの自慢は、入場料金の安さと出演歌手の99％がアメリカ人であること。さらに、言葉のわかりにくいヨーロッパのオペラを英語で上演したり、英訳をつけて、誰にでも理解してもらえるような工夫がされている。いまをときめくプラシド・ドミンゴのデビューはこのシティ・オペラだった。

メトロポリタン・オペラ
シーズン：9〜5月
ホームホール——メトロポリタン・オペラ・ハウス（リンカーン・センター内）
Metropolitan Opera House, 65th St.（Columbus Ave. & W. 62nd St.）
ボックスオフィスは9月より月〜土10：00〜20：00、日12：00〜18：00のオープン
☎(212) 362-6000（チケット）
🗺P.657 C-1

ニューヨーク・シティ・オペラ
シーズン：7〜11月
ホームホール——ニューヨーク州立劇場（リンカーン・センター内）New York State Theater, 20 Lincoln Center
☎(212) 870-5570（インフォメーション）、307-4100（チケット）
🗺P.657 C-1

★

ニューヨーク

オペラのすすめ

オペラは、まだ日本では一部の人たちの間でしか定着していないが、人や歌や動作、管弦楽、舞台装置、演出などが一体となって織りなす総合芸術である。どれひとつが劣っても、優れたものとはなりえないところに、難しさがある。

ニューヨークは、オペラの本場ではないが立派なオペラ・ハウスをもち、すばらしい公演を連日のように行っている。うらやましい限りである。言葉の問題もあり、とっつきにくいかもしれないが、日本だと¥30,000以上はするオペラが、立ち見なら$11、オーケストラの最高の席でも$135で見られるのだから、ぜひ一度オペラを見てほしい。

ニューヨーク・シティ・バレエ ★ New York City Ballet

　総監督を務めるリンカーン・カースティンが、ロシア出身の偉大な振付師ジョージ・バランシンの協力によって育てあげたバレエ団。

　アメリカン・シアター・バレエ（ABT）がダンサー中心なのに対し、シティ・バレエは振付師中心のバレエ団といわれ、レパートリーには古典は少なく、ほとんどがストーリーのないバレエである。ABTに比べ華やかさは少なく、装置もなく、衣装も黒のレオタードのみのことさえある。

ニューヨーク・フィルハーモニック ★ New York Philharmonic

　リンカーン・センターのエイブリー・フィッシャー・ホールを本拠地とする、世界でも名高いオーケストラのひとつ。ゲスト指揮者、ソリストの顔ぶれも超一流で、世界中から集まっている。

　定期会員の数が多いので、よいプログラムの公演はすぐ売り切れてしまう。

Spectator sports
観戦するスポーツ

ベースボール（MLB）
ニューヨーク・ヤンキース ★ New York Yankees
（アメリカン・リーグ東地区）

　メジャーリーグで、長きにわたって『名門』と呼ばれ続けているヤンキース。伝統もさることながら、その実力の高さからいつの時代も一目置かれてきた。また、ベーブ・ルースをはじめとして、このチームから誕生したスーパースターも数知れない。'96年には15年ぶりにワールドチャンピオンに輝き、'98年にも優勝してニューヨーカーを熱狂させた。

ニューヨーク・メッツ ★ New York Mets
（ナショナル・リーグ東地区）

　ヤンキースが歴史と伝統を看板にするのに対し、1962年に産声をあげたニューエイジ。創立当時は、次々に連敗記録を更新し、お荷物といわれていたが、'69年にはなんとワールドシリーズ制覇を成し遂げた。このメッツの優勝は"ミラクル・メッツ Miracle Mets"という言葉を誕生させたほど。その次のミラクルは、元巨人軍のジョンソン監督時代の'86年。現在、元ロッテ監督のバレンタインを中心に、3度めのミラクルは近い!!!

アメリカン・フットボール（NFL）
ニューヨーク・ジャイアンツ ★ New York Giants
（NFC東地区）
ニューヨーク・ジェッツ ★ New York Jets
（AFC東地区）

　肉弾がぶつかりあう迫力と、頭脳戦のスリルが味わえるアメリカン・フットボールは、典型的なアメリカ人好みのスポーツ

ニューヨーク・シティ・バレエ
シーズン：11月末～2月までと、5、6月の2シーズン
ホームホール——ニューヨーク州立劇場（リンカーン・センター内）New York State Theater, 20 Lincoln Center
☎(212) 870-5570
MAP P.657　C-1

ニューヨーク・フィルハーモニック
シーズン：9～5月末
ホームホール——エイブリー・フィッシャー・ホール（リンカーン・センター内）Avery Fisher Hall
☎(212) 875-5656（インフォメーション）、875-5030（ボックスオフィス）
$10～65程度

ニューヨーク・ヤンキース
本拠地——ヤンキー・スタジアムYankee Stadium, Bronx
☎(718) 293-6000（チケット）、293-4300
マンハッタンから地下鉄のライン4、CC、Dの3路線で161st St. River Ave.駅で下車すればヤンキー・スタジアムだ。ミッドタウンから約25～30分

ニューヨーク・メッツ
本拠地——シェイ・スタジアムShea Stadium, 123-01 Roosevelt Ave., Flushing
☎(718) 507-8499（チケット）、507-6387
地下鉄ライン7でFlushing行きに乗って25分。Willets Point (Shea Stadium)駅で下車。ラガーディア空港から車で5分の至近距離

ニューヨーク・ジャイアンツとニューヨーク・ジェッツ
本拠地——ジャイアンツ・スタジアム Giants Stadium, East Rutherford, NJ 07073
☎(201) 935-8222（ジャイアンツ・チケット）
☎(516) 560-8200（ジェッツ・チケット）
ジャイアンツ・スタジアムへは、タクシーかバスで行く。バスの場合、ポート・オーソリティ・バスターミナル(8th Ave.& 42nd St.)から往復約$9。試合日にはバスも増発されている

だ。シーズンは9月から12月で、1月にはプレーオフ、1月最終日曜日には優勝決定戦であるスーパーボウルが行われる。1週間に1試合だけと試合数が少ないので、チケットの入手は難しいのが実状。ニューヨークには、ジャイアンツとジェッツの2チームがあり、どちらも本拠地はニュージャージー州側のジャイアンツ・スタジアムだ。

バスケットボール（NBA）

ニューヨーク・ニックス ★ New York Knicks
（東・大西洋地区）

　日本でもすっかり人気の定着したバスケットボール。ファンを自称するならぜひ一度、本場の試合を観てほしい。とくに、ニューヨークの観客の熱狂ぶりやショーアップのものすごさに度胆を抜かれるはずだ。

　強豪ニックスも、名称ライリー・ヘッドコーチが去ってからというもの、地区優勝にもなかなか手が届かない。地区でなかほどの成績が続いているが、プレーオフ出場も多い。

ニューヨーク・ニックス
本拠地——マジソン・スクエア・ガーデン Madison Square Garden, W. 31st St. & 7th Ave.
☎ (212) 465-5867
📖本書 P.670の「マジソン・スクエア・ガーデン」を参照
🗺 P.656　B-1

アイスホッケー（NHL）

ニューヨーク・レンジャース ★ New York Rangers
（東・大西洋地区）

　闘将マーク・メシエ率いる伝統チームで、54年ぶりに'93～'94のスタンレーカップを制した。氷上の格闘技ともいわれるアイスホッケーは、実際に見ると想像以上に美しいスポーツだ。

ニューヨーク・レンジャース
本拠地——マジソン・スクエア・ガーデンMadison Square Garden, W. 31st St. & 7th Ave.
☎ (212) 465-6741
📖バスケットボール、ニックス参照

★
ニューヨーク

★ ★ ★ ナイトスポット ★ ★ ★
Night Spot

　ニューヨークにはたくさんのジャズのライブ・スポットがあって、有名なプレイヤーの演奏を、安い料金で聴くことができる。出演者、開演時間などのインフォメーションは、『ビレッジ・ヴォイス』を見るのがベスト。小さい店が多いので、事前に電話で予約しておいたほうがいい。深夜のセッションなどは、終演後ホテルに帰る足について考えておくこと。バスや地下鉄も走っているが、こんなときこそタクシーの利用価値がある。

　ライブを楽しむものなら店よりも出演者中心に考えるべきだ。とにかく『ビレッジ・ヴォイス』などをよく読んで決めるといい。どのクラブに行くかを決めたら、必ず住所と電話番号と出演者をメモしよう。もし目当てのクラブが満員だったときには、とっさに近くのクラブへ行くなどアドリブがきく。

　フラッ…と立ち寄って入店できるとい

う店は、あまり出演者もよくない場合が多いから、出演者をよく見て予約したほうがよい。とくに週末に有名グループを聴きに行くときなどは絶対に予約は必要だ。

ブルーノート

名門ジャズクラブ
Sweet Basil
🏠88 7th Ave. S. ☎ (212) 242-1785
ライブ21：00、23：00、1：00
🕐毎日12：00〜2：00 🈳無休

　現在、ニューヨークで最も注目されているジャズクラブで、ビレッジ・バンガードに次ぐ第2の名門クラブである。この店のプログラムは常にアグレッシブで、ジャズに対する姿勢に好感がもてる。メイン・ストリームばかりでなく、アバンギャルドなジャズにも積極的だ。

　なんといってもこの店のマンデー・ナイトのギル・エバンス・オーケストラは有名で、かなり長い間続いているが、一向に人気は落ちず毎回満員である。生前はアート・ブレイキーなども頻繁に出演していた。とにかくここは電話予約したほうが無難。

ビレッジ・バンガードの夜
Village Vanguard
🏠178 7th Ave. at 11th St.
☎ (212) 255-4037
ライブ毎日21：30、23：30（金土深夜1：00あり）　🕐ミニマムチャージ＄10

　1933年開店、名門ジャズクラブのなかでもとびきりの老舗。

　オープン以来半世紀以上になるが、ジャズの歴史においてこの店が果たしてきた役割は大きい。ビル・エバンス、ジョン・コルトレーン、ソニー・ロリンズらの、この店のライブ録音は、今でもジャズの名盤となっており、ビレッジ周辺がジャズのメッカとなる先駆者の役割を果たした。いまでも素晴しいモダン・ジャズを低料金で聴かせてくれる。

　老舗の貫禄か、この店はジャズメンたちに対して寛容であるため、彼らも気軽に遊びにきてはキッチンでたむろしたり、他人

の演奏をチェックしている。有名なジャズメンに会えるチャンスあり！

日本でもおなじみのジャズクラブ
Blue Note デビッド・サンボーン
🏠131 W. 3rd St. at 6th Ave.
☎ (212) 475-8592
🕐17：00〜1：00　🕐バー：＄20＋1ドリンク、テーブル席＄30up＋ミニマム＄5

　名門ジャズクラブのひとつ。『ヴォイス』の広告を見るたびに、ため息の出るような大物ミュージシャンが毎週出演している。通常クラブには出演しないハービー・ハンコックやウィントン・マルサリスなども、ここには出演することもある。また、大物2人によるダブル・ビルのステージなどのプログラムもある。予約をしたほうが無難。

　ここは若手ミュージシャンたちのアフター・アワーズのセッションが日曜を除く毎日あり、通常の演奏の終了後から4：00ごろまで。ミニマム＄5だけでOK。ジャズメッセンジャーズ的ハードバップの演奏が多い。

どちらかというとジャズよりロック
The Bottom Line
🏠15 W. 4th St. ☎ (212) 228-6300
ライブ19：30、22：30
🕐テーブルチャージはなく、＄15〜25前後の入場料と飲み物代だけでよい

　ステージがあって収容人員も250人ぐらいなので、大物ジャズ・ミュージシャンが出演することもある。渡辺貞夫もこの店には何回か出演している。

　全席がステージに向かっているので音楽を聴くには申し分ない。

　クラブというより飲み物付きのコンサート・ホールという雰囲気だ。

大満足の演奏
Iridium
🏠48 W. 63rd St.（Empire Hotel 1階）
☎ (212) 363-7568
ライブ21：00〜22：30（要予約）、金土2：00〜のセッションあり

　リンカーン・センター・ジャズ部門設立に呼応してできたジャズクラブ。ウィントン・ブランフォードのマルサリス兄弟ほか、若手からベテランのジャズマンまで、充実のスケジュールはジャズファン必見。

（'99）

イキのいい音楽を楽しみたいなら
Kenny's Castaways
🏠157 Bleecker St. at Thompson
☎(212)979-9762
🕐毎日12:00〜4:00(翌日)　🎫無料

　新進のロックグループやソウルフルな歌を聴かせるミュージシャンが毎晩プレイしている。イキのいい音楽が好きな人なら、満足してもらえると思う(ボクが行った夜は、ゴードン・エドワーズが出てた)。入場料はなく、中でドリンクを注文すればOK。店の雰囲気もオールドファッションで、アンティークなレジスターを使っていたりしてなかなかの感じ。テーブルもあるけど、カウンターに席をとり、おしゃべりしながら音楽を楽しむ。今夜は最高！　なお、店ではKenny's Castawaysとネームの入ったTシャツを売っている。

(高瀬俊之)('99)

ボリスやトーキング・ヘッズを育てた店
CBGB
🏠315 Bowery St. at Bleecker St.
☎(212)982-4052
🕐月〜木19:00〜3:00、金土20:00〜4:00、日15:00〜20:00　🎫$5〜10

　カントリー・ブルーグラス&ブルースという名のライブハウスから始まったこの店の歴史は古くて、かれこれ30年。ヒッピーくずれのオーナー"ヒーリー"もすっかりおじさんの年齢だ。しかし、ボリスやトーキング・ヘッズなどのグレートミュージシャンを育てたこの店の風格には、ゆるぎないものがある。もちろん音質も最高。日曜日のハードコア・マチネにはパンクの若者がぞろぞろと集まる。それにこの付近は、昔ほど危険ではないのがうれしい。ショータイムは20:00から5回のステージ。日曜の昼のみ14:00のマチネがある。

100%本物のリズム&ブルースが聴ける
Tramps
🏠51 W. 21st St.(5〜6th Aves.)
☎(212)727-7788
🕐毎日18:00〜3:00　ライブは日によってちがう　🎫$10〜

　突き刺すように熱くするどく、しかも温かく太いおたけびは、頭の先からつま先まで100%本物のリズム&ブルース。ジョニー・コープランドなどの迫力のあるアメリカンミュージックに浸るには、ニューヨークではここがいちばんだ。

その名のとおり、女神の壁画が目印のディスコ
Palladium
🏠126 E. 14th St.(2nd〜3rd Aves.)
☎(212)473-7171
🕐金22:00〜5:00、土23:00〜12:00　🎫$20

　超巨大、超有名なディスコで1985年にオープンした。1926年に建てられたオペラハウスを改造したもので、設計は日本の建築家磯崎新、美術はアンディ・ウォーホルによる。P.ILやアート・オブ・ノイズなどの有名なミュージシャンも演奏をする。ダンスフロアから少し離れたところには、マイケル・トッド・ルームというラウンジがあり、ときどきビックリするほど有名な人に出会うことがある。14丁目の2番地と3番街の間。

★　★　★　ショッピング　★　★　★
Shopping

編集室より：42丁目や5番街周辺のディスカウント店には"いかさま"商法の店もあり、編集室に"だまされた！　ひっかかってしまった"との投稿がしばしば送られてきます。カメラや電気製品など高価なものを買うときは、必ず信用のおける店で買うようにしましょう。とくにクレジットカードを使うときは要注意。金額を確かめたうえでサインをすること。少額のものを買うときも、額の大きいT/Cやキャッシュは出さないようにしたほうが賢明です。

サックス・フィフス・アベニュー

70年の歴史と伝統に培われた気品とモダン
Saks Fifth Avenue

🏠611 5th Ave.（49～50th Sts.）
☎ (212) 753-4000
🕐毎日10：00～18：00（木～20：00）
Ⓐ Ⓙ Ⓜ Ⓥ　　　　　🗺P.666　B-2

1924年の開店以来、豪華なインテリアと上流階級を対象とした高級ファッション・デパート。最近になって何度か店内を改装し、若い人でも気軽に入れるデパートに変身した。

品揃えの豊富なことにかけては5番街のデパートの中でも群を抜いている。3階婦人服売り場奥の女性用レストルームは、広くて清潔でショッピング途中に利用しやすい。

世界のトップデザイナーのブランドが勢揃い
Bergdorf Goodman

🏠745 5th Ave.（57～58th Sts.）
☎ (212) 753-7300
🕐月～水10：00～19：00、木10：00～20：00、金土10：00～18：00

🚫日　Ⓐ Ⓙ Ⓜ Ⓥ　　　🗺P.668　B-3

5番街ではサックスと同様に伝統あるデパートで、1901年に開店しニューヨークの上流階級の人々に愛されてきた。格調あるシックな外観、店内は天井が高く落ち着いた内装でまとめられている。5、6階にはバーグドーフ・グッドマンならではのオリジナル・ブランド、ミス・バーグドーフⅡがある。また、フェンディの毛皮はこの店と提携しており、大胆なカッティングと優れた縫製技術で多くのファンを魅了している。

日本のデパートが5番街に！
Takashimaya

🏠693 5th Ave.（54th～55th Sts.）
☎ (212) 350-0100
🕐月～土10：00～18：00（木～20：00）、
日12：00～18：00　Ⓐ Ⓙ Ⓜ Ⓥ　🗺P.668 B-4

日本の老舗、高島屋も5番街にユニークなデパートを持っている。東西文化の融合をテーマに、ギャラリーやイベントスペースを設けた20階建てのビルとなった。3～4階を現地向け、5階をツーリスト向けにと商品構成にもひと工夫している。

★読★者★投★稿★

カモにされて損したお金を取り返す方法

49 St. Photoというカメラ＆電気店で騙された。$120だというカミソリを$99に負けさせて購入したが、実は定価$40だったのだ（定価すら知らない私も悪かった）。すぐ電話で抗議したが交渉は難航。そこで別の手段をとることにした。購入した品は海賊品ではなくアメリカの会社の正規販売品だったので、返品システムがある。パッケージに入っているCancel Slip/Refund Slipに記入して製品と共に送り返せば、返金されるのだ。私の場合「不当に高い値段で押し売りされた商品で、梱包を解いてみたら欲しい品と違っていて満足できない」と理由を書いた。定価の$40だけでも回収できればいいと思っていたが、全額取り戻すことができ、溜飲が下がった。

返品する際の注意
①返品期間は7～10日。返送料は会社持ちのことが多く、郵便局に持ち込むだけでいいので、なるべくアメリカにいる間に済ませたい。しかし、自分が日本からの旅行者であってすぐに返送できなかったなど、事情説明の手紙を添付すれば考慮される。②レシート、カードの控えを紛失しないこと。③送付するレシートやRefund Slipなどはコピーをとっておく。④返金された小切手はアメリカの銀行で換金できるが、日本ではできない。次回の旅行までT/Cのようにとっておくとよい。

（坂上美奈子　杉並区）

今度はこんな手口！

タイムズスクエアあたりの電気屋の新しい手口を紹介しよう。店頭の回転ラックに絵葉書が「6 for $1」と書いてあったが、支払うときになって「6バックス（$6のこと）だ」などと言われた。英語で抗議したら態度を変えたが、日本人観光客をバカにした行為だ。負けないように！　（辻 英明　ケンタッキー在住　'98春）

5番街の高級デパート
Henri Bendel

🏠712 5th Ave. (55th～56th Sts.)
☎ (212) 247-1100
🕐月～土10：00～18：30（木～20：00）、
日12：00～18：00　Ａ　Ｊ　Ｍ　Ｖ　🗺P.668 B-4

　1910年、帽子屋としてスタートしたヘンリー・ベンデルは高級デパートとして高い人気を誇っている。いかにも老舗らしいクラシックな外観に、新進デザイナーの個性的な帽子や服を凝ったディスプレイで見せてくれる。これまでの高級感にオリジナリティーを兼ね備え、一層、注目を集めそうなデパートだ。

ヘンリー・ベンデルの外観

✓アメリカン・トラッドの老舗
Brooks Brothers

🏠346 Madison Ave.　☎ (212) 682-8800
🕐月～土9：00～19：00（木～20：00）
Ａ　Ｄ　Ｊ　Ｍ　Ｖ　🗺P.666 B-3

　フレッド・アステア、ゲーリー・クーパー、古くはリンカーン大統領が顧客だったブランド。素材と仕立ての良さは折り紙付き。ボタンダウンのシャツは、オックスフォードがおすすめ。　　　　　　（'99）

美しい外観とすぐれた品質
Tiffany & Co.

🏠727 5th Ave. (at 57th St.)
☎ (212) 755-8000
🕐月～金10：00～18：00（木～19：00）
🈺土日祝日　Ａ　Ｄ　Ｊ　Ｍ　Ｖ　🗺P.668 B-3

　オードリー・ヘプバーンの映画『ティファニーで朝食を』で知られる世界的に有名な宝石・貴金属店。1階はペレッティやカミングスといった宝石デザイナーのコレクションをはじめ、高価なものから、手軽に買える金・銀のアクセサリーまでそろっている。上階にはクリスタル製品、時計、高級文具がある。1837年に創業し、約160年の伝統を誇る高級店だが、トランプ、レターセットなど手ごろなものも売っているし、店員たちの応対が気さくで、思いのほか気軽に入れる雰囲気がうれしい。

銀幕の世界ハリウッドがニューヨークに
Warner Bros. Studio Store

🏠1 E. 57th St.　☎ (212) 754-0300
🕐月～土10：00～19：00、日11：00～
18：00　Ａ　Ｊ　Ｍ　Ｖ　🗺P.668 B-3

　スーパーマン、バットマン、キャットウーマン、バックス・バニー、タフィー・ダック、ポーキー・ビッグ、シルベスター、スイーティ…などなど、おなじみのワーナーのキャラクターが勢ぞろい。＄1.50のピンにはじまり、食器、文房具、アクセサリー、時計、オモチャ、帽子、Tシャツ、ゴルフ用品とオリジナル商品がギッシリ。値段も手ごろなので、おみやげにたくさん買いたい雰囲気。また、ギャラリーでは1万ドル以上もするディズニー・アートワークも販売しており、たとえ買わなくても一見の価値はありそうだ。

　場所は5番街と57丁目の北東角。3階建て、ガラス張りのビル。

フランスの気品ただよう
Chanel

🏠5 E. 57th St. (5th～Madison Aves.)
☎ (212) 355-5050　🗺P.668 B-3
🕐月～金10：00～18：00（木～19：00）、
土10：00～18：00　Ａ　Ｄ　Ｊ　Ｍ　Ｖ

　5番街をちょっと東に入った57丁目にあるご存じシャネルは、5番街の中でもひときわゴージャス。品質の良さを見れば、一次的なブームではなく、不変のブランドだと納得だ。

コーチのビジネスライン勢揃い
Coach for Business

🏠342 Madison Ave.　☎ (212) 599-4777
🕐月～土10：00～20：30、日11：00～
17：00　Ａ　Ｊ　Ｍ　Ｖ　🗺P.666 B-4

　ビジネスシーンで活躍のラインナップを満たしているこのお店。バッグはもとより、小物からいままでに見られなかったメンズ用品までがそろっている。

若い女の子でいつも満員のチョコレート店
Godiva

🏠701 5th Ave.　☎ (212) 593-2845

📅月〜土９：００〜２０：００、日11：００〜
18：00　ＡＭＶ　　　　　🗺P.668　B-4

　とびっきりおいしいチョコレート専門店
として有名。場所は54丁目と55丁目の角で、
店内狭しとベルギーチョコレートが並べら
れている。金色の化粧箱に包まれた２個詰
めのチョコレートはおみやげにもピッタ
リ！　ウインドーケースや壁に飾られてい
るギフト・チョコはまるで宝石のようだ。

　　　　　　　（石川深雪　世田谷区）('99)

✓ ## とろけるようなおいしさのチョコレート
5th Avenue Chocolatietre

🏠510 Madison Ave.　☎ (212) 935-5454

📅月〜金９：００〜18：30、土９：30〜
18：00、日11：00〜17：00　🈳祝日
ＡＭＶ　　　　　🗺P.666　B-1

　知人に教えてもらったのだが、店がとて
も小さくて、探すのにひと苦労だった。サ
ンプルを一口もらったのだが、まさにとろ
けるおいしさ。チョコはココアパウダーで
覆われ、冷蔵庫で６カ月保存可能。もし、
溶けてしまっても捨てずに、冷蔵庫に入れ
ておけば大丈夫。14個入で＄19。52丁目と53
丁目の間にあるので見落とさないように。

　　　　（チヨ・カサキ　オハイオ州在住）('99)

美術・建築などの美しい本がいっぱい
Rizzoli

🏠454 W. Broadway (Prince〜Houston
Sts.)　☎ (212) 674-1616

📅月〜土10：00〜21：00、日12：00〜
19：00

　5番街＆6番街の57丁目にあるこの店は、
映画『恋におちて』でロバート・デ・ニー
ロとメリル・ストリープが出会い、再会す
るシーンに出てくるあの書店だ。ドラマチ
ックな映画の舞台にふさわしく、美術、建
築、写真などの美しい豪華本を中心に、そ
れらの専門書がそろっている。ほかには、
ヨーロッパの本、雑誌、新聞などがある。

5番街の中心にある書店
Barnes & Noble

🏠600 5th Ave. at 48th St.

☎ (212) 765-0590

📅月水〜金9：45〜18：45、火9：45〜
20：00、土9：45〜18：00、日12：00
〜18：00　　　　　🗺P.666　B-2

　ミッドタウンのど真ん中にある。ほとん
どのハードカバー本が15〜40％引き、ペー
パーバックが10〜25％引き、ニューヨーク
タイムズのハードカバーのベストセラーが
33.5％引きで手に入る。CDやテープも割
引きで売っている。

庶民的な大型ショッピングモール
Manhattan Mall

🏠6th Ave. at 33rd St.　☎ (212) 465-
0500

📅月〜土10：00〜20：00、日11：00〜
18：00

　数年前までマンハッタンには、どこの町
でもあるショッピングモールがなかった
が、やっと出現した。ペンシルバニア駅の
すぐそばなので、鉄道旅行者にも便利。派
手なガラス張りの地下２階、地上７階のビ
ルで、7階にはフードコートもある。（'99)

"安い"を追求するなら
Conway

🏠1333 Broadway (35〜36th Sts.)

☎ (212) 967-3460

📅毎日8：00〜20：00　ＡＭＶ

　商品によってはK-Mart（郊外型のディス
カウントショップ）より安く、メイシーズ
で買う半分の値段で買えるものもある。メ
イシーズの近くに全部で6店鋪ある。('99)

日本人スタッフもいる最新コスメのお店
Concord Chemist

🏠425 Madison Ave. at 49th St.

☎ (212) 486-9543、ＦＡＸ (212) 838-8938
ＡＶ

　日本人女性のメイキャッパーがおり、日
本語が通じる。ニューヨークの最新コスメ
も置いてあり、現金なら10％オフにしてく
れる。　　　（室橋祐子　北区　'98春）

ダウンタウン

チェルシー地区のブームはこのお店から
Emporio Armani

🏠110 5th Ave. at 16th St.

☎ (212) 727-3240

🕐月〜土11：00〜19：00（木〜19：00）、日13：00〜18：00　Ａ ＪＭＶ

今やトレンドの中心となってしまったこのエリアの再開発は、1989年エンポリオ・アルマーニが"劇場のようなお店"をオープンさせたことに始まる。

高い天井と広いスペースで洋服を見ていると、買わなくても優雅な気分になってしまう。

人気のニューヨーク・ブランドの靴
Kenneth Cole

🏠95 5th Ave. at 17th St.

☎ (212) 675-2550

🕐月〜土11：00〜20：00、日12：00〜19：00　Ａ ＪＭＶ

オシャレなニューヨーク・ブランドの靴として、その人気を定着させたケネス・コールの2号店。チェルシーとコロンバス・アベニューにも支店がある。バッグやベルトなどの皮革製品も置いている。靴のほとんどはしっかりしたイタリア製で、価格は＄100ぐらいからある。

ジャズの貴重盤は絶対買いたい
Jazz Record Center

🏠236 W. 26th St., #804　☎ (212) 675-4480

🕐火〜土10：00〜18：00　ＡＭＶ

ジャズの廃盤レコードと刊行物に関するコレクションの店。店内には1万枚くらいのレコードがきっちりと並んでいる。場所は雑居ビルの8階、エレベーターを降りて右手。　　　　　　　　　　　　（'99）

紅茶とコーヒーの専門店
McNulty's

🏠109 Christopher St.　☎ (212) 242-5351

🕐月〜土10：30〜21：00、日13：00〜19：00

1895年に創業した紅茶とコーヒー豆の専門店。店内のインテリアは植民地時代風でとてもシックだ。袋入りのオリジナルブレンド紅茶は約＄1。ピーナッツチョコとコーヒーチョコが右手カウンターの上のビンに詰めてあるが、こちらも量り売り。＄1分ずつ2種類買えば、食べ歩きするにはピッタリ。コーヒーチョコはコーヒー豆の香りがしてとても美味。お茶はかわいい缶入りや箱入りもある。

高校生から20代後半に人気
Urban Outfitters

🏠628 Broadway　☎ (212) 475-0009

🕐月〜土10：00〜22：00、日12：00〜20：00　ＡＭＶ

1階がレディース、地下がメンズのブティックである。高校生から20代後半という客層を見てもわかるように、若者向けの服が中心。流行はこの店の服を見るとわかるぐらい最先端の品ぞろえ。渋谷、原宿系なら寄ってみるべし。

古着の品数の多さならここ
The Antique Boutique

🏠712 Broadway　☎ (212) 460-8830

🕐日〜木11：00〜21：00、金土10：00〜22：00　Ａ ＤＪＭＶ

とにかく在庫が多くて安い！　シャツ＄10〜、スラックス＄24〜、コート＄30〜など。ブロードウェイの8丁目から6丁目にかけて居並ぶブティックのなかで、いちばん品数が多い店だ。ブロードウェイ沿い、ウェイバリー・プレイスとワシントン・プレイスの間。

アーミーっぽい服もある
Cheap Jack's

🏠841 Broadway

☎ (212) 777-9564、995-0403

🕐月〜土11：00〜20：00、日12：00〜19：00　Ａ ＤＪＭＶ

シャツ＄5〜、ジャケット＄10〜、革ジャン＄60〜、カシミヤコート＄100〜、ワンピース＄25〜。古着屋では人気の高い有名な店。店内は3つのフロアがあり、女性のものも多い。一度は足を運びたい店だ。場所はブロードウェイと14丁目の角から少し南。

ニューヨーク

有名アーティスト御用達の古着屋
Screaming Mimi's
🏠 E. 4th St. bet. Lafayette & Bowery St.
☎ (212) 677-6464
🕐 月～金11：00～20：00、土12：00～20：00、日12：00～18：00　Ⓐ Ⓜ Ⓥ

　代官山にも支店がある古着専門ショップ。有名ミュージシャンや俳優もよく来るとか。もちろんプライスは、東京よりもずっと格安。

奇才トッド・オールダムのポップな世界
Todd Oldham Store
🏠 123 Wooster St.　☎ (212) 219-3531
🕐 月～土11：00～19：00、日12：00～18：00　Ⓐ Ⓜ Ⓥ

　ニューヨーク・ファッション界の新星トッド・オールダムのお店。ポップな水玉のプリントやキッチュな色使いの服があり、ダイアナ・ロスやスーザン・サランドン、そしてスーパーモデルたちに支持されている。

　アイテムは洋服、バッグ、アクセサリー、彼の大好きなイヌの雑貨まで、周囲が盛り上がるなか、本人は至って冷静に自分の世界を作りあげていく。運がよければこのソーホーショップで、ちょっとシャイなトッドに会えるかもしれない。

写真関係専門の本屋さん
A Photographers Place
🏠 133 Mercer St.（Prince～Spring Sts.）
☎ (212) 431-9358
🕐 月～土11：00～20：00、日12：00～18：00　Ⓐ Ⓜ Ⓥ

　様々な写真集がたくさん。ほかにクラシックカメラやアーティスティックなカードもあり、いかにもソーホーという感じの店。

　私は＄8.95で'30年代のニューヨークの写真集を買った。支払いの後、その本といっしょにカタログを袋に入れてくれるが、このカタログから気に入ったものを注文することもできる。　（山口幸一　熊本市）（'99）

広い店内、探せば出てくる掘り出し物
Canal Jean
🏠 504 Broadway　☎ (212) 226-1130
🕐 日～木10：30～20：00、金10：30～21：00、土10：00～21：00　Ⓐ Ⓓ Ⓙ Ⓜ Ⓥ

　ジャケット＄12～、シャツ＄14～。探せば結構掘り出し物がある。店内はとても広く、いろいろな品物があっておもしろい。対象はティーンエイジャーより少し上の層。ブロードウェイ沿い、スプリング通りとブルーム通りの中間にある。

★ フリーマーケットをのぞいてみよう

　旅行の楽しみのひとつがショッピングという人も多いだろう。アメリカはチェーン店が多いので、全米どこでも同じ品物が買えるというのが実状だ。自分だけの特別なおみやげを見つけるためにも、フリーマーケットに寄ってみよう。世界一エキサイティングな町は、掘り出し物の多い町でもある。したがって、フリーマーケットもよく行われる。ニューヨークで定期的に行われるフリーマーケットは以下の通り。

★Annex (6th Ave. & 24th～26th Sts.)
🕐 毎土日9：00～17：00（24th～25th Sts.は19：00まで）
💰 ＄1

　マンハッタン最大のアンティークのフリーマーケット。家具調度品、銀製品の数がずば抜けている。

★Columbus Ave. & 77th St.
🕐 毎日曜

　アンティークのアクセサリーが多い。野菜や果物、手作りの食品なども売られている。

★Broadway, Great Jones & 4th St.
🕐 毎土日9：00～19：00（冬は18：00くらいまで）

　古着というより、最新流行の服や小物が多い。飲み物や軽食のスタンドが出て、多くの人でごった返している。スリに注意！

★Broadway, Broome & Springs Sts.
🕐 毎土日10：00～19：00（冬は18：00くらい）
　全般的なものがいろいろ。

★Broadway & Grand St.
🕐 毎土日10：00～19：00（冬は18：00くらい）
　家具調度品が比較的安い。

★Wooster & Springs Sts.
🕐 毎日11：30～19：00
　ニューブランド、工芸品、アクセサリーなど。

★Greenwich Ave., 6th & 7th Aves.
🕐 毎土11：00～19：00（冬は17：00くらい）
　小物類に掘り出し物が多く、安く手に入る。

★W. Broadway & Broome St.
🕐 毎土日11：30～19：00
　SOHO名物のTシャツが有名。

プラダのセンスを若々しく
Miu Miu
📍100 Prince St. (Greene～Mercer Sts.)
☎ (212) 334-5146
🕐月～土11：00～19：00、日12：00～
18：00　AJMV

プラダのセンスをもっと気軽にカジュアルに着こなすなら、ミュウミュウがおすすめだ。毎シーズンごとの新作が発表されると、スーパーモデルや日本の芸能人たちもすぐに取り入れるとか。　　　　　　（'99）

ブリキのおもちゃを探すなら
Second Childhood
📍283 Bleecker St.　☎ (212) 989-6140
🕐月～土11：00～17：30、日11：00～
17：00　AMV

アンティークなブリキのおもちゃの専門店。なんと1880年代のものまである。店内は斬新なディスプレイとレトロのおもちゃがミスマッチしておもしろい。　　　（'99）

コレクター向けのレコードショップ
Bleecker Bob's
📍118 W. 3rd St. (MacDougal～6th Ave.)
☎ (212) 475-9677
🕐毎日12：00～1：00 (深夜)　AMV

ロック系のレコードショップ。レアなものを多く扱っているので、掘り出し物の出る可能性は高い。プレスリーのベスト盤（初版）が＄550、Tシャツやアクセサリーも豊富で、Tシャツ類が＄15前後。　（'99）

バスタイムが楽しくなる
Bath & Body Works
📍693 Broadway at 4th St.
☎ (212) 979-2526

アメリカ版ボディショップといった品揃えの店。バスオイル、バスソルト、ボディ・ブラシ、アロマテラピー・キャンドルなど、かわいらしいグッズが並び、選ぶのに迷ってしまう。まとめて買うとディスカウントされるものは、おみやげにもいい。　　　　　　　　　　　　　　　　（'99）

環境保護に徹した植物性コスメティック
Aveda
📍233 Spring St.　☎ (212) 807-1492
🕐月～金10：00～19：00（土～18：00）、
日12：00～18：00　ADJMV

合成添加物を一切使用しない植物性化粧品の店。料金は比較的リーズナブルで、口紅＄14、ファンデーション＄20など。敏感肌用化粧品や無農薬有機栽培の紅茶、エッセンシャルオイルもある。　　　　（'99）

アンソロポロジー

あふれんばかりのデニムのコーナーは必見
What Comes Around Goes Around
📍351 W. Broadway (Grand～Broome Sts.)
☎ (212) 343-9303
🕐毎日11：00～20：00　AJMV

きちんと見やすくディスプレイされている店内には、ビクトリア調のドレスや60'sや70'sのビンテージものがいっぱい。また、ここのデニムコレクションは種類も数も豊富なので要チェック。　　　　　　（'99）

自然派が女性の気持ちをぐっとキャッチ
Anthropologie
📍375 W. Broadway (Broome～Spring Sts.)
☎ (212) 343-7070
🕐毎日11：00～20：00　AMV

自然派志向のセレクト・デパート。衣類、インテリア小物、バス用品など豊富な品揃えだ。個性的だが、それほど奇抜なデザインや値段のはるものはあまりない。ちょっとしたギフトとして手ごろ。　　　（'99）

クリスタルパワーを身につけてみては?
Keiko's Azina Crystal Jewelry
📍103 Sullivan St. (Spring～Prince Sts.)
☎ (212) 219-9148
🕐火～日11：00～20：00（冬期は19：00まで）　休月

クリスタルは、その持ち主に呼応してエネルギーを増幅させる力があるという。お店は7色に輝くクリスタルを楽しくデザインしたアクセサリーでいっぱいだ。ファッション用だけでなく、ヒーリング用として求める人も多いとか。ほかにもTシャツ、トレーナー、カード、エンジェル・グッズなども売られている。

本当は秘密にしたい激安ショップ
Century 21

🏠22 Cortland St.（Broadway～Church St.）
☎ (212) 227-9092
🕐月～水7：45～19：30、木7：45～
20：30、金7：45～20：00、土10：00
～19：30 　休日　ＡＤＭＶ

　ワールド・トレード・センター近くのディ
スカウントストア。有名メーカーの化粧
品、衣類、バッグ、靴、家庭用品などすべ
て激安。場所柄、ビジネスマンやビジネス
ウーマンの姿が多い。ラルフ・ローレンの
メンズシャツ＄19～21.50、ヘインズ子供Ｔ
シャツ＄3.25、レブロンのマニキュア＄
1.50など雑貨類からブランド製品まで……。
回転が早いので週に一度はチェックしたい
大穴場だ。　　（小泉万里子　板橋区）（'99）

マリン・グッズが豊富
Captain Hooks

🏠South Street Seaport, 10 Fulton St.
☎ (212) 344-2262
🕐毎日11：30～17：30　ＡＭＶ

　この店は、シーポートが再開発される前
からある、港町特有のマリン・ショップ。
一歩店内に入ると海の小物がぎっしり。貝
殻細工や模型船、サメの骨、水夫の人形か
ら、高価なアンティークまで、世界中のマ
リン・グッズが一堂に集まったようだ。

人気のデパート、バーニーズ
Barneys New York

🏠660 Madison Ave. at 61st St.
☎ (212) 826-8900　　　🗺P.668　B-2
🕐月～土10：00～20：00（土～19：00）、
日12：00～18：00　ＡＪＭＶ

　8階建ての店内は、各階ともゆったりと
したスペースで買い物ができ、もちろん商
品のクオリティは抜群。そのなかでおすす
めは、男性フロアの1階。カラフルなシャ
ツやネクタイが天井までディスプレイされ
ていたり、2階フロアすべてアルマーニと
いう斬新さ。ほかに、スポーツジム、レス
トラン、自社ブランドの子供服売り場など
もある。日本人スタッフも多いので、英語
が苦手な人も安心して買い物ができる。

イメージ・メーカーとしてのデパート
Bloomingdale's

🏠1000 3rd Ave. at 59th St.
☎ (212) 705-2000、705-2098（日本語サ
ービスあり）
🕐月～金10：00～20：30（土～20：00）、
日11：00～19：00　ＡＭＶ　🗺P.669　C, D-2

　1872年に、3番街に"グレート・イースト
サイド・バザール"という名で誕生したデ
パート。当時は場所も悪く二流のデパート
だったが、いまは最もファッショナブルな
店のひとつに変身している。店内の斬新な
ディスプレイ、大胆な広告、デザイン性の
高いショッピング・バッグなど、あらゆる
ところで時代の先端をゆくファッションを
人々に提供している。

ブランド商品が格安で買える！
郊外のアウトレット・モールへのバス・ツアー

★Woodbury Common Factory Outlets
🏠Route 32, Central Valley, NY
☎ (914) 928-7467
🕐月～土10：00～20：00、日11：00～
19：00

　最近日本でも耳にするようになったファクト
リー・アウトレットとは、大量生産が中心のア
メリカで余剰品や規格はずれの商品を、工場が
直接、特価で売り出すシステムのこと。そんな
工場直営店ばかり約220軒が集まったマーケッ
ト・プレイスが、マンハッタンから車で約
70分のところにあり、バスで訪れることがで
きる。

　おもなブランドは、クリスチャン・ディオー
ル、グッチ、プラダ、カルバン・クライン、
DKNY、バーバリー、コーチ、バーニーズ・
ニューヨークなど。
　マンハッタンから行くにはポート・オーソリ
ティ・バスターミナルからShort Lineのバス
が出ている。往路は8：15、10：15、11：
30、12：15、14：45、18：15、19：15
発。復路は12：04、14：12、15：24、
17：24、19：49発。スケジュールは季節
によって変わることがあるので、必ず現地で確
認しよう。道路事情によっては2時間以上かか
ることもある。料金は往復＄22.45。

一大ブームを作ったスポーツ・カジュアル
DKNY
🏠1000 3rd. Ave.（ブルーミングデールズ）

☎(212)705-2098　🗺P.669　C、D-2

🕐月～金10：00～20：30、土日10：00～19：00（日11：00～）　Ⓐ Ⓙ Ⓜ Ⓥ

いまやアメリカン・ブランドの代表格。ここ以外にもマンハッタン内の各デパートなどに多くの売り場をもっている。最近は、よりシャープでスポーティなデザインが目立ってきた。　　　　　　　（'99）

映画関係の専門書店
Applause
🏠211 W. 71st St.　☎(212)496-7511

🕐月～土10：00～20：00、日12：00～18：00

"Largest Selection of Cinema Books in the World" が宣伝文句の映画専門の書店。そのほかに、演劇、音楽関係の書籍もある。

バレエに興味がある人はぜひ！
Ballet Company
🏠1887 Broadway at 62nd St.

☎(212)246-6893

🕐月～土10：00～19：00（木～21：00）、日11：00～18：00

バレエ関係の書籍やビデオ、カード、ポスターなどがある。さすが、リンカーン・センターの近くだけあり、いかにもダンサーといった風貌の若者が店内に目立つ。場所はブロードウェイと63丁目角にあるエンパイアホテル隣、ブロードウェイ沿い。

ニューヨーカー御用達のお惣菜屋さん
Zabar's
🏠2245 Broadway at 80th St.

☎(212)782-2000

🕐月～土8：00～19：30（土～20：00）、日8：00～18：00　Ⓐ Ⓜ Ⓥ

1階にはチーズ、ハム、ソーセージ、コーヒー、ジャム、焼き立てのパンといった、豊富な食材が並ぶ。ここのフレーバーコーヒーはおみやげにもいい。2階はキッチン用品。

おみやげにいいものが見つかるかも

★　　★　　★　　★ ホテル ★　　★　　★　　★
Hotel

ミッドタウン

読★者★投★稿
ブロードウェイ近くで何かと便利
Hampshir Hotel
🏠234 W. 48th St., New York, NY 10036

☎(212)246-8800

Holiday Inn-Crowne Plazaの少し西側にある。場所はブロードウェイのすぐそばなので何かと便利だ。日～木は①＄109、スイート＄149、金土はそれより＋＄70。私たちはスイートに3人で泊まったため、1名追加で＋＄10の＄159だった。部屋はボロだったが、たしかに広かった。レシートはBest Westernのものだったので、同じ系列かもしれない。（竹本彩子　大田区　'98春）

読★者★投★稿
タイムズスクエアに近いエコノミー・ホテル
Portland Square Hotel
🏠132 W. 47th St., New York, NY 10036

☎(212)382-0600、FAX(212)382-0684

バスなし⑤＄55、バス付き⑤＄85～、Ⓓ＄99～　Ⓐ Ⓙ Ⓜ Ⓥ

改装されているので、比較的新しい。ミュージカルやツアーのチケットもフロントで予約できる。ロビーの奥にスーツケース2個分くらいのロッカーがあり、チェックイン前、チェックアウト後に便利。

（恵島朱実　東京都）（'99）

この場所でこの値段は安い
Westpark Hotel

🏠308 W. 58th St., New York, NY 10019
☎ (212) 246-6440、📞 (1-800) 660-9378、
FAX (212) 246-3131
Ⓢ $85～、ⒹⓉ $95～ 🆎🆅

コロンバス・サークルのすぐそば、セントラル・パークが眺められるウエスト・パーク・ホテルは環境がよく、落ち着いたホテルだ。深夜はフロントドアは鍵がかかり、フロントの人が確認のうえ鍵をあけてくれるシステムになっているので安心だ。('99)

ニューヨークでいちばん大きなシェラトン
Sheraton New York Hotels & Towers

🏠811 7th Ave. at 52nd St., New York, NY 10019
☎ (212) 581-1000、FAX (212) 262-4410
日本での予約：☎ (03) 5423-6021
Ⓢ ⒹⓉ $250～ 🆎🆔🆗🆙🆚

7番街の52丁目にある50階建て、1,923室の大きなホテルで、もとは「アメリカーナ」というホテルだったが、シェラトンの名を冠して施設、内装の一新をはかった。ペットの持ち込みができるため、犬や猫をかかえた客を目にすることもある。　　　　('99)

ニューヨーク最大のヒルトン
New York Hilton and Towers

🏠1335 6th Ave., New York, NY 10019
☎ (212) 586-7000、FAX (212) 315-1374、
HOMEwww.hilton.com
日本での予約：☎ (03) 5405-7700
Ⓢ $179～、ⒹⓉ $189～ 🆎🆔🆗🆙🆚

ロックフェラー・センターの北側（6番街の53丁目と54丁目の間）に位置し、2,120室を有するヒルトンは、ニューヨーク最大のホテルだ。ビジネスマンのニーズに応えるように"ジネスセンター"を設けている。('99)

ニューヨークを代表するゴージャスなホテル
Marriott Marquis

🏠1535 Broadway (at 45th St.),New York, NY 10036
☎ (212) 398-1900、FAX (212) 704-8930
日本の予約📞0120-142536
Ⓢ ⒹⓉ $360～ 🆎🆔🆗🆙🆚

言うまでもなく立派なホテル。華やかなタイムズ・スクエアでもひと際目立つ巨大なホテルで、ミュージカルを観るにはベストな場所。ただ、あまりにも収容人数が多いためか、いちいち客に愛想をふりまいてはくれない。　　（有本美幸　大阪市）('99)

意外と便利なロケーション
Howard Johnson Plaza Hotel

🏠851 8th Ave. at 51st St., New York, NY 10019
☎ (212) 581-4100、📞 (1-800) 426-4656、
FAX (212) 974-7502、日本の予約☎ (03) 5403-2551
Ⓢ $143～、ⒹⓉ $155～ 🆎🆔🆗🆙🆚

ハワード・ジョンソンらしく飾り気はないが清潔なホテル。セキュリティはしっかりしている。　　　　　　　　　　　　('99)

少し古いが、ロケーションはgood
Park Central

🏠870 7th Ave., New York, NY 10019
☎ (212) 247-8000、📞 (1-800) 346-1359、
FAX (212) 707-5557
Ⓢ $160～、ⒹⓉ $180～ 🆎🆔🆗🆙🆚

ハードロックカフェに近く立地条件は最高。地下鉄やバス停も近いので、行動しやすい。ロビーはとてもきれいでセキュリティも良く、コンシェルジュは親切に相談にのってくれる。ただ、部屋は改造してあるが古く、バスの水はけが悪い。

（藤井薫　足立区）('99)

★ ホテルのTAX

アメリカでは何にでもTAXがつくものだが、ホテルの室料にもTAXはかかる。通常の物品税は8.25%だが、ホテルの場合は13.25%のルーム・タックスと1部屋につき$2のオキュパシー・タックスが必要となる。ホテルに料金を確認する際は、TAXが込みか、込みでないかをきちんと尋ねておかないと、あとでトラブルのもとになる。

感じのよいスタッフと清潔な部屋がいい
Hotel Wolcott
🏠4 W. 31st St., New York, NY 10001
（Bet. 5th Ave. & Broadway）
☎ (212) 268-2900、**FAX** (212) 563-0096、
HOME www.wolcott.com
Ⓢ①① $ 100〜　**AJMV**

フロントスタッフ、コンシェルジュはと
ても親切。ロビーはとてもきれいで、セキ
ュリティも良い。ミニマート、コインラン
ドリーあり。広くて清潔な部屋は、バス・
トイレ、エアコン、TV付き。
（金本則子　福井県）('99)

お手ごろ価格のウォルコット

タイムズスクエアそばの快適なホテル
Comfort Inn Midtown
🏠129 W. 46th St., New York, NY 10036
☎ (212) 221-2600、**FAX** (212) 764-7481
Ⓢ $ 109〜、ひとり追加プラス $ 12

ADJMV
ブロードウェイの劇場街の真ん中にあ
り、大変便利なロケーションだ。全100室
にバス、トイレ、エアコン、カラーTV、
電話が装備。部屋自体もきれい。　　('99)

ミッドタウンでも最高のロケーション
Hotel Mansfield
🏠12 W. 44th St., New York, NY 10036
☎ (212) 944-6050、**Ⓣ** (1-800) 255-5167、
FAX (212) 764-4477
Ⓢ①① $ 210〜　**AJMV**　🗺P.666 A、B-4

部屋は黒と白のモノトーンでTV、ビデ
オデッキ、CDプレーヤー付き。ビデオと
CDはフロントにて、無料貸し出ししてい
る。バスに、ニュートロジーナのシャンプ
ー＆リンス、ボディローションが備えつけ
てあるのがうれしい。ロビーでは22：00か
22：30になると、「After theatre desert」と
いって、クッキーやケーキなどがハープの
演奏と共に楽しめる。コーヒー、紅茶類は
いつでも飲み放題。最近、改築して宿泊料
金も上がった。朝食付き。
（鈴木真弓　マサチューセッツ州在住）('99)

エンパイアのすぐそば
Hotel Stanford
🏠43 W. 32nd St., New York, NY 10001
☎ (212) 563-1500、**FAX** (212) 629-0043
Ⓢ $ 90〜、①① $ 120〜　**ADJMV**

エンパイア・ステート・ビルのすぐそ
ば、32丁目のブロードウェイと5番街の間
にあるエコノミーなホテル。バス、エアコ
ン、ケーブルTV付き。　　　　　　('99)

★
ニューヨーク

★ 短期旅行者向けのウイークリーマンションがNYで人気上昇中

NYのホテル代の高さは有名。安ホテルは古
くて汚いことが多い。安くて場所もよく、きれ
いな宿泊場所はNYにはないんだろうか。ま
た、NYに短期間でも住んでみたい。それも手
軽で安全、きれいなところに敷金や手数料なし
に…。

そんな人にぴったりの短期貸マンションが
NYにある。場所は、アッパー・ウエストサイ
ド、80th St. & Amsterdam Ave.の新し
いコンドミニアム、チェスターフィールド
Chesterfield。

宿泊料金は部屋のタイプによって、また期間
によって違うが、1週間以上のステイが基本。

料金は、ニューヨークのオフィスに問い合わせ
てみよう。ミッドタウンの高級ホテル並みの部
屋でこの料金は魅力だ。なお、メイドサービス
は週に1回、リネン類の交換や掃除をしてくれ
る。
予約・問い合わせ：American Hotel Group
🏠186 W. 80th St., New York, NY 100
24　☎ (212) 787-8300、**FAX** (212) 769
-2324（日本語で）
東京予約センター
☎ (0120) 34-4436

ミッドタウンのお手ごろホテル
Herald Square Hotel

🏠19 W. 31st St., New York, NY 10001
(bet. 5th & B'way)
☎ (212) 279-4017、🆃 (1-800) 727-1888、
𝐅𝐀𝐗 (212) 643-9208
Ⓢ$75〜、Ⓓ$95〜、バスなしⓈ$50
ⒶⒹⒿⓂⓋ

　エンパイアまで2ブロックのエコノミーホテル。シングルルームはウナギの寝床のように狭いが、ニューヨークでこの値段ならば納得せざるを得ない。シャワーだけしかない部屋もあるので、お湯に浸かりたい人は確認をしてからチェックインするように。　　　　　　　　　　　（'99）

　　　　　　　　※
　部屋が狭く、フロント・スタッフの対応が悪かった。　　　　（金本則子　福井県）

マジソン・スクエア・ガーデンのすぐ近く
Howard Johnson Inn

🏠215 W. 34th St., New York, NY 10001
☎ (212) 947-5050、𝐅𝐀𝐗 (212) 268-4829
日本の予約：☎ (03) 5403-2551
Ⓢ$109〜199、Ⓓ①$119〜249
ⒶⒹⒿⓂⓋ

　ペン・ステーションまで1ブロックという抜群のロケーションで人気のPenn Plaza Hotelが、改装を終え新装オープンした。値段は少し上がったが、新築同様の部屋で過ごせるのならば、それほど割高感はないはず。おまけにクロワッサンとコーヒーの朝食付き、フロントの応対が親切とくれば、部屋の狭さもなんのその、気分良く滞在できるだろう。　　　　　　　　　（'99）

家庭的なアパートメント・ホテル
Murray Hill East Suites

🏠149 E. 39th St., New York, 10016
☎ (212) 661-2100、𝐅𝐀𝐗 (212) 818-0724
スイート$125〜　ⒿⓋ

　自宅のようにゆったり過ごせるアパートメント・ホテル。国連と5番街の中間あたりに位置し、観光にもショッピングにも便利な場所。全室がスイートで、広々としたリビングに、設備が充実したキッチン付き。スタッフも気さくで、家庭的だ。ホテル全体が清潔で、長期滞在には最適だ。　（'99）

国連に近く、静かでリーズナブル
Pickwick Arms Hotel

🏠230 E. 51st St., New York, NY 10022
☎ (212) 355-0300、𝐅𝐀𝐗 (212) 755-5029
Ⓢ$55〜、Ⓓ①$95〜　ⒶⒹⓂⓋ

　国連本部に近い住宅街にあり、周囲は外交官の住居や各国の国連代表部がおかれており、静かな環境だ。部屋は小さいが落ち着いた内装で、改装されたロビーも明るい。ただし、エレベーターが小さいのが難点。この立地条件に対して、リーズナブルな料金は魅力的。　　　　　　　　　（'99）

人気TV番組のスタジオに隣接するホテル
Ameritania Hotel

🏠1701 Broadway, New York, NY 10019
☎ (212) 247-5000、𝐅𝐀𝐗 (212) 247-3312
Ⓢ$119〜、Ⓓ①$129〜　ⒶⒹⒿⓂⓋ

　ロビーに入ると大理石と青いライトのフロント。全250室ある部屋も淡い色のインテリアが配され、大理石の豪華なバスルームと、こちらはとてもいま風。このホテルの隣はCBSの人気番組"Late Show with David Letterman"のスタジオになっている。　　　　　　　　　　　　　　　（'99）

日本語で予約できる"RYOKAN"
Nichimi Ryokan

🏠1800 7th Ave., #5A, New York, NY 10026
☎ (212) 316-3755、𝐅𝐀𝐗 (212) 864-5194
Ⓢ週$420〜、月$1,400〜、Ⓓ①週$580〜、月$1,800〜

　スタッフは日本人なので、日本語で問い合わせ、申し込みができる。
　一般ツーリスト向けホテルやホームステイ形式、短期アパートも紹介。クレジットカードはホテルの場合のみ可。
　場所はタイムズ・スクエア近くからアップタウンのシックな町並みの中まで様々。また有料で送迎サービスも行っている。
　　　　　　　　　　　　　　　（'99）

読★者★投★稿

セントラル・パークのそばでⓈ$89は安い！
Park Savoy Hotel

🏠158 W. 58th St., New York, NY 10019
☎ (212) 245-5755、𝐅𝐀𝐗 (212) 765-0668
Ⓢ$89〜、Ⓓ①$99〜

　6番街と7番街の間にあり、バス停や地下

鉄駅からも近くて夜も比較的安全。この場所でこの値段だから部屋は美しいとはいえないが、ベッドカバーやカーテンは花柄でかわいらしい。バスなしの部屋もある。

(T.K. 広島市)('99)

このロケーションでこの値段
Big Apple Hostel

🏠119 W. 45th St., New York, NY 10036
☎ (212) 302-2603、FAX (212) 302-2605
ドミトリー＄21〜、個室＄55〜 MV

　6th Ave.と7th Ave.の間にあり、どこに出かけるのにも便利。ニューヨークの代名詞、大きなリンゴの旗が掲げられている入口は、24時間開いているので、夜遊びの後でも閉め出される心配なし。食器付き共同キッチン、ランドリー、無料のコーヒー、紅茶付きとなれば、世界各国のバックパッカーが放っておくワケがない。
　オンシーズンはかなり混むので予約しておいたほうが無難だろう。シーツと毛布は無料。ロビーには旅行者が残していった情報板があるので要チェック。　　　('99)

アップタウン

セントラル・パークに面した優雅なホテル
The Mayflower Hotel on the Park

🏠15 Central Park West at 61st St., New York, NY 10023
☎ (212) 265-0060、📞 (1-800) 223-4164、FAX (212) 265-0227
ⓈⒹⓉ＄150〜　ADJMV

　コロンバス・サークルから1ブロック、セントラル・パークの南西の角に建つホテルで、リンカーン・センターや、5番街でのショッピングに出かけるにも便利なロケーションにある。パーク側の部屋なら、さらにリッチな気分で滞在できる！　平日の朝6時から7時の間は、コーヒー無料サービスもある。　　　　　　　　　　('99)

読★者★投★稿
各部屋オートロックの安全なユースホステル
Hostelling International-New York

🏠891 Amsterdam Ave., New York, NY 10025
☎ (212) 932-2300、📞 (1-800) 909-4776、FAX (212) 932-2574
HOMEwww.hinewyork.org
ドミトリー＄22〜27　JMV

　AYH直営のユースホステルで、4人部

屋はとても広くきれい。ハーレムに近いこともあるためセキュリティはしっかりしており、宿泊カードがないと入れてくれない。その上、全部屋はオートロックで、各宿泊客に鍵が渡される。ポートオーソリティからは#7、11、104のバスで100th St.あたりを過ぎた所で降りるとすぐだ。103rd St.との角。夜は地下鉄を利用しないように。624ベッド。　　　(澤田浩和　葛飾区)('99)

コロンビア大学の学生寮が旅行者受け入れ！
International House

🏠500 Riverside Dr., New York, NY 10027
☎ (212) 316-8400、FAX (212) 316-7182
スチューデントルーム＄35〜、Ⓢ＄95、Ⓓ＄105　MV

　コロンビア大学の学生寮が空き部屋を一般旅行者に開放してくれている。この寮では、N.Y.U.やF.I.T.など他校の学生や研究者も数多く受け入れていて、実にオープンな雰囲気だ。最大収容人数はおよそ700名で世界各地からの学生が集まっている。そのため無料のシティ・ツアーが行われていたりする。学生たちは皆フレンドリーな人ばかりなので、友だちになって彼らのニューヨークライフを覗かせてもらおう。広い広いラウンジがあり、リバーサイド教会の庭を見ながらのんびりできる。Ⓢで男女別フロア、エアコン付き。地下鉄1、9ラインの駅近く。ラ・ガーディア空港から#M60のバス。122nd St.のリバーサイド・ドライブ沿い。必ず事前に部屋があるかどうか確認してから向かうこと。　　　　　　　('98)

高級アパートのような
The Milburn Hotel

🏠242 W. 76th St., New York, NY 10023
☎ (212) 362-1000、📞 (1-800) 833-9622、FAX (212) 721-5476
Ⓢ＄89〜、ⒹⓉ＄120〜　ADJMV

　リンカーン・センター、カーネギーホールに近く、さらに、いま人気のコロンバス街にも近いので、おいしいレストランに行くのにも便利。　　　　　　　　　　('99)

アッパー・ウエストサイドにある

旅行者による旅行者のための良心的な宿
Sugar Hill International House

🏠722 St. Nicholas Ave., New York, NY 10031

☎ (212) 926-7030、**FAX** (212) 283-0108、ドミトリー＄20〜

　キッチンがあり、近くにスーパー、ドラッグストア、ランドリー、レストランもある。地下鉄A、Dの145th St.駅で147丁目方向の出口からすぐ。必要以上に周辺をうろつかないこと。　　　　　　　　　　　（'99）

長期滞在向けの高級ホテル
Surrey Suite Hotel

🏠20 E. 76th St., New York, NY 10021

☎ (212) 288-3700、**T** (1-800) 637-8483、**FAX** (212) 628-1549、
HOMEwww.mesuit.com
スイートで＄290〜（月＄6,000〜）
A D J M V

　マジソン街の76丁目にあってメトロポリタン美術館まで徒歩7分、フリック・コレクションまで10分、グッゲンハイム美術館まで15分、そしてホイットニー美術館まではたったの2分という近さ。美術鑑賞に疲れたら、ちょっと部屋へ戻ってひと休みなんてこともできてしまう、便利なホテルだ。全室にフルキッチンが付いているので、材料をまとめ買いして自炊すれば、長期滞在でも意外とリーズナブル。白とブルーで爽やかにまとめられたインテリアも素敵。130室。　　　　　　　　　　　（'99）

公園とマンションに囲まれた静かな宿
Riverside Tower Hotel

🏠80 Riverside Dr., New York, NY 10024

☎ (212) 877-5200、**FAX** (212) 873-1400
S D T ＄100〜　**A D J M V**

　自然史博物館から西へ4ブロック離れたリバーサイド・パークの正面にあるエコノミー・ホテル。上の階の部屋からニュージャージーが見渡せる。周辺は住宅地で高級マンションが多い。フロントに頼めばコンロや食器も貸してくれる。コインランドリーもある。　　　　　　　　　　　（'99）

コロンビア大学に近く、安心な施設
Malibu Stuidos Hotel

🏠2688 Broadway, 103rd St., New York, NY 10025

☎ (2129222-2954、**FAX**8212) 678-6842
HOMEwww.malibuhotelnyc.com
バスなし⑤＄39〜、⑩⑪＄59〜、バス付き⑤＄89〜、ひとり追加＋＄10　**M V**

　コロンビア大学近くで、セントラル・パークへ歩いていける。TVモニターによる24時間セキュリティシステムに、24時間オープンのメッセージセンターもあり、施設は充実。しかし、部屋はあまり清潔ではないので、とくに女性にはおすすめしない。
　　　　　　　　　　　（'99）

冬のセントラル・パークにはスケートリンクが現れる

ダウンタウン

歴史を感じさせる家庭的な雰囲気のホテル
Leo House

🏠332 W. 23rd St., New York, NY 10011

☎ (212) 929-1010、**FAX** (212) 366-6801
バスなし（共同シャワー）⑤＄62、⑩⑪＄70、バス付き⑤＄72、⑩⑪＄78　**M V**

　比較的低料金で泊まれるため、学生やひ

702

とり旅の旅行者が多い。朝食は日曜日以外の日なら、安い料金で食べられる。全室禁煙。　　　　　　　　　　　　　　('99)

自宅感覚で滞在できるホテル
Off Soho Suite

🏠11 Rivington St., New York, NY 10002
☎ (212) 979-9808、FAX (212) 979-9801
Ⓢ $ 97.50

　長期滞在者用のホテル。全38室のうち36室が二間続きの部屋だ。バックパッカーが多く、数人でシェアして借りる人もいる。キッチンにはコンロやフライパンもあり、料理を作ることもできる。リトル・イタリー、チャイナタウンまで歩いて5分。部屋は簡素だが日当たりはいい。　　　　　('99)

文学の香りを感じたい人へ
Chelsea Hotel

🏠222 West 23rd St., New York, NY 10011
☎ (212) 243-3700、FAX (212) 243-2171
Ⓢ $ 125〜、スイート $ 250〜　AJMV

　アーサー・ミラーやトーマス・ウルフなどの著名作家がこのホテルで多くの作品を生み出している。昔の建築なので部屋がとても広い。クラシックなロビーの大きな扇風機とブランコに乗る少女の像が何ともノスタルジーを感じさせる。バス付きとバスなし（2部屋共有）がある。1週間宿泊するとディスカウントあり。　　　　　　　('99)

（読★者★投★稿）
チェルシーにあるホステル
Chelsea Center Hostel

🏠313 W. 29th St.（Bet. 8th & 9th Aves.）
☎ (212) 643-0214、FAX (212) 475-3945
ドミトリー $ 25〜

　地下に16人分くらいの大部屋（窓なし）と、1階に6人分ほどの部屋がある。トイレ、シャワーは2つずつ。うちひとつは、シャワーとトイレが同じスペースにある。パンとコーヒー、紅茶の朝食あり。キッチンはほとんど使いものにならない。コモンスペースが狭く、テーブルには5人程しか座れない。$5のデポジットで、入口の鍵が借りられる。
　フロントのスタッフの質が悪かった。
　　　　　　　　　（魚津明範　所沢市）('99)

ホテル・レキシントンの美しいロビー

日本から予約できる
Loews New York Hotel

🏠569 Lexington Ave., at 51st St., New York, NY 10022
☎ (212) 752-7000、📞 (1-800) 235-6397、FAX (212) 758-6311
日本での予約 ☎ (03) 3475-6837
⒮ⒹⓉ $ 249〜　ADJMV

　ミッドタウン・イーストのホテル街の一角に位置し、観光、ショッピングにも便利。治安も比較的いい。全728室と大規模なホテルだが、行きとどいたサービスが自慢。客室は落ち着いた内装で、全室冷蔵庫付き。スイートルームにはジャクージも付き、体をリラックスさせるのに最適。　　　　('99)

改装されてオシャレに
W New York

🏠541 Lexington Ave., New York, NY 10022
☎ (212) 755-1200、📞 (1-877) 946-8357、FAX (212) 319-8344
⒮Ⓓ $ 199〜425　ADJMV

　レキシントン街に建つ高級ホテル。国連本部ビルやグランド・セントラル・ターミナルへ歩いて5〜6分のところ。サウナ、セルフランドリー、スカッシュコートに加え、24時間営業のコーヒーショップもある。
　　　　　　　　　　　　　　　　　('99)

グランド・セントラル、国連にも近い
Hotel Lexington

🏠511 Lexington Ave. at 48th St., New York, NY 10017
☎ (212) 755-4400、📞 (1-800) 448-4471、FAX (212) 751-4091
Ⓢ $ 225〜、ⒹⓉ $ 240〜　ADJMV

　名前の通り、ホテルが建ち並ぶLexington Ave.に面する高級ホテル。入口は小ぢんまりしているが、ロビーは大理石を使いゴージャスそのもの。毛足の長いじゅうたんが高級感を十分認識させてくれる。客室の内装はシンプルで落ち着いている。従業員の応対ももちろんGood !　　　　　　　('99)

こだわり派におすすめの
The Roger Smith

🏠501 Lexington Ave. at 47th St., New York, NY 10017

☎(212)755-1400、📞(1-800)445-0277、
FAX(212)758-4061

Ⓢ$180〜、ⒹⓉ$195〜　ⒶⒿⓂⓋ

レキシントンのホテル街に面した、ちょっとアートしたホテル。外観はディスコか、エスニック料理のレストランを思わせる風貌で、入口やロビーのインテリアも凝っている。客室は136、全室冷蔵庫、コーヒーメーカー、TV（ケーブルテレビだけでペイムービーがない）付きと心にくいサービスがうれしい。部屋の広さはニューヨークとしては広め、もちろん清潔だ。ジャクージ、ドライヤー、天蓋付きベッドの部屋もあり、ハネムーナーにピッタリ。さらに、宿泊客なら誰でも利用できるテラスがある。ここからは町をガラス越しでなく、じかに眺望することができ、のんびり日なたぼっこを楽しむこともできる。　　（'99）

スポーツ好きにはうってつけ！
YMCA（Vanderbilt）

🏠224 E. 47th St., New York, NY 10017

☎(212)756-9600、FAX(212)752-0210

バスなしⓈ$53〜、Ⓓ65〜

国連の近く、47丁目沿いの2番街と3番街の間にある。部屋は簡素だがとても清潔。サービスさえ期待しなければ、同程度の値段の安ホテルより快適かもしれない。そして特筆すべきは、宿泊者はプール、マシーンジムなどの施設が無料で使えること。旅行で鈍った体をシェイプアップしてみるのもいいだろう。　　（'99）

エンパイアのそば、清潔かつエコノミー
Hotel Grand Union

🏠34 E. 32nd St., New York, NY 10016

☎(212)683-5890、FAX(212)689-7397

ⓈⒹⓉ$150〜　ⒶⓂⓋ

Park Ave.と5th Ave.の間、ミッドタウンの中心にあり、ショッピング、観光にもなかなかのロケーション。1階にはコーヒーショップもある。最近バスルームの改装を終えたところで、部屋は清潔であまあまの広さ、TV、電話、エアコン付き。バス・トイレなしの部屋は各階2部屋だけだから、共同のバス・トイレも混むことがない。

小さなロビーもとてもきれいだ。　　（'99）

場所、値段、快適度のバランス良し
Quality Hotel Eastside

🏠161 Lexington Ave., New York, NY 10016

☎(212)545-1800、FAX(212)481-2700

ⒹⓉ$99〜　ⒶⒹⒿⓂⓋ

格安ホテルAmericana Hotelが名前を変えて新装オープンした。料金は以前の約2倍になり、格安とは言いがたいものの、ミッドタウンではまだまだ経済的。全部で176ある部屋はきれいに改装され、快適な滞在ができそうだ。ただし、夜間の治安はお世辞にもよくないので、外出の際は十分注意しよう。　　（'99）

グランド・セントラル駅に近く快適な
Howard Johnson Inn

🏠429 Park Ave. South, New York, NY 10016

☎(212)532-4860、FAX(212)545-9727

日本の予約 ☎(03)5403-2551

Ⓢ$129〜299、ⒹⓉ$139〜299

ⒶⒹⒿⓂⓋ

日本から予約できるニューヨークのホテルとしては実にお手ごろな料金。ⓈⒹ$129〜299。場所はパーク・アベニューに面した29th & 30th Sts.の間で、キャリーバスの乗り場のあるグランド・セントラル・ターミナルまで徒歩10分ほど。小ぢんまりとしたホテルだが、客室はヨーロッパ調でエレガント。全室バス、トイレ付きでコーヒーメーカーまであるのでモーニングコーヒーも楽しめる。部屋によってはエンパイア・ステートビルも見える。もちろん、清潔。1階には明るいムードのバーがある。レストランはないが、部屋に近所のレストランのデリバリー用メニューがあって便利。　　（'99）

日本から予約できるハワード・ジョンソン・イン

女性専用ホテル
Martha Washington Hotel

🏠30 E. 29th St., New York, NY 10016
☎(212)689-1900、FAX(212)689-0023
Ⓢバスなし＄53、週＄96、Ⓢバスあり
＄61、週＄243　ＡＭＶ

30丁目、パーク街とマジソン街の間にある女性専用ホテル。フロントと最上階以外はかなり薄暗いので、多少気味悪く感じなくもないが、共同のバスルームもきれいにしてある。ランドリーあり。

※

賛否両論のホテルだが私は賛成派。地下鉄駅まで近いし、なんといっても安い。エンパイア・ステート・ビルまでだって徒歩5分。T/Cか現金の前払いなので、領収書はチェックアウトまでしっかり持っていること。キーデポジット＄3あり。シングルルームが多いためか、ホテルというよりアパートといった雰囲気で、年配の女性をよく見かけた。フロントの隣の売店で紅茶、コーヒー、ドーナツなどが売られていて便利。部屋も清潔。ただし、日曜は部屋の掃除はない。　　　（小松眞樹子　練馬区）（'99）

※

「売春婦がいる」「盗難に遭った」などの投稿もあり感想に個人差があるので、実際に自分の泊まる部屋をよく見て最終決定を！　　　　　　　　　（編集室より）

真紅のバラに囲まれた部屋はいかが！
Carlton Arms Hotel

🏠160 E. 25th St., New York, NY 10010

☎(212)684-8337、予約(212)679-0680
バスなし⒮ ＄52〜、ⒹⓉ ＄66〜、バス付き⒮ ＄62〜、ⒹⓉ ＄76〜　ＭＶ

3rd Ave.とLexington Ave.の間にある、個性的すぎるホテル。私が泊まった部屋は、壁一面に真紅のバラが描かれていた。各部屋ごとに内装が違うそうだ。電話はフロントにしかなく、鍵もガタガタで、あまり女性にはおすすめできない。ただし、好奇心旺盛な方は、数泊するのもおもしろいかも。エアコンなし。　（加藤浩美　渋谷区）（'99）

※

バスルームの設備はよくないが個性派にはいいかも。

ビレッジのど真ん中にある
Washington Square Hotel

🏠103 Waverly Place, New York, NY 10011
☎(212)777-9515、Ⓣ(1-800)222-0418、
FAX(212)979-8373
Ⓢ＄100〜、ⒹⓉ＄115〜　ＡＪＭＶ

ワシントン・スクエアのすぐそばにあり、夜ビレッジで遊びたい人には最適のホテル。新館と旧館があり、料金は同じでも新館のほうがきれい。また、部屋の大きさにも差があるのでチェックインする前に部屋を見てから決めたほうがよい。メッセージを受けないとか、T/Cの換金ができないなど不便な点もあるが、値段とロケーションのよさは最高。（小笠原 隆　杉並区）（'99）

★
ニューヨーク

★　　★　　★　レストラン　★　　★　　★
Restaurant

ミッドタウン

マイケル・ジョーダンの店がニューヨークに登場
Michael Jordan's the Steak House N.Y.C.

🏠Grand Central Station
☎(212)665-2300
📅月〜土12：00〜14：30、17：00〜23：00、日12：00〜16：00、17：00〜22：00
ＡＤＭＶ　　　　　　　🗺P.667　C-4

元NBAのスーパースター、マイケル・ジョーダンのステーキハウスがグランド・セントラル・ステーションの構内にオープンした。巨大なステーキは試してみる価値あり。人気のレストランなので予約を。（'99）

アメリカン・プロスポーツのテーマカフェ
All Star Cafe

🏠1540 Broadway at 45th St.
📅毎日11：00〜24：30　ＡＪＭＶ

アメリカ・スポーツ界のスーパースターの品物がディスプレイされた店内で食事をしてみよう。メニューはその他のテーマ・カフェと似たり寄ったり。チャーリーシーンのコレクションを集めたシーン・ルームを探してみて。もちろんTシャツやグッズも売っている。タイムズスクエアのど真ん中だ。　　（瓜康 浩　ミシガン在住）（'99）

ヨーロッパ風のすてきなカフェレストラン
Broadway Diner

🏠1726 Broadway at 55th St.

☎ (212) 765-0909

🕐月～土7：00～23：00（土8：00～）、
日8：00～14：00　Ⅿ Ⅴ

　壁と床は白とグレーのタイル敷き、テーブルはブラック、天井はグリーン。店の入口から左手は低めのカウンターになっており、お客のほとんどはヨーロッパ風のオシャレをした若者たちだ。サンドイッチは＄4からあり、パンの種類は4種。スローな音楽をバックにRolling Rockビール＄2.70でひと息つくのもよいだろう。場所は、ブロードウェイと55丁目の角。ちなみにサンドイッチは2人で1皿でも十分なボリュームがある。

まだまだ人気のプラネットハリウッド
Planet Hollywood

🏠140 W. 57th St.（Broadway～6th Ave.）

☎ (212) 333-7827

🕐毎日11：00～1：00　Ａ Ｊ Ⅿ Ⅴ

　殺風景な玄関には平日でも人垣ができて、週末ともなれば長蛇の列。というのも有名映画俳優のアーノルド・シュワルツェネッガー、シルベスター・スタローン、ブルース・ウィリスの3人の共同出資だから。

　飲み物は、ビールが＄3～4。ミックスドリンク、カクテルは＄4～。食事も気どりがなく、サラダ、ハンバーガー、ピザ、パスタ、ケーキまで、誰でもひとつくらい好みが選べるに違いないメニューを用意している。たとえばハンバーガーは量もあり、割合きれいに盛りつけられてあり、お腹もふくれて満足、納得のいく値段。向かいに**ハードロック・カフェ Hard Rock Cafe**がある。　　　　　　　　　　　　（'99）

ミッドタウンのホットなスポット！
Harley Davidson Cafe

🏠1370 Ave. of the Americas at 56th St.

☎ (212) 245-6000

🕐毎日11：30～1：00　Ａ Ｊ Ⅿ Ⅴ

　ハードロック・カフェ、プラネット・ハリウッドに続く話題の店。その名の通り、モーターサイクルのハーレーがディスプレイされたレストラン。1903年から1960年代のピカピカに磨かれたハーレーの数々が、堂々と店内を飾っている。あちこちに設置

されたTVモニターでは、映画『イージー・ライダー』が映し出されていたりするので、食事をしながらゆっくり鑑賞するのもよいだろう。とにかく、バイク好きにはこたえられない店だ。夕方早めに行けば若干すいている。

　入口右手にはオリジナル商品の販売ショップがあり、ロゴマーク入りのTシャツ＄14～17、帽子＄10～、トレーナー＄22～で手に入る。　　　　　　　　　　　（'99）

スーパーモデルがプロデュース
Fashion Cafe

🏠51 Rockefeller Plaza at 51st St.

☎ (212) 765-3131

🕐月～木11：00～24：00、金土11：00～1：00　Ａ Ｊ Ⅿ Ⅴ

　ここ数年、ニューヨークにオープンしたテーマ・レストランの中でも、とくに女性をターゲットにしたもの。ナオミ・キャンベル、クラウディア・シェーファー、エル・マクファーソンの3人が50万ドルずつ投資したレストラン。

　店内の大スクリーンでは、最新コレクションのビデオが流され、有名デザイナーの代表作や彼女たちがステージで身につけた衣装が展示されている。中央のウォーキング・ステージ（実は単なる通路）をさっそうとスタッフが行きかう。

　料理は、ビッグなハンバーグやピザに交ざって、軽いランチにもちょうどいいライトメニューがあるのが特徴だ。1人＄10～15の予算。　　　　　　　　　　（'99）

お化け屋敷かレストランか…
Jekyll & Hyde Club

🏠1409 6th Ave.（57～58th Sts.）

☎ (212) 541-9505

🕐毎日11：30（金土11：00）～2：00
Ａ Ⅿ Ⅴ

　「ジキルとハイド」と店名が示すように、なんとも不気味なレストラン＆バーが人気だ。天井の高い店内には、ガイ骨、スフィンクスなどの強烈な装飾に、ジキル博士の変身ショー⁉　が行われる特設エレベーターが備えつけられている。蒸し暑い夏ならひんやりしたこの店で、名物のハーフ・ヤード巨大試験管入りビールを注文してみよう！　　　　　　　　　　　　　（'99）

24時間営業の焼き肉レストラン
Kang Suh Restaurant（江西会館）
🏠1250 Broadway at 32nd St.
☎ (212) 564-6845
🕐24時間営業　Ⓜ Ⓥ

　32丁目のコリアン・タウンにある24時間営業の焼き肉レストラン。日本食もやっていて、入るとすぐ1階はスシ・バーになっている。

　焼き肉を頼めば数種類のキムチは、おかわり自由。白いご飯が思わずススム！　カルビは＄15程度。あわび粥もなかなかいける。
(’99)

ニューヨークの名物デリ
Carnegie Delicatessen
🏠854 7th Ave. at 55th St.
☎ (212) 757-2245
🕐毎日16：30〜4：00

　広い店内なのに、おいしさで評判のため、いつも混みあっているデリ。基本的なサンドイッチ＄10〜、高いと思うかもしれないけど、サンドイッチの大きさを見たら納得するのでは。一度はどうぞ。
(藤本真奈美　釧路市)(’99)

ベスト・サンドイッチ
Cosi Sandwich Bar
🏠38 E. 45th St.　☎ (212) 949-7400
🕐月〜金7：00〜20：00、土11：00〜16：00　Ⓐ Ⓓ Ⓜ Ⓥ

　マスコミからニューヨークのベストサンドイッチを出すと評された店。現在マンハッタン内に9店舗ある。店内のオーブンで焼かれるパンがなんともおいしい。中身の具が1種類だと＄5.95。
(’99)

早朝からオープンしている
La Parisienne
🏠910 7th Ave.　☎ (212) 765-4590
🕐月〜土6：00〜22：00、日7：00〜22：00

　セントラル・パークに近い、気取らないレストラン。1957年のオープン以来ニューヨーカーに愛されてきた店で、客層もインテリアも上品なのに、値段とボリュームは庶民的。メニューが豊富なのもうれしい。
(’99)

アメリカン・ハンバーガーを試すならココ
Island Burgers & Shakes
🏠766 9th Ave.（51st〜52nd Sts.）
☎ (212) 307-7934
🕐日〜木12：00〜22：45、金土12：00〜23：45　カード不可

　アメリカに来たのだから、国民食“ハンバーガー”を食べたい！　と思う人は多いはず。この店では基本のハンバーガーと48種類のバリエーションが楽しめる。チキンサンドイッチもおいしい。
(’99)

ニューヨークいちのベーグル
Ess-a-Bagel
🏠831 3rd Ave.（50th〜51st Sts.）
☎ (212) 980-1010
🕐月〜金6：30〜22：00、土日8：00〜17：00

　最近日本でも定着してきたベーグルパン。ここの店は、12種類ものベーグルをサンドイッチにしてくれる。おすすめはポピーベーグルにサーモンとクリームチーズのサンド。朝と昼は近所のビジネスマンでいっぱいだ。
(’99)

ダウンタウン

アメリカの郷土料理が食べられる
America
🏠9 E. 18th St.（5th Ave.〜Broadway）
☎ (212) 505-2110
🕐毎日11：30〜23：30　Ⓜ Ⓥ

　ユニオン・スクエア近くにある、これぞアメリカ！　という店。とにかく広い店内と壁画、自由の女神は迫力ものだ。170種類ものメニューがあり、料理、ドリンクともアメリカ各州のものがそろっている。
(’99)

ジャパニーズ・イタリアン
Basta Pasta
🏠37 W. 17th St.　（5th〜6th Sts.）
☎ (212) 366-0888
🕐月〜金12：00〜14：45、毎日18：00〜23：00　Ⓙ Ⓜ Ⓥ

　東京にもあるイタリア料理の店で、ウェイターなどすべて日本人なので気軽に入れる。フルコースでひとり＄30〜40。味もやはり日本人好み。店内もオシャレだ。日本人スタッフの完璧なサービスは、ニューヨークのどの高級店もかなわないだろう。デザートとコーヒーの付いたランチがお得。

古くからの文化の香る店
Pete's Tavern
🏠129 E. 18th St. ☎(212)473-7676
🕐毎日9：00～24：00 🈳無休 ＭＶ

アービングプレイス（レキシントン街にある）と18th St.に、1864からある古い店の一つ。客層の幅も広く、近所に住む高齢者や勤め帰りのビジネスマンなども多く見かける。

人混みはいつも絶えず、レンガの暖かい壁やアーチ型の目立つデザインも、落ち着いて見ていられないほど。レストランの食事もボリュームがあり、納得のいく値段だ。"The tavern O'Henry made famous"（オー・ヘンリーが有名にした酒場）などと文化の香りをのせた絵ハガキが置いてある。

（'98）

パスタ中心のイタリアン・レストラン
✓Tutta Pasta
🏠26 Carmine St. ☎(212)463-9653
🕐月～金11：30～23：00、土日11：30～23：30 ＭＶ

いつもすごい人でにぎわっている。それもそのはず、18種類あるパスタは、かなりの量で＄8.50前後、加えてそれらがおいしいのだから近くの住人が黙っているわけがない。場所はCarmine St.沿い、Bleeker St.とBedford St.の間。

キッシュ風ピザ
Pizzeria Uno Restaurant & Bar
🏠391 6th Ave. ☎(212)242-5230
🕐月～土11：30～2：00、日13：00～2：00

1943年、シカゴでオープンしたお店。ピザはピザでも厚みがあるのがこのレストランの特徴。ピザの生地がキッシュ風になっていて何とも言えずおいしい!! トッピングはいろいろあるが、ソーセージやペパロニが人気とのこと。ランチタイムにはセットメニュー（サラダ、スープが付く）があるので11：30から15：00までに行くとよい。場所は6th Ave.沿い、8th St.とWaverly Pl.の間。

本格的なカプチーノはこの店で
Caffe Reggio
🏠119 MacDougal St.（Bleecker～3rd Sts.）☎(212)475-9557

1927年創業というカフェの老舗。店内にはバッハやショパンの胸像が飾られており、雰囲気はイタリアのカフェそのままという感じだ。おすすめはやっぱりカプチーノ。ごく普通のカップで出されるその味は本格的だ。マクドゥガル通り沿い、3丁目とブリーカー通りの間にある。

パリの雰囲気漂う老舗のカフェ
Le Figaro Café
🏠186 Bleecker St. ☎(212)677-1100
🕐日～木11：00～2：00、金土10：00～4：00

マクドゥガル通りとブリーカー通りの四つ角には4つのカフェが向き合って建っている。パリ風の老舗カフェで、春から秋にかけては歩道につき出たテラスでのんびり読書をしたり、おしゃべりをしたりする人でにぎわう。店内には陽にやけた昔の新聞紙がペタペタと貼られ、うす暗い感じ。ここでのおすすめはフィガロ・カフェ。15cmくらいのグラスに、チョコレートシロップ＋カフェオレ＋生クリーム＋シナモンというボリューム満点の飲み物。フィガロ・カフェを飲みながら道行く人を眺めるのもビレッジらしいひとときといえそうだ。また、土日の夜にはクラシック・ギターの生演奏が聴ける。

（'99）

日本でも有名な日本食レストラン
Nobu
🏠105 Hudson St. at Franklin
☎(212)219-0500
🕐ランチ月～金11：45～14：15、ディナー毎日17：45～22：15 ＡＭＶ

トライベッカ・グリルのオーナーのひとりでもあるロバート・デ・ニーロが手掛けたレストランのうちのひとつ。木を多用した温かな内装で、とてもいい雰囲気。料理も工夫をこらしていて、おいしいと評判だ。要予約。

（'99）

誕生日の人には歌とケーキのプレゼントあり
Cucina Stagionale
🏠275 Bleecker St.（6th～7th Aves.）
☎(212)924-2707
🕐毎日12：00～24：00 ＭＶ

週末は長い列ができる大人気のレストラン。エビ、帆立貝、ムール貝の入ったクリームパスタや、舌平目のガーリックソテー

とトマトソースのパスタのセットがおすすめ。お酒を飲みたい人は持ち込もう。('99)

カジュアルなインドネシア料理
Prince St. Bar & Restaurant
🏠125 Prince St.　☎ (212) 228-8130
🕐日〜木11：30〜22：30、金土11：30〜24：00　Ⓜ Ⓥ

完全にアメリカンな店内装飾とのギャップがおもしろいレストラン。ナシゴレン＄7.95、ガガト＄5.95ほかメインは＄10前後。ハンバーガーやサンドイッチもある。
('99)

マスコミでも評価されているメキシカン
Panchito's Mexican Restaurant
🏠105 MacDougal St. (W.3rd〜Bleecker Sts.)
☎ (212) 473-5239
🕐月〜木11：30〜2：00、金〜日11：30〜4：00

始めに出されるチップスのソースから、とてもおいしい。世界各国のビールや100種類を超えるカクテル類の充実もすばらしく迷ってしまう。おすすめはコンビネーション・プレート。
('99)

純日本的なデリカテッセン
Ah Umakatta
🏠201 Prince St.　☎ (212) 353-3099
🕐月〜金12：00〜20：30、土13：00〜18：00

アメリカナイズされていない味付けがうれしい。おすすめは冷やし中華、ちらし寿司、お弁当。ほかに、カレーライス、焼そば、コロッケパンもある。
('99)

読★者★投★稿
安くておいしいカレー屋さん
Passage to India
🏠308 E. 6th St. at 2nd Ave.
☎ (212) 529-5770
🕐毎日12：00〜1：00　Ⓜ Ⓥ

安くておいしい本格的インドカレー屋さん。ディナー時には列ができて待つので、ランチがおすすめ。ディナーでも1人＄20くらいあれば十分。テイクアウトもできる。スタッフも親切、雰囲気も最高だ。
（小泉万里子　板橋区）('99)

イースト・ビレッジにはエスニック料理レストランが多い

安くておいしいポーランド料理
Teresa's
🏠103 1st Ave. (6〜7th Sts.)
☎ (212) 228-0604
🕐毎日6：00〜24：00　🚫無休　Ⓐ Ⓜ

イースト・ビレッジの中にはたくさんのエスニックフードのレストランがあるが、ポーランド料理の店はとくに料金が安く、地元の人に人気が高い。チキンヌードルスープ＄2前後、ビーフシチュー風のBeef Goulashなどは日本人の口にとても合う。メインディッシュを頼むと2種類の野菜をチョイスできるうえ、栄養、ボリュームともに抜群。ドリンク、スープ、メインディッシュを合わせても＄10でおつりがくるくらいの値段だ。

ロシア、ウクライナ地方料理
Kiev Restaurant
🏠117 2nd Ave. at 7th St.
☎ (212) 674-4040
🕐年中無休、24時間営業

人気のメニューはベジタブルスープ。これにつくハウススペシャル・ブレッドがとにかくウマい。イースト・ビレッジで評判のレストランだ。24時間オープンなのでクラブ帰りの若者が深夜に集中する。('99)

読★者★投★稿
チャイナタウンで飲茶するなら……
Mandarin Court
🏠61 Mott St. (Bayard〜Canal Sts.)
☎ (212) 608-3838
🕐毎日7：30〜22：30

サンフランシスコの中国人の友人にすすめられて行った"飲茶"がとてもおいしい店。地元のチャイニーズに人気があり、昼どきはメチャ混み！　12時前の早めの時間に席につこう。ワゴンで次々に持ってくるお皿はどれも美味。はずれなし。セイロに入ったままの蒸した貝（フレッシュ）のワゴンもある。店内はモダンなインテリア。
（西山小丸　渋谷区）('99)

★
ニューヨーク

ベトナムチャイニーズの店
New Chao Chow
🏠111 Mott St.（Canal～Hester Sts.）
☎ (212) 226-2590
🕐毎日8：00～22：00　休無休　カード不可

　チャイナタウンに数少ないベトナムチャイニーズの軽食屋。ここでのおすすめはやはりラーメン！　なんと麺の種類が自分で選べるからうれしい。黄色、白、太いの細いの……、とそれぞれおいしいが、やはりニンニクのきいたベトナム味には白く細いメイファンが合うようだ。シーフードラーメンはミーシーフードとよばれている。肉やエビ、野菜のハウススペシャルヌードルスープはそれぞれ＄3前後。

通称 "H.S.F." のヤムチャ
Hee Seung Fung（喜相逢海鮮酒家）
🏠46 Bowery St. at Canal St.
☎ (212) 374-1319
🕐毎日7：30～　休無休　MV

　ここH.S.F.の料理の種類はなんと50種類もある。シューマイ、春巻、小肉まんじゅうなどが、かわいい小皿やセイロにのって出てくる。値段も1皿＄1.50からでとても手ごろ。大勢はもちろん、2人きりで行ってもとても楽しめる。　　　　　（'99）

📣読★者★投★稿
安くておいしい飲茶をゆっくりと楽しむ
New Silver Palace（新銀宮大酒楼）
🏠52 Bowery St.　☎ (212) 964-1204
🕐毎日8：00～16：00　無休

　1階がゲームセンターで、2階にレストランが入っている。高級中華料理店を思わせるような構えで入りづらいが、3人でおいしい飲茶をデザートまでおなかいっぱい食べ、計8品で＄16ちょっとだった。デザートはいま一つだったが、大満足のランチとなった。　　　（竹本彩子　大田区　'98春）

ラーメン＄3～、お粥＄2.50～
Big Wong（大旺飯店）
🏠67 Mott St.（Bayand～Canal Sts.）
☎ (212) 964-0540
🕐毎日10：00～21：30

　人気メニューは、薄味でコシがある細い広東麺を使ったラーメン。また、"コンジー"と呼ばれる中国風粥には、肉や魚など

いろいろな具が入っていて、楽しく味わえる。　　　　　　　　　　　　　　（'99）

ジャージャーメンがおすすめのラーメン屋
Wonton Garden
🏠56 Mott St.　☎ (212) 966-4886
🕐毎日7：00～20：00　休無休　カード不可

　チャイナタウンの中でいちばんにぎやかなモット通りの中ほどに位置している。店内はキレイ、味もいいラーメン屋だ。ここではラーメンはもちろんだが、ジャージャーメンがおすすめ。値段は＄3から。

マルベリー通りでどこに入るか迷ったら
Angelo of Mulberry Street
🏠146 Mulberry St.　☎ (212) 966-1277
🕐日～木12：00～23：30、金12：00～24：30、土12：00～1：00　JMV

　マルベリー通りのなかほどにある。外に出ているメニューを見比べて、この店へ入ったのだけど大正解だった。メニューはイタリア語だが聞けば教えてくれる。ホワイトソースをトマトに換えてくれたりもしてくれた。デザート類も充実。

　　　　　　　（小泉万里子　板橋区）（'98）

シシリー料理専門店
Benito's II
🏠163 Mulberry St.（Broome～Grand Sts.）
☎ (212) 226-9012
🕐月～木12：00～23：30、金～日12：00～23：00　休無休

　ランチは1人＄15、ディナーは＄25程度。味は最高で地元の人たちにも評判のお店。マルサラソースやシーフードをたっぷり使っているので食後に満足すること間違いなし。紅白チェックのテーブルクロスもかわいくて良い。　　　　　　　　（'99）

ウォール・ストリートにあるカレー屋さん
Diwan-e-Khaas
🏠26 Cedar St.　☎ (212) 480-3355
🕐月～金10：30～20：00　MV

　ウォール・ストリート付近に2軒支店があるインドカレーの店。値段もお手ごろで、入りやすく、なにより繊細な味付けでおいしい。ビジネスマンたちにも好評で、お昼時はすごい混雑となる。カレーは＄4.25～。　　　　　　　　　　　　　　（'99）

トロピカルドリンクとホットドッグが最高！
Papaya King

🏠179 E. 86th St. (near 3rd Ave.)

☎(212)369-0648

100％ナチュラルで添加物なしのトロピカルドリンクと、フィレミニョンよりおいしいと自慢の100％フレッシュビーフ（冷凍ではない）のホットドッグの店。トロピカルドリンクは、パパイヤ、ココナッツなどが16オンスカップで＄1、30オンスカップで＄1.95、ホットドッグは1本＄1.10〜。店の名前にもなっているパパイヤのドリンクがフレッシュでおすすめで、これを飲みながら食べる。ご自慢のホットドッグが最高だ。座席はないので立ち食いになるが、店の外まであふれる客を見ると、食べてみないではいられなくなる。ほかに、🏠1545 3rd Ave. (near 87th St.)に支店がある。

(’99)

お手軽の餃子が絶品！
Ollie's

🏠2315 Broadway ☎(212)362-3111

📅日〜木11：30〜24：00、金土〜11：30〜1：00 MV

Broadwayと84th St.の角に位置し、入口のガラスの向こうでは、店員がみごとな手さばきで具だくさんの餃子を次々とつくりあげている。狭い店内は常連客と店員でごった返しており、いつも夜7時以降は順番待ちの列を作るほどの人気だ。おすすめはワンタンスープ（＄3〜7）と餃子（＄4〜6）。コシのある皮に肉や野菜がタップリ入っていて、ボリューム満点。炒めものなどのメインディッシュも＄10前後だから、ひとり＄18あればお腹いっぱい。なるべく早めに大人数で行きたいところ。44th St.のBroadwayと8th Ave.の間と、67th St. at Broadwayにも支店がある。

(’99)

ニューヨーカー誌の人気投票上位の店
Café des Artistes

🏠1W. 67th St.

☎(212)877-3500

📅毎日12：30〜21：00

雰囲気のよさはピカいち。ロマンチックな壁画で名高いレストランだ。ランチのメニューは毎日書き直される。ランチなら15前後で本格的な料理が味わえる。有名

作家やアーティストたちがよく顔を出すお店。

(’99)

エチオピア料理でエスニックを楽しむ
The Blue Nile

🏠103 W. 77th St. ☎(212)580-3232

📅月〜木17：00〜23：00、金17：00〜24：00、土12：00〜24：00、日12：00〜23：00 AM

コロンバス街にあるアメリカ自然史博物館は、ニューヨーカーの好きな場所のひとつ。世界中のあらゆるところから、あらゆるものを集めてきただけに、ここにいる時間は別の世界にいるようだ。

この店はエチオピア料理を食べさせてくれるエスニックな雰囲気でいっぱい。籐でできたマッシュルーム形のテーブルに丸い木のイス。そして運ばれてくるのは皿ではなくて、ひとつの大きなお盆の上にスポンジ状のクレープが敷かれてくる。これを手でちぎり、クレープにのった具を食べるというもの。エチオピアン気分を満喫できる。

(Y. Kurobe ニューヨーク在住)(’99)

マンハッタンの夜景がいちばんの豪華メニュー
River Cafe

🏠1 Water St., Brooklyn Bridge

☎(718)522-5200

📅月〜金12：00〜14：30、18：00〜23：30、土日11：30〜14：30、18：00〜23：30 ADMV

ブルックリン・ブリッジのたもとのブルックリン側にあり、ロウアー・マンハッタンが一望できる。格式高くムード満点。ニューヨークの最後の夜を過ごしたい店だ。プレフィックスの料金が＄68。

(’99)

エチオピア料理のブルーナイル

★ニューヨーク

711

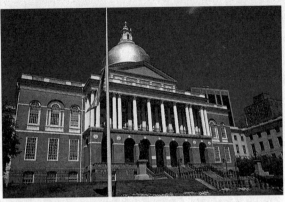

Boston

ボストン

　ボストンは日本の京都と姉妹都市だ。アメリカの人々にとってボストンは、短いながらも歴史の町なのである。なぜなら、イギリス植民地からの独立はこの町から始まったからだ。

　近代的なビルが林立するなかに、忘れ去られたように点在する歴史的な建造物。古いものと新しいものが混在し、一見すると無秩序のようにも見えるが、その2つはこの町で微妙なハーモニーを奏でている。また、ボストンはニューイングランド地方の中心地であり、マサチューセッツ州の州都でもある。チャールズ川を挟んだ北側に位置するケンブリッジは、アメリカを代表する学生の町だ。ボストン、ケンブリッジを中心としたエリアには、60近くの大学があり、平均年齢も26歳と非常に若い。加えて、現代アメリカを支えるハイテク企業が、700社余りも集中している。新旧が交錯するボストン。ほかの町とはひと味もふた味も違うアメリカを感じてみよう。

ダウンタウンへの行き方　Access ★

空港

ローガン国際空港　Logan International Airport（BOS）

　ボストン湾を挟み、ボストン市の対岸3マイルのところに位置する近代空港。5つのターミナルに分かれ、Massportのシャトルバス（無料）#22、33が各ターミナルや地下鉄駅を循環している。

●空港シャトルバン　City Transportation社　空港からボストンのおもなホテルを7：00〜23：00の間30分ごとに走っている。ダウンタウンからは6：00〜19：00で、空港へ向かうときはホテルのフロントに予約を入れる。

●ウォーターシャトル　Water Shuttle　空港からボストン湾を渡ってダウンタウンのロウズ・ワーフまで、ウォーターシャトルというボートが運行されている。シャトルの乗り場へは、ターミナル間を循環しているWater Shuttleと書かれたバスが無料で連れて行ってくれる。水の旅はダウンタウンまで約7分。タイミングが悪いと最大40分待つ。

ローガン国際空港
☎ (1-800) 235-6426

City Transportation社
☎ (617) 561-9000
圏片道＄7.50。約30〜45
分。2人以上ならタクシー
の方が安くて速い

ウォーターシャトル
☎ (617) 439-3131
運行：月〜金 6：00〜
20：00の15分間隔、土
10：00〜23：00の30分間
隔、日10：00〜20：00の
30分間隔
圏大人＄8、シニア・子供
＄4、12歳以下無料

●地下鉄 "T" ブルーラインがボストン湾の下を走り、市内に通じている。最も安上がりな交通機関。10～20分。各ターミナルと地下鉄Airport駅間は、**無料のシャトルバス（Massport #22、33）**が結ぶ。

●タクシー 湾を挟んだダウンタウンまでトンネル経由で約15～30分。2人以上だったら、タクシーのほうが速くて便利。

地下鉄 "T"
🚇85¢

タクシー
🚕＄13～18。トンネル通行料＄1.50が加算される

長距離バス

サウス・ステーション・トランスポーテーション・センター
South Station Transportation Center

　グレイハウンド、ピーターパン、コンコード・トレイルウェイズ、プリマス＆ブロックトン社など、ボストン近郊の中・長距離バス会社がすべて入った新しいバスターミナル。レッドラインとアムトラックのサウス・ステーションの南隣に位置し、サウス・ステーションFood Court側出口より出て目の前の道（Atlantic Ave.）を左側に1分歩いたところにある。チケット売り場、乗り場ともビルの3階にあり、待合室、トイレの設備がある。

サウス・ステーション・トランスポーテーション・センター
🏢700 Atlantic Ave.
🕐24時間営業
Greyhound Bus
☎ (1-800) 231-2222
Peter Pan Bus
☎ (1-800) 343-9999
🗺P.719　D-2

読★者★投★稿
　バスターミナルにはロッカーがなく5階に手荷物預り所がある。7～20時の営業。手荷物1コにつき＄2。
　（魚津明範　所沢市）（'98）

鉄 道

サウス・ステーション　South Station

　アムトラックを利用する人は、この駅が発着点となる。ウォーターフロントにもほど近く、大きな駅構内のカフェテリアやファストフードは旅行者のみならず、ランチ時には近所のビジネスマンたちでにぎわっている。地下鉄レッドラインSouth Stationのすぐ上。近郊列車も発着する。

サウス・ステーション
🏢Sumner St. at Atlantic Ave.
Amtrak
☎ (1-800) 872-7245
🕐毎日5：30～2：55、チケットは6：15～22：00
🗺P.719　D-2

ボストンの歩き方　Walking ★

　ボストンの町はコンパクトにまとまっている。歩きやすそうに見えるかもしれないが、ほかのアメリカの町と違って、通りが碁盤の目のように走っていないから、実は歩きにくいのだ。しかし、心配は無用。ボストンの観光ポイントを結んだフリーダム・トレイル（アメリカ建国への史跡）という赤いラインに沿って歩けば、迷う心配もないし、観光のポイントも網羅できる。しかもボストンは、アメリカ初の地下鉄が走った地で、路線も発達している。中心部を歩けば、地下鉄の入口を示す "T" の文字にすぐ出くわすことだろう。

★ ボストン

読★者★投★稿
役立つホームページ発見！
　ボストンに11年間住むポッキーというぬいぐるみがボストンへの行き方、歩き方、歳時記、おいしいレストラン、アウトレット情報や知っておくと得する情報などを紹介していて、なかなか便利。
HOMEpockyboston.com（wwwなし）
（伊藤恵子　川越市 '99春）

---

d a t a

人　口	約574,000人		TAX	セールス・タックス 5%
面　積	122km²			ホテル・タックス 12.45%
標　高	最高100m、最低0m		属する州	マサチューセッツ州 Massachusetts
市の誕生	1822年			
情　報	Boston Globe（日刊紙） 35¢、日曜版＄1.75		州のニックネーム	湾の州　Bay State
	The Boston Phoenix （週刊情報紙）木曜 発売＄1.75		時間帯	イースタン・タイムゾーン

BOSTON,MASSACHUSETTS

気温（℃）　　　降水量（ミリ）
最高気温／最低気温

ボストンとケンブリッジのあとは、郊外に足を延ばそう。ボストン近郊には、それぞれの歴史や雰囲気をもった魅力的な町が点在する。アメリカで初めて成功した植民地のあったプリマス、避暑地として人気の高いケープコッド、マーサ・ヴィニヤード、ナンタケット島などだ。詳しくは『地球の歩き方 63 ボストン&マサチューセッツ』編を参照。

ボストンは、アメリカ発祥の地ゆえ歴史的な建築物が多く、それが観光ポイントにもなっている。しかし、アメリカ建国の歴史に興味のわかない読者も多いだろう。そんな人は、ショッピングポイントを重点的に回るのもおもしろい。ボストンは、セールスタックスが安いうえ、＄175までの衣類は無税だ。もちろん、ボストンに来たからには、海外で最高峰といわれている日本美術のコレクションを有する**ボストン美術館**や、夜は小澤征爾氏が指揮する**ボストン交響楽団**（9〜5月）など、芸術に親しむのもいい。また、学生の町として知られている、お隣のケンブリッジも忘れずに。地下鉄で簡単に行ける。

観光案内所 ★ Information

Boston Common Visitor Center

Boston Common Visitor Center
📍147 Tremont St.
🕐月〜土 8：30〜17：00、日9：00〜17：00
🚫サンクスギビング、クリスマス
🗺P.719 C-2

ボストンの公式ガイドブックや地図＄1など、各種情報、おみやげ類が揃っている。ボストン・コモン内にあり、トイレの設備も整っている。フリーダム・トレイルはここからスタートする。Ⓣグリーン、レッドラインPark St. 駅下車。

National Park Visitors Information Center

National Park Visitors Information Center
📍15 State St.
☎(617) 242-5642
🕐毎日 9：00〜17：00（夏期は18：00まで）
🚫祝日
🗺P.719 D-2

旧州議事堂の横にある、ナショナルパーク・サービスが管理運営する案内所。資料、パンフレットのほかに無料の地図が用意されている。また、ボストンに関する本も豊富だ。ここからは、ボストンのいくつかの史跡を回るツアー（無料）も出発する。トイレの設備あり。Ⓣブルー、オレンジラインState Street駅下車。

Greater Boston Convention and Visitors Bureau

Greater Boston Convention and Visitors Bureau
📍800 Boylston St., #400 Boston, MA 02199
☎(617) 867-8227
📞(1-800) 733-2678（月〜金 9：00〜17：00）
🕐毎日 9：00〜18：00
🗺P.718 B-3

プルデンシャル・センターの中。ボストン周辺の資料が豊富で、日本語のガイドマップもある。無料。係員も親切に応対してくれる。

市内の交通機関 ★ Public Transportation

MBTA
インフォメーション
☎(617) 722-3200
HOME www.mbta.com
🕐月〜金6：30〜23：00、土日7：00〜22：00

マサチューセッツ州港湾交通局
Massachusetts Bay Transportation Authority (MBTA)

ボストンを走る地下鉄、バス、コミューターレイル、コミューターボートの管理運営を行っているのがMBTA（Massachusetts Bay Transportation Authority）。グリーンラインPark St.駅ホーム上にはMBTAの案内所がある。地下鉄やバスの路線図があり、目的地までの行き方を教えてくれる。

地下鉄やバスなど、MBTAの交通機関を使って市内をフルに回る人のために、期間内乗り放題のパス"Boston Passport"が発行されている。1日パス＄5、3日パス＄9、7日パス＄18。ローガン空港駅、サウス・ステーション、ユースホステルなどで販売されている。

●地下鉄 "T"

　ボストンの市内でよく見かける "T" の標識は、地下鉄の入口だ。ボストニアンは地下鉄のことを "Subway" ではなく、"T" と呼んでいる。ボストンの町の歴史が古いのと同じように、ボストンの地下鉄はアメリカでいちばん古く、かなり老朽化している。現在、近代的な車両へと移りつつある。

　路線は全部で4つ。ブルー、オレンジ、レッド、グリーンで、車両の外観、ホームの看板など、東京の地下鉄と同じように、色分けされているのでわかりやすい。グリーン・ラインのみ4種類あるので（B/C/D/E）、outbound（郊外）へ行く際は注意すること。たとえば、ボストン・カレッジへ行くときにはBライン（Commonwealth Ave.を走る）、シンフォニーホール、ボストン美術館へは、Eライン（Huntington Ave.）に乗車する。

　切符ではなく、トークンと呼ばれるコインを利用する。トークンは、地下鉄駅のブースならどこでも買うことができるが、まとめて買ってポケットにでも入れておいたほうが、いちいち財布を出す手間も省けて便利だ。

地下鉄 "T"
🚇全線85¢均一
　地上から乗るときは硬貨でもOK。また、地下鉄が地上に出ると車両のドアがいちばん前しか開かないので要注意。地上の駅から郊外に向かうときは、運賃無料。
運行：毎日5：00〜24：45くらい

ボストンの地下鉄は便利

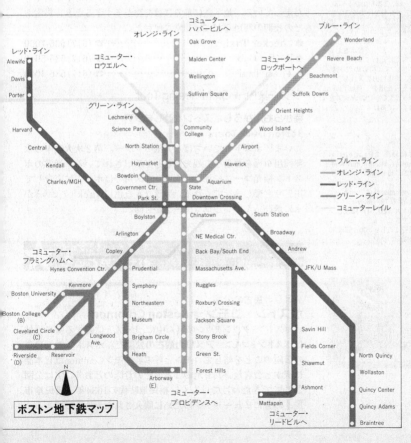

ボストン地下鉄マップ

レッド・ライン
Alewife
Davis
Porter
Harvard
Central
Kendall
Charles/MGH

オレンジ・ライン
コミューター・ロウエルへ
コミューター・ハバーヒルへ
Oak Grove
Malden Center
Wellington
Sullivan Square

ブルー・ライン
Wonderland
Revere Beach
Beachmont
コミューター・ロックポートへ
Suffolk Downs
Orient Heights
Wood Island
Airport
Maverick
Aquarium

グリーン・ライン
Lechmere
Science Park
North Station
Haymarket
Bowdoin
Government Ctr.
Park St.
Boylston
Arlington
Copley
コミューター・フラミングハムへ
Hynes Convention Ctr.
Kenmore
Boston University
Boston College (B)
Cleveland Circle (C)
Longwood Ave.
Riverside (D)
Reservoir
Prudential
Symphony
Northeastern
Museum
Brigham Circle
Heath
Arborway (E)

Community College
State
Downtown Crossing
Chinatown
NE Medical Ctr.
Back Bay/South End
Massachusetts Ave.
Ruggles
Roxbury Crossing
Jackson Square
Stony Brook
Green St.
Forest Hills
コミューター・プロビデンスへ

South Station
Broadway
Andrew
JFK/U Mass
Savin Hill
Fields Corner
Shawmut
Ashmont
Mattapan
コミューター・リードビルへ

North Quincy
Wollaston
Quincy Center
Quincy Adams
Braintree

━━ ブルー・ライン
━━ オレンジ・ライン
━━ レッド・ライン
━━ グリーン・ライン
━━ コミューターレイル

N

地下鉄の車内

行き先のホームを確認しよう！

　地下鉄はGovernment Center（中心部）に向かう路線をinbound、逆方向をoutboundと呼ぶ。inboundは上り、outboundは下りと考えればわかりやすい。ただし、Government Center駅だけは、向かう方向で書かれている。最近は行き先の駅名が表示されるようになってきたが、いまでも駅によってはわかりにくくinboundとoutboundのホームの入口が異なる場合もあるので、地下鉄の入口でどちらかをしっかり確認しよう。

●バス　Bus

　MBTAが運営するバスが、ボストン市内、市内から郊外へと縦横無尽に走っている。路線、本数も多いが、地下鉄の発達しているボストン市内でバス利用のメリットはあまりない。一部の路線を覚えておけば十分だ。ケンブリッジへ行く#1は使いやすい路線。バスの個別路線図、時刻表はPark St.駅のインフォメーションで入手できる。

●タクシー　Taxi

　通称"Cab"と呼ばれるタクシーは、ボストンの町中をたくさん走っている。地下鉄に乗るには荷物が多すぎるとき、終電あとの夜間の利用などには非常に便利だ。
- Checker Taxi ……………………………☎(617)536-7000
- Boston Cab …………………………………☎(617)536-5010
- Town Taxi …………………………………☎(617)536-5000

ツアー案内 ★ Sight-seeing Tour

陸からも川からもボストンを楽しむツアー
Boston Duck Tours

　いま、ボストンでいちばん人気のツアー。第2次大戦中の水陸両用車両を改造して観光用として活用されている。通常のボストン観光コースに加え、チャールズ川ではボートに変身して川下りも楽しませてくれる。カラフルな色にDuck（アヒル）が水に飛び込んでいるロゴマークが目印。

A t t r a c t i o n s
おもな見どころ ★

ダウンタウン
★
Downtown

アメリカ最古の公園
ボストン・コモン ★ Boston Common

　ボストン・ダウンタウンの真ん中に、どーんと位置する緑の地域はボストン・コモン、**アメリカ最古の公園**だ。ボストニアンはこの公園のことを略してコモンと呼ぶ。コモンCommonは日本語に訳すと公有地、共有地のこと。その意味のとおり、実は公園としてできたわけではなく、植民地時代の1634年、植民地市民、おもにピューリタンのために購入された土地なのである。

バス
🚌市内なら60¢。郊外では、遠くなるにつれて$1〜2と料金がアップする。また、ボストン市内でinboundからoutboundへ向かう場合、一部の路線が無料になるから、乗るときドライバーに料金を確認しよう。

タクシー
🚕ボストンのタクシーはメーター制。基本料金は$1.50、1/7マイル走行するごとに20¢加算されていく。橋やトンネルの通行料（$1が多い）は乗客の負担となっているが、人数が増えても料金は変わらない。
　チップは料金の15%前後。荷物の出し入れをしてもらった場合、荷物1個につき$1ぐらいのチップをはずんであげよう。

ボストン・ダック・ツアーズ
出発場所：Prudential Center, Huntington Ave.（101 Huntington Ave.）チケットはPrudential Center Information横のブース
☎(617)723-3825
🎫大人$20、4〜12歳とシニア$10
運行：毎日9：00〜日没30分間隔の出発

48エーカーの敷地内には、**セントラル墓地Central Burying Ground**や種々のメモリアルがある。トレモント・ストリート沿いの観光案内所はガイドブックやパンフレット類が揃っているほか、**フリーダム・トレイルの出発点**にもなっている。

"自由 Freedom"を象徴する教会
✓パーク通り教会 ★ Park Street Church

パーク・ストリートとトレモント・ストリートの交差点にある少し特徴のある尖塔をもつ教会。塔の先は八角形、普通の教会と異なるので見比べてみるといい。

この教会は、1829年7月4日ウィリアム・ロイド・ギャリソンWilliam Lloyd Garrisonが最初に奴隷制度反対演説を行った場所として知られ、パーク通り教会やファニュエル・ホールなどの公共の建物は、しばしば奴隷制度廃止を唱える者たちの集会場として使われた。1812年の戦争の際、火薬の原料である硫黄を蓄えていたことから、別名Brimstone（硫黄）Cornerとも呼ばれている。

建国の志士が眠る
✓グラナリー墓地 ★ Granary Burying Ground

パーク通り教会のグラナリー墓地には、アメリカの自由と独立のために戦った愛国者たちが埋葬されている。もとは穀物（グラナリー）倉庫のあったところだ。

墓地に眠るヒーローたちは、ボストニアンの尊敬を受け、マサチューセッツの初代知事となった**ジョン・ハンコック**、イギリス軍の攻撃から、アメリカ軍を危機一髪のところで救った**ポール・リビア**、独立戦争のリーダー的存在の**ジェームス・オーティス**や**サミュエル・アダムス**、ボストン虐殺事件の犠牲者たちなど。墓石に刻まれた名前を読みながら、感慨にふけるアメリカ人の姿が目につく場所でもある。

文学者たちが集った
オールド・コーナー書店 ★ Old Corner Bookstore
（現グローブ・コーナー書店　Globe Corner Bookstore）

ビルが林立するダウンタウンの中で、農家の納屋の形をした屋根をもつ、非常に印象的な家屋がグローブ・コーナー書店だ。この書店は以前、オールド・コーナー書店という名で、**エマーソン、ホーソン、ロングフェロー**らの、アメリカを代表する偉大な文学者が集まり、語らいのひとときを過ごしていたところ。フリーダム・トレイルの、観光ポイントのひとつにはなっているものの、アメリカ建国の史跡ではなく、アメリカ文学の史跡というほうがふさわしい。

1960年に一度改築され、現在はボストン・グローブ社のサービスショップになっている。グローブ社のロゴマークの入ったTシャツ、トレーナー、グラス、マグカップなどが豊富に揃っている。

ボストン・コモン
🚇Tremont, Boylston, Arlington, Beacon Sts.
🕐毎日24時間（ただし暗くなってからは歩かないこと）
🚊①グリーン、レッドラインPark St.駅下車
🗺P.719 C-2

パーク通り教会
🚇Park & Tremont Sts.
☎ (617) 523-3383
🕐7、8月の火～土 9：30～15：30、冬期は予約制
　日曜の礼拝は 9：00、10：45、17：30
💰無料
🚊①グリーン、レッドラインPark St.駅下車
🗺P.719 C-2

グラナリー墓地
🕐毎日 9：00～17：00
🚊①グリーン、レッドラインPark St.駅下車
🗺P.719 C-2

解説書があります
春から秋にかけてボランティアが無料の案内を配っている。これを持ち帰ることはできないが、戻すときに後ろの封筒に気持ち分のチップを入れたい。

★ボストン

オールド・コーナー書店
🚇3 School St. at Washington St.
☎ (617) 367-4000
🕐月～金 9：00～18：30、土日 9：00～17：00
🚊①ブルー、オレンジラインState駅下車
🗺P.719 D-2

オールド・コーナー書店

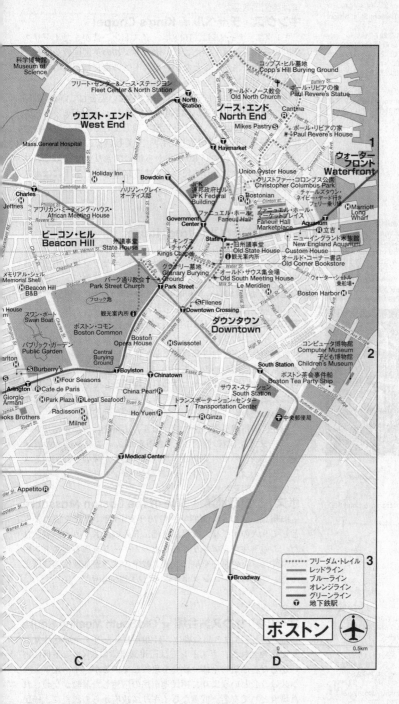

科学博物館
Museum of Science

フリート・センター&ノース・ステーション
Fleet Center & North Station

コップス・ヒル墓地
Copp's Hill Burying Ground

オールド・ノース教会
Old North Church

ポール・リビアの像
Paul Revere's Statue

ウエスト・エンド
West End

ノース・エンド
North End

Mikes Pastry Ⓢ

Mass.General Hospital

Holiday Inn

Bowdoin Ⓣ

Haymarket Ⓣ

ポール・リビアの家
Paul Revere's House

ウォーター
フロント
Waterfront

Charles
Jeffries

ハリソン・グレイ・
オーティス部
JFK
連邦政府ビル
JFK Federal
Building

Union Oyster House

クリストファー・コロンブス公園
Christopher Columbus Park

チャールズタウン・
ネイビー・ヤード行き
フェリー乗り場

アフリカン・ミーティング・ハウス・
African Meeting House

Bostonian

ファニュエル・ホール
Faneuil Hall

Marriott
Long
Wharf

ビーコン・ヒル
Beacon Hill

州議事堂
State House

Government
Center

ファニュエル・ホール・
マーケットプレイス
Faneuil Hall
Marketplace

Aquarium 立吉

ニューイングランド水族館
New England Aquarium

キングス
チャペル
Kings Chapel

旧州議事堂
Old State House

観光案内所

State Ⓣ

Custom House

オールド・コーナー書店
Old Corner Bookstore

メモリアル・シェル
Memorial Shell

グラナリー墓地
Granary Burying
Ground

オールド・サウス集会場
Old South Meeting House

Le Meridien

ウォーター・シャトル
乗船場

パーク通り教会
Park Street Church

Park Street Ⓣ

Boston Harbor Ⓗ

Beacon Hill
B&B

ブロック池

観光案内所

Ⓢ Filenes

スワン・ボート
Swan Boat

Ⓣ Downtown Crossing

ダウンタウン
Downtown

ボストン・コモン
Boston Common

Boston
Opera House

Ⓗ Swissotel

コンピュータ博物館
Computer Museum
子ども博物館
Children's Museum

パブリック・ガーデン
Public Garden

Central
Burying
Ground

South Station

South Station

ボストン茶会事件船
Boston Tea Party Ship

Ⓢ Burberry's

Ⓣ Boylston

Ⓣ Chinatown

Ⓗ Four Seasons

Arlington Ⓡ Cafe de Paris

Giorgio
Armani

China Pearl

サウス・ステーション
South Station

Ⓗ Park Plaza Ⓡ Legal Seafood

トランスポーテーション・センター
Transportation Center

ooks Brothers

Radisson Ⓗ

Ho Yuen Ⓡ

Ⓡ Ginza

中央郵便局

Milner

Ⓣ Medical Center

dler St. Ⓡ Appetito Ⓡ

Warren Ave.

Ⓣ Broadway

•••••• フリーダム・トレイル
　　　レッドライン
　　　ブルーライン
　　　オレンジライン
　　　グリーンライン
　Ⓣ　地下鉄駅

ボストン ✈

0　　　　0.5km

C

D

★
ボストン

🏠58 Tremont St. at School
St.
☎(617) 227-2155
🕐夏期の毎日10：00〜
16：00、上記以外は月金土
10：00〜16：00
💰12歳以上ひとりにつき寄
付＄1
🚇①グリーン、ブルーライン
Government Center駅下車
🗺P.719 D-2

実は英国国教会だった
キングス・チャペル ★ King's Chapel

　キングス・チャペルは、1688年、ボストン一帯がまだイギリス政府の統轄を受けていたころ、ボストン初の英国国教会として創設された。当然のことながらボストンの市民は、この教会の建設に猛烈な反対をしたという。

　塔がなく、教会としては非常にめずらしい姿をしている。外壁は石でおおわれているが、建物の内部は石と木造がミックスされ、植民地時代のおもかげを色濃く残している。教会内名物の鐘は、ポール・リビアの製造したもので、美しい音を奏でるそうだ。

　アメリカ独立後の1780年代からは、アメリカで初めてのユニテリアン派教会として使われるようになった。裏手にはボストン初の墓地もある。

旧州議事堂
🏠206 Washington St.
☎(617) 720-3290
🕐毎日9：00〜17：00
💰大人＄3、子供＄1、学
生・シニア＄2
🚇①ブルー、オレンジライン
State駅下車
🗺P.719 D-1

旧州議事堂

植民地時代からの建物
旧州議事堂 ★ Old State House

　旧州議事堂はその名のとおり、1798年1月11日ビーコン・ヒルに現在の州議事堂が完成し、マサチューセッツ州の機関が移転するまで、州議事堂として機能していた建築物だ。

　建物の歴史は古い。1658年に建設された旧町会集会所が焼失、1713年その焼け跡に建てられた旧州議事堂は、**ボストン最古の建築物**である。1713年から独立戦争が勃発するまでの間は、イギリスの植民地政府が置かれ、1階は貿易、2階は植民地政府の会議室や地方裁判所として使われた。1776年7月18日、議事堂東側2階のバルコニーから、新マサチューセッツ市民に向かって独立宣言が読み上げられた場所としても有名だ。1766年に会議場に初めての回廊ができ、一般市民のための傍聴席が設けられたのも、当時としては画期的なことだった。

　現在、旧州議事堂は博物館となり、1階では一部がマリン・ミュージアム（船の博物館）、2階がボストニアン協会の展示室として、昔のボストンの写真パネルなどが陳列されている。

ボストン虐殺地跡
🏠Devonshire & Court Sts.

歴史はここで変わった
ボストン虐殺地跡 ★ Site of the Boston Massacre

　旧州議事堂のすぐ東側で、1770年3月5日、群衆を鎮めようとして9人のイギリス人兵が発砲、5人のアメリカ人が殺された。この事件が、アメリカ独立史の1ページを飾るボストン虐殺事件だ。この事件を境に、独立戦争の機運が加速度的に高まった、歴史のターニングポイントといえる場所だ。

オールド・サウス集会場
🏠310 Washington St.
☎(617) 482-6439
🕐毎日9：30〜17：00、
スペシャルイベント木
12：00〜13：00
💰大人＄3、6〜18歳＄1、
学生・シニア＄2.50
🚇①レッド、オレンジライン
Downtown Crossing駅下車
🗺P.719 D-2

教会のようだが
オールド・サウス集会場 ★ Old South Meeting House

　オールド・サウス集会場は、1729年ピューリタンの礼拝堂として建設された、ボストンでは旧州議事堂に続く、2番目に古い建物だ。建造物全体は教会を象徴しているが、オールド・サウスは教会というより、植民地市民の白熱した討論が交わされた場所として有名。度重なるイギリス政府からの課税に、植民

地市民は憤りを感じ、この場で下された討論の結果が、1773年のボストン茶会事件を引き起こしたのである。中では討議の様子を再現したテープを聞くことができる。

ケネディも演説した
ファニュエル・ホール ★ Faneuil Hall

　1742年、裕福な貿易商ピーター・ファニュエル Peter Faneuilが、ボストンの町に寄贈した、商業用兼町の集会場用のホール。商業や集会より、植民地時代から現在まで自由な討論の場、アメリカ革命発祥の地として有名な建物でもある。

　ファニュエル・ホール正面には**サミュエル・アダムスの像**があるが、アダムスはこのホールのことを『**自由のゆりかご Cradle of Liberty**』（ゆりかごCradleには文明民族発祥の地という意味がある）と名付け、このホールでおもにアメリカ独立のための種々の演説を行った。また、ここでは、アメリカが独立の道をたどるまで、アダムスを中心に、イギリス本国政府に対する数々の抗議への討論が重ねられた。その後、J・F・ケネディも、ここでスピーチを行っている。

1日中楽しい
ファニュエル・ホール・マーケットプレイス
★ Faneuil Hall Marketplace

　ファニュエル・ホールの裏手にある、ボストンでいちばんにぎやかで楽しいところ。クインシー・マーケットともいう。ブティック、ショップ、レストラン、ファストフード店がひしめき合い、朝から晩まで多くのボストニアンや観光客でごった返している。イベントがあったり、大道芸人も出没していて、一日中いても決して飽きないところだ。ボストンのエンターテインメント全般の半額チケット売場（BOSTIX）もここにある。

水の仲間に出会える
ニューイングランド水族館 ★ New England Aquarium

　ボストンのアトラクションとして、いつもにぎわいを見せているニューイングランド水族館。その館内は4つのフロアに分かれており、6,000匹以上もの海の生きものが飼育されている。また、ここの売りはその展示物だけでなく、展示方法や建物にもある。水族館をデザインしたのはボルチモアのナショナル水族館や大阪の海遊館も設計した〝水の魔術師〟と呼ばれる**ピーター・シェマイエフ**だ。

　館内は、**ジャイアント・オーシャン・タンク**と名付けられた大水槽が中心。4階にまでおよぶタンクは、いろいろな位置から眺められる円筒型で、周囲の長さ40フィート、深さ23フィート、容積18万ガロンの巨大なもの。そのほかには、ペンギンのプール、ペンギン・トレイやアメリカの川魚、考えるギャラリー、トロピカル・ギャラリーなどがある。

　4〜10月に催行される**ホエール・ウォッチング**は、見られる保証付きで、好評だ。

ファニュエル・ホール
🏠Bet.Congress St. & Merchants Row
☎(617) 523-1300
🕐毎日9：00〜17：00
🚫サンクスギビング、クリスマス、元日
💰無料
🚇①ブルー、グリーンライン Government Center駅下車
🗺P.719　D-1

ファニュエル・ホール（写真）の前にはショッピングゾーンが広がっている

ファニュエル・ホール・マーケットプレイス
🕐ショップ：月〜土10：00〜21：00、日12：00〜18：00、レストランのオープンは毎日11：00ごろからで閉店時間は店によって異なる
🚇①ブルーライン Aquarium駅、またはグリーンライン Government Center駅下車
🗺P.719　D-1

★
ボストン

ウォーターフロント
Waterfront

ニューイングランド水族館
🏠Central Wharf, Boston, MA 02110-3399
☎(617) 973-5200
🕐7/1〜レイバー・デーの月火金9：00〜18：00、木水9：00〜20：00、土日祝日9：00〜19：00、レイバー・デー翌日〜6/30の月〜金9：00〜17：00、土日祝日9：00〜18：00。元日は午後からオープン
🚫クリスマス、サンクスギビング
💰大人＄11、子供＄5.50、シニア＄10　夏の火水曜日、16：00〜1割引
🚇地下鉄ブルーライン Aquarium駅下車
🗺P.719　D-1

港町ボストンを実感する
ハーバークルーズ ★ Harbor Cruises

地下鉄ブルーラインのAquarium駅付近にはたくさんの桟橋があり、さまざまなクルーズが出航している。湾内を軽くひと回りするものから、沖へ出てクジラを見に行くツアー、沿岸近郊の町を巡るツアーなど多彩だ。いずれにしても、しばし都会の雑踏を抜け出してのクルーズ体験も悪くない。

●ボストン・ハーバー・クルーズ社　Boston Harbor Cruises

①Historic Sightseeing Cruise

ダウンタウンのスカイラインを眺めながら、ボストンの植民地時代からの歴史、ランドマーク、ネイビー・ヤード、ボストン・ハーバーの新旧について解説する。

②Constitution Cruise

U.S.S.コンスティテューションや、海軍基地などを巡る湾内クルーズ。

③Sunset Cruise

夕陽に染まるダウンタウンと、夜景とが楽しめるクルーズ。

④Whale Watch Safari

快速クルーザーでクジラを見に行く。もし、まったくクジラが見られなかった場合は、同ツアーの無料乗船券がもらえるので、再度チャレンジできる。

アメリカ史を語るうえでは欠かせない
✓ ボストン茶会事件船と博物館
★ Boston Tea Party Ship & Museum

ダウンタウンとサウス・ボストンを結ぶコングレス・ストリート橋のたもと、フォート・ポイント・チャネルに木造船が浮かんでいる。その名はビーバー2世号 Beaver Ⅱ。かの有名なボストン茶会事件の1隻だ。といってもこれはオリジナルではなく、1976年に復元されたもので、現在は博物館となって一般公開されている。

2本マストの帆船であるビーバー2世号は、全長約30m。デッキ、操舵室、炊事室、貯蔵室、寝室などが忠実に再現されている。ケッサクなのは、茶箱を海に投げ捨てられること！ ボストン茶会事件をあなた自身が体験できるしくみだ。

また、日に何度か、当時の衣装をつけた人が、事件の話などをしてくれる。

アメリカ建国の英雄の家
ポール・リビアの家 ★ The Paul Revere House

"真夜中の疾駆Paul Revere's Ride"で有名な、建国のヒーロー、ポール・リビアの住んだ家。リビアは、危機一髪のところでイギリス軍の攻撃からアメリカを救った人物として知られる。木造2階建ての簡素なこの家は、ボストン最古の建造物でもある。

1680年ごろ建てられたこの家を、ポール・リビアが購入したのは1770年。リビア一家は約30年間この家に住んだ。中は、1階、2階の各2部屋が、当時そのままに再現され、公開されている。

ここに掲げられたランタンがアメリカを救った
オールド・ノース教会 ★ Old North Church

外観はレンガ造り、内装は白く涼しげなオールド・ノース教会は**ボストン最古のキリスト教会**。創設は1723年、オールド・ノース教会が一躍有名になったのは、1775年4月18日の晩のことだった。当時は、ボストンでいちばん高い建物だったオールド・ノース教会の尖塔に、2つのランタンが掲げられた。このあかりを見た**ポール・リビア**が、イギリス軍の奇襲を知らせるために、植民地軍の武器弾薬庫のあるコンコード、その中継点であるレキシントンに向かった。リビアの疾駆は、イギリス軍の攻撃を未然に防ぎ、植民地軍の士気を高め、アメリカ独立のワンステップとなった。

白い塔をもつ教会は、**植民地時代の象徴的な教会**で、建物内部の箱型の座席も、教会が建てられたときのままで残っている。

休 1、2、3月、サンクスギビング、クリスマス、元日
料 大人＄2.50、子供＄1、学生・シニア＄2
行 ①ブルラインAquarium駅、またはオレンジ、グリーンラインHaymarket駅下車
地 P.719 D-1

オールド・ノース教会
住 193 Salem St.
☎ (617) 523-6676
開 毎日9：00～17：00
日曜の礼拝9：00、11：00、16：00
料 無料だが、＄2のサジェストあり
行 ①オレンジ、グリーンラインHaymarket駅下車
地 P.719 D-1
※教会内は撮影禁止

ビーコン・ヒル
Beacon Hill
★ ボストン

マサチューセッツ州政府のお役所
マサチューセッツ州議事堂
★ The Massachusetts State House

金色に輝くドームがひときわ目立つ、T字形の建物がマサチューセッツ州議事堂だ。ボストンのランドマーク的存在で、ビーコン・ヒル最古の建物である。

そのデザインは、新古典主義調（ジョージア王朝式とフェデラル様式のミックス）で、チャールズ・ブルフィンチの設計。柱廊は古代ギリシャ風の円柱、壁はペディメントと呼ばれる古典建築の、三角形の切妻壁だ。ドームは23金の金箔におおわれている。堂内を見学するツアーが、人数が集まり次第行われている。

マサチューセッツ州議事堂
住 Bowdoin & Beacon Sts.
☎ (617) 727-3676
開 月～金9：00～15：00
（ツアー、所要時間30～45分）
休 土日祝日
行 ①グリーン、レッドラインPark St.駅下車
地 P.719 C-1、2

絵になるストリート
マウント・バーノン通り ★ Mount Vernon Street

ボストンの白人エリートたちが多く住む、ビーコン・ヒルの中心的な通り。美しいこの通りは、よく写真などで目にする。

ビーコン・ヒルはその名のとおり、平地の多いボストンの中では比較的高い場所にあり、坂も多い。その坂に沿って、18～19世紀に建てられた、レンガ造りのしょうしゃな家が建ち並ぶ。緑も多く、なんともエレガントな雰囲気がただようこの通りは、ひとときの静かな散策にぴったりだ。

ビーコン・ヒルは瀟洒な住宅街

腰かけてお茶を楽しみたい

チャールズ通り ★ Charles Street

ビーコン・ヒルの西側を縦断するチャールズ通りは、ボストンでも人気の、オシャレなショッピング・ストリート。買い物をするより、ウインドー・ショッピング、という感じの店が多いかもしれない。しかし、ティーブレイクはぜひ、ここのカフェをおすすめする。心静かにお茶を飲みながら、テラスや窓越しに、通りや行き交う人々を眺めていると、なんともいえないボストンの"呼吸"を感じるだろう。

バック・ベイ
★
Back Bay

パブリック・ガーデン
住所Between Charles & Arlington Sts.
☎(617) 522-1966
時間毎日 日の出～22：00
交通①グリーンラインArlington駅
地図P.719 C-2

スワン・ボート
料金大人＄1.75、12歳以下95¢
運行4月中旬～6/20の毎日10：00～16：00、6/21～レイバー・デーの毎日10：00～17：00、レイバー・デー～9月中旬の月～金12：00～16：00、土日10：00～16：00

ジョン・ハンコック展望台
住所200 Clarendon St.
☎(617) 572-6429
時間月～土9：00～22：00、日9：00～18：00
休みサンクスギビング、クリスマス
料金大人＄5、子供・シニア＄3
交通①グリーンラインCopley駅下車
地図P.718 B-2

名物のスワン・ボートに乗ろう！

パブリック・ガーデン ★ Public Garden

パブリック・ガーデンは、アメリカで初めてできた植物園。チャールズ通りを挟んで東に位置するボストン・コモンと混同されがちだが、目的も歴史もまったく異なっている。コモンは公園だが、**パブリック・ガーデンは植物園**。ここには、手入れのいきとどいた美しい植物が花壇にきれいに植えられ、散歩する人の心をなごませてくれている。とくに、春に開花するチューリップの群生は毎年ボストンに春の到来を告げる。

パブリック・ガーデンには、美しい植物以外に忘れてはならない名物がある。敷地内のほぼ中央に池があり、池を行き交う白鳥の形をした**スワン・ボート Swan Boat**がそれ。ボートはいまやボストンの風物詩のひとつだ。春から夏にかけてスワン・ボートは、観光客や市民を乗せて、ゆっくりゆっくりと航行する。美しい姿に惹かれてか、子供からお年寄りまで、あらゆる年齢層の人がのんびりと乗っている。

のっぽビル その1

✓ジョン・ハンコック展望台
★ John Hancock Observatory

トリニティ教会のすぐ東に建つノッポのビルは、**ニューイングランド地方でNo.1**の高さを誇るジョン・ハンコック・タワーだ。全長約225m、62階建てのビルは、全面ガラス張り。天気の良い日には、すぐ隣のトリニティ教会や青空がガラスに映ってたいへん美しい。ボストンの摩天楼群のなかでも、ひときわ異彩を放っている。

1階入口のチケット売場に、その日の眺望度合がマイル数で表示されているので、確かめてから昇るとよい。展望台からのボストンの町は、まさに壮観！ 南側には窓がないのだが、ビーコン・ヒルの古い家並み、ダウンタウンの摩天楼群、ボストン・コモンの深い緑と、とうとうと流れるチャールズ川、その向こうの学園都市ケンブリッジ、視界がよければ南ニュー・ハンプシャーの山々まで眺望することが可能。

ジョン・ハンコック・タワー
（奥のビル）

トリニティ教会 ★ Trinity Church

　コープリー・スクエア周辺は、ボストンの繁華街のひとつで、朝から晩まで人や車でにぎやか。しかし、スクエアの東に面しているトリニティ教会に一歩踏み込むと、そこは都会の喧噪がウソのような別世界が存在している。中世ヨーロッパの権威ある教会にまぎれ込んだように、荘厳な空気が漂い、訪れる人を現世界から隔離する。暗い教会では、太陽の光を浴びたステンドグラスの輝きが、まぶしいほどだ。

　トリニティ教会は、1877年建立。ロマネスク調の建物は、建築的にも、美術的にもすぐれた教会だから、じっくりと見学しよう。ただし、教会内では静粛にすること。

プルデンシャル・センター・スカイウォーク ★ Prudential Center Skywalk

　バック・ベイのボイルストン通りを西へ向かうと、左手に大きなビルが迫ってくる。ボストンでジョン・ハンコック・タワーに次ぐ高さを誇るこのビルが、プルデンシャル・センターだ。

　1960年代の、ボストンの都市再開発計画の一環として建てられ、行事がよく行われる**ハインズ・コンベンションセンター**、**コープリー・プレイスのモール**とは遊歩道でつながっており、雨や雪の日でもラクに行くことができる。

　プルデンシャル・センターの50階は**Skywalk**という展望台で、ここからもボストンや周辺の町を眺望することができる。北の展望台から見下ろすと、ヨットが行き交うチャールズ川を手前に、MITの校舎が真っ正面に位置し、そこから学園都市ケンブリッジが広がっていく。西にはボストン・レッドソックスでおなじみのフェンウェイ・パークやボストン・カレッジ、南は緑豊かな住宅地、東にはジョン・ハンコック・タワーやダウンタウンなどが見渡せる。展望台見学が終わったら、センターの下にある、市内でも有数のショッピングセンター、**ショップス・アット・プルデンシャル Shops at Prudential**へ行こう。オリジナルな店が多く、ボストンのショッピングスポットのひとつ。

クリスチャン・サイエンス・センター ★ Christian Science Center

　1866年、メアリー・ベーカー・エディMary Baker Eddyによって開かれたキリスト教の一派が〝**クリスチャン・サイエンス**〟。その総本山がここボストンにあるクリスチャン・サイエンス・センターだ。聖書に基づく信仰で、現在世界中に信者をもち、総本山を訪れる人はあとを絶たない。

　クリスチャン・サイエンス・センターは5つの建造物から構成され、そのうちのいくつかは一般に公開されている。なかでも、**マザー・チャーチ**の壮麗さは必見。

トリニティ教会
🏛Clarendon & Boylston Sts.
☎(617)536-0944
🕐毎日8：00〜18：00
休祝日
🚇グリーンラインCopley駅下車
🗺P.718　B-2
　毎週金曜の12：15から無料のパイプオルガンのコンサートが行われる。

プルデンシャル・センター・スカイウォーク
🏛800 Boylston St., Prudential Tower Building
☎(617)236-3318
🕐毎日10：00〜22：00
休祝日
💲大人$4、子供・学生・シニア$3
🚇グリーンライン（E）Prudential駅下車
🗺P.718　B-3

プルデンシャル・センター

ビルの眺望情報
　ジョン・ハンコック展望台については、ダウンタウン方面はよく見えるが、ガラスとの間に柵があり、写真を撮るときや眺めているときにまわりの人影の反射がかなり気になる。また、南西側は展望できないので、360度のパノラマを望むことができない。
　プルデンシャル・センターのスカイウォークは360度のパノラマが見え、ジョン・ハンコック展望台よりもいいと思う。ただし、ダウンタウンを見るときは目の前のジョン・ハンコックがじゃまで見にくい。
（加藤寛昭　泉南市 '98夏）

クリスチャン・サイエンス・センター
🏛175 Huntington Ave.
☎(617)450-3790
🕐マザー・チャーチのオープン
月〜土9：30〜16：00、日13：00〜14：00
休6/4と総会のある日
💲無料
🚇グリーンライン（E）PrudentialまたはSymphony駅下車
🗺P.718　B-3

★ボストン

チャールズタウン・ネイビー・ヤード
☎(617) 242-5642
P.718 左上

観光案内所
毎日9：00～17：00
プレゼンテーションの料金：大人＄3、18歳以下＄1.50、シニア＄2

米国船コンスティテューション号
毎日9：30～15：50
（15：50～日没はセルフガイドツアーで）
無料
ツアー：人数が集まり次第出発。所要時間約40分
①オレンジ、グリーンラインNorth Station下車。バス＃92、93、111で

コンスティテューション号

バンカー・ヒル記念塔
Monument Square
☎(617) 242-5642
毎日9：00～17：00
サンクスギビング、クリスマス、元日
無料
①オレンジ、グリーンラインNorth Station下車。バス＃92、93で
P.718 左上

歴史的な船が係留されている

チャールズタウン・ネイビー・ヤード
★ Charlestown Navy Yard

　ネイビー・ヤードは、海軍の敷地として買収され、軍用艦の造船所、ドック、海軍用のオフィスとして稼動していた。現在では国立歴史公園のひとつとして一般に公開されている。

　43エーカーの敷地内には、**米国船コンスティテューション号 USS Constitution**（フリゲート艦）や**米国船カシン・ヤング号USS Cassin Young**（駆逐艦）が停泊し、いつも観光客でにぎわっている。**観光案内所**や博物館もあり、案内所ではバンカー・ヒルの戦いのプレゼンテーションが行われている。

● 米国船コンスティテューション号
United States Ship Constitution

　USSコンスティテューション号は、現在も航行できる世界最古の戦闘艦で、"オールド・アイアンサイド＝鉄の横腹をもつ彼女"の異名を持ち、アメリカ建国のヒロインとして国民の間で親しまれている。この古びた木造船（18世紀終わりの最高の技術を駆使して造られている）がなぜ"鉄の……"と呼ばれるようになったかは、彼女（英語で船の代名詞は女性になる）の武勇伝に起因する。彼女は、数知れないほどの敵の砲弾を浴びながらも、決して沈没することがなかった。鉄で造られたわけではないが、その強靭な船体はたびたび人々を驚かせたという。現在チャールズタウンのネイビー・ヤードで余生を送っており、船内はツアーで見学できるようになっている。

壮絶な戦いだった

バンカー・ヒル記念塔 ★ Bunker Hill Monument

　フリーダム・トレイルの終点がバンカー・ヒル記念塔だ。この塔は、1775年6月17日独立戦争のさ中、バンカー・ヒル周辺で起こった**バンカー・ヒルの戦い The Battle of Bunker Hill**を記念して建てられたもの。塔のブロックは花こう岩でできている。

　高さ67mの塔の内部は、エレベーターがなく、294段の階段が展望階まで通じている。展望階から眺めるボストンのダウンタウンやケンブリッジ、チャールズタウンのネイビー・ヤードの景色は、階段昇りの苦労を忘れさせてくれる。バンカー・ヒルまで来たらぜひ登ってみよう。展示階は狭い部屋で、四方の窓から町が見渡せる。

ネイビー・ヤードとロング・ワーフを結ぶ便利なウォーターシャトル

　地下鉄などを運営するMBTAが、チャールズタウンのネイビー・ヤード（ピア4）とウォーターフロントのロング・ワーフ（ニューイングランド水族館の横）を結ぶウォーターシャトル（フェリー）を運行している。フリーダム・トレイルの終点はチャールズタウンだが、ここから最寄りの地下鉄駅まではけっこう歩く。このフェリーに乗れば、あまり歩かずに一気にダウンタウンの中心部まで戻れるというわけ。フリーダム・トレイルを制覇して疲れた身にはありがたい交通機関だ。
片道＄1
月～金6：30～20：15の15分間隔、土日10：00～18：15の30分間隔
おもな祝日は休み

ケンブリッジの歩き方　Walking

　ボストン市のチャールズ川を挟んだ対岸は、学園都市として名高いケンブリッジ市である。1636年創立の、アメリカ最古の大学ハーバード大学と、多くのノーベル賞学者を世に送り出しているマサチューセッツ工科大学が、二大巨頭として知られているが、ボストン、ケンブリッジの近郊には60を超える大学があり、一帯の平均年齢は26歳と、全米一の若さだ。

　学生の町として栄えているケンブリッジには、多くの個性的な劇場、カフェ、レストラン、店舗が集まり、町の散策も楽しいところだ。とくに本屋の数はずば抜けて多い。観光というよりも学生気分で町を歩いてみよう。

ケンブリッジ
🚇ボストンのダウンタウンより地下鉄レッドラインで約15～20分、ハーバード大学ならHarvard駅下車、MITならKendall駅下車

観光案内所 ★ Information

Cambridge Discovery, Inc.（Kiosk）

　ⓉレッドラインHarvard Square駅下車。地上に出ると円筒形のブースがあり、Informationと大きく書かれているので、すぐわかる。夏期はツアーも行われる。

Cambridge Discovery, Inc
🏠859 Massachusetts Ave., Cambridge, MA 02238
☎(617) 497-1631
🕐毎日9：00～17：00
🗺P.727

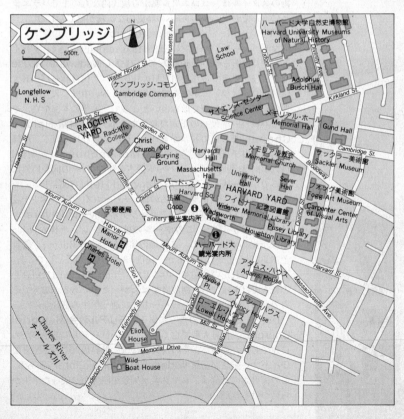

ケンブリッジ

ハーバード大学案内所　Harvard University Information Center

　ハーバード・スクエアからMassachusetts Ave.を東へ向かうとファストフードのAu Bon Painがある。その先のビル入口の正面左。近くにはショッピングモールもある。

　大学のパンフレット、地図、イベント・プログラム、ツアー案内などが揃っている。有料の資料（25¢）も多いが、係員も親切で、キャンパス内ツアー（$3）もここから出発している。

Attractions ★
おもな見どころ

アメリカでいちばん有名な大学
ハーバード大学 ★ Harvard University

　1636年に創立されたエリート校中のエリート校。アメリカ最古の大学としての伝統と、教育水準の最高峰を維持し、6人の合衆国大統領、多数のノーベル賞受賞者やピュリッツァー賞受賞者が誕生している。

　大学は、13のCollegeやSchoolから構成され、学生や職員を含めて、ハーバード大学に携わる人は約16,000人、100カ国以上から集まっている。380エーカーの敷地内には、10の図書館、7のミュージアム、そして研究所など約400もの校舎がある。建物のスタイルは、コロニアル風から現代的なものまでバラエティに富んでおり、ハーバードの歴史的な伝統が感じられる。

●ハーバード・ヤード　Harvard Yard

　マサチューセッツ・アベニューMassachusetts Ave.を行くと、すぐにあるのが**ワッズワース・ハウス Wadsworth House**だ。1726年に建てられた羽目板の住居で、9代目ハーバード大学長、ワッズワースが住んでいた家である。中庭に入っていくと、そこは大学の中で最も古いところで、大学の本部や寮、そしてハーバード最初の正式な教会**ホールデン礼拝堂 Holden Chapel**（青と白の紋章が目印）などが建てられている。左側にある**マサチューセッツ・ホール Massachusetts Hall**（1720年）は、現存するハーバード最古の建物で、その向かい側にあるのが**ハーバード・ホール Harvard Hall**（1766年）。

　中庭を挟んで反対側にあるのは、チャールズ・ブルフィンチ設計の、みかげ石で造られた**ユニバーシティ・ホール University Hall**（1815年）で、このホールの前にはフレンチ作のJohn Harvardの銅像がある。この像の銘板には「John Harvard 創設者1638年」と書かれているが、像は"3つの嘘の像"として有名。大学が造られたのは1636年のことで、John Harvardは創設時の恩人ではあっても、創設者ではなかったのである。加えてその姿は、1880年ごろにハーバード大に通う学生の格好なのだ。

　University Hallの後ろにある**メモリアル教会 Memorial Church**は、世界大戦で亡くなったハーバード大の学生のために建てられた教会で、その反対側には、世界最大の大学図書館**ワイドナー記念図書館 Widener Memorial Library**がある。この図書館の名前は、タイタニック号沈没で命を失った学生から名づけられた。

ハーバード大学の建物

ピューズィ図書館 Pusey Libraryには、ハーバード大学の公文書が保管されており、また、**ホートン図書館 Houghton Library**には、ハーバードの珍本や原稿などが置かれている。**シーバー・ホール Sever Hall**はリチャードソン作の建物で、ロマネスク様式の外観が美しい。ホールを通り過ぎたら中庭を離れ、ここからクインシー通りを左に行こう。

　小さな場所にそびえ建っているのは**カーペンター・センター Carpenter Center of Visual Arts**で、これはル・コルビュジェが北米で設計した唯一の建物だ。その近くには**フォッグ美術館 Fogg Art Museum**があり、通りの向かい側にはL字形のレンガで造られた**アーサー・M・サックラー美術館 Arthur M. Sackler Museum**がある。

ハーバード・スクエア

　さらに道を進むと、ガラスで囲まれた現代的な階段をもつ**グンド・ホール Gund Hall**（デザインの大学院）があり、道を挟んでそびえる大きな建物は、ビクトリア朝風の**記念ホール Memorial Hall**である。建物の上には、四角い塔とピラミッド型の屋根があり、ここには**サンダーズ劇場 Sanders Theater**がある。

　ここからカークランド通りを左に曲がり、少し進むと、1973年に完成した**科学センター Science Center**がある。

大学付属の美術館

★Harvard University Art Museums
ハーバード大学美術館

　ハーバード大学は美術部門の調査研究のために、**フォッグ美術館 Fogg Art Museum**、**ブッシュ・ライジンガー美術館 Busch-Reisinger Museum**、**アーサー・M・サックラー美術館 Arthur M. Sackler Museum**の3つの美術館をもっている。その展示内容は大学の美術研究テーマに合わせて、毎年変えていくというから、ハーバード大学のスケールの大きさがわかるというもの。3つの美術館はそれぞれ時代、地域別にテーマをもっており、異なった種類の展示品にふれることができる。

サックラー美術館

ハーバード大学美術館
インフォメーション
☎ (617) 495-9400
地図P.727

●フォッグ美術館　Fogg Art Museum

　ハーバード・ヤードをQuincy St.沿いに出ると、新ジョージア王朝風の外観の建築物にぶつかる。この建物がフォッグ美術館。入口を入ると目に飛び込んでくるのは、イタリア・ルネサンス調の美しい中庭だ。この中庭を取り囲むようにして展示室があり、ほとんどの展示室から中庭を見渡すことができる。

　館内の展示物は、中世から現代までの西欧美術が主で、イタリア・ルネサンスの有名な作家や印象派をはじめ、後期印象派の絵画や彫刻などが飾られている。1階にはおもに中世の作品が展示され、イタリア・ルネサンス、バロック、ロココ、17世紀オランダ、イギリス銀製品、版画、グラフィック・アートなどの部屋に分かれている。

　2階は、19、20世紀のアメリカ絵画、20世紀のヨーロッパ絵画、素描などの部屋に分かれている。ヴェザイム・コレクション Wertheim Collectionの部屋では、印象派、後期印象派のすぐれた作品が目白押し。

フォッグ美術館
住所32 Quincy St.

★
ボストン

ブッシュ・ライジンガー
中・北部ヨーロッパ美術館
🏛 フォッグ美術館2階奥
（Werner Otto Hall）

●ブッシュ・ライジンガー 中・北部ヨーロッパ美術館
Busch-Reisinger Museum of Central & Northern European Art

西半球で唯一、質の高い中・北部ヨーロッパの美術を扱った美術館。
美術館のコレクションは、**20世紀のドイツ美術**を中心に、**スイス、オーストリア、ロシア、フランドル、スカンジナビア**の作品が大部分を占めている。そのほか、中世・ルネッサンス期の絵画や彫像、ロココやバロック期の彫像、16世紀の絵画や磁器なども美術館のメイン収蔵品の一部だ。ドイツのバウハウスデザイン学校Bauhaus School出身者たちのコレクションも秀逸。

アーサー・M・サックラー美術館
🏛 485 Broadway

3館共通
🕐 月～土 10：00～17：00、日 13：00～17：00
🚫 祝日
💰 大人 $5、学生 $3、シニア $4、18歳以下無料（チケットは一度買ったら、他の美術館でも使えるのでなくさないこと）、土の10：00～12：00は入場無料
🚇 ①レッドラインHarvard
駅下車。ハーバード・ヤードを東に出てすぐ

●アーサー・M・サックラー美術館　Arthur M. Sackler Museum

建物は4階建て、1階の2つのギャラリーは特別展示用、2階と4階が常設展示用のスペースだ。自慢のコレクションは、**古代、アジア、中近東**のものがメイン。古代中国の約600点のヒスイ、陶器、仏閣に奉納する青銅像、仏像、墨絵などは目玉。日本の部門も充実しており、鈴木春信、鳥居清長らの浮世絵を中心に、狩野派の屏風絵、江戸時代の美人画、平安・鎌倉時代の仏像、室町時代の漆器、陶器などが見学できる。紀元前の古代ギリシャの壺、古代ローマの大理石でできた彫像、古代のコイン、そして、中近東の織物やイスラム教の絵画、ペルシャのミニチュア画も見逃せない。コレクション類は10万点を超える。

ハーバード大学自然史博物館
4館共通
🏛 11 Divinity Ave.
☎ (617) 495-3045
🕐 月～土 9：00～17：00、日 13：00～17：00
🚫 元日、独立記念日、サンクスギビング、クリスマス
💰 大人 $5、学生・シニア $4、子供 $3
🚇 ①レッドラインHarvard
駅下車。ハーバード・ヤード、科学センターを越えてオックスフォード・ストリート沿い。オックスフォード・ストリート24 Oxford St.とディビニティ・ストリート11 Divinity Ave.の2カ所に入口がある
🗺 P.727

大学の博物館

ハーバード大学自然史博物館
★ Harvard University Museums of Natural History

地球上のあらゆる生物をひとつ屋根の下で研究したいという、スイスの**自然科学者ルイス・アガシー Louis Agassiz**の発想が実現したのが、このハーバード大学自然史博物館群。博物館群は、『**グラス・フラワー Glass Flower**』で知られる**植物学博物館 The Botanical Museum**、たくさんの恐竜の骨格の展示がある**比較動物学博物館 Museum of Comparative Zoology**、南北アメリカ大陸を中心に集められた鉱物標本が自慢の**鉱物学と地質学博物館 Mineralogical and Geological Museum**、マヤ遺跡やアメリカ南西部先住民の文化を紹介する**ピーボディ考古学と民族学博物館 Peabody Museum of Archaeology and Ethnology**、の4つから構成されている。

●植物学博物館　The Botanical Museum

オックスフォード・ストリートの入口の階段を上がると、まず植物学博物館に出る。ここでの標本は本物の植物ではなく、ガラスで作られた『**グラス・フラワー Glass Flower**』が多種類にわたって展示されている。ガラスでできていることを感じさせないほど精巧だ。

●比較動物学博物館　Museum of Comparative Zoology (MCZ)

比較動物学博物館の展示は、とくに人類が栄える以前の動物学が充実している。約2億年前の無脊椎動物やハ虫類の化石から、現代に生息する哺乳類までの動物に関する展示が、13の部屋にわたって、地域別、種類別、年代別に陳列されている。展示物はおもに、はく製や化石が多い。

●鉱物学と地質学博物館
Mineralogical and Geological Museum

　世界的に有名な、鉱石標本のコレクションを誇る博物館。創立は1784年と4つの博物館の中で最も古い。鉱石、宝石の原石、いん石など、6,000点以上の石が3つの部屋に展示されている。

●ピーボディ考古学と民族学博物館
Peabody Museum of Archaeology and Ethnology

　1866年、ジョージ・ピーボディによって創立されたピーボディ博物館は、考古学と民族学を専門に扱う博物館。有史前から現代までの人類の歩み、人間の創造力や芸術性の産物など、世界中の考古学や民族学に関する財産が収集されている。

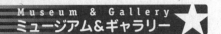

Museum & Gallery
ミュージアム＆ギャラリー ★

フォッグ美術館

日本美術が素晴らしい
ボストン美術館 ★ Museum of Fine Arts

　ボストニアン自慢のボストン美術館は、パリのルーブル、サンクト・ペテルブルクのエルミタージュ、ニューヨークのメトロポリタンと並ぶ、世界四大美術館のひとつだ。展示面積の広さはもちろんのこと、天井が高くゆっくり鑑賞できる建物の設計、緑豊かな中庭、そしてなによりも130年余りにわたって蓄積されてきた、収蔵品の質の高さには目を見張るものがある。地域を見ればヨーロッパ、アメリカ、アジア全域、エジプト、時代を見れば、世界四大文明のひとつであるエジプトから、現代アメリカのモダンアートまで、人類の美術品が一堂に会したような充実度だ。ボストンを訪れる第一目的が、ボストン美術館での美術鑑賞という人も多い。

館内案内

　館内は、東洋美術、エジプト美術、ギリシャ・ローマ美術、ヨーロッパ装飾美術、アメリカ装飾美術、絵画・素描・プリント・写真、染織と衣類、現代美術の8つの部門に分かれている。時間のない人は、ポイントを絞って見学をすることをすすめるが、ここで見逃せないセクションは、やはり日本美術。日本国内でも容易に見ることのできない歌麿、北斎、広重らの浮世絵のコレクションは5万点といわれる。快慶の『弥勒菩薩像』、尾形光琳の『松島図』、狩野永徳の『龍虎図』など、日本文化の素晴らしさとオリジナリティを、改めて感じることができる作品が展示されている。極東の一島国である日本、その美に着目し、それを西洋に紹介してくれたモース、フェノロサ、ビゲロー、岡倉天心、そしてそれらの芸術品を最良の状態で保存してくれた多くの美術館職員に感謝せずにはいられないだろう。

　東洋美術でほかに特筆すべきコレクションは、中国の陶器と仏像。中国四千年の歴史を語る、いろいろな時代の陶器が並ぶ。6世紀の石灰岩でできた石像、鮮やかな色がほどこされた12世紀の木像など、国宝級の美術品が目白押しだ。

ボストン美術館
🏛465 Huntington Ave.,
Boston, MA 02115
☎(617) 267-9300（テープによる案内）
HOME www.mfa.org
🎫大人＄10、学生・シニア＄8、17歳以下は無料。木金17：00～21：45は西館のみのオープンで各入場料より＄2引き
🕐月火10：00～16：45、水～金10：00～21：45（17：00以降は西館のみのオープン）、土日10：00～17：45
🚫元日、サンクスギビング、クリスマスイブ、クリスマス
🚇①グリーンライン（E）Ruggles St./Museum駅下車。地下から地上へ出て2つ目の駅。または、St. James Ave.を走る#39の路線バスで、右手にギリシャ神殿風の美術館が見えたら下車。ダウンタウンから美術館（outbound）へ向かうバスは無料。美術館からダウンタウンへ向かうバスは60¢
🗺P.718　A-3

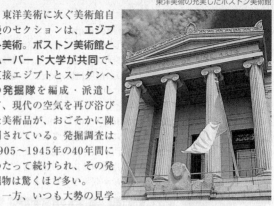

東洋美術に次ぐ美術館自慢のセクションは、**エジプト美術**。ボストン美術館とハーバード大学が共同で、直接エジプトとスーダンへの**発掘隊を編成・派遣し**て、現代の空気を再び浴びた美術品が、おごそかに陳列されている。発掘調査は1905〜1945年の40年間にわたって続けられ、その発掘物は驚くほど多い。

一方、いつも大勢の見学者でにぎわっているのはエバンス・ウイング2階に連なるヨーロッパ絵画のセクション。いちばん人気のある部屋は、モネを中心とした**印象派**の部屋。19世紀のボストニアンが、フランス絵画に深い愛着をもったおかげで、このセクションの充実ぶりはきわだっている。ミレーの『**収穫者たちの小休止**』と『**種をまく人**』、モネの『**日本衣装の女**』と『**ルーアン大聖堂、日没**』、ゴーギャンの『**我々はどこから来たか、我々とは何者か、我々はどこへ行くのか**』、ルノアールの『**ブージヴァルの舞踏会**』、セザンヌの『**赤い肘かけ椅子のセザンヌ夫人**』などは、どれもボストン美術館を代表する傑作だ。

真下のエバンス・ウイング1階では、アメリカ絵画界の第一人者コープリーの作品が50点以上、サージャント、ホイッスラー、ホッパー、レーン、カサットらの絵も豊富。ボストン美術館は、世界最高の19世紀のアメリカ絵画コレクションを誇っている。コープリーの描いたアメリカ建国の英雄ポール・リビアの肖像や、スチュワートのワシントン大統領の肖像など、アメリカ史上の著名人の肖像画の多くは、その子孫から寄贈されたものだ。

個人の収蔵品とは思えない

★ イザベラ・S・ガードナー美術館
★ Isabella S. Gardner Museum

ボストン美術館の西、2ブロックにあるガードナー美術館は、**ボストン大富豪の未亡人、イザベラ・S・ガードナー**が、自らの趣味をミュージアムの隅々まで発揮してつくりあげた**個人収集品の殿堂**である。美術館のある建築物の正式名称はフェンウェイ・コートFenway Court、15世紀ベニスの宮殿風で、この中にミュージアムがあるとは思えないような立派なものだ。四季それぞれの花でいっぱいの花壇式の中庭をとりまくように、回廊とバルコニーが続いている。1〜3階までがミュージアム用のフロア、4階は邸宅用で、以前ここにはガードナー未亡人が住んでいた。鑑賞用に設けられた広い壁や棚には、絵画や彫刻、工芸品、織物、楽器、家具、陶器などが展示され、美術館というよりも、大豪邸の中で美術品を鑑賞する雰囲気だ。

左列:

これらはボストン美術館のおもなセクションであって、すべてではない。人類の歴史をすべて包括しているといっても過言ではない美術館。図書館、スライド・ライブラリーなど展示ギャラリー以外の施設も充実しているので、調べものをするにはもってこいだ。ミュージアムショップ、食事の設備も整っており、美術鑑賞好きには1日どころか何日いても飽きないところだ。心ゆくまで堪能しよう。

イザベラ・S・ガードナー美術館
🏛280 The Fenway, at Palace Rd., Boston, MA 02115
☎(617)566-1401
🕐火〜日11:00〜17:00（入館は16:45まで）
🈲月、サンクスギビング、クリスマス、元日
💰大人＄10、学生＄5（水は＄3）、シニア＄7、18歳以下無料
🚇①グリーンライン（E）Museum/Ruggles駅下車
🗺P.718 A-3

2階のタペストリー・ルームでは、ボストンらしくクラシックのコンサートが夏期土日の13:30から行われる。あらかじめ電話で予約しておけば、日本語ツアーにも参加できる。
なお、館内は展示品保護のためうす暗い。写真撮影はフラッシュなしならOK。メモをとるときも、鉛筆以外の筆記具は不可なので注意。

ガードナー夫妻のすぐれた鑑識眼によって収集された芸術品は、絵画290点、彫刻彫像280点、素描60点、版画130点、家具調度品460点、織物250点、陶器ガラス類240点、その他350点、これらの中には、ガードナー夫人が美術収集に目覚める以前に興味をもった稀少価値本、草稿などは含まれておらず、総計すると収蔵品は2,500点以上になる。個人のコレクターによって収集された芸術品の多さは、世界でもトップクラス。現在展示されている作品は、そのうちのわずかだが、美術全集などでお目にかかる芸術家の作品も多い。おもな画家としては、ボッティチェリ、ラファエロ、ティツィアーノ、ルーベンス、ヴァン・ダイク、レンブラント、ドガ、マネ、マチス、ホイッスラー、サージェントなど枚挙にいとまがない。作品の幅も、イタリア・ルネサンス期の絵画から、フランス、ドイツ、スペイン、オランダ、そして近代アメリカと、美術史の変遷がうかがえるほど広範囲にわたっている。彫刻彫像に関していえば、有史前のエジプト時代の作品を含む収蔵品全体を考えると、なんと30世紀分を包括することになる。ガードナー夫人は東洋にも目を向け、岡倉天心（覚三）の後援者だったこともあり、日本のふすま絵、掛け軸なども陳列されている。

35代大統領を徹底的に知りたいなら…
ジョン・F・ケネディ・ライブラリー
★ The John F. Kennedy Library and Museum

　第35代アメリカ合衆国大統領ジョン・フィッツジェラルド・ケネディ——42歳の若さで大統領に就任し、1963年11月22日ダラスで凶弾に倒れるまで、J.F.K.の指導者としての統率力は、多くのアメリカ人の共感をよび、亡くなってから30年以上たったいまでも、ケネディ神話として脈々と語り継がれている。政治家に限らず、J.F.K.ほどカリスマ性をもつ人物は少ない。ダウンタウンから離れているにもかかわらず、この博物館を訪れる人は驚くほど多い。

　展示室はJ.F.K.を知らない世代にも、彼の足跡を知ってもらうことのできるような構成となっている。まず、J.F.K.の波乱に富んだ生涯をざっとおさらいする17分ほどの映画を観たあと、25のテーマに分けられた展示室へ。青年時代にもスポットを当てている映画に比べ、展示は政治家としてのJ.F.K.の姿をおもに追っている。選挙運動から始まって、ニクソンとの有名なTV討論会、就任演説、ホワイトハウスの執務室、ファースト・レディやケネディ一族のコーナー、そして暗殺までを、J.F.K.が愛した品々や写真、ビデオなど、さまざまなメディアを通してJ.F.K.に、より近付けるような構成となっている。キューバ危機や宇宙開発など成功を収めた事柄は大きく、ベトナム戦争などはさり気なく扱っているのがアメリカらしい。

モネの『日本衣装の女』

ジョン・F・ケネディ・ライブラリー
🏛Columbia Point, Boston, MA 02125
☎(617) 929-4523
🕐毎日 9：00〜17：00（映画の最終回は16：00から）
🚫サンクスギビング、クリスマス、元日
💰大人＄8、子供＄4、学生・シニア＄6
🚇①レッド・ライン　J.F.K./Mass駅下車。駅からは30分おきにライブラリー＆大学までシャトルバス（無料）が出ている

　25の展示を見終わるとミュージアムショップへ出るが、その前にエレベーターで8階建てのタワーへ上って図書室をのぞいてみてはどうだろう。図書室といっても国立公文書館が管理するたいへん充実したもので、IDなどを持っていれば一般の人も閲覧可能。J.F.K.を中心としたアメリカの政治と政府のシステムについての文書、記録フィルム、写真、インタビュー・テープ、書籍など膨大な資料が保管されており、熱心に研究する人の姿が目につく。
🗺地図外

JFKライブラリーはマサチューセッツ大学にある

★
ボストン

733

エンターテインメント

ボストン交響楽団
ホームホール——シンフォ
ニー・ホール Symphony
Hall, 301 Massachusetts
Ave., Boston, MA 02115
☎(617) 266-1200(チケッ
ト)、☎(1-888) 266-1200
(ボストン市外)
HOME www.bso.org
金曜の14：00、火木曜のコ
ンサートには＄8のラッシ
ュチケットという当日券が
多少用意される。金の9：
00、火木の17：00から先
着順に発売。
🚇①グリーンライン（E）
Symphony駅下車
🗺P.718　B-3

ボストン・ポップス
ホームホール——シンフォ
ニー・ホール Symphony
Hall, 301 Massachusetts
Ave.
☎(617) 266-1200

★Boston Symphony Orchestra (BSO)

　ボストン交響楽団（BSO）は世界屈指のオーケストラ。音楽
監督は小澤征爾氏（Seiji Ozawa）でBSO＆オザワのコンビ
は'98～'99のシーズンで26年目を迎えた。ホームホールは、ク
ラシックの殿堂にふさわしいシンフォニー・ホール。シーズン
は9月末から4月まで、7、8月はボストン郊外でタングルウッ
ド音楽祭が行われる。

ボストン・ポップス ★Boston Pops

　ポップス音楽は映画音楽やミュージカルナンバーを演奏する
などクラシックをリラックスして聴けるのが魅力。指揮者は女
性に人気のあるキース・ロックハート。5～7月の間、シンフォ
ニー・ホールとタングルウッドで演奏される。シンフォニー・
ホールでは、1階はテーブル席となり、演奏中でもウエイトレ
スの行き来がある。気になる人にはバルコニー席をすすめる。

観戦するスポーツ

ボストン・レッドソックス
本拠地——フェンウェイ・
パーク Fenway Park, 4
Yawkey Way, Boston
☎(617) 267-1700、267-
9440
🚇①グリーンライン（B）（C）
（D）Kenmore Square駅下
車
🗺P.718　A-3

ベースボール（MLB）

ボストン・レッドソックス
★Boston Red Sox（アメリカン・リーグ東地区）

　'98年のシーズンはワイルドカードでプレーオフ出場を果た
すなど、今後の活躍に期待がもてる。チームのスターは'97年
の新人王に輝いた遊撃手のガルシアパーラ。

　'99年度のオールスターゲームは、レフトスタンドのグリー
ンモンスターをもつ、このフェンウェイパークで開催される。

**ニューイングランド・
ペイトリオッツ**
本拠地——フォックスボ
ロ・スタジアム Foxboro
Stadium, 60 Washington
St., Route 1, Foxboro
☎(508) 543-8200
🚇ゲーム開催時にはSouth
StationからMBTAの特別列
車が運行される。詳しくは
☎(617) 722-3200まで

アメリカン・フットボール（NFL）

ニューイングランド・ペイトリオッツ
★New England Patriots（AFC東地区）

　万年最下位といわれて久しかったペイトリオッツだが、ついに'98
年1月のスーパーボウルに出場するに至った。クォーターバック
のブレッドソウの活躍で、地区では安定した実力をもっている。

**セルティックスとブルー
インズ**
本拠地——フリート・センタ
ー Fleet Center, Causeway,
Boston
セルティックス：チケット
☎(617) 931-2222、(508)
931-2222
ブルーインズ：チケット
☎(617) 624-1750
🚇①グリーン、オレンジライ
ンNorth Station下車。すぐ上
🗺P.719　C-1

バスケットボール（NBA）

ボストン・セルティックス
★Boston Celtics（東・大西洋地区）

　スーパースター、ラリー・バードの引退以来、低迷している
セルティックスだが、かつてはNBAの数々の記録を打ち立て
てきた"超"のつく名門チーム。

ボストン・ブルーインズ
★ Boston Bruins （東・大西洋地区）

　ブルーインズは、ここ数年NHLでもトップクラスの力をもち、スタンレー・カップ（野球のワールド・シリーズやフットボールのスーパーボウルのようなもの）に何度も出場している。

★ ★ ★ ショッピング ★ ★ ★
Shopping

衣料品や靴はボストンがおトク！

　マサチューセッツの州税は5％だが、1着＄175までの衣類、靴には税金がかからない。

　例えば＄200のジャケットを買うと、＄200－＄175＝＄25の＄25にだけ税金がかかるという仕組み。

天井の高いショッピングアーケード街
The Shops at Prudential Center

🏠800 Boylston St.　☎(617) 266-0590、
☎(1-800) 746-7778
🕐月〜土10：00〜20：00、日12：00〜18：00　MAP P.718　B-3

　ボストンのシンボル的存在である高層ビル、プルデンシャルビルの下にある人気のショッピングセンター。このセンターの店舗選びを担当したディレクターの話によると、コープリープレイスやニューベリー・ストリートにはないユニークなお店を選んだり、同じようなお店が重ならないようにと苦心したとのこと。そのせいか、通常ショッピングセンターに、必ずといってよいくらい入っているチェーン店が少なくて、オリジナル店が多い。コープリーほど店数は多くないが、ロビーや廊下が広々としており、空間がゆったりしているという点は得点が高い。デパートでは、Saks Fifth Avenue、店舗では Ann Taylor、Talbots Kids、Levis、Warner Bros.などが入っている。

チャールズ通りもおすすめ
Charles Street

MAP P.719　C-1、2

　🚇レッドラインのCharles/MGH駅からボストン・コモンに向かって延びるCharles St.は、建物や歩道がレンガ造りのかわいい通り。ギャラリーやアンティーク・ショップ、個性的なお店の多いおしゃれな通りだ。

ボストンらしい美しいショッピング通り
Newbury Street

MAP P.718、719　B-2、C-2

　ボイルストン通りと平行に、アーリントン通りからマサチューセッツ通り Massachusetts Ave.まで延びている。駅は、Arlington 駅が東の端に、Hynes/Convention Center 駅が西の端にあり、どちらから見てもよいが、高級ブティックだけを楽しみたい人はArlington駅からがよい。狭い通りだが、左右にブティック、アンティーク・ショップ、ギャラリー、レストラン、美容院などが建ち並び、買わなくても個性的なお店を見て歩くのはとても楽しい。バーバリー、ブルックス・ブラザーズ、カルティエ、アルマーニ、ローラ・アシュレイ、バナナ・リパブリック、ナイキタウン、リーボックなどが軒を連ねている。

皮革バッグの老舗
Coach

🏠75 Newbury St.　☎(617) 536-2777
🕐月〜土10：00〜18：00（木は19：00まで）、日12：00〜17：00
MAP P.718　B-2

　バッグに関しては品揃えが豊富。ビジネス、旅行、学校、お出かけなどの用途別に、満足感を与えてくれることまちがいなし。店員もやさしく応対してくれるので安心。値段は普通のバッグで＄200〜するが、革の品質は最高。コープリープレイス店より種類が多い。

ニューベリー通り

★
ボストン

ボストンにも登場!
Niketown
🏠200 Newbury St. at Exeter St.
☎(617) 267-3400
🕐月〜土10：00〜19：00、日12：00〜18：00　🗺P.718　B-2

　1、2階がリテイルショップで、3階がカスタマーサービスとトイレになっている。入口を入った正面には、ボストン・マラソンのコースとなっている8市町村の表示板などが飾ってあり、マラソンの雰囲気が楽しめる。おなじみのナイキの商品はもちろん、おすすめは2階で売っているオリジナルTシャツ。デザインも豊富でオシャレなおみやげになる。$20以下のリーズナブルな値段もうれしい。
(’98)

自分ならではのものを見つける
Betsey Johnson
🏠205 Newbury St.　☎(617) 236-7072
🗺P.718　B-2

　バナナ・リパブリックの隣。店内にきれいに並べられた服は、まさに『ベッツィ・ワールド』といった華やかさがある。服のほとんどはベーシックな黒が多いが、そこにちりばめられた花模様やネコのデザインなど、まさに個性派を求める人にはもってこいの店。レースやフレアーを使った女性らしいデザインも多い。奥にはセールコーナーもある。
(’98)

組み合わせいろいろ
Kabbara
🏠222 Newbury St.　☎(617) 536-5222
🗺P.718　B-2

　半2階にあるのでわかりにくいが、ディスプレイに目をやるととてもファッショナブル。スーツが半数を占めていて、同じジャケットでもシングル、ダブルの2種類。ボトムはパンツ、スカート、ロングスカートと3種類あるのでいろいろな組み合わせが楽しめる。ジャケットは$150〜170、パンツとスカートは$75。カジュアルな服も置いてある。
(’98)

日本でも人気の女性服
agnes b
🏠172 Newbury St.　☎(617) 266-3300
🕐月〜土11：00〜19：00、日12：00〜18：00　🗺P.718　B-2

　シンプルでカジュアルな服が中心。店内のディスプレイもセンスのよさがうかがえる。フランス発祥のデザイン。女性をターゲットとしたお店で一度足を運んでみてはいかが?　マヌカンのファッションセンスも参考になる。

全国展開している有名なバーゲン・フロア
Filene’s Basement
🏠426 Washington St.　☎(617) 357-2978
🕐月〜土9：30〜19：00、日12：00〜18：00　🗺P.719　D-2

　要するに、デパートのファイリーンの地下1階と地下2階にあったバーゲン・フロアがそのまま名前になった。B1Fは、婦人小物（スカーフ、ハンドバッグなど）やメンズ中心、B2Fは、婦人洋服中心で、ドレス、コートなどもある。そのほか、革のブーツなども格安で買える。たまに、かなり傷や汚れのあるものもあるが、よく探せばDior、Brooks Brothersや、Saks Fifth Ave.などのブランドものが安く買える。試着室は各フロアひとつずつで、ひとつの部屋で十数人がいっしょに着替えをするようになっている。とくに女性用では土日は、かなり長い試着の列ができる。アメリカ人のサイズは大きめなので日本人でごく普通の体格の女性なら、ヤングコーナー（Juvenile）やPetiteというコーナーで、体にぴったりするものが見つかるかもしれない。

日本を思わせるパン
美東超級餅家 Mei Tung Bakery
🏠109 Lincoln St.　☎(617) 426-0223
🕐毎日6：30〜19：00

　チャイナタウンの門の前の横断歩道を渡るとスーパー（美東超級市場）の大きい看板が見えるのですぐにわかる。ここの特徴はとにかくパンの種類が多いこと。ホットドッグパンやチャーシューパンだけではなく、食パン、レーズン入り食パン、肉マン、ねじりドーナツ、ピロシキ、サンドイッチに加え、ケーキも売っているが、その日のうちにすべて売り切れてしまう。値段も安くて1個70¢くらい。サウス・ステーションからも徒歩2分の距離なので、電車やバスを待つ間に買いにくることもできる。
(’98)

スイート類がバラエティ豊か
Mike's Pastry

🏠300 Hanover St.　☎(617)742-3050

🕐日〜金8:00〜21:00(火〜18:00)、土8:00〜23:00　🗺P.719　D-1

　数多くあるイタリア人街のデザート屋の中で最も人気のある店。いつ行っても甘いものを買う人々で混んでいる。カラフルなクッキー、カップケーキ、エクレア、シュークリーム(Cream Puff)など種類は豊富でどれを買うか本当に迷ってしまうほど。クッキーは＄7/パウンド、ケーキ・ペストリー類は＄1.50〜＄2くらい。中で食べることもできる。冬はアイスクリームはない。キャッシュのみ。　　　　　　　　　　('98)

NY発人気化粧品のオリジン
Origin

🗺P.719　D-1

　ニューヨーク発の人気コスメの草分け的存在のオリジンが、ボストンに2軒も支店をもっている。1軒はファニュエル・ホール・マーケットプレイスの中、もう1軒はケンブリッジのハーバード・スクエアにある。ボストンの後にニューヨークにも立ち寄る予定の人も、どうせならタックスの安いボストンで買ったほうがお得だ。人気の美容液スターティング・オーバー＄22、リキッド・ファンデーション＄10。

🔳読★者★投★稿

庶民的なショッピングモール
Cambridge Side, Galleria

🏠100 Cambridge Place, Cambridge

☎(617)621-8666

🕐月〜土10:00〜21:30、日12:00〜18:00　🗺地図外

　約120の専門店から構成されたショッピングセンター。ファッション、アクセサリー、ギフト、ペットなどの店が並び、十分に楽しむことができる。お腹がすいたらフードフェスティバルという一角に行ってみよう。さまざまなレストランが軒を連ねている。さらに、Filene's(デパート)、Lechmere(オーディオおよび電器・家電専門店)、SEARSも隣接。

　科学博物館とロイヤル・ソネスタホテルのすぐ近くにある。①レッドラインのKendall駅から"The Wave"という無料のシャトルバスが15分おきに運転されている。

ボストン・コモン内の観光案内所前

　シャトルバスの運行時間:月〜土9:00〜22:30、日11:00〜19:00

　　　　(西村直代　ボストン在住)('98)

日本の活字が恋しくなったら
流石(さすが)書店

🏠7 Upland Rd., Cambridge

☎(617)497-5460

HOMEwww.sasugabooks.com

🕐月〜金11:00〜20:00、土10:00〜20:00、日12:00〜18:00

🚫元日、独立記念日、サンクスギビング、クリスマス　🗺地図外　　MV

　原則的に、月刊誌は金曜日、週刊誌は土曜日に入荷される。朝日、読売、日経新聞の衛星版も当日中に入る。地下に古本セクションがあり、スペースはそれほど広くないが、雑誌のバックナンバー(といえば聞こえがいいが要するに古い雑誌)、コミックス、文庫本ハードカバーなど品揃えはなかなか充実している。地下鉄レッドラインとコミューターレイルのPorter駅から徒歩1分。

良質のものをいろいろと扱っている
Tannery

🏠11 A Brattle St., Cambridge

☎(617)491-0810

🕐月〜金9:00〜21:00、土9:00〜20:00、日12:00〜19:00　AJMV

🗺P.727

　ハーバード大学の生協に行ったら、すぐ裏にあるこの店にも行ってみるとよい。良質の革で有名なコーチのバッグをはじめ、ティンバーランド、ロックポート、バスなど、ほとんどの有名ブランドが所狭しと並んでいる。ブーツはもちろん、革のジャケット、ローラーブレードもある。Sale Offのサインがあちらこちらにあって値段も安い。店員も親切、営業時間も長いので、いつでも気軽に寄れる。

清潔かつ環境抜群のホテル
Longwood Inn

🏠123 Longwood Ave., Brookline, MA 02446
☎(617)566-8615、FAX(617)738-1070
HOME www.geocities.com/ longwoodinn
Ⓢ$79〜99、ⒹⓉ$89〜109　地図外

トイレ・シャワー付き、共同キッチン、コインランドリーもある。Old American を感じさせる木造の建物、周囲は住宅地で治安も申し分ない。郊外にあるぶん、宿泊料金もダウンタウンに比べて安い。部屋によってはバスなしもあるので予約のとき確認を。グリーンライン(D)のLongwood下車。Chapel St.を左へ歩きLongwood Ave.を右折して2ブロック。オフィスは平日9：00〜17：00のみのオープン。カード不可。22室。　　　　　　　　　　　　　('99)

抜群のロケーションで人気の高級ホテル
Regal Bostonian Hotel

🏠At Faneuil Hall Marketplace, Boston, MA 02109　☎(617)523-3600
FAX(617)523-2454
Ⓢ$245〜315、ⒹⓉ$245〜375 ADMV
P.719　D-1

ファニュエル・ホールに隣接した絶好の立地条件のホテル。マーケットプレイスは夜遅くまでにぎわっているので、一人旅でも気軽に歩いてディナーに出かけられるのがうれしい。「リピーターのお客様が毎回、違った雰囲気を楽しめるように」とすべての部屋の内装を変えてある。　　　　('98)

穴場のホテル
John Hancock Conference Center

🏠40 Trinity Pl., Boston, MA 02116
☎(617)572-7700、FAX(617)572-7709
Ⓢ$130、Ⓓ$145 ADMV　P.718　B-3

ジョン・ハンコック(保険会社)関係者のための宿泊施設が、一般にも公開されている。のっぽビルでおなじみのジョン・ハンコック・タワーのStuart St.を挟んで南側という便利なロケーションにありながら、地元の人にも意外に知られていない。そのためか、予約が比較的とりやすいのである。客室は広くはないものの清潔で、バス・トイレ、電話、時計、TVなど必要なものは何

でも揃っている。ホテル内にはレストランがないため、ペストリーやパウンドケーキ、ジュース、コーヒー、紅茶といった無料の朝食が用意されるのもボストン市内のホテルではめずらしい。また、コインランドリーがあるので長期滞在者にも適している。　('98)

ロケーション抜群、ヨーロッパ調のホテル
Swissôtel Boston

🏠One Ave. de Lafayette, Boston, MA 02111
☎(617)451-2600、FAX(617)451-0054、
HOME www.swissotel.com
ⓈⒹⓉ$315〜　ADJJMV　P.719 C-2

ボストン・コモンまで1ブロックの高級ホテル。ヨーロッパ系ホテルならではの落ち着いた雰囲気。もちろんサービスも申し分ない。地下鉄の駅もすぐ近くにあり観光には絶好のロケーション。　　　　　　　('99)

ニューベリー通りも近い
The Lenox Hotel

🏠710 Boylston St., Boston, MA 02116
☎(617)536-5300、FAX(617)266-7905
ⓈⒹ$160〜220　ADJJMV　P.718 B-2

コープリープレイスにも近く、買いものにも便利。　　　　　　　　　　　　('98)

🏅読者に評判のよいユース
Hostelling International-Boston

🏠12 Hemenway St., Boston, MA 02115
☎(617)536-9455、📞(1-888)467-8222、
FAX(617)424-6558、
HOME www.tiac.net /usens/hienec
ドミトリー$22、Ⓢ$57〜、ⒹⓉ$60〜
JMV　P.718　A-3

シンフォニー・ホールまでは徒歩5分なので、ボストン交響楽団を聴きたい人にはおすすめ。ベッド数205。キッチン、洗濯機、乾燥機もある。24時間オープン。Hynes/ Convention Ctr.駅下車。Mass. Ave. & Boylston St.の角から1ブロック。('99)

穴場のホテル、ジョン・ハンコック・カンファレンスセンター

長期滞在におすすめ
Copley House
🏠239 W. Newton St., Boston, MA 02116
☎ (617) 236-8300、FAX (617) 424-1815
Ⓢ＄70〜、Ⓓ＄80〜、ウィークリー
＄500〜700　ADJMV　地P.718 B-3
　　グリーンラインのCopley駅かPrudential駅
下車、Newton沿いのSt.BotolphとSt. Stephensの間。長期滞在の人のための家具付き
アパート形式で、ほかに2カ所ロケーションがある。全室キッチン・バス・テレビ・電
話付き。まだ比較的新しくて、かわいい素
敵な部屋！1週間滞在するなら断然安いし、
自分の家にいるようにくつろげる。2泊以
上から。　　　　　　　　　　　　　　（'99）

バックベイの中心部
Copley Square Hotel
🏠47 Huntington Ave., Boston, MA 02116
☎ (617) 536-9000、📞 (1-800) 225-7062、
FAX (617) 236-0351、HOMEwww.copley
squarehotel.com　地P.718 B-2
ⓈⒹⓉ＄159〜245　　　　　ADJMV
　　広いベッドと使い勝手のよい清潔なシャ
ワーが快適。地下鉄にも近くて、隣は図書
館。歴史の町ボストンを感じさせる古い外
観と落ち着いた室内にコーヒーメーカー、
紅茶、ヘアードライヤーが備えられている。

ニューベリー通りの住人になったつもりで
Newbury Guest House
🏠261 Newbury St., Boston, MA 02116
☎ (617) 437-7666、📞 (1-800) 437-7668
FAX (617) 262-4243
オンシーズンⓈ＄100〜130、Ⓓ＄110〜
140、オフシーズンⓈ＄95〜125、Ⓓ＄105
〜135　AMV　地P.718 B-2
　　Newbury St. 沿いの Fairfield と
Gloucester という非常に便利なところにあ
るB&B。1882年に建てられた個人の家を改
装した、オシャレなレンガ造りの建物が特
徴で、全室バス・トイレ・朝食付き。15部
屋しかないので予約（クレジットカード）
は早めに。　　　　　　　　　　　　　（'99）

ショッピングに力を入れたい人におすすめ
The John Jeffries House
🏠14 David G. Mugar Way, Boston, MA 02114
☎ (617) 367-1866、FAX (617) 742-0313

地P.719　C-1
Ⓢ＄82〜90、Ⓓ＄97〜110　　　ADMV
　　地下鉄Charles駅からすぐ。レンガの町
並みが美しいビーコン・ヒル地区の、チャ
ールズ川のそばにある。清潔でこぢんまり
した部屋で、冷蔵庫とキッチンが各室に付
いており、朝食のサービスもある。チャー
ルズ通りのショッピングにも便利。46室。
　　　　　　（高橋満里子　鎌倉市）（'99）

ちょっと離れるけれどリーズナブルで清潔
Anthony's Town House
🏠1085 Beacon St., Brookline, MA 02446
☎ (617) 566-3972、FAX (617) 232-1085
Ⓢ＄50〜80、ⒹⓉ＄65〜85　地地図外
　　創業は1944年。歴史の香り漂うBeacon
St.に面しているビクトリア調の建物で、簡
素だがとても清潔。ファミリー経営のため
家庭的な雰囲気が味わえるのも特徴。近く
にはスーパーやレストランも多い。
　　地下鉄グリーンライン（C）Hawes St.駅
下車。地下鉄を利用すればフェンウェイパ
ークやボストン美術館に行けて、至極便利。
経営者のBarbaraさんはとても親切。料金
が非常に安いため、人気がある。早めの予
約を！バス・トイレ共同の部屋もある。カ
ード不可。14室。　　　　　　　　　　（'98）

ケンブリッジ

ケンブリッジを代表する快適なホテル
The Charles Hotel in Harvard Square
🏠1 Bennett St., Cambridge, MA 02138
☎ (617) 864-1200、FAX (617) 864-5715
平日ⓈⒹⓉ＄329、週末ⓈⒹⓉ＄179〜
199　ADJMV　地P.727
　　地下鉄レッドラインのHarvard駅から徒
歩約5分。チャールズ・ホテルは学生でに
ぎわう町に位置しながら、とても静かな環
境にある快適なホテル。レンガ色の落ち着
きのある建物はチャールズ川に面し、ロケ
ーションによっては客室から眺望できる。
部屋はボストン市内のホテルとは比べもの
にならないほどのスペースを有し、スタン
ダード・クラスの料金でデラックス・ルー
ムを提供してくれる。また、人気ロック・
グループや有名俳優、著名人らが結構利用
している。作家のロバート・B・パーカー
氏もこのホテルがお気に入りだとか。
　　　　　　　　　　　　　　　　　（'98）

車でマサチューセッツ観光する人に便利な
Tage Inn

住131 River Rd., Andover, MA 01810
☎(978)685-6200、**T**(1-800)322-8243、
FAX(978)794-9626、
HOMEwww.tageinn.com　地地図外
⑤$65〜75、⑩$73〜83、①$78〜88
ADJMV

　清潔、低料金、安全のボストン市郊外の
イン。スタッフの応対もよく、家庭的な温
かさがあるのがうれしい。客室は、シンプ
ルながらもコーヒーメーカー、ドライヤー、
ケーブルTVなどの設備も整っており、客
室によってはジャクージ（ジェットバス）
まである。ドーナツ、マフィン、シリアル、
フレッシュジュースなどの充実した朝食も
付き、この料金は正直言ってかなりリーズ
ナブル。場所はボストンの北、Andover。
ダウンタウンからI-93を車で約30分Exit 45
下車。空港まではシャトルバスで。（'98）

ほっとできるB&B
All New Windsor House B & B

住283 Windsor St., Cambridge, MA 02139
☎(617)354-3116　地地図外
⑤$60〜、⑩①$70〜　　ADMV

　50歳前後のハイジおばさんが1人で切り
盛りしている一軒家で、部屋は「グリーン
ルーム」と「ブルールーム」の2つ。最大
でも5人くらいしか泊まれないので混むこ
とはない。リビングやキッチンも自分の家
のように使えるので、ホームステイ感覚で
滞在できる。朝食はセルフサービスで、コー
ヒーやジュース、シリアル、ヨーグルト、
フルーツなど食べ放題。場所はMITのすぐ
近く。駅はCentralとKendallの中間ぐらい
で、各々歩いて約10分。

（熱田千華子　吹田市）（'99）

チャールズ川と
ボストンのスカイライン

★　★　★　レストラン　★　★　★
Restaurant

ボストンの名物ビールならココ
Samuel Adams Brewhouse

住710 Boylston St.（Lenox Hotel 1階）
☎(617)536-2739　営毎日11:00〜2:00
地P.718　B-2

　ボストンの地ビールを心ゆくまで楽し
みたいならこの店。6種類のサミュエル・
アダムスの生ビールが飲める。サミュエル・
アダムスはAmerican Beer Festivalで7回
金賞に輝いており、その普及率は全国規
模。季節によって、いくつか違う味を楽し
めるのでBoston LagerやBoston Aleな
どの常備のほかになにがあるのか尋ねて
みるといい。1〜3月Doubule Bockと
White Ale、4〜8月Summer Ale、9〜11
月October Fest、11〜1月Winter Lager

と Cranberry Lambic。パイント$3.50、
ピッチャー$11.50。4種類の常備タイプ
のサムをすべてテイストできるサンプラ
ー$5もある。ユニークなネーミングの食
事は$5ドル前後。ローストビーフサンド
イッチは創立者のJim Koch's Favorite、
ターキーサンドはBen Franklin's Favorite
など。　　　　　　　　　　　　（'98）

ゆっくりお茶もいい

ボストンのシーフードの老舗
Union Oyster House
🏠41 Union St.　☎(617) 227-2750
🕐日～木11：00～21：30　金土22：00
まで。Barのほうは無休で11：00～1：00。
食事は23：00まで　🗺P.719　D-1

　1826年にできたというボストンで最も古
いレストラン。いまでは有名になってしま
い、どのガイドブックにも載っていて日本
人観光客も多いが、やはりボストンでは、
なんといっても新鮮なシーフードがおすす
めだ。グリーンラインのHaymarket駅から
1分。ファニュエル・ホール・マーケット
プレイスからもすぐだ。人気の店だけあっ
て、週末の夜などはテーブルに着くまでに
1階のオイスター・バーで待たなければなら
ない。ここでシーフードのアペタイザーでも
つまみながら、Boston Beerという黒っぽい
ビールを試してみるのもいい。ディナー・
セットは、サラダ（ドレッシングは4種類の
中から選べる）、パン付きで＄18～25くら
い。生ガキはさすがにおいしい（最近は味
が落ちてきたとの噂もある）。
　　　　　　　　　※
　ディナーは18：00から30分おきに予約を
受け付けていた。予約なしでも待ち時間の
間、1階のOyster Barで生ガキなどをつま
みながらビールを飲んで待てるので苦にな
らない。1階のOyster Barはロブスターな
どが安く食べられるため、そこだけで食事
をすませる人もいた。
　　　　　　　（松尾洋孝　横須賀市 '98夏）

おいしい飲茶なら
China Pearl　龍鳳酒樓
🏠9 Tyler St.　☎(617) 426-4338
🕐毎日8：30～23：00（飲茶は15時まで）
ＡＭⅤ　🗺P.719　C-2

　日曜日は中国人の家族連れでとにかく
混むので、飲茶を食べるならそれ以外の
曜日がいい。テーブルで待っていると、
いろいろな種類のカートが来る。カート
の表示はもちろん、カートを引いている
女性たちもあまり英語を話さないので、
頼んでカートに乗っている料理を見せて
もらうのがいちばん。おススメは虫へん
に介という字と王鮮焼売（ポークのシュウ
マイ）、山竹牛肉丸（ユズの香りのする肉
ダンゴ）、珍珠鶏（ちまき）など。デザート
のカートからはマンゴープリンがおすす

め。入口を入ってスグのところのカウンタ
ーでも飲茶の料理をサーブしていて、ここ
のセクションではクラムのブラックビーン
ソース、大きい殻付きのエビのから揚げを
ピリカラに味付けしたものを頼みたい。飲
茶の伝票を持っていくとスグに料理をもら
えるので、カートが来るのを待ち切れない
人にもいい。　　　　　　　　　　　（'98）

本格的な日本食なら
立吉Tatsukichi
🏠189 State St.　☎(617) 720-2468
🕐ランチ：月～金11：45～14：30、ディ
ナー：日～木17：00～22：00、金土
17：00～23：00　🗺P.719　D-1

　ファニュエルホール・マーケットプレイ
スのすぐ裏手（途中工事中なので見つかりに
くい）にある日本料理店。ランチはどんぶり
ものや定食が＄7～10、お弁当が＄8～12、デ
ィナーは寿司が＄15～19、串揚げが＄11～15
と日本食のわりには日本と比較してもお手
ごろな値段だ。もちろん、板さんたちは日
本人だから、味付けや寿司の握りは折り紙
付き。　　　　　　　　　　　　　　（'98）

ボストンで最も人気のシーフードレストラン
Legal Seafoods
🏠35 Columbus Ave.（Park Plaza Hotel 1
階）　☎(617) 426-4444
🕐月～木11：00～22：00、金土11：00～
23：00、日12：00～22：00　🗺P.719　C-2

　グリーンラインArlington駅下車5分。
　ボストンへ来たら誰もが足を運ぶレスト
ラン。人気があるためいつも混んでいるが、
とくに週末のディナータイムは大変混む。
予約も受けつけてくれないので、早めに行
かないと待たされる。ロブスター1尾＄16
くらいから。クラムチャウダー、シーフー
ド・ピザ、サラダ、カニ料理などメニュー
もバラエティに富み、選ぶのにかなりの時
間を要するほど。メインディッシュが＄20
弱、前菜、スープ、デザートなどをプラス
すると、ひとり＄30～50。量はすべてに関
して多く、味付けも日本人の舌によく合う。
値段も少々張るが、ぜひ一度は訪れてみ
たい。　　　　　　　　　　　　　　（'98）

おいしい、イタメシ屋さん
Cantina Italiana

🏠346 Hanover St. ☎(617) 723-4577
🕐月～水16：00～23：00、木～日11：30
～23：30 ＡＭＶ 🗺P.719 D-1

　ノース・エンドの中にある、イタリア料理専門店。駐車スペースあり。店内は落ち着いた雰囲気で、店員もていねいにメニューの説明をしてくれる。ワインはイタリア産のもの中心に豊富に揃えており、値段も手ごろ。料理は、パスタ、スパゲティ、一品料理とイタリア料理ならなんでも揃っている。サラダのハウス・ドレッシングがおいしい。パスタはシーフード入りのものがとくにおすすめ。味に深みがあっておいしい。

"アル・デンテ"のパスタが食べられる
Papa Razzi

🏠271 Dartmouth St. ☎(617) 536-9200
ＡＭＶ 🗺P.718 B-2

　ここのスペシャルはなんといってもパスタとピザ。16種類というバラエティに富んだパスタはフレッシュな材料を使ったソースが自慢。薪を燃やした大きいレンガのオーブンで焼くピザは10インチサイズ。みなおいしそうで、どれにするか迷うなら、2種類のピザを半分ずつ作ってくれるサービスもある。ただし、値段は高いほうのもの。

●Cambridgeside Galleria
☎(617) 577-0009
🕐ランチ月～金11：30～16：00、ディナー日～水16：00～22：00（金土は24：00まで）、ブランチ土日11：30～16：00

ディナーは3種類の辛さを選べる！
Kashmir

🏠279 Newbury St. ☎(617) 536-1695
🕐ランチ月～金11：30～15：00、土日12：00～15：00、ディナー毎日15：00～23：00 ＡＭＶ（＄15以上） 🗺P.718 B-2

　Gloucester St.との角の半地下。ランチは食べ放題のバフェ形式。平日は＄8.95で2種類の前菜、2種類の肉のカレー、2種類の野菜カレー・サラダ・パン・ごはん・デザートという充実した内容から好きなものを選べる。週末はさらにカレーが1種類ずつ加わったスペシャルバフェで＄11.95。カレーはチキン、ラム、ビーフ、

シーフードの4種類があって＄9.95～14.95。ナンをはじめ人気のインディアンブレッドは13種類と豊富でいずれも3ドル前後。
（'98）

'96年のBest of Bostonに選ばれた
Bangkok Blue

🏠665 Boylston St. ☎(617) 266-1010
🕐月～木11：30～22：00、金11：30～23：00、土12：00～23：00、日12：00～22：00 ＡＭＶ 🗺P.718 B-2

　ボストン公共図書館の向かいにある、青が基調のタイレストラン。内装だけでなくテーブルの飾りや食器にまで工夫がいきとどいていて、女性にも人気がある。料理はアメリカ風にアレンジされてはいるものの、オリジナルの味を極力残した味で、タイ人にも評判がいいとか。数種類の味と具の中から、自由に選んで自分好みが食べられるタイカレーは＄10前後。
（'98）

夜景の見えるバー
Top of the Hub

🏠800 Boylston St. ☎(617) 742-6025
ＡＭＶ 🗺P.718 B-3

　ボストン在住の日本人にすすめられたボストンの夜景を見る穴場。プルデンシャル・タワーの52階にある。ジャズの演奏もあり、ジョン・ハンコックセンターに映るボストンの夜景（鏡のように映っている）とウォーターフロントをまとめて眺めることができる。深夜まで営業。
（松尾洋孝　横須賀市　'98夏）

お金はないけど日本食が食べたい人に
Roka Express

🏠901 Boylston St. ☎(617) 859-0001
🕐毎日12：00～23：00 🗺P.718 B-2

　ハインツコンベンションセンター向い。9種類のお弁当・うどんorそばとおにぎりor寿司のNoodle Comboはいずれも＄6.99。にぎり寿司も1ピースから注文できてほとんどが＄1。サケとウメのおにぎりも好評。すべてのメニューはテイクアウトできる。キャッシュのみ。
（'98）

中華街へ行かずとも本格的な中国料理を
Ocean Chinese
🏠9 Mass. Ave.　☎(617)353-0791

　Elliot HotelとCommonwealth Ave.の角にあり、中に入ると見かけよりも広い店内。生け簀があり、生きの良さそうな魚が泳いでいる。シーフード中心の料理が多く、ロブスターを中華として食べるのも、ショウガが効いておすすめ。フカヒレスープやツバメの巣のスープといった日本では高いものもここではお手ごろ。ランチョンメニューは＄5～とセットで安価だ。Market Priceと書かれたメニューはウエイターに値段を確認するように。ディナーはひとり当たり＄15～20くらい。　　　　　　（'98)

落ちついてイタリア料理を
Appetito
🏠1 Appleton St.　☎(617)338-6777
🕐日～水17：00～22：00(木～22：30)、金土17：00～23：00、サンデーブランチ11：00～14：30　🅰🅼🆅　🗺P.719　C-3

　高級そうな雰囲気だが、とても気楽に入れるイタリアンレストラン。バーとレストランに分かれているが、レストランセクションはひとつひとつのテーブルが仕切られている。14種類もあるパスタは＄9.95～14.95。9種類あるピザは＄9.50～11.95。たったの＄13のサンデーブランチも人気で、いつも混んでいるので午前中に出かけること。ところでこのレストランはゲイの人たちにも人気があるようで、かっこいいお兄さんたちにも会えるかも…。オレンジラインBack Bay駅から徒歩3～4分。South End方向に歩いてColumbusAve.を越えて2つ目のAppleton St.を左に曲がって突きあたり。　　　　　　　　　　　　　（'98)

カンボジア料理を食したいならここ
The Elephant Walk
🏠900 Beacon St.　☎(617)247-1500
🗺地図外

　グリーンライン（C）、St. Mary駅で下車、歩いて1分のところにあるこの店ではカンボジア料理が食べられる。カンボジアはフランスの植民地だったため、料理はフランスの影響をうけ、おいしくて品がある。とくにこの店では、Poulet Malika（チキンソテー）やAmok（バナナの葉に包まれた

カレー）、Soupe Phnam Penh（クメールヌードルスープ）がおいしい。土日はいつも多くの人で混んでいる。

　　　　（松波百香　ボストン在住　'97冬）

バラエティに富んだ日本食
銀座
🏠16 Hudson St.　☎(617)338-2261
🕐ランチ月～金11：30～14：30、ディナー月17：00～2：00、火～金17：00～4：00、土11：30～4：00、日11：30～2：00
🗺P.719　D-2

　チャイナタウンに、遂に本格的な日本食レストラン登場！　スシバーはもちろん、足を伸ばしてゆったり座れるセクションもある。この店の特色はなんといってもメニューの多さ。おつまみだけでなく、ファッション巻き、バックドラフト巻きなどのユニークな巻き寿司も豊富。夜遅くまで開いているのもうれしい。チャイナタウンのゲートのすぐ近く。　　　　　　（'98)

夜遅くまで開いています！
Kaya Restaurant
🏠581 Boylston St.　☎(617)236-5858
🕐毎日11：30～2：00　ランチは15：00まで
🅰🅼🆅　🗺P.718　B-2

　夜の11時過ぎに開いているレストランは中華街以外にはあまりないので、お腹がすいたときの強い味方。いちばん人気はユッケジャンスープ＄4.95とビビンバ＄10.95とのこと。畳の個室もある。場所はDartmouthとClarendonの間。　　　　　　（'98)

ブックストアでのんびりお茶
Harvard Coop Cafe
🏠1400 Mass. Ave.（Mass Ave.とBrattle St.の角）
🕐月～土9：00～23：00、日～21：00
🗺P.727

　地下鉄レッドラインのHarvard駅のハーバードスクエア出口を降りて、横断歩道を渡るとスグ目の前。赤い大きいCOOPのサインが目印。このハーバードのブックストアはまるで図書館のような造りになっている。2階にもカフェがあり、ドリンクだけでなく、軽食もとれる。営業時間も長く、場所も便利なので待ち合わせにもいい。

　　　　　　　　　　　　　（'98)

Philadelphia

Seattle
Denver Chicago New York
San Francisco
Atlanta
Los Angeles New Orleans Miami

フィラデルフィア

　イギリスのクエーカー教徒であるウィリアム・ペンがフィラデルフィアの地に足を踏み入れたのが1682年のこと。フィラデルフィアのはじまりだ。その誕生もさることながら、合衆国建国の歴史を語るとき、避けて通れないのがこの町でもある。イギリスの圧制に対抗して立ち上がった、第1回大陸会議。自由・平等・博愛の理想を高らかに宣言した独立。現在も生き続けている憲法の制定。ジョージ・ワシントン、ベンジャミン・フランクリン、トーマス・ジェファソンといった建国の父たちを出演者とし、歴史の舞台はこの町で回り続けた。1800年に首都がワシントンDCに移ったことで、この町は歴史の表舞台からは姿を消す。

　現在のフィラデルフィアは、アメリカ第5の都市で、周辺に住む人を合わせると、人口は580万人に達する。デラウェア川には大型船が行きかい、郊外には工場が並ぶ。一方で、市内には緑も多く、古都の香りを残している。また、自分たちの国が生まれた地を見ようと、全米からやってくる観光客を集める有数の観光都市でもある。ニューヨークやワシントンDCからなら、日帰りも可能な位置にありながら、歴史の香りに包まれた美しい町フィラデルフィア。ぜひ訪れてもらいたい町だ。

ダウンタウンへの行き方 ★ Access

空 港

フィラデルフィア国際
空港
☎ (215) 937-6800
HOME www.phl.org

フィラデルフィア国際空港
Philadelphia International Airport (PHL)

　ダウンタウンの南西13kmに位置し、1日1,200便の発着がある大規模な空港。A〜E、5つのターミナルに分かれ、それぞれにバゲージクレームと鉄道駅が付属している構造。ターミナルCの1階にあるAirport Communication Centerでは地図やパンフ類が入手できるほか、空港周辺のホテルを紹介してくれる。各ターミナルにカウンターのあるTravel Centerはビジネスマン向けで、高級ホテルなら予約もできる。

●鉄道 —— セプタ SEPTA　セプタ（『市内の交通機関』項のP.746参照）の1号線（R1）が、ターミナルEから各ターミナルを経由して、センター・シティ（フィラデルフィアの中心部）まで走っている。所要約25分。ホームにある自動券売機でチケットを買ってから乗る。

●空港シャトルバン

　フィラデルフィアの空港シャトルバンのシステムは、少々難しい。バゲージクレームを出たところのGround Transportationのデスク前に、コンピュータ・ディスプレイがあり、いくつものシャトルバンの会社、行き先、料金、専用電話番号などが表示されている。その中からシャトルバン会社を選び、デスクの係員に方面とどの会社のものに乗るかと、自分の名前を告げる。すると係員は、その会社に電話をしてくれるので、あとはその場でバンのドライバーが乗客を呼びに来るのを待てばよい。係員がいない場合は、直接専用電話から電話をかける。センター・シティまで15〜20分。

●タクシー　センター・シティまで所要15〜20分。

長距離バス

グレイハウンド・バスターミナル
Greyhound Bus Terminal

　センター・シティの大きなショッピングセンター、The Gallery とチャイナタウンの間に位置し、セプタのMarket East駅（地下）に近い。観光案内所までは徒歩15分。

鉄　道

サーティース・ストリート・ステーション
30th Street Station

　センター・シティから見てスクーキル川の対岸にある堂々たる駅舎で、乗降客数はアメリカ国内で2番目に多い。ニューヨーク、ボストン、ワシントンDCなどからアムトラックが数多くの列車を走らせているほか、セプタ、NJトランジットのターミナル駅でもある。観光案内所へは地下鉄Market-Frankford線（青ライン）で3分ほど。

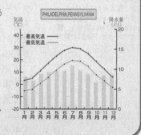

フィラデルフィア国際空港からダウンタウンまでは地下鉄が走っている。写真はセプタの空港駅

鉄道——セプタ
☎ (215) 580-7800
🚋片道 ＄5
運行：空港から6：10〜24：10、市内から5：25〜23：25の30分間隔

空港シャトルバン
🚋シティ・センターまでシャトルバン会社により＄9〜15
おもなシャトルバン会社
●SuperShuttle
☎ (215) 551-5820

タクシー
🚋約＄20〜

グレイハウンド・バスターミナル
🏠1001 Filbert St. (10th & Filbert Sts.)
☎ (215) 931-4027
📞 (1-800) 231-2222
🕐24時間営業
🗺P.747　B-1

★
フィラデルフィア

サーティース・ストリート・ステーション
🏠30th & Market Sts.
●Amtrak
☎ (215) 824-1600
📞 (1-800) 872-7245
🕐チケットは平日5：10〜22：00、土日6：10〜22：00
🗺P.747　A-1、2

ｄ　ａ　ｔ　ａ

人　　口	約1,586,000人	ＴＡＸ	セールス・タックス　7%	
面　　積	352km²		ホテル・タックス　13%	
標　　高	最高150m、最低0m	属する州	ペンシルバニア州 Pennsylvania	
市の誕生	1701年	州のニックネーム	キーストーン（「かなめ」のこと）州 Keystone State	
情　　報	The Philadelphia Inquirer （新聞）月〜土曜版 35¢ Scanner（月刊情報誌）無料	時間帯	イースタン・タイムゾーン	

PHILADELPHIA,PENNSYLVANIA

気温（℃）　　　　　　　降水量（ミリ）
最高気温
最低気温
1月 2月 3月 4月 5月 6月 7月 8月 9月 10月 11月 12月

ダウンタウンは東西をデラウェア川とスクーキル川、南北をSouth St.とFairmount Ave.に囲まれたエリアだ。うち、Broad St.より西、Vine St.より北は博物館や美術館の集中するミュージアム・エリア、8th St.より東をヒストリック・エリア、西をセンター・シティと呼ぶ。おもな見どころは**ミュージアム・エリア**と**インディペンデンス国立歴史公園**に集中し、ホテルやショッピングスポットの多くは**センター・シティ**にある。南北の通りは東のデラウェア川側から1st、2nd…と順に番号付けされている。

以上を頭に入れて観光案内所を起点に歩き出そう。自分の足だけで十分歩き回れるサイズの町だが、バス、地下鉄をうまく組み合わせれば理想的だ。日程としては、可能ならインディペンデンス国立歴史公園に1日、ミュージアム・エリアに2日はほしい。時間がないならインディペンデンス国立歴史公園とフィラデルフィア美術館に的を絞ってもいい。

独立宣言が採択された独立記念館

観光案内所 ★ Information

Philadelphia Visitor Center

セプタのSuburban駅、地下鉄の15th St.駅を16th St.側に出た円型の建物が案内所。スタッフの数も多く、ボランティアが親切に応対してくれる。地図やパンフ類はもちろんのこと、バス、地下鉄のスケジュールやツアー情報も手に入るほか、ホテルも予約してもらえる。タッチスクリーンによる目的別観光案内もあるので、どんどん利用しよう。

市内の交通機関 ★ Public Transportation

セプタ（南東ペンシルバニア交通局）
Southeastern Pennsylvania Transportation Authority (SEPTA)

フィラデルフィアを中心とした南東ペンシルバニア州の地下鉄、トロリー、バス、近郊列車などの交通機関を運行している機関。

地下鉄（地上も走る）、バスの料金は＄1.60、バスのトランスファー1回ごとに40￠。地下鉄は改札で料金を払い、ホームに入る。4路線あってそれぞれ色分けされている。地下鉄改札口近くにあるトークンの自動販売機で買えば2枚＄2.30、5枚＄5.75、10枚＄11.50と割引になる。トークンはバスにも使える。

近郊列車（Regional Rail Line）はR1～R8までの路線があるが、市内を観光する分には必要ないだろう。料金は行き先によって異なる。駅の自動券売機で行き先のコード番号のボタンを押し、表示された金額を支払う。なお、ピーク時とオフ時で押すボタンも料金も異なるので注意。

Philadelphia Visitor Center
🏠16th St. & John F. Kennedy Blvd., Philadelphia, PA 19102
☎(215) 636-1666
📞(1-800) 537-7676
HOMEwww.libertynet.org/phila-visitor
🕐毎日 9:00～17:00 メモリアル・デー～レイバー・デーは18:00まで
❌クリスマス
🗺P.747 B-1、2

セプタ・カスタム・サービス
☎(215) 580-7800
セプタ・オフィス：
🏠1234 Market St.
🕐8:30～16:30

セプタの1日パス
Day Passはバス、地下鉄が1日乗り放題（R1のセンター・シティ→空港片道も1回ならOK）で＄5。観光案内所や地下鉄駅で購入できる。

フィラデルフィア

フィラデルフィア

フィラッシュ
☎ (215) 636-1666
運行：5/15〜9/14の毎日
10:00〜24:00、9/15〜5/14
の毎日10:00〜18:00。10
分おき
料 $1.50（水曜 $1）。1日フ
リーパス $3。小型のバン
だ

シャトルバス "フィラッシュ" Phlash

　観光に便利な足が、このシャトルバン。市庁舎からローガ
ン・サークルを回り、インディペンデンス国立歴史公園周辺、
サウス通り、ウォーターフロント地区を経由してMarket St.
へ。フィラデルフィアのダウンタウンの主要ホテルやショッピ
ング・センター、観光名所などを走る。フィラッシュの走らな
いフィラデルフィア美術館へは#76のバスで。

ツアー案内 ★ Sight-seeing Tour

アメリカン・トロリー・
ツアーズ
☎ (215) 333-2119
出発場所：観光案内所
(16th & J.F.K. Blvd.)、3rd
& Chestnut Sts.、Penn's
Landing、Betsy Ross
Houseなど。出発時間につ
いては、電話で問い合わせ
ること。

アメリカン・トロリー・ツアーズ
American Trolley Tours

　フィラデルフィアのおもな見どこ
ろを、ノスタルジックなトロリーに乗
って回るツアー。インディペンデンス
公園、ペンズ・ランディング、造幣
局、チャイナタウン、フィラデルフィ
ア美術館、科学博物館、アンティー
ク・ロウなどが回るポイント。

奇抜な姿のビルも多い

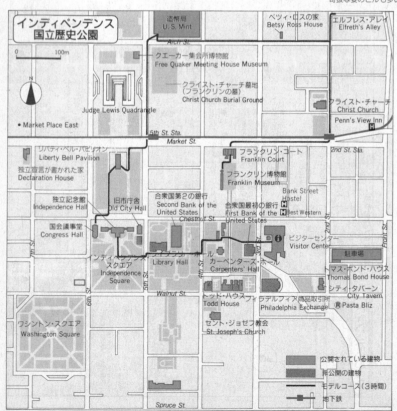

インディペンデンス
国立歴史公園

0　　100m

N

造幣局
U. S. Mint

ベツィ・ロスの家
Betsy Ross House

エルフレス・アレイ
Elfreth's Alley

Arch St.

クエーカー集会所博物館
Free Quaker Meeting House Museum

クライスト・チャーチ墓地
（フランクリンの墓）
Christ Church Burial Ground

クライスト・チャーチ
Christ Church

Judge Lewis Quadrangle

Penn's View Inn

• Market Place East

5th St. Sta.

Market St.

2nd St. Sta.

リバティ・ベル・パビリオン
Liberty Bell Pavilion

フランクリン・コート
Franklin Court

独立宣言が書かれた家
Declaration House

フランクリン博物館
Franklin Museum

Bank Street Hostel

独立記念館
Independence Hall

旧市庁舎
Old City Hall

合衆国第2の銀行
Second Bank of the United States

合衆国最初の銀行
First Bank of the United States

Best Western

国会議事堂
Congress Hall

Chestnut St.

ビジターセンター
Visitor Center

インディペンデンス・スクエア
Independence Square

ライブラリー・ホール
Library Hall

カーペンターズ・ホール
Carpenters' Hall

駐車場

トマス・ボンド・ハウス
Thomas Bond House

Walnut St.

シティ・タバーン
City Tavern

ワシントン・スクエア
Washington Square

トッド・ハウス
Todd House

フィラデルフィア商品取引所
Philadelphia Exchange

Ⓡ Pasta Bliz

セント・ジョセフ教会
St. Joseph's Church

公開されている建物

非公開の建物

モデルコース（3時間）

地下鉄

Spruce St.

グレイライン　Gray Line of Philadelphia

出発場所：Tour 3 以外は 30th St. Station (30th & Market Sts.) から

グレイライン
☎ (215) 569-3666
📠 (1-800) 577-7745

番号	ツアー名	料金	運行	所要時間	内容など
1	Philadelphia City Tour	$18	4/1～10/31の毎日 9：30/14：30発	2.5時間	インディペンデンス国立歴史公園、ベツィ・ロスの家、エルフレス・アレイなどを回る。
3	Franklin Mills Shopping	$10	月～土1日2回、日1日1回	3～4時間	200のアウトレットストアが集うフランクリン・ミルズへの送迎。ショッピングバッグとクーポンブック付き。
L	Lancaster-The Amish Experience	$90	4/1～10/31の月～土 9：15発	9.5時間	アーミッシュの住むエリアへの日帰りツアー。

Attractions ★
おもな見どころ

アメリカはここから始まった

★ インディペンデンス国立歴史公園
★ Independence National Historical Park

"Birthplace of the Nation (合衆国誕生の地)" の名のとおり、独立宣言が採択されたのもここなら、初の国会が開催されたのもここだ。文字どおり初期の合衆国の歴史がこの地に満ちあふれている。

まずは3rd St.沿い、Chestnut St.から少し南に下がったところにある**ビジターセンター**を目指そう。ここで無料の地図を入手する。係員（ここは国立公園なので彼らはパーク・レンジャーだ）に歩くコースなど尋ねるとよい。28分間の映画『Independence』を観て、歴史についておさらいしたら歩き始めよう。

インディペンデンス国立
歴史公園
ビジターセンター
🏠 3rd & Chestnut Sts.
☎ (215) 597-8974
🕐 毎日9：00～17：00、夏期は延長
🚫 おもな祝日
🗺 P.748、P.747　C-1、2

★
フィラデルフィア

カーペンターズ・ホール（左）
歴史公園の案内所（右）

● カーペンターズ・ホール　Carpenters Hall

1770年に建設されたもので、1774年9月にはイギリスの植民地弾圧政策に対抗するため、第1回大陸会議がここで開かれた。独立戦争中は病院として利用されていた。

カーペンターズ・ホール
🏠 320 Chestnut St.
🕐 火～日10：00～16：00
🚫 月、おもな祝日
💲 無料
🗺 P.748

● 独立記念館　Independence Hall

1776年7月4日、トーマス・ジェファソン起草による独立宣言がここで採択されたほか、1787年憲法制定会議もここで行われた。まさに合衆国誕生の地だ。内部は、建物の東端から15分ごとに出発しているツアーでしか入場できない。レンジャーの説明を聞きながら独立宣言の採択された部屋などを見て回る。所要時間25分。ツアーに参加するためにはチケットが必要で、建物の横で配られる。

独立記念館
🏠 Chestnut, bet. 5th & 6th Sts.
🕐 毎日9：00～17：00（夏期～20：00）
💲 無料
🗺 P.748

リバティ・ベル・パビリオン

● **リバティ・ベル・パビリオン　Liberty Bell Pavilion**

　近代的なガラス張りの建物の中には〝アメリカの自由の象徴〟リバティ・ベル（自由の鐘）が収められている。ロンドンで鋳造され、元々はペンシルバニア入植50周年を記念するものだった。州議会場（現在の独立記念館）の塔にすえられた鐘は、独立を宣言する際高らかに鳴らされたが、その後大きな亀裂が入り、1846年を最後にその音色を聞くことはできなくなった。1976年に現在のパビリオンに移されている。ここもいつも長い列ができている。5分ほどの説明を聞いたあとは写真撮影。日本語のテープを借りることもできる。

● **フランクリン・コート　Franklin Court**

　3rd St.と4th St.の間、Market St.に面してベンジャミン・フランクリンが所有していた軒続きの5軒の家がある。うち1軒は郵便局として現在も活躍中。地下には博物館があり、フランクリンが使用していた机などが展示されている。彼は手紙魔だったそうだが、ここには電話が置いてあり、見学者がワシントンやジェファソンなどに電話して、彼らのフランクリン評を聞くことができるコーナーがあっておもしろい。

　ほかにも内部がギャラリーになっている、1790～1800年の間国会が開かれていた国会議事堂Congress Hall、旧市庁舎Old City Hall、合衆国第2銀行The Second Bank of the United States（寄付＄2）、白い尖塔のクライスト・チャーチChrist Churchなど見どころは多い。すべてを見るには1日以上必要。

フランクリンが所有していたフランクリン・コート

アメリカのコインはここで造られる
合衆国造幣局 ★ U. S. Mint

　アメリカのコインすべてに描かれた肖像の首のうしろあたりに小さなアルファベットがあるはず。もし、"P"ならそのコインはここで生まれたものだ。

　ここは世界最大の造幣局で、鋳造過程を見学できる。工場内を上から見るのだが、コインがキラキラと輝いて美しい。1階のギフトショップには、記念コインセットや歴代大統領の肖像入りコインなど、おみやげに最適のグッズがいっぱい。

アメリカ最古の住宅街
エルフレス小径 ★ Elfreth's Alley

　石畳の静かな小径。1728～1836年に建設されたというアメリカ最古の住宅街（約30軒）で、鉢植えの花が飾られた、可愛らしい家が建ち並ぶ。これらの住宅は取り壊しの計画があるそうで、それに反対する人々が小さな博物館（🏠Mantua Maker's House 💰＄2）を開いている。内部は1755年の家の様子を再現してある。

町の中心にそびえる
市庁舎タワー ★ City Hall Tower

ダウンタウンのほぼ中央に位置する古めかしい石レンガの建造物。フィラデルフィアの鳥瞰を楽しみ、町を把握するためにも、高さ166mのこの市庁舎のタワーへ上ってみよう。

右記のとおりに入口から9階のエレベーターホールまで出たら、受付でタワーツアーの申し込みをしよう。展望台ではガイドが町について説明してくれる。タワーの頂点に立っているのは、フィラデルフィアの創設者のひとりでもある、ウィリアム・ペンの像で、高さ11m、重さ27トンのブロンズ製。展望台からは、世界一長い通りといわれるBroad St.を実感してみるのもいいだろう。

宝石を物色するなら
ジュエラーズ・ロウ（宝石街）★ Jewelers' Row

アメリカ最古のダイヤモンド地区Diamond Districtが、このフィラデルフィアのジュエラーズ・ロウだ。創設は1851年、現在はダイヤモンドに限らず、世界中から運ばれてきたエメラルド、ルビー、サファイアなど多くの種類の宝石が加工、売買されている。このエリアには、デザイナーや金細工職人などの宝石加工に従事する人が300人以上も働いている。

アイビー・リーグの名門
ペンシルバニア大学 ★ University of Pennsylvania

スクーキル川の西にあるアイビー・リーグの名門。ベンジャミン・フランクリンが創立者で、市内にありながら静かな緑に包まれた別世界だ。

構内の考古学人類学博物館 The University Museum of Archaeology and Anthropologyはこの分野では世界的に有名なところ。無造作に展示されているものが、かなりの値打ちものだったりする。エジプト・メンフィス王国の遺跡の柱が建ち並ぶホールは圧巻。アジア美術では日本、中国、インドの仏教美術の芸の細かさに、改めて感心させられる。イヌイットの民族遺産、ポリネシア、中東、中米の古代文化遺産などについての展示も充実。考古学や文化人類学に興味のある人は必見だ。

Museum & Gallery
ミュージアム＆ギャラリー ★

アメリカ五大美術館のひとつ
フィラデルフィア美術館
★ Philadelphia Museum of Art

観光案内所からB. Franklin Pkwy.の方向を望むと、ローガン・サークルの噴水の向こうに威風堂々とした建物が見える。その建物が、200以上の展示室に30万点以上の作品を蔵し、全米3位の規模を誇るフィラデルフィア美術館だ。とにかく巨大なので、入口で館内の見取図を入手してから見学しよう。建物は3層構造。フランクリン・パークウェイ側の入口は真ん中の階（1階）にあたる。

市庁舎タワー
🏛Broad & Market Sts.
入口：市庁舎北東からエレベーターで7階へ。赤い線に従って9階のエレベーターホールへ
☎(215) 686-9074
🕐月〜金10：00〜15：00。ツアーは15分おきに出発
休土日 料無料
🗺P.747　B-2

ジュエラーズ・ロウ
🏛Sansom St. bet. 7th & 8th Sts.と8th St. bet. Chestnut & Walnut Sts.
🕐営業時間は店によって異なるが、月〜土9：30〜17：00（水〜20：30）、日11：00〜17：00
🗺P.747　C-2

ペンシルバニア大学
🏛Schuykill River, Chestnut, 40th & Baltimore Ave.

考古学人類学博物館
🏛33rd & Spruce Sts.
☎ (215) 898-4000
HOMEwww.upenn.edu/museum/
🕐火〜土10：00〜16：30、日13：00〜17：00（夏期は日休み）
休月祝日と大学の夏休み中
料大人＄5、学生・シニア＄2.50、テープによるハイライトツアー＄2.50
🚌Walnut St.を走るバス＃21、42利用。帰りはChestnut St.から乗る。地下鉄ならSubway-Surface線（緑ライン）で33rd St.駅か36th St.駅下車
🗺P.747　A-2

フィラデルフィア美術館
🏛26th St. & Benjamin Franklin Pkwy.
☎ (215) 763-8100、684-7500（テープ）
HOMEwww.philamuseum.org
🕐火〜日10：00〜17：00（水〜20：45）
休月、おもな祝日
料大人＄8、学生・シニア＄5、日の13：00までに入館すると無料
🚌観光案内所からバス＃76で
🗺P.747　A-1
ツアー：ハイライトツアーを毎日10：00〜15：00の間、1時間おきに行っている

★
フィラデルフィア

『大水浴』セザンヌ

『大ガラス』デュシャン

ロダン美術館
**22nd St. & Benjamin
Franklin Pkwy.
☎ (215) 787-5476
**火～日10：00～17：00
**月
**$1を目安として寄付、
テープ$2
**バス#76
**P.747 A-1

フランクリン科学博物館
**20th St. & Benjamin
Franklin Pkwy.
☎ (215) 448-1200
HOMEwww.fi.edu
**毎日9：30～17：00
（Mandell Centerは木～土
～21：00）
**Science Center &
Future Center（展示）大人
$9.75、子供$8.50。プラ
スOmniverse Theaterと
Planetariumはそれぞれ大
人$12.75、子供$10.50。
コンビネーション・チケット
もあり、すべてを含むものは、
大人$14.75、子供$12.50。
ほかにも2種類ある。一度
チケットを買ったら、その
日の入退場は自由
**観光案内所から徒歩10
分。Logan Circleの西にあ
る。バスなら#76
**P.747 B-1

1階北ウイングは13～19世紀のヨーロッパ絵画のコレクション。奥の1階は20世紀美術で、目玉のひとつ、アレンスバーグ・コレクションに至る。とくにマルセル・デュシャンの作品に関しては世界一といわれる。彼の代表作といわれている**『彼女の独身者たちによって裸にされた花嫁、さえも』**は、通称**『大ガラス』**とも呼ばれ、作品について多くの解釈と謎とイメージを見る者に与える。**遺作『（1）落下する水（2）照明用ガスがあたえられたなら』**は、木の扉の内側を中央の小さな穴からのぞき込む仕掛けになっている。なにが見えるか？　についての写真発表を、デュシャンは遺言で禁じているので、フィラデルフィアまでのぞきに行かなくてはならない。1913年のNYアーモリー・ショウでセンセーションを巻き起こした**『階段を降りる女』**、そのほか**『エナメルを塗られたアポリネール』**、フォービズムの影響下にある初期の絵画も興味深い。近くの部屋にある**ピカソ**の**『3人の楽師』**と**『自画像』**にも注目を！

1階南ウイングはペンシルバニアの工芸品をはじめとするアメリカ美術と特別展の会場。

2階北ウイングは中～近世ヨーロッパ絵画が並ぶ。印象派、後期印象派の作品が中心。有名な**セザンヌ**の**『大水浴』**もここにある。208cm×249cmの大作だ。緑を基調とした明るい色使いが美しいモネの作品群も人気を集めている。**ゴッホ**初期の**『ひまわり』**も美術館代表作のひとつ。

2階南ウイングは中世ヨーロッパと東洋芸術のコーナーだ。歩いていくにつれて中世フランスの僧院、イスラムのモスク、南インドの仏教遺跡、そして日本の茶室などが次々と現れる。どれもオリジナルを移築したものだけに、雰囲気は満点だ。

地階には写真、版画ギャラリー、大きなミュージアムショップがある。

ロダンの彫像が並ぶ
ロダン美術館 ★ Rodin Museum

ロダンの彫刻コレクションでは、フランス国外で最大のもの。**『考える人』**が玄関前で迎えてくれる。ロダンの傑作**『カレーの市民』**、**『地獄の門』**などもあり、館内はそう広くはないが力強い彫刻でいっぱいだ。

科学について学ぼう！
フランクリン科学博物館
★ The Franklin Institute Science Museum

アメリカ各地に科学博物館は多いが、ここは規模、質どちらもトップクラスを誇る。自分の予定時間をよく考えてチケットを買おう。ここでは1日くらいあっという間に過ぎてしまう。

●**Science Center**　科学のあらゆる分野を網羅した展示。自らがDNAとなって命令を下し、身体を健康に保つシミュレーションなど、自分で操作したり触ったりして学べるのが楽しい。エコロジーに関する展示も充実しており、酸性雨や温暖化の問題もわかりやすく解説してくれる。

●**Mandell Center** 未来の地球、健康、エネルギー、コンピュータ、宇宙、物質などの展望を解説するコーナー。Musser Choices Forumは科学に関する、あるテーマのビデオが流され、それについて時おり出される質問に、観客が手もとのボタンを押して答えるというもの。たとえば大気汚染についてのテーマだと、通勤手段や、その理由などの質問が続く。質問にはアメリカ人の意識が反映され、大変興味深い。また、実際に操作できるコンピュータも数多くあり、ここからE-mailを送ることもできる。

●**Omniverse Theater** 180度の鮮明画像は大迫力。季節ごとに変わる本編の前に、フィラデルフィアの歴史と町を紹介したビデオを上映する。町を知るうえで参考になる。

ロダン美術館の『考える人』の像

北軍にはめずらしい南北戦争の展示
南北戦争博物館
★The Civil War Library and Museum

南北戦争に関する図書館（収蔵書約1万2,000冊）になっており、自由に閲覧できる。ほかにグラント将軍の軍服、志願兵を求めるポスター、当時の勲章などが展示されている。この博物館のあるPine St.周辺は静かな住宅地で、赤レンガ造りの古いアパートが並ぶ。玄関のドアにさまざまな意匠が凝らされ、鉢植えの花が彩りを添えている。並木の緑も美しく、散策に最適だ。

南北戦争博物館
🏠1805 Pine St.
☎(215) 735-8196
🕐水～日11：00～16：30
🚫月火
💵大人＄5、子供（3～12歳）＄3、シニア＄4
🚌観光案内所から＃17利用。Pine St.で降りて左へ1ブロック。歩いて15分
🗺P.747 B-2

Spectator sports
観戦するスポーツ

ベースボール（MLB）

フィラデルフィア・フィリーズ
★Philadelphia Phillies （ナショナル・リーグ東地区）

フィリーズのチャンスになると"ロッキー"のテーマ曲が流れる。現在のスターは奪三振王に輝くC・シリング投手。球場では名物のプレッツェルもおいしい。

フィラデルフィア・フィリーズ
本拠地──ベテランズ・スタジアム　Veterans Stadium, 350 S. Broad St. & Pattison Ave.
☎(215) 463-1000、463-6000
HOMEwww.phillies.com
🚇地下鉄Broad St.線を南に向かって終点のPattison駅下車。地上北側の出口を出ると目の前に見える

アメリカン・フットボール（NFL）

フィラデルフィア・イーグルス
★Philadelphia Eagles （NFC東地区）

NFC東地区の強豪。スターはクォーターバックのP・ロドニーだ。まだNFLでは少数派の黒人QBだが、その能力は高く評価されている。とくに脚力はすばらしく、ランニング・バックよりもよく走る。ただし、移籍のうわさもある。

フィラデルフィア・イーグルス
本拠地──ベテランズ・スタジアム　Veterans Stadium, 350 S. Broad St. & Pattison Ave.
☎(215) 463-5500
HOMEwww.eaglesnet.com
🚌フィリーズ参照

バスケットボール（NBA）

フィラデルフィア・セブンティシクサーズ
★Philadelphia 76ers （東・大西洋地区）

NBA大西洋地区のかつての強豪も、ここ数年チームは低迷している。ちなみにフィラデルフィア出身のボクサー(映画の話)・ロッキーの銅像はセンターの前に立っている。

フィラデルフィア・セブンティシクサーズ
本拠地──ファースト・ユニオン・センター　First Union Center, 3601 S. Broad St. & Pattison Ave.
☎(215) 339-7676
🚌ホームコートはPattison Ave.を挟んだベテランズ・スタジアムの向かい

★
フィラデルフィア

フィラデルフィア・フライヤーズ
本拠地——ファースト・ユニオン・センター First Union Center, 3601 S. Broad St. & Pattison Ave.
☎(215) 336-2000、755-9700
🚇セブンティシクサーズ参照

フィラデルフィア・フライヤーズ
★Philadelphia Flyers（東・大西洋地区）

実力上昇中のフライヤーズ。'96〜'97のシーズンはついにスタンレーカップ出場を果たした。デトロイト・レッドウィングスの壁は厚かったが、今後の活躍が楽しみだ。スピード感と肉弾相打つアイスホッケーは、このシーズンにアメリカに来たらぜひ観ておきたいもののひとつだ。

ショッピング
Shopping

フィラデルフィアでは衣料品がお得

フィラデルフィアのセールスタックスは7%だが、衣料品に限ってはこの税金が付かない。とくに衣料品の購入予定のある人は、フィラデルフィアで買おう。

ダウンタウンの代表的なモール2店
The Gallery at Market

🏠Market & 9th Sts. ☎(215) 625-4962
🕐月〜土10：00〜19：00（水金〜20：00）、日12：00〜17：00　　MV
🗺P.747 C-2

まさに町のど真ん中、Market St.の8th〜10th Sts.の3ブロックを占める巨大なショッピングモール。デパートは、Strawbridge & Clothier、Clover、JC Penneyの3店、ショッピング街のテナントはなんと170店、レストランも40店以上と規模が大きい。

The Shops at Liberty Place
🏠16th & Chestnut Sts. ☎(215) 851-9055
🕐月〜土 9：30〜19：00（水〜20：00）、日12：00〜18：00　🗺P.747 B-2

中央吹き抜けのロタンダ（円形広間）を中心に、洗練されたショップ、レストラン約70店舗が集まったショッピングモール。J. Crew、Coach Store、Rand McNally、Artisan's Store、Godivaなどが入っている。

ホテル
Hotel

抜群のロケーション、快適な客室
Embassy Suites Center City

🏠1776 Benjamin Franklin Pkwy. at Logan Sq., Philadelphia, PA 19103
☎(215) 561-1776、FAX(215) 963-0122
平日Ⓢ$169〜209、ⒹⓉ$184〜224、週末Ⓢ$115〜179、ⒹⓉ$130〜194
ADJMV　　🗺P.747 B-1

美術館と観光案内所の中間、ローガン・スクエアに面し、ミュージアム群、繁華街も徒歩圏内、オフィス街も近いためビジネスマンにも好評だ。コーヒーメーカー、電子レンジ、冷蔵庫があり、ちょっとした来客やビジネスミーティングにもぴったり。小さいながらも設備の充実したフィットネス用のジム、子供のためのプレイルーム、長期旅行者にはうれしいコインランドリーなどの施設もある。朝食付きで最高4人まで泊まることができるので、人数が集まればこの料金はおトクだ。　　　　（'98）

こぢんまりとした朝食付きのイン
The Independence Park Inn
（Best Western）

🏠235 Chestnut St., Philadelphia, PA 19106 ☎(215) 922-4443、🆃(1-800) 528-1234、FAX(215) 922-4487
Ⓢ$130〜155、ⒹⓉ$140〜175、週末割引あり　　　　　　　ADMV
🗺P.747 C-2

歴史公園の案内所のすぐ前。フィラデルフィアらしいクラシックな雰囲気のロビーで、客室もエレガントだ。グリーンやピンクが基調の内装は、やすらぎを与えてくれる。うれしいのは、朝食と午後のお茶が付いていること。全36部屋という小さなホテルなので、見逃しそうだ。部屋はダブルとツインがあるので、2人で利用するときは必ず確認すること。全室ドライヤーも付いている。　　　　　　　　　　（'98）

独立の歴史に浸るには最高
Society Hill Hotel

🏠301 Chestnut St., Philadelphia, PA
19106　☎(215)925-1919、FAX(215)
925-3780

Ⓢ＄88〜、Ⓓ＄120〜、スイート＄135〜
ADMV　地P.747　C-2

　インディペンデンス国立歴史公園内にある12室の小さなホテル。花で飾られた小ぎれいな部屋で、ホテルというよりはB&B的なエレガントさが印象的。料金には朝食の料金も含まれている。レストランを通ってホテルへ入るので、セキュリティにも気が配られている。3rd St.とChestnut St.の角で、ビジターセンターはすぐ近く。　（'99)

アンティーク・ロウにある、温かいB&B
Antique Row Bed & Breakfast

🏠341 S. 12th St. Philadelphia, PA 19107
☎(215)592-7802、FAX(215)592-9692
⒮Ⓓ＄60〜100　　　　地P.747　B-2

　12th St.沿い、Pine St.との角の近くにある小さなB&B。アンティーク・ショップが並ぶ閑静な住宅地の中にある。オーナーのバーバラさんはとても気さくで親切。観光のアドバイスはもちろん、なんでも相談にのってくれてアメリカ人の家庭に宿泊している雰囲気。そのせいか、宿泊客はバックパッカーからビジネスマンとさまざま。部屋はインテリアのセンスもよく清潔。気持ちよい滞在ができる。

　また、ここが満室のときは手数料なしで希望にそったB&Bを教えてくれる。もちろん朝食込みの料金で、長期間滞在するときはディスカウントあり。　　　　（'99)

静かな環境のB&B
La Reserve
(Center City Bed & Breakfast)

🏠1804 Pine St., Philadelphia, PA 19103
☎(215)735-1137、☏(1-800)354-8401、
FAX(215)735-0582
HOMEtravelguides.com/bb/reseive/
⒮＄75〜95、Ⓓ＄85〜95　AMV　地P.747 B-2

　レンガ造りの美しいアパートの並ぶ一角に埋もれているB&B。外から見てもなにも目印がなく、「1804」という番地だけが頼り。ロビーも部屋も歴史を感じさせる重厚な造りだ。全部で8室しかないが、それだけに朝食のときなど家庭的な温かさがあっ

ていい。オーナーのBillおじさんと宿泊者との会話が楽しめる。部屋に外からカギがかからない（内側からはかかる）のが難点だが、玄関のセキュリティはしっかりしている。南北戦争博物館の向かいにある。
（'98)

ロマンチックなプチホテル
Penn's View Hotel

🏠Front & Market Sts., Philadelphia, PA
19106　☎(215)922-7600、☏(1-800)
356-7366、FAX(215)922-7642
Ⓓ＄130〜185　ADJMV　地P.747 C-2

　ペンズ・ランディングに隣接するホテルで、一部の部屋からはウォーターフロントが見渡せる。外観、ロビーともこぢんまりとしているが、客室はヨーロッパ調の落ち着いた内装。もちろん、清潔だ。暖炉やジャクージ付きの部屋はカップルに人気がある。1階にはイタリア料理の店があり、ここでは120種類以上ものワインを揃えている。全38室。　　　　　（'98)

ロダン美術館の裏
Best Western Center City Hotel

🏠501 N. 22nd St., Philadelphia, PA
19130　☎(215)568-8300、☏(1-800)
528-1234、FAX(215)557-0259
Ⓢ＄89〜119、ⒹⓉ＄99〜129　ADJMV
地P.747　A-1

　ダウンタウン中級以上のホテルの中では1、2を争う安さ。ミュージアムが集中するFranklin Pkwy.から1ブロック奥にあり、フィラデルフィア美術館や科学博物館には徒歩圏内だ。客室は清潔で、ケーブルTV、バスルームのアメニティ、禁煙室、スポーツバー、カフェ、小さなフィットネスセンターなどの設備も整っている。観光局を通して予約を入れると、通常の料金より少し安くなる。駐車場代は無料。ホテルの近くには24時間営業の小さなスーパーがあって便利。　　　　　　　（'98)

とても清潔でセンスのいいセンター・シティB&B

歴史公園に面したユース
Bank St. Hostel

🏠32 S. Bank St., Philadelphia, PA
19106 ☎ (215) 922-0222、📞 (1-800)
392-4678、FAX (215) 922-4082
ドミトリー＄16～19、シーツ＄2、タオ
ル＄1 🗺P.747 C-2

　歴史公園に面した便利なロケーション。
ビリヤード台のあるコモンルーム、地階の
キッチン、ランドリー、ロッカーなど設備は
充実している。夜にはビデオの上映もある。
掲示板からいろいろな旅の情報がゲットで
きるのもうれしい。トイレやシャワーの数
も多い。フィラデルフィアはホテル代が高
いので、70のベッドもすぐに満杯になる。
16：30には入口に並ぶようにしたい。オフ
ィスは10：00～16：30の間閉まる。　（'99）

ウォーターフロントの朝食付きのイン
Comfort Inn

🏠100 N. Christopher Columbus Blvd.,
Philadelphia, PA 19106 ☎ (215) 922-
7600、📞 (1-800) 228-5150、FAX (215)
238-0809
Ⓢ Ⓓ ＄89～149、Ⓣ ＄99～159 ADMV
🗺P.747 C-1

　中心部からは離れるが、朝夕は中心部や
歴史地区までの無料のシャトルバンを運行
している。エルフレス小径までは徒歩圏内。
部屋は清潔でシンプル。朝食が付いている
のと、夕方のカクテルサービスもうれし
い。　（'98）

フェアモント公園内の素敵なユース
Chamounix Mansion Youth Hostel

🏠Chamounix Dr., W. Fairmount Park,
Philadelphia, PA19131 ☎(215)878-3676、
📞(1-800)379-0017、FAX(215)871-4313、
HOMEwww.libertynet.org/chmounix
ドミトリー＄11 MV 🗺地図外

　フェアモント公園の西の端にある、1802
年完成の歴史的建築物。博物館並みの調度
品を備えている。キッチン、ランドリー、
卓球台があり、テニスコートも近い。チェ
ックインは16：30～24：00。チェックアウト
は11：00まで。観光案内所からバス＃38で
約20分。Ford Rd.とCranston Rd.の角で下車
し、Ford Rd.をさらに20分歩く。Chamounix
Dr.で左折して突き当たり。80ベッド。暗
くなってからの移動はタクシーで。　（'99）

割安な料金で泊まれる高級ホテル
The Westin Suites Philadelphia Airport

🏠4101 Island Ave., Philadelphia, PA
19153 ☎ (215) 365-6600、📞 (1-800)
937-8461 FAX (215) 492-8471
平日＄198、週末＄99 🗺地図外

　安い値段で高級ホテルに泊まりたい！
と、いう人におすすめのホテルがここ。週
末にはウイークデーの半額くらいで宿泊で
きてしまう。室内にはプールやサウナが完
備され、24時間、空港からの無料送迎もあ
る。全室スイート。朝食付き。
　（Mac Nitta　ペンシルバニア在住　'98冬）

★　★　★　**レストラン**　★　★　★
Restaurant

フィラデルフィアの味、チーズステーキ
Jims Steaks

🏠400 South St. ☎ (215) 928-1911
🕐月～木10：00～1：00、金土10：00～
3：00、日12：00～22：00 🗺P.747 C-2

　薄切りの牛肉を鉄板で焼き、チーズを塗
ったバゲットのようなパンに丸まった牛肉
を挟み込む。ボリューム満点の「チーズス
テーキ」はフィラデルフィアの名物。ここ
は歴史も古く、味もフィラデルフィアいち
と評判のお店だ。好みで玉ねぎやホット・
ペッパーなども挟めて＄4.60～と値段も手
ごろ。店内はカフェテリア形式で気軽に食
事を楽しめる。有名人の写真とサインが飾

ってある。場所は4th St.とSouth St.の角。
　（'98）

センター・シティにあるかわいいカフェ
Good Stuff Cafe

🏠140 S. 20th St. ☎ (215) 751-0506
🗺P.747 B-2

　かわいらしいカフェで女の子向き。バゲ
ットに挟んだサンドイッチは、量も日本人
にちょうど良い。添えられたサラダのドレ
ッシングもさっぱりしていておいしかっ
た。スタッフも親切でくつろげる。
　（廣津久子　コロラド在住　'98冬）

地元の人にも秘かに人気のカフェ
Roselena's Coffee Bar
🏠1623 E. Passyunk Ave.
☎ (215) 755-9697 🗺地図外

　すごくかわいいカフェ。内装は1920年代のイタリアンアンティーク、ひとつひとつ柄の違うコーヒーカップもアンティークだ。席に着くとテーブルの上のアルコールランプに火を灯してくれ、とてもノスタルジックな気分に浸れる。デザートは食べるのがもったいないくらいの芸術品。忘れずに行ってほしいのがトイレ。あまりのゴージャスさにびっくりすると思う。ただしこの辺りは治安がよくないところがあるのでタクシーを使うのがベター。
（Yukari Chilnick フィラデルフィア在住 '98）

ブラジル料理を堪能したあとはサンバを踊ろう
Brasil's Restaurant & Bar
🏠112 Chestnut St. ☎ (215) 413-1700
🗺P.747　C-2

　ここのおススメは魚料理。フルーツをふんだんに使い、少しこってりしたソースでカラフルに仕上げられている。店員も全員ブラジル人。店内には大きな生け簀があって、南国の魚が泳いでいる。ここでブラジルの味を堪能したら、2階のクラブへ。そしてラテンミュージックに乗ってサンバを踊ろう。最高に楽しいひとときになること間違いなし！ 行き方はインディペンデンスホールのChestnut St.をまっすぐ東へ。
（Yukari Chilnick フィラデルフィア在住 '98）

安くて人気のベトナム料理店
Vietnam Palace
🏠222 N .11th St. ☎ (215) 592-9596
🗺P.747　B-1

　ここのおススメは米の粉でできた白い半透明のヌードル。ラーメンみたいな感じだがシーフードヌードルがおいしい。あっさりスープにたっぷりの魚介類がのっていて、レモングラス（ハーブの葉）をちらして食べるとまた格別。値段も＄4〜5と安い。
（Yukari Chilnick フィラデルフィア在住 '98）

パスタの種類が多い！
Pasta Blitz
🏠2nd & Walnut Sts., 2階
☎ (215) 238-0499
🕐月〜土11：30〜22：00、日13：00〜22：00 MV 🗺P.748

　インディペンデンス公園を散策中や見学後に寄るのにちょうどいい店。イタリア料理の店で、いちばんの売りはパスタ類。ランチ（月〜土11：00〜15：00）は25種類以上のパスタが＄7.95、ディナーは約30種類が＄9.95というリーズナブルな均一料金。パスタのゆで具合は日本のようにはいかないが、具だくさんで味もなかなか。アペタイザーやディナーのメインディッシュのメニューも多い。席数も多いので待たされることはないだろう。また、内装が4つに分かれているのもおもしろい。
（'98）

有名紙に取り上げられた
Society Hill Bar & Restaurant
🏠301 Chestnut St. ☎ (215) 925-3780
🗺P.747　C-2

　ウォール・ストリート・ジャーナル紙では名物のチーズステーキが、ワシントン・ポスト紙ではヨーロッパ調のレストランの雰囲気が賞賛された、町では有名なレストラン。バーといっしょになっている。夜はジャズの生演奏あり。1990年のベスト・フィラデルフィアに選ばれたハンバーガーが＄5.75〜。サンドイッチは＄6前後。歴史地区散策後のランチにいい。
（'98）

リーズナブルで人気のギリシャ料理
Pamplona
🏠225 12th St. at Locust ☎ (215) 627-9059
🕐日〜木17：30〜22：00、金土17：00〜23：00 AMV 🗺P.747　B-2

　センター・シティと住宅街の中間にあるレストラン。地味な外観なので、うっかりすると見落としてしまいそう。インテリアが現代的なギリシャ料理のレストラン。中で食事に興じる人たちも、いかにも地元の人といった感じだ。前菜＄3〜9、メインディッシュ＄9〜16、デザート＄3〜4、とオシャレな雰囲気のわりに意外に安い。早い時間からにぎわっているほど、味もGood。
（'98）

★
フィラデルフィア

ワシントンDC

　"Washington, District of Columbia"、日本語で『ワシントン・コロンビア特別自治区』。これが合衆国の首都、ワシントンDCの正式な名称だ。長い名前からもわかるように、この町は全米50州のどの州にも属さない、連邦政府の直轄の地区としてできあがった。特別自治区には連邦政府の立法、行政、司法の機能だけが存在し、住民のほとんどが公務員と弁護士。人種の点から見ると圧倒的にマイノリティが多く、とくにアフリカ系は全体の65％にも達する。

　DCは合衆国の政治の中心地であるにとどまらず、世界政治の中心地とも言える。また、開かれたアメリカを象徴するかのように、この町ではすべてがオープン。大統領官邸も、国会議事堂も、誰もが容易に見学することができるのだ。

　さらに、地球と人類の遺産を網羅する世界最大の博物館群（15の博物館）を有する町でもある。博物館群の名はスミソニアン協会。しかも、その博物館群の入場料は無料だ。

　緑のモールと白亜の建築物が美しいDC。じっくりと歩き、合衆国の顔であるこの町の醍醐味を堪能してほしい。北西部のワシントン州と混同しないように、特別自治区を『ワシントンDC』、または略して『DC』と呼ぶ。

ダウンタウンへの行き方　　　★ Access

空 港

レーガン・ワシントン・ナショナル空港
☎ (703) 417-8000

レーガン・ワシントン・ナショナル空港
Reagan Washington National Airport (DCA)

　新しく生まれ変わったナショナル空港では、ターミナルとメトロのNational Airport駅が直結し、新ターミナルはショップやレストランも充実してまるでショッピングモールのよう。場所はポトマック川を挟んでダウンタウンの南約5km。デルタ航空とUSエアウェイズのシャトル便は通常の乗り場と異なり、AとBターミナルの間にあるので注意。'98年2月、名前に「レーガン」が加わったが、相変わらず地元ではナショナル空港と呼ばれている。

新しくなったナショナル空港

ナショナル空港からダウンタウンへは
地下鉄がいちばん便利

●**地下鉄（メトロレイル）Metrorail**　メトロレイルのブルー、イエローラインのNational Airport駅（地上）からダウンタウンの中心（Metro Center駅あたり）まで約20分。B、Cターミナルなら駅は目の前。

●**タクシー　Taxi**　DCのタクシーはメーターがないので、乗る前に料金を確かめよう。中心部まで15分程度。

ダレス国際空港　Dulles International Airport（IAD）

　ダウンタウンの西約43kmに位置する著名な建築家サーリネン・デザインの近代的な大空港。国際線と大陸横断などの国内線発着に使われている。現在、全日空、ユナイテッド航空の2社が日本からの直行便を運行している。ターミナル〜飛行機間を結ぶ**モービルラウンジ**はここの名物。

●**空港バス　ワシントン・フライヤー　Washington Flyer**
　メインターミナル1階にチケット売り場がある。ダウンタウンの空港バスターミナル（1517 K St. NW　キャピタル・ヒルトン前）まで所要時間約45分。

●**バス＋地下鉄**　空港バス（Washington Flyer社のバス）のWest Falls Church駅行きに乗って、そこでメトロレイルのオレンジラインに乗り換えダウンタウンへ。市内へ行く最も安上がりな方法。

●**タクシー**　Washington Flyer Taxi　所要時間約40分。

ボルチモア-ワシントン国際空港
Baltimore-Washington International Airport（BWI）

　ワシントンDCの北約52km、メリーランド州ボルチモアとDCの間にある国際空港。

メトロレイル
🚇市内までピーク時で$1.25〜1.50、ピーク時以外$1.10
※ピーク時については市内の交通機関の項参照。

タクシー
🚕チップを含め$11〜16。空港へは$1.25が加算。料金は人数、荷物の数によっても変わる

ダレス国際空港
☎(703)661-2700

ワシントン・フライヤー
☎(703)685-1400
🚌片道$16、往復$26
🕐月〜金5：20〜22：20の間30分間隔、土日5：20〜11：20の間1時間間隔、12：20〜22：20は30分間隔

バス＋地下鉄
🚌バスは片道$8、地下鉄の料金を合わせると$9.10〜10.10
🕐ダレスからの空港バスの運行時間は、月〜金6：00〜22：30の間は20〜30分間隔。土日7：30〜22：30の間は30分間隔。空港駅からの運行時間は上記の30分遅れ

タクシー
☎(703)661-8230
🚕$37〜47

ボルチモア-ワシントン国際空港
☎(410)859-7111

★
ワシントンDC

d a t a

人　口	約607,000人	日曜版$1.50	
面　積	177km²	Washingtonian	
標　高	最高128m、最低0m	（月刊タウン情報誌）$2.75	
市の誕生	メリーランド州より1788年に独立、バージニア州より1789年に独立	**TAX**　セールス・タックス5.75%　ホテル・タックス13%＋$1.50	
情　報	Washington Post（世界に知られた日刊紙）月〜土曜版25¢	**時間帯**　イースタン・タイムゾーン	

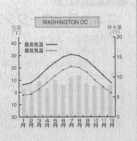

WASHINGTON DC
気温（℃）　降水量（ミリ）
最高気温
最低気温

SuperShuttle
☎ (410) 724-0009、(301) 369-0009
🎫 (1-800) 258-3826
🚃片道 $21〜26、同乗者ひとりにつきプラス $5

アムトラック
🎫 (1-800) 872-7245
マルク
🎫 (1-800) 324-7245
🚃片道アムトラック(毎日) $10、マルク(月〜金の運行) $5

タクシー
🚃約 $45

グレイハウンド・トレイルウェイズ・バスターミナル
🚃1005 1st. St. NE (bet. K & L Sts.)
☎ (202) 289-5154
🎫 (1-800) 231-2222
🚃24時間営業
🚃P.767 D-1

ユニオン駅
🚃50 Massachusetts Ave. NE
☎ (202) 906-3000
🎫 (1-800) 872-7245 (アムトラック)
🚃24時間営業、チケットは月〜金5:15〜22:30、土日5:30〜22:30
🚃P.767 D-2

モールのリフレクティング・プールとリンカーン記念館

●**空港シャトルバン SuperShuttle** Door-to-doorのシャトルバン・サービスで自宅や特定の場所まで連れていってくれる。BWI空港へ向かう場合は3時間前までに予約すること。

●**アムトラックまたはマルク Amtrak or Marc** アムトラックとマルク(ボルチモアの近郊列車、平日のみ運行)の鉄道駅がBWI空港の近くにあり、この駅からDCのユニオン駅へ行くことができる。列車は平日、30分に1本程度の割合で運行されている。BWI空港駅へは空港到着階から20分間隔で運行されている無料のシャトルですぐ。

●**タクシー Taxi** 乗る前に料金を確認しておこう。約50分。

長距離バス

グレイハウンド・トレイルウェイズ・バスターミナル
Greyhound／Trailways Bus Terminal

中心部から少しはずれたところに位置するので、モール周辺に行くにはユニオン駅まで歩き、そこでメトロに乗る。日中の移動は問題ないが、暗くなってからはタクシーを利用しよう。

鉄道

ユニオン駅 Union Station

アムトラックや近郊列車の発着するユニオン駅は、古いデザインが生かされた壮麗な建物で、首都DCを代表する顔のひとつ。ショップやレストランなども入って、見どころとしても人気がある。首都ワシントンDCだけあってアムトラックの乗客の多くはビシッと決めたキャリア組だ。両替所、トラベラーズ・エイドあり。

ワシントンの歩き方 Walking ★

ワシントンDCの観光の中心は**モール**。Constitution Ave.とIndependence Ave.に挟まれた、東は**国会議事堂**から西は**リンカーン記念館**の間の約4kmの長方形のエリアで、緑に囲まれた大きな公園のようになっている。この周辺にはアメリカが世界に誇る**スミソニアン協会**の博物館や美術館、そして**ホワイトハウス**や官公庁、各種モニュメントが集まっている。時間がある人もない人も、モールから観光を始めるのがいちばんスムーズだ。

読★者★投★稿
ニューヨーク〜ワシントンDC間にアムトラックを利用した!

行きのニューヨーク→ワシントンは9:20発の普通便、帰りは翌日17:00発のメトロライナーを利用した。行きは木曜日のラッシュ時を過ぎていたこともありすいていたが、金曜日の帰りは出発時刻の30分ぐらい前に50人近いビジネスマンが発券を待った。そして、出発の10分前になると、皆ダッシュで座席を確保していた。メトロライナーの料金は普通の2倍近くするが、フットレストがあり、窓が少々広いくらいで、そう大差はなかった。

往復とも、旅行者は全体の1%くらいで、日本人は私たちだけ。ほかの乗客はビジネスマン、ビジネスウーマンばかりだった。しかし、途中レンガ造りの町並みやかわいいプール付きの家が見えたり、飛行機では味わえない旅ができた。　　(奥村直子　名古屋市　'98夏)

見どころが多すぎて困るほどのこの町では、まず自分の興味のあるものに的を絞ること。見どころを大きく2つに分けると、①スミソニアンを中心とした博物館や美術館、②アメリカの首都としての顔、連邦政府の建物や国会議事堂、ホワイトハウスなどだ。地図を見て、各ポイントの位置関係と自分の興味の度合いを考えて効率的な観光プランを立てよう。また、DCは町の1ブロックが非常に大きい。地下鉄を十二分に活用しよう。なお、DCの観光ポイントはほとんどが入場無料。有料の場合のみ料金を掲載した。

DC住所解読法
　DCは国会議事堂を中心として、4つの地域に分けられる。南北を走る通りはそれぞれNorth Capitol St.とSouth Capitol St.、そしてEast Capitol St.が東に延びる。西にはストリートの代わりにモールがある。この4本の線で区切られた地域をそれぞれNW（北西）、NE（北東）、SW（南西）、SE（南東）と呼ぶ。見どころはNWに集中する。

　国会議事堂を中心として南北に走る通りには数字、東西に走る通りにはアルファベットが付けられている。また、町を斜めに走るアベニューには州の名前が付けられている。1ブロックは100単位なので、「1550 K St. NW」といえば北西地区のKストリートで15thと16thストリートの間。

観光案内所 ★ Information

White House Visitor Information Center
　ホワイトハウス南のエリプス広場の東側に商務省Commerce Department Bldg.があり、その1階が観光案内所。入口はE St.側とエリプス広場側で、ここでは火～土曜の朝7：30からホワイトハウス見学のための整理券を配布している。無料で、ひとり4枚まで入手可能。なお、入手の際、手にスタンプを押される。ホワイトハウスへ入るときは1グループにつき一つのスタンプチェックがあり、ダフ屋からチケットを買っても入れない。

読★者★投★稿
地図を買うならこれがおすすめ
　"Mapeasy's Mini-map to Washington DC"は、防水加工がされ、見どころ、おいしいレストラン（一言の感想付き）などが掲載されている。四つ折りで、軽くてとても使いやすい。アトランタの友人にすすめられたもの。
（松田真雄　山口県　'99冬）

　Jストリートは存在していない。

ホワイトハウスの入場整理券はここで配布する

White House Visitor Information Center
🏢商務省内（Commerce Dept.）1450 Pennsylvania Ave., E & 15th Sts. NW
☎(202) 208-1631
🕐メモリアル・デー～レイバー・デーの毎日7：30～19：00、上記以外の毎日7：30～16：00
🗺P.767　C-2

首都ワシントンDCの誕生
　アメリカ合衆国の首都は、歴史上3回変更になっていて、最初がニューヨーク、2番目がフィラデルフィア、そして3番目がこのワシントンDCである。1790年、新独立国の首都をフィラデルフィアから改める際、北のニューイングランド人とデキシーこと南部人との間に衝突が生じた。そこで連邦初代大統領ワシントンの右腕、財務長官のハミルトンは、得意の外交手腕を発揮。独立戦争の戦費負債を南部諸州に肩代わりしてもらう代わりに、彼らの意見を受け入れバージニア州とメリーランド州の間を流れるポトマック川の河畔に新首都を設立することを決定した。新しい首都の都市計画立案の仕事は、独立戦争の参謀将校であったフランス人ランファンに任せられた。彼の計画に従い、ポトマック川にまたがる100平方マイルの地域を、メリーランド州から69.25平方マイル、バージニア州から30.75平方マイルをもらって新首都は成立した。各対角線が東西南北を指す正方形で、その中心に国会議事堂が位置する計画であったが、1847年、ポトマック川西岸のバージニア州側の土地が同州の要求で返還され、いまのような不規則な形になってしまった。

このポールが地下鉄の入口
の目じるし

市内の交通機関 ★ Public Transportation

メトロレイル（地下鉄）　Metrorail

　ワシントンDCを走る地下鉄。静かで快適、安全にしかも正確に目的地まで運んでくれる便利な交通機関だ。ワシントン観光に役立ついちばんの足で、通称"メトロ"。路線はレッド、ブルー、オレンジ、イエロー、グリーンの5つ。地上に"M"のポールがあったらそこが地下鉄の入口で、ポールからチケット売り場まではエスカレーターでつながっている。メトロは日本の地下鉄のように列車ごとに色分けされているわけではないので、乗るときにラインや行き先の表示に注意しなければならない。

　乗り方は、初めにチケットの自動販売機の横にある路線図と下の料金表で目的地までの金額を確かめる。機械にお金を入れ自分の必要な金額を決めてボタンを押すと、カード式のチケットが出てくる。入れた金額がフェアカードに記録されるというわけだ。何回もメトロを利用する人はまとめて買っておくと便利。乗り越しや精算は出口の近くの精算機で行い、半端な金額のカードは次に出る際、必要な金額を買い足す形になる。

　メトロを利用する際注意したいことは、ピーク時（平日5：30～9：30、15：00～20：00）とピーク時外では料金が異なることと、平日と週末の始発時間が極端に違うことだ。**1日パス＄5**（平日は9：30以降、週末は終日）もあり、Metro Center駅（12th ＆F Sts. NW）の案内所、ペンタゴン、ユニオン駅のトラベラーズ・エイドなどで買える。

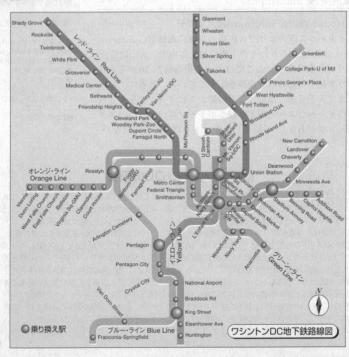

メトロバス　Metrobus

　ワシントンDC全域と、その郊外のメリーランド州とバージニア州の一部をカバーしている。ジョージタウン（＃30、32、34、36の路線が行く）などメトロでは行けないところに利用しよう。メトロのMetro Center駅に地下鉄とメトロバスのインフォメーション・センター、バスの路線図があるので活用したい。

　地下鉄からバス、バスからバスへの乗り換えはできるが、バスから地下鉄への乗り換えはできない。地下鉄からバスへのトランスファーは25¢で、中2階に機械がある。トランスファーの料金はバスに乗るときに払う。

タクシー　Taxi

　DCのタクシーはメーター制ではなく、ゾーン制。市内がいくつかのゾーンに分けられている。流しのタクシーも多いので便利だが、乗る前になるべく料金を確認すること。なお、DCのタクシーは相乗り制度が認められている。

ツアー案内 ★ Sight-seeing Tour

ツアーモービル　Tourmobile

　モールを中心とした観光ポイントを一定間隔（10〜20分）で循環している青と白の2両連結のオープンエアのバス。一種の観光バスでDC観光名物のひとつにもなっており、車内ではユーモアあふれるガイドの説明が聞ける。チケットは一度買えばその日のうちなら乗り降りは自由。ルートは4つあり、チケットブースはワシントン記念塔とリンカーン記念館、アーリントン墓地の近く。（左のマップ参照）

メトロバス
☎ (202) 637-7000
🚌 ワシントンDC全域が＄1.10。DC内ではラッシュアワー制はないが、郊外へ行くバスは時間によって料金が異なる。トランスファーはDC内が25¢、バージニア州85¢で3時間有効
運行：路線によって多少異なるが、月〜金 6：00〜22：30、土日祝日 8：00〜22：30

タクシー
🚕 同じゾーン内の移動は均一料金で＄4。2ゾーンにまたがると＄5.50、3ゾーンは＄6.90、4ゾーンは＄8.25になり、ラッシュアワーは＄1.25ずつ加算されていく。さらに人数や荷物の有無、ラッシュアワー（平日7：00〜9：30、16：00〜18：30）かどうかなどで料金は変わってくる

ツアーモービル
☎ (202) 554-5100、
📞 (1-888) 868-7707
HOME www.tourmobile.com

★
ワシントンDC

ツアーモービルルート

最高裁判所　議会図書館
ユニオン駅
国会議事堂
ナショナル・ギャラリー
国立航空宇宙博物館
自然史博物館
ハーシュホーン美術館
キャッスル（スミソニアン本部）
アメリカ史博物館
印刷局
ジェファソン記念館
ホワイトハウス　The Ellipse
ワシントン記念塔
Tidal Basin
ルーズベルト記念公園
WASHINGTON TOUR ROUTE
リンカーン記念館
Potomac River
ケネディセンター
ケネディの墓
アーリントン墓地ビジターズ・センター
ARLINGTON CEMETERY TOUR ROUTE
無名戦士の墓
アーリントンハウス
Ⓜ 地下鉄乗り場

観光に便利なツアーモービル

●Washington and
Arlington Cemetery Tour
運行：毎日9：00〜18：30
（6/15〜レイバー・デー）
毎日9：30〜16：30（レイ
バー・デー〜6/14）
料金大人＄16、子供＄7

●Arlington National
Cemetery Tour
運行：毎日8：30〜18：30
（4〜9月）、毎日9：30〜
16：30（10〜3月）
料金大人＄4.75、子供＄2.25

オールド・タウン・トロリー
☎(202) 832-9800
運行：毎日9：00〜18：00
（メモリアル・デー〜レイ
バー・デー）、毎日9：00
〜16：00（レイバー・デー
〜メモリアル・デー）約30
分間隔で運行
料金大人＄24、子供＄13
その日なら乗り降り自由、
このほかにガイドへのチッ
プ（＄1〜2）も忘れずに。
チケットはユニオン駅でも
買える

ダック・ツアー
出発場所：ユニオン駅
住所50 Massachusetts Ave.
NE
☎(202) 966-3825
運行：毎日9：00〜、運
行は季節によって異なる。
所要時間1時間
料金大人＄24、子供＄12

ミュージアム・バス
☎(202) 588-7470
料金バスのチケットは、スミ
ソニアン協会などミュージ
アムの会員なら、無料。会
員外は、ひとり＄5、家族
＄12で、チケットは右記
のミュージアムショップや
チケットプレイスで買える。
1週間乗り放題。また、
このチケットを持っていれ
ば、いくつかのミュージア
ムショップやカフェで
10％のディスカウントを
受けられる。
時間夏期のみ木〜日10：00
〜17：00、30分間隔の運行

グレイライン
☎(202) 289-1995
☎(1-800)862-1400

●Washington and Arlington Cemetery Tour

　モール内の見どころのほとんどとアーリントン墓地をカバーして
いる、ツアーモービルで最も人気のあるルート。ストップは18カ所。

●Arlington National Cemetery Tour

　アーリントン国立墓地の中を回るツアー。ビジターセンター
を出発して、ケネディの墓、無名戦士の墓（衛兵交代が見られ
る）、アーリントン・ハウスなどを見学する。広い敷地内を効率
的に見るにはこれがいちばん。

オールド・タウン・トロリー　Old Town Trolley

　緑とオレンジの車体のトロリーバス。ツアーモービルと同じく
ガイド付きの観光バスだが、ツアーモービルより広い地域をカ
バーしている。ユニオン駅〜ハイアット・リージェンシー〜オー
ルド・ポストオフィス〜ナショナル・ジオグラフィック協会〜ワ
シントン・ヒルトン〜シェラトン・ワシントン〜ワシントン大
聖堂〜ジョージタウン〜アーリントン墓地〜ホリデイイン・キ
ャピタルヒル〜国会議事堂など全部で17カ所に停まる。1周約
2時間。グレイラインも同じようなツアーを運行している。

ダック・ツアー　DC Duck Tours

　観光バスが途中からクルーズボートに化けてしまうという、
いまいちばん人気のツアー。第2次大戦中、軍部が開発した水
陸両用車両が、観光バス（？）として再び脚光を浴びているの
だ。従来のバスやトロリーでのツアーに加え、ポトマック川か
らのDC観光も楽しめてしまうというわけ。

ミュージアム・バス　Museum Bus

　博物館、美術館の多いワシントンDCに、便利な交通手段が
誕生した。このバスは、いままでトロリーでも回らなかった、
フィリップス・コレクションや織物博物館、コーコラン・ギャ
ラリーなども回る。

　バスの回るミュージアムとチケットの買える場所は次のとお
り。コーコラン・ギャラリー、オクタゴン、レンウィック・ギ
ャラリー、デュケーター・ハウス、女性芸術美術館、アメリカ
美術館、肖像画美術館、ナショナル・ギャラリー（東館、西館）、
自然史博物館、アメリカ歴史博物館、中南米美術館、アメリカ
赤十字歴史教育センター、ワシントンDC歴史協会、ウッドロ
ー・ウイルソン・ハウス、織物博物館、フィリップス・コレク
ション、チケットプレイス。

グレイライン　Gray Line of Washington, DC

出発場所：Union Station, 50 Massachusetts Ave. NE

番号	ツアー名	料金	運行	所要時間	内容など
C	Washington /Embassy Row/ Arlington Cemetery	＄25	毎日14：00発(3/22〜10/31は8：30発もあり)	4時間	市内の見どころにアーリントン国立墓地、ジョージタウンをプラス。
D	Mount Vernon/Alexandria	＄25	毎日8：30発(6/21〜10/31は14：00発もあり)	4時間	ポトマック川を越え、郊外のアレキサンドリア、マウント・バーノンのジョージ・ワシントンの邸宅も見学する。
DC	All Day Combo Tour	＄42	毎日8：30発	9時間	Tour CとDのコンビネーション
ML	Multi-Lingual City Tour	＄30	毎日14：00発	4時間	市内のおもな見どころを日本語のカセット解説付きで回る。

本当に大統領が住んでいる
ホワイトハウス ★ White House

ホワイトハウスはアメリカ合衆国大統領の官邸で、初代大統領ジョージ・ワシントンを除き、第2代のジョン・アダムスから現大統領ビル・クリントンまで、200年にわたって歴代大統領がここに住み、数々の歴史的決断がなされてきたところだ。

ホワイトハウスの名前の由来は諸説あるが、1814年の米英戦争の際、イギリス軍によって焼かれてしまった官邸を、再建のときに壁を白く塗ったことからこう呼ばれるようになったというのが通説のようだ（コラム参照）。過去何度も修復工事が行われ、現在132の部屋がある。一般に公開されているのは1階の、次の5つの部屋。2階は大統領の住居と来客用の部屋になっている。なお邸内での写真撮影は禁止されている。

●イースト・ルーム

ホワイトハウス内で最も大きいこの部屋では、政府主催のセレモニー、舞踏会など数多くの行事が行われる。リンカーン、F.D.ルーズベルト両大統領の葬儀もここで行われ、凶弾に倒れたケネディ大統領の遺体も安置された。東側の壁には、イギリス軍の戦火を逃れた唯一のもの、ギルバート・スチュワートによる初代大統領の肖像画が掛けられている。

●グリーン・ルーム

第3代大統領トーマス・ジェファソンの食堂であったこの部屋は、19世紀初めの装飾がなされている。壁は緑色の絹で覆われ、多くの肖像画が掛けてある。

●ブルー・ルーム

ケネディ大統領夫人が壁を青くするまでは白を基調とした部屋だった。ニクソン大統領夫人が本格的にブルー・ルームとなるよう手を加えた。フランス王朝風のインテリアで飾られたこの部屋は、大統領夫妻が来客を歓待したりするのに使われる。第22代大統領クリーブランドが結婚式を挙げたことでも有名。

ホワイトハウス
📮1600 Pennsylvania Ave. NW, Washington DC 20500
☎ (202) 456-7041 (テープ)
🕐火〜土10：00〜12：00（メモリアル・デー〜レイバー・デーは14：00まで）
🚫日月祝日
🚇メトロ、ブルーまたはオレンジラインのMcPherson Square駅下車。ツアーモービル停車
🗺P.767 C-2

ホワイトハウス見学方法
3〜12月のシーズンにホワイトハウスを見学するためには整理券を入手しなければならない。整理券は7：30からホワイトハウス・ビジターセンター（P.761参照）で配布される。ひとり4枚まで入手可能で、1日の見学者定員は5,500人、時間ごとにツアー班が分けられる。不正入場を防ぐため、整理券を入手した人の手にはスタンプが押され、実際にホワイトハウスへ入るときは、整理券とスタンプの照合がある。4人のうちひとりはスタンプが押されていることになる。なお、夏期は予想以上に混んでおり、少なくとも7：00前にはビジターセンターへ行くようにしたい。定員になり次第締め切り。1、2月は整理券は不要で、ホワイトハウスと財務省の間の細い道路に面した入口に行くこと。

◆読★者★投★稿 ホワイトハウスの整理券情報

'98年6月はじめ、ホワイトハウスの整理券をもらうため6：40ごろに行くと、すでに100人くらいの人が並んでいた。配布の開始は7：30で、私は11：00の整理券しか取れなかった。その足でワシントン記念塔へ行くと10：30の整理券。2人以上で行くと分かれて並べるので時間のロスがない。FBIも8：45からときいて8：30ごろ行ったが、すでに100人くらいいて1時間くらい待った。
（奥村直子　名古屋市　'98夏）
　　　　　　　※
夏休み期間中の土曜日は希望者が殺到するので注意。5：40の時点ですでに100人以上の行列ができていた。White House Visitor Centerから始まった行列はいったん東へ向か

い、14th St.の手前でUターンして西へ。商務省ビルの角を曲がってどんどん南へ延び、同ビルの西南の角まで続く。3回目のチャレンジでようやく整理券を入手できた経験からいって、整理券配布が開始される直前の7：30の時点で商務省ビルの西北の角より前にいれば確実、Ellipse広場側の行列なら南北に長い商務省ビルの半分より北がボーダーゾーン、それより後ろはほとんど期待できない。パークレンジャーは行列の誘導はしてくれるものの、整理券入手の可能性については何も言わない。土曜しか都合のつかない人は5：30くらいから並んだ方が確実だろう。夏の5：30は真っ暗なので、ホテルが遠い人は前夜からタクシーを予約しておくこと。
（田中淳司　越谷市　'98夏）

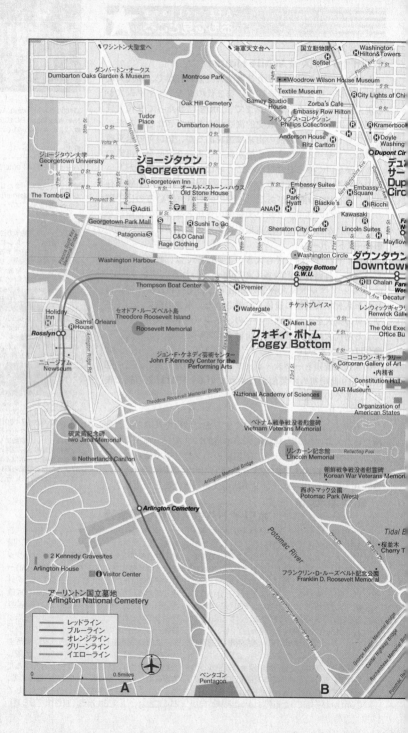

ワシントン大聖堂へ　　　　　海軍天文台へ　　　国立動物園へ

Washington
Hilton&Towers

Sofitel

ダンバートン・オークス
Dumbarton Oaks Garden & Museum

Montrose Park

Woodrow Wilson House Museum

City Lights of Chi

Textile Museum

Oak Hill Cemetery

Barney Studio
House

Zorba's Cafe

R St.

Embassy Row Hilton

Tudor
Place

Dumbarton House

フィリップス・コレクション
Phillips Collection

Kramerboo

Anderson House

Doyle
Washing

Ritz Carlton

Dupont Cir

ジョージタウン大学
Georgetown University

ジョージタウン
Georgetown

デュ
サー
Dup
Circ

The Tombs

Georgetown Inn

Embassy Suites

Embassy
Square

オールド・ストーン・ハウス
Old Stone House

Park
Hyatt

Aditi

Blackie's

Ricchi

Georgetown Park Mall

ANA

Kawasaki

Patagonia

Sushi To Go

Sheraton City Center

Lincoln Suites

Fe
W

C&O Canal

Mayflow

Rage Clothing

• Washington Circle

ダウンタウン
Downtown

Washington Harbour

Foggy Bottom/
G.W.U.

El Chalan

Farr
Wes

Thompson Boat Center

Premier

Decatur

セオドア・ルーズベルト島
Theodore Roosevelt Island

Watergate

チケットプレイス•

レンウィックギャラ
Renwick Galle

Roosevelt Memorial

Allen Lee

The Old Exec
Office Bu

Holiday
Inn

Sarris'
House

Orleans

ジョン・F・ケネディ芸術センター
John F.Kennedy Center for the
Performing Arts

フォギー・ボトム
Foggy Bottom

コーコラン・ギャラリー
Corcoran Gallery of Art

Rosslyn

•内務省

ニュージアム
Newseum

Constitution Hall

DAR Museum

National Academy of Sciences

Organization of
American States

Theodore Roosevelt Memorial Bridge

ベトナム戦争戦没者慰霊碑
Vietnam Veterans Memorial

硫黄島記念碑
Iwo Jima Memorial

リンカーン記念館
Lincoln Memorial

Reflecting Pool

Netherlands Carillon

朝鮮戦争戦没者慰霊碑
Korean War Veterans Memori

Arlington Memorial Bridge

西ポトマック公園
Potomac Park (West)

Arlington Cemetery

Potomac River

Tidal B

•桜並木
Cherry T

2 Kennedy Gravesites

Arlington House

Visitor Center

フランクリン・D・ルーズベルト記念公園
Franklin D. Roosevelt Memorial

アーリントン国立墓地
Arlington National Cemetery

レッドライン
ブルーライン
オレンジライン
グリーンライン
イエローライン

0　　0.5miles

ペンタゴン
Pentagon

A

B

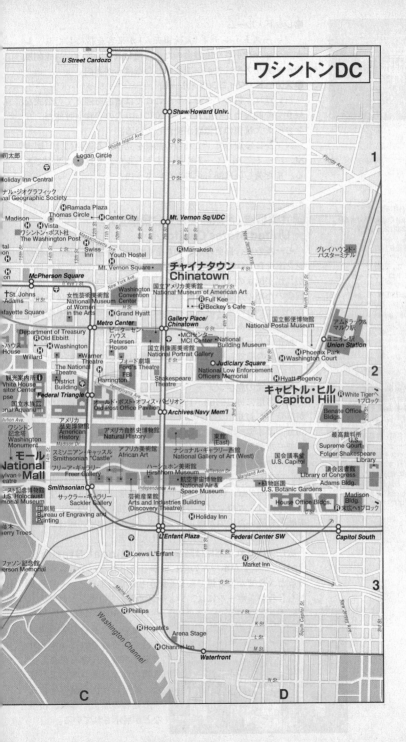

ワシントンDC

1

U Street Cardozo

Shaw/Howard Univ.

Logan Circle

司太郎

Holiday Inn Central

ナル・ジオグラフィック
nal Geographic Society

Ramada Plaza
Thomas Circle
Madison
Vista
Center City
ワシントン・ポスト社
The Washington Post
Swiss
Inn
Youth Hostel
Mt. Vernon Square
Mt. Vernon Sq/UDC

Marrakesh

チャイナタウン
Chinatown

McPherson Square

国立アメリカ美術館
National Museum of American Art

St. Johns
Adams
afayette Square
女性芸術美術館
National Museum
of Women
in the Arts
Washington
Convention
Center
Grand Hyatt
Full Kee
Beckey's Cafe

Metro Center
Gallery Place/
Chinatown
国立郵便博物館
National Postal Museum

ピーターセン
ハウス
Petersen
House
MCIセンター
MCI Center
National
Building Museum
アムトラック&
マルク駅

ユニオン駅
Union Station

ハウス
House
Washington
Willard
Old Ebbitt
フォード劇場
Ford's Theatre
国立肖像画美術館
National Portrait Gallery

観光案内所
Wisitor Center
The National
Theatre
Warner
Theatre
District
Building
Harrington
FBI
Shakespeare
Theatre
Judiciary Square
National Low Enforcement
Officers Memorial
Hyatt Regency

Phoenix Park
Washington Court

2

国立水族館
stional Aquarium
Federal Triangle
オールド・ポスト・オフィス・パビリオン
Old Post Office Pavilion
Archives/Navy Mem'l

ution Ave.
アメリカ
歴史博物館
American
History
Washington
Monument
モール
National
Mall
スミソニアン・キャッスル
Smithsonian "Castle"
フリーア・ギャラリー
Freer Gallery
Smithsonian
アメリカ自然史博物館
Natural History
アフリカ美術館
African Art
ナショナル・ギャラリー西館
National Gallery of Art (West)
ハーシュホン美術館
Hirshhorn Museum
航空宇宙博物館
National Air &
Space Museum

キャピトル・ヒル
Capitol Hill
White Tigerへ
1ブロック
Senate Office
Bldgs.
最高裁判所
U.S.
Supreme Court
Folger Shakespeare
Library
国会議事堂
U.S. Capitol
議会図書館
Library of Congress
Adams Bldg.
U.S. Botanic Gardens
House Office Bldgs.
Madison
Bldg.
末広へ1ブロック

ユネスト記念博物館
J.S. Holocaust
morial Museum
ylvan
eatre
サックラー・ギャラリー
Sackler Gallery
芸術産業館
Arts and Industries Building
(Discovery Theatre)
印刷局
Bureau of Engraving and
Printing
Holiday Inn

並木
erry Trees

L'Enfant Plaza
Federal Center SW
Capitol South

ファソン記念館
erson Memorial
Loews L'Enfant
Market Inn

3

Phillips
Hogate's
Arena Stage
Channel Inn
Washington Channel
Waterfront

C
D

★
ワシントンDC

ホワイトハウス

●レッド・ルーム

ファースト・レディ（大統領夫人）が来客を接待したり、レセプションや小さな晩餐会のために使われる。フランス王朝風のインテリアや、サテンで覆われた壁は赤が基調。

●ステート・ダイニング・ルーム

白い壁に金色のアクセント。ここでは賓客を迎えての公式な昼食会や晩餐会が行われる。一度に140人の会食も可能だ。リンカーン大統領の肖像画が掛かっている。

ツアーに参加して、これらの部屋を見学する途中には、図書室、バーミィル・ルームやチャイナ・ルームも見ることができる。また美しい庭園も見逃さないように。

国会議事堂
［住所］East Capitol & 1st Sts.
☎ (202) 225-6827（ツアー情報）
［時間］毎日9：00〜16：30
［休日］サンクスギビング、クリスマス、元日
［交通］メトロ、ブルーまたはオレンジラインCapitol South駅下車
［地図］P.767　D-2

合衆国の国会はドームがめじるし

国会議事堂（合衆国連邦議会議事堂）
★ United States Capitol

モールの東、白亜の大ドームをもつ巨大な建築物が、首都ワシントンDCの象徴である連邦議会議事堂だ。日本では国会だが、州が国家のように自治権をもつアメリカでは、連邦政府の議会のための議事堂というわけだ。実はここの住所には番地がない。というのもワシントンDCは、このキャピトルを中心に造られた都市であり、ここがすべての基点となっているからなのだ。

現在はドームの南側が下院、北側が上院、合わせて535人の議員の活動の場であり、7,500人以上の職員がこの中で働いている。

国会議事堂の見学ツアー

観光客用に毎日9：00〜15：30までの15分おきに無料のツアーが出発しており、ツアーのチケットはEast Dr.で配られる。約35分。議事堂へ入場する際セキュリティ・チェックがある。

モール側とは逆の東側がキャピトルの正面で、100トンもあるブロンズのドアを通過すると2階円形大広間Rotundaへ出る。ツアーはここが出発地点。広間は直径29m、ドーム内壁の高さは55.8m、鉄でできたドームの重量は4,000トン以上もある。壁には、コロンブスの新大陸発見、独立宣言などアメリカの歴史を描いた絵画が飾られている。ドーム内壁の絵はコンスタンチノ・ブルミーディの傑作として有名。

次に案内される部屋は彫像ホールNational Statuary Hall。ガイドがホールの床に向かって小さな声でささやきかけると、なぜか反対側でもよく聞きとれてしまうという構造がおもしろい。ホールには、ジョージア州からはキング牧師、バージニア州からはG・ワシントンといった具合に各州より2点ずつ寄贈された、アメリカ史上重要な役割を果たした人物の像が置かれている。また、地下には国会議事堂に関する建物の歴史や写真、模型などが展示されている。

議会見学

議会が召集されているときは本会議見学も可能。30分前に上院または下院のアポイントメント・デスクで名前と住所を書き、インターナショナル・ゲスト・パスを発行してもらおう。パスポートが必要だ。議会の有無は『ワシントンポスト』紙の"Today in Congress"でチェックしてから出かけるとよい。

国会議事堂

世界一蔵書の多い図書館

議会図書館 ★ The Library of Congress

　国会議事堂のすぐ東側に位置する議会図書館は、調査（リサーチ）のための世界最大の図書館。3つの建物に分かれている。**トーマス・ジェファソン館Thomas Jefferson Bldg.**は、イタリア・ルネッサンス様式を施して1897年に完成したメイン・ビルディング。イタリア産の白い大理石で造られた大ホールに入れば、ここが"単なる図書館ではない"ことが一目瞭然だ。床からの高さ53メートルの大ドームを有する中央閲覧室は、美しすぎて、利用者や職員が平然と動き回っているのが不思議にさえ感じられてしまう。簡素なデザインでありながら威厳のある**ジョン・アダムス館John Adams Bldg.**は1939年に開館。銅製の扉に刻まれた12人の像は、いずれも文字の考案者とされる歴史上の人物たちだ。アジア、アフリカ、中近東のコレクションが充実している。増加の一途をたどるコレクションに対応するために、1980年マルチメディア集積機能としてオープンしたのが**ジェームス・マディソン記念館James Madison Bldg.**。

　議会図書館は、1814年、議事堂内のささやかな専用参考図書館が、英国の放った火により焼失したことを悲しんだ元大統領のトーマス・ジェファソンが、自分の蔵書6,487冊の提供を申し出たことでその基礎が確立された。現在、コレクションは1億1千万点にも及び、なお1分間に10点の割合で新資料が納入されているというからすごい。議会図書館のすべての資料は、誰にでも公開されていて、**名器ストラディバリウスのバイオリンやビオラ**などが展示されている。

クラシックなジェファソン館

議会図書館
🏢3rd & Independence Ave.
SE
☎(202) 707-6400（テープ）
🕐マディソン記念館は月〜金8：30〜21：30、土8：30〜18：00。ジェファソン館は月〜金10：00〜17：30、アダムス館は月〜金8：30〜18：00
🚫クリスマス、元日
🚇地下鉄ブルーまたはオレンジラインCapitol South駅下車 📖P.767 D-2,3
ツアー：30分間のガイドツアーは月〜土11：30、13：00、14：30、16：00の1日4回。ジェファソン館の案内所前から出発。
　議会図書館を知る手段として『アメリカの図書館』のスライド（18分）がジェファソン館で8：30〜17：30、30分おきに上映されている。
　マディソン館の6階にはカフェテリアがあり、月〜金の8：30〜11：00、12：30〜15：30までの間は誰でも利用できる。インフォメーションデスクもここの1階だ。

★

ワシントンDC

★ ホワイトハウスのほんとうの話

　いったい、"ホワイトハウス"なる名称の由来はいつごろから始まるのだろうか。

　一般的な通説によれば、1814年ごろからということになっている。つまり、米英戦争2年目の1814年、ワシントンDCに攻め込んできた英国軍によって、連邦議事堂や議会図書館などといっしょに大統領官邸も焼き打ちにあう。幸いにも大統領官邸は、突然の雷雨によって鎮火され、全焼を免れたといわれる。このときの黒くすすけた壁が、白ペンキで修復されたために"ホワイトハウス"と呼ばれるようになったというものだ。

　実はこの説は誤りである。1800年に完成の大統領官邸は、建材にバージニア産の白砂岩が使われていたため、もとより白く美しい建築物であった。完成直後より、当時の新聞で"ホワイトハウス"という愛称が使われ始めている。新聞でこの呼び名が使われると、市民の間でも一般的に"ホワイトハウス"と呼ぶようになった。

　"ホワイトハウス"が正式な名称として採用されるのは、20世紀に入った1902年に第26代大統領として官邸入りしたセオドア・ルーズベルトが、"ホワイトハウス"という印刷文字を刷りこんだ官邸公用の便せんと封筒を使用し始め

たことによる。そして、この名称の公的使用が議会で承認されたことから正式に使われるようになった。

　歴代大統領のホワイトハウスに対する感懐は、時代により、また、大統領その人によって異なるようである。

　初代の住人となった2代大統領ジョン・アダムスにとっては、「正直で思慮ある人だけが支配する家」であった。ところが、27代大統領ウィリアム・タフトにとっては、「世界でいちばん孤独な場所」であったし、第33代大統領のハリー・トルーマンにも、「ペンシルバニア通りの偉大なる白い刑務所」であったようだ。また第30代大統領カルヴァン・クーリッジによれば、ホワイトハウスとは、「誰の住まいなどというものではなく、単に人が入って来ては出て行く場所」でしかなかったようである。

　類推すれば、第37代大統領リチャード・ニクソンには、にがにがしい思い出の家であるだろう。反対に、第40代大統領ロナルド・レーガンには、会心の演技ができたDCのユニバーサル・スタジオであったというのは毒舌に過ぎるであろうか。　（海野 優 ワシントンDC）

ワシントン記念搭

📍15th & Constitution Ave. NW

☎ (202) 426-6839

夏の間はここからワシントンDCの夜景も見られる。ライトアップされたモニュメントと町の明かりが作り出すパノラマはとても美しい。

🕐毎日8：00～24：00（4月～レイバー・デー）、9：00～17：00（上記以外）

🚫クリスマス

6～8月の観光シーズンは非常に混むため、毎朝7：00から30分おきに時間を指定した整理券が記念塔の下にあるキオスク（15th St. 側）で配布される。ひとり6枚まで入手可。オフシーズンなら、整理券なしで見ることができる。

🚇メトロ、ブルーまたはオレンジラインのSmithsonian駅下車。ツアーモービル停車

🗺P.767 C-2

モールの中心に建つワシントン記念塔

リンカーン記念館

📍Foot of 23rd St. NW

☎ (202) 426-6841

🕐24時間　レンジャーによるサービスは毎日8：00～24：00

🚫クリスマス

🚇メトロ、ブルーまたはオレンジラインFoggy Bottom駅下車。ツアーモービル停車

🗺P.766 B-2

ベトナム戦争戦没者慰霊碑

📍Constitution Ave. between 21st St. & Henry Bacon Dr. NW

🚇メトロ、ブルーまたはオレンジラインFoggy Bottom駅下車。ツアーモービル停車

🗺P.766 B-2

モールの中心に建つ

ワシントン記念塔 ★ Washington Monument

緑豊かなモールの真ん中にそびえ建つ、ひときわ目立つ石柱が合衆国初代大統領ジョージ・ワシントンの偉業をたたえるワシントン記念塔だ。555フィート（169.3m）の高さは石造建築物としては世界No.1の高さ。ワシントンDCではこの美しいモニュメントがどこからでも見られるように高い建物を建てることを禁止する条例があるほどだ。

1848年から始められた建設プロジェクトは、各市、各州、各国、個人から寄贈された石材や基金を基にしたものであったが、1855年、南北分裂の国内の混乱と資金不足のために、高さ45.7mのところで工事が中断してしまった。その後南北戦争などがあり、工事が再開されたのは25年後の1880年。この中断のため、同じ場所から採取した石材を使ったにもかかわらず、中断前と後では色が違ってしまった。注意深く見ると下1/3と上2/3の色が微妙に違うことに気づくだろう。

高さ153mの展望台には、東西南北にそれぞれ小さな窓があり、ワシントンDC全域が見渡せる。東には国会議事堂とスミソニアンの博物館、南にはジェファソン記念館とポトマック川、西にはリンカーン記念館とアーリントン国立墓地、北にはホワイトハウスと政府のオフィスビル群が眺望できる。

リンカーン大統領の神殿

リンカーン記念館 ★ Lincoln Memorial

モールの西端から、ワシントン記念塔と国会議事堂をまっすぐ見つめているのは第16代大統領エイブラハム・リンカーンの像だ。高さが5.8mのこの像は28個の白い大理石のブロックからできている。36本の大理石の円柱に支えられたギリシャ神殿風の建物は1921年に完成したもの。この36という数字はリンカーンが暗殺された1865年当時、合衆国に加盟していた州の数を表している。

建物の内部の壁面にはゲティスバーグでの有名な演説"the government of the people by the people for the people"（人民の人民による人民のための政治）をはじめとし、2度目の就任演説など、大統領の歴史的な言葉が刻まれている。ビジターセンターではリンカーンと南北戦争に関するフィルムの上映がある。夜はライトアップされて荘厳な雰囲気が漂う。

ベトナム戦争が残した傷は深い

ベトナム戦争戦没者慰霊碑 ★ Vietnam Veterans Memorial

リンカーン記念館からワシントン記念塔に向かって左側、よく手入れされた美しい芝生の中に黒いみかげ石でできたV字型の記念碑が見えてくる。これがベトナム戦争で犠牲になった5万8,192人の男女の名前が刻まれているベトナム戦争戦没者慰霊碑だ。長さ151mの碑には故人を惜しんで常に花や飲み物が供えられ、訪れる人があとを絶たない。西向かいにある3人の

兵士の像には勇ましい戦争のイメージはない。疲れ、うつろな表情の3人がベトナム戦争のむなしさを象徴しているようだ。アメリカ人の心に残した傷の深さを感じる慰霊碑だ。静かに見学しよう。

ベトナム戦争戦没者慰霊碑のモールの反対側に**朝鮮戦争戦没者慰霊碑**Korean War Veterans Memorial（Daniel French Dr. & Independence Ave. SW）が完成した。実物大のブロンズ像と、2,400人の人の顔や姿が浮き上がった碑は、戦争の悲惨さを伝えている。ここも静かに戦没者の冥福を祈りたいところだ。

春は桜の演出が美しい
ジェファソン記念館 ★ Jefferson Memorial

第3代大統領、トーマス・ジェファソンの生誕200年を記念して1943年に建てられた、ドームをいただく大理石の建築。アメリカ人に人気の高いメモリアルだ。中央に建つジェファソンの立像は、高さ5.8mのブロンズ製。内部の壁面には、彼が起草した合衆国の独立宣言の一節をはじめ、彼の政治理念を表した言葉が刻まれている。

ジェファソン記念館に隣接した**ポトマック公園**Potomak Parkは、美しい桜並木で有名。日本から友好の証として贈られたこの桜は、いまやワシントンDCの風物詩のひとつ。3月下旬～4月上旬には"桜祭り"も行われ多くの人が花見に訪れる。

桜並木の南側には、大統領選4選を果たし、世界恐慌に対するニューディール政策の敢行で知られる第32代大統領**フランクリン・D・ルーズベルト**の記念公園Franklin Delano Roosevelt Memorialが広がっている。ルーズベルトの像と滝のデザインが斬新な公園の中には、いまもファースト・レディとして人気の高いエレノア夫人の像もあって、彼女と記念写真を撮る人でいつもにぎやかだ。

DCエンターテインメントの殿堂
ケネディ芸術センター
★ John F. Kennedy Center for the Performing Arts

ポトマック河畔に位置し、オペラハウス、コンサートホール、2つの劇場、映画館、図書館、そして3つのレストランとカフェテリアをもつ首都を代表する総合芸術センター。ダラスで暗殺された第35代大統領ジョン・F・ケネディの偉業をたたえて建てられたものだ。

世界各国の個人や団体からの寄付、連邦政府の援助などを受け、5年間の工事を経て1971年にオープンした。ちなみにオペラハウスの緞帳は日本から贈られたものだ。毎日のようにブロードウェイのプレビューやコンサートなどの催し物が行われているので、ワシントン・ポスト紙のカレンダーや観光用情報誌『Where』などでスケジュールを確認しよう。

ジェファソン記念館

ジェファソン記念館
🚇14th St. & East Basin Dr. SW
☎ (202) 426-6822
🕐24時間　レンジャーによるサービスは毎日8：00～24：00
🎄クリスマス
🚇メトロ、ブルーまたはオレンジラインSmithsonian駅下車。ツアーモービル停車
🗺P.767　C-3

ケネディ芸術センター
🚇New Hampshire Ave. at F St. NW
☎ (202) 467-4600
HOME kennedy-center.org
ツアー：広大な館内を見学するために約50分間のツアー（無料）も出ている。毎日10：00～13：00の1時間おき。出発は中央階段を下りたロビーから。
🕐月～土10：00～終演まで、日祝日12：00～終演まで
🚇メトロ、ブルーまたはオレンジラインFoggy Bottom駅下車。駅からはケネディ・センター行きのシャトルバス（無料）が運行されている。紫と白の車体。15分おきの運行。ツアーモービル停車
🗺P.766　B-2
　ボックスオフィスは10：00～21：00のオープン

印刷局

印刷局
- 🏛14th & C Sts. SW
- ☎(202) 622-2000
- 🕐月～金9：00～14：00、夏期は17：00～18：40も加わる
- 🚫週末、祝日
- 🚇メトロ、ブルーまたはオレンジラインSmithsonian駅下車
- 🗺P.767 C-3

オールド・ポスト・オフィス中のフードコートが楽しい。

オールド・ポスト・オフィス

- 🏛Pennsylvania Ave. at 12th St.
- ☎(202) 523-5691（パークサービス）、289-4224（パビリオン）
- HOMEwww.oldpostoffice.com
- 🕐時計塔は4月中旬～8月の毎日 8：00～22：45、9月～4月中旬10：00～17：45、パビリオンは月～土9：00～19：00、日12：00～18：00
- 🚇メトロ、ブルーまたはオレンジラインFederal Triangle駅下車12th St.を渡ってすぐ
- 🗺P.767 C-2

FBI本部
- 🏛10th St. & Pennsylvania Ave. NW（ツアー入口はE St.）
- ☎(202) 324-3447
- 🕐ツアーは月～金 8：45～16：15
- 🚫週末、祝日
- 🚇メトロ、ブルーまたはオレンジラインFederal Triangle駅下車
- 🗺P.767 C-2

フォード劇場
- 🏛511 10th St. NW, between E and F Sts.
- ☎(202) 347-4833（チケット・ボックス）、426-6924（博物館）
- 🕐毎日9：00～17：00
- 🚫リハーサル、パフォーマンス時とクリスマス
- 🚇メトロ、ブルー、オレンジ、レッドラインMetro Center駅下車
- 🗺P.767 C-2

✓ アメリカの紙幣はここで造られる

印刷局（造幣局）★ Bureau of Engraving and Printing

　アメリカにはフィラデルフィア、デンバー、そしてワシントンDCと3つの造幣局があるが、紙幣を印刷しているのは、ここDCだけ。他の2カ所ではコインが鋳造されている。紙幣のほかにも、切手、財務省発行の証券、軍の証明書類、ホワイトハウスへの招待状などがここで印刷されている。年間200億ドル相当の紙幣や切手が印刷される過程が、ガラス越しに見られるツアーは人気があり、シーズン中（5～8月）は整理券が出るほどの混雑ぶりだ。券は14th & C Sts.で8：00より配布される。

郵便局がショッピングモールになった

オールド・ポスト・オフィス ★ Old Post Office

　FBI本部に近い、クラシックな時計塔をもつビルは、1899年に建てられた旧郵政省の建物。老朽化のため一時閉鎖されていたが、大修復後の1983年、ショッピングモール兼オフィスビルとして生まれ変わった。9階までの吹き抜けの下にあるフードコートの前にはステージが設けられ、地元のアーティストによるパフォーマンスが楽しめる。

　高さ約96mの塔は国の史跡に指定され、パークレンジャーの案内で塔の展望階へ昇ることができる。展望階から望むワシントンDCの鳥瞰図も美しい。下の階にはイギリスから贈られた『国会の鐘Congress Bells』が保存され、ベルは国会の開閉会、祝日などに鳴らされるほか、毎週木曜19：00～21：00にも演奏される。

✓ 泣く子もだまるFBIの本部はココ

FBI本部（連邦捜査局）
★ Federal Bureau of Investigation Headquarters

　警察機構が州ごとに置かれているアメリカで、2つ以上の州にまたがる犯罪や、連邦法に関する犯罪などを捜査するのがFBI、つまり連邦司法省の管轄機関だ。テレビでおなじみのFBIの舞台裏が見られるツアーは夏期には長蛇の列ができるほどの人気。

　まずビデオでFBIの概要の説明の後、FBIの歴史、アル・カポネなどの犯罪者が実際に使った武器やデスマスク、アメリカの犯罪の現状の展示などを見る。さらにコンピュータを用いた鑑識などの科学捜査の現場を、実際に窓越しに見ることができる。そして、ハイライトはピストル実弾の発射実演。FBI部員の訓練のたまものを実感できる。

✓ リンカーン大統領が暗殺された

フォード劇場とピーターセン・ハウス
★ Ford's Theater & Petersen House

　1865年4月14日、第16代大統領エイブラハム・リンカーンが、暗殺者ジョン・ウィルクス・ブースによって狙撃された劇場として有名な場所。事件後、劇場は一時閉鎖されていたが、1968年に政府による復元工事が完成し一般公開されるようになった。

場内は当時のデザインのまま改装され、現在も芝居が上演されている。舞台に向かって右上、星条旗の飾られたバルコニーが暗殺現場の大統領特別席。劇場地下の**リンカーン博物館**では、暗殺当夜のリンカーンの服やオペラグラス、犯人のピストルなど、事件の物証を目の当たりにすることができる。

10th St.を挟んだ真向かいの**ピーターセン・ハウス Petersen House**は、傷を負ったリンカーンが運び込まれ、翌朝、息を引きとったところ。1896年に政府が3万ドルで買い取り、内部を再現した。ベッドなどは当時のものではないが、血痕のついた枕カバーが残されている。

鉄道の玄関口は憩いの場
ユニオン駅 ★ Union Station

国会議事堂の北、ローマの神殿を思わせる壮麗な建築物がユニオン駅だ。地下鉄レッドラインのすぐ上にあり、DCの鉄道の玄関口としてだけではなく、観光スポットとしても、市民の憩いの場としても人気が高い。開放感を感じさせる建築の中に、100以上の個性的なショップ、カジュアルorオシャレなレストラン、見つからないものはないほどファストフード店が揃ったフードコート、最新の映画が公開されている複合シアターなどが入り、ブラブラ歩くだけでも楽しい。また、トラベラーズ・エイド、両替所、レンタカーのオフィスなどもあり、ビジターセンターとしての利用価値も高い。

英霊が眠る国立墓地
アーリントン国立墓地 ★ Arlington National Cemetery

ポトマック川、西のバージニア州側の小高い丘の上にある国立の約250万㎡の墓地。国民的英雄やアメリカ建国以来の数々の戦争やスペースシャトル"チャレンジャー"の事故で亡くなった人々が眠っている。100年以上の歴史をもつため正確な数の記録はないが、23万人以上の人がここに埋葬されている。

●ジョン・F・ケネディの墓
Gravesite of John Fitzgerald Kennedy

1963年、遊説中のダラスで43歳の若さで暗殺された第35代大統領ジョン・F・ケネディの墓が墓地のほぼ中央にある。意外と思えるほど質素な墓石の後方には永遠の炎が燃え続け、隣には'94年に亡くなったジャクリーン夫人が寄りそうようにして眠っている。1966年に亡くなったロバート・ケネディ上院議員の墓は向かって左側。墓を少し下がったところには大統領就任演説からの名言が刻まれている。

●無名戦士の墓 Tomb of Unknowns

アーリントンのもっとも高いところに建つ白い大理石が、第1、2次大戦、朝鮮戦争、ベトナム戦争で身元の確認ができなかった戦死者のための墓石Tomb of Unknownsだ。墓は特別に訓練された陸軍の衛兵によって24時間体制で守られ、夏期（4〜9月）は30分おき、冬期（10〜3月）は1時間ごとに衛兵交代のセレモニーが見られる。一糸乱れぬその動きに見ているほうも思わず緊張する。

レンジャートーク
　劇場の歴史とリンカーン暗殺のストーリーを約20分間で説明してくれるレンジャートークが毎日9:10〜16:35までの毎時10、35分に行われる。マチネ上演のある木12:00〜と日14:00〜は閉まるので注意。

ユニオン駅
🏢40 Massachusetts Ave. NE
☎(202) 289-1908
🚇メトロ、レッドライン Union Station下車
🗺P.767 D-2

ぜひ寄りたいユニオン駅

アーリントン国立墓地
🏢Arlington, Virginia
☎(703) 979-4886
🕐毎日8:00〜19:00（10〜3月は17:00まで、アーリントン・ハウスは9:30〜16:30）
🚇メトロ、ブルーライン Arlington Cemetery駅下車。墓地内のポイントへはツアーモービルが走っている
🗺P.766 A-3

ツアーモービル
🎫大人$4.75、子供$2.25

アーリントン墓地の衛兵

★
ワシントンDC

全米でもトップレベルの
ジョージタウン大学

ペンタゴン
🏠 I-395 at Washington
Blvd., Arlington
☎ (703) 695-1776
🕐 月～金 9：30～15：00
ツアーの定員は30名、30
分間隔で出発。16歳以上
が参加可。
🚫 週末、祝日
🚇 メトロ、ブルーまたはイ
エローラインのPentagon
駅下車、中央の階段を上が
ってすぐ
🗺 P.766　A、B-3

ジョージタウン大学を
探索するなら
O St.と37th St.にインフ
ォメーションセンターがあ
るので、まずはここで校内
マップを手に入れよう。Tシ
ャツがほしいなら、ブックス
トアの入っているLeavey
Center 1 階へ。ランチは、
ブックストア隣のカフェテ
リアがいい。正門正面の
Healey Buildingを見るだけ
でも、米最古のカトリッ
ク系大学というのがわかる。

オールド・ストーン・
ハウス
🏠 3055 M St.
☎ (202) 426-6851
🕐 水～日 9：00～16：30
🚫 月、火、サンクスギビン
グ、クリスマス、元日
💲 無料
🚇 メトロバス #30、32、
34、36でPennsylvania
Ave.がM St.にぶつかった
あたりで下車。オールド・
ストーン・ハウスは目の前
にある。さらにジョージタ
ウンのにぎやかな通り
Wisconsin Ave.はオール
ド・ストーン・ハウスより西
に2ブロックのところにある
🗺 P.766　A-1

●アーリントン・ハウス　Arlington House

　ワシントンDCのほぼ全域を見下ろせる小高い丘の上にある
アーリントン・ハウスは、南北戦争で南軍の総司令官だったリー将
軍の住居。戦争中リー将軍が立ち退いた後、北軍がその家の周
りに戦没者を埋葬し、戦争が終わったころにはあたりが墓地に
なってしまった。現在の邸宅は南北戦争前の姿に復元してある。
また、ここから北へ10分ほど歩くと**海兵隊戦争記念碑Marine
Corps War Memorial—Iwo Jima Memorial**がある。ブロ
ンズで作られたこの像は、太平洋戦争中、激戦の末占領した硫黄
島に、兵士たちが星条旗を押し立てている有名なモニュメントだ。

国防総省も一般に公開されている
ペンタゴン ★Pentagon

　ペンタゴンとはアーリントン墓地の南にある**アメリカ国防総
省Department of Defence**のニックネーム。建物の形が五
角形pentagonをしていることからこう呼ばれている。第2次世
界大戦中に建設され、現在でも世界最大のオフィスビルだ。中
では23,000人の職員が働いている。
　ペンタゴンの内部を約75分間で見学するツアー（アメリカ軍
部の歴史フィルム、功労者の肖像画、戦闘機の模型、第2次世
界大戦のコーナーなど）がある。ツアーは参加申し込みリスト
に名前を書き、名前を呼ばれるまで少し待つ。このとき写真入
りID（パスポートなど）を持っていくのを忘れずに。

落ち着いた学生街
ジョージタウン ★Georgetown

　モールの博物館やモニュメントとは違うワシントンDCの顔
を見せてくれるのがここジョージタウン。DCの北西に位置し、
ヨーロッパ風の雰囲気が漂う通りには、それぞれ個性的な店や
しゃれたショップやレストランが並ぶ。学生の町（**ジョージタ
ウン大学**がある）だけあってブティックなどは手ごろな若者向
きの店が多い。週末になるとワシントンDCからだけでなく、
まわりの町からロマンチックな雰囲気を求めて、または人気のク
ラブやバーをはしごするために大勢の人たちが集まってくる。
　アメリカの独立前、ここはタバコの交易で栄えた港町で、ポ
トマック川には何隻ものタバコ運搬船が往来していた。1789
年、アメリカで初めてのカトリックの大学が設立され、その後
学生の町として続いている。町の真ん中にある**オールド・スト
ーン・ハウスOld Stone House**は、1764年に建てられた
ジョージタウン唯一の独立以前の中産階級の家。内部は18世紀
の調品が並べられ、一般に公開されている。

読★者★投★稿

ダウンタウンのひとり歩きは気をつけて

　昼間は安全なチャイナタウンだが、夕方ごろ
からGallery Place駅付近はとても治安が悪く
なるので絶対に近寄らないで。(H.K. 板橋区)
地下鉄Metro Center駅からGallery Place
駅にかけてのストリートの雰囲気は最悪。国立
肖像画美術館、国立アメリカ美術館を訪れると
きは気をつけて。昼間でもひとり歩きは危険と
いっても過言ではない。(K.S. 福井市) ('98)

にぎやかな通りから少しはずれて住宅街を歩いてみてもいい。運河沿いの小道は静かでロマンチック。ちょっとしたカフェにでも入り、コーヒーを飲みながら、ただ外をぼんやり眺める。そんなことが似合ってしまうのがジョージタウンのいいところだ。

Museum & Gallery
ミュージアム＆ギャラリー ★

　ごく狭い一角に、世界最大のミュージアム・コンプレックスであるスミソニアン協会(P.776コラム参照)をはじめとして、これだけ数多くの博物館や美術館がひしめいている場所は世界中どこを探してもないだろう。そしてそれらのひとつひとつが充実した内容を誇り、しかも入場は無料。全部見ようと思ったら何週間あっても足りない。とにかく自分の興味のあるものに的を絞って見学を始めよう。

空と宇宙への夢が詰まった博物館
国立航空宇宙博物館
★National Air and Space Museum

　数あるアメリカの博物館の中で入場者数No.1を誇るのが、この航空宇宙博物館だ。なぜ、ここまで人を引きつけるのか？それは、人類の技術と夢が凝縮されている、まるでテーマパークのような博物館だからだ。

　1903年にライト兄弟が初飛行に成功してから100年も経っていないことが信じられないほど、長足の進歩を遂げた航空機。この博物館は人類の技術革新の輝かしい足跡と成果、そして未来への夢を秘めた科学の殿堂だ。博物館展示物の最大の特徴は、燃料さえ入れれば、稼動可能な状態であること。

　モール側の入口から中に入ると目に飛び込んでくるのは巨大な空間に飾られた、飛行機、宇宙船、ロケットの数々(表示部屋番号100)。この博物館の目玉である展示物も多い。なかでも見逃せないのが人類最初の動力飛行機、**ライト兄弟の"フライヤー"**。じっくり観察したい人は2階の吹き抜けの通路から見てみよう。その下には**月の石**。世界でも数少ない、触ることができる月の石がある。1階の正面奥がインフォメーション・ブースだ。ここで注目したいのが、このインフォメーションの上に展示されている、巨大で奇妙な形の飛行機。覚えている人も多いと思うが、これが1986年、世界で初めて、無着陸、無給油で世界一周飛行を記録した飛行機**"ボイジャー"**だ。

　右側に進むと航空機の新時代と言われた1930年代に開発された飛行機が所狭しと並べられた展示室などがある。ただ眺めて歩くだけでもいいが、ところどころで立ち止まってしっかりと説明を読んでみよう。さらに興味が増すはずだ。

　左に進むと、スペース・レース(114)、ギフトショップ(111)、そして人類が宇宙空間へ進出するまでの歴史を展示した部屋(113)など、宇宙と人間との関わりを見せてくれる。

巨大なエンジンの展示

国立航空宇宙博物館
🏛Independence Ave. between 4th & 7th Sts.
☎(202) 357-2700(テープ)
🕐毎日10:00～17:30、夏期は延長
🚫クリスマス
🚇メトロ、ブルーまたはオレンジライン L'Enfant Plaza 駅下車
🗺P.767　C, D-2, 3

旧ソ連のミサイルも展示している

注意：'99年春現在、航空宇宙博物館の展示場の30%が閉鎖されている。

インタラクティブ・オーディオツアー登場
　「英語が苦手」という人におすすめしたい、オーディオツアー。従来のオーディオツアーとどこが違うのかといえば、テープではなく携帯型パソコンのようなものに説明が表示されるというもの。モール側の入口から博物館に入り、右手にこれを貸してくれる窓口がある。料金は$4.75で、パスポートなどの身分証明書が必要。もちろん、日本語もある。

正面ホールのすぐ左隣には、大人気のIMAXシアター、ラングレー劇場がある。高さ18メートル、幅25メートルの超巨大画面は圧倒的な迫力。ブルーエンジェルスの華麗な編隊飛行が楽しめる『To Fly』、インドのタージ・マハルなど世界中を空撮の映像で旅する『Living Planet』など、1日3〜4種のプログラムを上映している。

　2階でぜひ見学してもらいたいのが、女性飛行士として伝説の人物である、**アメリア・イヤハート**の乗った**ロッキード・ベガ**が鎮座した飛行のパイオニアたちのホール（208）。そして、今世紀最大の人類の業績、月面着陸までの道程を細かく解説したホール（210）など、とにかくテーマパークに匹敵するおもしろさで、知的好奇心を満たしてくれるところだ。

これらの飛行機は燃料を入れれば飛ぶ！

スミソニアン協会 Smithsonian Institute の博物館と美術館

　1848年、イギリスの科学者、ジェームス・スミソンの遺言により合衆国に寄贈された彼の私財を基に、人類の知識の普及と向上を図ることを目的とした国家機関、それがスミソニアン協会だ。協会に属している博物館群は次のとおり。
●国立航空宇宙博物館 National Air and Space Museum
●国立自然史博物館 National Museum of Natural History
●国立アメリカ歴史博物館 National Museum of American History
●国立郵便博物館 National Postal Museum
●ナショナル・ギャラリー（国立絵画館）National Gallery
●フリーア・ギャラリー Freer Gallery of Art
●アーサー・M・サックラー・ギャラリー Arthur M. Sackler Gallery
●国立アフリカ美術館 National Museum of African Art
●芸術産業館 Arts and Industries Building
●ハーシュホーン美術館と彫刻庭園 Hirshhorn Museum and Sculpture Garden
●国立アメリカ美術館 National Museum of American Art
●国立肖像画美術館 National Portrait Gallery
●レンウィック・ギャラリー Renwick Gallery
●アナコスチア博物館 Anacostia Neighborhood Museum
●クーパー・ヒューイット博物館（ニューヨーク）Cooper Hewitt Museum
●国立動物園 National Zoological Park

　これらの美術館や博物館には人類や動物、そして地球そのものがこの地上に残した品々が収容、保管されている。そのうち私たちが目にしているのは全体のたった1％（コレクションの総数は1億4千万点にも及ぶ）。これらの美術館、博物館を実際に見てみると、この1％でもすごい量であることがわかる。そして残り99％が想像もできないくらい途方もない数字であることが実感できる。加えて、西暦2002年には、アメリカ先住民専門の博物館もオープンする予定だ。
スミソニアンのホームページ
HOME www.si.edu

国立自然史博物館
★ National Museum of Natural History

この博物館のテーマはずばり〝地球〟。地上に存在する生物から鉱物、太古の化石から現在の人間の文化まで、とにかく展示内容は幅広い。この博物館が収蔵するコレクションの数はなんと1億2千万点！これはスミソニアン全体の実に86％を占める途方もない数だ。したがって目の前の展示物は全体のごくごく一部。それでもこの数なのだから博物館の規模が想像できるだろうか。

展示フロアは3つに分かれている。モール側の入口から入ると巨大な**アフリカ象**が迎えてくれる。ここは1階部分で、象の裏側のエレベーターを下るとConstitution Ave.側の地上階（Ground Floor）になる。地上階は特別展示がメイン。定期的にひとつのテーマで楽しませてくれる。1階部分でいちばん人気があるのは、近年熱い注目を浴びている**恐竜**の展示室。モールから入ると象に向かって右側のホールだ。隣接する展示室には植物や哺乳類の化石、太古の海の様子などの展示がある。象の左側はいま生きている動物の展示コーナー。恐竜の展示ホールの反対側は、Marine Ecosystem（海の生態系）のコーナー。それを取り囲むように、哺乳類や鳥類の展示室がある。1階にはカフェテリアとショップがあるが、その奥は世界の民俗、文化を紹介するホールが続く。

いま博物館でいちばん人気を集めているのが2階東館の地理学、鉱物、宝石のギャラリーだ。ホールに展示された3,000点以上の陳列品の中で見逃せないのが、45.52カラットの世界最大のブルーダイヤ『**ホープ・ダイヤモンド**』。フランス王やイギリス王など数々の所有者の手を経て、スミソニアンに落ち着いたもの。ダイヤの周りには2重にも3重にも人垣ができ、いつも女性たちの深いため息が漏れる。そのほかにも、ツーソンに落ちた隕石、1,300ポンド（約590kg）のクオーツのクリスタル、世界一を誇る宝石のコレクションからフランス王朝最後の**王妃マリー・アントワネットのイヤリング**、同館の所蔵するダイヤモンドの中で最大の127カラットの**ポルトガル・ダイヤモンド**、航空宇宙博物館に次いで触れることのできる月の石などがある。石の展示だけでなく、コンピュータを使っての解説もお見逃しなく。2階には爬虫類や昆虫を展示するホールがあるが、ちょっと苦手という人は、人類の文明をたどる展示ホールへ行こう。南アメリカ大陸の文化と西欧文明の起源を展示するコーナーには、ジオラマや数多くの文化遺産があり、彼らの歴史と生活様式をわかりやすく解説している。

自然史博物館の主、アフリカ象

国立自然史博物館
🏠Constitution Ave. between 9th & 12th Sts.
☎ (202) 357-2700
HOMEwww.nmnh.si.edu.
🕐毎日10：00〜17：30、夏期は延長
🚫クリスマス
🚇メトロ、ブルーまたはオレンジラインFederal Triangle駅下車
📍P.767　C-2
ツアー：博物館のおもな見どころを回るハイライト・ツアーは月〜木は10：30と13：00の2回、金は10：30の1回。1階ロタンダのインフォメーションから。

全米でいちばん有名な宝石、
ホープ・ダイヤモンド

ナショナル・ギャラリー
☎ (202) 737-4215
🕐 月～土10：00～17：00、
日11：00～18：00
🚫 クリスマス、元日
🚇 メトロ、イエローライン
Archives駅下車。ツアーモ
ービル停車
　なお、一部の作品を除き
個人で楽しむための写真撮
影（フラッシュ使用可）は
OK。三脚使用は禁止。

イタリア美術、印象派が充実した

ナショナル・ギャラリー（国立絵画館）
★ National Gallery of Art

　その規模とイタリア美術、13～20世紀ヨーロッパとアメリカ絵画のコレクションの充実ぶりで世界に知られるこの美術館。見るべきものが多すぎて、1日ですべてを見るのはほとんど不可能といえる。そこで効率よく回るには、ツアーに参加するのが得策だ。西館は中央広間よりスタート。東館は1階ロビーよりスタートする。スタート時間についてはインフォメーションで確認すること。それぞれ約1時間でポイントのみを回ってくれる。ツアーは日本語で行われることもあるので、案内所で問い合わせてみよう。

　1941年に完成した西館は、ジョン・ラッセル・ポープの設計によるもので、白大理石建築の傑作として世界的評価も高い。東館はI・Mペイによるデザインで1978年に完成。西館と東館は地下コンコースで結ばれ、地上の空間はプラザと呼ばれるちょっとした広場になっている。ガラスのピラミッドはコンコースの天窓で、滝はコンコースのガラスの壁面を流れ落ちている。

●西館　West Building

　西館は、13～19世紀にかけてのヨーロッパ絵画、彫刻、アメリカ美術を中心にコレクションした本館だ。ギャラリーは国別、年代別に分かれている。

グラウンドフロア　Ground Floor
グラウンドフロアの常設展示は2コーナー。彫刻・装飾美術のコーナーは、うす暗い中に名品の数々がひっそりと並んでいる。印刷と素描のギャラリーでは、ピカソやホイッスラーなど大画家たちの素描が見られる。これらのシンプルな素描を見ると、彼らの天才ぶりが一層強く感じられてしまう。

メインフロア　Main Floor
モール側入口から入るとフロアの中央、大理石張りのロタンダに出る。噴水中央のブロンズ像『マーキュリー』は、神と地球のメッセンジャー。翼のはえた帽子が特徴。ロタンダより西側、右手前から順に部屋番号が付いているので、余すところなくじっくり楽しみたい人はこの番号に沿って行けばよい。

　13～15世紀イタリア・ルネッサンスのギャラリーには、美術館の目玉のひとつであるレオナルド・ダ・ビンチの『ジネブラ・デ・ベンチの肖像』がある。アメリカ国内唯一のダ・ビンチの作品で、ジネブラの憂いのある表情が印象的。

　南側のホールには、ルネッサンス以後のイタリア、スペイン、フランドルとドイツ、オランダの美術が並ぶ。とくにギリシャ生まれ、スペインのトレド育ちのエル・グレコの『ラオコーン』（トロイ戦争の神話に題をとった絵画）、オランダ絵画黄金時代と言われた17世紀の大家、光と影の詩人レンブラントの『自画像』、フランドル地方の偉大なる画家ルーベンスの『ライオンの檻の中のダニエル』、寡作の画家フェルメールの3作をお見逃しなく。

レオナルド・ダ・ビンチの
『ジネブラ・デ・ベンチの肖像』

ロタンダの東側に移ると、18〜19世紀初期のフランスとイギリスとアメリカのギャラリーになる。いずれもロココ様式の肖像画やイギリスの風景画など、なじみやすいものが多い。イギリスの画家ターナーの『月光の中の石炭運搬船の転覆』は明るい色が使われているが、実は夜景。

　ロタンダに近い部分の19世紀のフランスは、誰もが知る有名な作品が集まり、いつも大盛況だ。ここに収められている画家は、ミレー、コロー、マネ、ドガ、ルノアール、モネ、セザンヌ、ゴッホ、ゴーギャンなどで、充実した**印象派、後期印象派の作品群**が人気の的となっている。時の移ろいのなかで光の明暗をとらえた**モネの『ルーアン大聖堂』**、南国タヒチの人々のお気に入りの時間を描いた**ゴーギャンの『ファタタ・テ・ミティ』**などに注目しよう。

マチスの紙でできた作品

●東館　East Building

　20世紀の美術をコレクションした新館。特別展示が多く行われている。

　コンコースフロアには、**ボロックの『ナンバー1』**やシーガルの『ダンス』が展示されている（特別展の状況により移動する場合あり）。1階メインエントランス横には**ムーアの大作『ナイフ・エッジ・ミラー・ツー・ピース』**が鎮座し、入場者の目を引いている。自然光をいっぱいに採り入れたホールには、ミロのタペストリーやカルダーの巨大なモビールが配置され、その空間を一層明るいものとしている。東館の常設展示のコーナーには、**ピカソ『サルチンバンクスの家族』**やモンドリアン、マチスの紙でつくられた作品**『ラージ・コンポジション・ウィズ・マスク』**、ミロの『農場』、カンディンスキーの『即興31』といった注目すべき作品が目白押しだ。

東館
🏠4th St. between Constitution Ave. and Madison Dr.
🗺P.767　D-2

1日ゆっくり過せる
　ショップも充実しているし、地下のカフェテリア以外にも食事の施設は整っている。美術ファンならずとも、まる1日この美術館で過ごすのも悪くない。

ワシントンDC

ナショナル・ギャラリー東館

アメリカの歴史を多岐にわたって紹介する
国立アメリカ歴史博物館
★ National Museum of American History

　1620年、清教徒がメイフラワー号に乗ってこの大陸に上陸して以来現在までの、アメリカの科学、文化、政治、技術の各分野の変遷、歴史が展示されている博物館。短期間で急成長を遂げたアメリカの道程を目の当たりにできるところ。その幅広い展示から、スミソニアンの中では「アメリカの屋根裏部屋 America's Attic」とも呼ばれている。

国立アメリカ歴史博物館
🏠12th & 14th Sts., Constitution Ave. NW
☎(202) 357-2700
🕐毎日10：00〜17：30、夏期は延長
🚫クリスマス
🚇メトロ、ブルーまたはオレンジラインSmithsonianまたはFederal Triangle駅下車。ツアーモービル停車
🗺P.767　C-2

ツアー：月〜木の10：00、11：00、13：00と金〜日11：00、13：00

本物の星条旗

1階は、農業、交通手段、電気、時計、エンジン、海運業、コンピュータなどアメリカの産業と技術の分野に光を当てた展示が中心。実際に自分で動かせるコンピュータも数多くある。大陸横断に活躍した蒸気機関車をはじめ、巨大なトラクター、世界初の大量生産された自動車、1909年の**T型フォード**など興味深いものがいっぱい。乗り物好きにはこたえられないだろう。

2階はアメリカ人の生活により密着した展示。歴代の**ファースト・レディ**たちのドレスの展示は、ファッションの移り変わりや彼女らの任務をわかりやすく楽しく見せてくれる。博物館で最も人気の高いコーナーだ。**畑から工場へ**は1915～40年ごろ南部から北部に脱出したアフリカ系アメリカ人の苦難を紹介している。2階での目玉は30分に1回公開される**アメリカ最初の星条旗**。1814年米英戦争で砲弾を浴びながらもなびいていたこの旗を見て感激したスコット・キーが、アメリカの国歌"The Star Spangled Banner"の詩を書いたのは有名な話。館内でいちばん人々の目を引くのが、ホール中央で揺れる巨大な**フーコーの振り子**。地球の自転する力を使って時を知らせてくれる。

3階は楽器、印刷、写真、貨幣、織物、軍隊、楽器など多岐にわたる分野の変遷を紹介している。日本人にとっては第2次世界大戦中、アメリカ人でありながら強制収容された日系人の記録がある"**A More Perfect Union**"のコーナーは見逃せない。

DCで東洋美術鑑賞
フリーア・ギャラリー ★Freer Gallery of Art

フリーア・ギャラリー
🚇Jefferson Dr. & 12th St. SW
☎(202) 357-2700
🕐毎日10：00～17：30
🚫クリスマス
🗺P.767　C-2、3

19世紀のアメリカ絵画と中国、韓国、中近東、日本などの東洋美術が卓越した美術館。航空宇宙博物館などに比べ規模も小さく、館内もぐっと落ち着いた雰囲気。日本美術に関していえば、国宝級の作品も多い。

美術館の中核をなしているのは、デトロイトの実業家チャールズ・ラング・フリーアのコレクション。フリーアは画家のホイッスラーの友人で、東洋美術を中心に2人が収集した美術品は27,000点以上に及ぶ。この膨大な数の美術品が美術館の礎となっているが、実際の展示数は、その1割にも満たない。

フリーア・ギャラリー

展示の中で見逃せないのが**ホイッスラー**の『**孔雀の間Peacock Room**』。これは1876年にリバプールの商人の依頼を受けてつくられたもので、肖像画はもちろん、孔雀の壁画などがホイッスラーによって描かれたものだ。のちにホイッスラーが手を加えた青と金色の内装が部屋に豪華な印象を与えている。ほかにもホイッスラーの作品は、油絵と水彩画が128点、エッチングが944点など、彼の作品だけでも十分見ごたえがある。また、雪舟、菱川師宣、尾形光琳、俵屋宗達らの襖絵も圧巻。

アジア美術専門の
アーサー・M・サックラー・ギャラリー ★Arthur M. Sackler Gallery

アーサー・M・サックラー・ギャラリー
🚇1050 Independence Ave. SW
☎(202) 357-2700
🕐毎日10：00～17：30
🚫クリスマス
🗺P.767　C-2、3

数あるスミソニアンのギャラリーの中でアジア美術を専門に展示する美術館として、ニューヨークの美術収集家アーサー・M・サックラー博士から寄贈された約1,000点の作品を基に造られた。

スミソニアン協会キャッスルの裏にある美しい庭園の中に似たような２つの建物がある。ひとつはグレーのみかげ石のサックラー・ギャラリー、向かい側にあるのはアフリカ美術館。外観は小さく見えるが、地下３階のフロアがあり、中近東から、中国、日本にいたるアジア全域の約6,000年にわたるすばらしい美術品が鑑賞できる。写真撮影は可能だが、フラッシュは不可。

アフリカ美術の多様性がわかる
国立アフリカ美術館 ★ National Museum of African Art
　サハラ砂漠以南の数多くの民族のユニークな美術品、民族衣装、装飾品などを専門に研究しているアメリカで唯一の美術館。コレクション数は約7,000点、写真のコレクションも30万点を超える。

国立アフリカ美術館
📍950 Independence Ave. SW　☎(202)357-2700
🕐毎日10：00〜17：30
🚫クリスマス
🗺P.767　C-2、3

100年前にタイムスリップ
芸術産業館 ★ Arts and Industries Building
　1876年、フィラデルフィアで行われたアメリカ建国100年記念博覧会の出展物が、スミソニアン協会に寄付されてできた博物館。ビクトリア調の建物の中はノスタルジックな雰囲気にあふれている。巨大な蒸気機関車など、約120年前の産業技術の断面が垣間見られる。なおここのミュージアムショップは充実しているから時間があれば寄りたい。

芸術産業館
📍900 Jefferson Dr. SW
☎(202)357-2700
🕐毎日10：00〜17：30
🚫クリスマス
🗺P.767　C-2、3

スミソニアン初の現代美術館
ハーシュホーン美術館と彫刻庭園
★ Hirshhorn Museum and Sculpture Garden
　1974年にオープンした、19世紀からの現代美術だけを集めたスミソニアン最初のギャラリー。実業家ジョセフ・ハーシュホーンが寄贈した20世紀の絵画、彫刻のコレクションなど約１万2,000点を中心に直径70ｍの円筒形の建物にさまざまなアーティストの作品が見学できる。ピカソやダリ、イーキンズ、オルデンバーグ、ポーロック、クーニングの絵画をはじめ、現代美術史を彩るアーティストの作品が多数。現代美術の流れをつかむことができる構成で、とくに'40〜'50年代の抽象主義・表現主義のコレクションが充実している。通りを挟んだ彫刻庭園では、ロダンやマチスの作品を青空のもとで鑑賞できる。

ハーシュホーン美術館と彫刻庭園
📍7th St. & Independence Ave. SW
☎(202)357-2700
🕐毎日10：00〜17：30（木〜20：00）、庭園は7：30〜日没
🚫クリスマス
🗺P.767　C-2、3

モール外のスミソニアン・グループ

貴族の個人宅のような
レンウィック・ギャラリー
★ Renwick Gallery of National Museum of American Art
　1972年にオープンした国立アメリカ美術館の別棟。20世紀のアメリカ人アーティストの工芸品、装飾美術、生活必需品を中心に展示している。建物はフランスの旧王室風で、モールのスミソニアンとはまったく異なった雰囲気だ。２階中央階段正面のグランド・サロン（1860年代風）は、広々とした空間に19世紀のヨーロッパ・アメリカの絵画がまるで昔からそこにあったように飾られている。ソファにでも座ってゆっくりと鑑賞しよう。

レンウィック・ギャラリー
📍17th St. and Pennsylvania Ave. NW
☎(202)357-2700
🕐毎日10：00〜17：30
🚫クリスマス
🚇メトロ、レッドライン Farragut North駅下車。徒歩3、4分
🗺P.766　B-2

★
ワシントンDC

貴族邸のようなレンウィック・ギャラリー

国立肖像画美術館

国立肖像画美術館
🏛8th & F Sts. NW
☎(202) 357-2700
HOMEwww.npg.si.edu
🕐毎日10：00〜17：30
🚫クリスマス
🚇メトロ、イエロー、レッド、グリーンGallery Place駅下車、9th & G Sts.出口を出てすぐ
🗺P.767 C-2

国立アメリカ美術館
🏛8th & G Sts. NW
☎(202) 357-2700
HOMEnmaa.si.edu
🕐毎日10：00〜17：30
🚫クリスマス
🚇メトロ、イエロー、レッド、グリーンGallery Place駅下車、9th & G St.出口を出てすぐ
🗺P.767 C-2

国立郵便博物館
🏛2 Massachusetts Ave. NE
☎(202) 357-2700
🕐毎日10：00〜17：30
🚫クリスマス
🚇ユニオン駅の西隣、メトロ、レッドラインUnion Station下車
🗺P.767 D-2

ユニオン駅の隣にある
郵便博物館の展示

国立動物園
🏛3000 Connecticut Ave. NW
☎(202) 673-4800
🕐毎日 8：00〜20：00
(5/1〜9/15)、〜18：00
(9/16〜4/30)
🚫クリスマス
🚇メトロ、レッドライン
Woodley Park Zoo駅下車。
Connecticut Ave.を左に曲がり、緩やかな坂を上って約10分

知った顔がゾクゾク登場する
国立肖像画美術館 ★ National Portrait Gallery

　肖像画美術館だけに絵画、写真、彫像などが並んでいるが、この美術館で重要なのは、これらの作者よりもモデルとなった人たち。アメリカ合衆国歴代大統領、政治家や軍人など歴史的に重要な人物や、ハリウッドスター、スポーツ選手、ミュージシャンといった有名人の肖像のみが展示されている。歴代大統領の肖像画はやはりいちばんの人気コーナー。ワシントンやリンカーンの肖像画は日本人でも一度はどこかで見たことがあるはず。このほかにもグレース・ケリー、ジョン・ウェインといったハリウッドスター、デューク・エリントン、ベニー・グッドマンらのミュージシャンの肖像などが並んでいる。何人の名前を知っているか数えてみよう。

アメリカ人アーティストによる作品がいっぱい
国立アメリカ美術館 ★ National Museum of American Art

　18世紀から現在まで、広くアメリカ人アーティストたちの作品を収集、展示している美術館。エドワード・ホッパー、メアリー・カサット、アンドリュー・ワイエスといった有名な作家から、日本人にはあまりなじみのない作家まで、アメリカの風俗、文化、自然をモチーフにした作品が集められている。なかでもホッパーの〝ケープコッドの朝〟など3点と、トーマス・モランの〝イエローストーンのグランドキャニオン〟3作は見逃せない見事な作品。

切手収集マニア必見
国立郵便博物館 ★ National Postal Museum

　郵便に関する展示では世界有数の規模を誇る博物館。アメリカの郵便の歴史から始まって、駅馬車から飛行機までの郵送手段の実物の展示などもあって、コレクションの総数は1,600万点にも及ぶ。戦場の兵士から家族にあてた手紙などがある手紙のギャラリーでは、手紙の大切さをしみじみと感じる。ハイライトは切手の展示ギャラリー。世界でもっとも小さな美術品といわれるものから、外国のめずらしい切手まで、このコーナーは展示が半年ごとに入れ替わるというから驚き。飛行機が天地逆に印刷された24¢の切手は見逃せない展示だ。

首都でのどかな気分にひたる
国立動物園 ★ National Zoological Park

　国立動物園は単なる動物園にとどまらない。1889年に国会の承認により創立され、翌年スミソニアン・グループの一員になった。以来、絶滅の危機にさらされている野生動物の研究と保護、そして一般の人々に野生環境への理解を深めさせるための教育プログラムに熱心に取り組んできた。現在約5,000頭の動物を飼育しているほか、研究、教育、野生動物やその生育環境の保護といったテーマにおいて、ワシントン国立動物園は世界をリードしている。今後は展示内容も広げ、あらゆる生物を扱

うバイオパークを目指している。

園内の歩き方

まず入口を入ってしばらく行った左側にあるビジターセンターで園内のマップをもらおう。広大な敷地に約500種、5,000頭の動物が飼育されている園内を効率よく歩くには、マップを見ながら見たい動物の位置関係を頭に入れてから歩き出すのがよい。園内はValley TrailとOlmsted Walkの2つに分かれている（計約8km）。ハイライトはアメリカ中でここでしか飼育されていない**ジャイアントパンダ、シンシン**。食事の時間（11：00）には愛敬たっぷりの姿を見られる。青い目をしたホワイト・ベンガル・タイガーもめずらしい動物のひとつ。そのほか、象やアシカの調教の様子も見ることができる。

DCの国立動物園

📖地図外

スミソニアン以外のミュージアム

個人のコレクションとはとうてい思えない

フィリップス・コレクション ★ Phillips Collection

アメリカ最初の個人所有の美術館として歴史的に大きな意味を持つこのフィリップス・コレクションは、大使館街に近い閑静な住宅街にある。ルノアール、セザンヌ、ドガ、ゴッホ、ブラック、ボナール、ピカソ、クレーなど19、20世紀のフランスやアメリカの絵画を中心に約2,500点の作品を所蔵する。美術書を観ているようなすぐれた美術品が並び、なかでも『**舟遊びの昼食**』ルノアール作は傑作中の傑作。個人宅を改装しただけあってアットホームな雰囲気の中でゆっくりと鑑賞できるのも大きな特徴。スミソニアンのように広くないので歩き疲れて途中で飽きてしまうなんてこともない。美術愛好家は必ず立ち寄るべし！　その充実ぶりに、誰もが満足するはずだ。

戦争の悲惨さについて考えてみよう

✓ホロコースト記念博物館
★ U.S. Holocaust Memorial Museum

第2次世界大戦中にナチスが行ったユダヤ人の大量虐殺をテーマに取り上げた特異な博物館だ。さまざまな資料と映像、そして実際に収容所の人々が着ていたもの、使っていたものを展示することにより、人類史上に類を見ない凄惨な出来事を振り返り、戦争が作り出す人間の狂気を博物館を訪れる人たちに伝えている。収容所の内部を再現した部屋、当時の映画フィルム、そして目を覆いたくなるようなショッキングな映像、吹き抜けの壁に隙間なく掛けられた数えきれないほどの犠牲者の写真、どれを見ても胸を締め付けられる思いだ。平和な時代に平和な国に生きる私たちに、普段は深く考えない平和のありがたさと戦争の愚かさについて考えさせられるよい機会を与えてくれる。スミソニアンの博物館群と並び、ワシントンでは必見の博物館だ。

フィリップス・コレクション
🏠1600 21st St. NW
☎ (202) 387-2151
🕐火〜土10：00〜17：00
（木〜20：30）、日12：00〜
19：00
🈲月
💰大人$6.50、学生$3.25
🚇メトロ、レッドライン
Dupont Circle下車。Q St.
側の出口を出て、Q St.を
左に1ブロック歩くと右手
🗺P.766　B-1

ホロコースト記念博物館
🏠1000 Raoul Wallenberg
Place SW, at 15th St. &
Independence Ave.
☎ (202) 488-0400
🕐毎日10：00〜17：30
🈲クリスマス
常設展は、人数規制があ
るので、シーズン中は前も
って整理券を予約するか、
当日早く行って整理券を入
手しなければならない。
🏠印刷局の北西側
🗺P.767　C-3

★

ワシントンDC

ニュージアム
1101 Wilson Blvd., Arlington, VA 22209
☎(703) 284-3544
HOME www.newseum.org
⏰水～日10：00～17：00
（フリーダムパークは終日オープン）
🚫月火、サンクスギビング、クリスマス、元日
💰無料
🚇ブルーラインRosslyn駅下車。駅から2ブロック
🗺P.766　A-2

　最後のコーナーでは、生まれた日の新聞のフロントページを印刷してくれる。1部＄2。おみやげに最適。

博物館のテーマは“ニュース”

ニュージアム ★Newseum

　『ニュース』というテーマを扱った世界的にもめずらしい博物館が、DCエリアに誕生した。毎日世界各国の70社の新聞の第一面が掲示されていたり、大きなスクリーンにオンタイムで世界のニュースが放映されているので、日本のニュースにありつくことも可能だ。博物館は見物するというより体験するといった色合いが濃く、ニュースキャスターになって、ホワイトハウスやペンタゴンから中継をしたり、天気予報の放送にトライできたりする。そのオリジナルビデオはおみやげとしても人気が高い。タッチスクリーンでは、新聞の編集者になって自分で紙面を構成できたりする。博物館はニュースを報道するジャーナリストにも焦点を当てていて、館外の**フリーダム・パーク Freedom Park**には任務中に殉死したジャーナリストのメモリアルや、ベルリンの壁や首のないレーニン像が配置されている。

Spectator sports
観戦するスポーツ

ベースボール（MLB）

ボルチモア・オリオールズ ★Baltimore Orioles
（アメリカン・リーグ東地区）

　伝説の打者ルー・ゲーリッグが打ち立てた連続試合出場記録を破った鉄人カル・リプケンを軸とするチーム。試合開始前の国歌斉唱のとき“Oh, say does that Star-…”の“Oh”のところで、「オゥ」と声を張り上げるのが、この球場ならでは。ちなみに“O's”とは“Orioles”の略。

ボルチモア・オリオールズ
本拠地──カムデン・ヤードOriole Park at Camden Yards, 333 W. Camden St., Baltimore　☎(410) 685-9800、🎟(1-800) 551-7328（チケット）
🚌ユニオン駅より試合開始2時間前に運行されるMarcの"Baseball Special"号は球場前のカムデン駅まで行くので便利。スケジュール等については☎(1-800) 325-7245。または、ユニオン駅のインフォメーションで

ワシントン・レッドスキンズ
本拠地──ジャック・ケント・クック・スタジアム Jack Kent Cooke Stadium, 1600 Raljon Rd., Raljon, MD 20785-4236
☎(301) 276-6060
🚌試合のある日はメトロ、ブルーラインAddison Road駅より球場までシャトルバス（＄2）が運行されている

アメリカン・フットボール（NFL）

ワシントン・レッドスキンズ
★Washington Redskins （NFC東地区）

　過去4度のスーパーボウル出場を果たし、2度のNFLチャンピオンに輝いているレッドスキンズ。'80年代後半から'90年代初めまではつねにプレーオフに進んでいたが、近年は下位に甘んじている。

★ DCの新しい名所

　ワシントン・ウィザーズ、ワシントン・キャピタルズの新しい本拠地となったダウンタウン、チャイナタウンにある**MCIセンター**。このアリーナの中に、アメリカのケーブルTV局のひとつ、**ディスカバリー・チャンネルのシアターDiscovery Channel Theater**があり、このシアターではDC周辺の自然や歴史を紹介する30分弱の短編映画を上映している。映画の上映は毎日10：00～22：00の30分おき。料金は大人＄2.50、子供＄1.50。

BW空港にスミソニアンショップも新しくできた

784

ボルチモア・レイブンズ ★ Baltimore Ravens

（AFC中地区）

'96年クリブーランド・ブラウンズがボルチモアに移転、と同時に名前をレイブンズ（渡りガラス）に改めた。本拠地はメモリアル・スタジアムからPSInetスタジアムに移ったばかり。

バスケットボール（NBA）

ワシントン・ウィザーズ ★ Washington Wizards

（東・大西洋地区）

'97年のシーズンより名称をブレッツよりウィザーズ（魔術師たち）に変更。万年Bクラスだったが、ここ数年着実に力をつけてきている。

アイスホッケー（NHL）

ワシントン・キャピタルズ ★ Washington Capitals

（東・大西洋地区）

'97～'98のシーズンは、カンファレンス4位の成績ながらも、プレーオフで次々に勝ち進み、念願のスタンレーカップのファイナルに出場を果たした。デトロイト・レッドウィングスに負けたもののDCの町は非常に盛り上がった。

ボルチモア・レイブンズ
本拠地——PSInet Stadium,
1101 Russell St., Baltimore
☎ (410) 481-7328
🚃 アムトラックでボルチモアのペンシルバニア駅へ行き、そこからタクシーで行くのがベスト

ワシントン・ウィザーズ
本拠地——MCIセンター
MCI Center, 601 F St.
☎ (202) 432-7328
🚃 メトロ、レッド・イエロー・グリーンライン Gallery
Pl.／Chinatown駅下車
地P.767　C-2

MCIセンター

ワシントン・キャピタルズ
本拠地——MCIセンター
MCI Center, 7th & F Sts.
☎ (202) 432-7328
🚃 ウィザーズと同じ

★ ★ ★ ショッピング ★ ★
Shopping

アウトドアショップの定番
Patagonia
🏠1048 Wisconsin Ave. NW
☎ (202) 333-1776
🕐 月～金10：00～20：00、土10：00～
18：00、日11：00～17：00　地P.766　A-1

日本での知名度も高いアウトドアブランド、パタゴニアのワシントンDC店。店内は2フロアを使って広々とした雰囲気になっている。ブーツやシャツ、パーカーなど、カジュアルにも使えるウエアから、テントやザイルなどの本格的な装備までアウトドア用品全般が豊富に揃っている。　（'98）

掘り出し物を見つけよう
Rage Clothing
🏠1069 Wisconsin Ave. NW
☎ (202) 333-1069
🕐 月～木11：00～21：00、金土11：00～
22：00、日11：00～19：00　地P.766　A-1

M St.からWisconsin Ave.をキャナル側へ少し入ったところにあるジーンズ専門の古着屋。サイズ、スタイル、色ともに豊富な品揃えになっている。店員も親切なので、希望を伝えれば、そのとおりのジーンズを持ってきてくれる。　（'98）

鉄道駅がショッピングモール
Union Station
🏠Massachusetts Ave., 1st & 2nd Sts. NE
🕐 毎日10：00～21：00ごろ（店により異なる）　地P.767　D-2

アムトラックのユニオン駅は、鉄道の駅兼100以上のお店の集まるショッピングモールとなっている。アムトラックを利用しない人も、観光ポイントのひとつとして、ぜひ訪れたいところ。2階にはおもにレストラン、1階にはネイチャーカンパニーなど小物を扱う店などがある。また、地下には各国料理のファストフードがぎっしり、映画館もある。地下鉄レッドラインのUnion Stationの真上。

デュポン・サークルのおもしろい本屋さん
Kramerbooks & Afterwords, A Cafe

🏠1517 Connecticut Ave. NW

☎(202)387-1400、387-1462

🕐日～木 7：30～1：00、金土24時間営業　🗺P.766　B-1

　地下鉄Dupont Circle駅の近くにあるこの店は一見普通の本屋さんだが、奥にカウンター・バーと喫茶室があって、いま、買ったばかりの本をそこで読むことができる。もちろん、本は買わずにお茶や食事だけしてもいい。金土はオールナイトでバンドの生演奏も聴ける。

※

　本を買った後に、奥のカフェに寄ってみた。無国籍料理のようなおもしろい料理もサーブされていて、なかなかのもの。おすすめは、デザートのドリンクで、ちょっぴりアルコールが入っているのがGood。ここを利用するのは、いかにも地元のワシントニアンといった人ばかりで、カフェのわりにはにぎやかだ。ウエイター、ウエイトレスさんもとても明るくて、ついついチップを多めに出したくなる。

（平田麻衣子　フィラデルフィア在住）（'98）

ジョージタウンの素敵なショッピングモール
Georgetown Park

🏠3222 M St. NW

☎(202)298-5577

🕐店により異なるが毎日10：00～19：00ごろ　🗺P.766　A-1

　ジョージタウンのM St.とWisconsin Ave.の南西角にある高級モール。バナナ・リパブリックを挟んで、M St.とWisconsin Ave.の両サイドから入ることができる。中はモスグリーンの色調で、ファッション、革製品、キルト、小物など100以上のおしゃれなお店がいっぱい。ラルフローレンやヴィクトリアズシークレットなども入っている。つい足を止めたくなるアートギャラリーも多い。フロアは4段階に分かれるが、First Levelには噴水があり、天井はガラス張りになっていて緑の木々がのぞくなど室内装飾にも工夫がこらされ、優雅な気分でショッピングを楽しめる。　　　　　（'98）

高級感ではトップといわれるモール
Mazza Gallerie

🏠5300 Wisconsin Ave. NW

☎(202)966-6114

🕐月～土10：00～21：30、日12：00～18：00　🗺地図外

　地下鉄レッドラインで北上し、DCとメリーランド州との境にあるFriendship Heights駅で降りて徒歩3分。ここは"DC版ロデオ・ドライブ"と言われる超高級なショッピングモールだ。4階建てのモールには選び抜かれたテナントが約50店と、高級デパートNeiman-Marcus、洋服の品質に定評のある老舗デパートRaleighs、映画館などが入っている。DCでもとくにリッチな御婦人方やホワイトハウスがお得意様という店ばかりなので、ジーパンで歩くと場違いな印象は免れない。『人形の家とおもちゃの博物館』のすぐそばなので、ちょっと立ち寄って雰囲気だけでものぞいてみよう。2時間無料の屋内駐車場あり。　　　　　　　　　　　　　（'98）

人気のビッグ・ショッピングモール
Pentagon City

🏠1100 S. Hayes St., Arlington

☎(703)415-2400

🕐月～土10：00～21：30、日11：00～18：00　🗺地図外

　地下鉄イエロー＆ブルーPentagon City駅の真上。ファッションを中心に、バナナ・リパブリック、コーチ、ギャップ、エディ・バウアー、ローラ・アシュレイなど160以上の店が入っていて、きっとお気に入りの物が見つかるはずだ。地下には各国料理のファストフードが揃い、映画館もあって最新のアメリカ映画が楽しめる。また、この地下のOne Stop Newsという雑誌スタンドでは日本の新聞（衛星版読売）も売られている。モールの両隣にはMacy's、Nordstromと2つの有名デパートがあり、こちらものぞくとおもしろい。ダウンタウンからは少し離れるが、ペンタゴンやアーリントン墓地、ナショナル空港へ出かけるならぜひ寄ってみよう。地下鉄イエローはポトマック川を高架で渡るので気持ちがいい。加えて、バージニア州はTaxが4.5％なのでお得。　　　　　　　　　（'98）

日本女性が経営する良心的な民宿
民宿ペギー

🏠4912 Sharon Rd., Temple Hills, MD 20748 ☎(301)899-6282 🗺地図外 1人につき朝食付き1泊Ⓢ＄45、Ⓓ＄85（＋5％Tax）、バス・トイレ共同。最低2泊から

アメリカ人の旦那様をもつ在米ン十年の日本女性ペギーさんが、日本人を対象に民宿をやっている。Washington DC 郊外の緑あふれる美しい住宅地区にあり、アメリカ人家庭に泊まるような温かい雰囲気が味わえる。

おしゃべりをするととても楽しいペギーさんは、DC観光についてアドバイスをしてくれる。ただDC中心地までの適当な交通機関がないので、ペギーさんの車での送迎が必要。支払いはT/Cまたは現金で。民宿の室内は禁煙、バルコニーでは可。2室で、混雑すると同性の人と相部屋になる。
（中田浩子　八王子市）（'99）
※
ペギーさんは東京下町出身の生粋の江戸っ子。ゲストルームは2部屋だけなので、必ず電話で予約して、待ち合わせ場所を確認すること。ダレス空港の電話はメリーランド州にはつながらないものもあるから、メインロビー片隅にあるMaryland＆Local用の特別電話を探してかけよう。
（林　俊介　横須賀市）

ダウンタウン周辺

設備は申し分ナシ！
Embassy Square A Summerfield Suites Hotel

🏠2000 N St. NW, Washington, DC 20036 ☎(202)659-9000、📞(1-800)424-2999、📠(202)223-0189 空きがあれば、Ⓢ＄95、ⒹⓉ＄135〜165 予約はFaxでMs. Louise C. Schneiderまで ⒶⒹⓂⓋ 🗺P.766 B-1

DCの若者が集うデュポン・サークル。ジョージタウンとともに夜遅くまでにぎわっているのがこのエリアで、このサークルからわずか2ブロックのところに位置するホテル。周囲にはレストランも多く、治安の良さが何よりも安心。ホテルは、もともとアパートだった建物を改装したものだか

ら、客室は驚くほどの広さだ。全室食器やナベ、電子レンジなどのあるキチネット付きだから自炊も可能。また、朝は種類の豊富な朝食付きで、月〜木の17:00〜18:30の間はビール、ワイン、ソフトドリンクとスナックのサービスもある。フロントの後ろには24時間営業の売店もあるので夜中にお腹が空いたときなどに便利だ。この設備で、ロケーションを考えると料金は至極安い。268室。（'99）

エンバシースクエアは朝食付きで安い！

ウォーターゲート事件のもうひとつの現場
The Premier Hotel

🏠2601 Virginia Ave. NW, Washington, DC 20037 ☎(202)965-2700、📞(1-800)965-6869、📠(202)337-5417、🏠www.premierdc.com Ⓢ＄79〜99（冬期）、＄99〜129（夏期）ⒶⒹⓂⓋ 🗺P.766 B-2

メトロのFoggy Bottom駅から3ブロック歩いて5分、ケネディ・センターまで5分、ジョージタウンまでは15分という、かなり便利なロケーション。大統領を辞任にまで追い込んだ盗聴事件で有名になったウォーターゲート・ホテルが向かいにあり、実際にCIAの工作員がウォーターゲート・ホテルから盗聴電波を受信していたのはこのホテルなのだ。フィットネスルーム、ランドリー、セーフティボックスなど、ホテルとしての設備もきちんと揃い、部屋は広々としている。レストランも入っているので食事に困ることもない。192室。
（'98）

ワシントンDC

ビジネス、ショッピングどちらにも便利
Mayflower, Renaissance Hotel
🏨1127 Connecticut Ave. NW, Washington, DC 20036　☎(202)347-3000、📞(1-800)228-7697、📠(202)766-9182、HOMEwww.renaissancehotels.com.
Ⓢ$189〜235、ⒹⓉ$219〜265
ⒶⒹⒿⓂⓋ　地P.766　B-1

　高級ホテルチェーン、ルネッサンスに属し、DCを代表するホテルのひとつとして長年、世界中のVIPの定宿となってきた。華やかな中にも気品をもったロビー、明るく落ち着いた部屋など固定客が多いこともうなずける。メイフラワーの特徴的なサービスのひとつがモーニングコールと共に運ばれてくるコーヒーと新聞。日本茶や日本語の新聞も用意されており、優雅でこまやかな心遣いがうれしい。660室。　　('99)

ビジネス街のヒルトン
Capital Hilton
🏨16th & K Sts. NW, Washington, DC 20036　☎(202)393-1000、📞(1-800)445-8667、📠(202)639-5784、HOMEwww.hilton.com
オンシーズンⓈ$230〜350、Ⓓ$255〜375、オフシーズンⓈ$195〜300、Ⓓ$220〜325
ⒶⒹⒿⓂⓋ　地P.767　C-1

　昼間はビジネスマンが数多く往来するエリア。地下鉄駅はMcPherson Sq.が近く、交通の弁も良い。また、ダレス国際空港からの空港バス(Washington Flyer)はこのホテルの目の前で停まるので、ダレスから来る人にはいたって便利だ。客室にはミニバーもある。また、日本語の話せるスタッフもいる。　　　　　　　　　　　　　　('99)

ユニオン駅のすぐそば、パブが楽しい
Phoenix Park Hotel
🏨520 N. Capitol St. NW, Washington, DC 20001　☎(202)638-6900、📞(1-800)824-5419、📠(202)393-3236
Ⓢ$169〜199、ⒹⓉ$189〜219　ⒶⒹⓂⓋ
地P.767　D-2

　ユニオン駅からわずか1ブロック、ここには政治家たちも集うという人気のアイリッシュパブがあり、その上は、ヨーロッパ調のシックなホテルになっている。改装を終えたばかりで、ホテルは清潔できれい。アメニティも充実していて、ミニバー、バスロー

ブ、ドライヤー、コーヒーメーカーなどがあるのもうれしい。場所柄、アムトラックで夜おそく着いた場合や、早朝の出発のとき、とくに威力を発する。また、ユニオン駅で夜おそくまで食事やショッピングを楽しんでから、ホテルへ帰っても安全だ。　('98)

リッチな気分で過ごせる機能的なホテル
Embassy Suites Washington DC
🏨1250 22nd St. NW, Washington, DC 20037　☎(202)857-3388、📞(1-800)362-2779、📠(202)293-3173、HOMEwww.embassy-dc.com
Ⓢ$119〜250、Ⓣ$129〜270
ⒶⒹⒿⓂⓋ　地P.766　B-1

　エンバシー・スイートは、リビング付きの広い客室とフィットネスセンターやサウナ付きのプールなどの設備が整った機能的なホテル。さらに、朝食と夕方2時間のカクテル・タイムは無料。地下鉄Foggy Bottom駅より4ブロック北。318室。　('99)

★読★者★投★稿★
古いタウンハウスを改築したホテル
Swiss Inn
🏨1204 Massachusetts Ave. NW, Washington, DC 20005　☎(202)371-1816、📞(1-800)995-7947、📠(202)371-1138、HOMEwww.theswissin.com
ⓈⒹⓉ$50〜99　ⒶⒹⒿⓂⓋ地P.767　C-1

　本当に小さなホテルだが、清潔でバス・トイレ、リモコンTV、キッチン、冷蔵庫、エアコン、電話付き。部屋の鍵と玄関の鍵を貸してくれるので安全。場所はマサチューセッツ通りの12th St.と13th St.の間。7室。
　　　　　　　　(妹尾裕弘　大阪市)('99)
　　　　　　　　　　　※
　ツインを予約していったのだが、結局なくてキングサイズベッドとソファのある部屋に通されてそのまま泊まった(ソファの寝心地は悪かった)。翌日部屋を変えてほしいと頼んだが、その日も満室で断わられ、観光から帰ってくるとベッドメーキングもタオルも変えていなかった。あまりにひどいので文句を言ったが、そうしたら開き直ってどなり始める始末。私達2人はあまりの態度の悪さにびっくりしたことと、アメリカということで、結局近くのホテルに移ることにした。
　　　　　　　(井上孝子　シアトル在住　'98冬)

地の利が良くて安い
✓ **Harrington Hotel**

🏠11th＆E Sts. NW, Washington, DC 20004
☎(202)628-8140、☏(1-800)424-8532、
FAX(202)393-2311
ⓈⅮ$84、Ⓣ$94 AJJMV 地P.767 C-2

　FBIから2ブロック。オールド・ポスト・オフィスの正面。ホワイトハウスにも歩いて5分くらいだし、アメリカ歴史博物館にも近くて、とても便利。300室あるホテルで、レストランや朝食をとれるカフェもある。部屋は古くて狭いが場所はいい。地下鉄の最寄りの駅はMetro Center。
（'99）

オフィス街とジョージタウンの真ん中
Wyndham City Centre

🏠1143 New Hampshire Ave. NW, Washington, DC 20037 ☎(202)775-0800、
☏(1-800)526-7495、FAX(202)775-6950
HOMEwww.Sheraton.com
平日ⓈⅮ$175〜193、週末ⓈⅮⓉ$89
〜119 ADJMV 地P.766 B-1

　メトロFoggy Bottom駅からNew Hampshire Ave.を徒歩約5分。周囲の町並みに溶け込んで、ほかのシェラトンとは一味違ったとても温かい印象を受ける。広いロビーにはふんだんにソファが置かれ、宿泊客には至極好評。コーヒーメーカーなどもあり客室は快適そのもの。近くには気軽なカフェもあり、治安もいい。日本語を話すスタッフもいるのがうれしい。352室。（'98）

エコノミー・ホテルとして有名な
Allen Lee Hotel

🏠2224 F St. NW, Washington, DC 20037
☎(202)331-1224、☏(1-800)462-0186、
FAX(202)296-3518
バス付きⓈⅮ$47〜57、バスなしⓈⅮ$34
〜45 AMV 地P.766 B-2

　"ワシントンDCには安宿はないっ!"と嘆

いている人に朗報を。このホテルは安いうえに場所もいい。23rd St.とF St.の角にあり、南へ歩けば約10分でリンカーン記念館、東へ3分でメトロFoggy Bottom駅、北西へ15〜20分でジョージタウンへ出る。まわりは静かな住宅街だ。

　ただし建物がかなり古くて部屋の大きさもいろいろなので、必ず部屋を見せてもらって設備を点検してから決めよう。85室。

※

　306、406、506号室はシャワー・トイレ付きで比較的きれい。すべてマネージャーの判断次第なので、直接交渉するといい。シャワーなしの部屋は相当ボロイし狭い。
（三輪宗弘　千葉県）（'99）

アメリカのYHの中でも人気No.1
Hostelling International Washington, DC

🏠1009 11th St. NW, Washington, DC 20001
☎(202)737-2333、FAX(202)737-1508、
E-maildchostel@erols.com
ドミトリー$20〜23、シーツ$5 MV
地P.767 C-1

　㊲利用者に大評判のユースホステル。全米各地のユースの中でもダントツの快適さだ。キッチン、コインランドリー完備はもちろん、食堂やリビングルームも十分な広さがあり、世界各国からの旅行者がくつろいでいる。ナイトツアーやビデオ上映も好評。ショップ、コインロッカーもある。

　冷暖房完備。フロントは24時間営業。ベッド数250。夏期など混雑期は予約が必要。ただし、予約をしても14時までにチェックインしないとキャンセルとみなされることがあるので要注意。

　Metro Center駅から11th St.を北へまっすぐ5分ほど歩いてK St.とのコーナー近く。ただしグレイハウンド・バスターミナルから歩いて行こうとすると途中雰囲気の良くないところもあるので注意。（'99）

これ以上のロケーションは望めない
Loews L'Enfant Plaza

🏠480 L'Enfant Plaza SW, Washington, DC 20024　☎(202)484-1000、Ⓣ(1-800)243-1166、ⒻⒶⓍ(202)646-4456
Ⓢ$195～215、Ⓓ$215～235、Ⓣ$220～250　ⒶⒹⒿⓂⓋ　🗺P.767　C-3

ビジネスマンに好評のロウズ・ホテル・チェーンのDC店は、地下鉄のグリーン、イエロー、オレンジ、ブルーの4本がコネクトするL'Enfant Plaza駅の真上に位置して便利このうえない。航空宇宙博物館も徒歩圏内。客室はエレガントなヨーロッパ調でムードもいい。広めで、ミニバーやバスルームのアメニティも充実して、サービスが行き届いている。ホテルの地下にはショッピング街、郵便局もあってさらに便利。ルームサービスは24時間。　　　('98)
日本の予約・問い合わせ先：LRI　☎(03)3475-6837

📖★者★投★稿
運河に面した静かなモーテル
Channel Inn

🏠650 Water St. SW, Washington, DC 20024　☎(202)554-2400、ⒻⒶⓍ(202)863-1164
Ⓢ$99～、ⒹⓉ$109～　ⒶⒹⒿⓂⓋ
🗺P.767　C-3

ワシントンDCで唯一、ウォーターフロントに位置するモーテル。航空宇宙博物館の横の7th St.を約15分ひたすら南下し、運河に突きあたったところ。欧風のロビーにアメリカンな朝食レストランがあり、部屋も小ぎれい。　（高橋満里子　鎌倉市）('98)

ルーズベルト記念公園

ビジネスマンの利用が多い
Center City Travelodge Hotel

🏠1201 13th St. NW, Washington, DC 20005　☎(202)682-5300、ⒻⒶⓍ(202)371-9624
ⒽⓄⓂⒺwww.travelweb.com
オフシーズンⓈⒹⓉ$65～、オンシーズンⓈⒹⓉ$105～　ⒶⒹⓂⓋ　🗺P.767　C-1

地下鉄、McPherson駅から歩いてすぐ。全室バス・トイレ・TV付き。スポーツジムもあるので、汗を流したい方は、どうぞ。朝食サービスあり。夜の外出はタクシーで。100室。　　　　　　　　　　　　　('99)

ジョージタウン

ジョージタウンのおすすめホテル
Holiday Inn-Georgetown

🏠2101 Wisconsin Ave. NW, Washington, DC 20007　☎(202)338-4600、ⒻⒶⓍ(202)333-6113、日本予約☎(03)5485-0311、☎☎0120-381489
ⓈⒹ$149、Ⓣ$159、スイート$178
ⒶⒹⒿⓂⓋ　🗺地図外

近頃治安の面で不安があるワシントンDCで、夜も遊べるのがジョージタウン。DCの若者にもっとも人気ある町として、しゃれたレストランやカフェ、個性あふれる店が並び、いつも活気がある。このジョージタウンのメインストリートのひとつWisconsin Ave.に面しているホリデイインは、買い物もしたいし、夜外出もしたい人には最適のホテル。部屋は広く清潔で、サービスも文句なし。ホテルの目の前からバスに乗ればモールのすぐ近くまで行くことができる。

ワシントンDCで、この値段このクラスのホテルにはなかなか泊まれない。　　('98)

応対も良く、夜も安心して外出できる
Georgetown Inn

🏠1310 Wisconsin Ave. NW, Washington, DC 20007　☎(202)333-8900、Ⓣ(1-800)424-2979、ⒻⒶⓍ(202)625-1744
Ⓢ$185～195、Ⓓ$195～215、Ⓣ$205～225　ⒶⒹⒿⓂⓋ　🗺P.766　A-1

ジョージタウンの目抜き通り、ウィスコンシン通りの心臓部に位置するホテル。ホテルは深夜営業のバーやレストランに囲まれ、夜遅くまでにぎわっており、ナイトライフを充実させたい人には最適。客室、バスルームの設備は申し分なし。　　('98)

デュポン・サークルそばのホテル
Doyle Washington

🏠1500 New Hampshire Ave. NW, Washington, DC 20036 ☎(202)483-6000、📞(1-800)423-6953、FAX(202)328-3265、E-mail doylehotel@aol.com
オフシーズンⓈ$99〜165、オンシーズンⓈ$149〜185でひとり増えるごとに$15のアップ　ADMV　地P.766 B-1

　かつてのDupont Plaza Hotelから名前が変わった。ホテルは夜もにぎやかなデュポン・サークルに面し、レストランや奇抜なショップが集中しているほか、スーパーなども近い。広い部屋も多く、日本のパッケージツアーの指定ホテルのひとつにもなっている。フィットネスルーム、レストランなどがある。314室。　　　　　　（'99）

デュポン・サークルから1.5ブロック
Hilton Embassy Row Hotel

🏠2015 Massachusetts Ave. NW, Washington, DC 20036 ☎(202)265-1600、📞(1-800)424-2400、FAX(202)332-4870
Ⓢ$105〜125、ⒹⓉ$115〜205　AMV　地P.766 B-1

　大使館通りの南端にあるせいか、各国大使館関係者の利用が多く、それらの人々に合わせるよう内装はヨーロッパ調でエレガント。客室は広く、家具はシンプル。机は広くて使いやすい。デュポン・サークル周辺は治安も良く、レストランも多いので夜おそくまでにぎわっている。193室。
　　　　　　　　　　　　　　　　（'99）

動物園に歩いて行ける
Windsor Park Hotel

🏠2116 Kalorama Rd. NW, Washington, DC 20008 ☎(202)483-7700、FAX(202)332-4547、HOMEwww.windsorparkhotel.com
Ⓢ$88〜、Ⓓ$98〜　ADMV　地地図外

　大使館街とコネチカット通りに位置し、ビジネスマンにも観光客にも便利。すべての部屋に小さな冷蔵庫も付いている。43室。　　　　　　　　　　　　　　（'99）

日本語を話すスタッフがいて安心
Hilton Washington & Towers

🏠1919 Connecticut Ave. NW, Washington, DC 20009 ☎(202)483-3000、📞(1-800)445-8667、FAX(202)265-8221、HOMEwww.hilton.com
Ⓢ$169〜325、ⒹⓉ$194〜350
ADJMV　地P.766 B-1

　エスニック料理レストランの集中するエリアに近い、ゆったりとした造りのヒルトン。プール、テニスコート、レストラン、チョコレートショップなどホテル内のショップ、ビジネスセンターなどの施設も充実し、快適なステイが楽しめる。1,123室。　（'99）

1泊$15。各国の学生が集う宿
International Student Center

🏠2451 18th St. NW, Washington, DC 20009 ☎(202)667-7681
1泊$15　地地図外

　エスニックなレストランが多いアダムス・モーガン地区にあるホステル。ダウンタウンから歩いて15〜20分、地下鉄Woodley Park／Zoo駅から約10分。バスなら#42で18th & Columbia下車。シーツと毛布は無料。キッチンも使える。近くにあるテニスコートも無料で使えて、用具も借りられる。ドミトリーは男女混合のことあり。5室。ユニオン駅orグレイハウンド・バスターミナルから宿までの無料ピックアップサービスがある。　　　　　　　　　（'99）

家族の一員として迎えてくれるB&B
International Guest House

🏠1441 Kennedy St. NW, Washington, DC 20011 ☎(202)726-5808、FAX(202)882-2228、E-mail igh-dc@juno.com
1人$25（朝食、Tax込み）。ウィークリー$160。6〜16歳は半額、5歳以下無料
MV　地地図外

　教会が経営しているとても家庭的で温かい宿。DC中心部からバスで約30分と遠いけれど、静かで落ち着いた住宅街にある。建物も一般住宅と変わりなく、ホームステイ感覚でくつろげる。朝食は8時から、ゲストもスタッフもいっしょにお祈りを捧げてから頂く。ひとりの場合、相部屋になることもある。門限23時なので気をつけて。家の中では禁酒禁煙。

　行き方はダウンタウンの11th&G Sts.などから#S2、S4のSilver Spring行きバスに乗りKennedy St.下車。必ず事前に予約すること。5室。　　　　　　　　（'99）

オーナーが日本人女性の心休まるホテル
Taft Bridge Inn

📍2007 Wyoming Ave. NW, Washington, DC 20009　☎(202)387-2007、FAX(202)387-5019

朝食付でバス付⑤$98、バスなし⑤$59〜69、ひとり追加はプラス$12 MV 地地図外

　地下鉄レッドライン、Dupont Circle駅で降り、コネティカット通りを北に向かいワイオミングを右に入るとある。オーナーが日本人女性でほっとできるホテルだ。19世紀の旧豪邸を改造、クラシックなムードにあふれる造りになっており、インテリアも部屋ごとに工夫を凝らしてある。11室。

（藤井麻子　東京都）('99)

エンバシースイートの下には
ショッピングモールがある

駅の真上、ショッピング街に囲まれた
Embassy Suites Chevy Chase Pavilion

📍4300 Military Rd. NW（Wisconsin at Western）, Washington, DC 20015

☎(202)362-9300、FAX(202)686-3405、HOMEwww.embassy-suites.com

⑤⑩T$150〜200　ADMV 地地図外

　地下鉄レッドラインの北西は、全米でも屈指の高級住宅街が密集するところ。そのレッドラインFriendship Heights駅を降りると高級ショッピングモールがあり、ホテルはその上に位置している。中心部よりやや離れるが、夜も安全に移動できるので非常に便利。モールにはローラ・アシュレイ、リミテッド、フィラ、チーズケーキファクトリーなど人気のショップ約60軒が入っている。

　朝は目の前で調理するボリューム満点の朝食（無料）をどうぞ。毎日17：00〜19：00は無料のカクテルタイム。複数で泊まればオトク！

('98)

バージニア州滞在のすすめ

　ワシントンDCは国際的な都市だけあって、宿泊費もそれに対するTaxも高い。ポトマック川を越えたバージニア州に泊まってみたらどうだろうか。川を越えただけで料金はずいぶん安くなる。DCまで地下鉄も通っているので、観光の際不便を感じることは少ないだろう。ただし、ナイトライフを充実させたい人はDC内に宿をとったほうがいい。

駅の目の前
Embassy Suites Alexandria

📍1900 N. Diagonal Rd., Alexandria,VA 22314　☎(703)684-5900、FAX(703)684-1403

平日⑤⑩$149〜250、T$164〜250、週末⑤⑩$109〜179、T$124〜154 ADJMV 地地図外

　アレキサンドリアのエンバシー・スイートは、他のエンバシーより一歩進んだサービスが自慢。従業員もフレンドリー。メトロのイエロー＆ブルーラインKing St.駅の目の前にあり、DC観光も不便を感じさせないロケーション。アメリカ建国の歴史を感じさせてくれるオールドタウンへも歩いていける距離。

('98)

駅まではシャトルバンで
Doubletree Hotel Pentagon City

📍300 Army/Navy Dr., Arlington, VA 22202　☎(703)416-4100、FAX(703)416-4126

平日⑤⑩T$149〜、週末⑤⑩T$89〜 ADMV 地地図外

　最寄りのメトロ駅はブルー＆イエローラインのPentagon City。ホテルから駅まではシャトルバンのサービスがあって至極便利だ。しかも、Pentagon City駅の真上は巨大なショッピングモール。昼間DCでじっくり観光したあと、夕方からショッピングとダイニングをPentagon Cityで楽しむというのもいい。また、ホテルの最上階には45分で1回転するラウンジがあり、そこから見渡すDCは絶景！　部屋は清潔で使いやすい。ホテルにチェックインしたとき、お手製のクッキーのプレゼントがあり、これがアメリカらしくてGood。

('98)

治安の良いアーリントンの格安モーテル
Highlander Motor Inn

📍3336 Wilson Blvd., Arlington,VA 22201

☎(703)524-4300、📱(1-800)786-4301、

FAX(703)525-8321

Ⓢ$59.95、Ⓓ$64.95 ⒶⒹⓂⓋ 地地図外

　地下鉄オレンジラインVirginia Sq-GMU
駅下車5分。郊外になるが、モールから乗
り換えなしで帰れるので便利。近くに大型
スーパーやセブンイレブンもある。環境も

いい。部屋は広く、メイドのサービスもし
っかりしている。コーヒー、ドーナツ無料。
44室。　　(Y.N. & R.S.　東京＆千葉)('99)

アーリントンの硫黄島記念碑

★　　★　　★　**レストラン**　★　　★　　★
Restaurant

連邦政府の機関で食事をしよう

　アメリカの首都だけあって、各種の政府
機関、博物館、美術館が多いのは周知のと
おり。そのほとんどがカフェテリアやレス
トランをもち、一般にも公開されている。

　レストランは貧乏旅行をしている身にと
って少々入りづらくても、カフェテリアな
ら値段も手ごろで、自分の予算に応じて食
べ物をチョイスできる。DCのいろいろな
カフェにチャレンジしてみよう。政府のお
役人に混じって食事をとるのも悪くない。

　一般の人が利用できるカフェテリアは次
のとおり。

●ナショナル・ギャラリー(地下)
●最高裁判所(地下)
●議会図書館(マディソン館)
●ケネディ・センター(最上階)
●国立航空宇宙博物館(1階)
●国立自然史博物館(地下)
●国立アメリカ歴史博物館(地下)
●国立動物園
●国会議事堂(地下)

雰囲気も良く、安いステーキレストラン
Blackie's

📍1217 22nd St. NW at M St.

☎(202)333-1100

ⒶⒿⓂⓋ 地P.766　B-1

　アメリカに来たからには、やはりあのビ
ッグなステーキを一度は食べてみたいと思
う人も多いはず。そこでおすすめなのがこ
のブラッキーズ。家族経営のレストランで、
アイアンレースの装飾はまるでニューオリ
ンズのよう。入口あたりの壁に歴代大統領
をはじめとする著名人の写真が飾ってあ

る。人気メニューは、プライムリブ・サラ
ダバー付き$20前後。2つの大きさがある
ので、お腹の具合に合わせて注文するとい
い。味付けは塩・コショウが主で、焼き方
も4種類あり好きなものにしてくれる。メ
インといっしょにサラダバーを頼むことを
おすすめする。ここのサラダバーは単に生
野菜が並べられているだけでなく、マカロ
ニ、ツナ、カニなどを和えたサラダの種類
がとても豊富なのである。胃の小さい人な
ら、このサラダバーだけでお腹いっぱいに
なる。カジュアルな服装でOK。メインデ
ィッシュが$15～21程度。　　　　('98)

大阪人の作る本当の日本の味
末広

📍332 Pennsylvania Ave. SE

☎(202)547-8668

🕐月～土11：30～14：30、17：30～
22：00　ⒶⓂⓋ 地P.767　D-3地図外

　議会図書館からわずか徒歩1分の場所に
位置するこの日本料理店は、家族4人で切
り盛りしているアットホームな店。大阪の
高槻で寿司屋を営んでいたというご主人
は、ワシントンに渡ったあといくつかの高
級日本料理店で腕を振るい、現在の店を構
えるにいたったという経歴の持ち主。

　DCに日本料理を食べさせる店は数多く
あるが、日本人以外の人が経営していたり、
コストダウンのため包丁を握る人も日本人
ではないという店が数多くを占めている。
そんななか、この店の主人は妥協を許さな
い本当の日本の味を守る、かたくなとさえ
言える職人気質の人だ。日本の味が懐かし
くなったら、おすすめ。　　　　　　('98)

★

ワシントンDC

大使や議員たちが利用するインド料理
The White Tiger

301 Massachusetts Ave. NE

☎(202) 546-5900　地P.767　D-2地図外

　ユニオン駅から歩いて5分。おいしいインド料理店を見つけた。値段のわりにしっかりした味付けで、シーフードカレー$14.95でお腹いっぱいになる。デザートには甘いココナッツミルクがおすすめ。ランチは$8.95のバフェで、3種類のカレーとKheerが食べ放題。できればおしゃれをして行きたい店だ。

（H.O.　テキサス州在住　'98春）

議事堂近くのシーフード・レストラン
Market Inn

2nd & E Sts. SW　☎(202) 554-2100

月～金11：00～24：00、土16：30～日10：30～14：30（ブランチ）　AJMV

地P.767　D-3

　地下鉄Federal Center SW駅より2ブロック。シーフードのおいしい店で、平日の深夜と土日のブランチ・タイムにニューオリンズ・ジャズのライブもある。おすすめはランチメニューのSoup Sample。ロブスターのクリームスープやクラムチャウダーなど4種類のうち3種類を選べる。これがとてもおいしい！　約$20とランチにしては高めだが満腹になる。夜はタクシーで行くこと。

（S&M　メリーランド在住）（'98）

DCのシーフードをファストフードで
Georgetown Seafood Express

Union Station　☎(202) 842-2344

地P.767　D-2

　ユニオン駅地階のフードコートは、普通のファストフードよりちょっと高級な店が集まっていることで、ワシントニアンには有名。この店の本店はジョージタウンにあり、シーフードがおいしい。ユニオン駅店にもカキやクラムのロウバーがあり、ファストフード店らしく魚介類をあしらったサンドイッチが豊富。DC近郊ならではのメリーランド風クラブスープにもトライしてみて。ハンバーガーよりは高めだが、なかなかリーズナブルな値段だ。　（'98）

倹約派におすすめの
Becky's Cafe

505 H St. NW　☎(202) 371-8631

地P.767　D-2

　チャイニーズフードやサンドイッチなどを取り扱っている小さなお店。おすすめはオレンジ・チキン！　ピリカラでオレンジの風味がなんともいえない。メニューにはないが、お姉さんに頼めば快くつくってくれる。"Today Special Menu"は、1品&ライス&ドリンクで値段が$4弱。量は普通より多く、ライスも日本で食べるお米に近い。　（堀口順子　群馬県　'98夏）

DC名物レストランのひとつ
Old Ebbitt Grill

675 15th St. NW　☎(202) 347-4800

月～金7：30～1：00、土8：30～1：00、日9：30～1：00　AMV　地P.767　C-2

　1856年創業のDC最古のバー。現在は軽食を主としたレストランも経営しており、財務省の向かいという場所柄のせいかパワーブレックファストの場として人気が高い。政府のお役人に混じってシリアルやマフィンなどの朝食をとるのも、DCらしい体験だ。夜もおそくまでオープンしているので、観劇のあと夕食をとるワシントニアンも多い。値段も比較的お手ごろだ。F&G Sts.の間。　（'99）

お粥＋αがGoodな
Full Kee　富記

509 H St. NW　☎(202) 371-2233

深夜1：00ごろまで　地P.767　D-2

　チャイナタウンにあるこのレストランは、いろいろなお粥が$5程度で食べられ、おいしい。お粥以外のおすすめは、浄水餃子Shrimp Dampling Soup Hong Kong Styleの$5と海鮮炒粉Seafood & Pan-Fried Noodleの$10。　（'98）

ホワイトハウスを見おろすカフェレストラン
The Sky Terrace（Hotel Washington）

Pennsylvania Ave. at 15th St. NW

☎(202) 638-5900

5～10月の毎日11：30～1：00

AJMV　地P.767　C-2

　ホワイトハウスに近いホテル・ワシントンの屋上にある。夏にはビニールの天幕がはずされて、ホワイトハウスや商務省、モ

ニュメントをかすめて飛ぶ飛行機などが間近に見られる。ワシントンDCが舞台の映画のロケ地によく利用される場所だ。サンドイッチ、パスタなどの軽食や、各種デザート、ドリンクがあり、朝食ならひとり＄10前後であがる。　　　　　　　（'98）

DCはカニがおいしい！

豪快なカニのたたき割り
The Dancing Crab
🏠4611 Wisconsin Ave.
☎(703)244-1882
🕐月〜土11：00〜22：30、日15：00〜22：00　　Ａ|Ｊ|Ｍ|Ｖ　　🗺地図外

　地下鉄レッドラインのTenleytownよりWisconsin Ave.を北へ歩いて5分のシーフードレストラン。カントリー調の店内は地元の人たちでにぎわっている。なんといってもおすすめはワシントン名物のブルークラブで、スパイスのきいたカニを木槌でたたき割って食べるのがたまらない。一年中食べられるが、1ダース単位の注文となる。ほかにも季節により、チェリーストーン、ロブスター、クラムチャウダーなどもおいしい。1人＄20〜30。　　　　　　　（'98）

オシャレなチャイニーズ・レストラン
City Lights of China　楽意
🏠1731 Connecticut Ave. NW
☎(202)265-6688
🕐月〜木11：30〜22：30、金11：30〜23：00、土12：00〜23：00、日12：00〜22：30
🗺P.767　B-1

　Dupont Circleを北へ行ったところにある。場所柄、大使館関係の人がたくさんランチやディナーにやってくる。また、19：00以降は行列ができるほどの人気だとか。“シティ・ライツ・オブ・チャイナ”の名にふさわしく、店内はペパーミント・グリーンで統一され、都会的でオシャレな雰囲気。とくにオススメしたいのは、三鮮湯麺（Chicken, Pork and Shrimp Noodle Soup）。懐かしい日本のラーメンの味がする。（'98）

【読★者★投★稿】
安くて日本人の口にも合うペルー料理の店
EL Chalan Restaurant
🏠1924 I St. NW　☎(202)293-2765
🗺P.766　B-2

　とってもおいしいペルー料理の店。ライスや魚料理がとてもGoodで日本人の口に合う。値段はAppetizer＄3〜、一皿＄8〜25くらい。Farragut North駅からでもFarrgut West駅からでも行ける。

（石川昭政　千葉県　'98春）

ダウンタウンで日本料理を食べるなら
寿司割烹かわさき
🏠1140 19th St. NW　☎(202)466-3798
🕐月〜金12：00〜14：30、17：30〜22：00、土17：30〜22：00　🗺P.766　B-1

　DC在住の邦人に親しまれてきた日本食レストラン。寿司を中心としたさまざまな和食メニューがあり、本物の日本の味が楽しめる。予算がちょっと……という人にはランチタイム（月〜金のみ）がおすすめだ。うどん、そば、カツ丼などがあり、場所はL通りとM通りの間。　　　　　　（'98）

【読★者★投★稿】
安くておいしいギリシャ料理
Zorba's Cafe
🏠1612 20th St. NW　☎(202)387-8555
🗺P.766　B-1

　典型的なギリシャ料理のスブラキから地中海料理まであり、どれも＄4〜6.50と安い。ビールもおいてあるので、料理をツマミがわりに一杯やるのも悪くない。場所はDupont Circle駅から徒歩1分。

（カズオ・イマイズミ　カナダ在住　'98）

【読★者★投★稿】
お寿司のテイクアウトができる店
Sushi To Go
🏠3073 Canal St. NW　☎(202)333-6774
🕐月〜土11：00〜21：30　🗺P.766　A-1

　とても小さい店だが、清潔で味もしっかりしている。物価の高いといわれているジョージタウンにあって、比較的安いのも特徴。にぎりが＄2.50〜3.95、巻き寿司が＄1.95〜3.95など。ほかにもうどん（＄4.95）や照り焼き（＄3.95〜6.95）といったメニューもある。

　M St.から31st St.をポトマック川のほうに行き、運河に沿って小道を左に曲がると2、3軒目にある。

（Peggy Wall　メリーランド州在住　'98春）

ワシントンDC

Reservation Form

① _____ ②DATE _____ / _____ / _____

_____

Dear Sir ;

I would like to make a reservation as follows;

③NAME Mr.
Ms. _____

④ADDRESS _____

⑤PHONE _____ ⑥FAX _____

⑦CHECK IN DATE : _____ / _____ /19 _____
$\qquad$ M   D   Y

⑧ARRIVAL TIME _____ AM
PM

⑨CHECK OUT DATE : _____ / _____ /19 _____ ⑩(_____ nights)
$\qquad$ M   D   Y

⑪NUMBER OF PERSON _____

⑫TYPE OF ROOM   ☐SINGLE   ☐DOUBLE
☐TWIN   ☐TRIPLE
☐SUITE

⑬MESSAGE _____

_____

_____

_____

⑭CREDIT CARD   ☐VISA   ☐MASTER
☐AMERICAN EXPRESS   ☐JCB

⑮ACCOUNT NUMBER _____

⑯EXPIRATION DATE 19 _____ / _____

⑰SIGNATURE _____

Please send me written confirmation as soon as possible. Thank you.

※詳しくはP.90参照。

9月11と12日にツイン・ルームを予約したいのですが。（電話で）
I would like to make a reservation for a twin room, Sep. 11th and 12th.

予約をしている丸川です。今日の到着が午後11：00ごろになりそうです。（電話で）
This is Marukawa. I have a reservation at your hotel tonight, and I will be arriving at your hotel around 11:00pm.

今晩、空いているシングル・ルームはありますか？
Do you have a single room, tonight?

荷物を降ろしてください
Please take down my luggage.

荷物を預かってもらえませんか？
Could you keep my luggage?

チェックインをお願いします。3泊の予定です。
Check in, please. I will be staying for 3 nights.

クレジットカードでお願いします。
I'd like to pay by credit card.

部屋の鍵が開きません。
The room key is not working.

お風呂（トイレ）の排水が悪いのですが、確かめていただけますか。
Drain of my bathroom is not good. Could you check it?

バスルームのお湯が出ません。
There is no hot water in the bathroom.

部屋の電話が通じないようです。
I can't get a connection from the phone in my room.

部屋のメッセージランプが点いています。何かメッセージはありますか？
The message lamp of the phone is blinking, any messages for me?

バスタオルを1枚持ってきてください。
Could you bring me one more bath towel?

エアコンの調子が悪いので、直してください。
The air conditioner doesn't seem to be working. Could you fix it?

製氷機はどこにありますか。
Where is the ice machine?

明日の朝7：30に朝食のルームサービスをお願いします。紅茶とミルク、ポーチドエッグ、クロワッサンとバナナ・マフィンをひとつずつです。
I would like to order a room service for 7:30 tomorrow morning. I like to take a cup of tea and milk, poached eggs, and one croissant and banana muffin.

明日の朝6：30にモーニング・コールをお願いします。
Can I have a wake-up tomorrow morning at 6:30.

チェックアウトを1時間延長してください。
Please extend my check out time about an hour.

チェックアウトをしますので、荷物を部屋から運んでください。
I will be checking out, would someone bring my bags to lobby?

空港へのシャトルバスを予約してください。11：00のフライト予定です。
I would like to make a reservation for a shuttle bus to the airport. My flight is 11:00.

クレジットカードのコピーを破いてください。
Please tear up your copy of my credit card.

レストランでの英会話

もしもし、今晩の7：30、ふたりで夕食を予約したいのですが。私の名前は稲垣です。
Hello, I would like to make a reservation tonight for 2 people at 7:30pm. My name is Inagaki.

炭酸なしのミネラルウォーターのボトルをください。
I will have a bottle of mineral water, uncarbonated, please.

水（無料の水道水）をください。
Can I have (get) a glass of water?
Can I have a glass of tap water?

おすすめメニューを教えてください。
What do you recommend?
Do you have any special today?

ピーマンは嫌いなので入れないでください。
No green pepper, please.
Hold the green pepper, please.

カップ（＝小、ボウル＝大）サイズのコーンスープを3つお願いします。
Can I get three cups (bowls) of corn soup?

このハンバーグの大きさはどのくらいですか。私には多すぎるでしょうか。
How big is this hamburger? Is this too much for me?

これを私たちで分けて食べます。小さなお皿をください。
We will share this plate. May I have (Could I have, Can I have) an extra plates?

デザートメニューを見せてください。
Can I see the desert menu?

コーヒーにミルクと砂糖をお願いします。
Can I get a cup of coffee with cream and sugar?

持ち帰り用の容器をください。
May I have a doggie bag?

トラベラーズ・チェックは使えますか？
Can I pay by T/C?

会計が間違えているようです。この飲み物は頼んでいません。
Is this a right amount? This is not my order.

ごちそうさま、美味しかったです。
It was a great meal. I really enjoyed it.

食事途中必ず聞かれるIs everything OK?（具合はどうです？）に答えるには。
とても満足しています——Great!
なかなかいいよ——Good.
悪くないね——O.K.

ひとり歩きでの英会話

空港までのチケットをください。
May I have a ticket to the airport?

片道（往復）切符をお願いします
One-way (a round trip) ticket, please.

列車（バス）は何時に出発しますか？
What time does the train (bus) leave?

もっと遅い（早い）便はありますか？
Is there any later (earlier) one?

フィッシャーマンズワーフへ行くには？
How can I get to Fisherman's Wharf?

これはシビック・センターへ行きますか？
Does this go to Civic Center?

五番街に着いたら教えてください
Please tell me when we get to 5th Avenue.

ユニオンスクエアで降ろしてもらえますか？
Would you let me drop off at the Union Square?

ホリデイ・インまで迎えにきてもらえますか？
Would you pick us up at Holiday lnn?

T/Cを換金してもらえますか。
I would like to change this travelers check into cash?

空港で

カバンがバゲージクレームから出てこないのですが。探していただけますか。
My baggage is not coming out yet. Could you find it?

白い、ミディアムサイズのスーツケースです。
It is white, and a medium size suitcase.

見つかったら、私のホテルまで送ってください。滞在ホテルは○○○ホテルです。
Please send my baggage to my hotel if you find it. I will be staying at ○○○hotel.

明日のここからロスアンゼルスまでのフライトを予約したいのですが。
Can I make a reservation for a flight from here to Los Angeles tomorrow?

ショッピングでの英会話

何をお探しですか？
May I help you?

見ているだけです
I'm just looking.

Tシャツを探してます。
Yes, I'm looking for some T-shirts.

フィルム置いてますか？
Do you have films?

これください。
I take this one.

○○売場はどこですか？
Where is the ○○ corner (floor)?

これを試着していいですか？
May I try this on?

★道を尋ねるときには

東西南北 …east, west, south, north
イースト、ウエスト、サウス、ノース
目印（になるような建物や公園など）
………………………landmarks
ランドマークス
交差点 …………………crossing
クロッシング
信号 …………………traffic light
トラフィック ライト
角 ………………………corner
コーナー
距離 …………………distance
ディスタンス
真っ直ぐ行く ……go straight
ゴウ ストレイト
右（左）に曲がる …turn right (left)
ターン ライト（レフト）
右（左）側 …on the right (left)
オンザ ライト（レフト）
前方 ……………………front
フロント
後方 …………………behind
ビハインド
こちら側 …………this side
ディスサイド
向こう側 ………opposite side
オポズィット サイド
1ブロック先の…one block away
ワンブロック アウェイ

★キャッシュ・ディスペンサー（ATM）で使われている

引き出し …………Withdraw
ウィズドロウ
預け入れ …………Deposit
ディポジット

振り替え …………Transfer
トランスファー
暗証番号………PIN (Personal
Identification Number) Code
ピンコード

大きすぎ（小さすぎ）ます
This is too large (too small).

もう少し大きい（小さい）ものはありますか？
Do you have any larger (smaller) one?

現金ですか、クレジットカードですか？
Cash or charge?

クレジットカードでお願いします
Charge, please.

このクレジットカードは使えますか？
Do you take this credit card?

荷物を置いていっていいですか？　午後には
取りに来ます
May I leave my baggage here until I pick it up
this afternoon.

アメリカでは通じないカタカナ英語

1ダース	one-dozen	ワンダズン
サイン	signature	スィグニチュア／（有名人の）
	autograph	オーグラフ
ドル	dollar	ダラー
コップ	glass	グラス
パン	bread	ブレッド
タバコ	cigarettes	スィガレッツ
ワンピース	dress	ドレス
ズボン	pants	パンツ
ビール	beer	ビア
（コーヒーの）ミルク	cream	クリーム
コーラ	coke	コウク
コーヒー	coffee	カフィ
バイキング	buffet	バフェ
クリーニング	laundromat	ロンドロマット
レジ	cashier	キャッシャー
ナイター	night game	ナイトゲイム
コンセント	plug	プラグ
トイレ	restroom	レストルーム
	bathroom	バスルーム
	lady's room	レディースルーム

★ショッピングでの英会話

さいふ	wallet ウォレット	靴底	sole ソール	絹	silk スィルク
小銭入れ	coin purse コイン パース	つま先	toe トゥー	綿	cotton コットン
シャツ	shirt シャツ	かばん	bag バッグ	毛	wool ウール
胸囲（男性）	chest チェスト	高さ	height ハイト	麻	linen リネン
胸囲（女性）	bust バスト	横幅	width ウィドス	人工繊維	man-made fabric マンメイド ファブリック
胴囲	waist ウェイスト	とって	handle ハンドル	皮	leather レザー
えり	collar カラー	まち	depth デプス	スウェード	suede スウェイド
着幅	shoulder length ショウルダ レングス	ふた	cover カバー	子牛皮	calf leather カーフ レザー
袖丈	the length of the sleeve ザ レングス オブ ザ スリーブ	留め金	clasp クラスプ	ワニ皮	crocodile skin クロコダイル スキン
寸法	measurement メジャーメント	間仕切り	divider ディバイダー	ヤギ皮	goat skin ゴート スキン
縫目	seam スィーム	肩ひも	strap ストラップ	ヘビ皮	snake skin スネーク スキン
くつ	shoes シューズ	ファスナー	fastener / zipper ファスナー／ズィパー	豚皮	pig skin ピッグ スキン
かかと	heel ヒール	素材	material マテリアル	人工皮革	artificial leather アーティフィシャル レザー

『地球の歩き方』シリーズ年度一覧

1999年6月現在

表示価格には消費税は含まれません。地球の歩き方シリーズは1年～1年半で改訂されます。改訂時には価格が変わることがあります。

地球の歩き方 ガイドブック・シリーズ

No.	タイトル	年度	価格
1	ヨーロッパ	1999~2000	¥1740
2	アメリカ	1999~2000	¥1640
3	インド	1999~2000	¥1640
4	オーストラリア	1999~2000	¥1640
5	ハワイ	1999~2000	¥1640
6	中国	1999~2000	¥1740
7	中欧	1999~2000	¥1740
8	メキシコ	1999~2000	¥1640
9	アメリカの魅力的な町	'98~'99	¥1540
10	ヨーロッパのいなか	1999~2000	¥1640
11	モロッコ	1999~2000	¥1640
12	タイ	1999~2000	¥1640
13	フランス	1999~2000	¥1640
14	東アフリカ	1999~2000	¥1740
15	ニュージーランド	1999~2000	¥1640
16	韓国	1999~2000	¥1640
17	東南アジア	1999~2000	¥1640
18	マレーシア/ブルネイ	1999~2000	¥1640
19	シンガポール	1999~2000	¥1440
20	カナダ	'98~'99	¥1640
21	イスタンブールとトルコの大地	1999~2000	¥1540
22	エジプト	'97~'98	¥1640
23	スペイン	1999~2000	¥1640
24	イタリア	1999~2000	¥1640
25	ドイツ	1999~2000	¥1640
26	イギリス	1999~2000	¥1640
27	北欧	1999~2000	¥1640
28	ネパール	1999~2000	¥1540
29	バリとインドネシア	'98~'99	¥1540
30	ミャンマー	1999~2000	¥1540
31	台湾	1999~2000	¥1540
32	グアム	1999~2000	¥1340
33	サイパン	1999~2000	¥1340
34	ニューカレドニア/バヌアツ	1999~2000	¥1440
35	香港/マカオ	1999~2000	¥1640
36	ウィーンとオーストリア	1999~2000	¥1540
37	南仏プロヴァンス&コートダジュール&モナコ	'98~'99	¥1540
38	ニューヨーク	1999~2000	¥1640
39	西安とシルクロード	1999~2000	¥1640
40	中国のチベット	'97~'98	¥1640
42	モンゴル	1999~2000	¥1640
43	ギリシアとエーゲ海の島々&キプロス	'98~'99	¥1640
44	スイス	1999~2000	¥1540
45	オランダ/ベルギー/ルクセンブルク	1999~2000	¥1540
46	ロシア	1999~2000	¥1840
47	アラスカ	1999~2000	¥1640
48	パキスタン	1999~2000	¥1540
49	アメリカの国立公園	1999~2000	¥1640
50	パリ&イル・ド・フランス	1999~2000	¥1640
51	マドリッド トレドとスペイン中部	'98~'99	¥1540
52	バルセロナ マヨルカ島とスペイン東部	1999~2000	¥1540
53	タヒチ	1999~2000	¥1540
54	フィジー/サモア/トンガ	'98~'99	¥1540
55	ロンドン	1999~2000	¥1540
56	ロマンティック街道とミュンヘン	'98~'99	¥1540
57	ロスアンゼルス	1999~2000	¥1540
58	サンフランシスコ	'98~'99	¥1540
59	フィリピン	1999~2000	¥1640
60	スリランカ	1999~2000	¥1640
61	ポルトガル	1999~2000	¥1440
62	ヨーロッパ・アルプスを歩く	'97~'98	¥1534
63	ボストン&マサチューセッツ	'97~'98	¥1631
64	ワシントンD.C.	1999~2000	¥1640
65	チェコ/ポーランド/スロバキア	1999~2000	¥1640
66	ブダペストとハンガリー	1999~2000	¥1540
67	バルトの国々	1999~2000	¥1640
68	ブルガリア/ルーマニア	1999~2000	¥1540
69	バンコク	1999~2000	¥1440
70	シドニー	'98~'99	¥1440
71	シベリア&シベリア鉄道とサハリン	'97~'98	¥1631
72	アメリカ西海岸	1999~2000	¥1640
73	シカゴ	'98~'99	¥1640
74	カナダ西部	1999~2000	¥1540
75	カリブ海 I バハマ他	'98~'99	¥1640
76	カリブ海 II ジャマイカ他	'98~'99	¥1640
77	中米 グアテマラ他	1999~2000	¥1740
78	ローマ	1999~2000	¥1640
79	フィレンツェとトスカーナ	1999~2000	¥1540
80	北イタリア	'97~'98	¥1440
81	アイルランド	'98~'99	¥1640
82	スコットランド	1999~2000	¥1640
83	イスラエル	1999~2000	¥1534
84	ヨルダン/シリア/レバノン	'97~'98	¥1631
85	オーストラリア東海岸	1999~2000	¥1640
86	カナダ東部 メープル街道とナイアガラ&五大湖	'98~'99	¥1540
87	アメリカ東部とフロリダ	1999~2000	¥1640
88	アメリカ南部 アトランタ他	'97~'98	¥1640
91	バリ島	1999~2000	¥1640
92	モルディブ	'98~'99	¥1640
93	ベトナム	1999~2000	¥1640
94	アラビア半島	1999~2000	¥1640
95	広州・桂林と華南	'98~'99	¥1640
96	北京	1999~2000	¥1640
97	上海/蘇州/杭州	1999~2000	¥1640
98	アンコールワットとカンボジア	1999~2000	¥1640
99	南アフリカ	'98~'99	¥1640
101	ブラジル	'98~'99	¥1640
102	アルゼンチン/チリ	1999~2000	¥1940
103	ペルー	'98~'99	¥1940
104	雲南・四川・貴州と少数民族	1999~2000	¥1640
105	ブータン	1999~2000	¥1640
106	大連と中国東北地方	1999~2000	¥1640
107	イラン	1999~2000	¥1740
108	南イタリアとマルタ	1999~2000	¥1640
109	シルクロードと中央アジアの国々	1999~2000	¥1840
110	チュニジア	1999~2000	¥1640
311	ラスベガス		¥1640
312	ジャマイカ		¥1640

地球の歩き方 旅マニュアル・シリーズ

No.	タイトル	年度	価格
251	ヨーロッパ個人旅行マニュアル	1999~2000	¥1540
252	アメリカ個人旅行マニュアル	1999~2000	¥1540
253	オーストラリア個人旅行マニュアル	1999~2000	¥1540
254	インド個人旅行マニュアル	1999~2000	¥1640
255	ヨーロッパ・ドライブ	1999~2000	¥1640
256	アメリカ・ドライブ	1999~2000	¥1437
257	オーストラリア ドライブ&ステイ	1999~2000	¥1534
258	ヨーロッパ鉄道の旅	1999~2000	¥1640
259	アメリカ鉄道とバスの旅	1999~2000	¥1640
260	ハワイ バスの旅		¥950
261	家族で行くハワイ	1999~2000	¥1340
262	安全・快適 旅の道具事典		¥1840
263	旅のドクター		¥1840
264	エコツアー完全ガイド		¥1840
265	香港個人旅行マニュアル	1999~2000	¥1340
266	中国個人旅行マニュアル	1999~2000	¥1640
267	東南アジア個人旅行マニュアル	1999~2000	¥1640
268	南米個人旅行マニュアル	1999~2000	¥1640
269	バリ島個人旅行マニュアル	1999~2000	¥1540
270	タイ個人旅行マニュアル	1999~2000	¥1540
271	ベトナム個人旅行マニュアル	1999~2000	¥1540
272	ニューヨーク個人旅行マニュアル	1999~2000	¥1540
273	イタリア個人旅行マニュアル	1999~2000	¥1540

地球の歩き方 リゾート・シリーズ

No.	タイトル	年度	価格
301	マウイ島	1999~2000	¥1640
302	カウアイ島	1999~2000	¥1640
303	ハワイ島	1999~2000	¥1640
304	フロリダ	1999~2000	¥1640
305	ケアンズとグレート・バリア・リーフの島々	1999~2000	¥1640
306	モーリシャス	1999~2000	¥1640
307	ハワイ・ドライブ・マップ		¥1750
308	プーケット	1999~2000	¥1640
309	オアフ島		¥1640
310	ペナン/ランカウイ		¥1640

地球の歩き方 泊まってみたいホテル・シリーズ

No.	タイトル	価格
501	パリと教会が見える小さな町	¥163
502	ロンドンと田園が美しい小さな町	¥163
503	ローマとイタリアのルネッサンス都市	¥163
504	ドイツの古城とロマンティックホテル	¥163
505	スペインのパラドールとポルトガルのポウザーダ	¥163
506	アルプスが見える湖畔のシャレー	¥163

地球の暮らし方 海外生活マニュアルシリーズ

No.	タイトル	年度	価格
1	イギリス	'98~'99	¥220
2	フランス	'98~'99	¥220
3	ニューヨーク	1999~2000	¥220
4	カリフォルニア	1999~2000	¥220
5	オーストラリア	1999~2000	¥220
6	中国	1999~2000	¥220
7	カナダ	1999~2000	¥220

地球の歩き方 成功する留学シリーズ

記号	タイトル	年度	価格
A	アメリカ語学留学	1999~2000	¥190
B	イギリス・アイルランド留学	1999~2000	¥190
C	アメリカ大学留学	1999~2000	¥280
D	カナダ留学	1999~2000	¥240
E	スペイン・メキシコ留学	1999~2000	¥190
F	フランス留学	1999~2000	¥190
G	ドイツ・オーストリア・スイス留学	'98~'99	¥240
H	ワーキング・ホリデー完ペキガイド	1999~2000	¥150
I	イタリア留学	'98~'99	¥240
J	オーストラリア&ニュージーランド留学	1999~2000	¥190
K	中高生の留学	1999~2000	¥150
L	中国・香港・台湾・シンガポール・韓国留学	1999~2000	¥250
M	海外専門学校留学	1999~2000	¥240
N	海外ボランティアガイド	'98~'99	¥150
O	国際派就職・転職ガイド	'98~'99	¥200

地球の歩き方 ビジネス・トラベル・ガイド・シリーズ

No.	タイトル	年度	価格
1	ヨーロッパ	'98~'99	¥200
2	アメリカ	'98~'99	¥200
3	中国	'98~'99	¥200

地球の歩き方 旅の会話集シリーズ

No.	タイトル	価格
1	ヨーロッパ6か国語	¥124
2	米語/英語	¥120
3	フランス語/英語	¥124
4	ドイツ語/英語	¥124
5	イタリア語/英語	¥125
6	スペイン語/英語	¥124
7	ロシア語/英語	¥143
8	ヒンディー語・ネパール語/英語	¥144
9	留学&ホームステイ	¥95
10	アラビア語/英語	¥143
11	インドネシア語/英語	¥114
12	中国語/英語	¥143
13	タイ語/英語	¥143
14	韓国語/英語	¥114
15	ハンガリー・チェコ・ポーランド語/英語	¥143
16	ビジネス出張英会話	¥114

地球の歩き方 番外編

こだわりのヨーロッパホテルセレクション	¥180
世界のホテル 割引ホットライン	¥190
トーマスクック・ヨーロッパ鉄道時刻表・日本語版 年4回 3、6、10、12月 各月の中旬発行	¥200
トラベル・フロンティア 2、4、6、8、10、12月 隔月5日発売	¥65

地球の歩き方ムック

もっと楽しむ海外挙式&ハネムーン	¥147
もっと楽しむハワイ	¥121
もっと楽しむ香港	¥120
もっと楽しむニューヨーク	¥114
もっと楽しむイタリア	¥119
もっと楽しむグアム	¥95
もっと楽しむソウル	¥104
ABCからはじめる中高生留学	¥100

個人旅行はなにかと「高くつく」と思っていませんか？→

ジオ・クラブでは旅に必要な旅行素材（パーツ）・サービスを特別料金で会員のみなさんにご提供いたします。

●●●●●●●ダイレクト・ブッキング●●●●●●●
提携ホテル、レンタカー、オプショナルツアー会社などへの直接予約により会員特別料金もしくはその時期のベストレートがご利用になれます。

格安航空券　正規割引運賃3%割引

年4回の会員誌で格安航空券情報をご案内。正規割引運賃（PEX、JAL悟空など）は3%割引で販売しています。また、これらをジオ・クラブ航空券デスクでご購入の場合、旅先でのケガや病気など、緊急の際に電話1本で日本語医療サービスが受けられるジオ・クラブ・アシスト・センターがご利用になれます（最大25泊まで）。

ホテル10～50%割引

下記ホテルチェーンで会員特典・割引があります。
ヒルトン※、マリオット、ルネッサンス、フォルテ、メリディアン、ホリデイ・イン、クラウンプラザ、コートヤード、ベストウエスタンホテルズ、チョイスホテルズ、フラッグホテルズ、アストンホテルズ＆リゾーツ、アウトリガーホテルズ＆リゾーツ（※アメリカ本土を除く）

オプショナルツアー　5～10%割引

ヨーロッパ
　μ〔みゅう〕日本語ガイド付観光バス…10%割引
　JALユーロエクスプレス…会員特別割引
アメリカ　ラスベガス発着ビッグファイブツアー…5%割引
ハワイ　現地価格の各種ツアーを10%割引。

ヨーロッパ鉄道予約サービス　50%割引

ユーロスター、TGVなどヨーロッパ主要列車の座席、寝台車の予約手数料が50%割引。氷河特急の食堂車の予約などもできます。ユーロパス、各国のレイルパスなど各種鉄道パスの送料（500円～900円）も無料になります。

ハーツレンタカー　5～15%割引

最大40%割引になるアフォーダブル料金によりさらに5～15%割引。また、国内ではトヨタレンタカーが通常料金より15%割引になります。
ハワイ5～7日間同一料金（エコノミー）　通常$182→$155
ドイツ3日以上のレンタルの1日あたり（コンパクト）
通常DM115→DM104

その他にも大手旅行会社のパッケージツアー5%割引、海外レンタル携帯電話10%割引、世界のおみやげ10%割引、スーツケースレンタル10%割引など様々な特典・割引サービスがあります。

ジオ・クラブに関するお問い合せお申し込みは

ジオ・クラブ事務局　㈱ダイヤモンド・ビッグ社
☎ 03-3560-2110　FAX 03-3584-1222
〒107-0052　東京都港区赤坂3-5-2
※会員証発行まで約2週間かかります。※サービス内容はシーズンによって異なります。

じぶん流の旅。じぶんで探そう。

TRAVEL AGENT INDEX

株式会社ダイヤモンドエージェンシー「地球の歩き方」プロジェクト
TEL 03-3568-3423

広告掲載のお問い合わせ、お申し込みは……

「トラベル・エージェント・インデックス」は、
海外旅行をセルフメイクしたいあなたに、旅行代理店を紹介するページです。

▶興味ある広告を見たら **1** ▶電話で直接コンタクト **2** ▶内容をしっかりチェック！ **3**

スケジューリングから、エアー、ホテル、現地のツアーや移動手段まで、
ぴったりのプランづくりを応援します。

広告に記載されている内容（ツアー料金や催行スケジュールなど）に関しては、直接、各旅行
代理店にお問い合わせください。

広告掲載のお問い合わせ、お申し込みは……
株式会社ダイヤモンドエージェンシー「地球の歩き方」プロジェクト　TEL.**03-3568-3423**

　本書は「地球の歩き方」編集室の'98年秋から'99年冬にかけての取材と、多くの方の協力によって作られています。
　改訂版の編集にあたってご協力いただいた、桜井宏俊さん（郵船トラベル）、Michiko Mizerさん、渡辺紘司さん（武蔵インターナショナル）、Yoko Gosdaさん（ミネアポリス観光局）、金森幸子さん、谷野友洋さん、藤本たかねさん（ライター）、宇佐美輝雄さん（フォトグラファー）、青地則明さん（フォトグラファー）、松本光子さん（フォトグラファー）、投稿をお寄せいただいた読者ほか、すべての方に感謝いたします。

制作：森　久恭	Producer : Hisayasu Mori	
デザイン：西村竜也	Design : Tatsuya Nishimura	
御厨郁代	Ikuyo Mikuriya	
小松康子	Yasuko Komatsu	
表紙：日出嶋昭男	Cover Design : Akio Hidejima	
地図：河江ケイ図版	Maps : Kawae K-zuhan	
地図精版（株）	Chizu-seihan Co.	
辻野良晃	Yoshiaki Tsujino	
（有）シーマップ	Cmap	
株式会社ピーマン	P-Man	
校正：エッグ舎	Proofreading : Egg-sha	
編集：山本玲子（地球堂）	Editor : Reiko Yamamoto (Chikyu-Do Inc.)	

Special Thanks to:
Los Angeles Convention & Visitors Bureau
Fort Worth Convention & Visitors Bureau
Minnesota Office of Tourism、
オレゴン州政府駐日代表部、アリゾナ・ユタ・ワイオミング州政府観光局
ネバダ州政府観光局、ミネソタ州政府観光局
インディアナ州政府駐日代表事務所、
トラベルサウスUSAジャパン、フロリダ州観光局
マサチューセッツ州政府観光局
ペンシルベニア州地域振興・経済開発省　日本代表事務所

読者投稿　受付デスク
　〒103-0007　東京都中央区日本橋浜町2-61-11　飯森ビル5F
　「地球の歩き方」サービスデスク「アメリカ編投稿」係
　FAX. 03-5643-8556　E-mailアドレス　dokusha@cb.mbn.or.jp
ジオ・クラブ　旅カタログ請求先
　東京　TEL. 03-3560-2111　大阪　TEL. 06-6532-0543（転送）
地球の歩き方インターネットホームページ
　http://www.arukikata.co.jp/gio
Diamondブックカタログ＆ブックストア
　http://www.diamond.co.jp/

地球の歩き方②アメリカ　1999～2000年版
1979年9月15日　初版発行
1999年12月27日　改訂21版第2刷発行

Published by Diamond Big Co., Ltd.
3-5-2, Akasaka, Minato-ku, Tokyo 107-0052, Japan
TEL. (81-3)3560-2117 (Editorial Section)
TEL. (81-3)3560-2113　FAX. (81-3)3584-1221 (Advertising Section)
Advertising Representative：
MAXYMS INTERNATIONAL INC. (Los Angeles)
TEL. (1-213)426-6501　FAX. (1-213)426-6582

著作編集	「地球の歩き方」編集室
発 行 所	株式会社ダイヤモンド・ビッグ社
	〒107-0052　東京都港区赤坂3-5-2　サンヨー赤坂ビル
	編 集 部　　TEL. 03-3560-2117
	広 告 部　　TEL. 03-3560-2113　FAX. 03-3584-1221
発 売 元	株式会社ダイヤモンド社
	〒150-8409　東京都渋谷区神宮前6-12-17
	販売TEL. 03-5778-7246

印刷製本　株式会社ダイヤモンド・グラフィック社　Printed in Japan
ISBN4-478-05038-4

ご投稿の

(1)以下のく主
＜新 発 見
未掲載のレ
＜旅 の 提 案
未掲載の訪
ご紹介いた
＜アドバイス
注意したい
だく場合
＜訂正・反論
すでに掲載

(2)データはく
ホテル・レ
所在番地、
ください。
いです。

(3)盗作でなく
誌の丸写し
に基づいた
個人的な印
つと思いま

（見本）

＜新發見
トリノ
駅から
スッテ
がでい

＜新發見
料理ヌ
ここの
食材を

＜訂正
P163
書がれ
ファー

＜提案
新鮮
添えな
がスー

＜反論
日本人
サラシ
さは、
ってせ

現地最新

◇原稿は原
判りやすく
◇いただい
らかじめ

最新

あなたの情報を
お送りください

　今回のご旅行、いかがでしたか？ この『地球の歩き方』が少しでもお役に立ったなら、とてもうれしく思います。

　編集部では、〝いい旅はいい情報から〟をモットーに、すでに次年度版の準備に入っています。ご存じだと思いますが、『地球の歩き方』はたくさんの旅行体験者のみなさんのご協力をいただきながら改訂版を制作しています。

　あなたの旅の体験や貴重な情報を、たくさんの旅人に分けてあげてください。ご投稿を、心からお待ちしています。

　採用の場合には、お名前入りで掲載させていただき、お礼として掲載本をプレゼントさせていただきます。

き　り　と　る

ふりがな		
お名前	男・女　　　　歳	おしごと

この投稿用紙がとじこまれていた本のタイトル名　書日　／
（タイトル）　（　　～　　）年版　No.

日本の住所	〒　－　　　都道府県　　市区郡　　区町村	
ご旅行期間	（西暦）　　年　　月　　日～　　月　　日（　　日間）	電話　　　　　FAX
		同封物はありますか？　追加原稿（　）点　地図（　）点　写真（　）点

掲載の許諾
もし、あなたのご投稿を掲載させていただくことになった場合は、（a）実名を載せてていい　（b）匿名・ペンネーム（　　　　）で掲載してほしい。